X-Knowledge

建築仮設の構造計算 第2版

Seismic Analysis of Temporary Architecture

建築仮設構造研究会

はじめに

建築工事における仮設構造物は、建物を構築するために一時的に設けられ、工事完了後には取り払われて残らないものである。しかし、その計画の良否によって、工事の安全、工程、品質、経済性が大きく左右される重要な構造物といえる。

—

仮設計画は、建物の設計・規模、敷地条件、近隣・道路状況などによって異なり、基本的には施工担当者が与えられた諸条件のなかで、関係者と協議しながら最適な計画を模索することになる。その際、作業性がよく、経済的で安全な仮設計画を立案するためには、その施工条件に合った構造計算による検証が不可欠といえる。

—

ところが、現場技術者は多忙であるため、仮設構造計算は建設会社の技術部門の担当者や専門工事業者など他者に頼らざるを得ないケースが多い。構造計算の知識が十分に備わっている現場技術者であれば、それでも的確に問題なく対応できる。しかし、その知識が不十分な場合は、計算結果を正しく把握できないため、現場の諸条件や施工計画図と仮設構造計算の設定条件との食い違いに気づかず、危険な仮設あるいは過剰な仮設となる場合がある。また、実施段階で発生する施工計画の変更に対して、迅速・正確に可否の判断ができず、部材変更などの合理化の検討もできないことになる。

—

本書は、建築工事を進めるうえで必要となる仮設構造計算を網羅し、実践的な仮設構造計算の基本知識について、構造計算の苦手な現場技術者にも受け入れやすいように、分かりやすくまとめたものである。また、構造計算を他者に依頼する場合でも、検討に必要な現場の条件・施工方針を正確に説明・伝達でき、構造計算の設定条件・計算結果を正しく判断し、施工計画と仮設構造計算書の整合性を的確に確認できる能力を身に付けられることを目的に解説している。

—

現場の技術者たちにとって、本書が仮設構造に関わる知識・判断力の向上と安全性の確保された合理的な施工計画・管理の一助になれば幸いである。

—

—

2021年12月吉日
建築仮設構造研究会

Contents

はじめに 003

Chapter.1
仮設構造計算の基礎知識 007

Chapter.2
仮設構造物の施工計画と構造計算 021

Part.1 型枠・支保工

- 施工計画と構造計算のポイント 022
  - 1｜型枠工事と要求条件 022
  - 2｜施工計画と構造計算の流れ 023
  - 3｜型枠工法の選定 026
  - 4｜支保工存置計画 030
  - 5｜型枠の構造計算 034
  - 6｜荷重の算定 036
  - 7｜モデル化 039
  - 8｜応力と変形の検討 040
- 柱型枠の検討 046
- 壁型枠の検討 054
- 梁型枠の検討 058
- スラブの検討 072
- スラブ(軽量支保梁使用)の検討 080
- スラブ(フラットデッキ使用)の検討 088
- ハーフPCa版の検討 098
- 支保工存置期間の検討 100

Part.2 足場

- 施工計画と構造計算のポイント 116
  - 1｜足場の種類と要求条件 116
  - 2｜荷重の算定 120
- 枠組足場の検討 128
- 単管足場の検討 140
- 張り出し足場の検討 148
- ブラケット一側足場の検討 156

Part.3 乗り入れ構台

- 施工計画と構造計算のポイント 164
  - 1｜要求性能 164
  - 2｜施工計画 165
  - 3｜荷重の算定 166
  - 4｜部材の検討 169
- 乗り入れ構台の検討 178

Part.4 山留め

- 施工計画と構造計算のポイント 200
  - 1｜要求性能 200
  - 2｜施工計画 201
  - 3｜調査 202
  - 4｜工法の選定 204
  - 5｜荷重の算定 207
  - 6｜掘削面の安定 219
  - 7｜山留め壁の応力・変形計算 228
  - 8｜許容値 236
  - 9｜断面検討 240
  - 10｜支保工の検討 244
  - 11｜排水工法 256
  - 12｜周辺への影響検討 261
- 親杭横矢板工法の検討 262

Part.5 鉄骨建方

- 施工計画と構造計算のポイント 294
  - 1｜鉄骨建方と要求条件 294
  - 2｜施工計画と安全性確認の流れ 298
  - 3｜荷重の算定 306
  - 4｜鉄骨建方時の安全性検討 312
  - 5｜建方前のチェックポイント 315
- 強風時の安全性検討 316

Part.6 PCa部材建方

- 施工計画と構造計算のポイント 322
  - 1 | PCa部材の構成 322
  - 2 | PCa工法の施工計画検討の流れとポイント 323
  - 3 | 建方時の安全性の検証 326
  - 4 | 荷重の算定 327
- 柱PCa部材の検討① 328
  柱PCa部材の検討② 332
  梁PCa部材の検討 334

Part.7 揚重機

- 施工計画と構造計算のポイント 336
  - 1 | 計画時の安全性検討 336
  - 2 | 揚重機と法規制 338
  - 3 | 揚重機の選定 341
  - 4 | 定置式クレーンの設置計画 342
  - 5 | 移動式クレーンの配置計画 348
  - 6 | 仮設エレベータ・リフトの設置計画 350
  - 7 | 定置式クレーン基礎の計画・設計 352
  - 8 | 揚重機設置上のチェックポイント 360
- クレーン支持部の補強検討 362

Part.8 重機転倒防止対策

- 施工計画と構造計算のポイント 374
  - 1 | 検討の目的 374
  - 2 | 検討の流れとポイント 376
  - 3 | 地盤支持力の検討 378
  - 4 | 沈下の検討 380
- クローラ式杭打ち機の検討 382

Part.9 躯体の仮設利用

- 施工計画と構造計算のポイント 392
  - 1 | 要求性能 392
  - 2 | 施工計画 393
  - 3 | 使用材料と許容応力度 394
  - 4 | 荷重の算定 395
  - 5 | スラブの応力計算 398
  - 6 | 梁の応力計算 407
  - 7 | 断面検討 412
- 移動式クレーンの乗り入れ検討 416

Part.10 既存建物解体

- 施工計画と構造計算のポイント 428
  - 1 | 要求性能 428
  - 2 | 施工計画 429
  - 3 | 使用材料と許容応力度 431
  - 4 | 荷重の算定 432
  - 5 | スラブの検討 434
  - 6 | 梁の検討 438
- 階上での解体作業の安全性検討 442

Chapter.3
資料編 ―― 関連資料・データ一覧 453

Chapter.1

仮設構造計算の基礎知識

仮設構造計算の概要

施工計画と構造計算のポイント

1 | 施工計画と仮設構造計算

□ 合理的な仮設構造計画には、施工条件に合致した構造計算による検証が不可欠である
□ 施工時は、各施工段階での仮設構造計算の条件設定に合致しているかを確認する

施工計画と仮設工事

建築工事は、建物の用途や規模、敷地条件、近隣状況によって施工方法が異なってくるため、個別に設計図書の内容や現地の状況に適合した施工計画を立案する必要がある。その根幹となるものが「仮設工事計画」である。

仮設構造物は、建物本体とは異なり、使用期間が限られ、使用後は取り払われて残らないものではあるが、その計画の良否は、工事全体の品質やコスト、工程、安全性に大きく影響する。仮設であっても、安全面での法的な規制・規準などがある。それらから逸脱しない範囲内で、作業性、経済性に優れ、かつ昨今の環境問題にも配慮された計画が要求されている。

構造計算にもとづく合理的な仮設工事計画

仮設工事は、基本的には、担当する施工者の責任と判断により計画されるものである。まれに、担当者個人の経験不足から、工学的な根拠が希薄とみられる仮設計画例が見受けられる。過去の経験・実績は重要であるが、施工条件によって、同じ構造・仕様でも過剰な仮設となる場合もあれば、安全性の低い危険な状態での施工となる場合もある。

仮設は一過性の設備であるからと、安易に計画されがちであるが、限られた予算・工程内で適切な安全性と経済性、実用性を併せもつ合理的な計画とするためには、それぞれの施工条件に合致した構造計算による検証が不可欠となる。

施工フローと仮設構造計算

建築工事の着工に際して、関係する諸官庁へ提出すべき申請書や届出書が多数ある。そのうち、構造計算により安全性の検証が必要なものとしては、労働基準監督署へ提出する「建設工事計画届」「建設物機械等設置届」「クレーン設置届」、道路管理者と協議申請する「沿道掘削届」などが挙げられる[表1]。

これらの届出書に添付する構造計算書としては、「型枠支保工」「外部足場」「山留め」「タワークレーン支持杭」などがある。届出の必要な工事は関係法令で規定されているが、提出物や構造計算書の添付義務などについて、地域や担当者によって取り扱いが異なるため、事前に確認しておかなければならない。

表1｜構造計算による検討が必要な申請・届出

申請・届出書	提出先	提出時期	関係法令
沿道掘削願	道路管理者	着工 15 ～ 30 日前	道路法
建設工事計画届	労働基準監督署長	着工 14 日前	労働安全衛生法、労働安全衛生規則
建設物機械等設置届	労働基準監督署長	設置工事の 30 日前	労働安全衛生規則
クレーン設置届、エレベータ設置届	労働基準監督署長	設置工事の 30 日前	労働安全衛生規則、クレーン等安全規則
クレーン設置報告書、エレベータ設置報告書	労働基準監督署長	設置工事前	労働安全衛生規則、クレーン等安全規則

図1｜仮設構造計算を伴う施工計画

工事	計画内容	頁
解体工事	階上解体の場合の躯体補強［※1］	428 頁
	既存杭の引き抜き施工機械の転倒防止	374 頁
仮設杭工事	山留め杭・山留め棚杭の計画	200 頁
	乗り入れ構台支持杭の計画	164 頁
	タワークレーン支持杭の計画	336 頁
	移動式クレーンの転倒防止	374 頁
杭工事	杭施工機械の転倒防止	374 頁
掘削工事	法面の安定検討	200 頁
	山留め壁の計画	200 頁
	山留め支保工の計画	200 頁
	排水計画	200 頁
地下躯体工事	乗り入れ構台の計画	164 頁
	型枠・支保工の計画	22 頁
	山留め支保工の解体計画	200 頁
地上躯体工事	揚重機（タワークレーン、仮設エレベータなど）の設置計画	336 頁
	外部足場の計画	116 頁
	型枠・支保工の計画	22 頁
	鉄骨建方時の安全性検討	294 頁
	躯体の仮設利用検討［※2］	392 頁
	PCa 部材建方時の安全性検討	322 頁
仕上げ工事	外部足場の計画	116 頁

※1　解体建物の上に重機を設置して解体する場合
※2　1階スラブ上に重機設置、あるいは工事車輌通路などに利用する場合
注　各欄横に記載されている頁数は、本書で詳しく解説している頁を示す

ただし、提出の義務がないといっても、仮設の安全性の責任はすべて施工者が負うことになる。構造的な不備があれば大きな事故・災害につながるため、申請・届出の規定がない工事についても構造計算による確認が肝要である。

着工からの各施工段階での仮設構造計算による検証が必要な工事としては、9頁図1の項目が挙げられる（各欄横に記載されている頁数は、本書で詳しく解説している頁を示している）。

仮設構造計算書の確認

施工計画の基本方針は、実際に施工を担当する現場技術者が立案するものであるが、詳細な部分まで仮設計画を確定するためには、構造計算による検討が必要になる。

担当する現場技術者が自ら計算できればよいが、最近では技術部門あるいは専門工事業者が代わりに実施するケースが多くなってきている。ところが、代わりに構造計算を実施する者が、必ずしも現場の状況を十分に把握しているとは限らない。また、施工方法や手順が、現場の担当技術者から正確に伝わっているかどうか疑わしいこともある。

着工当初の多忙な現場技術者としては、やむを得ない対応であるが、少なくとも次の項目について、自分が実施しようとしている施工計画と構造計算書の条件設定が一致しているかどうかを確認できなければ、危険な仮設となったり、不経済な過剰設備となる場合も発生してくる。

①仮設部材の使用材料、強度

②部材の配置、間隔、断面

③設定荷重

④変形量

⑤施工手順の条件の有無

施工計画の変更と仮設構造計算

現場技術者が、構造計算書の条件設定を正しく理解していなければ、工事中に時折発生する施工計画の変更（施工方法、手順、材料など）に対して、その妥当性を迅速に判断できない。現場で元の計画に対する改善案が出たとしても、構造計算担当者に確認する時間的な余裕がなく、採用しきれない場合も起こり得る。

したがって、現場技術者が実際に構造計算を実施しなくても、仮設構造計算の基本的な考え方や、計算書の条件設定と結果の見方、確認方法などを習得しておくことは、施工管理の面からも重要なことといえる。

施工トラブルと仮設構造計算

仮設構造計算に関する基本的な知識や理解の不足に起因して発生する施工上のトラブル例を、以下に挙げる。こうしたトラブルの多くは、現場担当者が仮設構造計算書を正しくチェック・確認できれば防げるものである。各施工段階の荷重条件や支持条件、支持部材など、仮設構造計算において仮定した条件と合致しているかを確認しなければならない。

表2｜型枠設計用の側圧［単位　kN/m²］

打ち込み速さ［m/h］	10以下の場合		10を超え20以下の場合		20を超える場合
部位＼H［m］	1.5以下	1.5を超え4.0以下	2.0以下	2.0を超え4.0以下	4.0以下
柱	$W_0 \cdot H$	$1.5 \cdot W_0 + \mathbf{0.6} \cdot W_0 \cdot (H - 1.5)$	$W_0 \cdot H$	$2.0 \cdot W_0 + \mathbf{0.8} \cdot W_0 \cdot (H - 2.0)$	$W_0 \cdot H$
壁		$1.5 \cdot W_0 + \mathbf{0.2} \cdot W_0 \cdot (H - 1.5)$		$2.0 \cdot W_0 + \mathbf{0.4} \cdot W_0 \cdot (H - 2.0)$	

注　H：フレッシュコンクリートのヘッド（側圧を求める位置から上のコンクリートの打ち込み高さ）［m］
　W_0：フレッシュコンクリートの単位容積質量［t/m³］に重力加速度を乗じたもの［kN/m³］

表2出典：『建築工事標準仕様書・同解説 JASS5 鉄筋コンクリート工事』（（一社）日本建築学会）

施工条件と構造計算の設定条件との食い違いによるトラブル例

[1]──階高の高い壁のコンクリートを、片押しで連続して想定より高く一気に打設したら、型枠が崩壊した

これは、コンクリート打設時の型枠に対する側圧が、打ち込み高さだけでなく、打ち込み速さでも異なることを考慮していなかったことが原因である。打設計画と型枠の側圧設定を整合させておく必要がある[表2]。

[2]──1次掘削において設定値よりも深く掘り過ぎ、山留め壁の自立高さが高くなって変形が大きくなった

第1段目の切梁を架けるまでは自立山留め壁の状態になるため、1次掘削であってもその深さの違いは山留め壁頭部の変形に大きく影響する[図2]。

[3]──山留め壁の掘削底付近が想定していない軟弱な埋め戻し土であったため、変形が大きくなった

山留め際の掘削底付近に、既存障害物の撤去跡や場所打ちコンクリート杭の空打ち部分がある場合など、その埋め戻し土に元の地盤以上の硬さがなければ、地山として想定した地盤反力を得られず根元から傾斜する。受働抵抗が期待できないような軟弱な埋め戻し土は、自立高さが高くなることと同じ状態になるのである[図2]。

[4]──山留め壁の背面に構造計算で考慮した上載荷重を大きく超える荷重が作用し、山留め壁の変形が増大した

現場の施工計画と仮設構造計算の条件設定が異なる事例である。重機など上載荷重の増大は、山留め壁の応力と変形に影響する[図3]。

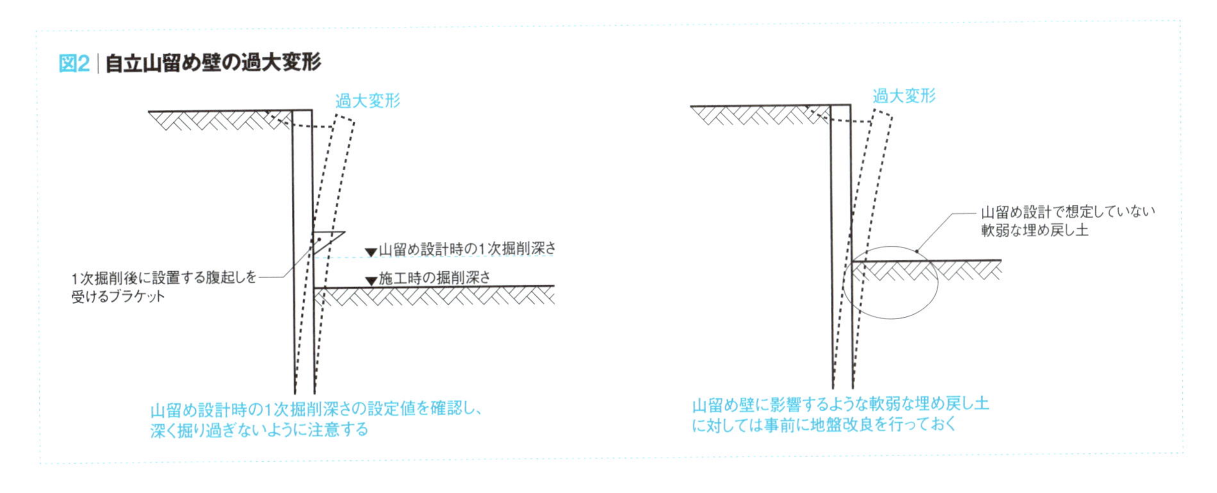

図2 | 自立山留め壁の過大変形

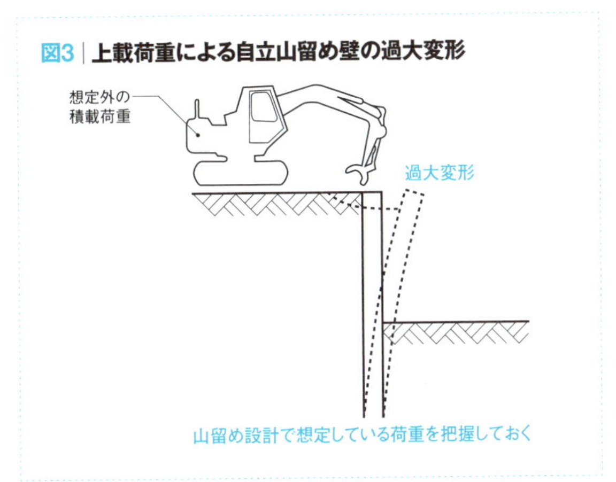

図3 | 上載荷重による自立山留め壁の過大変形

[5]——山留め設計で設定した切梁の解体時期よりも早く解体したため、山留め壁の変形が増大した

仮設計算の条件の確認が必要な典型的な例である[図4]。山留め壁の切梁支保工の計画は、躯体コンクリート打設と切梁撤去の手順を設定し、その条件で構造計算を行って部材を決定している。したがって、その切梁の解体手順が異なり、山留め壁の支持スパンが大きくなれば、変形も大きくなる。また、地下階の吹き抜けにより階高が高く、同一階に2段切梁が必要になる場合などでは、下段の切梁を解体してその直下の打設した壁を支持するための盛り替え梁が必要になる場合もある。

構造検討の不足によるトラブル例

[1]——鉄筋を床型枠上に仮置きしたときに、支保工補強の検討がなされていなかったため、型枠が崩壊した

スラブ型枠計画時の構造計算は、一般的なコンクリートの打設荷重を想定しているため、施工段階における鉄筋の仮置きなどの積載重量は想定していない。計画段階の設定荷重と異なる積載荷重が発生する場合は荷重を比較し、支保工が不足の場合は追加補強しておく必要がある[図5]。

また、仮設材や鉄筋材などの仮置場を事前に設定して補強しておいても、型枠の上部からは補強位置が確認できないため、補強範囲を明確にして関係者に

図4 | 山留め解体手順の計算書との不整合

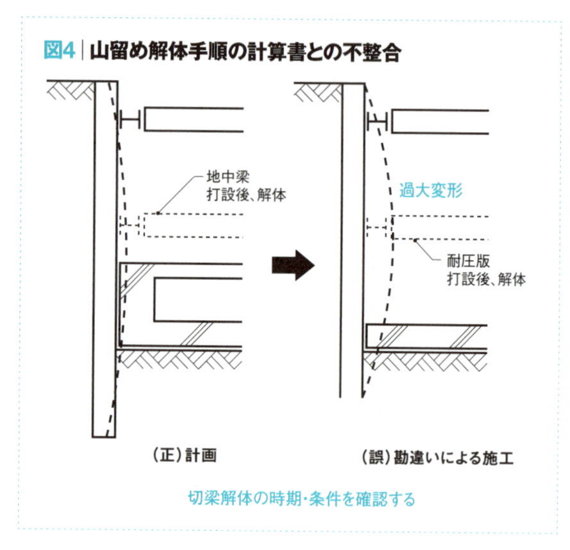

切梁解体の時期・条件を確認する

図5 | 床型枠の損壊

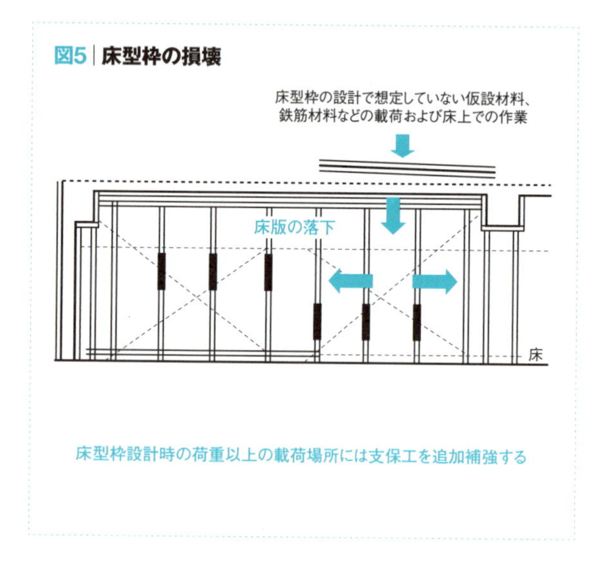

床型枠設計時の荷重以上の載荷場所には支保工を追加補強する

図6 | あと施工アンカーと壁つなぎ

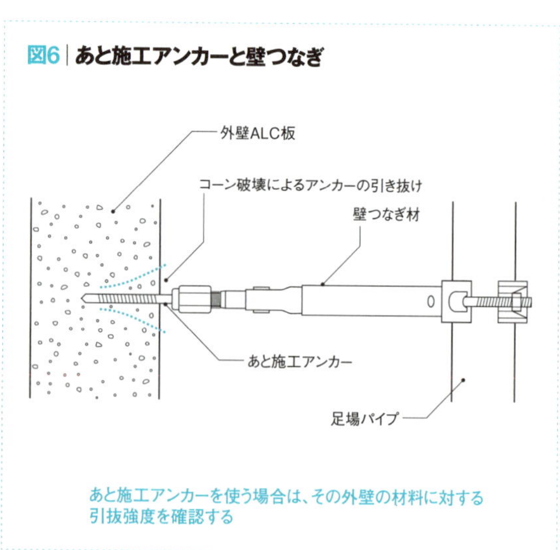

あと施工アンカーを使う場合は、その外壁の材料に対する引抜強度を確認する

図7 | ハーフPCa床版と支保工、大引

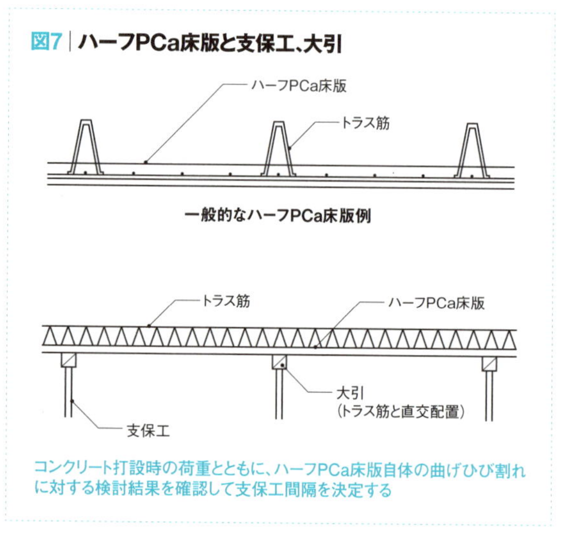

コンクリート打設時の荷重とともに、ハーフPCa床版自体の曲げひび割れに対する検討結果を確認して支保工間隔を決定する

周知させておかなければならない。

[2]――足場の壁つなぎに使用したALCアンカーの引抜強度が不足し、壁つなぎが外れて足場が大きく変形した

外壁ALC板の改修工事の事例である。一般的に、ALCアンカーの引抜強度は、壁つなぎ材の引張強度に比べて著しく小さい。足場の風圧に対する検討では壁つなぎ材の許容耐力に対して検証しているが、あと施工アンカーで壁つなぎを取り付ける場合は、壁つなぎ材の強度だけでなく、アンカーの引抜強度も確認して、壁つなぎの配置を検討する必要がある[図6]。

[3]――ハーフPCa床版自体の構造検討を行わずにサポートの配置計画を行ったため、ひび割れが発生した

ハーフPCa床版の支保工計画において、支保工のリース業者の鉛直荷重の検討のみにより大引・支保工の数量・配置を決めて、PCa床版自体のコンクリート打設荷重に対する曲げひび割れの検討を行わなかったために発生した[図7]。ハーフPCa床版の支保工計画は、床版自体の曲げひび割れを防止するためのトラス筋と大引の方向、サポートの配置との関係を総合的に計画・検証する必要がある。

仮設構造物に関連する法規制

仮設構造物に関する法規制は、本体構造に比べて少ないが、現場の労働者が直接使用するものであることから、労働安全衛生法関連の法規に、仮設の安全性確保のための規定がある。これには、足場、型枠・支保工などの構造に関する規定があり、遵守しなければならない。

なお、工事場所が鉄道や地下鉄、高速道路などと近接している場合には、事前の施工協議により施工方法・管理方法を指導されることがある。たとえば、山留め壁の変形が厳しく制限されることや、作業時間を制約されることもあるので、注意が必要である。

近接した構造物への影響の度合いを「近接程度」というが、対象となる既設の構造物によって、そのランク分けや範囲、対応が異なる。図8に例を示す。

図8｜近接程度の判定例

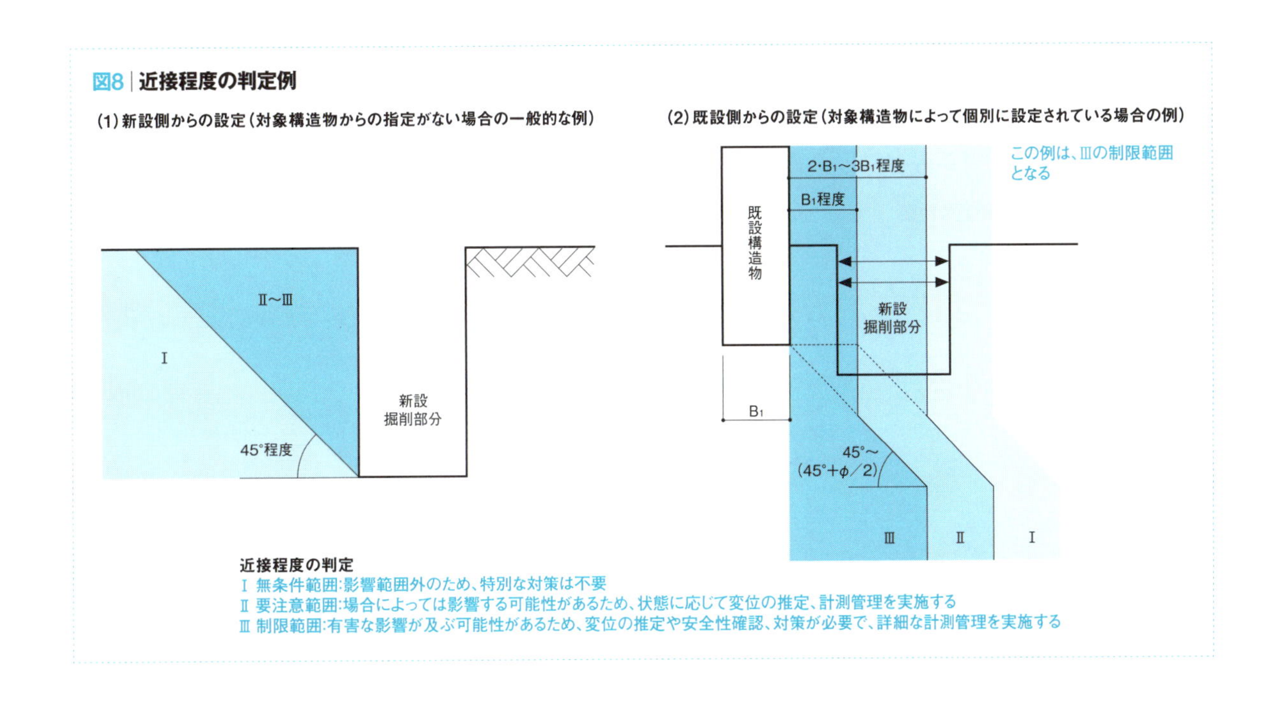

2 | 仮設構造計算の基礎

□ 計算においては、施工計画の内容に合致した適切な架構をモデル化することが重要である
□ 計算結果の判定では、応力の安全率、変形量が施工条件に対して問題がないかを検討する

仮設計画と仮設構造計算の進め方

仮設構造計算は、施工計画で立案した工法や仮設使用部材について、その強度や変形などが適正なものとなるように、数値的な根拠を基に計画するためのものである。一般的な仮設構造物の具体的な検討手順を図9に示す。

施工計画案について、設定した使用材料、断面、配置などからその架構をモデル化し、作用荷重に対して応力・変形が妥当であるかどうかを確認する。強度不足や、変形が大きくて許容されない場合、あるいは逆に強度が過剰である場合は、使用材料や断面、配置を変更して、再計算する。このような過程を経て最適な施工計画として確定する。

荷重の設定

仮設構造物に作用する荷重には、鉛直方向と水平方向の荷重がある[表3]。労働安全衛生法関連の法規や(一社)日本建築学会の諸規準・指針、使用機器・材料のカタログなどを基に、それぞれの施工条件に応じた荷重を設定する。さらに、これらの荷重から現場の施工条件、時期、期間などから実状に合わせた組み

図9 | 構造計算による施工計画の検討手順

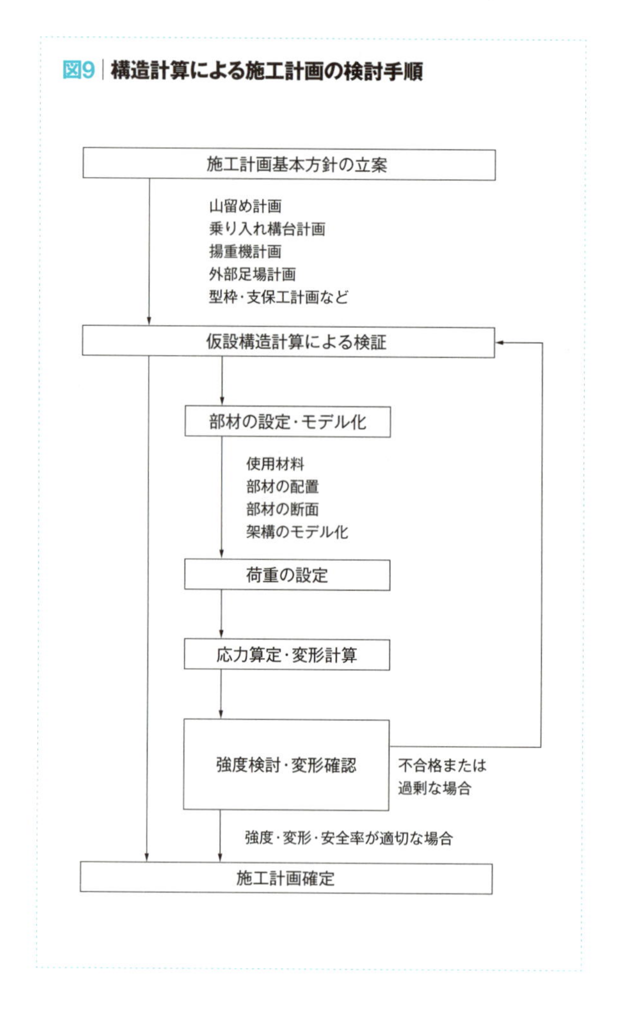

図10 | 床型枠における荷重の種類

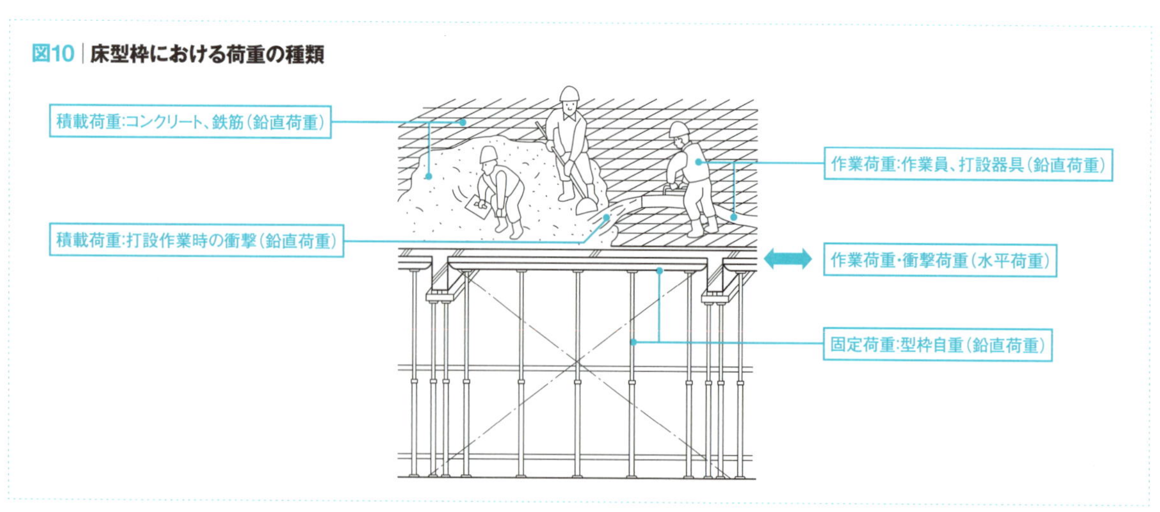

表3｜荷重の種類

荷重の種類			荷重の設定方法（概要）
鉛直荷重	固定荷重	仮設物の自重	・部材の体積×比重、あるいは部材長さ×単位長さ当たりの重量 ・製品などはカタログなどの記載重量
	積載荷重	仮設物の上の資機材、重機、車両などの重量	・等分布に近い場合は単位面積当たりの平均積載荷重 ・集中荷重が作用する位置は最も不利な場合を想定
	作業荷重	仮設物の上での作業に伴う荷重	床型枠上のコンクリート打設時の仮設物、作業員の重量（労働安全衛生規則では1.5kN／m²）
	衝撃荷重	・重機・車両などの発進・走行、稼動時に生じる力 ・コンクリート打設時に生じる力	重機、車両、作業荷重などの重量に対する割合で設定
水平荷重	風荷重	強風、台風時の風圧力	・風圧力P＝風力係数×速度圧×受圧面積 ・（一社）仮設工業会「風荷重に対する足場の安全技術指針と解説」に準拠
	側圧	・コンクリート打設時の型枠にかかる側圧 ・山留め壁の土圧・水圧	・コンクリートの側圧は（一社）日本建築学会「JASS 5」に準拠 ・山留め壁の側圧は（一社）日本建築学会『山留め設計施工指針』に準拠
	地震力	地震により発生する荷重	考慮する必要のある場合、一般的には自重の10～20％
	衝撃荷重	・重機・車両などの発進・走行、稼動時に生じる力 ・コンクリート打設時に生じる力	重機、車両、作業荷重などの重量に対する割合で設定

図11｜梁の側型枠への水平荷重

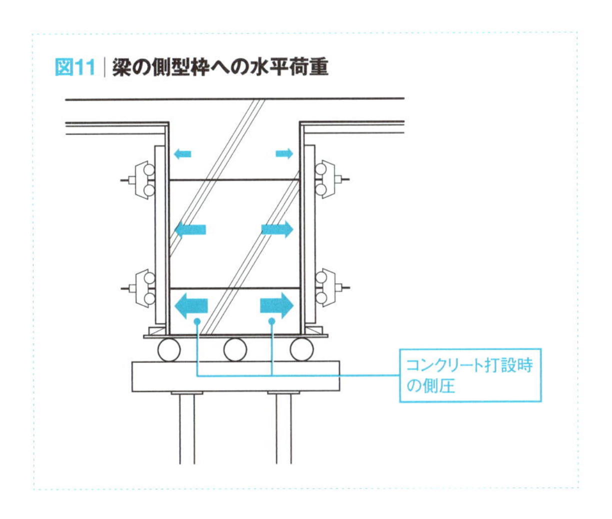

図12｜山留め壁への水平荷重

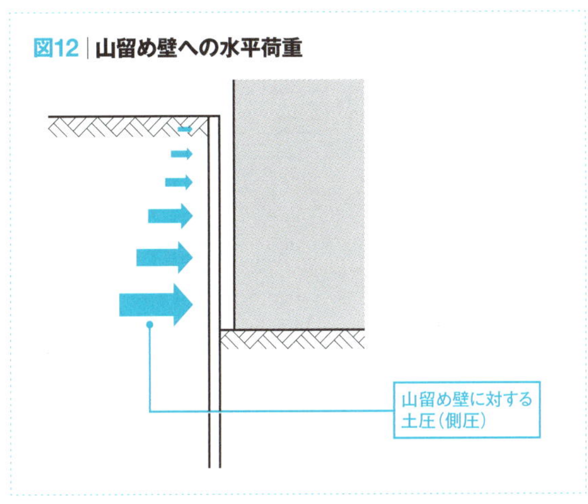

図13｜外部足場への水平荷重

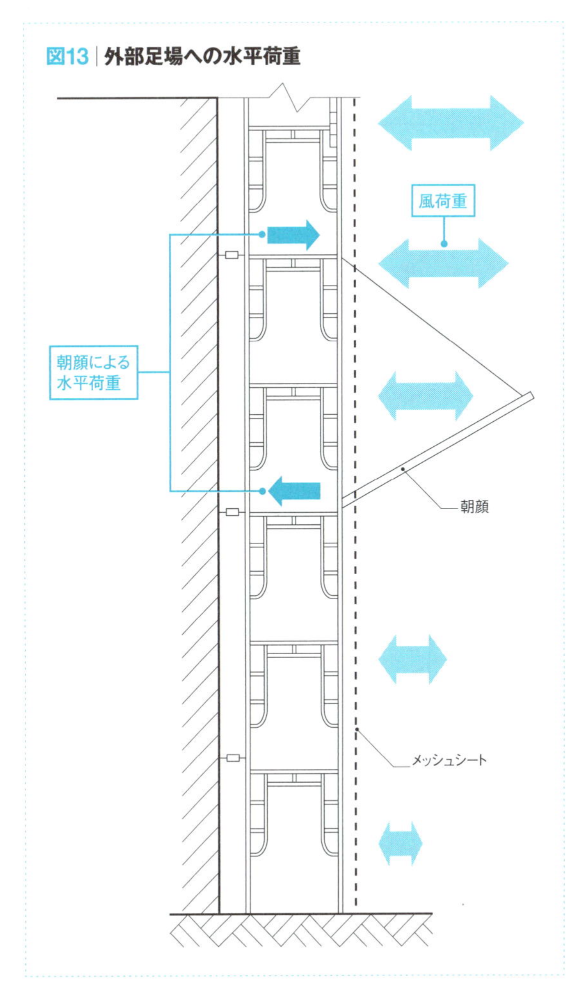

図14｜一般的な床梁型枠の検討モデル例

(1) せき板のモデル化例

根太（間隔 L_1）で支持される単純梁に作用する荷重に自重を加えた等分布荷重 w_1として考える

検討部材（せき板）

支持部材（根太）

L_1

w_1

L_1

$$M_{max}=\frac{w_1\cdot L_1^2}{8}$$

(2) 根太のモデル化例

大引（間隔 L_2）で支持される単純梁にせき板を通して作用する荷重に、自重を加えた等分布荷重 w_2として考える

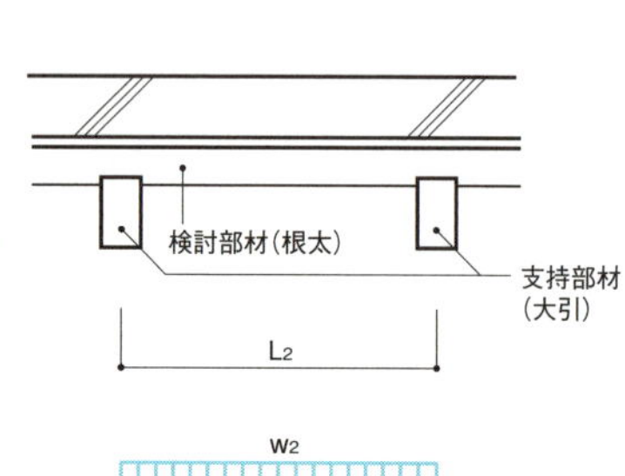

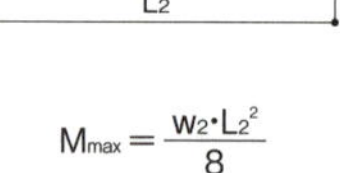

(3) 大引のモデル化例

支保工（間隔 L_3）で支持される単純梁に根太を通して作用する集中荷重Pと自重の等分布荷重w_3を考える

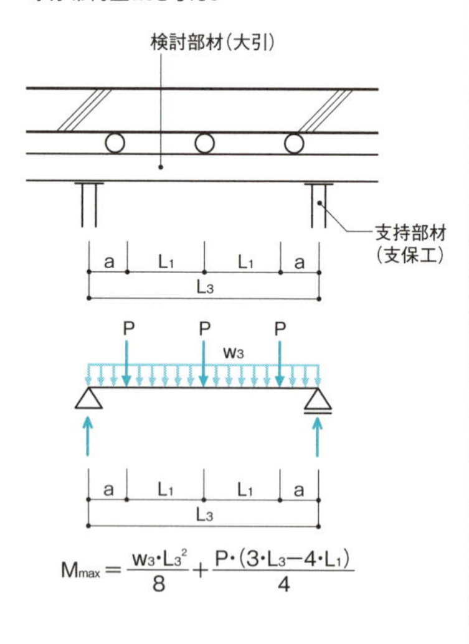

$$M_{max}=\frac{w_3\cdot L_3^2}{8}+\frac{P\cdot(3\cdot L_3-4\cdot L_1)}{4}$$

(4) 梁側型枠のモデル化例

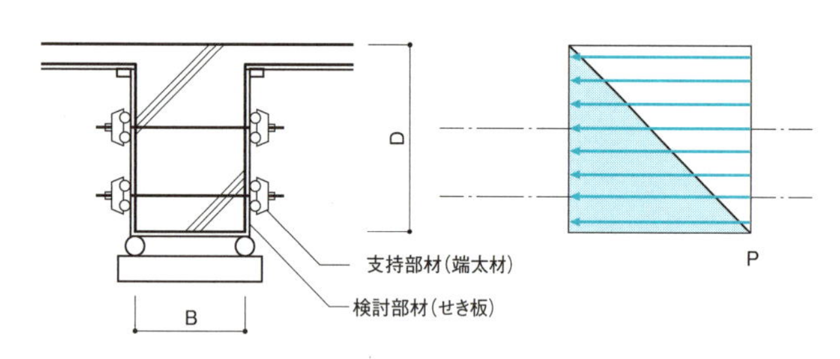

三角形分布の側圧の最大値が側型枠に一様にかかると考える

図15｜外部足場の検討モデル例

(1) 最上端壁つなぎのモデル化例

最上層2段目の壁つなぎを支点として、メッシュシートに等分布の風荷重が作用すると考える。風荷重は、上層2層分と一般部分では異なるために荷重を変えている

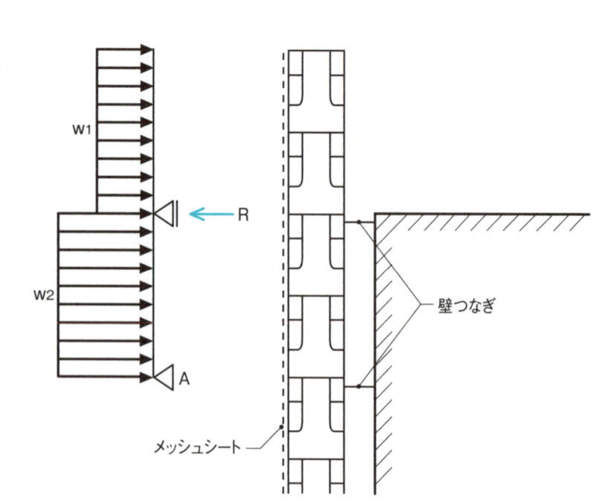

(2) 最上段の脚柱ジョイントと控えの検討モデル例

外部足場の最上段の脚柱には、風荷重による引抜きが発生する。その検討モデルは、最上段の建枠に風荷重が等分布に作用すると考える。このモデルで不可の場合は、屋上に控えを設けるモデルに変更して検討する

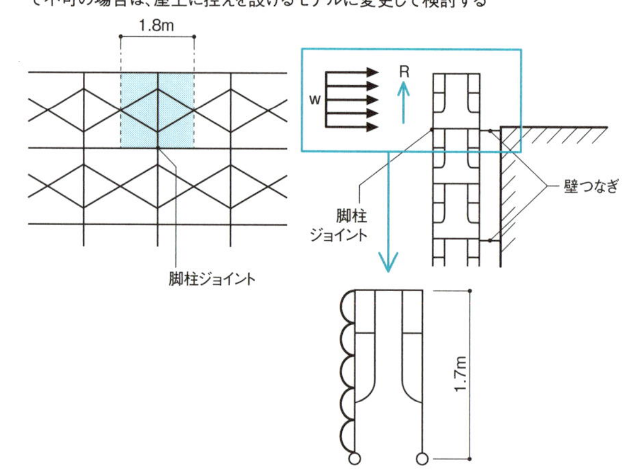

合わせ荷重に対して構造検討を行う。

14頁図10にスラブコンクリート打設時の床型枠にかかる荷重の例を、15頁図11～13に水平方向の荷重の例を示す。

モデル化と応力算定

一般的な建築工事の仮設構造物は単純な形式が多く、短期間の仮設であるため、本体構造物のような厳密な構造計算までは要しない。しかしながら、応力・変形を算定するためには、架構、部材、支持条件、荷重の作用をモデル化する必要がある。

検討対象の仮設部材のモデル化にあたっては、計算が容易にできるように、応力と計算公式のある454～456頁表「支持条件による梁の反力・応力・たわみの算定式」のなかから、現場の施工条件（部材の支持条件、荷重のかかり方）が最も近いものを適用し、安全側の荷重設定を行って検討する。ただし、仮設構造物の部材構成は多重になっていることが多く、各部材への荷重や力の流れを正確に把握して検討することが肝要である。図14に一般的な床梁型枠の各部材のモデル化の例を、図15に外部足場の検討のためのモデル化の例を示す（応力・変形などは、これらのモデル用に設定されている公式［454～456頁参照］を使って算定する）。

強度検討

強度の検討とは、応力算定で求めた曲げモーメント、せん断力、圧縮力および引張力などの部材応力に対して、部材耐力が上回っていることを確認することである。これにより、仮設部材の安全性を確認する。具体的には、算定した部材の応力と断面性能により生じる応力度と、その材料の許容応力度を比較して行う。

応力・変形算定時の断面性能（断面積、断面係数、断面2次モーメントなど）の値は、公式あるいは使用製品の断面性能表などから求めることになる。仮設でよく用いられる強度検討式としては次のものが挙げられる。

［1］――引張応力（吊り材、ブレースなど）

引張材の軸方向に作用する引張力をその断面積で除して求めた引張応力に対し、その材料のもつ許容引張応力度と比較する。

$$\sigma_t = \frac{T}{A} \leqq f_t$$

σ_t：引張応力度［kN/cm²］

T：引張力［kN］

A：断面積［cm²］

f_t：許容引張応力度［kN/cm²］

［2］――圧縮応力（支柱、切梁など）

圧縮材の軸方向に作用する圧縮力をその断面積で除して求めた圧縮応力に対し、その材料のもつ許容圧縮応力度と比較する。

$$\sigma_c = \frac{N}{A} \leqq f_c$$

σ_c：圧縮応力度［kN/cm²］

N：圧縮力［kN］

A：断面積［cm²］

f_c：許容圧縮応力度［kN/cm²］

［3］――曲げ応力（山留め杭、腹起し、大引など）

部材に曲げが作用する場合は、モデル化して算出した曲げモーメントをその部材の断面係数（457頁「断面形と断面性能算定表」などから設定）で除して求めた曲げ応力に対し、その材料のもつ許容曲げ応力度と比較する。

$$\sigma_b = \frac{M}{Z} \leqq f_b$$

σ_b：曲げ応力度［kN/cm²］

M：曲げモーメント［kN・cm］

Z：断面係数［cm³］

f_b：許容曲げ応力度［kN/cm²］

[4]——せん断応力(山留め杭、腹起し、大引など)

部材にせん断が作用する場合は、モデル化して算出したせん断力をその部材の断面積で除し、形状による補正を行って求めたせん断応力に対して、その材料のもつ許容せん断応力度と比較する。

$$\tau = \frac{\alpha \cdot Q}{A} \leqq f_s$$

τ:せん断応力度[kN/cm²]

α:形状係数

矩形(端太角など):1.5

円形(丸鋼など):4/3

中空パイプ(鋼管など):2.0

形鋼(H形鋼など):1.0

Q:せん断力[kN]

A:断面積[cm²]

f_s:許容せん断応力度[kN/cm²]

(断面積Aはウェブの面積)

[5]——引張力と曲げを同時に受ける場合

[1]の式と[3]の式より求める。

$$\frac{\sigma_t + \sigma_b}{f_t} \leqq 1 \quad \text{かつ} \quad \frac{\sigma_b - \sigma_t}{f_b} \leqq 1$$

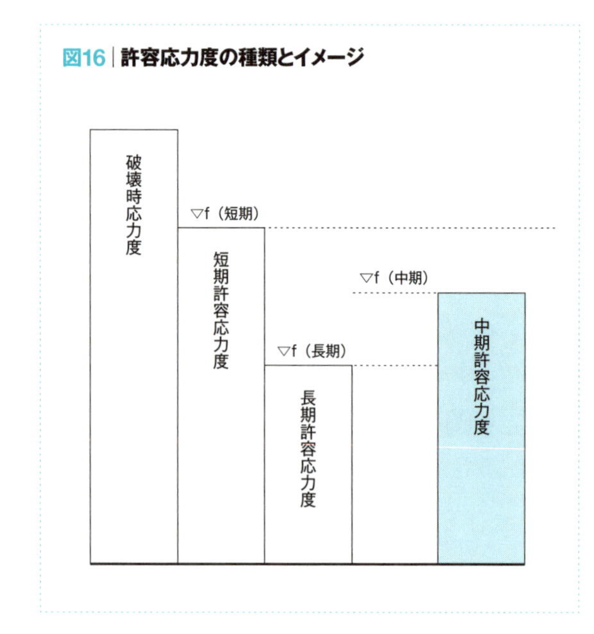

図16|許容応力度の種類とイメージ

[6]——圧縮力と曲げを同時に受ける場合

[2]の式と[3]の式より求める。

$$\frac{\sigma_c}{f_c} + \frac{\sigma_b}{f_b} \leqq 1 \quad \text{かつ} \quad \frac{\sigma_b - \sigma_c}{f_t} \leqq 1$$

許容応力度

材料の許容応力度には、破壊時の応力度に対し、所定の安全率をもたせた「長期許容応力度」と「短期許容応力度」とがある。

本設構造物の場合、長期許容応力度は、自重のように長期間持続する荷重に対して支障がないように定められた値である。一方、短期許容応力度は、それに地震力や風圧力など短期的な荷重が加わった場合の限界値を示している。

仮設構造物は、使用期間は短期間であるが、使用材料がリースの転用材であることが多く、不確実な要素があると同時に経済性も要求されている。このことから、仮設構造計算では、長期許容応力度と短期許容応力度の平均値を「中期許容応力度」と称して採用することが多い[図16]。ただし、どの許容応力度を使用するかは、使用材料や仮設物の重要性、設置期間、荷重条件などの施工条件で決定すべきものである。建築工事の乗り入れ構台のように、設置期間が短期間で、荷重が加わる期間も短い場合などは、短期許容応力度とする場合もある。

許容応力度は、法規や(一社)日本建築学会の規準・設計指針、製品カタログなどに、使用材料の種類に応じて引張、圧縮、曲げ、せん断それぞれの応力に対して設定されており、実務上は、これらの資料に掲載されている値を使用することになる。例として、仮設構造計算で最も多く用いられる構造用鋼材の場合の長期応力に対する許容応力度の設定方法を以下に示す。

[1]——基準値F

鋼材の降伏点と、引張強さの70%の値を比較して小さいほうの値をFとし、この値を許容応力度決定の基準値とする。Fの値は鋼材の種別と厚みごとに設定されているが、仮設で多く使われるSS400で、40mm厚以下の鋼材のF値は235[N/mm²]である。

[2]――許容引張応力度 ft

基準値Fに対して、以下のように1.5の安全率をとる。

$$f_t = \frac{F}{1.5}$$

[3]――許容圧縮応力度 fc

鋼材の場合の許容圧縮応力度は、座屈の影響を考慮して決定している。

圧縮力が全断面積に作用する場合は、座屈長さを断面2次半径で除した細長比の大きさによって、異なる関係式から求める。

λ≦Λのとき

$$f_c = \frac{\left\{1 - 0.4 \cdot \left(\frac{\lambda}{\Lambda}\right)^2\right\} \cdot F}{\nu}$$

λ>Λのとき

$$f_c = \frac{0.277 \cdot F}{\left(\frac{\lambda}{\Lambda}\right)^2}$$

λ:圧縮材の細長比 $\lambda = \frac{L_k}{i}$

L_k:座屈長さ[下表]

i:座屈軸についての断面2次半径

Λ:限界細長比 $\Lambda = \sqrt{\frac{\pi^2 \cdot E}{0.6 \cdot F}}$

E:ヤング係数

ν:安全率 $\nu = \frac{3}{2} + \frac{2}{3} \cdot \left(\frac{\lambda}{\Lambda}\right)^2$

移動に対する条件	拘束			自由	
回転に対する条件	両端自由	両端拘束	1端自由 他端拘束	両端拘束	1端自由 他端拘束
L_k(座屈長さ)	L	0.5L	0.7L	L	2L

L:材長

圧延形鋼、溶接H形断面などのウェブ面内に集中力が作用するウェブフィレット先端部の場合は、以下のとおりとする。

$$f_c = \frac{F}{1.3}$$

[4]――許容曲げ応力度 fb

曲げ材の場合も座屈(横座屈)の影響を考慮し、部材形状や荷重の受け方で、次のように決定している((一社)日本建築学会『鋼構造設計規準』の簡略式を採用)。

荷重面内に対象軸を有する圧延形鋼、その他の組み立て材で幅厚比の制限を満足して局部座屈のおそれがなく、強軸廻りに曲げを受ける場合は、以下の2つの算定式で算出した数値のうちの大きいほうの値を採用し、圧縮側・引張側応力度ともに、引張許容応力度f_t以下とする

$$f_b = \left\{1 - 0.4 \cdot \frac{(L_b/i)^2}{C \cdot \Lambda^2}\right\} \cdot f_t$$

$$f_b = \frac{0.434 \cdot E}{\left(\frac{L_b/h}{A_f}\right)} = \frac{89{,}000}{\left(\frac{L_b/h}{A_f}\right)}$$

L_b:圧縮フランジの支点間距離[mm]

i :圧縮フランジと梁せいの1/6とから成るT形断面の、ウェブ軸廻りの断面2次半径[mm]

$$i = \sqrt{\frac{I_f}{\left(A_f + \frac{A_w}{6}\right)}}$$

A_f:フランジの断面積[mm²]

A_w:ウェブの断面積[mm²]

I_f :フランジの断面2次モーメント

$$C = 1.75 - 1.05 \cdot \left(\frac{M_2}{M_1}\right) + 0.3 \cdot \left(\frac{M_2}{M_1}\right)^2 \leqq 2.3$$

M_2、M_1:それぞれ座屈区間端部における小さいほう、および大きいほうの強軸廻りの曲げモーメント。M_2/M_1は、単曲率の場合は正、複曲率の場合は負とする。区間中間のモーメントがM_1より大きい場合にはC=1とする

Λ:限界細長比 $\Lambda = \sqrt{\frac{\pi^2 \cdot E}{0.6 \cdot F}}$

h:梁せい[mm]

鋼管、箱形断面材および荷重面内に対称軸を有し、幅厚比の制限を満足して局部座屈のおそれがなく、弱軸廻りに曲げを受ける場合、ならびに面内に曲げを受けるガセットプレートの圧縮および引張側許容曲げ応力度は、許容引張応力度f_tとする

溝形断面材および荷重面内に対称軸を有しない材で、幅厚比の制限を満足して局部座屈のおそれがない場合の材の圧縮側許容曲げ応力度は下式とする。ただし、引張許容応力度f_t以下とする

$$f_b = \frac{0.434 \cdot E}{\left(\frac{L_b/h}{A_f}\right)}$$

ベアリングプレートなど面外に曲げを受ける板の場合は下式とする。

$$f_{b1} = \frac{F}{1.3}$$

また、曲げを受けるピンの場合は下式とする。

$$f_{b2} = \frac{F}{1.1}$$

[5]――許容せん断応力度 f_s

基準値 Fの$1/\sqrt{3}$に対して、以下のように1.5の安全率をとる。

$$f_s = \frac{F}{1.5\sqrt{3}}$$

計算結果の判定

計算結果の判定は、部材応力と耐力、あるいは部材の最大応力度と許容応力度を比較して行うが、仮設構造の場合、特に変形の制限で決定される場合が多い。応力計算結果とともに、変形の計算結果を確認して、その値が施工に支障がないか、建物の精度として許容されるものかの判断が必要である。

また、計算の結果が合格であったとしても、その安全率や余裕の大きさにも留意する必要がある。安全率が高すぎる場合、仮設としては不経済であるため、計画を再度、見直すことも重要である。

なお、安全率の評価は、施工精度や日常の点検・管理の確実性など、施工管理の信頼性も考慮して見極めることも、合理的な仮設計画とするためにも重要である。

計算結果の判定では、応力についての安全率が、施工条件、検討部位の重要性などを考えて適切か、また、対象となる部材の変形量が要求精度上、許容されるものかどうかも含めて判断することが大切ですね

Chapter.2

仮設構造物の施工計画と構造計算

型枠・支保工

施工計画と構造計算のポイント

1 | 型枠工事と要求条件

型枠の構成

型枠は、コンクリートに直に接する「せき板」と、せき板を所定の位置に固定するための「支保工」、せき板と支保工を緊結する「締め付け金物」などから構成される[図1]。

せき板には木製や金属製の板が用いられるが、コンクリート表面を所定のテクスチュアや品質に仕上げるものであり、コンクリートの品質に有害な影響を与えるものであってはならない。

支保工は、せき板を所定の精度で保持するための「桟木」「端太角」、鉛直荷重を支える「支柱」「支保梁」、水平荷重を支え、座屈を防止する「水平つなぎ」などから構成される。コンクリートが打ち込まれて、所定の強度が発現するまでの間に、倒壊・破損はもちろん、有害な変形を生じないものでなくてはならない。

締め付け金物は、それぞれの材料や部材同士を連結して一体化するものである。力をスムーズに伝えるとともに、型枠・支保工全体として鉛直・水平荷重に抵抗できるような強度を有するものでなくてはならない。

図1 | 在来の一般的な型枠工法の例

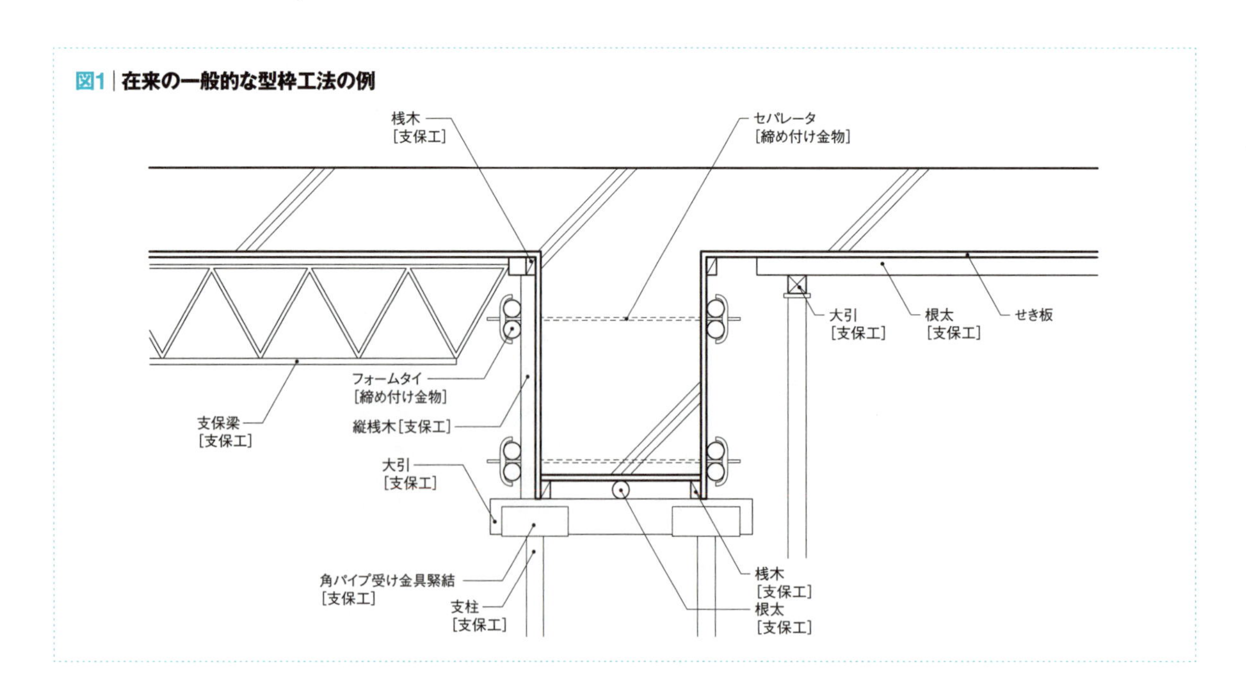

2 施工計画と構造計算の流れ

型枠に対する要求条件

型枠に対する要求条件は以下のとおりである。

①RC造(鉄筋コンクリート造)の長所である自由な形状を実現できる強度や精度、加工性、テクスチュアを有すること
②コンクリート打ち込み時の振動・衝撃を考慮した鉛直荷重、水平荷重およびコンクリートの側圧に対して、必要な強度・剛性を有すること
③打設されたコンクリートが、打設してから十分に硬化するまでの間、所定の形状や寸法、位置、品質を保つことができる強度・剛性を有すること
④型枠に作用する地震や風などの各種の荷重に対して、安全性が確保されること
⑤コンクリート硬化後には撤去される仮設物であるため、それ自体が、あるいはその運用において経済性を有すること

これらの要求性能に対して、敷地の条件、建物の条件、総合仮設計画、工事の全体工程など、建築工事に係る各種の条件を踏まえ、型枠として最適となる材料・工法を選定することとなる[表1]。

準拠すべき法規・規準

型枠工事においては、型枠の設計、組み立てに欠陥があると、コンクリート打設時の事故につながるため、労働安全衛生規則において、支保工に用いる材料、構造、許容応力度などが規定されている。

また、昭和46年建設省告示110号(以下、昭46建告110号)において、型枠および支柱(支保工)の取り外しに関する基準が定められている。

そのほかの材料については明確な規定はないが、計算する際には下記の法令または規準などにおける長期許容応力度と短期許容応力度の平均値を一般に用いている。

準拠すべき法規・規準

1 ——建築基準法施行令89・90条および関連告示
2 ——(一社)日本建築学会
『型枠の設計・施工指針』
『鋼構造設計規準』
『軽鋼構造設計・施工指針』
『木質構造設計指針』

表1 | 主な型枠支保工の構造別分類

使用材料	鋼管支柱	鋼管枠	組み立て鋼柱	梁
型枠支保工の方式	パイプサポート式、くさび緊結式[※]	枠組式	組み立て鋼柱式	軽量支保梁式

※ 「くさび緊結式」とは、支柱、水平材および斜め材などにあらかじめくさび緊結式金具などが溶接されたものをいう

検討の流れ

型枠工事の計画に際しては、設計図書や仕様書を読み込み、設計意図をしっかりと把握したうえで、適切な型枠工法と使用材料を選定することになる[26~29頁参照]。型枠工法と使用材料の絞り込みにおいては、往々にして工期短縮と費用低減を目的として取り組まれることが多いが、設計図書・仕様書に示された性能が発揮できることが前提となる。

施工計画のポイント

[1]――建物と敷地の条件

建物の用途や規模、形状、構造形式、仕上げ材料の仕様など、建物の設計条件から目標となるコンクリートの仕上がりの品質を想定する。また、計画地とその立地条件、前面道路との関係、揚重計画、足場計画などから採用する型枠工法が定まることもある。

設計条件、図面情報などの整理

・部材断面　・支持条件　・スパン、内法寸法、間隔　・支保工高さ　・工程、養生期間

↓

工法の選定

・型枠支保工工法の選定　・部材の配置

↓

荷重の算定

・鉛直荷重　・水平荷重　・コンクリートの側圧

↓

許容応力度・許容変形量の設定

・使用材料による許容値　・使用部位による許容値　・仕上げグレードによる許容値

↓

応力・変形量の算定

・各部材の応力　・各部材の変形量

↓

強度・変形量のチェック

・安全性は確保されるか　・総変形量は許容範囲内か

[2]——工法・材料の選定

型枠工法と使用材料には多くの種類がある。多数あるとはいえ、工法と材料はそれぞれ独立して検討するよりも、ある程度一体的に、組み合わせとして検討されることが多い。その一方で、工法あるいは材料のいずれかがまず指定され、それに従って材料・工法が決まることもある。

前者は、たとえば工程短縮の要求からPCa工法が採用された場合で、工程を最優先した材料を用いる必要がある。後者であれば、本実型枠の化粧打ち放しが要求された場合には、高い精度を実現できる支保工工法が求められるなどの例が挙げられる。

[3]——工程計画

型枠工事をはじめとする躯体工事は天候の影響を受けやすいため、余裕のある工程を考えておく必要がある。その際には、コンクリートの所定の品質が確保されること、作業の安全性が確保できることが大前提となるが、そのための検査工程や養生期間も確保されなくてはならない。

工程上の条件から、鉄筋コンクリート工事の全体工期と基準階のサイクル日数の目標を明確にし、採用しようとする型枠工法、せき板・支保工などの使用材料を絞り込むこととなる。

また、昭46建告110号においては、型枠・支柱（支保工）の取り外しに関する基準が定められているので、これらを遵守する必要がある［30〜33頁参照］。

[4]——工区分割計画

建物の規模によっては、いくつかの工区に分割すること、労務量の平準化や資材の転用を図ることで、型枠工事をはじめとした躯体工事における合理的で経済的な施工計画を実現することが可能となる。しかしながら、経済性を追求するあまり、無理な打設計画や不十分な打ち継ぎ処理とならないように、施工品質確保のために、打ち継ぎ位置や補強方法について十分に検討する必要がある。

構造計算のポイント

施工計画がまとまり、設計図書に示された出来形を実現させようとしたときに、その工程・工法に応じた荷重条件を想定しなければならない（その際の荷重の算定については、36〜38頁で詳細に述べる）。

また、使用材料や工法、あるいは仕上げのグレードなどによって許容応力度や許容変形量が定まり、それらの値に対して応力・変形が収まっていることを確認することで、要求される安全性や品質を実現することが可能となる。

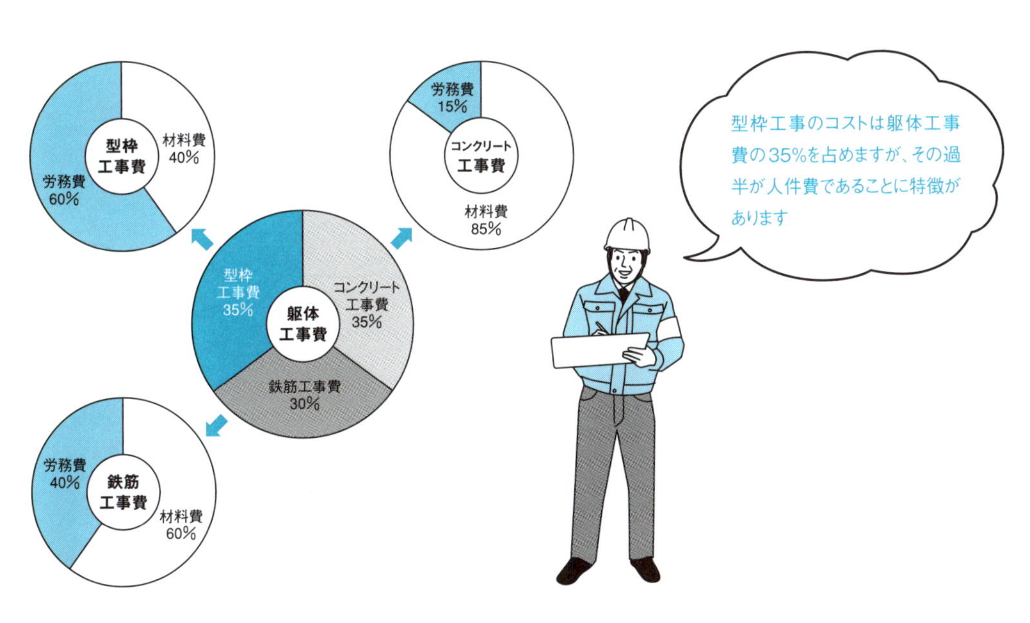

図出典：『型枠の設計・施工指針』（（一社）日本建築学会）

3 ｜型枠工法の選定

□ さまざまな工法のなかから最適の工法を選定するために、要求条件や制約条件をまず整理し、候補を絞り込む
□ 絞り込んだ工法のなかで詳細な比較検討を行い、最終案を決定する

型枠工法の分類

型枠工法の選定に際しては、設計図書を理解することが第一歩となる。設計図書を含めた各種の要求条件や制約条件を整理し、優先順位を付けたうえで、最適な型枠工法を選定する。

ここで、工期やコストに大きく影響を与える型枠支保工の転用に着目してみると、型枠支保工は以下の3種に分類できる[図2]。

①一般型枠工法：合板や鋼製などのせき板を用い、パイプサポート、軽量支保梁などを支保工として用いる。型枠・支保工とも、その都度一旦解体し、上階へ転用する
②移動型枠工法：梁・床・壁などの型枠を、それぞれ単独で、あるいは組み合わせて支保工とも一体化させた状態で移動・転用する
③打ち込み（捨て）型枠工法：せき板に相当する部分は、構造体と一体化するように打ち込まれる。あるいは、撤去せずにそのまま存置するため、転用することはない

在来工法

在来工法の場合、一般的にはせき板には合板、根太や内端太、外端太には単管パイプ、大引には端太角を用い、サポートで支持している[図3]。

軽量支保梁を用いた工法

せき板には合板、あるいは鋼製床型枠を用いる。軽量支保梁の間隔によっては根太も省略し、軽量支保梁がせき板からの床荷重を直接受け、大引または梁の側型枠に伝えることができる[図4]。梁の側型枠に直接伝える場合は、鉛直力を受けるための補強や、水平方向への倒れ止め補強が必要となる[28頁図5]。

デッキプレートを用いた工法

デッキプレートを用いることで、支保工をまったく使わないか、大幅に減らしてスラブを施工することができる[28頁図6]。通常は、上面がフラットで、下方にリブを付

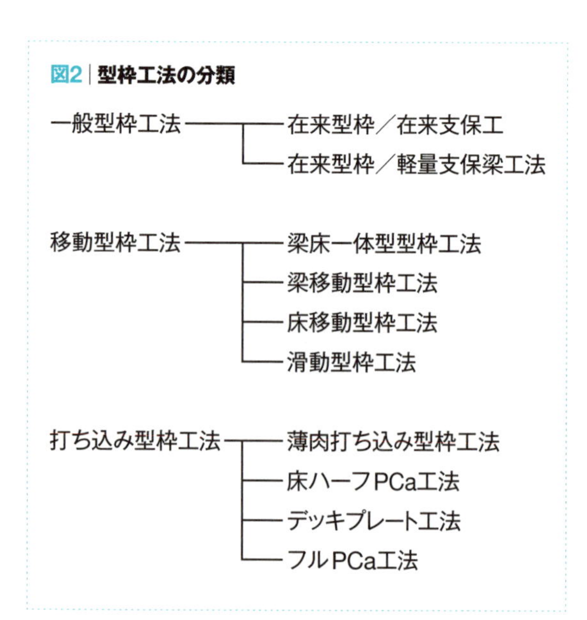

図2｜型枠工法の分類

軽量支保梁やデッキプレートを用いて梁側型枠に直接スラブ荷重を作用させる場合、縦受け桟木による補強や横倒れ防止、軽量支保梁・フラットデッキの端部ののみ込み、固定法など、計画時・施工時の管理が重要となります

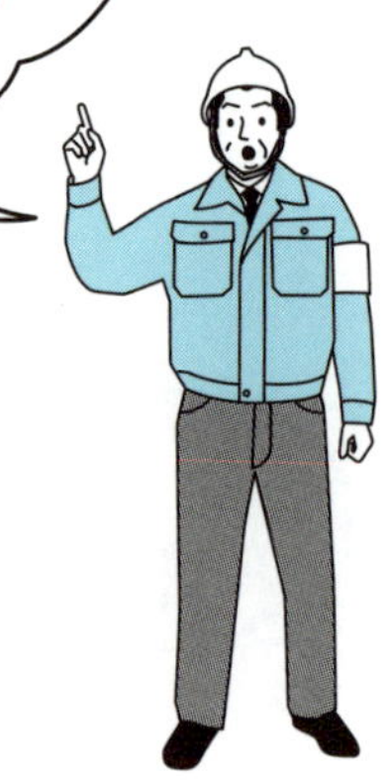

図3｜在来工法による型枠組立例

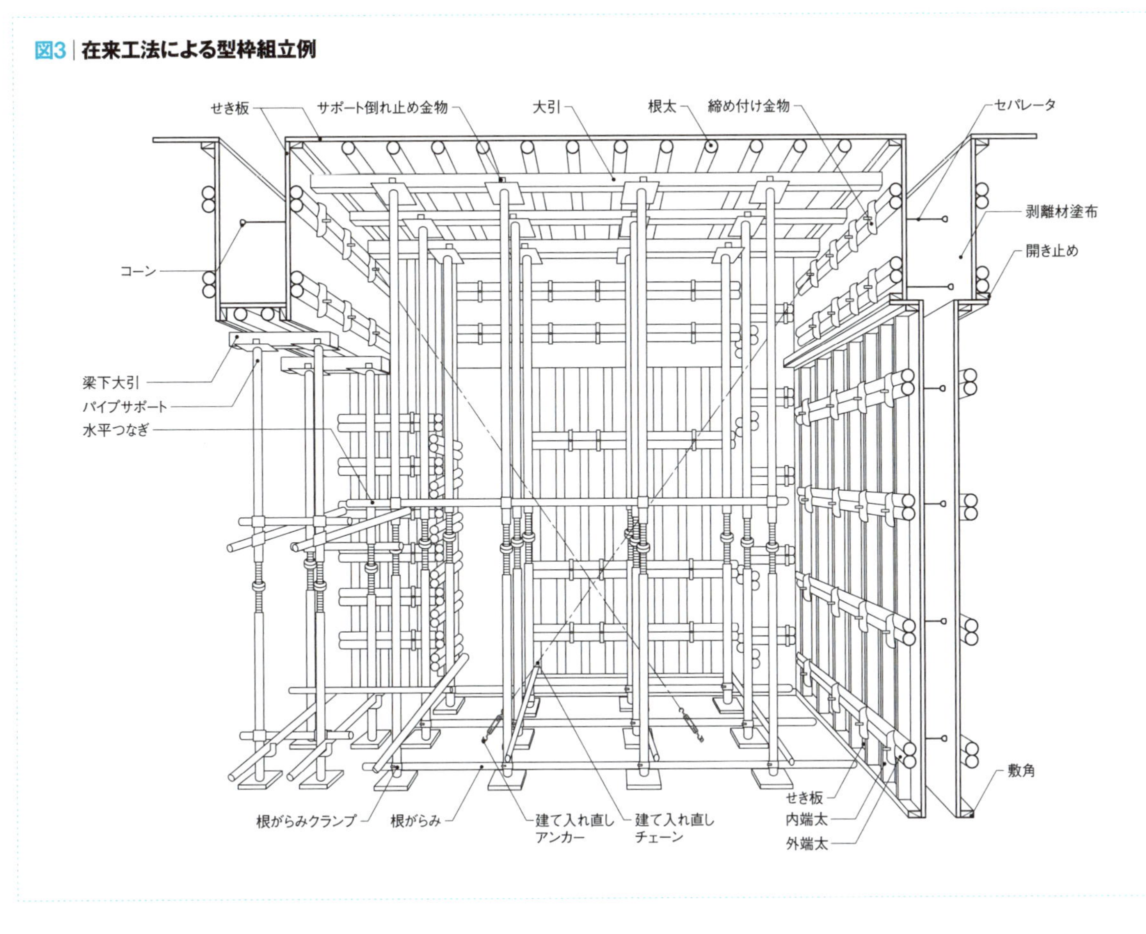

図4｜軽量支保梁の使用例

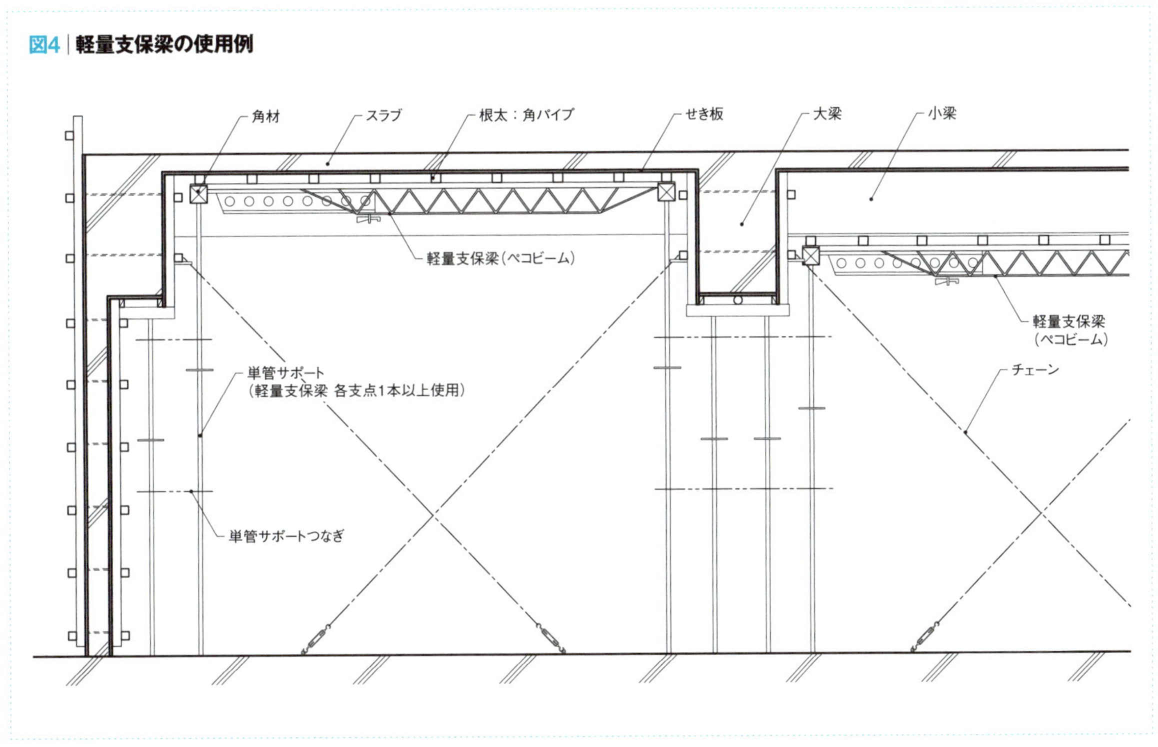

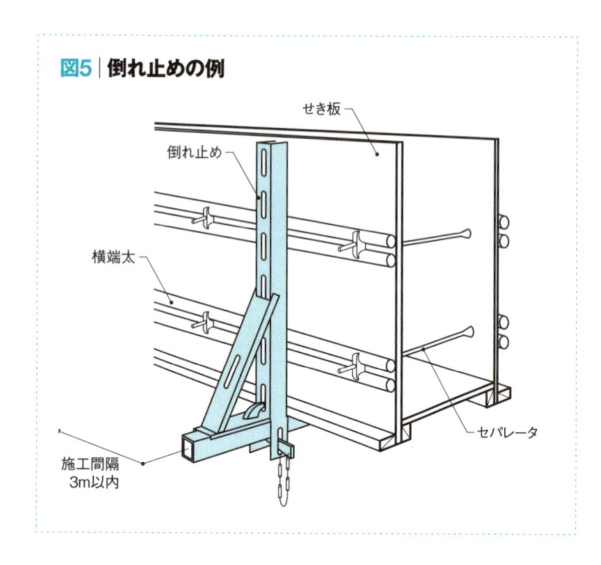

図5｜倒れ止めの例

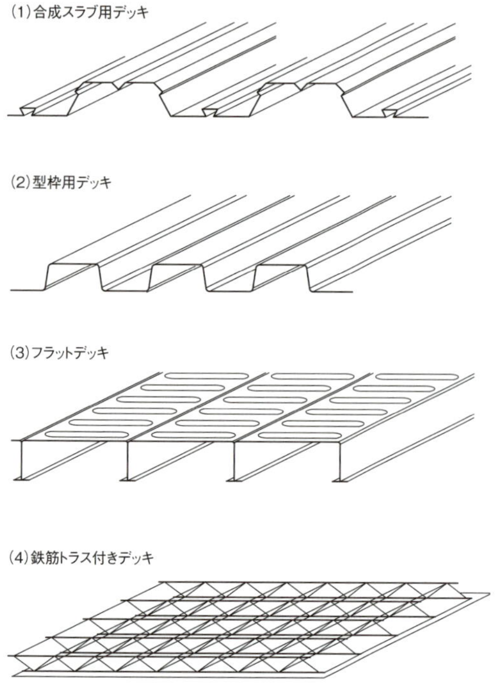

図6｜デッキプレートの例

(1)合成スラブ用デッキ

(2)型枠用デッキ

(3)フラットデッキ

(4)鉄筋トラス付きデッキ

けた「フラットデッキ」を捨て型枠として用い、根太や大引、サポートを省略し、梁側型枠で受ける。ただし、スパンが大きくなった場合には、中間支持が必要となる場合もある。また、フラットデッキではなく、鉄筋トラス付きデッキも用いられる。

ハーフPCa版を用いた工法

型枠として、あるいは型枠兼用としてのPCa版にはさまざまな形状・用途がある。ここでは、ハーフPCaの合成スラブに関して3種に分類し、考え方を示す。なお、詳細は各メーカーの技術資料による。

[1]――フラットタイプ

下面と上面(打ち継ぎ面)がフラットなコンクリート面を有する薄肉PCa版である。上面には上弦材、下弦材、斜材で組まれた三角形断面を有する鉄筋トラスが一方向に埋め込まれている[図7]。この鉄筋トラスと打ち継ぎ部の粗面によって、PCa版上部に打設される現場打ちコンクリートと一体化させる工法である。

この鉄筋トラスは、薄肉PCa版と一体となり、現場打ちコンクリートが硬化して強度を発揮するまでの間、運搬時の自重やコンクリート打設時の荷重を支える役割をしている。一般的には、支保工を2m程度の間隔に配置する。

[2]――ボイドタイプ

スラブ断面の中立軸付近の断面を欠損させ、断面性能を確保しながら、重量を軽減するタイプのスラブである[図8]。このタイプを用いることで、支保工なしで大スパンへの対応が可能となる。

ボイドタイプは、以下の2種類に大別される。

①基版となる孔あき形状のPCa版の上部に現場打ちコンクリートを打設するもの

②薄肉PCa版上部に、ボイドなどによる中空部を設けたうえで現場打ちコンクリートを打設するもの

前者はPCa版上面のコッター効果で現場打ちコンクリートと一体化される。また、後者はPCa版と現場打

ちコンクリートの接触面が少なくなるため、トラス筋を介して一体化される。

[3]——リブタイプ

PCa版自体にリブが付いているもの、あるいは折版形状になっているPCa版を連続的に並べて用いるタイプである。コッター効果により現場打ちコンクリートと一体化される[図9]。

ボイドタイプよりも、さらに大スパンに対応できるが、PCa版に方向性があるため、一方向スラブとして設計される。小梁が組み込まれた形状のスラブともいえる。

ハーフPCa版架設時の構造的な考え方

ハーフPCa合成スラブは、PCa版を型枠・支保工として用いるため、現場打ちコンクリートが硬化して合成スラブとしての効果が現れるまではPCa版がPCa版自重や現場打ちコンクリートの重量、作業荷重などを支えなければならない。そのため、PCa版の断面性能によっては、施工時の条件で支保工間隔が定まるため、工法・荷重に応じて中間部に仮設梁や支保工を設け、支持する必要がある。

施工時には、基版となるPCa版には一方向版として応力が生じるため、版内に引張鉄筋を配置しなくてはならない。また、特に下面が直接仕上げ面となる場合などにおいては、ひび割れが発生しないように配慮する必要がある。

図7｜フラットタイプ

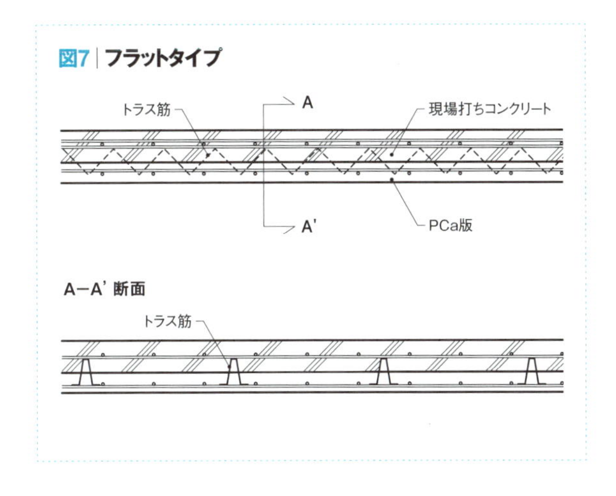

図8｜ボイドタイプ

(1) 孔あきPCa版タイプ

現場打ちコンクリート
PCa版

(2) 後打ちボイドタイプ

トラス筋
現場打ちコンクリート
PCa版

図9｜リブタイプ

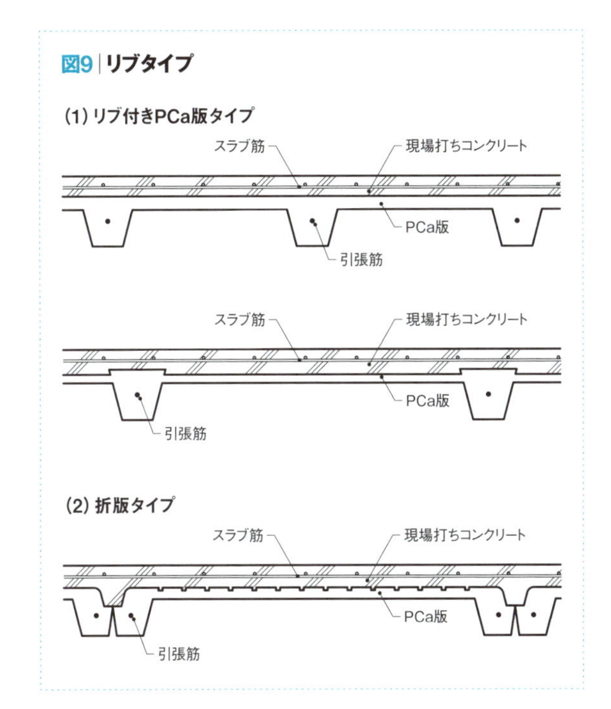

4 | 支保工存置計画

- □ せき板の存置期間と支保工の存置期間が、それぞれJASS 5などに定められている
- □ 存置期間は、日数(材齢)で管理する場合と、圧縮強度で管理する場合がある

check

存置計画には、若材齢のコンクリートを寒気や外力から保護するためのせき板の存置に関するものと、曲げひび割れの発生を防ぐためのスラブ下・梁下の支保工の存置に関するものの2種がある。

前者は、初期凍害を防ぐことができ、容易に傷つけられることのない強度を確保するまでの期間をいい、後者は当該部のコンクリート圧縮強度がその部材の設計基準強度に達するまで、あるいは安全性が確認できるまでの期間をいう。

建築基準法における規定

建築基準法施行令75条において、コンクリートの養生として、打ち込み中および打ち込み後5日間は、乾燥や振動などによってコンクリートの凝結・硬化が妨げられないように養生しなければならないと規定されている。また、昭46建告110号では、1項でせき板の存置期間について、2項では支柱の盛り替えについて規定されている[**表2**]。

[1]——せき板の存置

昭46建告110号において、せき板は**表2(ろ)欄**に掲げる存置日数以上経過するまで、またはコンクリートの強度が同表(は)欄に掲げるコンクリートの圧縮強度以上になるまで取り外さないことと規定されている。

表2 | せき板・支柱(支保工)に関する規定(昭46建告110号より抜粋)

区分	(い)		(ろ)			(は)
	建築物の部分	セメントの種類	存置日数			コンクリートの圧縮強度
			存置期間中の平均気温			
			15℃以上	5℃以上 15℃未満	5℃未満	
せき板	基礎、梁側、柱、壁	早強ポルトランドセメント	2	3	5	1cm²につき50kg(5N/mm²)
		普通ポルトランドセメント	3	5	8	
		高炉セメントB種	5	7	10	
		中庸熱ポルトランドセメント、低熱ポルトランドセメント	6	8	12	
	版下、梁下	早強ポルトランドセメント	4	6	10	コンクリートの設計基準強度の50%
		普通ポルトランドセメント	6	10	16	
		高炉セメントB種、中庸熱ポルトランドセメント	8	12	18	
		低熱ポルトランドセメント	10	15	21	
支柱	版下	早強ポルトランドセメント	8	12	15	コンクリートの設計基準強度の85%
		普通ポルトランドセメント	17	25	28	
		高炉セメントB種、中庸熱ポルトランドセメント、低熱ポルトランドセメント	28			
	梁下	早強ポルトランドセメント	28			コンクリートの設計基準強度の100%
		普通ポルトランドセメント				
		高炉セメントB種、中庸熱ポルトランドセメント、低熱ポルトランドセメント				

[2]——支保工の存置

昭46建告110号においては、支柱（支保工）は、表2（ろ）欄に掲げる存置日数以上経過するまで取り外さないことと規定されている。ただし、コンクリートの強度が、圧縮強度試験の結果、同表（は）欄に掲げるコンクリート強度以上、または120kg/cm²（12N/mm²）以上であり、かつ施工中の荷重や外力によって著しい変形・亀裂が生じないことが構造計算により確かめられた場合は適用除外となる。

なお、同告示においては、大梁以外の支柱の盛り替えが条件付きで認められているが、後述するとおり、1986年に改訂された『建築工事標準仕様書・同解説 JASS 5 鉄筋コンクリート工事』（（一社）日本建築学会、以下JASS 5）では支柱の盛り替えは原則認められておらず、スラブ下・梁下ともに、当該部材が設計基準強度に達するまで支保工を存置することが求められている。また、国土交通省の『公共建築工事標準仕様書（平成22年版）』においても同様に支柱の盛り替えは認められていない。

JASS 5における規定

[1]——せき板の存置

JASS 5（2009年版）においては、基礎・梁側・柱・壁のせき板に関して、計画供用期間の級や湿潤養生の有無などによって、必要とされるコンクリートの圧縮強度、気温に応じたコンクリートの材齢を満足することでせき板の取り外しが認められている。具体的には、計画供用期間の級にもとづき、①コンクリートの圧縮強度でせき板の存置期間を管理する方法、②平均気温に対するコンクリートの材齢（日数）でせき板の存置期間を管理する方法、の2つが規定されている。

コンクリートの圧縮強度で管理する方法では、普通コンクリートの場合、表3に示すように、計画供用期間の級が短期・標準の場合には5N/mm²以上、長期・超長期の場合には10N/mm²以上を確認することとされている。また、せき板を取り外した後に湿潤養生をしない場合には、短期・標準の場合には10N/mm²以上、長期・超長期の場合には15N/mm²以上に達するまでせき板を存置することとされている。

また、設計基準強度が36N/mm²を超える高強度コンクリートについては、せき板の取り外しに対して10N/mm²以上の強度発現が求められている［表3］。

コンクリートの材齢で管理する方法は、各供用期間の級が短期・標準の場合、せき板存置期間中の平均気温が10℃以上であれば、コンクリートの材齢が表4に示す日数以上経過すれば、圧縮強度試験を必要とすることなく取り外せるとされている。

一方、スラブ下や梁下のせき板は、原則として支保

表3｜せき板の存置期間を定めるためのコンクリートの圧縮強度

取り外し区分＼コンクリート区分	普通コンクリート（設計基準強度18N/mm²以上36N/mm²以下）		高強度コンクリート（設計基準強度36N/mm²を超える）	
	短期・標準	長期・超長期	短期・標準	長期・超長期
せき板、せき板の支保工取り外し	5N/mm²以上	10N/mm²以上	10N/mm²以上	10N/mm²以上
せき板で湿潤養生しない場合	10N/mm²以上	15N/mm²以上	日数管理	日数管理

表4｜壁などのせき板存置を定めるためのコンクリートの材齢［単位 日］

平均気温＼セメントの種類	早強ポルトランドセメント	普通ポルトランドセメント、高炉セメントA種、フライアッシュセメントA種、シリカセメントA種	高炉セメントB種、フライアッシュセメントB種、シリカセメントB種
20℃以上	2	4	5
20℃未満10℃以上	3	6	8

表3・4出典：『建築工事標準仕様書・同解説 JASS5 鉄筋コンクリート工事』（（一社）日本建築学会）

工を取り外した後に取り外すこととされている。

1986年のJASS 5改正以前においては、スラブ下・梁下のせき板についても支保工の盛り替えを前提とした規定が設けられていたが、改正以降は盛り替えは認められていない。しかしながら、これは支柱自体の盛り替えを認めていないということであり、支柱の盛り替え（突き直し）なしにせき板を脱型できる場合はその限りではない。

[2]——支保工の存置

スラブ下・梁下の支保工の存置期間は、コンクリートの圧縮強度がその部材の設計基準強度に達したこと

図10｜支保工存置期間の算定フロー

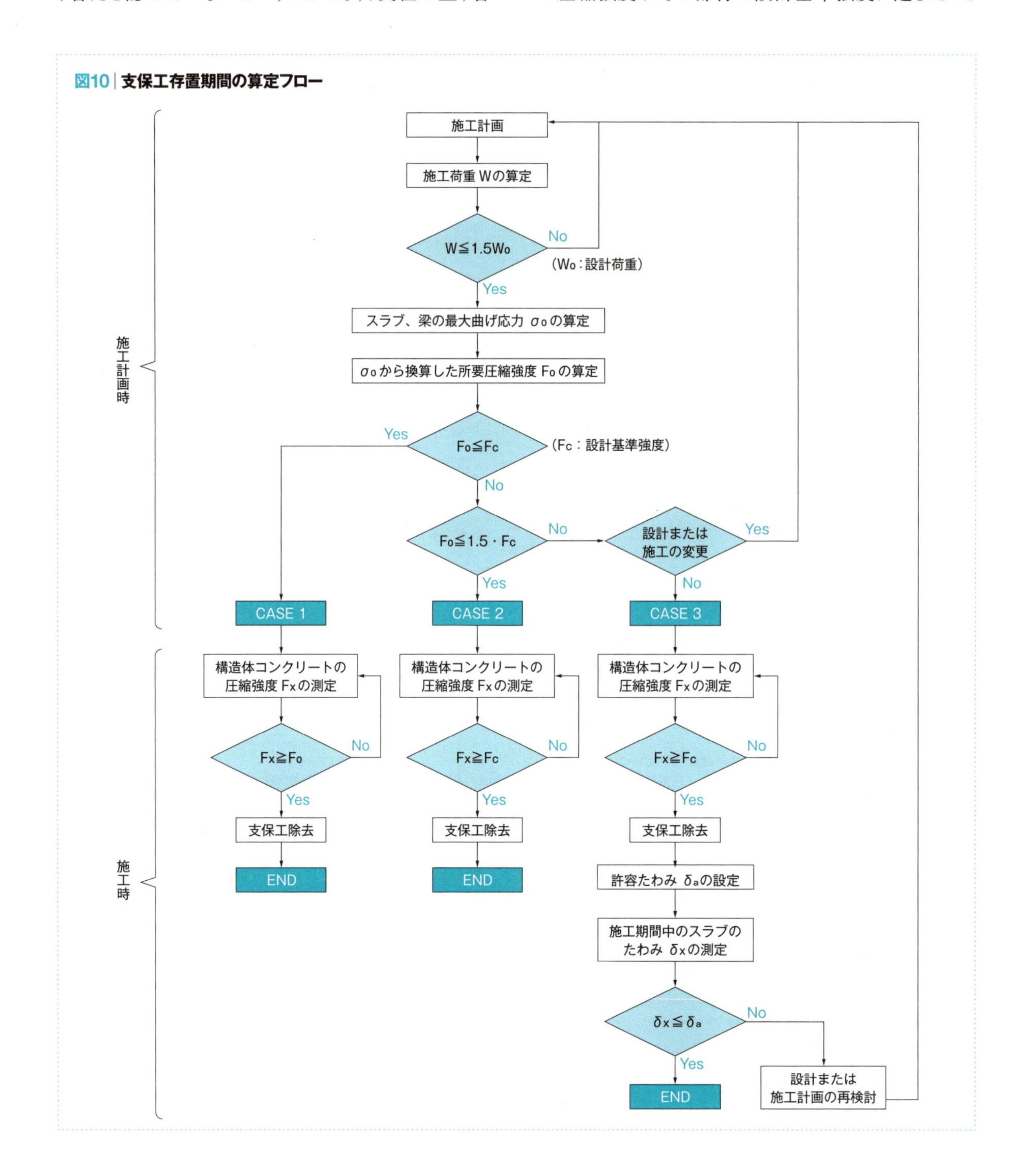

が確認されるまでとされている。その際、支保工の除去後、その部材に加わる荷重が構造計算書における同部材の設計荷重を上回る場合には、前述の存置期間にかかわらず、計算によって十分安全であることを確認する。

また、設計基準強度に達する前に支保工を取り外す場合は、取り外し直後、対象とする部材がその部材に加わる荷重を安全に支持できるだけの強度を適切な計算方法から求め、その圧縮強度を実際のコンクリートの圧縮強度が上回ることを確認しなければならない。ただし、その場合でも、最低12N/mm^{2}以上は確保しなければならない。

支保工存置期間の算定フローを図10に示す。

型枠の設計・施工指針における位置付け

(一社)日本建築学会の『型枠の設計・施工指針(2011年版)』は、JASS5とその関連指針の考え方にもとづいて、それを解説・補足するようなかたちでまとめられている。さらに、安全に関しては、労働安全衛生法や労働安全衛生規則の型枠工事関連部分を、型枠と支柱の取り外しに関しては、国土交通省告示・建設省告示を遵守しなければならない、とされている。

労働安全衛生法における位置付け

労働安全衛生法では、型枠支保工の設置に際して安全性を確保するための考え方・基準などが示されている。しかし、せき板の存置期間に関しては、安全性というよりも品質に係るものであるため、労働安全衛生法上の規定はない。

JASS 5における支保工存置期間の算定

支保工の存置期間に関しては、前述したとおり、安全性と品質が確保されるために必要とされる強度が発現することが求められている。この強度とは、一般的には設計基準強度が目安となっているが、必要に応じて適切な計算を行うことにより、必要とする強度を求めることもできる。

JASS5においては、以下のとおりに支保工の存置期間に関する考え方が示されている。

①支柱は、コンクリートが施工中の荷重によって有害なひび割れやたわみを生じることのない圧縮強度以上になるまで取り外さないことを基本とする

②床スラブが有害なひび割れを生じる可能性のある条件として、施工荷重時の曲げ応力度が$0.64\sqrt{F_c}$ N/mm^2(Fc:構造体コンクリート強度)以上となる場合が1つの目安となっている。ただし、梁部材は一般に鉄筋量も多く、部材せいも大きい。したがって、たわみやひび割れへの影響は小さいと考え、この規定からは除外されている

③支柱を早期に(設計基準強度未満で)取り外すための条件として、前述の$0.64\sqrt{F_c}$ N/mm^{2}を安全率1.25で除した許容曲げ応力$0.51\sqrt{F_c}$ N/mm^{2}を掲げ、施工荷重時の曲げ応力σ_0が、この数値以下となることとされている

④表5は、最下階支持スラブ・梁に作用する施工荷重の値を示している。この場合、コンクリートの打ち込み時に、支保工を1層受けとするか、2層受け以上とするかで、施工荷重の設定が異なる

⑤上記①〜④の条件を満たすのに必要な強度管理は、JASS5に示されているセメントの種類や支柱の取り外し時期に応じた養生方法(標準養生、現場水中養生、現場封かん養生)による供試体の圧縮強度試験値を使用する

表5 | 施工荷重 Wの算定

支保工数	一般部材	片持ち梁
2層以上	$1.8\cdot(\rho\cdot t\cdot g+W_f)+CL$	$2.1\cdot(\rho\cdot t\cdot g+W_f)+CL$
1層	$2.1\cdot(\rho\cdot t\cdot g+W_f)+CL$	$2.3\cdot(\rho\cdot t\cdot g+W_f)+CL$

凡例 ρ:単位体積質量[kN/m^3] t:スラブ厚[m] g:重力加速度[m/s^2] W_f:型枠重量[kN/m^2] CL:床スラブに載る資材荷重[kN/m^2]

注 ここでいう支保工数とは、コンクリート打ち込み時に支える支保工の層数である

表5出典:『建築工事標準仕様書・同解説 JASS5 鉄筋コンクリート工事』((一社)日本建築学会)

5 | 型枠の構造計算

- □ コンクリートに直に接するせき板から始まり、根太、大引、パイプサポートなど、力の流れに沿って検討を進める
- □ 検討は、応力と変形のそれぞれに対して許容値以内であることを確認する

構造計算の基本

型枠の設計や組み立てにおいて、何らかの欠陥や間違いがあると大事故や品質上の問題を引き起こすおそれがある。在来工法に慣れた人にとっては、スラブ厚や梁断面が分かれば、わざわざ詳細な数値検討をするまでもなく、経験から安全な仕様･配置を決定することは現実には可能であろう。しかしながら、型枠の計算に対して十分な経験がない人が設置する場合や、特殊な材料や複雑な形状の型枠を用いるとき、あるいは高いレベルの躯体精度が要求される場合には、適切な構造計算によって要求性能を満足したことを確認する必要がある。

図11 | 構造計算のフロー

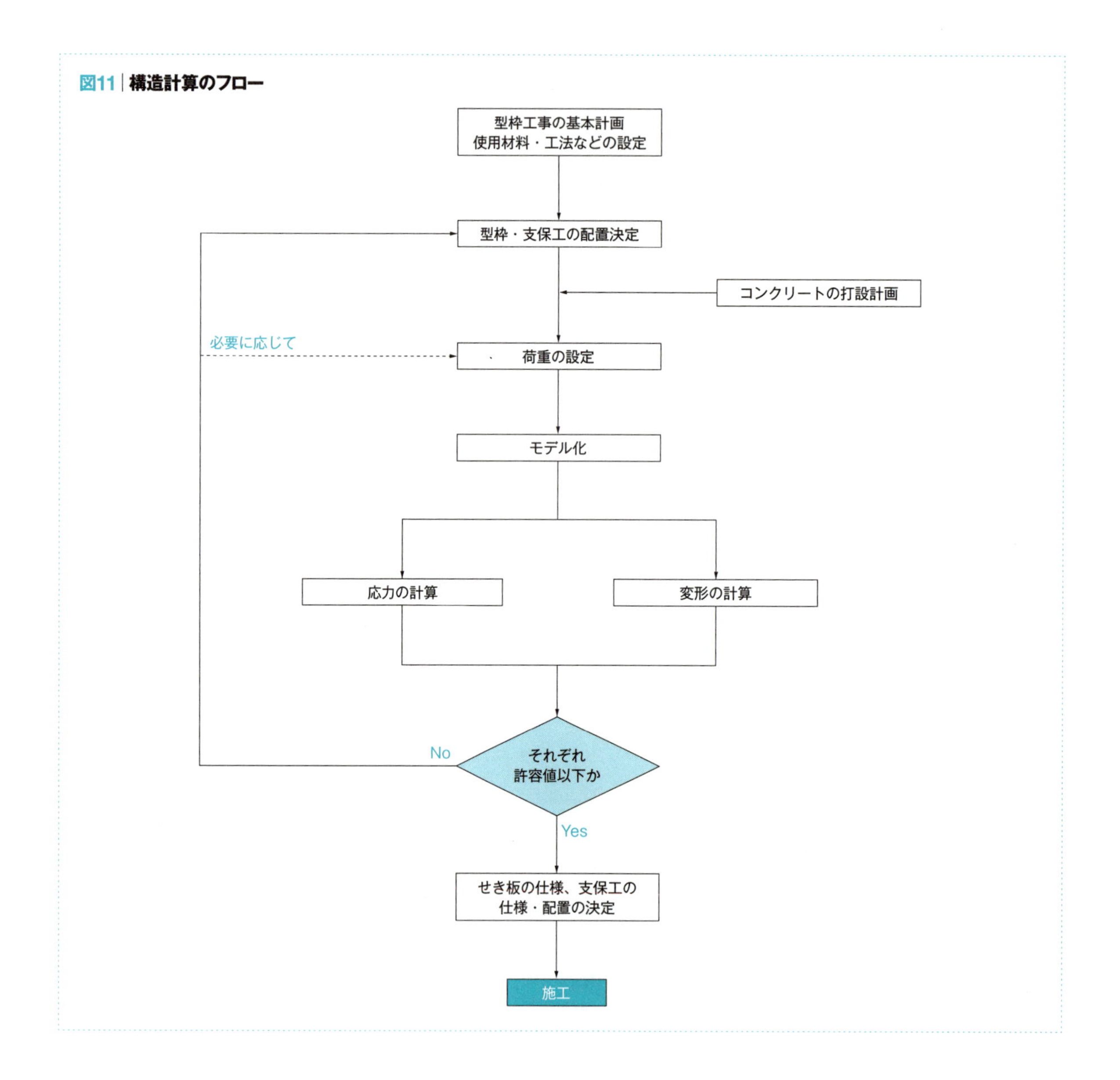

構造計算の流れ

型枠の構造計算には2つの方法がある。第一は、先に部材の構成・配置を設定し、その条件の下で各部材の応力度と変形量が許容値以内に納まっていることを確認する方法。第二は、用いる部材の許容応力度と許容変形量から各部材の間隔・スパンを定め、全体の部材構成・配置を決定する方法である。

型枠・支保工の構造計算のフローを図11に示す。図11のフローは、構造計算の第一の方法を示している。この計算方法は、部材ごとに細かな検討を繰り返して全体をまとめるイメージであるのに対して、第二の方法は過去の実績・経験を前提に、第一の方法を逆算するイメージとなる。

たとえば床の支保工を在来工法で検討する場合には、スラブ厚によって根太間隔、大引間隔、サポート間隔などが定まるため、あらためて最初から検討するというよりも、まず想定した部材間隔に対する安全性を確認していくという作業となる。

たわみに注目して単純化すると、以下の2つの方法を検討することになります
①先に部材長Lを設定して、計算結果δが許容値内であり、安全であることを確認する方法
②与えられたたわみの許容値δから、Lの最大値を逆算し、どの範囲までが可能かを把握する方法

6 荷重の算定

□ 鉛直方向に作用する荷重と水平方向に作用する荷重に分けて考える
□ 鉛直荷重には、型枠・コンクリートなどの自重、作業に伴う機器・人員の重量などがあり、水平荷重には、コンクリートの側圧、打ち込みに伴う水平方向への衝撃などがある

型枠に作用する荷重

型枠の強度と剛性の計算は、コンクリート施工時の鉛直荷重、水平荷重、およびコンクリートの側圧について、打ち込み時の振動・衝撃を考慮して行う必要がある。その際、鉛直荷重と水平荷重は、実状に応じて定めることとする。また、型枠設計用のコンクリートの側圧は、JASS 5に規定された数値に従うこととする。

鉛直荷重

型枠に作用する鉛直荷重には、次の種類がある。

固定荷重　打ち込み時の鉄筋、コンクリート、型枠および支保工の重量
積載荷重　コンクリート打設の際の打ち込み機具、足場、作業員などの重量(作業荷重)
資材の積み上げや次工程の進捗に伴う施工重量(作業荷重)
コンクリート打設に伴う衝撃(衝撃荷重)

[1]——固定荷重

固定荷重のうち、鉄筋・コンクリートの重量は下式により、鉄筋を含む単位体積重量と厚さによって算出する(dは部材厚を示す)[表6]。

普通コンクリート	24.0kN/m^3×d
鉄筋を除いた普通コンクリート	23.0 kN/m^3×d
軽量コンクリート	20.0kN/m^3×d(1種)
	18.0kN/m^3×d(2種)

また、型枠(せき板、根太、大引など)の自重は実状に応じて算出するが、在来工法であれば一般的な値として0.4 kN/m^2を用いることもできる。

[2]——積載荷重

積載荷重は、コンクリート打設時の作業員・資機材などから成る作業荷重と、打設による衝撃荷重を合わせたもの、あるいは打設後の次工程の作業に伴うものとなる。

労働安全衛生規則40条では、設計荷重として「型枠支保工が支えている物の重量に相当する荷重に、型枠1 m^2につき150 kg以上(1.5 kN/m^2)の荷重を加えた荷重」と定義されている。

JASS 5においては、通常のポンプ打ちの場合には労働安全衛生規則に従って1.5 kN/m^2、手押しカートを用いた打ち込みの場合は2.5 kN/m^2、特殊な打ち込み工法を用いる場合は実状に合わせるとされている。いずれにしても、1.5 kN/m^2を下回ることはできない。

通常のポンプ打ち	1.5 kN/m^2
特殊な打ち込み工法	1.5 kN/m^2 以上(実状による)

水平荷重

型枠に作用する水平荷重には、次の種類がある。

①打ち込み時において水平方向に作用する荷重
②地震・風圧による荷重

コンクリート施工時の水平荷重は、風圧やコンクリート打ち込み時の偏心荷重、機械類の始動・停止・走行などにより、型枠に水平方向の外力として加わるものを対象とし、その値は実状に応じて定める。

打ち込み時に水平方向に作用する荷重は施工法などにより異なり、具体的な数値を示すことは難しい。旧労働省産業安全研究所では、パイプサポート、単管支柱、組み立て支柱、支保梁については鉛直荷重の5%、枠組支柱については2.5%と想定している[表7]。

通常の場合には地震力や風圧力を検討する必要はないが、風圧力に関しては型枠取り付け位置(地上からの高さ)によっては、検討の必要が生じる。その場合

には、(一社)仮設工業会『風荷重に対する足場の安全技術指針』を参考とする[図12、133頁図9]。

図12｜風圧力の算定式

$P=q_z \cdot C \cdot A$

P：風圧力[N]

C：風力係数(一般的な型枠の場合は1.2をとれば十分)

qz：地上高さZ[m]における設計速度圧[N/m²]

$$q_z = \frac{5}{8} \cdot V_z^2$$

Vz：地上高さZ[m]における設計用風速[m/秒]

A：作用面積[m²]

側圧

コンクリートを壁・柱などに打ち込むと側圧が作用する。側圧の分布はコンクリートが硬練りか、軟練りであるかによって状況が異なるが、打ち込み速さによって表8のように規定されている。たとえば独立柱では20m/h(3.33m/10min)を超えることもあり、壁では10～20m/h(1.67～3.33m/10min)程度を想定することが望ましい。

コンクリートが硬練りの場合、軟練りの場合の側圧のかかり方の例を38頁図13に示す。

高流動コンクリート、高強度コンクリートは、打ち込み速さによらず流動性が高いため、その側圧は液圧として計算する。

表6｜鉄筋コンクリートの単位体積重量

コンクリートの種類	設計基準強度の範囲[N/mm²]	鉄筋コンクリートの単位体積重量[kN/m³]
普通コンクリート	Fc≦36 36＜Fc≦48 48＜Fc≦60	24 24.5 25
軽量コンクリート1種	Fc≦27 27＜Fc≦36	20 22
軽量コンクリート2種	Fc≦27	18

表7｜水平荷重の推奨値(旧労働省産業安全研究所)

	水平荷重	例
型枠がほぼ水平で、現場合わせで支保工を組み立てる場合	鉛直荷重の5%	パイプサポート、単管支柱、組み立て支柱、支保梁
型枠がほぼ水平で、工場製作精度で支保工を組み立てる場合	鉛直荷重の2.5%	枠組支柱

表8｜型枠設計用の側圧[単位 kN/m²]

打ち込み速さ	10m/h(1.67m/10min)以下の場合		10m/h(1.67m/10min)を超え20m/h(3.33m/10min)以下の場合		20m/h(3.33m/10min)を超える場合
部位 ＼ H[m]	1.5以下	1.5を超え4.0以下	2.0以下	2.0を超え4.0以下	4.0以下
柱	W₀・H	1.5・W₀＋0.6・W₀・(H－1.5)	W₀・H	2.0・W₀＋0.8・W₀・(H－2.0)	W₀・H
壁		1.5・W₀+0.2・W₀・(H－1.5)		2.0・W₀＋0.4・W₀・(H－2.0)	

注 H：フレッシュコンクリートのヘッド(側圧を求める位置から上のコンクリートの打ち込み高さ)[m]
W₀：フレッシュコンクリートの単位体積質量[t/m³]に重力加速度を乗じたもの[kN/m³]

表8出典：『建築工事標準仕様書・同解説 JASS5 鉄筋コンクリート工事』((一社)日本建築学会)

図13（1）は、硬練りのコンクリートを柱・壁に回し打ちでゆっくり打ち込んだときの側圧の状態を示している。コンクリートの打ち始めは、打ち込み高さが増すに従って側圧も増す。中段で止めてほかの部分を打設している間に下部では硬化が始まり、その部分の側圧は減少する。

図13（2）は、軟練りのコンクリートを一気に打ち込んだときの側圧を示している。この場合には、下部のコンクリートの硬化が始まる前に打ち込み高さがどんどん増すため、側圧は三角形分布となり、最下部が最大側圧となる。

硬練り・軟練りに関しては、明確な定義はありません。**図13（1）**の例は、回し打ちによる打ち重ねを想定したものと思われます。打ち重ねの時間間隔は、一般的には外気温が25℃未満の場合は150分、25℃以上の場合は120分を目安とします

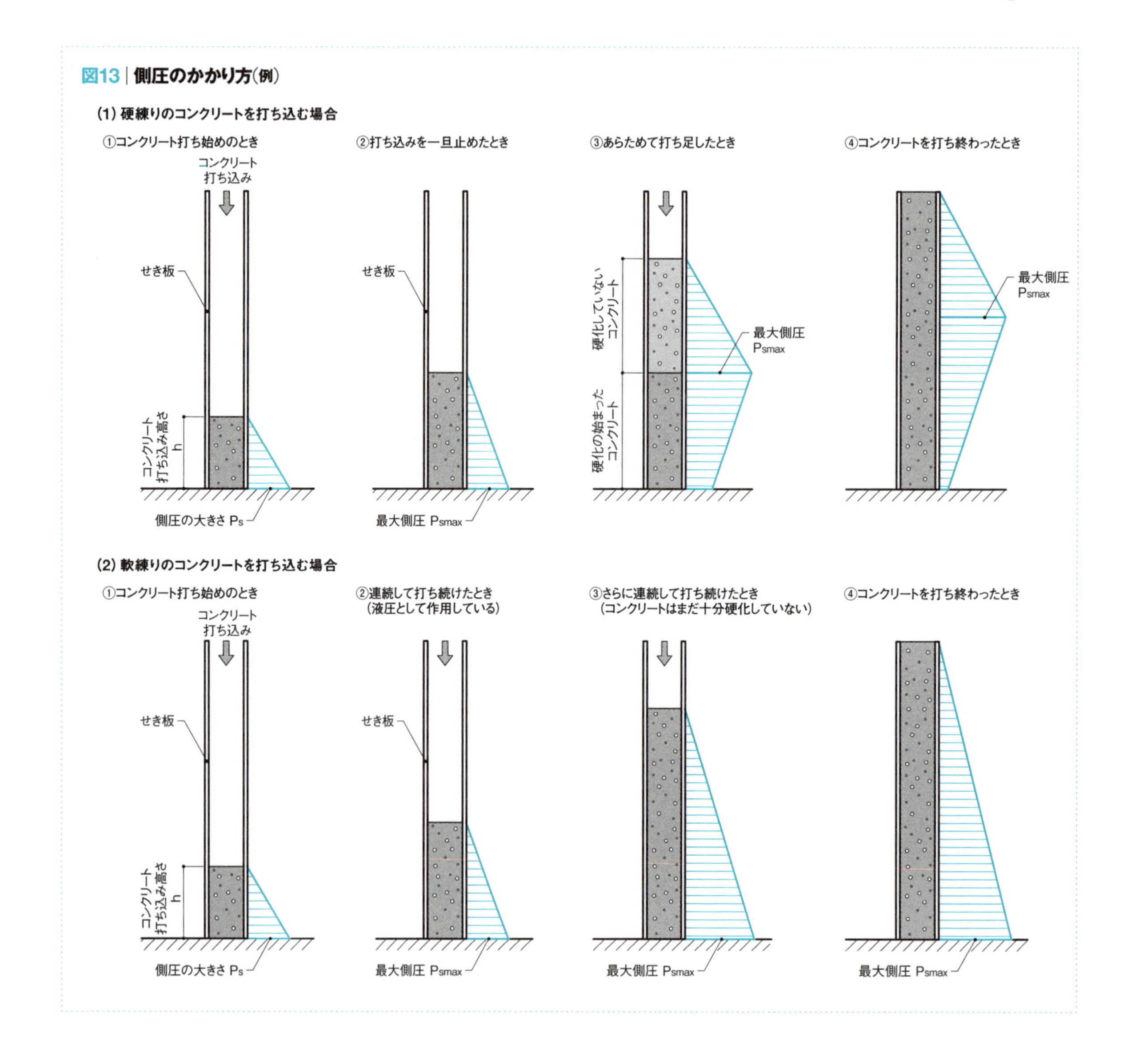

図13｜側圧のかかり方（例）

7 ｜モデル化

型枠・支保工の構造計算においては、公式集などに示された算定式を用いることを前提に、荷重条件や支持条件をモデル化することが一般的である。

荷重条件の設定においては、等分布荷重なのか、集中荷重なのか、集中荷重であれば荷重点が何カ所になるのかでモデルが異なってくるが、一般には、荷重点が4点以上となる集中荷重は等分布荷重に置き換えることが多い［44頁表19参照］。

支持点の設定においては、部材端部が自由端、ローラー端、ピン端、固定端かによって、曲げモーメントやせん断力の発生状況とその値が大きく変わる。変形においても、同様に大きな違いが生じる。現実には単純支持ではなく、両端固定でもない複雑な支持条件となることが多いが、工学的判断や適切な安全率を設定することによって現実的なモデル化を行うことが重要となる。

なお、『型枠の設計・施工指針』においては、計算時に以下の条件設定を基本としている。

合板せき板	単純支持
合板以外のせき板	単純支持と両端固定の平均値
根太、大引、端太材	単純支持と両端固定の平均値

表9｜モデル化による曲げ・たわみ［単位　w:kN/m、ℓ:m、M:kN·m、P:kN、δ:m、E:ヤング係数kN/m²、I:断面2次モーメントm⁴］

荷重・支持条件		中央曲げ	最大たわみ
等分布荷重	片持ち梁	$Mmax=\frac{1}{2}\cdot w\cdot \ell^2$	$\delta=\frac{1}{8}\cdot\frac{w\cdot \ell^4}{E\cdot I}$
	片持ち梁＋先端支持	$Mmax=\frac{9}{128}\cdot w\cdot \ell^2$	$\delta max=0.00541\cdot\frac{w\cdot \ell^4}{E\cdot I}$
	両端固定	$Mc=\frac{1}{24}\cdot w\cdot \ell^2$	$\delta=\frac{1}{384}\cdot\frac{w\cdot \ell^4}{E\cdot I}$
	単純梁	$Mc=\frac{1}{8}\cdot w\cdot \ell^2$	$\delta=\frac{5}{384}\cdot\frac{w\cdot \ell^4}{E\cdot I}$
集中荷重	両端固定	$Mc=\frac{1}{8}\cdot P\cdot \ell$ $P=w\cdot \ell$のとき　$Mc=\frac{1}{8}\cdot w\cdot \ell^2$	$\delta=\frac{1}{192}\cdot\frac{P\cdot \ell^3}{E\cdot I}$ $P=w\cdot \ell$のとき　$\delta=\frac{1}{192}\cdot\frac{w\cdot \ell^4}{E\cdot I}$
	単純梁	$Mc=\frac{1}{4}\cdot P\cdot \ell$ $P=w\cdot \ell$のとき　$Mc=\frac{1}{4}\cdot w\cdot \ell^2$	$\delta=\frac{1}{48}\cdot\frac{P\cdot \ell^3}{E\cdot I}$ $P=w\cdot \ell$のとき　$\delta=\frac{1}{48}\cdot\frac{w\cdot \ell^4}{E\cdot I}$

8 応力と変形の検討

- □ 部材の応力は、軸方向力、せん断力、曲げモーメントのそれぞれに対して許容応力度以下であることを確認する
- □ 使用材料によっては、使用する方向で強度が異なる場合、外見が似ていても強度が異なる場合などがあるので、使い方・仕様を確認する必要がある

check

応力の検討と許容応力度

部材の安全性確認とは、各部材に発生する応力から応力度を算出し、その応力度が使用材料の許容応力度内にあることを確認することである[表10～14]。その際、木材の許容応力度は、仮設計算に関しては労働安全衛生規則の値を採用する。

応力には、軸方向力(N)、せん断力(Q)、曲げモーメント(M)の3種がある[図14]。ただし、一般の梁部材においては、軸力は無視して、せん断力と曲げモーメントを対象とすればよい。

応力の算定においては、複数の荷重によって生じるそれぞれの応力を累加することができる。ただし、応力には「向き」があるので、加算・減算に注意を要する。図15に足し合わせの例を示す。

たとえば、梁状の部材の部材中央に下向きのP_1という荷重が作用し、その両側に上向きのP_2という荷重が作用した場合を考える。下向き・上向きのそれぞれの荷重に対して応力を算定し、応力図上で足し合わせを行

図14｜応力の種類

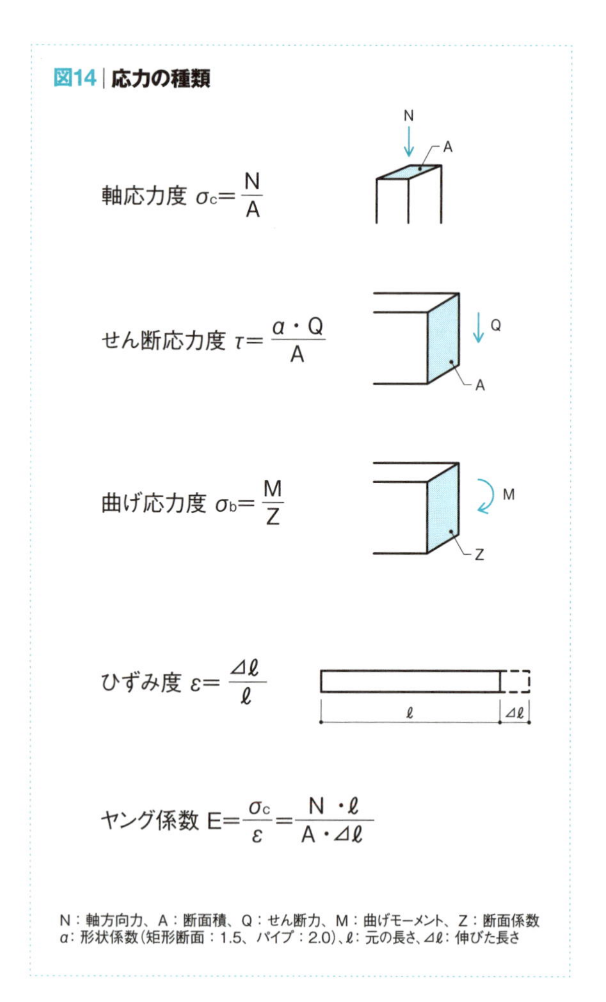

N：軸方向力、A：断面積、Q：せん断力、M：曲げモーメント、Z：断面係数
α：形状係数(矩形断面：1.5、パイプ：2.0)、ℓ：元の長さ、Δℓ：伸びた長さ

図15｜曲げモーメントの足し合わせ(例)

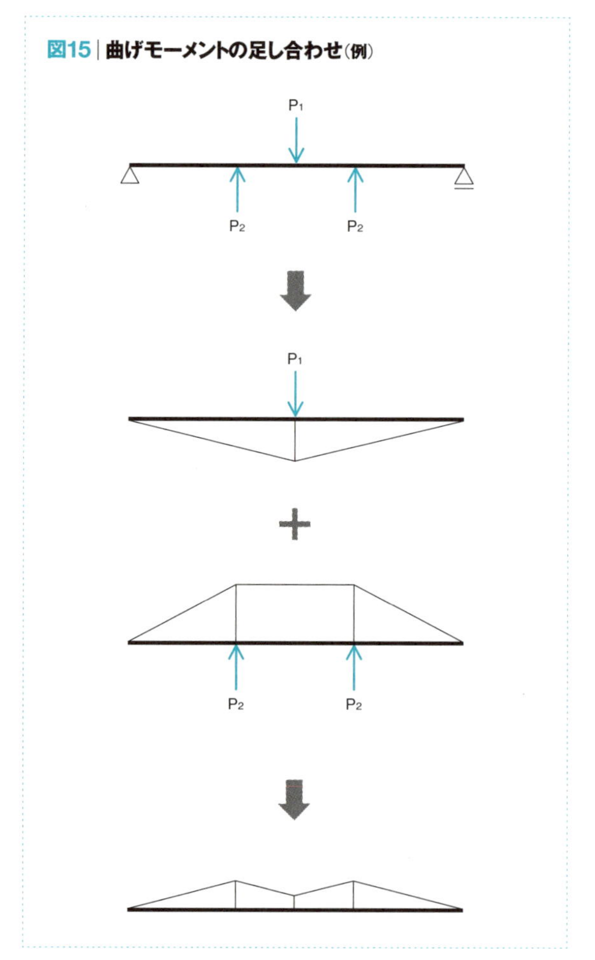

表10｜せき板に使用する木材の許容応力度［単位 N/mm²］

樹種	許容応力度	圧縮			引張・曲げ			せん断		
	法令	建築基準法施行令		労働安全衛生規則	建築基準法施行令		労働安全衛生規則	建築基準法施行令		労働安全衛生規則
		長期	短期		長期	短期		長期	短期	
針葉樹	アカマツ、クロマツ、ベイマツ	7.4	14.7	11.8	9.3	18.6	13.2	0.8	1.6	1.0
	カラマツ、ヒバ、ヒノキ、ベイヒ	6.9	13.7	11.8	8.8	17.7	13.2	0.7	1.4	1.0
	ツガ	6.4	12.7	11.8	8.8	17.7	13.2	0.7	1.4	1.0
	ベイツガ	6.4	12.7	8.8	8.3	16.7	10.3	0.7	1.4	0.7
	モミ、エゾマツ、トドマツ、スギ、ベイスギ	5.9	11.8	8.8	7.4	14.7	10.3	0.6	1.2	0.7
広葉樹	カシ	8.8	17.7	13.2	12.7	25.5	19.1	1.4	2.7	2.1
	クリ、ナラ、ブナ、ケヤキ	6.9	13.7	10.3	9.8	19.6	14.7	1.0	2.0	1.5

表11｜各種材料の断面性能

部材	断面形状［mm］	断面係数［cm³］	断面2次モーメント［cm⁴］	許容曲げ応力度［N/mm²］	ヤング係数［kN/mm²］
合板(12mm厚)	表面繊維方向	24.0（幅1m当たり）	14.4（幅1m当たり）	13.7	5.5
	表面繊維直交方向			7.8	2.0
桟木	50×25	10.4	26.0	10.3	6.9
端太角	90×90	121	546		
	100×100	167	833		
単管(STK500)	φ48.6×2.4	3.83	9.32	235	206
角パイプ(STKR400)	50×50×2.3	6.34	15.9	156.9	206
	60×60×2.3	9.44	28.3		

表12｜パイプサポートの許容荷重［単位 kN］

材端条件	連係あり［※］	連係なし			
		使用高さ［m］			
		2以下	2～2.5未満	2.5～3未満	3～3.4
上下端:木材	19.6	19.6	17.6	13.7	9.8
上端:木材 下端:仕上げコンクリート	19.6	19.6	18.6	16.6	14.7

※　「連係あり」とは、パイプサポートについて、高さ2m以内ごとに水平2方向に水平つなぎを緊結金物で取り付けることをいう

表13｜枠組の許容荷重

	a)	b)	c)	d)	e)
荷重の受け方の状態	P, 1,700, 1,700, 1,200	P, 1,700, 1,700, 1,200	P, 1,700, 1,700, 1,200	P, 1,700, 1,700, 1,200	P, 1,700, 1,700, 1,200
1枠当たりの許容荷重［kN］	49.0	34.3	29.4	19.6	11.8

表14｜セパレータの許容荷重(E=206kN/mm²)

呼称	有効断面積［mm²］	最大引張強度［kN］	許容引張力［kN］
W5/16(φ7)	34.0	20以上	14
W3/8(φ9)	50.3	30以上	21
W5/16(φ7)高強度	34.0	30以上	21

表10出典：『型枠の設計・施工指針』((一社)日本建築学会)

うことが可能であるため、複雑な応力であっても分割して別々に考えることができる。

表15にさまざまな形状の断面性能を示す。断面積は軸応力度とせん断応力度、断面係数は曲げ応力度の算出に用いる。また、断面２次モーメントはたわみの算出に、断面２次半径は圧縮材の検討に用いる。

変形の検討と許容変形量

コンクリートの打ち込み時および打ち込み後において、型枠が想定した荷重に対して強度的に安全であることが確認できたとしても、その際に型枠が変形し、その変形のままにコンクリートが硬化してしまうと所定の精度が確保できない。十分な精度が確保できない場合には、後工程あるいは仕上げにおいて、品質上や美観上の問題が発生してしまうことになる。

しかしながら、型枠・支保工の変形がどの程度まで許容されるかについては、明確な基準は定められていない。

JASS５において、コンクリート部材の位置および断面寸法の許容差の標準値、コンクリートの仕上がりの平坦さの標準値が示されている[**表16・17**]。これらは躯体の出来形の精度であり、その値はせき板、支保工、締め付け金物などの変形や緩みが累積したものとなる。

変形量に関しても、支持条件をどのように仮定するかで、その結果が大きく変わってしまう。部材端部を単純支持と考えるか、両端固定と考えるか、連続梁と考えるかによって、大きな差が生じる[**39頁表9、44頁表19、45頁図16**]。そのため、JASS５においては、応力度の場合と同様、合板せき板の支持条件は「単純梁」、合板以外のせき板・根太・大引(内端太、外端太)の支持条件は「単

表15｜断面性能表

断面
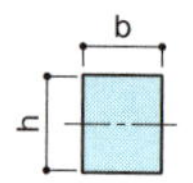
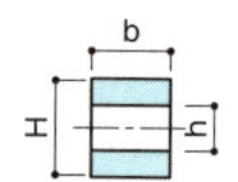
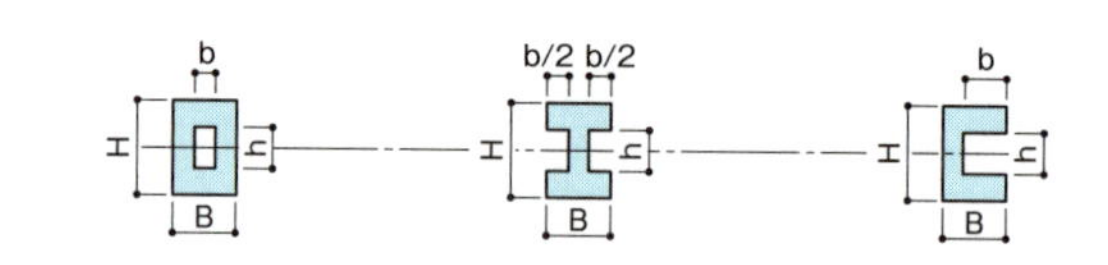
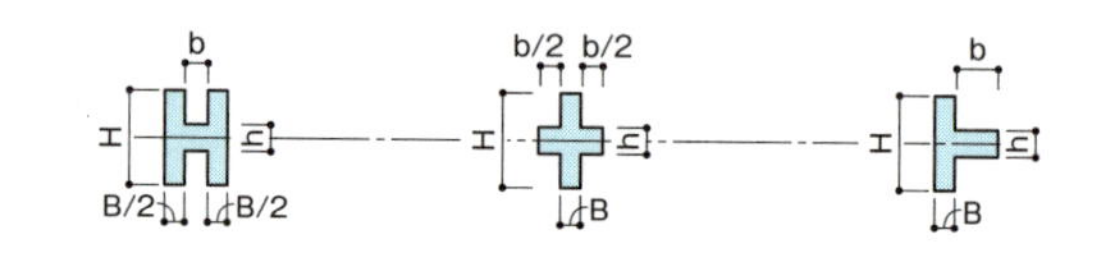
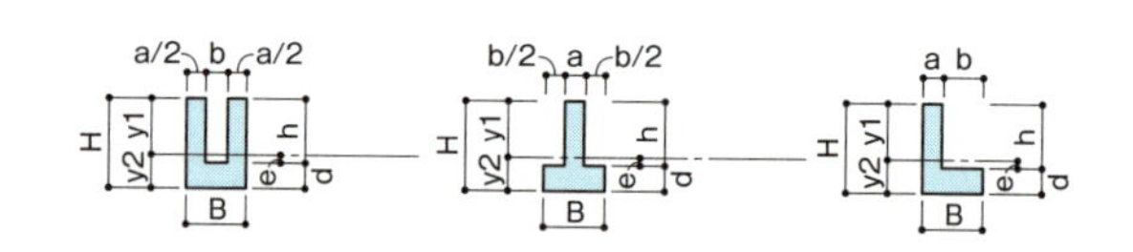
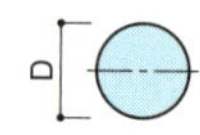
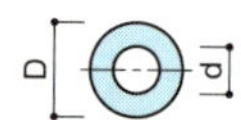

表16｜部材断面の許容値に関するJASS5の規定

項目		許容差[mm]
位置	設計図に示された位置に対する各部材の位置	±20
構造体および部材の断面寸法	柱・梁・壁の断面寸法	−5、+20
	床スラブ・屋根スラブの厚さ	
	基礎の断面寸法	−10、+50

	断面積 A [cm²]	重心軸(回転軸)より縁までの距離 y [cm]	断面2次モーメント I [cm⁴]	断面係数 Z [cm³]	断面2次半径 i [cm]
	$b \cdot h$	$\frac{h}{2}$	$\frac{b \cdot h^3}{12}$	$\frac{b \cdot h^2}{6}$	$\frac{h}{\sqrt{12}} = 0.289 \cdot h$
	$b \cdot (H - h)$	$\frac{H}{2}$	$\frac{b}{12} \cdot (H^3 - h^3)$	$\frac{b}{6 \cdot H} \cdot (H^3 - h^3)$	$\sqrt{\frac{H^2 + H \cdot h + h^2}{12}}$
	$B \cdot H - b \cdot h$	$\frac{H}{2}$	$\frac{1}{12} \cdot (B \cdot H^3 - b \cdot h^3)$	$\frac{1}{6 \cdot H} \cdot (B \cdot H^3 - b \cdot h^3)$	$\sqrt{\frac{B \cdot H^3 + b \cdot h^3}{12 \cdot (B \cdot H + b \cdot h)}}$
	$B \cdot H + b \cdot h$	$\frac{H}{2}$	$\frac{1}{12} \cdot (B \cdot H^3 + b \cdot h^3)$	$\frac{1}{6H} \cdot (B \cdot H^3 + b \cdot h^3)$	$\sqrt{\frac{B \cdot H^3 - b \cdot h^3}{12 \cdot (B \cdot H - b \cdot h)}}$
	$B \cdot H - b \cdot h$	$y_1 = H - y_2$ $y_2 = \frac{1}{2} \cdot \frac{a \cdot H^2 + b \cdot d^2}{a \cdot H + b \cdot d}$	$\frac{1}{3} \cdot (B \cdot {y_2}^3 - b \cdot e^3 + a \cdot {y_1}^3)$	$Z_1 = \frac{I}{y_1}$ $Z_2 = \frac{I}{y_2}$	$\sqrt{\frac{B \cdot {y_2}^3 - b \cdot e^3 - a \cdot {y_1}^3}{3 \cdot (B \cdot H - b \cdot h)}}$
	$\frac{\pi \cdot D^2}{4}$	$\frac{D}{2}$	$\frac{\pi \cdot D^4}{64}$	$\frac{\pi \cdot D^3}{32}$	$\frac{D}{4}$
	$\frac{\pi}{4} \cdot (D^2 - d^2)$	$\frac{D}{2}$	$\frac{\pi}{64} \cdot (D^4 - d^4)$	$\frac{\pi}{32} \cdot \frac{D^4 - d^4}{D}$	$\frac{\sqrt{D^2 + d^2}}{4}$

表17｜コンクリートの仕上がりの平坦さに関するJASS5の規定

コンクリートの内外装仕上げ	平坦さ(凹凸の差)[mm]
仕上げ厚さが7mm以上の場合、または下地の影響をあまり受けない場合	1mにつき10以下
仕上げ厚さが7mm未満の場合、その他かなり良好な平坦さが必要な場合	3mにつき10以下
コンクリートが見え掛かりとなる場合、または仕上げ厚さがきわめて薄い場合、その他良好な表面状態が必要な場合	3mにつき7以下

純梁と両端固定梁の平均値」と想定している。

『型枠の設計・施工指針』では、従来においては許容される変形量を総変形量として捉える考え方があったが、現在は各部材に対する変形量の制限を3mmあるいは2mm、せき板・根太・大引・セパレータの総変形量としては5mm以下であることを目安としている。この値は、JASS5の部材断面の許容値および仕上がりの平坦さの規定を考慮して定められている。

一口に変形・たわみといっても、梁のたわみのように部材全体として発生する変形・たわみと、表面の凸凹、不陸というような局部的な変形・たわみがある。梁に生じた過大なたわみの場合は、曲げやひび割れを誘発して品質上の問題につながる。それに対し、表面の不陸の場合などは、仕上げ材の選定にもよるが、美観上の問題となることが多いと思われる。

表19｜荷重条件による曲げ・たわみの比較

モデル図

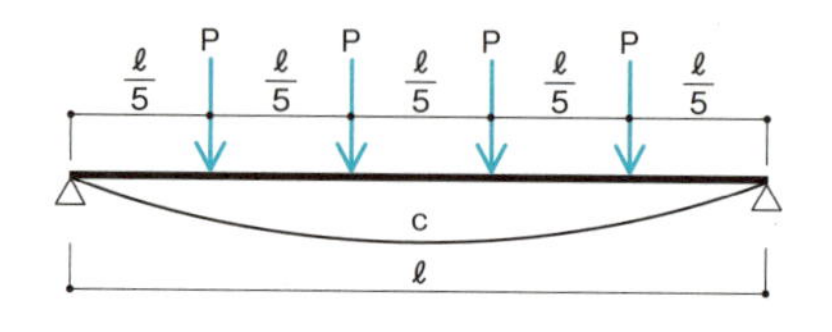

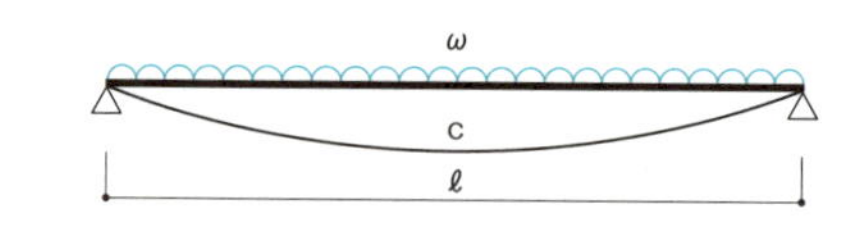

注1　中間荷重点が4点、5点と多い場合は等分布荷重と考えてもよい

注2　(　　)内は、w・ℓ= 4・Pとした場合

注3　コンクリートのヤング係数

$$E=3.35\times10^4\times\left(\frac{\gamma}{24}\right)^2\times\left(\frac{F_c}{60}\right)^{\frac{1}{3}}\ [N/mm^2]$$

γ ：コンクリートの気乾単位体積重量[kN/m³]

F_c：コンクリートの設計基準強度[N/mm²]

表18｜木材と鋼材の許容座屈応力度(労働安全衛生規則)

木材		鋼材	
$\frac{\ell_k}{i}\leqq100$の場合	$f_k=f_c\left(1-0.007\frac{\ell_k}{i}\right)$	$\frac{\ell}{i}\leqq\Lambda$の場合	$\sigma_c=\frac{1-0.4(\ell/i/\Lambda)^2}{\nu}F$
$\frac{\ell_k}{i}>100$の場合	$f_k=\frac{0.3f_c}{\left(\frac{\ell_k}{100i}\right)^2}$	$\frac{\ell}{i}>\Lambda$の場合	$\sigma_c=\frac{\nu}{(\ell/i/\Lambda)^2}F$

ℓ_k：支柱の長さ(支柱が水平方向の変位を拘束されているときは、拘束点間の長さのうち最大の長さ)[cm]
i ：支柱の最小断面2次半径[cm]
f_c：許容圧縮応力の値[N/cm²]
f_k：許容座屈応力の値[N/cm²]

ℓ ：支柱の長さ[cm]
i ：支柱の最小断面2次半径[cm]
Λ：限界細長比=$\sqrt{(\pi^2E/0.6F)}$
π ：円周率
E ：当該鋼材のヤング係数[N/cm²]
σ_c：許容座屈応力の値[N/cm²]
ν ：安全率=$1.5+0.57(\ell/i/\Lambda)^2$
F ：当該鋼材の降伏強さの値、または引張強さの値の3/4の値のうち、いずれか小さいほうの値[N/cm²]

	単純梁		両端固定梁		単純梁と両端固定梁の平均	
	最大曲げモーメント［kN・m］	最大たわみ［m］	最大曲げモーメント［kN・m］	最大たわみ［m］	最大曲げモーメント［kN・m］	最大たわみ［m］
	$M_C=\dfrac{P\cdot\ell}{4}$	$\delta_C=\dfrac{P\cdot\ell^3}{48\cdot E\cdot I}$	$M_C=\dfrac{P\cdot\ell}{8}$	$\delta_C=\dfrac{P\cdot\ell^3}{192\cdot E\cdot I}$	$M_C=\dfrac{3\cdot P\cdot\ell}{16}$	$\delta_C=\dfrac{5\cdot P\cdot\ell^3}{384\cdot E\cdot I}$
	$M_C=\dfrac{P\cdot\ell}{3}$	$\delta_C=\dfrac{23\cdot P\cdot\ell^3}{648\cdot E\cdot I}$	$M_C=\dfrac{2\cdot P\cdot\ell}{9}$	$\delta_C=\dfrac{5\cdot P\cdot\ell^3}{648\cdot E\cdot I}$	$M_C=\dfrac{5\cdot P\cdot\ell}{18}$	$\delta_C=\dfrac{14\cdot P\cdot\ell^3}{648\cdot E\cdot I}$
	$M_C=\dfrac{P\cdot\ell}{2}$	$\delta_C=\dfrac{19\cdot P\cdot\ell^3}{384\cdot E\cdot I}$	$M_C=\dfrac{3\cdot P\cdot\ell}{16}$	$\delta_C=\dfrac{P\cdot\ell^3}{96\cdot E\cdot I}$	$M_C=\dfrac{11\cdot P\cdot\ell}{32}$	$\delta_C=\dfrac{23\cdot P\cdot\ell^3}{768\cdot E\cdot I}$
	$M_C=\dfrac{3\cdot P\cdot\ell}{5}$ $=0.6\cdot P\cdot\ell$	$\delta_C=\dfrac{63\cdot P\cdot\ell^3}{1{,}000\cdot E\cdot I}$ $=0.063\cdot\dfrac{P\cdot\ell^3}{E\cdot I}$	$M_C=\dfrac{P\cdot\ell}{5}$ $=0.2\cdot P\cdot\ell$	$\delta_C=\dfrac{13\cdot P\cdot\ell^3}{1{,}000\cdot E\cdot I}$ $=0.013\cdot\dfrac{P\cdot\ell^3}{E\cdot I}$	$M_C=\dfrac{2\cdot P\cdot\ell}{5}$ $=0.4\cdot P\cdot\ell$	$\delta_C=\dfrac{19\cdot P\cdot\ell^3}{500\cdot E\cdot I}$ $=0.038\cdot\dfrac{P\cdot\ell^3}{E\cdot I}$
	$M_C=\dfrac{w\cdot\ell^2}{8}$ $(M_C\fallingdotseq 0.5\cdot P\cdot\ell)$	$\delta_C=\dfrac{5\cdot w\cdot\ell^4}{384\cdot E\cdot I}$ $\left(\delta_C\fallingdotseq 0.167\cdot\dfrac{P\cdot\ell^3}{E\cdot I}\right)$	$M_C=\dfrac{w\cdot\ell^2}{24}$ $(M_C\fallingdotseq 0.167\cdot P\cdot\ell)$	$\delta_C=\dfrac{w\cdot\ell^4}{384\cdot E\cdot I}$ $\left(\delta_C\fallingdotseq 0.0104\cdot\dfrac{P\cdot\ell^3}{E\cdot I}\right)$	$M_C=\dfrac{w\cdot\ell^2}{12}$ $(M_C\fallingdotseq 0.333\cdot P\cdot\ell)$	$\delta_C=\dfrac{w\cdot\ell^4}{128EI}$ $\left(\delta_C\fallingdotseq 0.0313\cdot\dfrac{P\cdot\ell^3}{E\cdot I}\right)$

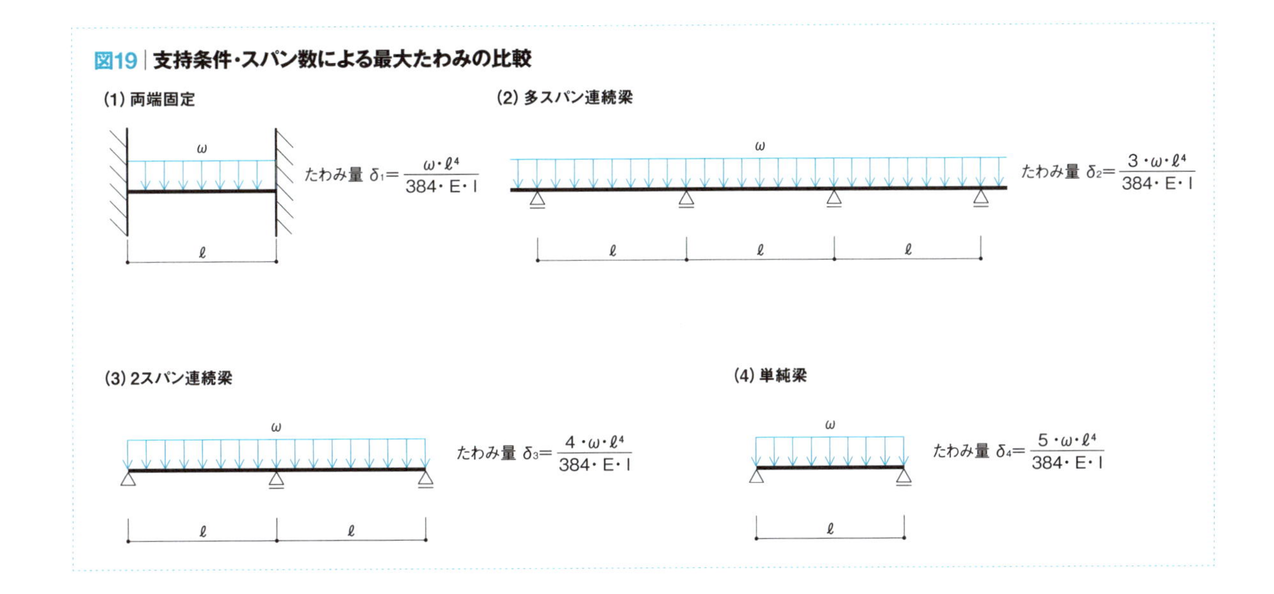

図19｜支持条件・スパン数による最大たわみの比較

柱型枠の検討

check

□ コンクリートの打設計画に応じた側圧を適切に設定する
□ コンクリートの打ち込み速さは、対象部位(独立柱/壁付き柱の別、部材断面寸法、垂直スリットの有無など)によって異なるので、危険側の想定にならないように注意する

柱型枠の検討手順は、まず現場の状況から打設時の条件を仮定し、その条件を基に側圧を想定する。その側圧に対して、せき板、内端太、外端太、締め付け金物の検討を行う。なお、型枠の計算とは直接関係しないが、独立柱で階高が大きい場合には、鉛直精度をいかに確保するかがポイントとなる。

1 | 部材構成と検討条件

step. 1

設計条件・方針

右図に示す独立柱型枠について計算する。設計条件などの詳細は以下のとおりである。

- 柱高さ(梁下): 2,400mm(2.4m)
- 柱断面: 850×850mm
- 打ち込み速さ: 25m/h
- せき板の応力・たわみ計算は単純梁とする。内端太・外端太は単純梁と両端固定の平均値とする
- 許容たわみ量は、せき板、内端太、外端太、締め付け金物とも3mm以下とする
- コンクリートは、普通コンクリートを使用し、梁下高さまで一気に打ち上げると想定した
- 側圧は、鉄筋を含まないコンクリートのみの重量から算出する

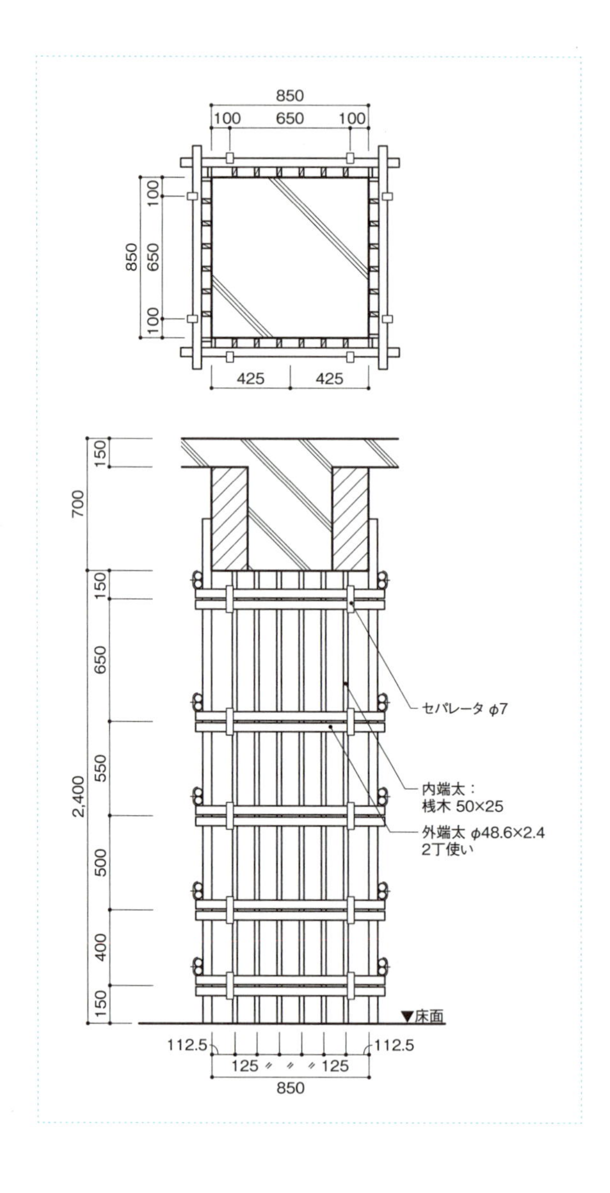

step. 2

使用材料

使用する材料および各仕様については下表のとおりとする。

材料		断面係数 Z [×10³mm³]	断面2次モーメント I [×10⁴mm⁴]	許容曲げ応力度 fb [N/mm²]	ヤング係数 E [kN/mm²]	備考
せき板	合板 12mm厚	0.024（幅1mm当たり）	0.0144（幅1mm当たり）	7.8	2.0	繊維直交方向
内端太	桟木50×25mm	10.4	26	10.3	6.9	—
外端太	単管 φ48.6mm×2.4mm厚	3.83	9.32	235	206	STK500
締め付け金物	セパレータ φ7mm	許容引張力 Ft=14kN/本			206	有効断面積 $A_s=34mm^2$

step. 3

荷重の設定

荷重はコンクリートの側圧のみを考慮する。コンクリートの打ち込み速さは25m/h、打ち込み高さは柱高さの2.4mであるので、**37頁表8**より、コンクリートの最大側圧Pは、

$P = W_0 \cdot H$

W_0：コンクリートの単位体積重量

H：コンクリートの打ち込み高さ

で求められる。よって、鉄筋を除いた普通コンクリートの単位体積重量は23.0kN/m³であることから、本例題におけるコンクリートの最大側圧は以下のとおりとなる。

$$P = 23.0\,kN/m^3 \times 2.4\,m = 55.2\,kN/m^2$$
$$= 55.2 \times 10^{-3}\,N/mm^2$$

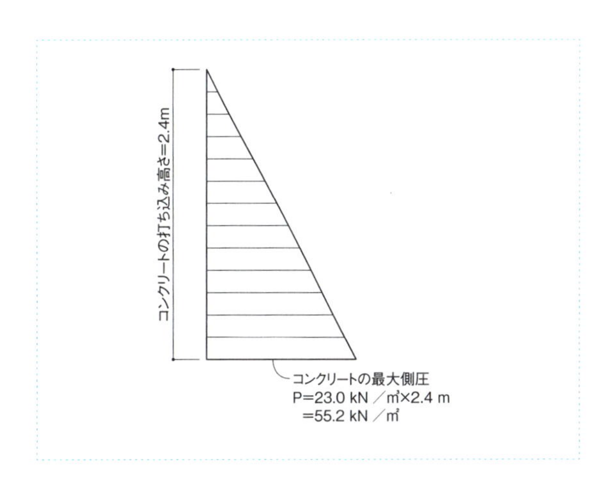

側圧の算定においては、鉄筋が自立していると考え、鉄筋を除いたコンクリートの単位体積重量（23.0kN/m³）を用います。一方、梁底・スラブ底などの検討の際には、鉄筋も含めた重量を支えているので、鉄筋コンクリートとしての単位体積重量（24.0kN/m³）を用います（37頁表6，Fc≦36のとき）

2 せき板の検討

step.1 モデル化

せき板は内端太によって押さえられているので、せき板の検討は、設定した内端太の間隔が適切なものであるかどうかを確認する作業となる。
本例題では内端太の間隔 $L_1=125\,mm$ を設計スパンと設定し、等分布荷重が作用する単純梁として、下図のようにモデル化して検討を行う。

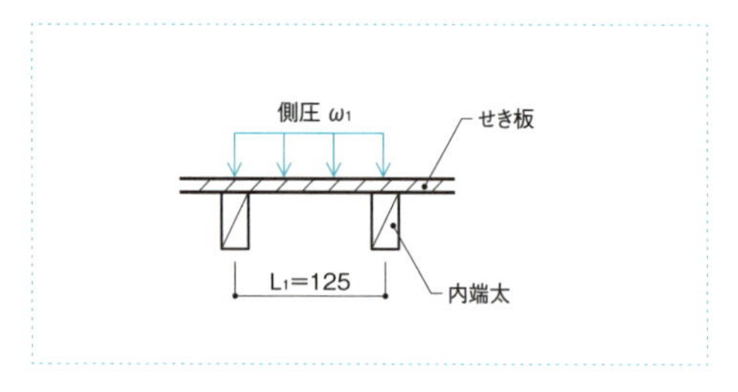

このせき板に作用する1mm幅当たりの側圧(荷重) w_1 は、コンクリートの最大側圧 $P=55.2\times10^{-3}\,N/mm^2$ であることから、以下のとおりとなる。

$$w_1=P\times1\,mm=55.2\times10^{-3}\,N/mm$$

step.2 曲げモーメントに対する検討

step.1で算定したせき板に作用する1mm幅当たりの側圧 w_1 と内端太の間隔 L_1 を基に、最大曲げモーメント M_{max} を以下の式により求める。

$$M_{max}=\frac{w_1\cdot L_1^2}{8}=\frac{55.2\times10^{-3}\times125^2}{8}=107.8\,N\cdot mm$$

上記で算定した最大曲げモーメントを基に、せき板に生じる曲げ応力度 σb を求める。断面係数Zは**47頁表**より $0.024\times10^3\,mm^3$ であるので、

$$\sigma b=\frac{M_{max}}{Z}=\frac{107.8}{0.024\times10^3}=4.49\,N/mm^2$$

となる。この数値とせき板の許容曲げ応力度fbを比較する。**47頁表**より $fb=7.8\,N/mm^2$ であるので、結果は下記のとおりとなり、曲げに対してはこれで強度的に問題がないことが確認できた。

$$\frac{\sigma b}{fb}=\frac{4.49}{7.8}=0.58\leqq1.0\rightarrow OK$$

step. 3

たわみに対する検討

曲げモーメントに対する検討と同様、等分布荷重が作用する単純梁として最大たわみ量δ_1を算定し、その数値が許容たわみ量以下であることを確認する。

$$\delta_1=\frac{5}{384}\cdot\frac{w_1\cdot L_1^4}{E\cdot I}$$

$$=\frac{5}{384}\times\frac{55.2\times10^{-3}\times125^4}{2.0\times10^3\times0.0144\times10^4}$$

$$=0.61\text{mm}\leqq3\text{mm}\rightarrow\text{OK}$$

許容たわみ量は3mm以下であるので、これで問題がないことが確認された。

繊維の方向	許容曲げ応力度 [N/mm²]	ヤング係数 [kN/mm²]
長さ方向(繊維方向)	13.7	5.5
幅方向(繊維直交方向)	7.8	2.0

合板は、繊維方向と繊維直交方向で許容曲げ応力度やヤング係数が異なるので、注意が必要です

3 内端太の検討

step. 1 モデル化

内端太には桟木(50×25mm)を用いている。内端太の応力が許容応力度以内であり、たわみも許容値以内であることを確認する。

本例題では、床から最下段外端太までの L_2 =150mmを設計スパンとして内端太の検討を行う。この部分は、外端太側を連続端、床側を自由端とする片持梁としてモデル化する。

内端太に作用する側圧 w_2 は、安全側の仮定としてのコンクリートの最大側圧 $P=55.2\times10^{-3}$ N/mm²、内端太の間隔 $L_1=125$ mmより、以下のとおりとなる。

$$w_2=P\cdot L_1=55.2\times10^{-3}\text{N/mm}^2\times125\text{mm}$$
$$=6.90\text{N/mm}$$

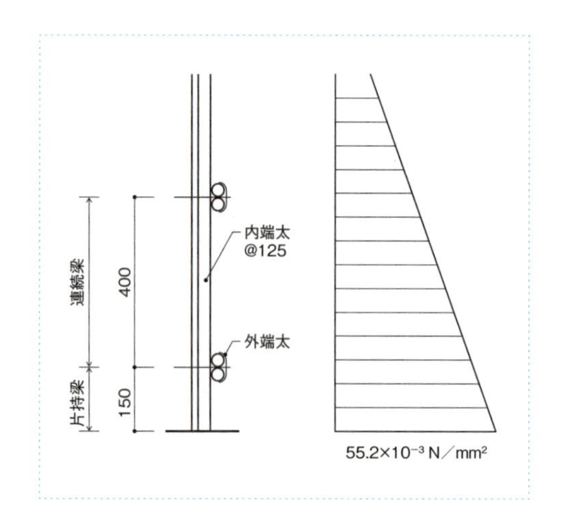

step. 2　曲げモーメントに対する検討

step.1で算定した内端太に作用する側圧w_2と設計スパンL_2を基に、等分布荷重が作用する片持梁として最大曲げモーメントM_{max}を求める。

$$M_{max}=\frac{w_2\cdot L_2^2}{2}=\frac{6.90\times150^2}{2}=77.6\times10^3\,\mathrm{N\cdot mm}$$

上記で算定した最大曲げモーメントを基に、内端太に生じる曲げ応力度σbを求める。断面係数Zは47頁表より$10.4\times10^3\mathrm{mm}^3$であるので、

$$\sigma b=\frac{M_{max}}{Z}=\frac{77.6\times10^3}{10.4\times10^3}=7.46\,\mathrm{N/mm^2}$$

となる。内端太（桟木）の許容曲げ応力度fbと比較すると、47頁表より$fb=10.3\,\mathrm{N/mm^2}$であるので、結果は下記のとおりとなり、曲げに対してはこれで問題がないことが確認できた。

$$\frac{\sigma b}{fb}=\frac{7.46}{10.3}=0.72\leqq1.0\rightarrow\mathrm{OK}$$

step. 3　たわみに対する検討

等分布荷重が作用する片持梁として、39頁表9の式により中央部の最大たわみ量δ_2を算定する。

$$\delta_2=\frac{1}{8}\cdot\frac{w_2\cdot L_2^4}{E\cdot I}$$

$$=\frac{1}{8}\times\frac{6.90\times150^4}{6.9\times10^3\times26\times10^4}$$

$$=0.24\,\mathrm{mm}\leqq3\,\mathrm{mm}\rightarrow\mathrm{OK}$$

許容たわみ量は3mm以下であるので、これで問題がないことが確認された。

4 外端太の検討

step.1 モデル化

外端太には、単管パイプを2本一組で用いている。本例題ではセパレータの間隔L_3を650mmの設計スパンと設定し、応力とたわみの検討を行う。

外端太に作用する側圧w_3は、コンクリートの最大側圧P=55.2×10^{-3}N/mm^2、間隔(負担幅)=350mmより、以下のとおりとなる。

$$w_3 = P \cdot L_2 = 55.2 \times 10^{-3}\,\mathrm{N/mm^2} \times 350\,\mathrm{mm} = 19.3\,\mathrm{N/mm}$$

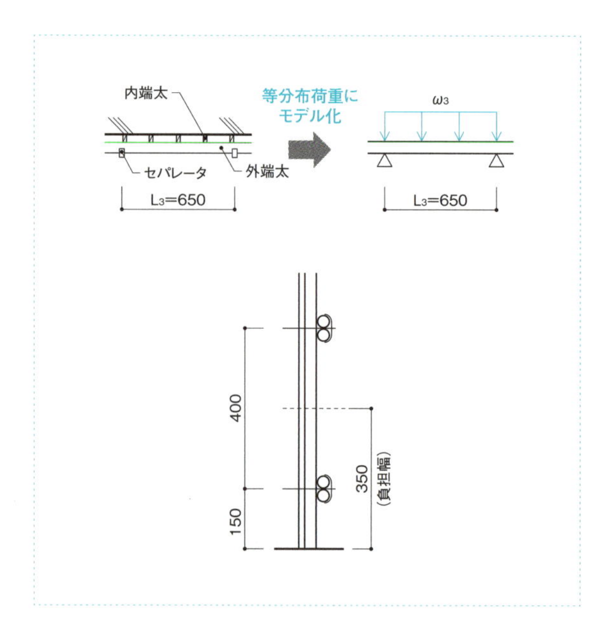

step.2 曲げモーメントに対する検討

等分布荷重が作用する単純梁と両端固定の平均値として最大曲げモーメントMmaxから曲げ応力度σbを算定し、外端太の許容曲げ応力度fbと比較して強度的に問題がないことを確認する。

$$M_{max} = \frac{w_3 \cdot L_3^2}{12} = \frac{19.3 \times 650^2}{12} = 679.5 \times 10^3\,\mathrm{N \cdot mm}$$

$$\sigma_b = \frac{M_{max}}{Z} = \frac{679.5 \times 10^3}{3.83 \times 10^3 \times 2} = 88.7\,\mathrm{N/mm^2}$$

(×2：単管の本数)

$$\frac{\sigma_b}{f_b} = \frac{88.7}{235} = 0.38 \leqq 1.0 \rightarrow \mathrm{OK}$$

step.3 たわみに対する検討

等分布荷重が作用する単純梁と両端固定の平均値として中央部の最大たわみ量δ_3を算定し、たわみ量が3mm以下であることを確認する。

$$\delta_3 = \frac{1}{128} \cdot \frac{w_3 \cdot L_3^4}{E \cdot I} = \frac{1}{128} \times \frac{19.3 \times 650^4}{206 \times 10^3 \times 9.32 \times 10^4 \times 2}$$

(×2：単管の本数)

$$= 0.70\,\mathrm{mm} \leqq 3\,\mathrm{mm} \rightarrow \mathrm{OK}$$

5 締め付け金物の検討

step.1

モデル化

ここでは、コンクリート側圧によって生じる引張力が、セパレータ（φ7mm）の許容引張強度以下であることを確認する。

セパレータの横方向間隔は650mm（セパレータ1本当たりの荷重負担幅は850／2＝425mm）、横方向負担幅は350mmとする。セパレータ1本当たりの負担面積Aは以下のとおりとなる。

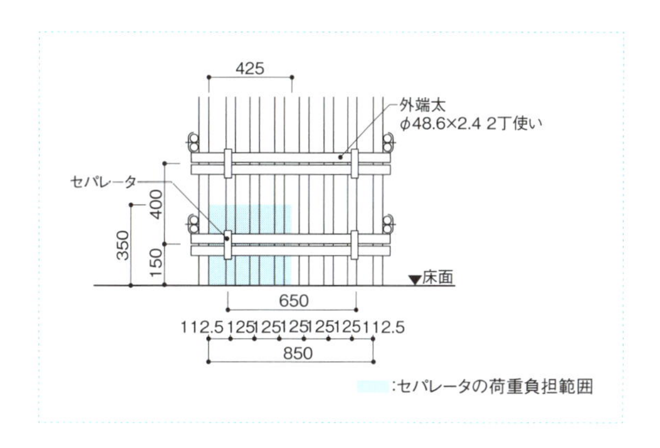

$$A=425\text{mm}\times350\text{mm}=148{,}750\text{mm}^2$$

step.2

引張力に対する検討

最大側圧Pによりセパレータ1本に生じる引張力Tは、

$$T=P\cdot A$$
$$=55.2\times10^{-3}\text{N/mm}^2\times148{,}750\text{mm}^2$$
$$=8{,}211\text{N}\fallingdotseq8.2\text{kN}$$

47頁表よりセパレータの許容引張力F_t＝14kNなので、

$$\frac{T}{F_t}=\frac{8.2}{14.0}=0.59\leqq1.0\rightarrow\text{OK}$$

となり、引張力に対しては問題がないことが確認できた。

規格サイズ	最大引張強度［kN］	許容引張強度［kN］
φ7	20以上	14
高強度φ7	30以上	21
φ9	30以上	21

step.3

伸びに対する検討

セパレータの全長d＝850mm、断面積As＝34mm²であるので、次式により、セパレータは両側に伸びることから、その半分の長さに対して伸びの最大値δ_4が3mm以下となることを確認する。

$$\delta_4=\frac{T\cdot d\cdot0.5}{E\cdot A_s}=\frac{8.2\times10^3\times850\times0.5}{206\times10^3\times34}$$
$$=0.50\text{mm}\leqq3\text{mm}\rightarrow\text{OK}$$

以上より、せき板・内端太・外端太・セパレータの変形量δ_1～δ_4の総量は、$\delta_1+\delta_2+\delta_3+\delta_4$＝0.61＋0.24＋0.70＋0.50＝2.05となり、許容変形量の5.0mm以下であることが確認された。

壁型枠の検討

check

□ 部材厚が小さく、打ち込み速さが速くなることがあるので、側圧の設定には注意が必要
□ 大型型枠とする場合には転用・揚重を考慮し、全体としての剛性・強度を確保する

壁型枠の検討は柱型枠とほぼ同様であるが、ここでは比較のために打ち込み速さを遅めに設定する。なお、集合住宅の戸境壁の場合、工期短縮や合理化の一環として大型型枠化し、同一階あるいは上階への転用を図る場合がある。その場合には、揚重機による移動が前提となるため、側圧の検討とは別に全体としての剛性強度を確保する必要がある。

1 | 部材構成と検討条件

step.1 設計条件・方針

下図に示す壁型枠について計算する。設計条件などの詳細は右のとおりである。

・壁高さ(梁下)： 2,900mm(2.9m)
・壁厚： 200mm
・打ち込み速さ： 10m/h
・せき板の応力・たわみ計算は単純梁とする
・内端太・外端太は単純梁と両端固定の平均値とする
・許容たわみ量は各3mm以下とする
・コンクリートは、普通コンクリートを使用する
・側圧は、鉄筋を含まないコンクリートのみの重量から算出する

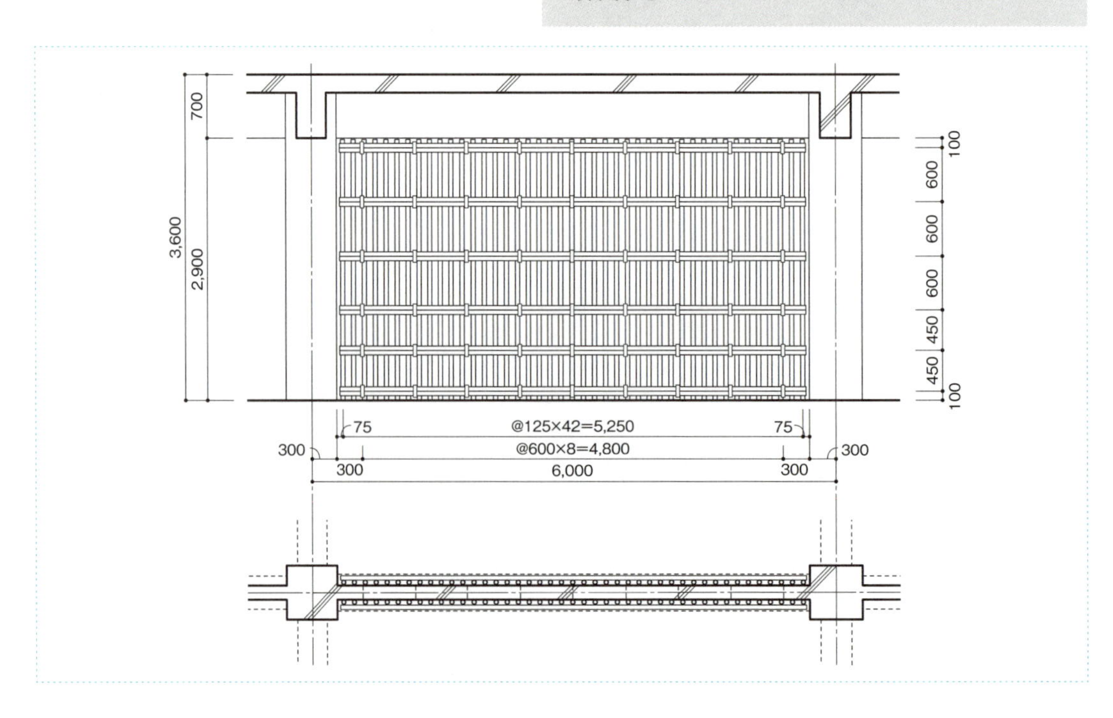

step. 2 使用材料

使用する材料および各仕様については下表のとおりとする。

材料		断面係数 Z [×10³mm³]	断面２次モーメント I [×10⁴mm⁴]	許容曲げ応力度 f_b [N/mm²]	ヤング係数 E [kN/mm²]	備考
せき板	合板 12mm厚	0.024（幅1mm当たり）	0.0144（幅1mm当たり）	7.8	2.0	繊維直交方向
内端太	桟木 50×25mm	10.4	26	10.3	6.9	—
外端太	単管 φ48.6mm×2.4mm厚	3.83	9.32	235	206	STK500
緊結材	セパレータ φ7mm	許容引張力 Ft=14kN/本			206	有効断面積 As=34mm²

step. 3 荷重の設定

荷重はコンクリートの側圧のみを考慮する。コンクリートの打込み速さは10m/h、打ち込み高さは壁高さの2.9mであるので、37頁表8より、コンクリートの最大側圧Pは、

$$P=1.5\cdot w_o+0.2\cdot w_o\cdot(H-1.5)$$

w_o：コンクリートの単位体積重量

H ：コンクリートの打込み高さ

で求められる。よって、鉄筋を除いた普通コンクリートの単位体積重量は23.0kN/m³であることから、本例題におけるコンクリートの最大側圧は以下のとおりとなる。

$$P=1.5\times23.0+0.2\times23.0\times(2.9-1.5)$$
$$=40.94\,\mathrm{kN/m^2}=40.94\times10^{-3}\,\mathrm{N/mm^2}$$

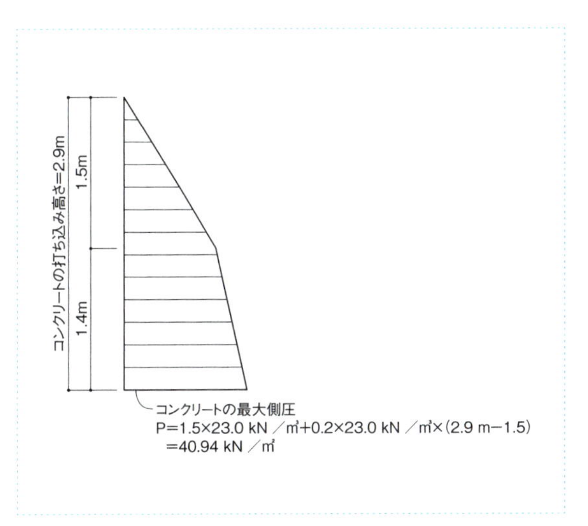

2 各部材の検討

step. 1

せき板の検討

柱型枠と同様、**55頁**で算定したコンクリートの最大側圧に対して応力・たわみの検討を行う。

せき板の検討では、設定した内端太の間隔が適切なものであるかどうかを確認する。本例題では内端太の間隔 $L_1 = 125$ mm を設計スパンと設定し、等分布荷重が作用する単純梁として検討を行う。

$$w_1 = P \times 1\text{mm} = 40.94 \times 10^{-3}\ \text{N/mm}$$

$$M_{max} = \frac{w_1 \cdot L_1^2}{8} = \frac{40.94 \times 10^{-3} \times 125^2}{8} = 80.0\ \text{N·mm}$$

$$\sigma_b = \frac{M_{max}}{Z} = \frac{80.0}{0.024 \times 10^3} = 3.3\ \text{N/mm}^2$$

$$\frac{\sigma_b}{f_b} = \frac{3.3}{7.8} = 0.42 \leqq 1.0 \rightarrow \text{OK}$$

$$\delta_1 = \frac{5}{384} \cdot \frac{w_1 \cdot L_1^4}{E \cdot I} = \frac{5}{384} \times \frac{40.94 \times 10^{-3} \times 125^4}{2.0 \times 10^3 \times 0.0144 \times 10^4} = 0.45\text{mm} \leqq 3\text{mm} \rightarrow \text{OK}$$

step. 2

内端太の検討

設定した外端太の間隔が適切なものであるかどうかを確認する。本例題では外端太の間隔 $L_2 = 450$ mm を設計スパンと設定し、等分布荷重が作用する単純梁と両端固定の平均値として検討を行う。

$$w_2 = P \cdot L_1 = 40.94 \times 10^{-3}\ \text{N/mm}^2 \times 125\text{mm} = 5.12\ \text{N/mm}$$

$$M_{max} = \frac{w_2 \cdot L_2^2}{12} = \frac{5.12 \times 450^2}{12} = 86.4 \times 10^3\ \text{N·mm}$$

$$\sigma_b = \frac{M_{max}}{Z} = \frac{86.4 \times 10^3}{10.4 \times 10^3} = 8.3\ \text{N/mm}^2$$

$$\frac{\sigma_b}{f_b} = \frac{8.3}{10.3} = 0.81 \leqq 1.0 \rightarrow \text{OK}$$

$$\delta_2 = \frac{1}{128} \cdot \frac{w_2 \cdot L_2^4}{E \cdot I} = \frac{1}{128} \times \frac{5.12 \times 450^4}{6.9 \times 10^3 \times 26 \times 10^4} = 0.91\text{mm} \leqq 3\text{mm} \rightarrow \text{OK}$$

step. 3

外端太の検討

設定したセパレータの間隔に対する外端太（単管）のスパンが適切なものであるかどうかを確認する。本例題ではセパレータの間隔L_3＝600mmを設計スパンと設定し、等分布荷重が作用する単純梁と両端固定の平均値として検討を行う。

$$w_3 = P \cdot L_2 = 40.94 \times 10^{-3}\,\mathrm{N/mm^2} \times 450\,\mathrm{mm} = 18.42\,\mathrm{N/mm}$$

$$M_{max} = \frac{w_3 \cdot L_3^2}{12} = \frac{18.42 \times 600^2}{12} = 552.6 \times 10^3\,\mathrm{N \cdot mm}$$

$$\sigma_b = \frac{M_{max}}{Z} = \frac{552.6 \times 10^3}{3.83 \times 10^3 \times 2} = 72.1\,\mathrm{N/mm^2}$$

$$\frac{\sigma_b}{f_b} = \frac{72.1}{235} = 0.31 \leqq 1.0 \rightarrow \mathrm{OK}$$

$$\delta_3 = \frac{1}{128} \cdot \frac{w_3 \cdot L_3^4}{E \cdot I} = \frac{1}{128} \times \frac{18.42 \times 600^4}{206 \times 10^3 \times 9.32 \times 10^4 \times 2} = 0.49\,\mathrm{mm} \leqq 3\,\mathrm{mm} \rightarrow \mathrm{OK}$$

step.

締め付け金物の検討

コンクリート側圧によって生じる引張力が、セパレータの許容引張強度以下であることを確認する。セパレータの縦方向間隔は450mm、横方向間隔は600mmとする。また、セパレータの全長d＝200mmの半分の長さに対して、伸びの最大値δ_4を求める。

$$A = 450\,\mathrm{mm} \times 600\,\mathrm{mm} = 270{,}000\,\mathrm{mm^2}$$

$$T = P \cdot A = 40.94 \times 10^{-3}\,\mathrm{N/mm^2} \times 270{,}000\,\mathrm{mm^2} = 11{,}054\,\mathrm{N} \fallingdotseq 11.1\,\mathrm{kN}$$

$$\frac{T}{F_t} = \frac{11.1}{14.0} = 0.79 \leqq 1.0 \rightarrow \mathrm{OK}$$

$$\delta_4 = \frac{T \cdot d \cdot 0.5}{E \cdot A_s} = \frac{11.1 \times 10^3 \times 200 \times 0.5}{206 \times 10^3 \times 34} = 0.16\,\mathrm{mm} \leqq 3\,\mathrm{mm} \rightarrow \mathrm{OK}$$

以上より、せき板・内端太・外端太・セパレータの変形量δ_1～δ_4の総量は、$\delta_1+\delta_2+\delta_3+\delta_4=0.45+0.91+0.49+0.16=2.01$となり、許容変形量の5.0mm以下であることが確認された。

梁型枠の検討

check

- □ 梁側は水平荷重(側圧)に対して、梁底は鉛直荷重(自重ほか)に対して検討する
- □ 梁側と梁底は解体のタイミングが異なるので、別々に解体できることを前提とした構成とする

梁型枠の検討においては、梁側は水平荷重(側圧)に対する検討となり、梁底は固定荷重(自重ほか)、積載荷重(作業荷重)に対する検討となる。なお、型枠の解体に関しては、梁側はせき板の存置期間後には撤去可能であるが、梁底は支保工を盛り替えることなく撤去することが困難なため、分割して解体できる組み方とする。

1 | 部材構成と検討条件

step. 1

設計条件・方針

下図に示す梁型枠について計算する。設計条件などの詳細は右のとおりである。

- ・梁断面：400×800mm
- ・せき板の応力・たわみ計算は単純梁とする
- ・横端太、根太の応力・たわみ計算は、単純梁と両端固定の平均値とする
- ・許容たわみ量は各3mm以下とする
- ・コンクリートは、普通コンクリートを使用する

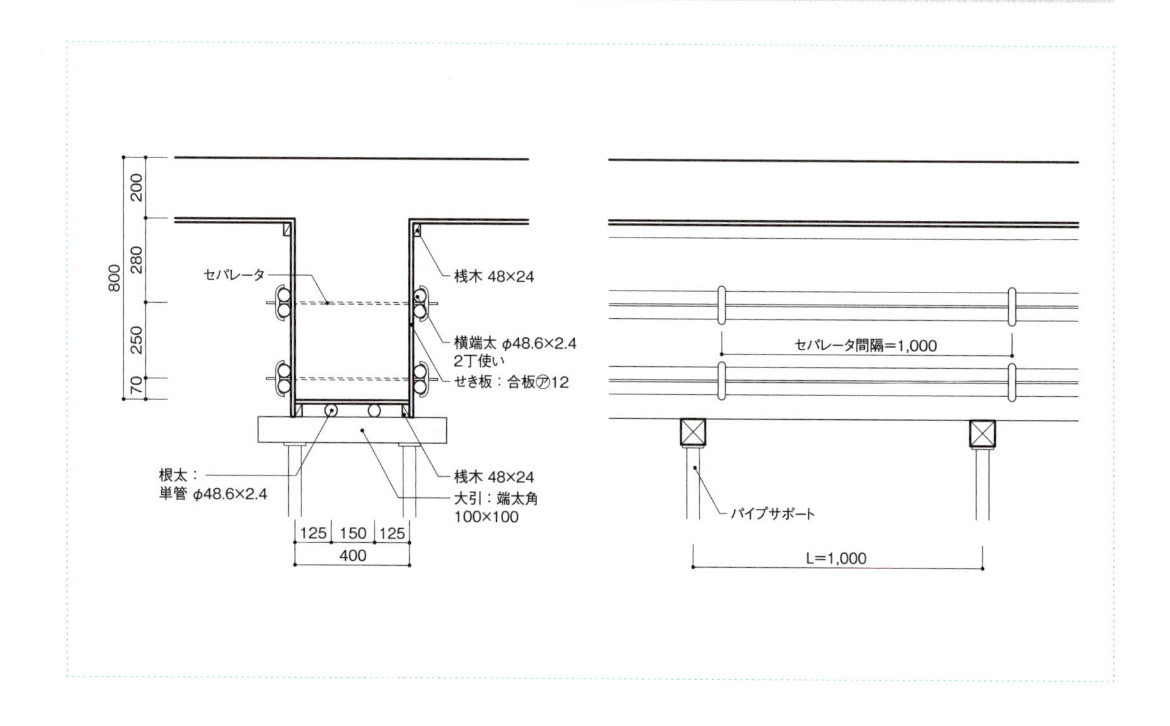

step. 2

使用材料

使用する材料および各仕様については下表のとおりとする。

材料		断面係数Z [$\times10^3$mm^3]	断面2次モーメントI [$\times10^4$mm^4]	許容曲げ応力度 fb [N/mm^2]	ヤング係数E [kN/mm^2]	備考
せき板	合板 12mm厚	0.024(幅1mm当たり)	0.0144(幅1mm当たり)	7.8	2.0	繊維直交方向
根太、横端太	単管 ϕ48.6mm×2.4mm厚	3.83	9.32	235	206	STK500
緊結材	セパレータ ϕ7mm	許容引張力:Ft = 14kN/本			206	有効断面積 As=34mm^2
大引	端太角 100×100mm	167	833	10.3	6.9	—
支柱	パイプサポート	許容荷重:14.7kN/本 使用長さ:3.4m				—
引張材	チェーン	許容荷重:3.92kN/本 破断強度:17.64kN/本以上				—

step. 3

荷重の設定

荷重は梁側と梁底の場合に分けて考える。梁側の場合はコンクリートの側圧のみを考慮するが、モデル化にあたっては柱・壁型枠のときとは考え方が異なるので、60~64頁で詳しく解説する。

梁底の場合は固定荷重、型枠自重、積載(作業)荷重を考慮する。設計条件を以下のように設定すると、

- ・梁せい:800mm
- ・鉄筋コンクリートの単位体積重量:24.0kN/m^3(コンクリートのみでは23.0kN/m^3)
- ・型枠重量:0.4kN/m^2
- ・作業(積載)荷重:1.5kN/m^2
- ・水平力は、パイプサポートを用いた場合として、鉛直荷重の5%とする

よって、梁底の設計用鉛直荷重Pは次のとおりとなる。

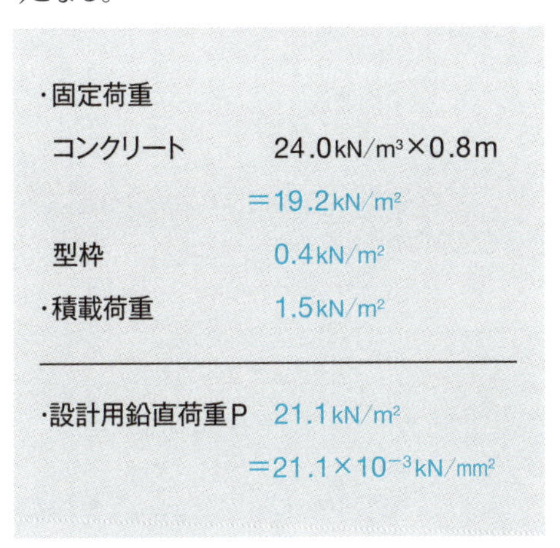

2 | 梁側せき板の検討

モデル化

せき板の検討は、設定した横端太の間隔が適切なものであるかどうかを確認する作業となる。本例題では横端太の間隔 $L_1 = 250$ mm を設計スパンと設定し、等分布荷重が作用する単純梁として、右図のようにモデル化して検討を行う。

このせき板に作用する1mm幅当たりの荷重（側圧）は、37頁表8より右の算定式で求められる。ただし、梁側せき板に作用する側圧は、1段目、2段目の横端太位置での平均値として算定する。鉄筋を除いた普通コンクリートの単位体積重量は23.0kN/mm³であることから、せき板に作用する平均側圧 P_{av1} は以下のとおりとなる。

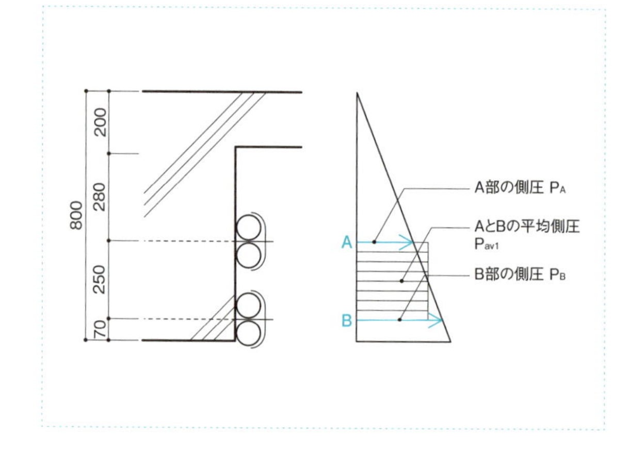

せき板に作用する荷重 $P_1 = w_0 \cdot H$

w_0：コンクリートの単位体積重量量

H ：コンクリートの打込み高さ

A部の側圧　$P_A = 23.0\,\mathrm{kN/m^3} \times (0.28 + 0.2)\,\mathrm{m} = 11.0\,\mathrm{kN/m^2}$

B部の側圧　$P_B = 23.0\,\mathrm{kN/m^3} \times (0.25 + 0.28 + 0.2)\,\mathrm{m} = 16.8\,\mathrm{kN/m^2}$

$$平均側圧\quad P_{av1} = \frac{11.0 + 16.8}{2} = 13.9\,\mathrm{kN/m^2} = 13.9 \times 10^{-3}\,\mathrm{N/mm^2}$$

よって、せき板に作用する1mm幅当たりの側圧（荷重）w_1 は、以下のとおりとなる。

$$w_1 = P_{av1} \times 1\,\mathrm{mm} = 13.9 \times 10^{-3}\,\mathrm{N/mm}$$

ポイント

単管2本使いの場合の支持間隔

point

横端太など単管2本使いの場合、せき板の支持間隔（L_1）と横端太間隔（セパレータ間隔 ℓ_2）が厳密には異なるので注意する。せき板に関しては、2本のそれぞれの単管が支持点になり、横端太間隔としては2本の単管の中心（セパレータ心位置）間距離と考える。両者は約30mmずれるため、せき板の支持間隔は横端太間隔（セパレータ心位置）に比べ約60mm小さくなる。もちろん本例題のように単純化してせき板支持間隔を横端太間隔と同一としても、安全側の仮定となるので問題はない。

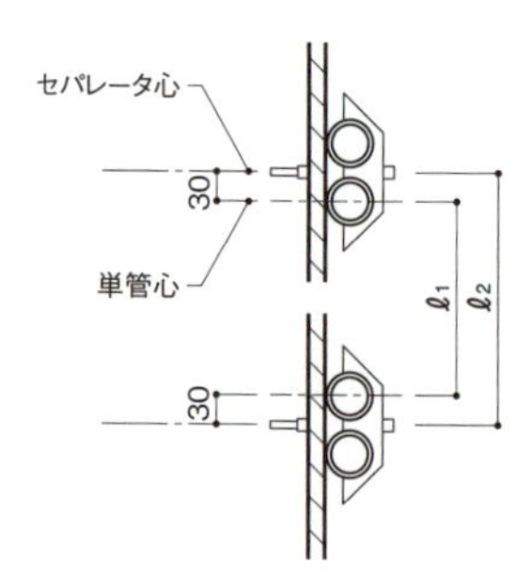

ℓ_1：せき板の支持間隔
ℓ_2：セパレータ心の距離
$\ell_1 = \ell_2 - 30 \times 2$

step. 2

曲げモーメントに対する検討

せき板に作用する1mm幅当たりの側圧w_1と設計スパンL_1を基に、最大曲げモーメントM_{max}を求める。

$$M_{max}=\frac{w_1 \cdot L_1^2}{8}=\frac{13.9\times10^{-3}\times250^2}{8}=108.6\text{N}\cdot\text{mm}$$

上記で算定した最大曲げモーメントを基に、せき板に生じる曲げ応力度σ_bを求める。断面係数Zは**59頁表**より$0.024\times10^3\text{mm}^3$であるので、

$$\sigma_b=\frac{M_{max}}{Z}=\frac{108.6}{0.024\times10^3}=4.53\text{N/mm}^2$$

となる。この数値とせき板の許容曲げ応力度f_bを比較する。**59頁表**より$f_b=7.8\text{N/mm}^2$であるので、結果は下記のとおりとなり、曲げに対してはこれで強度的に問題がないことが確認できた。

$$\frac{\sigma_b}{f_b}=\frac{4.53}{7.8}=0.58\leqq1.0\rightarrow\text{OK}$$

step. 3

たわみに対する検討

曲げモーメントに対する検討と同様、等分布荷重が作用する単純梁として最大たわみ量δ_1を算定し、その数値が許容たわみ量以下であることを確認する。

$$\delta_1=\frac{5}{384}\cdot\frac{w_1\cdot L_1^4}{E\cdot I}$$

$$=\frac{5}{384}\times\frac{13.9\times10^{-3}\times250^4}{2.0\times10^3\times0.0144\times10^4}$$

$$=2.46\text{mm}\leqq3\text{mm}\rightarrow\text{OK}$$

許容たわみ量は3mm以下であるので、問題がないことが確認された。

日本農林規格(JAS)では、板面の品質基準、含水率、曲げ剛性などが規定されているほか、ホルムアルデヒド放散量を表示するように規定されているよ。ただし、同規格で示される曲げ剛性の適合基準は気乾状態の合板についての数値なので、型枠として使用する場合には湿潤による強度と剛性の低下を考慮してね

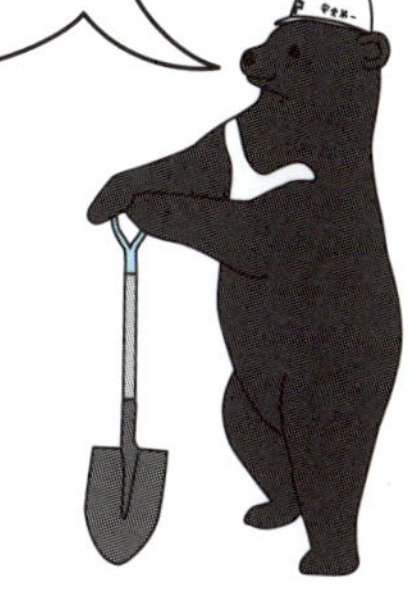

3 梁側横(外)端太の検討

step. 1 モデル化

横端太に作用する側圧は、セパレータの支配幅での平均値となる。右図においてA位置の横端太の支配幅は、スラブ下端からA位置の横端太までの距離280mmの半分と、A〜B間の横端太距離250mmの半分との和(L_2=265mm)となる。B位置の横端太の支配幅は、A〜B間の横端太距離250mmの半分と下端の70mmとの和(L_3=195mm)となる。

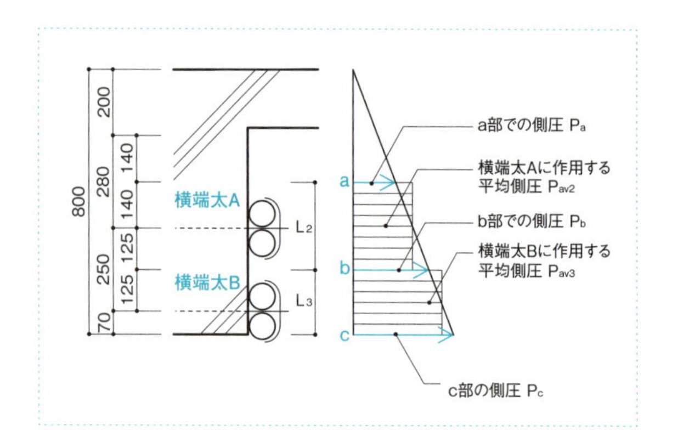

よって、a部での側圧P_aは梁天端から200＋280／2＝340の位置の値となり、b部の側圧P_bは梁天端から200＋280＋250／2＝605の位置の値、c部の側圧P_cは梁天端から200＋280＋250＋70＝800の位置の値となる。

また、横端太に対する側圧(平均側圧)は、横端太Aが(P_a＋P_b)／2、横端太Bが(P_b＋P_c)／2となる。

a部の側圧　$P_a=23.0\times(\frac{0.28}{2}+0.2)=7.8\text{kN/m}^2$

b部の側圧　$P_b=23.0\times(\frac{0.25}{2}+0.28+0.2)=13.9\text{kN/m}^2$

c部の側圧　$P_c=23.0\times(0.07+0.25+0.28+0.2)=18.4\text{kN/m}^2$

横端太Aに作用する平均側圧

$$P_{av2}=\frac{P_a+P_b}{2}=\frac{7.8+13.9}{2}=10.9\times10^{-3}\text{N/mm}^2$$

横端太Bに作用する平均側圧

$$P_{av3}=\frac{P_b+P_c}{2}=\frac{13.9+18.4}{2}=16.2\times10^{-3}\text{N/mm}^2$$

したがって、横端太A・Bに作用する1mm幅当たりの側圧(荷重)はそれぞれ以下のとおりとなる。

横端太Aに作用する平均側圧

$w_A=P_{av2}\cdot L_2=10.9\times10^{-3}\times(140+125)=2.89\text{N/mm}$

横端太Bに作用する平均側圧

$w_B=P_{av3}\cdot L_3=16.2\times10^{-3}\times(125+70)=3.16\text{N/mm}$

step. 2

曲げモーメントに対する検討

横端太Aと横端太Bは同種の部材なので、横端太Bを対象として検討する。
等分布荷重が作用する単純梁と両端固定の平均値として、横端太Bに作用する側圧 w_B と設計スパン(セパレータ間隔 L=1,000mm)を基に最大曲げモーメント M_{max} を算定する。さらに、横端太Bに生じる曲げ応力度 σ_b を求めて単管の許容曲げ応力度 f_b と比較し、強度的に問題がないことを確認する。

$$M_{max}=\frac{w_B\cdot L^2}{12}=\frac{3.16\times1{,}000^2}{12}=263\times10^3\,\mathrm{N\cdot mm}$$

$$\sigma_b=\frac{M_{max}}{Z}=\frac{263\times10^3}{3.83\times10^3\times2}=34.3\,\mathrm{N/m^2}$$

↑横端太の本数

$$\frac{\sigma_b}{f_b}=\frac{34.3}{235}=0.15\leqq1.0\rightarrow\mathrm{OK}$$

軽量支保梁で床型枠を受ける場合には、(社)仮設工業会の『足場・型枠支保工設計指針』に定められたセパレータ位置(横端太位置、水平間隔)などの規定を遵守しましょう

step. 3

たわみに対する検討

等分布荷重が作用する単純梁と両端固定の平均値として中央部の最大たわみ量 δ_2 を算定し、たわみ量が3mm以下であることを確認する。

$$\delta_2=\frac{1}{128}\cdot\frac{w_B\cdot L^4}{E\cdot I}=\frac{1}{128}\times\frac{3.16\times1{,}000^4}{206\times10^3\times9.32\times10^4\times2}$$

↑横端太の本数

$$=0.64\,\mathrm{mm}\leqq3\,\mathrm{mm}\rightarrow\mathrm{OK}$$

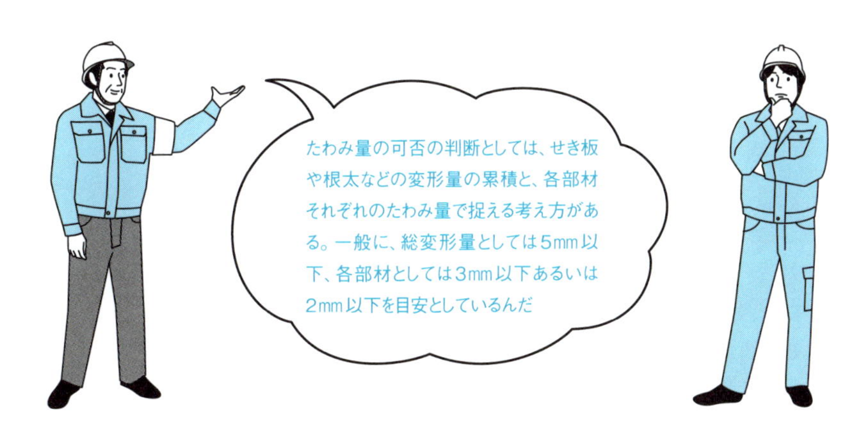

4 締め付け金物の検討

step.1 モデル化

コンクリート側圧によって生じる引張力が、セパレータの許容引張強度以下であることを確認する。

横端太AおよびBに取り付けるセパレータ1本当たりの負担面積はそれぞれ以下のとおりとなる。

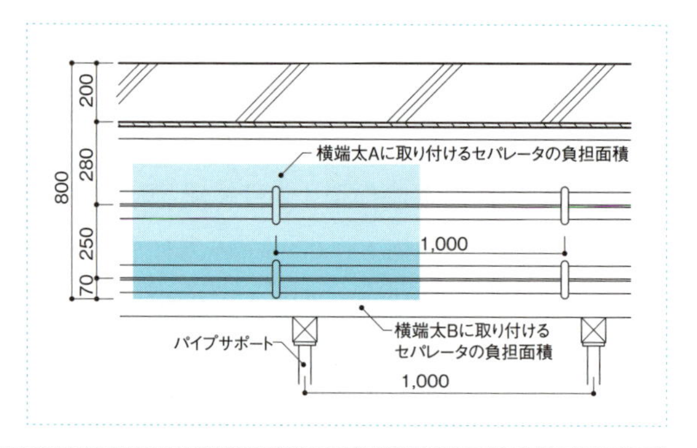

横端太Aに取り付けるセパレータの負担面積 $A_A = \left(\frac{280+250}{2}\right) \times 1{,}000 = 265{,}000\text{mm}^2$

横端太Bに取り付けるセパレータの負担面積 $A_B = \left(\frac{250}{2}+70\right) \times 1{,}000 = 195{,}000\text{mm}^2$

step.2 引張力に対する検討

横端太Aに取り付けるセパレータに生じる引張力T_A、および横端太Bに取り付けるセパレータに生じる引張力T_Bは、

$$T_A = P_{av2} \times A_A$$
$$= 10.9 \times 10^{-3}\text{N/mm}^2 \times 265{,}000\text{mm}^2$$
$$= 2{,}889\text{N} \fallingdotseq 2.9\text{kN}$$
$$T_B = P_{av3} \times A_B$$
$$= 16.2 \times 10^{-3}\text{N/mm}^2 \times 195{,}000\text{mm}^2$$
$$= 3{,}159\text{N} \fallingdotseq 3.2\text{kN}$$

A位置とB位置のセパレータは同種なので横端太Bを対象として検討すると、**59頁表**よりセパレータ(W 5／16)の許容引張力 F_t=14kN であるから、

$$\frac{T_B}{F_t} = \frac{3.2}{14.0} = 0.23 \leqq 1.0 \rightarrow \text{OK}$$

となり、引張力に対しては問題がないことが確認できた。

step.3 伸びに対する検討

セパレータの全長 d＝400mm、断面積 A_s＝34mm^{2}であるので、次式により、セパレータの半分の長さに対して伸びの最大値δ_3が3mm以下となることを確認する。

$$\delta_3 = \frac{T_B \cdot d \cdot 0.5}{E \cdot A_s} = \frac{3.2 \times 10^3 \times 400 \times 0.5}{206 \times 10^3 \times 34}$$
$$= 0.09\text{mm} \leqq 3\text{mm} \rightarrow \text{OK}$$

以上より、δ_1～δ_3の累積値としても、2.46＋0.64＋0.09＝3.19≦5.0 mmであることが確認できた。

5 梁底せき板の検討

step. 1

モデル化

—

設定した根太の間隔が適切なものであるかどうかを確認する。
本例題ではせき板の設計スパンL_4を150mmと設定し、等分布荷重が作用する単純梁として、右図のようにモデル化して検討を行う。
せき板に作用する1mm幅当たりの荷重w_4は、59頁step.3で算定した設計用鉛直荷重から右のとおりとする。

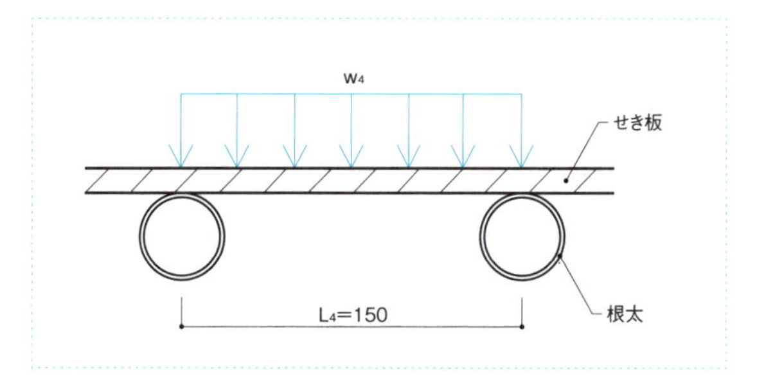

$$w_4 = P \times 1\,\mathrm{mm} = 21.1 \times 10^{-3}\,\mathrm{N/mm}$$

step. 2

曲げモーメントに対する検討

—

等分布荷重が作用する単純梁として最大曲げモーメントM_{max}を算定する。さらに、せき板(繊維直交方向)に生じる曲げ応力度σ_bを求めてせき板の許容曲げ応力度f_bと比較し、強度的に問題がないことを確認する。

$$M_{max} = \frac{w_4 \cdot L_4^2}{8} = \frac{21.1 \times 10^{-3} \times 150^2}{8} = 59.3\,\mathrm{N \cdot mm}$$

$$\sigma_b = \frac{M_{max}}{Z} = \frac{59.3}{0.024 \times 10^3} = 2.47\,\mathrm{N/mm^2}$$

$$\frac{\sigma_b}{f_b} = \frac{2.47}{7.8} = 0.32 \leqq 1.0 \rightarrow \mathrm{OK}$$

step. 3

たわみに対する検討

—

同様に、等分布荷重が作用する単純梁としてせき板の最大たわみ量δ_4を算定し、たわみ量が3mm以下であることを確認する。

$$\delta_4 = \frac{5}{384} \cdot \frac{w_4 \cdot L_4^4}{E \cdot I} = \frac{5}{384} \times \frac{21.1 \times 10^{-3} \times 150^4}{2.0 \times 10^3 \times 0.0144 \times 10^4}$$

$$= 0.48\,\mathrm{mm} \leqq 3\,\mathrm{mm} \rightarrow \mathrm{OK}$$

6 梁底根太の検討

step. 1

モデル化

—

本例題では根太(単管)の設計スパンL_5を1,000mmと設定し、等分布荷重が作用する単純梁と両端固定の平均値として、右図のようにモデル化して検討を行う。梁底の根太が右図のように配置されているとき、根太Aは隣り合う根太Bとの距離の半分、すなわち125／2が支配幅となる。根太Bは、両側の隣り合う根太との距離の半分ずつ、すなわち(150＋125)／2が支配幅となる。したがって、根太が負担する荷重 w_5は、右のとおりとなる。

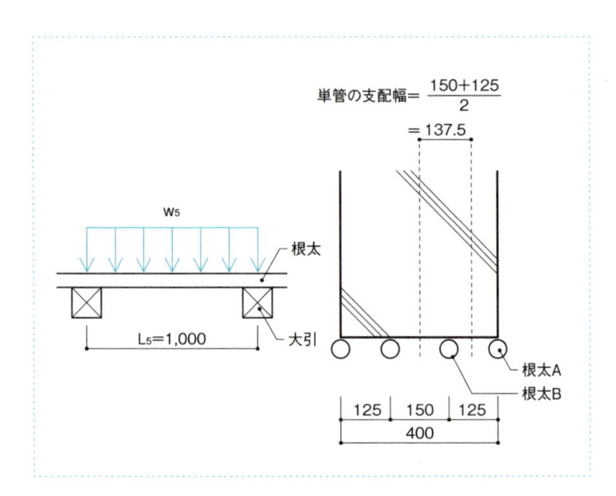

$$根太Bの支配幅＝\frac{150＋125}{2}＝137.5\text{mm}$$

$$w_5＝21.1\times10^{-3}\times137.5$$
$$＝2.90\text{N/mm}$$

step. 2

曲げモーメントに対する検討

—

等分布荷重が作用する単純梁と両端固定の平均値として最大曲げモーメントM_{max}を算定する。さらに、根太に生じる曲げ応力度σ_bを求めて単管の許容曲げ応力度 f_bと比較し、強度的に問題がないことを確認する。

$$M_{max}＝\frac{w_5\cdot L_5^2}{12}＝\frac{2.90\times1,000^2}{12}＝241.7\times10^3\text{N}\cdot\text{mm}$$

$$\sigma_b＝\frac{M_{max}}{Z}＝\frac{241.7\times10^3}{3.83\times10^3}＝63.1\text{N/mm}^2$$

$$\frac{\sigma_b}{f_b}＝\frac{63.1}{235}＝0.27\leqq1.0\rightarrow\text{OK}$$

point

ポイント

根太の荷重負担割合

梁底を支える部材が同種の部材で構成されるときと、異種部材で構成されるときの荷重負担の考え方の例を示す。

[1]── 根太が同種の部材で構成されるとき

同一部材で、断面性能も同一であるので、step.1で示すように部材間隔で定まる支配幅分の割合とする。

[2]── 根太が異種部材で構成されるとき

たとえば、桟木と単管を用いるときなどには、両者の断面性能(剛性)が大きく異なるため、両者のたわみ量を同一とするような荷重負担割合を想定する。

(1) 根太が同種類の部材で構成されている場合

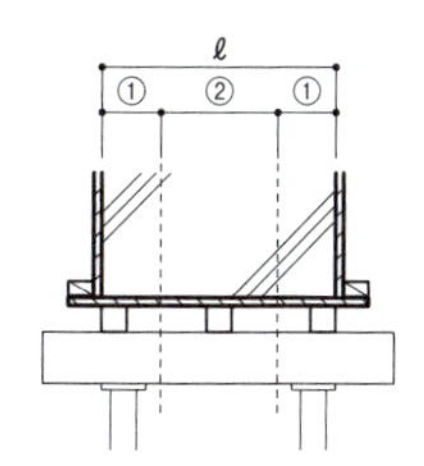

各部材の荷重負担割合は、支配面積分の割合とする。各部材1本当たりの荷重負担割合は以下の算定式により算定する。

①：幅 $\left(\dfrac{1}{2(n-1)}\cdot \ell\right)$ 分の荷重

②：幅 $\left(\dfrac{1}{n-1}\cdot \ell\right)$ 分の荷重

n：部材の総数(左図の例では3)
ℓ：梁幅

(2) 根太が異種部材で構成されている場合

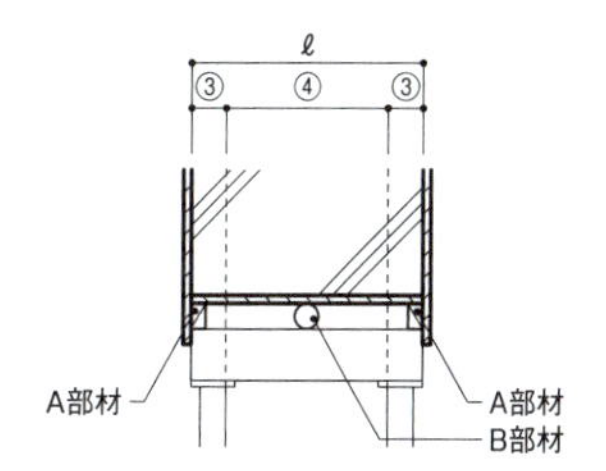

各部材のたわみ量が同一になるような荷重負担割合とする。各部材1本当たりの荷重負担割合は以下の算定式により算定する。

③：幅 $\left(\dfrac{E_A \cdot I_A}{n_A \cdot E_A \cdot I_A + n_B \cdot E_B \cdot I_B}\cdot \ell\right)$ 分の荷重

④：幅 $\left(\dfrac{E_B \cdot I_B}{n_A \cdot E_A \cdot I_A + n_B \cdot E_B \cdot I_B}\cdot \ell\right)$ 分の荷重

E_A：A部材のヤング係数
I_A：A部材の断面2次モーメント
n_A：A部材の本数(右図の例では2)
E_B：B部材のヤング係数
I_B：B部材の断面2次モーメント
n_B：B部材の本数(右図の例では1)

step. 3

たわみに対する検討

同様に、等分布荷重が作用する単純梁と両端固定の平均値として根太の最大たわみ量δ_5を算定し、たわみ量が3mm以下であることを確認する。

$$\delta_5 = \frac{1}{128}\cdot\frac{w_5 \cdot L_5^4}{E \cdot I} = \frac{1}{128}\times\frac{2.90\times 1{,}000^4}{206\times 10^3 \times 9.32\times 10^4}$$

$$= 1.18\text{mm} \leqq 3\text{mm} \rightarrow \text{OK}$$

7 | 梁底大引の検討

step. 1

モデル化

本例題では大引の設計スパンL_6を400mmと設定し、等分布荷重が作用する単純梁として、右図のようにモデル化して検討を行う。

スラブの荷重はスラブ下の支保工が、梁分の荷重は梁下の支保工が支持するため、梁下の大引に作用する1mm幅当たりの荷重w_6は、大引間隔が1,000mmであることから、以下のとおりとなる。

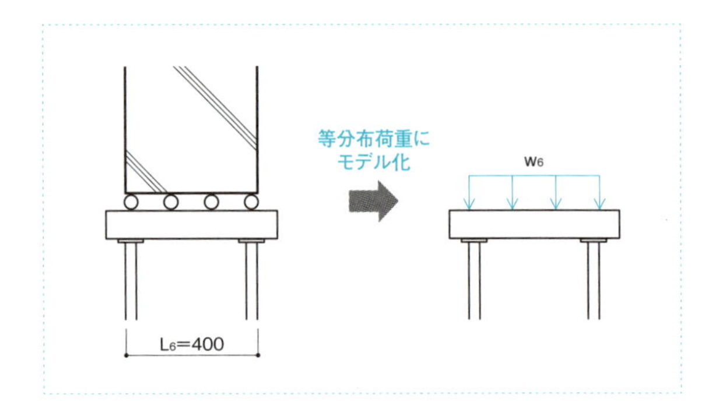

$$w_6 = P \times 1{,}000 = 21.1 \times 10^{-3} \times 1{,}000 = 21.1\ \mathrm{N/mm}$$

step. 2

曲げモーメントに対する検討

等分布荷重が作用する単純梁として最大曲げモーメントM_{max}を算定する。さらに、大引に生じる曲げ応力度σbを求めて端太角の許容曲げ応力度f_bと比較し、強度的に問題がないことを確認する。

$$M_{max} = \frac{w_6 \cdot L_6^2}{8} = \frac{21.1 \times 400^2}{8}$$

$$= 422.0 \times 10^3\ \mathrm{N \cdot mm}$$

$$\sigma_b = \frac{M_{max}}{Z} = \frac{422.0 \times 10^3}{167 \times 10^3} = 2.53\ \mathrm{N/mm^2}$$

$$\frac{\sigma_b}{f_b} = \frac{2.53}{10.3} = 0.25 \leqq 1.0 \rightarrow \mathrm{OK}$$

step. 3

たわみに対する検討

同様に、等分布荷重が作用する単純梁として中央部の最大たわみ量δ_6を算定し、たわみ量が3mm以下であることを確認する。

$$\delta_6 = \frac{5}{384} \cdot \frac{w_6 \cdot L_6^4}{E \cdot I}$$

$$= \frac{5}{384} \times \frac{21.1 \times 400^4}{6.9 \times 10^3 \times 833 \times 10^4}$$

$$= 0.12\ \mathrm{mm} \leqq 3\ \mathrm{mm} \rightarrow \mathrm{OK}$$

ここでは、大引をパイプサポート間の単純梁としてモデル化しています。その際には、全荷重がその間に作用するものと考えます。なお、**86頁**では、根太とパイプサポートの位置関係を考慮した場合の考え方を示しています

8 支柱の検討

step.1 モデル化

—

パイプサポートが負担する荷重が許容荷重以下であることを確認する。
パイプサポート1本当たりの負担面積Aは、サポートのピッチ＝1.0m(1,000mm)、梁幅＝0.4m(400mm)の半分なので、以下のとおりとなる。

$$A=1.0\times0.4\times\frac{1}{2}=0.2\,\mathrm{m^2}$$

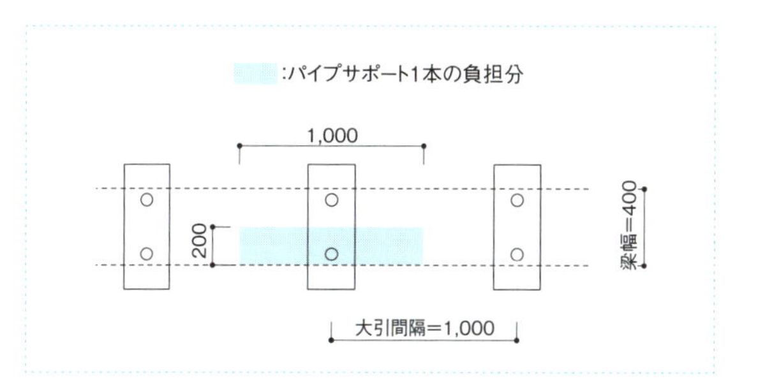

step.2 パイプサポートの軸力に対する検討

—

パイプサポート1本当たりの荷重P_Pを算定し、許容荷重と比較する。パイプサポートは高さ3.4mであり、水平方向への拘束を行う予定であるが、安全側の仮定として連係なしの許容荷重を用いるので、41頁表12より、14.7kN以下であれば問題はない。

$$P_P=P\cdot A=21.1\,\mathrm{kN/m^2}\times0.2\,\mathrm{m^2}$$
$$=4.2\,\mathrm{kN}\leqq14.7\,\mathrm{kN}\rightarrow \mathrm{OK}$$

step.3 たわみに対する検討

—

梁底のせき板、根太、大引、パイプサポートのたわみ量δ_4～δ_7の総量が、許容変形量(5mm)以下であることを確認する。パイプサポートに荷重がかかった場合のたわみ量δ_7は、右図より約0.2mmとなるので、たわみの総量は以下のとおりとなり、問題がないことが確認された。

$$\Sigma\delta=\delta_4+\delta_5+\delta_6+\delta_7$$
$$=0.48+1.18+0.12+0.2$$
$$=1.98\,\mathrm{mm}\leqq5.0\,\mathrm{mm}\rightarrow \mathrm{OK}$$

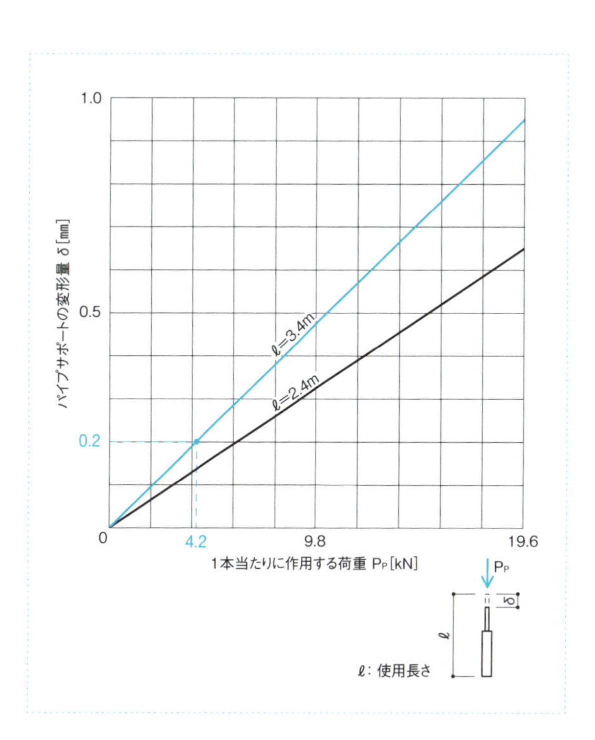

9 | 水平力に対する検討

モデル化

型枠の検討における水平力としては、以下のものが挙げられる。

①コンクリート打設時に水平方向に作用する荷重

②風圧などによる荷重

ここでは、主として前者を検討対象としている。この水平荷重は、スラブ厚、打設速度、人員などの実状に応じて設定するべきであるが、一律に決めることは困難である。そこで、37頁表7に示すように、鉛直荷重の5%を水平荷重として想定する。

水平力に抵抗するためには、引張材としてのチェーン、圧縮材としてのパイプサポート、両方に効かせる押し引きサポートなどを用いる。ここでは、最も一般的であるチェーンを引張材として用いた場合の検討例を示す。

チェーンの取り付け角度を上図のようにモデル化し、チェーンに作用する引張力 P_1 がチェーンの許容引張力（本例題では、71頁のアドバイスにあるように、3.92kNとする）以下となるようにチェーンの必要本数を決定する。

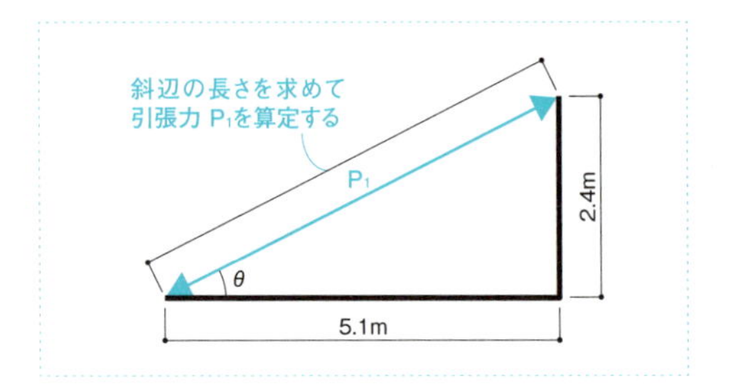

対象とする梁長5.2m、梁幅0.4m分の鉛直荷重（固定荷重+積載荷重）に対して、その5%が水平荷重として作用すると考える。

$$P_H = 21.1 \times (5.2 \times 0.4) \times 0.05$$
$$= 43.9 \times 0.05 = 2.19\text{kN}$$

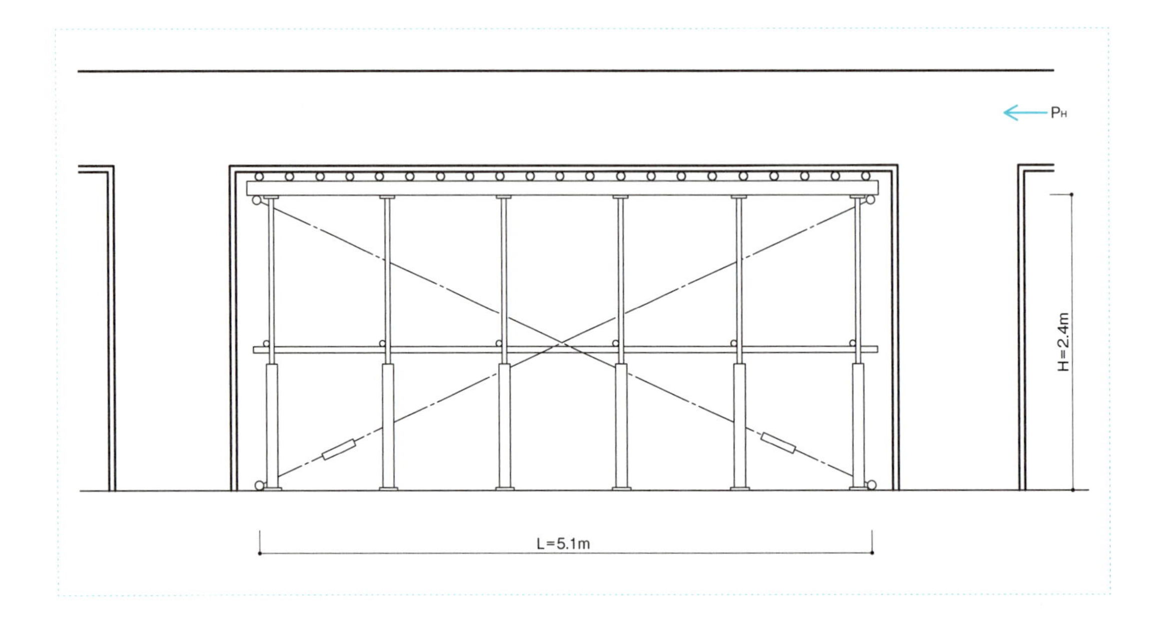

step. 2

チェーンの検討

水平荷重から引張力 P_1 を算定する。
まず、計算に必要な斜辺の長さを三平方の定理により求めると、

$$\text{斜辺の長さ} = \sqrt{5.1^2 + 2.4^2} \fallingdotseq 5.64\,\text{m}$$

したがって、チェーンに作用する引張力 P_1 は、水平荷重 P_H に対して（斜辺の長さ/底辺の長さ）倍となるから、

$$P_1 = P_H \times \frac{5.64}{5.1} = 2.19 \times \frac{5.64}{5.1} = 2.42\,\text{kN}$$

チェーン1本当たりの許容引張力は3.92 kNなので、梁に作用する水平力に対して必要なチェーンの本数 n を求めると、以下のとおり、各方向に対し、引張材としてチェーン1本が必要となることが分かる。

$$n = \frac{2.42}{3.92} \fallingdotseq 0.62 \rightarrow 1\text{本}$$

認定基準に合致した吊りチェーンは、破断強度が17.64kN以上だけど、保証荷重としては17.64×2／3＝11.76kNとなっている。吊りチェーンとして用いる場合には、さらに安全率5を確保するけど、今回のように水平力に対する控えチェーンとして用いる場合は、一般的に安全率を3と考え、11.76×1／3＝3.92kNを許容荷重としているよ

スラブの検討

check

- □ スラブの出来形、施工方法などの要求性能に応じた最適な型枠・支保工の工法を選定する
- □ 直天の場合には、スラブ下面の不陸・たわみに対して、事前の数値検討とともに施工時の管理が重要となる

スラブの型枠支保工の検討に際しては、まず使用材料、工法を決定することが必要となる。在来工法であれば、せき板、根太、大引、パイプサポートの組み合わせとなるが、根太・大引については軽量支保梁を用いる場合、デッキプレートを用いて根太・大引を省略してしまう場合、スラブ内部にボイドを仕込む場合など各種の工法があり、工法に応じた検討が必要となる。

1 | 部材構成と検討条件

step. 1

設計条件・方針

右図に示す床型枠について計算する。設計条件などの詳細は以下のとおりである。

- ・スラブ下端高さ：3.0m
- ・スラブ厚さ：200mm
- ・せき板の応力計算は単純梁とする
- ・許容たわみ量は各3mm以下とする
- ・普通コンクリートを使用する

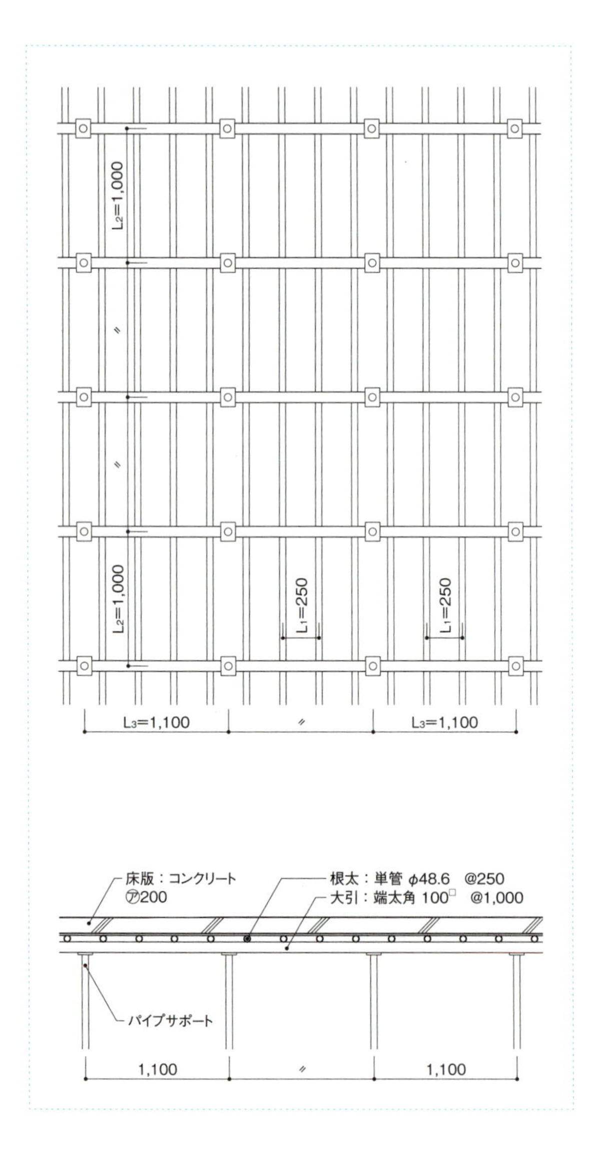

step. 2

使用材料

使用する材料および各仕様については下表のとおりとする。

使用材料		断面係数Z [×10³mm³]	断面2次モーメントI [×10⁴mm⁴]	許容曲げ応力度fb [N/mm²]	ヤング係数E [kN/mm²]	備考
せき板	合板 12mm厚	0.024(幅1mm当たり)	0.0144(幅1mm当たり)	7.8	2.0	繊維直交方向
根太	単管 ϕ48.6mm×2.4mm厚	3.83	9.32	235	206	STK500
大引	端太角 100×100mm	167	833	10.3	6.9	—
支柱	パイプサポート	許容荷重:14.7kN/本 使用長さ:3.4m以下				—
引張材	チェーン	許容荷重:3.92kN/本 破断強度:17.64kN/本以上				—

step. 3

荷重の設定

荷重は固定荷重、型枠自重、積載(作業)荷重を考慮する。設計条件を次のように設定すると、

- スラブ厚さ:200mm
- 鉄筋コンクリートの単位体積重量:24.0kN/m³
- 型枠重量:0.4kN/m²
- 作業(積載)荷重:1.5kN/m²
- 水平力は、パイプサポートを用いた場合として、鉛直荷重の5%とする

よって、設計用鉛直荷重Pは以下のとおりとなる。

・固定荷重
　コンクリート　24.0kN/m³×0.2m
　　　　　　　　=4.8kN/m²
　型枠　　　　　0.4kN/m²
・積載荷重　　　1.5kN/m²

・設計用鉛直荷重P　6.7kN/m²
　　　　　　　　=6.7×10⁻³N/mm²

2 ｜ せき板の検討

step. 1

モデル化

—

設定した根太の間隔が適切なものであるかどうかを確認する。
本例題ではせき板の設計スパンL_1を250mmと設定し、等分布荷重が作用する単純梁として、右図のようにモデル化して検討を行う。
せき板に作用する1mm幅当たりの荷重w_1は、73頁step.3で算定した設計用鉛直荷重から右のとおりとする。

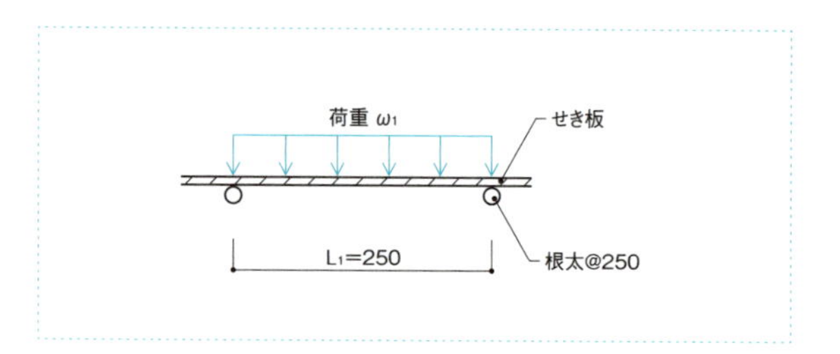

$$w_1 = P \times 1\text{mm} = 6.7 \times 10^{-3}\text{N/mm}$$

step. 2

曲げモーメントに対する検討

—

等分布荷重が作用する単純梁として最大曲げモーメントM_{max}を算定する。さらに、せき板に生じる曲げ応力度σ_bを求めてせき板の許容曲げ応力度f_bと比較し、強度的に問題がないことを確認する。

$$M_{max} = \frac{w_1 \cdot L_1^2}{8} = \frac{6.7 \times 10^{-3} \times 250^2}{8} = 52.3\text{N·mm}$$

$$\sigma_b = \frac{M_{max}}{Z} = \frac{52.3}{0.024 \times 10^3} = 2.18\text{N/mm}^2$$

$$\frac{\sigma_b}{f_b} = \frac{2.18}{7.8} = 0.28 \leqq 1.0 \rightarrow \text{OK}$$

step. 3

たわみに対する検討

—

曲げモーメントに対する検討と同様、等分布荷重が作用する単純梁として最大たわみ量δ_1を算定し、その数値が許容たわみ量(3mm)以下であることを確認する。

$$\delta_1 = \frac{5}{384} \cdot \frac{w_1 \cdot L_1^4}{E \cdot I}$$

$$= \frac{5}{384} \times \frac{6.7 \times 10^{-3} \times 250^4}{2.0 \times 10^3 \times 0.0144 \times 10^4}$$

$$= 1.18\text{mm} \leqq 3\text{mm} \rightarrow \text{OK}$$

3 根太の検討

step 1 モデル化

本例題では根太(単管)の支持スパン(大引の間隔)L_2を1,000mmと設定し、単純梁と両端固定の平均値として、右図のようにモデル化して検討を行う。

根太に作用する1mm幅当たりの荷重w_2は、73頁step.3で算定した設計用鉛直荷重Pと根太間隔L_1=250mmより、右のとおりとなる。

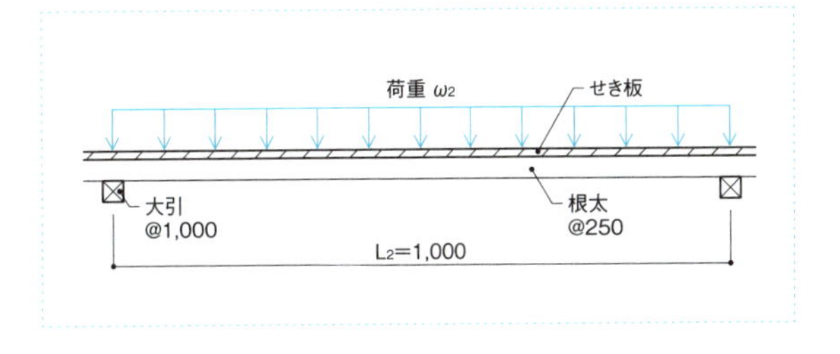

$$w_2 = P \cdot L_1 = 6.7 \times 10^{-3} \mathrm{N/mm^2} \times 250 \mathrm{mm}$$
$$= 1.68 \mathrm{N/mm}$$

step 2 曲げモーメントに対する検討

単純梁と両端固定の平均値として最大曲げモーメントM_{max}を算定する。さらに、根太に生じる曲げ応力度σ_bを求めて単管の許容曲げ応力度f_bと比較し、強度的に問題がないことを確認する。

$$M_{max} = \frac{w_2 \cdot L_2^2}{12} = \frac{1.68 \times 1{,}000^2}{12} = 140.0 \times 10^3 \mathrm{N \cdot mm}$$

$$\sigma_b = \frac{M_{max}}{Z} = \frac{140.0 \times 10^3}{3.83 \times 10^3} = 36.6 \mathrm{N/mm^2}$$

$$\frac{\sigma_b}{f_b} = \frac{36.6}{235} = 0.16 \leqq 1.0 \rightarrow \mathrm{OK}$$

step 3 たわみに対する検討

根太の最大たわみ量δ_2を算定し、たわみ量が3mm以下であることを確認する。算定は、等分布荷重が作用する単純梁と両端固定の平均値とする。

$$\delta_2 = \frac{1}{128} \cdot \frac{w_2 \cdot L_2^4}{E \cdot I}$$
$$= \frac{1}{128} \times \frac{1.68 \times 1{,}000^4}{206 \times 10^3 \times 9.32 \times 10^4}$$
$$= 0.68 \mathrm{mm} \leqq 3 \mathrm{mm} \rightarrow \mathrm{OK}$$

4 | 大引の検討

step. 1 モデル化

本例題では大引(端太角)の支持スパンL_3を1,100mmと設定し、単純梁と両端固定の平均値として検討を行う。
大引に作用する1mm幅当たりの荷重w_3は、大引の間隔L_2が1,000mmであることから、右のとおりとなる。

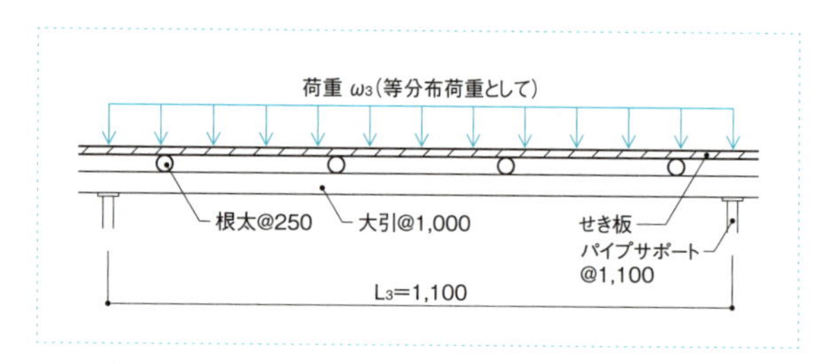

$$w_3 = P \cdot L_2 = 6.7 \times 10^{-3}\,\mathrm{N/mm^2} \times 1{,}000\,\mathrm{mm}$$
$$= 6.7\,\mathrm{N/mm}$$

step. 2 曲げモーメントに対する検討

単純梁と両端固定の平均値として最大曲げモーメントM_{max}を算定する。さらに、大引に生じる曲げ応力度σ_bを求めて端太角の許容曲げ応力度f_bと比較し、強度的に問題がないことを確認する。

$$M_{max} = \frac{w_3 \cdot L_3^2}{12} = \frac{6.7 \times 1{,}100^2}{12} = 675.6 \times 10^3\,\mathrm{N \cdot mm}$$

$$\sigma_b = \frac{M_{max}}{Z} = \frac{675.6 \times 10^3}{167 \times 10^3} = 4.0\,\mathrm{N/mm^2}$$

$$\frac{\sigma_b}{f_b} = \frac{4.0}{10.3} = 0.39 \leqq 1.0 \rightarrow \mathrm{OK}$$

step. 3 たわみに対する検討

大引の最大たわみ量δ_3を算定し、たわみ量が3mm以下であることを確認する。算定は、等分布荷重が作用する単純梁と両端固定の平均値とする。

$$\delta_3 = \frac{1}{128} \cdot \frac{w_3 \cdot L_3^4}{E \cdot I}$$

$$= \frac{1}{128} \times \frac{6.7 \times 1{,}100^4}{6.9 \times 10^3 \times 833 \times 10^4}$$

$$= 1.33\,\mathrm{mm} \leqq 3\,\mathrm{mm} \rightarrow \mathrm{OK}$$

5 | 支柱の検討

step. 1 モデル化

パイプサポートの負担する荷重が、許容荷重以下であることを確認する。
パイプサポート1本当たりの負担面積Aは、サポートの間隔＝1.1m（1,100mm）、大引の間隔＝1.0m（1,000mm）なので、以下のとおりとなる。

$$A = 1.0\text{m} \times 1.1\text{m} = 1.1\text{m}^2$$

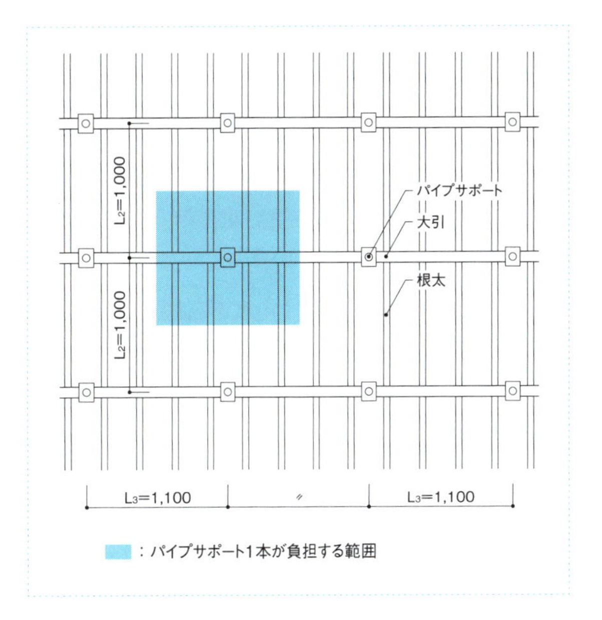

step. 2 パイプサポートの軸力に対する検討

パイプサポート1本当たりの荷重P_Pを算定し、許容荷重と比較する。パイプサポートは梁底と同様に、**41頁表12**より、14.7kN以下であれば問題はない。

$$P_P = P \cdot A = 6.7\text{kN/m}^2 \times 1.1\text{m}^2$$
$$= 7.4\text{kN} \leqq 14.7\text{kN} \rightarrow \text{OK}$$

step. 3 たわみに対する検討

せき板、根太、大引、パイプサポートのたわみ量δ_1～δ_4の総量が、許容変形量（5mm）以下であることを確認する。パイプサポートに荷重がかかった場合のたわみ量δ_4は、右図より約0.3mmとなるので、たわみの総量は以下のとおりとなり、問題がないことが確認された。

$$\Sigma\delta = \delta_1 + \delta_2 + \delta_3 + \delta_4$$
$$= 1.18 + 0.68 + 1.33 + 0.30$$
$$= 3.49\text{mm} \leqq 5.0\text{mm} \rightarrow \text{OK}$$

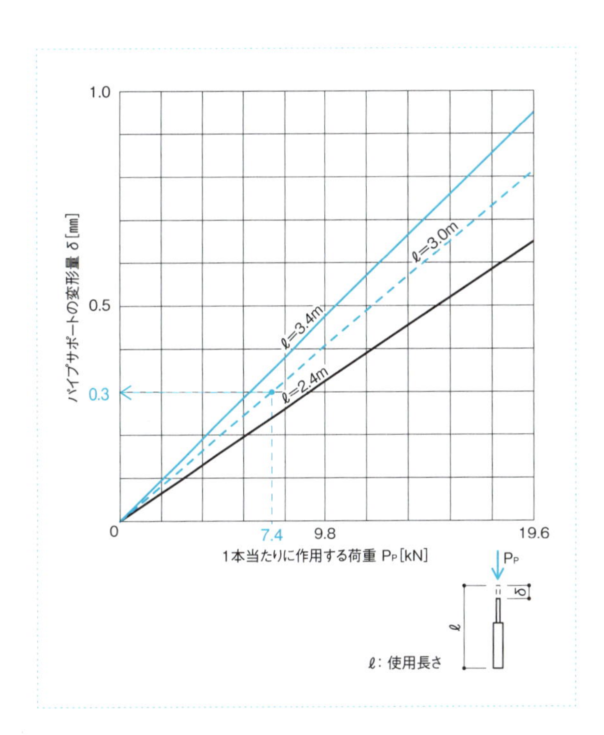

6 水平力に対する検討

モデル化

下図に示す長辺スパン6.0m、短辺スパン5.0mのスラブに対してチェーンを設け、水平荷重を負担させる検討を行う。チェーンの許容荷重Ftは3.92kNとする。

チェーンの取り付け角度を右図のようにモデル化し、チェーンに作用する引張力P_1がチェーンの許容荷重以下となるようにチェーン本数を決定する。

引張力P_1はスラブ分の鉛直荷重の5%である水平荷重P_Hに対して、チェーンの設置角度を考慮して求める。検討対象は内法寸法6.0×5.0mのスラブであるので、チェーンに作用する水平荷重P_Hは右のとおりとなる。

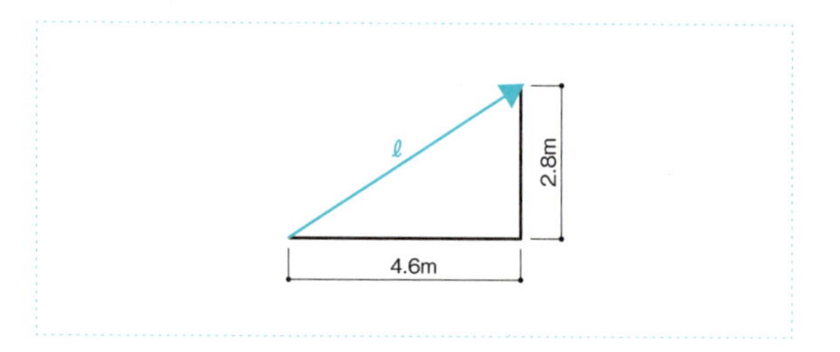

$$P_H = 6.7\,\mathrm{kN/m^2} \times (6.0 \times 5.0)\,\mathrm{m} \times 0.05$$
$$= 10.05\,\mathrm{kN}$$

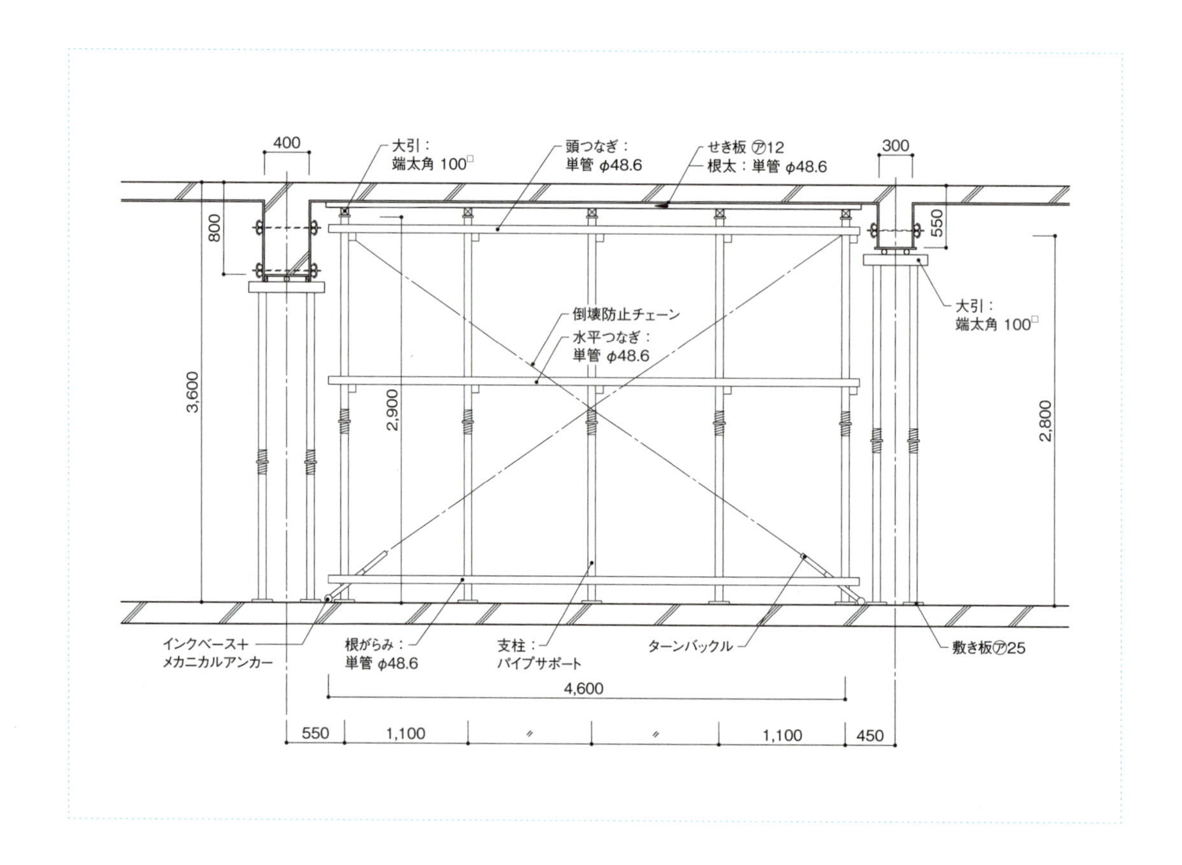

step. 2

チェーンの検討

水平荷重から引張力P_1を算定する。

まず、計算に必要な斜辺の長さを三平方の定理により求めると、

$$斜辺の長さ=\sqrt{2.8^2+4.6^2}\fallingdotseq 5.39\mathrm{m}$$

したがって、チェーンに作用する引張力P_1は、

$$P_1=P_H\times\frac{5.39}{4.6}=10.05\mathrm{kN}\times\frac{5.39}{4.6}=11.8\mathrm{kN}$$

チェーン１本当たりの許容荷重より必要なチェーンの本数nを求める。

$$n=\frac{11.8}{3.92}\fallingdotseq 3.0\rightarrow 4本$$

よって、6.0×5.0mのスラブに対し、各方向に対して引張材としてのチェーンが４本必要となる。

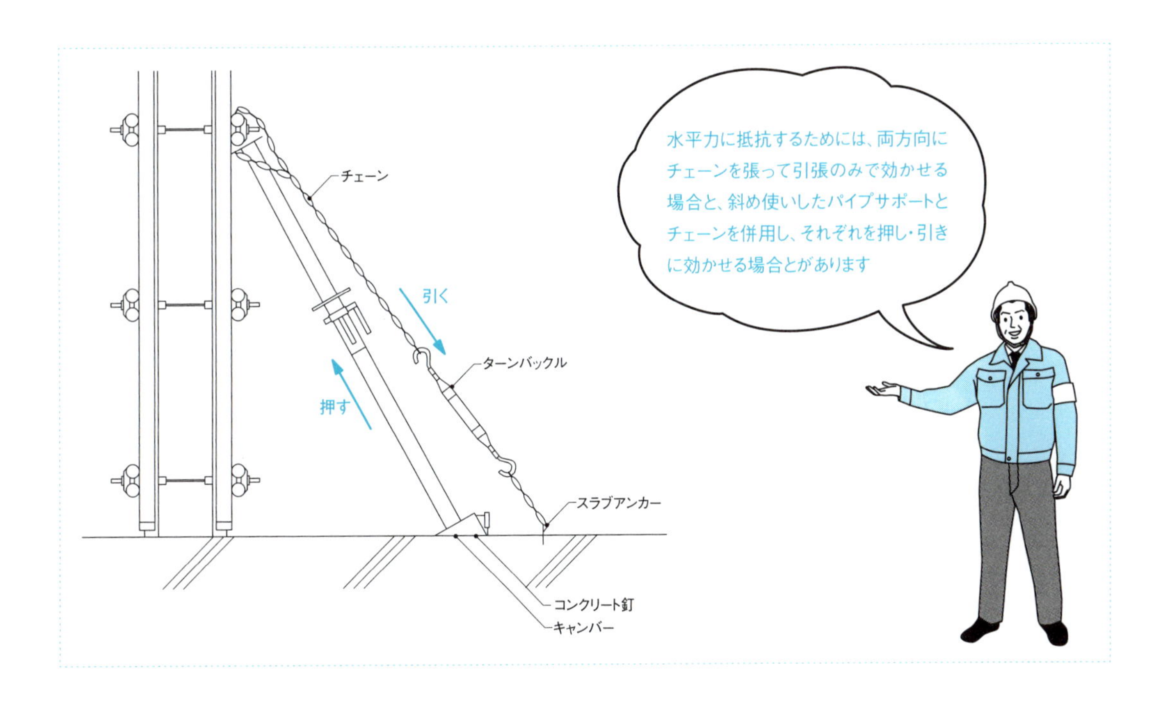

スラブ(軽量支保梁使用)の検討

check

- □ 梁側型枠の補強(縦受け桟木、傾倒防止策)を確実に行う
- □ 軽量支保梁の中間部にはサポートを設けない

軽量支保梁の検討は、根太を用いるか否かを決定することから始まる。根太を用いない場合は、軽量支保梁が根太と大引を兼ねることになる。軽量支保梁を使用する際の注意点としては、軽量支保梁は梁側型枠に直接載せる場合には、梁側型枠の組み立てはもちろん、縦受け桟木による補強などを確実に行う必要がある。

1 | 部材構成と検討条件

step. 1

設計条件・方針

—

下図に示すように、床型枠の根太を省略して大引に軽量支保梁(ペコビーム)を使用し、梁側型枠で支持する場合を検討する。設計条件などの詳細は右のとおりである。

- ・軽量支保梁スパン：4.8m
- ・軽量支保梁間隔：400mm
- ・縦受け桟木間隔：400mm
- ・梁下大引間隔：500mm
- ・スラブ厚さ：200mm
- ・梁断面：400×800mm
- ・せき板、軽量支保梁の応力計算は単純梁とする
- ・許容たわみ量は各3mm以下とする
- ・普通コンクリートを使用する

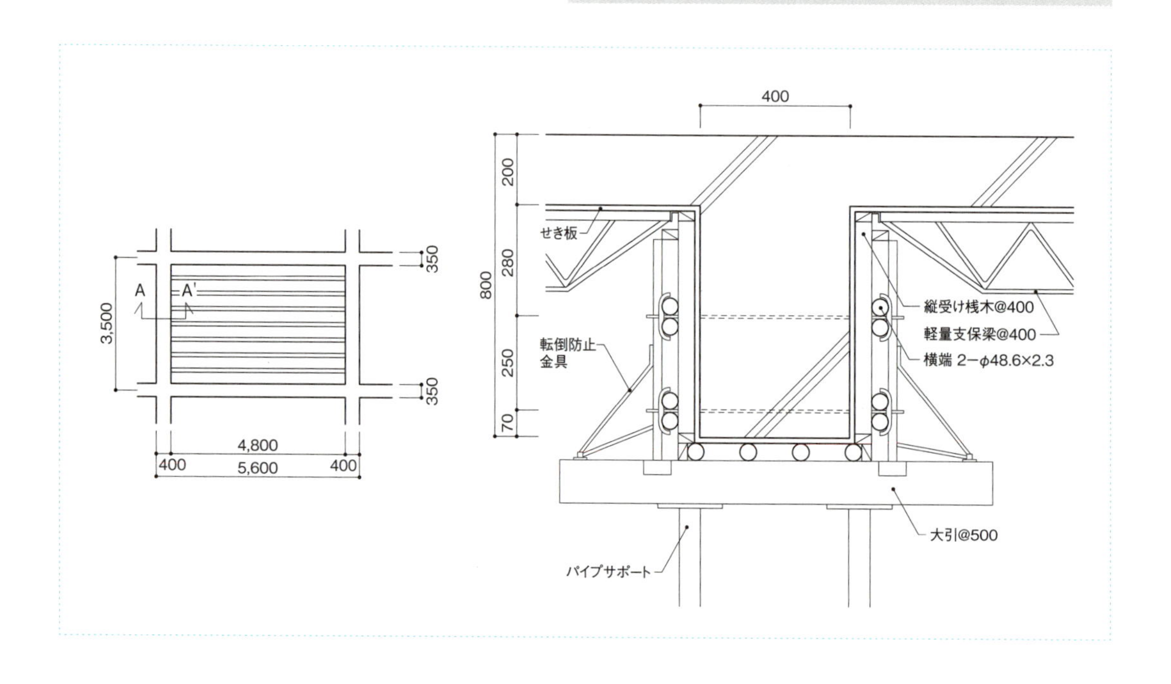

step. 2

使用材料

使用する材料および各仕様については下表のとおりとする。

使用材料		断面係数Z [×10³mm³]	断面2次モーメントI [×10⁴mm⁴]	許容曲げ応力度 fb [N/mm²]	ヤング係数E [kN/mm²]	備考
せき板	合板 12mm厚	0.024 (幅1mm当たり)	0.0144 (幅1mm当たり)	13.7	5.5	繊維方向
根太	φ48.6mm×2.4mm厚	3.83	9.32	235	206	STK500
大引	端太角 100×100mm	167	833	10.3	6.9	—
縦受け桟木	スギ 50×50mm	20.83	52.08	10.3	7.00	許容圧縮応力度fc 8.8N/mm²
支柱	パイプサポート	許容荷重:14.7kN/本 使用長さ:3.4m				—
軽量支保梁	ペコビーム	許容曲げモーメント:13.73kN·m 許容せん断力(端部反力):24.52kN				—

step. 3

荷重の設定

荷重はスラブ部、梁部とも固定荷重、型枠自重、積載(作業)荷重を考慮する。スラブ部の設計用鉛直荷重P_1、梁部の設計用鉛直荷重P_2はそれぞれ以下のとおりとなる。

スラブ部

・スラブ厚さ:200mm
・鉄筋コンクリートの単位体積重量:
24.0kN/m³
・型枠重量:0.4kN/m²
・作業(積載)荷重:1.5kN/m²
・水平力は、パイプサポートを用いた場合として、鉛直荷重の5%とする

↓

・固定荷重
コンクリート　24.0kN/m³×0.2m
=4.8kN/m²
型枠　0.4kN/m²
・積載荷重　1.5kN/m²

・設計用鉛直荷重P_1　6.7kN/m²

梁部

・梁せい:800mm
・鉄筋コンクリートの単位体積重量:
24.0kN/m³
・型枠重量:0.4kN/m²
・作業(積載)荷重:1.5kN/m²
・水平力は、パイプサポートを用いた場合として、鉛直荷重の5%とする

↓

・固定荷重
コンクリート　24.0kN/m³×0.8m
=19.2kN/m²
型枠　0.4kN/m²
・積載荷重　1.5kN/m²

・設計用鉛直荷重P_2　21.1kN/m²

2 スラブのせき板の検討

step. 1

モデル化

設定した軽量支保梁の間隔が適切なものであるかどうかを確認する。本例題ではせき板の設計スパンL_1を400mmと設定し、等分布荷重が作用する単純梁として、右図のようにモデル化して検討を行う。

せき板に作用する1mm幅当たりの荷重w_1は、**81頁step.3**で算定した設計用鉛直荷重P_1から右のとおりとする。なお、せき板は、軽量支保梁の直交方向を繊維方向(長手方向)としている。

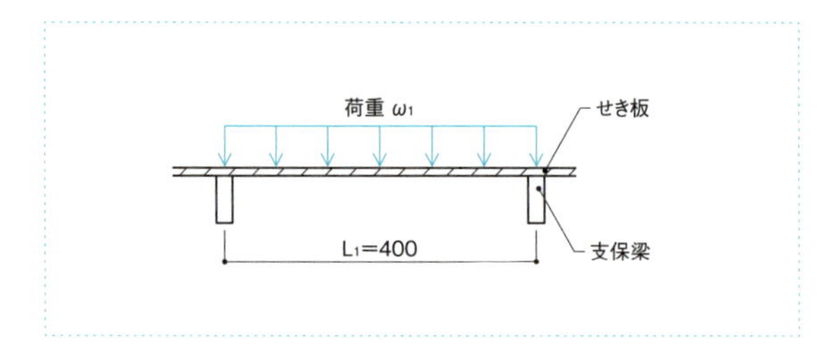

$$w_1 = P_1 \times 1\,\text{mm} = 6.7 \times 10^{-3}\,\text{N/mm}$$

step. 2

曲げモーメントに対する検討

等分布荷重が作用する単純梁として最大曲げモーメントMmaxを算定する。さらに、せき板に生じる曲げ応力度σbを求めてせき板の許容曲げ応力度(繊維方向)fbと比較し、強度的に問題がないことを確認する。

$$M_{max} = \frac{w_1 \cdot L_1^2}{8} = \frac{6.7 \times 10^{-3} \times 400^2}{8} = 134.0\,\text{N·mm}$$

$$\sigma_b = \frac{M_{max}}{Z} = \frac{134.0}{0.024 \times 10^3} = 5.58\,\text{N/mm}^2$$

$$\frac{\sigma_b}{f_b} = \frac{5.58}{13.7} = 0.41 \leqq 1.0 \rightarrow \text{OK}$$

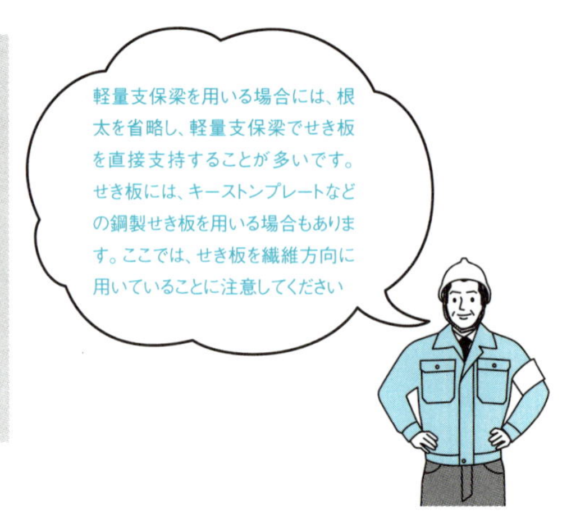

step. 3

たわみに対する検討

同様に、等分布荷重が作用する単純梁としてせき板の最大たわみ量δmaxを算定し、たわみ量が3mm以下であることを確認する。

$$\delta_{max} = \frac{5}{384} \cdot \frac{w_1 \cdot L_1^4}{E \cdot I} = \frac{5}{384} \times \frac{6.7 \times 10^{-3} \times 400^4}{5.5 \times 10^3 \times 0.0144 \times 10^4}$$

$$= 2.81\,\text{mm} \leqq 3\,\text{mm} \rightarrow \text{OK}$$

3 | 大引(軽量支保梁)の検討

step.1 モデル化

本例題では支保梁の支持スパンL_2を4,800mm(4.8m)と設定し、右図のようにモデル化して検討を行う。
大引に作用する1mm幅当たりの荷重w_2は、大引の間隔L_1が400mmであることから、右のとおりとなる。

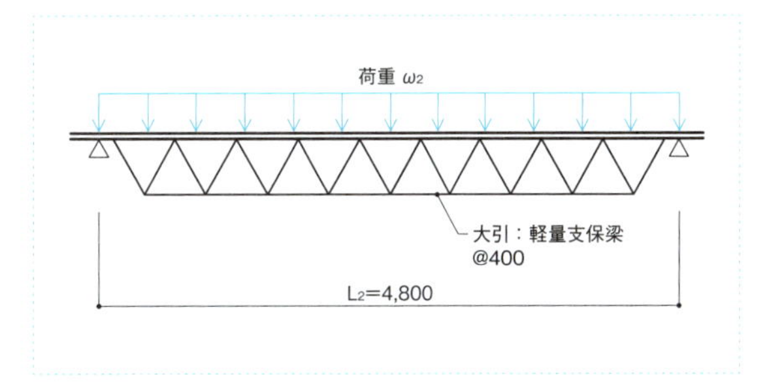

$$w_2 = P_1 \cdot L_1 = 6.7 \times 10^{-3}\,\mathrm{N/mm^2} \times 400\,\mathrm{mm}$$
$$= 2.68\,\mathrm{N/mm}$$

step.2 曲げモーメントに対する検討

等分布荷重が作用する単純梁として最大曲げモーメントM_{max}を算定し、さらに軽量支保梁の許容曲げモーメントと比較し、強度的に問題がないことを確認する。

$$M_{max} = \frac{w_2 \times L_2^2}{8} = \frac{2.68 \times 4{,}800^2}{8}$$
$$= 7.72 \times 10^6\,\mathrm{N \cdot mm}$$
$$= 7.72\,\mathrm{kN \cdot m} \leqq 13.73\,\mathrm{kN \cdot m} \rightarrow \mathrm{OK}$$

step.3 せん断力に対する検討

等分布荷重が作用する単純梁として軽量支保梁のせん断力 Qを算定し、軽量支保梁の許容せん断力と比較して強度的に問題がないことを確認する。

$$Q = \frac{w_2 \cdot L_2}{2} = \frac{2.68 \times 4{,}800}{2}$$
$$= 6{,}432 \times 10^3\,\mathrm{N}$$
$$= 6{,}432\,\mathrm{kN} \leqq 24.52\,\mathrm{kN} \rightarrow \mathrm{OK}$$

step.4 たわみに対する検討

軽量支保梁はむくりが設けられているため、省略する。

4 縦受け桟木の検討

step. 1

モデル化

—

梁側型枠には、コンクリートの側圧がかかると同時に、軽量支保梁のせん断力が軸力(鉛直力)として作用する。そこで、通常の梁側型枠とは別に、縦受け桟木(□-50×50㎜)を軽量支保梁に合わせた400㎜間隔に設置して軸力を直接負担させる。なお、ここでは、縦受け桟木は軽量支保梁からの荷重は負担するが、側圧は負担しないものと考えている。

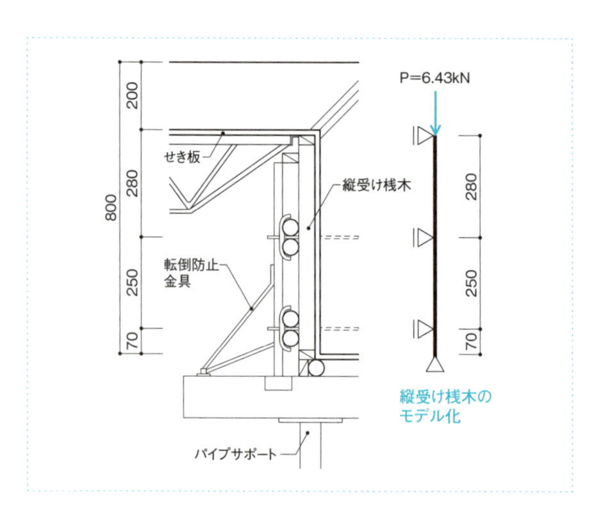

step. 2

圧縮力に対する検討

—

軽量支保梁1本は、4.8m×0.4m分のスラブ荷重P_1を負担する。よって、軽量支保梁の片側の支持点に作用する荷重Pは、以下のとおりとなる(Pがそのまま縦受け桟木に作用する)。

$$P=6.7\times4.8\times0.4\times\frac{1}{2}=6.43\,\mathrm{kN}$$

軽量支保工の間隔を400㎜とし、縦受け桟木の間隔も400㎜と同一間隔としているので、P=6.43kNが各縦受け桟木に作用する荷重となる。

座屈長さL_kを支持点間隔280㎜として、断面2次半径iおよび細長比λを求める。

$$i=\sqrt{\frac{I}{A}}=\sqrt{\frac{52.08\times10^4}{50\times50}}=14.4$$

$$\lambda=\frac{L_k}{i}=\frac{280}{14.4}=19.4$$

44頁表18からλ≦100なので、許容座屈応力度 f_kは以下のとおりとなる。これと圧縮応力度を比較し、強度的に問題がないことが確認できた。

$$f_k=f_c\left(1-0.007\times\frac{L_k}{i}\right)$$

$$=8.8(1-0.007\times19.4)$$

$$=7.6\,\mathrm{N/mm^2}$$

$$\sigma_c=\frac{P}{A}=\frac{6.43\times10^3}{2{,}500}=2.57\,\mathrm{N/mm^2}$$

$$\frac{\sigma_c}{f_k}=\frac{2.57}{7.6}=0.34\leqq1.0\rightarrow \mathrm{OK}$$

外端太、締め付け金具の検討は梁型枠の検討時と同じなので、ここでは省略する[62~64頁参照]。

軽量支保梁を受ける梁側型枠には大きな荷重が作用します。そのため、梁側型枠の高さが750㎜を超える場合には、支持金物の取り付け部に桟木の束を必ず設けるなどの補強を行うことが、㈳仮設工業会の『足場・型枠支保工設計指針』に規定されています

5 | 梁底根太の検討

step 1 モデル化

大引の間隔をL_3=500mmと設定し、右図のようにモデル化して梁底根太の検討を行う。スラブの型枠がデッキプレート、軽量支保梁の場合には、それらに作用するスラブの荷重が縦受け桟木、および梁側型枠を通じて根太Aに直接作用すると考えるため、根太Aの受ける荷重は非常に大きなものとなる。

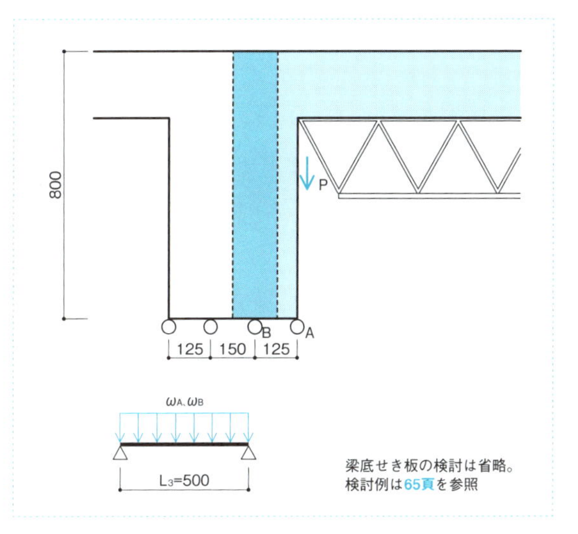

W_A：根太に作用する梁部の重量

W_B：根太に作用する軽量支保工からの荷重(P)

根太Aに作用する荷重 $W_A = 21.1\times10^{-3}\,\mathrm{N/mm^2}\times\dfrac{125}{2}+\dfrac{6.432\times10^3}{400}=17.4\,\mathrm{N/mm}$

根太Bに作用する荷重 $W_B = 21.1\times10^{-3}\,\mathrm{N/mm^2}\times\dfrac{150+125}{2}=2.90\,\mathrm{N/mm}$

step 2 曲げモーメントに対する検討

根太Aに関して、等分布荷重が作用する単純梁と両端固定の平均値として最大曲げモーメントM_{max}を算定。さらに、単管に生じる曲げ応力度σ_bを算定して許容曲げ応力度f_bと比較し、強度的に問題がないことを確認する。

$$M_{max}=\frac{W_A\cdot L_3^2}{12}=\frac{17.4\times500^2}{12}$$

$$=362.5\times10^3\,\mathrm{N\cdot mm}$$

$$\sigma_b=\frac{M_{max}}{Z}\times\frac{362.5\times10^3}{3.83\times10^3}=94.6\,\mathrm{N/mm^2}$$

$$\frac{\sigma_b}{f_b}=\frac{94.6}{235.0}=0.40\leqq1.0\rightarrow\mathrm{OK}$$

step 3 たわみに対する検討

同様に、等分布荷重が作用する単純梁と両端固定の平均値として根太の最大たわみ量δ_{max}を算定し、たわみ量が3mm以下であることを確認する。

$$\delta_{max}=\frac{1}{128}\cdot\frac{W_A\cdot L_3^4}{E\cdot I}$$

$$=\frac{1}{128}\times\frac{17.4\times500^4}{206\times10^3\times9.32\times10^4}$$

$$=0.44\,\mathrm{mm}\leqq3\,\mathrm{mm}\rightarrow\mathrm{OK}$$

6 梁底大引の検討

step. 1

モデル化

大引の設計スパンL_4を400mmと設定し、2点集中荷重が作用する単純梁と両端固定の平均値として、右図のようにモデル化して検討を行う。

単管Aに作用する荷重P_Aは、直下に設けたパイプサポートに直接伝達させるものと考える。よって、ここでは単管Bに作用する荷重P_Bに対してのみ検討を行う。荷重P_Bは右のとおりとなる。

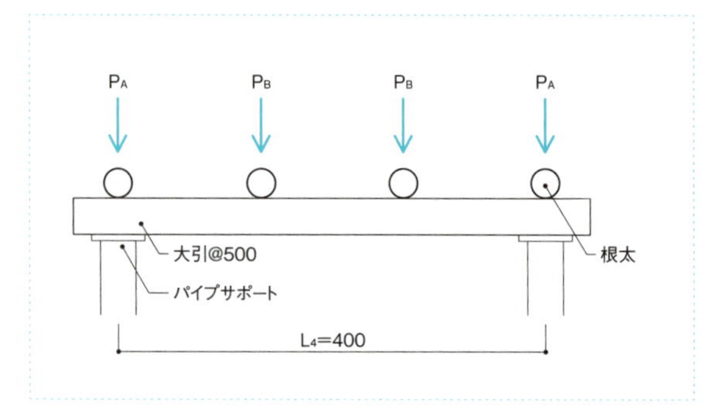

$$P_B = W_B \times 500\text{mm} = 2.90\text{N/mm} \times 500\text{mm} = 1{,}450\text{N}$$

step. 2

曲げモーメントに対する検討

両端のP_Aは直接パイプサポートに作用するので、ここでは2点集中荷重(P_B)が作用する単純梁として最大曲げモーメントMmaxを算定する。さらに、大引に生じる曲げ応力度σbを求めて端太角の許容曲げ応力度fbと比較し、強度的に問題がないことを確認する。

$$M_{max} = \frac{P_B \cdot L_4}{3} = \frac{1{,}450 \times 400}{3} = 193.3 \times 10^3 \text{N}\cdot\text{mm}$$

$$\sigma_b = \frac{M_{max}}{Z} = \frac{193.3 \times 10^3}{167 \times 10^3} = 1.16\text{N/mm}^2$$

$$\frac{\sigma_b}{f_b} = \frac{1.16}{10.3} = 0.11 \leqq 1.0 \rightarrow \text{OK}$$

step. 3

たわみに対する検討

同様に、2点集中荷重が作用する単純梁として大引の最大たわみ量δmaxを算定し、たわみ量が3mm以下であることを確認する。

$$\delta_{max} = \frac{23}{648} \cdot \frac{P_B \cdot L_4^3}{E \cdot I}$$

$$= \frac{23}{648} \times \frac{1{,}450 \times 400^3}{6.86 \times 10^3 \times 833 \times 10^4}$$

$$= 0.06\text{mm} \leqq 3\text{mm} \rightarrow \text{OK}$$

7 支柱の検討

step.1 モデル化

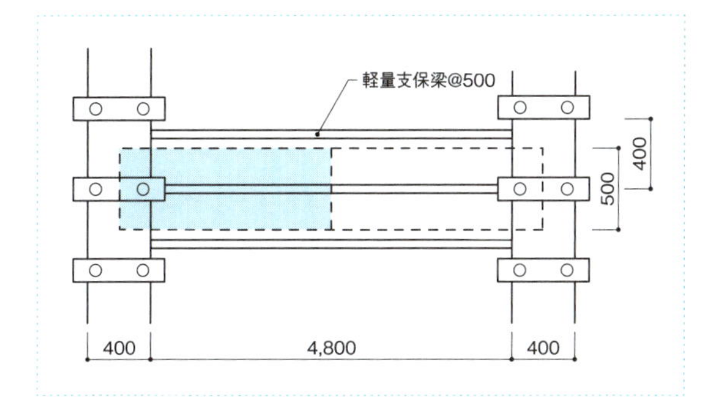

安全性確保のため、大引とパイプサポートは鳥居形に組むことを基本とするが、軽微な梁でパイプサポート1本受けとする場合には、ほかの支保工と一体化させることが必要となる。大引中央で受ける場合は、両側が片持ち梁としての応力状態になることや、スラブの付き方によって荷重の偏りが大きくなることに注意する。鳥居形の場合は梁受け大引の間隔500mmの幅で、スラブの内法長4.8m、梁幅0.4mのそれぞれの1/2分の荷重が1本のパイプサポートに作用する。

step.2 パイプサポートの軸力に対する検討

鳥居形に組んだパイプサポート1本当たりの荷重P_Pを算定し、許容荷重と比較する。パイプサポートは高さ3.4m以下なので、41頁表12より、14.7kN以下であれば問題はない。

$P_A = W_A \times 500\text{mm} = 17.4\text{N/mm} \times 500\text{mm} = 8{,}700\text{N}$

$P_B = W_B \times 500\text{mm} = 2.90\text{N/mm} \times 500\text{mm} = 1{,}450\text{N}$

$P_P = P_A + P_B = 8{,}700 + 1{,}450 = 10{,}150\text{N} = 10.2\text{kN} \leqq 14.7\text{kN} \rightarrow \text{OK}$

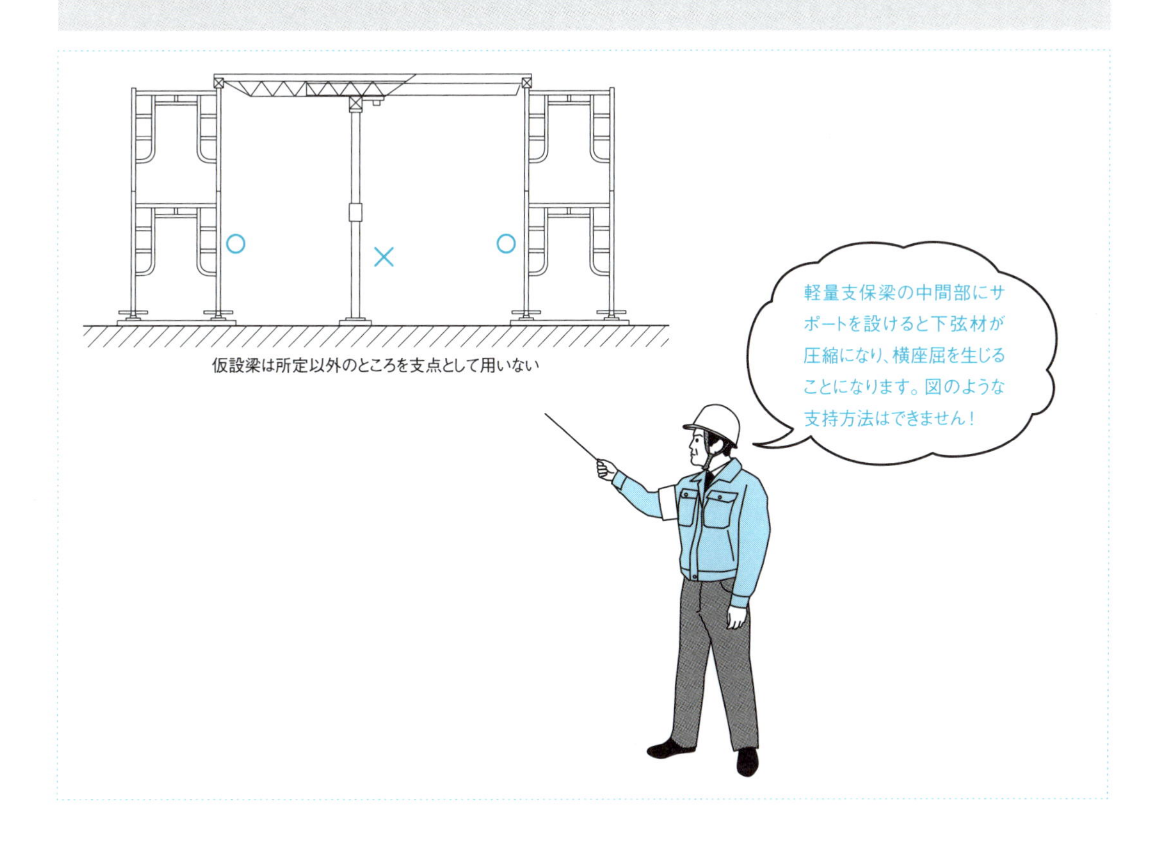

スラブ（フラットデッキ使用）の検討

check

- □ 梁の側型枠にかかり代を確保し、きちんと載せて釘留めを行う（横倒れ防止）
- □ デッキプレートの許容スパンは、メーカー資料により単純梁として応力・たわみの両者を満足するように決定する。中間支持を行うことで、大きなスパンにも対応できる

RC・SRC造の梁にフラットデッキを用いることがあるが、その場合には梁側型枠で直接フラットデッキを受けるため、梁側の強度が不足したり、衝撃・振動による横倒れなどが発生しないように補強を行うこととなる。なお、デッキプレートの板厚や鉄筋トラス付きデッキプレートの仕様は、メーカーの技術資料を参考にして決めることができる。

1 | 部材構成と検討条件

step 1 設計条件・方針

下図に示すように、床型枠にフラットデッキを使用し、梁側型枠で支持する場合を検討する。設計条件などの詳細は右のとおりである。

- ・デッキスパン（梁内法寸法）：2.8m
- ・スラブ厚さ：200mm
- ・梁断面：400×800mm
- ・許容たわみ量は各3mm以下とする
- ・普通コンクリートを使用する

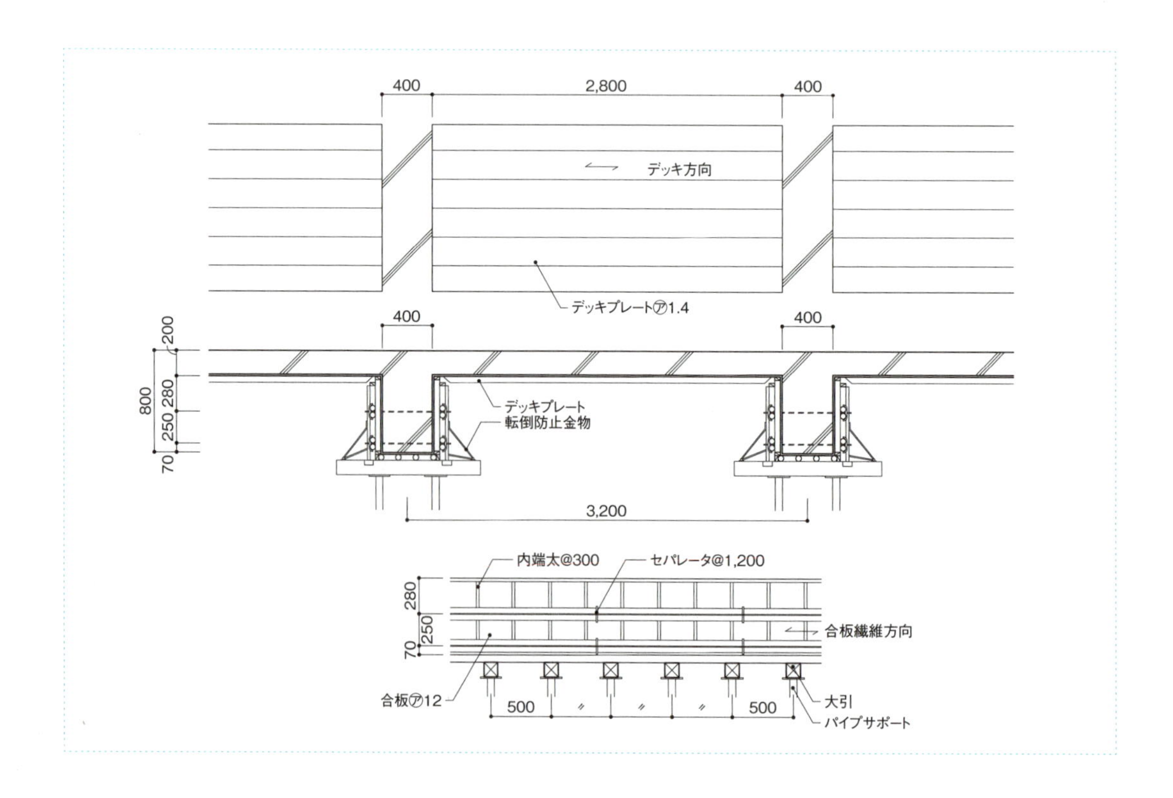

step 2 使用材料

使用する材料および各仕様については下表のとおりとする。

使用材料		断面係数Z [×10³mm³]	断面2次モーメントI [×10⁴mm⁴]	許容曲げ応力度fb [N/mm²]	ヤング係数E [kN/mm²]	備考
せき板	合板 12mm厚	0.024(幅1mm当たり)	0.0144(幅1mm当たり)	13.7	5.5	繊維方向
根太、横端太(外端太)	単管ϕ48.6×2.4mm厚	3.83	9.32	235	206	STK500
大引	端太角 100×100mm	167	833	10.3	6.9	—
内端太(縦受け桟木)	スギ 50×25mm	10.41	26.04	10.3	7.00	許容圧縮応力度fc 8.8N/mm²
支柱	パイプサポート	許容荷重:14.7kN/本 使用長さ:3.4m				—

step 3 荷重の設定

スラブ部では、荷重は固定荷重、型枠自重、積載(作業)荷重を考慮する。

梁部では、荷重は梁側と梁底の場合に分けて考える。梁側の場合はコンクリートの側圧のみを考慮するが、モデル化にあたっては梁型枠のときと同様に考える。一方、梁底の場合は固定荷重、型枠自重、積載(作業)荷重を考慮する。設計条件より、スラブ部の設計用鉛直荷重P_1、および梁部・梁底の設計用鉛直荷重P_2はそれぞれ以下のとおりとなる。積載荷重はポンプ打ちの場合[36頁参照]を想定している。

なお、スラブ下には支保工がないので、梁下の支保工でスラブ分の荷重も支持する。

スラブ部

・スラブ厚さ:200mm
・鉄筋コンクリートの単位体積重量:24.0kN/m³
・型枠重量:0.4kN/m²
・作業(積載)荷重:1.5kN/m²
・水平力は、パイプサポートを用いた場合として、鉛直荷重の5%とする

↓

・固定荷重
コンクリート　24.0kN/m³×0.2m
＝4.8kN/m²
型枠　0.4kN/m²
・積載荷重　1.5kN/m²

・設計用鉛直荷重P_1　6.7kN/m²

梁部

・梁せい:800mm
・鉄筋コンクリートの単位体積重量:24.0kN/m³
・型枠重量:0.4kN/m²
・作業(積載)荷重:1.5kN/m²
・水平力は、パイプサポートを用いた場合として、鉛直荷重の5%とする

↓

・固定荷重
コンクリート　24.0kN/m³×0.8m
＝19.2kN/m²
型枠　0.4kN/m²
・積載荷重　1.5kN/m²

・設計用鉛直荷重P_2　21.1kN/m²

step. 4

フラットデッキの選定

フラットデッキの選定は、『床型枠用鋼製デッキプレート設計施工指針・同解説』[※]に従うこととする[図]。

フラットデッキの板厚ごとの断面性能を91頁表20に示す。

選定にあたっては計算で求めることとは別に92頁表21に示す早見表からの選定が簡便である。本例題の設計条件は次のとおりで、92頁表21より、スラブ厚さ200mmでスパン2,830mmまで許容されるため、板厚1.4mmのフラットデッキを用いることとする。

- ・コンクリートは普通コンクリートを使用する
- ・スラブ厚さ：200mm
- ・スパン：2,800mm
- ・コンクリートの打設はポンプ打ちで行う
- ・施工割増係数：I類（α=1.0）　91頁参照

図｜床型枠用鋼製デッキプレート設計施工指針

設計荷重

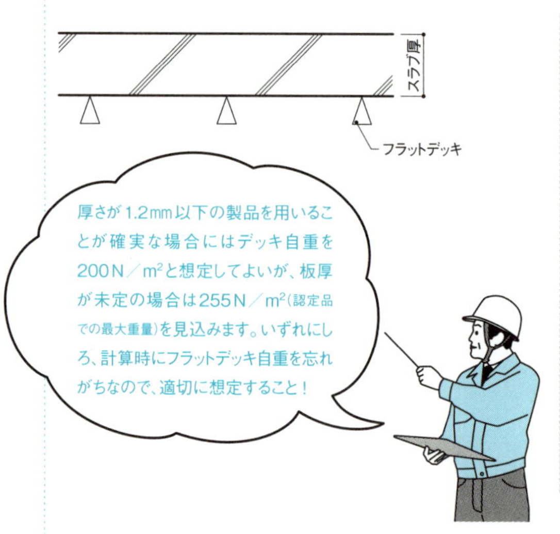

- ・スラブ重量：
  w_1＝スラブ厚×鉄筋コンクリートの単位体積重量
- ・デッキ自重：w_2
  デッキ板厚により200N/m²または255N/m²
- ・作業荷重：w_3
  ポンプ工法＝1,470N/m²以上
  ホッパー・バケット工法＝2,450N/m²以上ほか

設計荷重W：$w_1+w_2+w_3$ N/m²

断面応力・たわみの算定

- ・断面応力およびたわみの計算は、単純支持とみなして算定する
- ・曲げモーメント：

$$M_{max}=\frac{W\cdot L^2}{8}\times10^3\,[\mathrm{N\cdot mm/m}]$$

- ・応力度（支持梁がRC・SRC造の場合）：

$$\sigma=\frac{M}{Z}\leqq\frac{f_b}{\alpha}\,[\mathrm{N/mm^2}]$$

- ・たわみ：

$$\delta=C\cdot\frac{5}{384}\cdot\frac{W\cdot L^4}{E\cdot I}\times10^9\leqq\frac{L\times10^3}{180}+5.0\,[\mathrm{mm}]$$

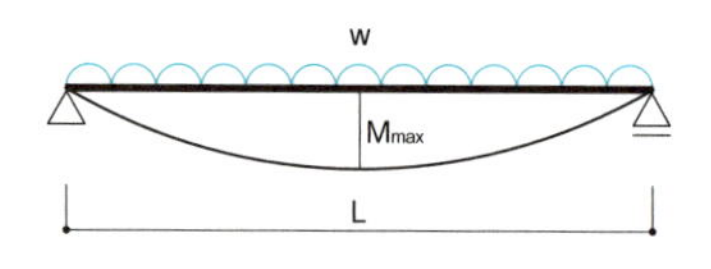

L：スパン[m]
Z：断面係数[mm³/m]
f_b：許容応力度（205N/mm²）
C：たわみ算定用係数（1.6）
E：鋼材のヤング係数（2.05×10⁵N/mm²）
I：断面2次モーメント[mm⁴/m]
α：施工割増係数　91頁参照

※：フラットデッキの品質性能評価を取得しているメーカー8社が組織するフラットデッキ工業会が作成したマニュアルなどを基に、(一社)公共建築協会がまとめた指針のこと。施工に際しては同指針に従うこととなる

表20｜フラットデッキの断面性能例

板厚［mm］	質量		断面性能	
	亜鉛めっき（Z12）	亜鉛めっき（Z27）	断面2次モーメント	断面係数
	N/m²	N/m²	I［×10⁴mm⁴/m］	Z［×10³mm³/m］
0.8	127	127	120	18.7
1.0	157	157	150	24.4
1.2	186	187	180	29.4
1.4	216	216	206	34.4
1.6	246	246	232	39.3

注　断面2次モーメントは全断面を示し、断面係数は有効幅を考慮した数値を示す

施工割増係数　RC造、SRC造の施工現場における安全性確保のための係数。S造は対象外。

施工状況の種類	施工割増係数（α）	施工条件など
I 類	1.0	RC 造またはSRC 造の場合で、荷重条件、施工条件などの適切な設定、管理により、施工上の安全性が確実に確保される場合
II 類	1.25	I 類以外のRC 造またはSRC 造の場合で、板厚1.0mm または板厚1.2mm のフラットデッキを使用する場合
III 類	1.5	I 類以外のRC 造またはSRC 造の場合で、板厚0.8mm のフラットデッキを使用する場合

スパンの取り方

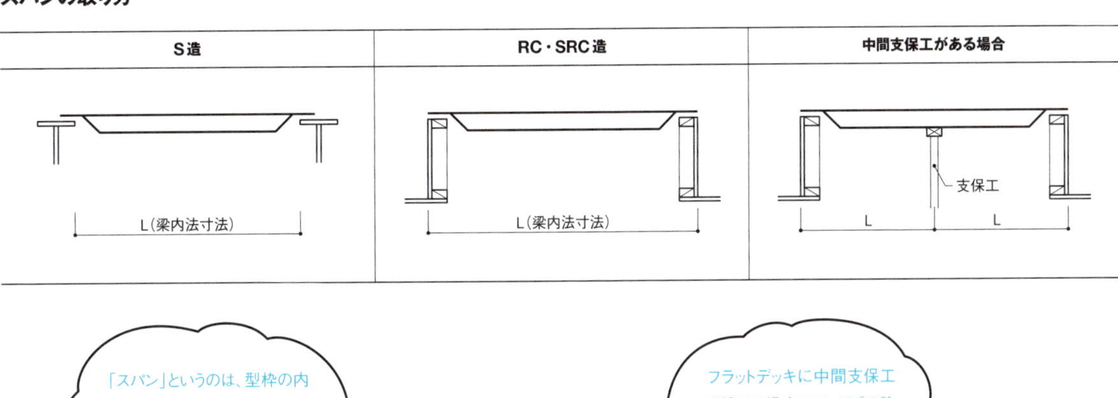

表21｜スラブ厚さ別許容スパン早見表［mm］（施工時作業荷重1,470N/m^2、施工割増係数考慮）

建物の構造		S・RC・SRC造					RC・SRC造		RC・SRC造
施工状況の種類		Ⅰ類（施工割増係数 α=1.0）					Ⅱ類（α=1.25）		Ⅲ類（α=1.5）
スラブ厚 S［mm］＼板厚 t［mm］		0.8	1.0	1.2	1.4	1.6	1.0	1.2	0.8
普通コンクリート 24kN/m^3	120	2,610	2,870	3,040	3,160	3,270	2,660	2,910	2,130
	125	2,580	2,850	3,010	3,130	3,250	2,630	2,870	2,100
	130	2,540	2,830	2,990	3,110	3,220	2,590	2,840	2,080
	135	2,510	2,810	2,960	3,090	3,200	2,560	2,800	2,050
	140	2,480	2,790	2,940	3,060	3,170	2,530	2,770	2,030
	145	2,450	2,770	2,920	3,040	3,150	2,500	2,740	2,000
	150	2,420	2,750	2,900	3,020	3,130	2,470	2,700	1,980
	155	2,400	2,730	2,880	3,000	3,110	2,440	2,670	1,960
	160	2,370	2,700	2,860	2,980	3,080	2,410	2,640	1,930
	165	2,340	2,670	2,840	2,960	3,060	2,390	2,620	1,910
	170	2,320	2,640	2,820	2,940	3,040	2,360	2,590	1,890
	175	2,300	2,620	2,800	2,920	3,020	2,340	2,560	1,870
	180	2,270	2,590	2,790	2,900	3,010	2,320	2,540	1,850
	185	2,250	2,560	2,770	2,880	2,990	2,290	2,510	1,840
	190	2,230	2,540	2,750	2,870	2,970	2,270	2,490	1,820
	195	2,210	2,510	2,740	2,850	2,950	2,250	2,460	1,800
	200	2,180	2,490	2,720	2,830	2,940	2,230	2,440	1,780
	250	2,000	2,290	2,500	2,690	2,790	2,040	2,240	1,640
	300	1,860	2,120	2,330	2,510	2,660	1,900	2,080	1,520

注1　施工状況の種類は、91頁の「施工割増係数」の表による
注2　許容応力度 f_b=205N/mm^2
注3　許容たわみ量 δ_a= L/180+5.0mm
注4　許容スパンの選択は、たわみ・曲げの値のうち、小さいほうの値を採用する

建物の構造		S・RC・SRC造					RC・SRC造		RC・SRC造
施工状況の種類		I類（施工割増係数 α=1.0）					II類（α=1.25）		III類（α=1.5）
スラブ厚 S［mm］ ＼ 板厚 t［mm］		0.8	1.0	1.2	1.4	1.6	1.0	1.2	0.8
軽量コンクリート 20 kN/m^3	120	2,760	2,980	3,140	3,270	3,390	2,810	3,080	2,260
	125	2,730	2,950	3,120	3,250	3,360	2,780	3,040	2,230
	130	2,700	2,930	3,100	3,220	3,340	2,750	3,010	2,200
	135	2,670	2,910	3,070	3,200	3,310	2,710	2,970	2,180
	140	2,640	2,890	3,050	3,180	3,290	2,680	2,940	2,150
	145	2,610	2,870	3,030	3,150	3,270	2,650	2,900	2,130
	150	2,580	2,850	3,010	3,130	3,250	2,630	2,870	2,100
	155	2,550	2,830	2,990	3,110	3,220	2,600	2,840	2,080
	160	2,520	2,810	2,970	3,090	3,200	2,570	2,810	2,060
	165	2,500	2,800	2,950	3,070	3,180	2,540	2,780	2,040
	170	2,470	2,780	2,940	3,060	3,160	2,520	2,760	2,020
	175	2,450	2,760	2,920	3,040	3,150	2,490	2,730	2,000
	180	2,420	2,750	2,900	3,020	3,130	2,470	2,700	1,980
	185	2,400	2,730	2,880	3,000	3,110	2,450	2,680	1,960
	190	2,380	2,710	2,870	2,980	3,090	2,420	2,650	1,940
	195	2,360	2,690	2,850	2,970	3,070	2,400	2,630	1,920
	200	2,340	2,660	2,840	2,950	3,060	2,380	2,610	1,910
	250	2,150	2,450	2,690	2,810	2,910	2,190	2,400	1,760
	300	2,000	2,290	2,500	2,690	2,790	2,040	2,240	1,640

フラットデッキの早見表は、短期許容応力度で設計されていること、等分布荷重を想定していることなどから、衝撃、荷重の偏りなどに対する余裕が少ないことを認識する必要がありますね

2 梁側せき板の検討

モデル化

せき板の検討は、設定した内端太の間隔が適切なものであるかどうかを確認する作業となる。本例題では内端太の間隔L_1を300mmと設定し、等分布荷重が作用する単純梁として、右図のようにモデル化して検討を行う。

このせき板に作用する1mm幅当たりの荷重（側圧）は、コンクリートの単位体積重量×コンクリートの打ち込み高さで求められる。側圧は高さに比例するため、最下部の側圧に対して検討することが安全側の仮定となるが、梁側型枠の最下部は梁底型枠に固定され、その位置ではせき板に曲げモーメントやたわみなどが発生するわけではない。そのため、梁底型枠による固定度の影響が無視できる上記の位置での側圧を検討対象とした。よって、鉄筋を除いた普通コンクリートの単位体積重量は23.0kN/m³であることから、せき板に作用する平均側圧P_{av1}、およびせき板に作用する1mm幅当たりの側圧（荷重）w_1は、以下のとおりとなる。

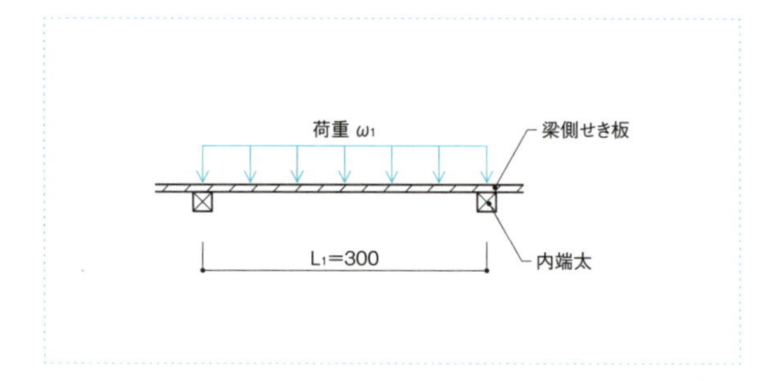

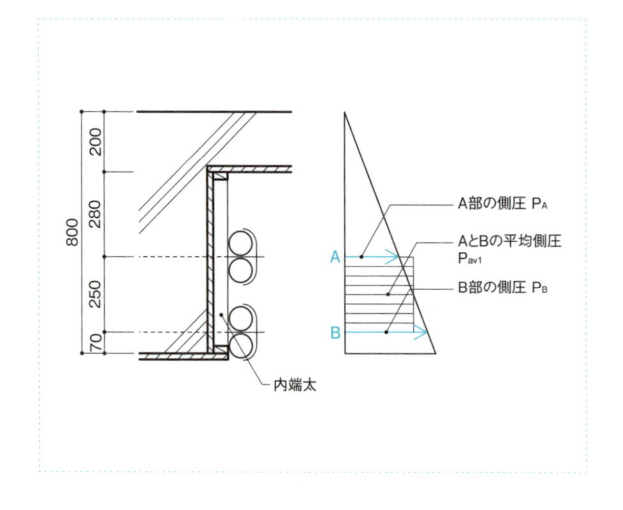

A部の側圧　$P_A = 23.0\,\mathrm{kN/m^3} \times (0.28+0.2)\,\mathrm{m} = 11.0\,\mathrm{kN/m^2}$

B部の側圧　$P_B = 23.0\,\mathrm{kN/m^3} \times (0.25+0.28+0.2)\,\mathrm{m} = 16.8\,\mathrm{kN/m^2}$

平均側圧　$P_{av1} = \dfrac{11.0+16.8}{2} = 13.9\,\mathrm{kN/m^2} = 13.9 \times 10^{-3}\,\mathrm{N/mm^2}$

$w_1 = P_{av1} \times 1\,\mathrm{mm} = 13.9 \times 10^{-3}\,\mathrm{N/mm}$

step. 2

曲げモーメントに対する検討

せき板に作用する1mm幅当たりの側圧 w_1 と設計スパン L_1 を基に、最大曲げモーメント M_{max} を求める。

$$M_{max}=\frac{w_1\cdot L_1^2}{8}=\frac{13.9\times10^{-3}\times300^2}{8}=156.4\,\mathrm{N\cdot mm}$$

上記で算定した最大曲げモーメントを基に、せき板に生じる曲げ応力度 σ_b を求める。断面係数Zは89頁表より $0.024\times10^3\mathrm{mm}^3$ であるので、

$$\sigma_b=\frac{M_{max}}{Z}=\frac{156.4}{0.024\times10^3}=6.52\,\mathrm{N/mm^2}$$

となる。この数値とせき板の許容曲げ応力度 f_b を比較する。89頁表より $f_b=13.7\,\mathrm{N/mm^2}$ であるので、結果は下記のとおりとなり、曲げに対してはこれで強度的に問題がないことが確認できた。

$$\frac{\sigma_b}{f_b}=\frac{6.52}{13.7}=0.48\leqq1.0\rightarrow\mathrm{OK}$$

step. 3

たわみに対する検討

曲げモーメントに対する検討と同様、等分布荷重が作用する単純梁として最大たわみ量 δ_{max} を算定し、その数値が許容たわみ量以下であることを確認する。

$$\delta_{max}=\frac{5}{384}\cdot\frac{w_1\cdot L_1^4}{E\cdot I}$$

$$=\frac{5}{384}\times\frac{13.9\times10^{-3}\times300^4}{5.5\times10^3\times0.0144\times10^4}$$

$$=1.85\,\mathrm{mm}\leqq3\,\mathrm{mm}\rightarrow\mathrm{OK}$$

許容たわみ量は3mm以下であるので、これで問題がないことが確認された。

3 | 内端太(縦受け桟木)の検討

モデル化

内端太の検討は、まずは側圧に対して設定した内端太の間隔が適切なものであるかどうかを確認する作業となる。本例題ではセパレータの上下間隔L_2を250mmと設定し、等分布荷重が作用する単純梁と両端固定の平均値として、右図のようにモデル化して検討を行う。内端太に作用する1mm幅当たりの側圧(荷重)w_2は、以下のとおりとなる。

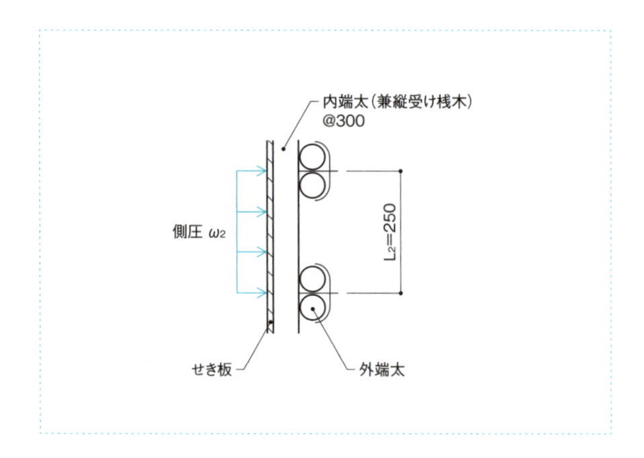

$$P_{av1}\times 内端太間隔 = w_2 = 13.9\times10^{-3}\,N/mm\times300\,mm = 4.17\,N/mm$$

曲げモーメントに対する検討

内端太に作用する1mm幅当たりの側圧w_2とスパンL_2を基に最大曲げモーメントM_{max}を算定する。さらに、内端太に生じる曲げ応力度σ_bを求め、内端太の許容曲げ応力度f_bと比較して強度的に問題がないことを確認する。

$$M_{max} = \frac{w_2\cdot L_2^2}{12} = \frac{4.17\times250^2}{12} = 21.7\times10^3\,N\cdot mm$$

$$\sigma_b = \frac{M_{max}}{Z} = \frac{21.7\times10^3}{10.41\times10^3} = 2.08\,N/mm^2$$

$$\frac{\sigma_b}{f_b} = \frac{2.08}{10.3} = 0.20 \leqq 1.0 \rightarrow OK$$

たわみに対する検討

曲げモーメントに対する検討と同様、等分布荷重が作用する単純梁と両端固定の平均値として最大たわみ量δ_{max}を算定し、その数値が許容たわみ量以下であることを確認する。

$$\delta_{max} = \frac{1}{128}\cdot\frac{w_2\cdot L_2^4}{E\cdot I} = \frac{1}{128}\times\frac{4.17\times250^4}{7.0\times10^3\times26.04\times10^4} = 0.07\,mm \leqq 3\,mm \rightarrow OK$$

許容たわみ量は3mm以下であるので、これで問題がないことが確認された。
外端太、締め付け金具の検討は、ここでは省略する。[62~64頁参照]

4 | フラットデッキからの鉛直荷重の検討

step.1 鉛直荷重の処理

梁側型枠にはフラットデッキから鉛直荷重が作用するが、この鉛直荷重は内端太兼縦受け桟木（□－50×25mm）で受けるものと考える。縦受け桟木は@600以下としなければならない。

内端太は、本例題のモデル化ではせき板を介して側圧も負担しているため、84頁の例と異なり、曲げと圧縮が作用する材として検討する。

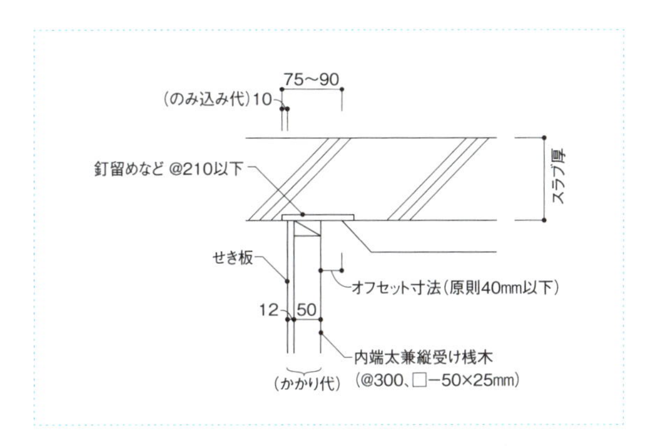

step.2 内端太の検討

スラブからの鉛直荷重は、89頁で算定したとおり6.7×10^{-3}N/mm²である。内端太の間隔＝300mm、フラットデッキのスパン＝2,800mmであるので、内端太1本に作用する軸力（鉛直力）Nは、以下のとおりとなる。

$$N=6.7\times10^{-3}\times300\times\frac{2,800}{2}=2,814\text{N}$$

内端太に生じる曲げ応力度σ_bを算定し、内端太の許容曲げ応力度f_bと比較する。さらに、内端太に作用する座屈応力度σ_cを算定し、内端太の許容座屈応力度f_kと比較して強度的に問題がないことを確認する。

$$\sigma_c=\frac{N}{A}=\frac{2,814}{50\times25}=2.25\text{N/mm}^2$$

内端太の許容座屈応力度f_kを求める［84頁参照］。

$$A=50\text{mm}\times25\text{mm},\quad I=26.0\times10^3\text{mm}^4,\quad L_k=250\text{mm},\quad f_c=8.8\text{N/mm}^2$$

$$i=\sqrt{\frac{I}{A}}=\sqrt{\frac{26.0\times10^4}{50\times25}}=14.4\quad \lambda=\frac{L_k}{i}=\frac{250}{14.4}=17.4\leqq100$$

$$f_k=f_c\left(1-0.007\times\frac{L_k}{i}\right)=8.8(1-0.007\times17.4)=7.7\text{N/mm}^2$$

$$\sigma_b=2.08\text{N/mm}^2\ (\text{96頁 step.2より})$$

$$\frac{\sigma_b}{f_b}+\frac{\sigma_c}{f_k}=\frac{2.08}{10.3}+\frac{2.25}{7.7}=0.20+0.29=0.49\leqq1.0\rightarrow\text{OK}$$

この後、梁底の検討を行う必要があるが、計算は軽量支保梁使用時と同じなのでここでは省略する［計算方法は85~87頁を参照のこと］。

ハーフPCa版の検討

□ 運搬時の荷姿、コンクリート打設時などの施工条件を想定し、それぞれに対して検討する
□ 応力的に安全であることのほか、PCa版に有害なひび割れを発生させないことを確認する

スラブとして出来上がった状態では構造設計がなされていることを前提に、ハーフPCa版の状態での仮置き時、運搬時、取り付け時、コンクリート打設時、支保工解体までの養生期間中での品質や安全性を確保する。具体的には、各施工段階でハーフPCa版が応力的に安全であること、PCa版に有害なひび割れなどを発生させないことを確認し、支保工の強度・精度に応じた支保工計画を立案する。

1 | 検討の流れと応力算定

step.1 検討の流れ

ハーフPCa版の場合、脱型時、仮置き時、運搬時、現場打ちコンクリート打設時の各施工段階での検討が必要となる。具体的には、下図のような流れで検討を進める。

図 | ハーフPCa版の支保工間隔の検討フロー

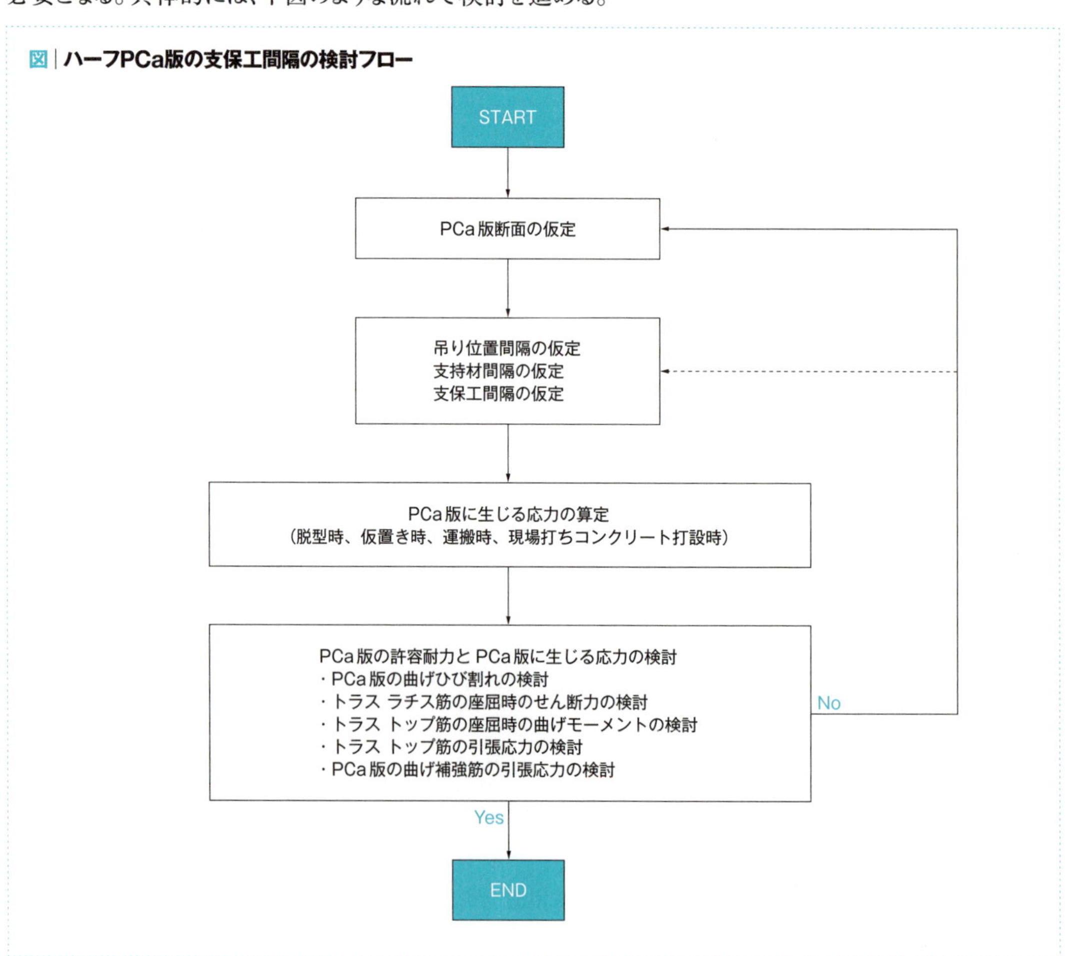

step. 2 モデル化と応力の算定

脱型時、仮置き時、運搬時、現場打ちコンクリート打設時の各施工段階において、実状に応じた適切な荷重条件・支持条件を想定し、曲げ、せん断などの応力を算定して安全性を検討・確認する。下表に、ハーフPCa版の支持条件による応力の算定例を示す。

条件	荷重・応力図	曲げモーメント M_1・M_2、せん断力Qの算定式
脱型時、2点吊り	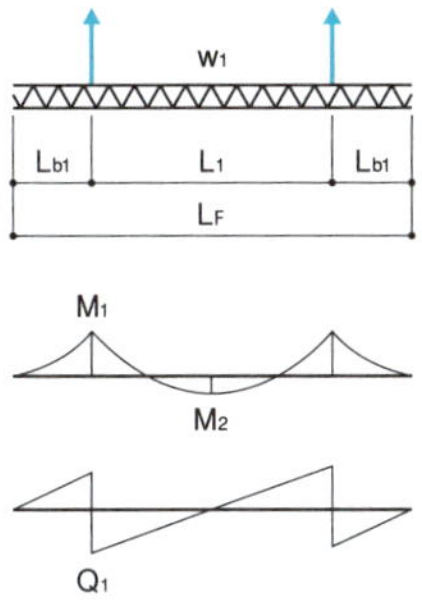 w1 Lb1 L1 Lb1 LF M1 M2 Q1	W_1＝PCa版自重+脱型剥離力(1.7 kN/m²) $L_{b1}=\left(\frac{1}{4}\sim\frac{1}{5}\right)\cdot L_F$ $M_1=\frac{1}{2}\cdot W_1\cdot L_{b1}^2$ $M_2=\frac{1}{8}\cdot W_1\cdot L_1^2-M_1$ $Q=\frac{1}{2}\cdot W_1\cdot L_F-W_1\cdot L_{b1}$
仮置き時・運搬時、3点置き	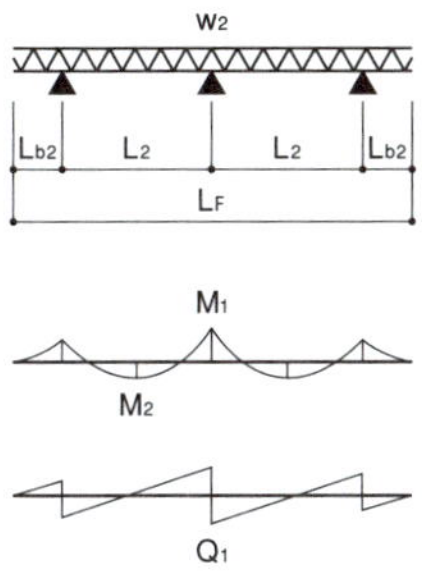 w2 Lb2 L2 L2 Lb2 LF M1 M2 Q1	W_2＝PCa版自重×1.2(衝撃荷重0.2とする) $L_{b2}\leqq\frac{1}{7}\cdot L_F$ $M_1=\frac{1}{8}\cdot W_2\cdot L_2^2-\frac{1}{4}\cdot W_2\cdot L_{b2}^2$ $M_2=\frac{9}{128}\cdot W_2\cdot L_2^2$ ($L_{b2}=0$の場合を想定) $Q=\frac{1}{2}\cdot W_2\cdot L_2+\left(M_1-\frac{1}{2}\cdot W_2\cdot L_{b2}^2\right)/L_2$ ($L_{b2}=0$の場合:$Q=\frac{5}{8}\cdot W_2\cdot L_2$)
コンクリート打設時(支保工1列の場合)	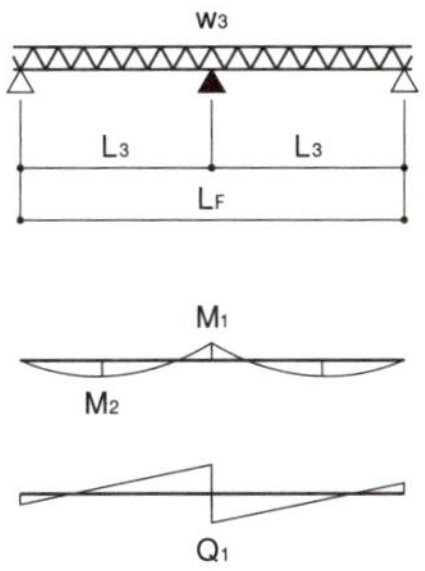 w3 L3 L3 LF M1 M2 Q1	W_3＝PCa版自重+作業荷重(1.5 kN/m²)+現場打ちコンクリート自重×1.2(衝撃荷重0.2とする) $M_1=\frac{1}{8}\cdot W_3\cdot L_3^2$ $M_2=\frac{9}{128}\cdot W_3^3\cdot L_3^2$ $Q=\frac{5}{8}\cdot W_3\cdot L_3$
コンクリート打設時(支保工2列の場合)	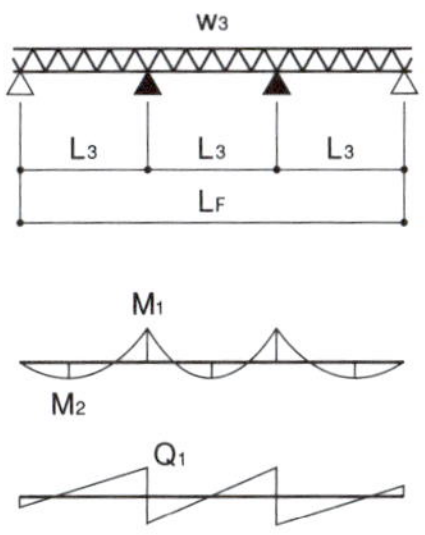 w3 L3 L3 L3 LF M1 M2 Q1	W_3＝PCa版自重+作業荷重(1.5 kN/m²)+現場打ちコンクリート自重×1.2(衝撃荷重0.2とする) $M_1=\frac{1}{10}\cdot W_3\cdot L_3^2$ $M_2=\frac{1}{12.5}\cdot W_3\cdot L_3^2$ $Q=\frac{3}{5}\cdot W_3\cdot L_3$

注　荷重W_1〜W_3は単位幅当たりの荷重とする

支保工存置期間の検討

check

- □ せき板の存置期間と、支保工の存置期間は区別しなければならない
- □ 支柱の盛り替えを認めないことから、スラブ下・梁下のせき板は原則として支保工を取り外した後に取り外す

下図に示すような小梁付きの日形床スラブを例に、支保工存置期間の検討の手順とそのポイントを解説する。検討の手順としては、大梁・小梁のたわみが精度上の許容範囲内に収まっていることを確認し、床スラブ、小梁、X・Y方向大梁のそれぞれに対して、支保工撤去のための所要圧縮強度を算出する。

1 | 部材構成と検討条件

step. 1

設計条件・方針

下図に示す日形床スラブにおける支保工存置期間を検討する。
設計条件などの詳細は以下のとおりである。

- スラブ厚さ(t)：150mm
- 小梁B断面($b_B \times D_B$)：300×700mm
- X方向大梁 G_X 断面($b_{GX} \times D_{GX}$)：400×800mm
- Y方向大梁 G_Y 断面($b_{GY} \times D_{GY}$)：400×700mm
- コンクリートの設計基準強度(F_C)：21N/mm²
- 鉄筋コンクリートの単位体積重量(ρ)：24kN/m³
- コンクリートのヤング係数(E)：18kN/mm²(Fc12を想定)
- コンクリート打設時は2層受けとする
- 梁下には一体打ちの壁はない
- 資材荷重(C_L)：0kN/m²
- 型枠重量(W_f)：0.4kN/m²

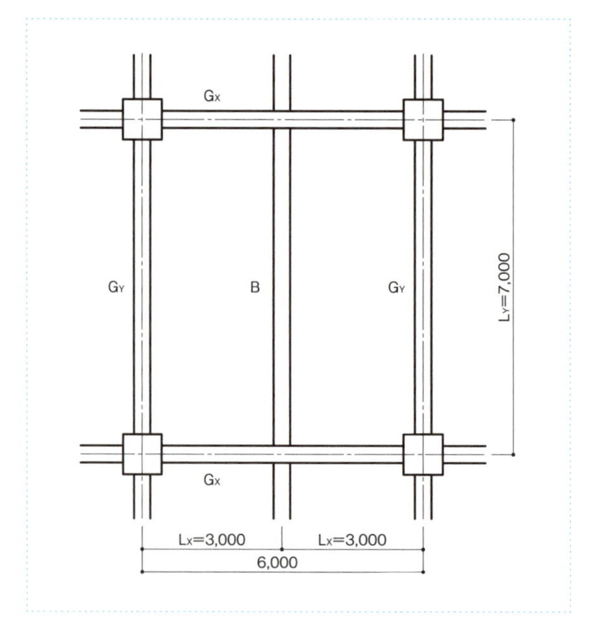

step.2

施工荷重の算定

下表「施工荷重Wの算定」中の「一般部材」の「2層以上」に従って、施工荷重Wを算定する。
小梁ならびに大梁の単位長さ重量の算出に際しては、スラブ分は別に考え、右図の□部分のみを対象とする。
また、それぞれの材料ごとに、下表の係数「1.8」を考慮する。

t　D_B　b_B

スラブ単位面積重量 $W_{SL}=1.8\cdot(\rho\cdot t+W_f)=1.8\times(24\times0.15+0.4)=7.2\,\mathrm{kN/m^2}$

施工荷重 $W=W_{SL}+C_L=7.2+0=7.2\,\mathrm{kN/m^2}=7.2\times10^{-3}\,\mathrm{N/mm^2}$

小梁単位長さ重量 $W_B=1.8\cdot\rho\cdot b_B(D_B-t)=1.8\times24\times0.3\times(0.7-0.15)=7.13\,\mathrm{kN/m}$

X方向大梁単位長さ重量 $W_{GX}=1.8\cdot\rho\cdot b_{GX}(D_{GX}-t)=1.8\times24\times0.4\times(0.8-0.15)=11.23\,\mathrm{kN/m}$

Y方向大梁単位長さ重量 $W_{GY}=1.8\cdot\rho\cdot b_{GY}(D_{GY}-t)=1.8\times24\times0.4\times(0.7-0.15)=9.50\,\mathrm{kN/m}$

point

ポイント

施工荷重の算定方法

一般的な小梁付きスラブの施工荷重は、下表に示す算定式により算出する。
表中のW_fはコンクリート打ち込み時の型枠重量であり、一般的には0.4kN/m²を想定する。C_Lは建て込みのためにスラブ上に積んだ資材の重量のことであり、資材置場として用いる場合を除き、通常は$C_L=0$と考えてよい。
また、「支持層数」とは、コンクリート打ち込み時に支える支柱の層数であるが、仮に打ち込み時には2層受けであっても、材齢2日以下、あるいは圧縮強度が12N/mm²未満で最下階支柱を除去する場合には、「打ち込み時1層受け」の施工荷重設定となる。
なお、表の施工荷重はポンプ打ちを前提としている。バケット打ちの場合には、衝撃がポンプ打ちの1.2～1.3倍になるという報告もあり、ポンプ打ちでない場合には施工荷重の設定に注意する必要がある。

表｜施工荷重Wの算定

支持層数	一般部材	片持ち梁
2層以上	$1.8\cdot(\rho\cdot t+W_f)+C_L$	$2.1\cdot(\rho\cdot t+W_f)+C_L$
1層	$2.1\cdot(\rho\cdot t+W_f)+C_L$	$2.3\cdot(\rho\cdot t+W_f)+C_L$

ρ：単位体積重量 23.5～25kN/m³　t：スラブ厚［m］　C_L：床スラブに載る資材荷重［kN/m²］　W_f：型枠重量［kN/m²］

step. 3

有効幅の算定

曲げ変形、せん断変形などを算定する場合には、各部材の断面積、断面2次モーメントが必要となる。

長方形梁が床スラブと一体になって曲げに抵抗するT形梁は、単独の長方形梁よりも応力度も変形も小さく、実状に近くなる。そのため、(一社)日本建築学会「鉄筋コンクリート構造計算基準・同解説」に従い、スラブの協力幅を考慮し、T形梁として考えることとする。

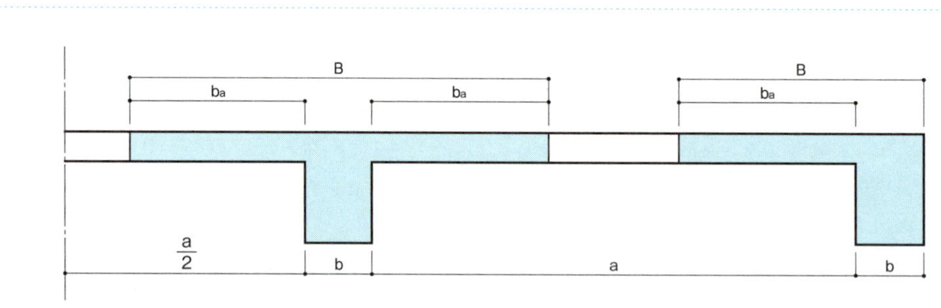

a ： 並列T形断面部材では材の側面から隣の材の側面までの距離。
単独T形断面部材ではその片側フランジ幅の2倍

L ： ラーメン材または連続梁のスパンの長さ

L_0 ： 単純梁のスパンの長さ

<両端剛接合の梁および連続梁の場合>

① $\left(\frac{a}{L} < 0.5\right.$ の場合$\left.\right)$ $b_a = \left(0.5 - 0.6 \cdot \frac{a}{L}\right) \cdot a$

② $\left(\frac{a}{L} \geqq 0.5\right.$ の場合$\left.\right)$ $b_a = 0.1 \cdot L$

<単純梁の場合>

③ $\left(\frac{a}{L_0} < 1\right.$ の場合$\left.\right)$ $b_a = \left(0.5 - 0.3 \cdot \frac{a}{L_0}\right) \cdot a$

④ $\left(\frac{a}{L_0} \geqq 1\right.$ の場合$\left.\right)$ $b_a = 0.2 \cdot L_0$

まず、小梁の有効幅B_{eB}を算定する。対象とする小梁の側面から隣の大梁の側面までの距離a=2,650mm、スパンL=L_Y=7,000mmであるので、

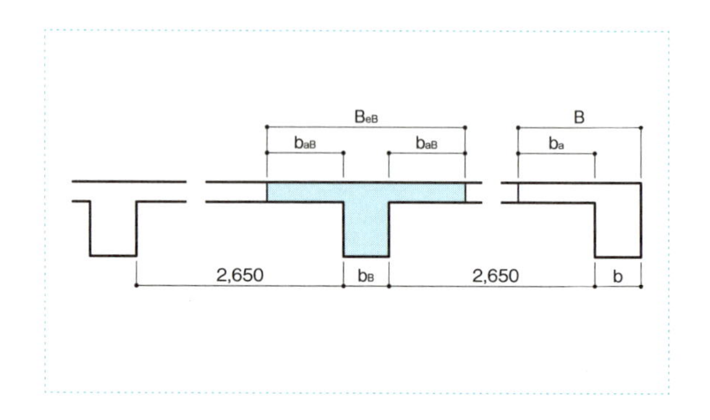

$$\frac{a}{L} = \frac{2{,}650}{7{,}000} \fallingdotseq 0.38 < 0.5$$

となり、連続梁として上図の①の式により算定を行う。小梁の協力幅b_{aB}、小梁の梁幅b_Bは、

$$b_{aB} = \left(0.5 - 0.6 \cdot \frac{a}{L_Y}\right) \cdot a = \left(0.5 - 0.6 \times \frac{2{,}650}{7{,}000}\right) \times 2{,}650 = 723\text{mm} \qquad b_B = b = 300\text{mm}$$

よって、有効幅B_{eB}は以下のとおりとなる。

$$B_{eB} = b_{aB} \times 2 + b_B = 723 \times 2 + 300 = 1{,}746\text{mm}$$

次に、X方向大梁の有効幅B_{eGX}を算定する。対象とする大梁の側面から隣の大梁の側面までの距離$a=L_Y-b_{GX}=7,000-400=6,600\,mm$、スパン$L=L_X\times 2=6,000\,mm$であるので、

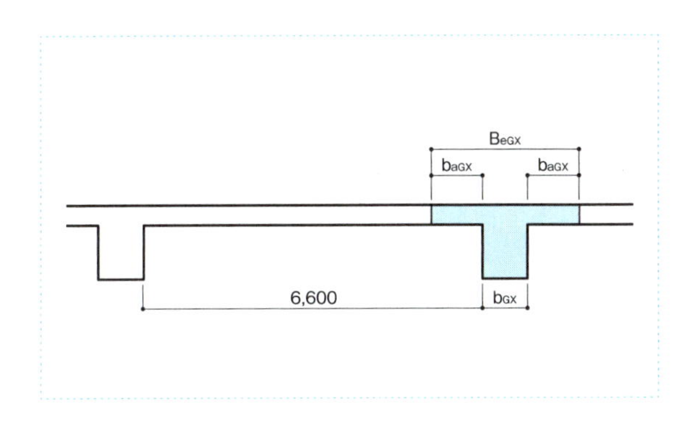

$$\frac{a}{L}=\frac{6,600}{6,000}\fallingdotseq 1.10\geqq 0.5$$

となり、②の式により算定を行うと、有効幅B_{eGX}は以下のとおりとなる。

$b_{aGX}=0.1\times L=0.1\times 6,000=600\,mm$　　$b_{GX}=400\,mm$

$B_{eGX}=b_{aGX}\times 2+b_{GX}=600\times 2+400=1,600\,mm$

次に、Y方向大梁の有効幅B_{eGY}を算定する。小梁の有効幅の算出の場合とb_{aGY}は同一なので、梁幅のみが異なる。

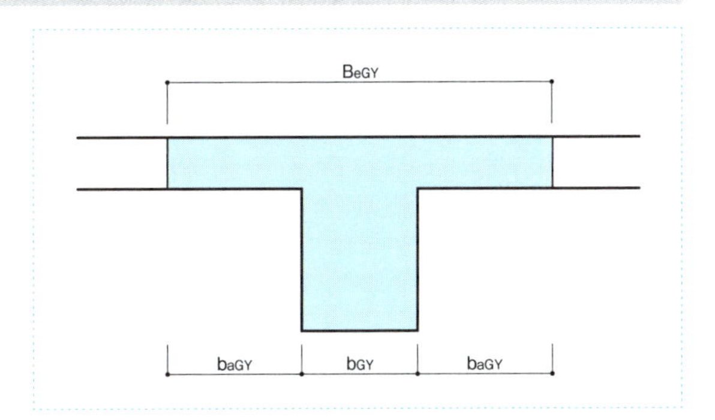

$b_{aGY}=b_{aB}=723\,mm$　　$b_{GY}=400\,mm$

$B_{eGY}=B_{aGY}\times 2+b_{GY}=723\times 2+400=1,846\,mm$

断面性能の算定

42頁表15に従い、小梁とX方向・Y方向大梁のT形断面としての中立軸、断面2次モーメント、断面係数を算定する。まず、小梁Bについては、a＝300mm、H＝700mm、$b=2\times b_{aB}$＝1,446mm、d＝150mm、B＝1,746mmであるので、中立軸y_{B1}・y_{B2}、断面2次モーメントI_B、断面係数Z_{B1}・Z_{B2}は以下のとおりとなる。

中立軸

$$y_{B2}=\frac{1}{2}\cdot\frac{a\cdot H^2+b\cdot d^2}{a\cdot H+b\cdot d}=\frac{1}{2}\times\frac{300\times700^2+1{,}446\times150^2}{300\times700+1{,}446\times150}=210\text{mm}\qquad e=y_{B2}-d$$

$$y_{B1}=H-y_{B2}=700-210=490\text{mm}$$

断面2次モーメント

$$I_B=\frac{1}{3}\cdot(B\cdot y_{B2}{}^3-b\cdot e^3+a\cdot y_{B1}{}^3)=\frac{1}{3}\cdot\{B\cdot y_{B2}{}^3-b\cdot(y_{B2}-d)^3+a\cdot y_{B1}{}^3\}$$

$$=\frac{1}{3}\times\{1{,}746\times210^3-1{,}446\times(210-150)^3+300\times490^3\}=1.73\times10^{10}\text{mm}^4$$

断面係数

$$Z_{B1}=\frac{I_B}{y_{B2}}=\frac{1.73\times10^{10}}{210}=8.23\times10^7\text{mm}^3\qquad Z_{B2}=\frac{I_B}{y_{B1}}=\frac{1.73\times10^{10}}{490}=3.53\times10^7\text{mm}^3$$

point

ポイント

T形断面の剛性計算

T形断面の中立軸、断面2次モーメント、断面係数は右図に示す算定式により算出する。

単純梁のような曲げ部材を考えたときに、梁の断面の上側には圧縮応力が発生し、下側には引張応力が発生する。このとき、梁の高さの中心付近には圧縮も引張も発生しない位置が生じる。この位置を「中立軸」と呼ぶ。単純な長方形断面であれば、中立軸は梁せいの中心となるが、スラブの協力幅を考慮したT形断面などでは、断面1次モーメントと断面積を用いて中立軸を算出する。

図｜T形断面の中立軸、断面2次モーメント、断面係数

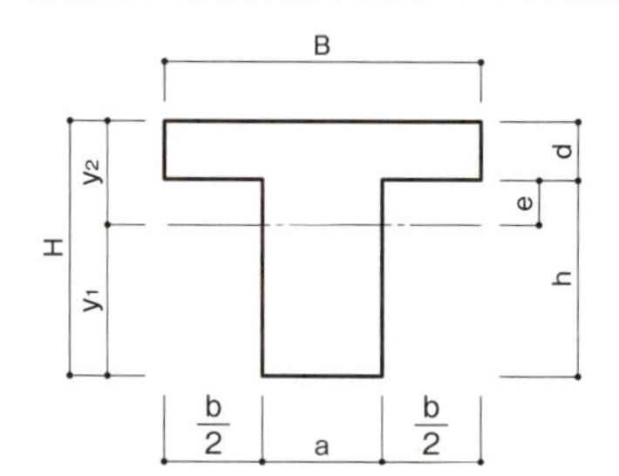

中立軸

$$y_2=\frac{1}{2}\times\frac{a\cdot H^2+b\cdot d^2}{a\cdot H+b\cdot d}$$

$$y_1=H-y_2$$

断面2次モーメント

$$I=\frac{1}{3}\times(B\cdot y_2{}^3-b\cdot e^3+a\cdot y_1{}^3)$$

断面係数

$$Z_1=\frac{I}{y_2}$$

$$Z_2=\frac{I}{y_1}$$

X方向大梁G_Xについては、$a=400$mm、$H=800$mm、$b=2\times b_{aGX}=1{,}200$mm、$d=150$mm、$B=1{,}600$mm であるので、中立軸$y_{GX1}$・$y_{GX2}$、断面2次モーメント$I_{GX}$、断面係数$Z_{GX1}$・$Z_{GX2}$は以下のとおりとなる。

中立軸

$$y_{GX2}=\frac{1}{2}\times\frac{400\times800^2+1{,}200\times150^2}{400\times800+1{,}200\times150}=283\text{mm}\qquad y_{GX1}=800-283=517\text{mm}$$

断面2次モーメント

$$I_{GX}=\frac{1}{3}\times(1{,}600\times283^3-1{,}200\times(283-150)^3+400\times517^3)=3.15\times10^{10}\text{mm}^4$$

断面係数

$$Z_{GX1}=\frac{3.15\times10^{10}}{283}=1.11\times10^8\text{mm}^3\qquad Z_{GX2}=\frac{3.15\times10^{10}}{517}=6.09\times10^7\text{mm}^3$$

Y方向大梁G_Yについては、$a=400$mm、$H=700$mm、$b=2\times b_{aGY}=1{,}446$mm、$d=150$mm、$B=1{,}846$mm であるので、中立軸$y_{GY1}$・$y_{GY2}$、断面2次モーメント$I_{GY}$、断面係数$Z_{GY1}$・$Z_{GY2}$は以下のとおりとなる。

中立軸

$$y_{GY2}=\frac{1}{2}\times\frac{400\times700^2+1{,}446\times150^2}{400\times700+1{,}446\times150}=230\text{mm}\qquad y_{GY1}=700-230=470\text{mm}$$

断面2次モーメント

$$I_{GY}=\frac{1}{3}\times(1{,}846\times230^3-1{,}446\times(230-150)^3+400\times470^3)=2.16\times10^{10}\text{mm}^4$$

断面係数

$$Z_{GY1}=\frac{2.16\times10^{10}}{230}=9.39\times10^7\text{mm}^3\qquad Z_{GY2}=\frac{2.16\times10^{10}}{470}=4.60\times10^7\text{mm}^3$$

また、スラブの幅1m当たりの断面2次モーメントI_{SL}、断面係数Z_{SL}は以下のとおりとなる。

断面2次モーメント

$$I_{SL}=\frac{1{,}000\times150^3}{12}=2.81\times10^8\text{mm}^4$$

断面係数

$$Z_{SL}=\frac{1{,}000\times150^2}{6}=3.75\times10^6\text{mm}^3$$

2 | たわみの算定

小梁のたわみの算定

等分布荷重が作用する両端固定梁として、小梁のたわみδ_Bを算定する。

小梁は単スパンであれば両端ピンの単純梁としてモデル化するが、本例題の小梁は連続するなかの1スパンであり、両端は固定と考えた。

小梁の負担幅ならびに荷重は下記のとおりである。床スラブは辺長比$\lambda = L_Y / L_X \geqq 2.0$なので、一方向として、隣り合う梁との中間までを負担すると考える。

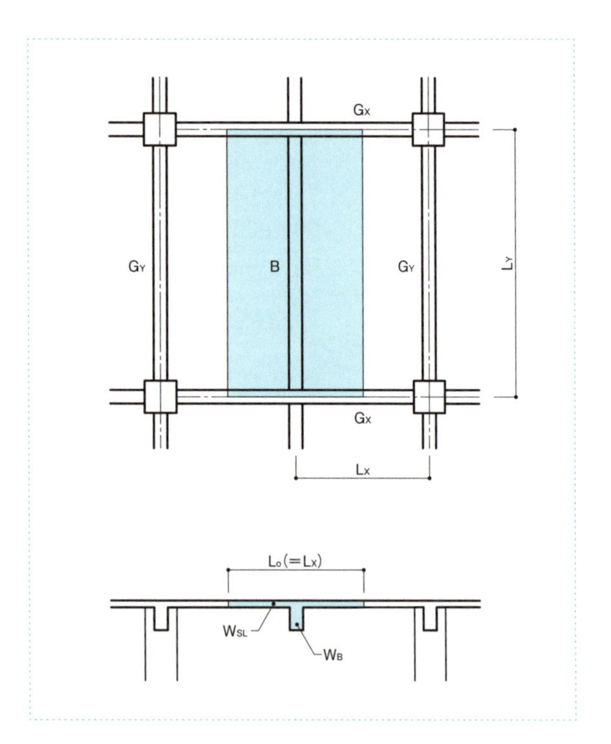

- スラブの短辺方向長さ $L_X = 3{,}000\text{mm}$
- スラブの長辺方向長さ $L_Y = 7{,}000\text{mm}$
- 小梁が負担するスラブの幅 $L_O = 3{,}000\text{mm}$
- スラブの単位長さ当たり重量
  $W_{SL} \times L_O = 7.2 \times 10^{-3} \times 3{,}000\text{N/mm}$
- 小梁の単位長さ当たり重量(スラブ分を除く)
  $W_B = 7.13 \times 10^3\text{kN/mm} = 7.13\text{N/mm}$
- ヤング係数 $E = 18\text{kN/mm}^2 = 18 \times 10^3\text{N/mm}^2$

$$\delta_B = \frac{1}{384} \cdot \frac{(W_{SL} \cdot L_O + W_B) \cdot L_Y^4}{E \cdot I_B} = \frac{1}{384} \times \frac{(7.2 \times 10^{-3} \times 3{,}000 + 7.13) \times 7{,}000^4}{18.0 \times 10^3 \times 1.73 \times 10^{10}}$$

$$= 0.58\text{mm}$$

step. 2 X方向大梁のたわみの算定

一点集中荷重が作用する両端固定梁として、X方向大梁のたわみδ_{GX}を算定する。たわみの算定に際しては、右図のようなモデルとして考える。**step.1**の小梁のたわみの算定で、小梁が負担した荷重の半分が両側から作用し、かつG_X梁の自重を荷重とする。その際、G_X梁は両端を柱に固定されていると考える。

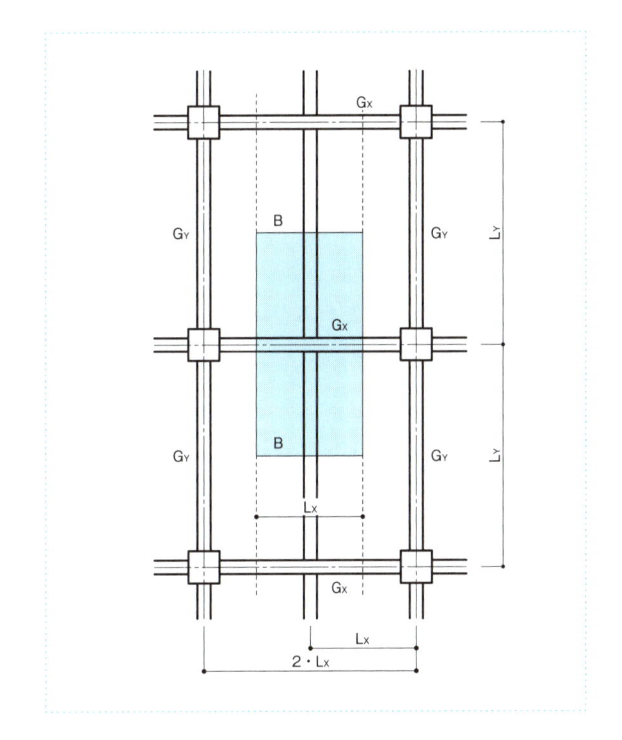

両端固定の中央集中荷重（小梁からの荷重）のたわみ$\delta = \dfrac{1}{192} \cdot \dfrac{P \cdot L^3}{E \cdot I}$

両端固定の等分布荷重（G_X梁の自重）のたわみ$\delta = \dfrac{1}{384} \cdot \dfrac{W_{GX} \cdot L^4}{E \cdot I}$

$P = (W_{SL} \cdot L_X + W_B) \cdot L_Y$

$L = 2 \cdot L_X = 2 \times 3{,}000\,\text{mm}$

W_{GX}（X方向大梁自重）$= 11.23\,\text{kN/m} = 11.23\,\text{N/mm}$

$$\delta_{GX} = \frac{1}{192} \cdot \frac{(W_{SL} \cdot L_X + W_B) \cdot L_Y \cdot (2 \cdot L_X)^3}{E \cdot I_{GX}} + \frac{1}{384} \cdot \frac{W_{GX} \cdot (2 \cdot L_X)^4}{E \cdot I_{GX}}$$

$$= \frac{1}{192} \times \frac{(7.2 \times 10^{-3} \times 3{,}000 + 7.13) \times 7{,}000 \times (2 \times 3{,}000)^3}{18.0 \times 10^3 \times 3.15 \times 10^{10}} + \frac{1}{384} \times \frac{11.23 \times (2 \times 3{,}000)^4}{18.0 \times 10^3 \times 3.15 \times 10^{10}}$$

$$= 0.40 + 0.07 = 0.47\,\text{mm}$$

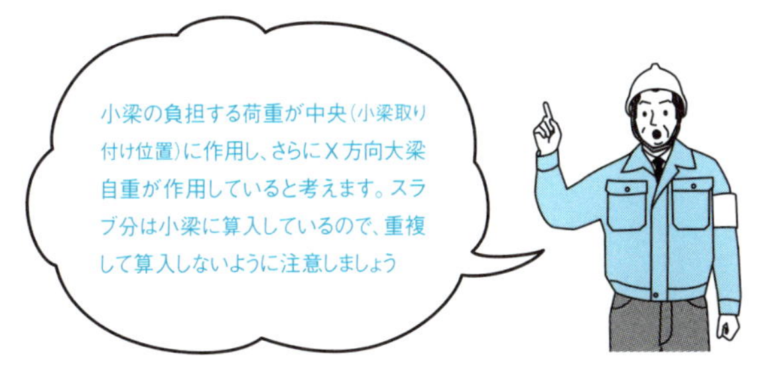

step. 3

Y方向大梁のたわみの算定

—

等分布荷重が作用する両端固定梁として、Y方向大梁のたわみ δ_{GY}を算定する。
小梁と同方向の梁であり、小梁と同様に両側の小梁との中間点までの床荷重、およびGy梁自重によるたわみを、両端を柱に固定されているとして求める。

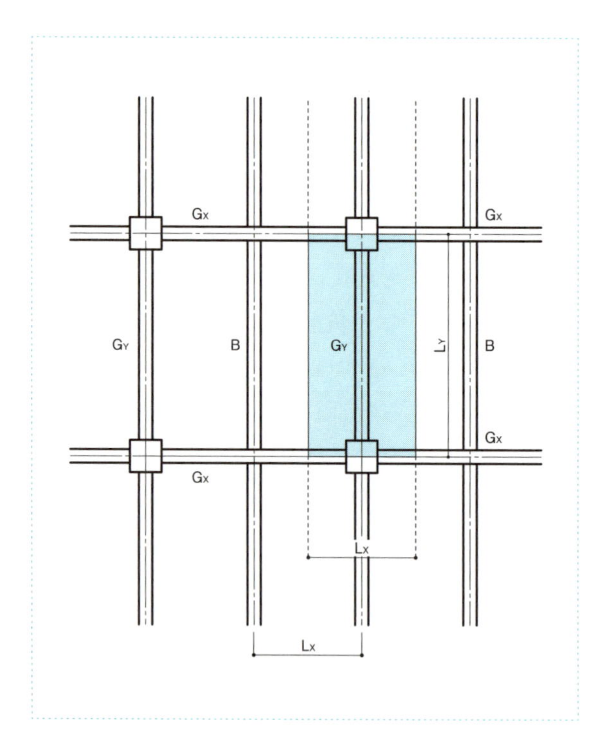

両端固定での等分布荷重のたわみ $\delta = \frac{1}{384} \cdot \frac{W \cdot L^4}{E \cdot I}$

$W = W_{SL} \cdot L_X + W_{GY}$

$L = L_Y = 7{,}000$mm

W_{GY}（Y方向大梁自重）＝9.50kN/m＝9.50N/mm

$$\delta_{GY} = \frac{1}{384} \cdot \frac{(W_{SL} \cdot L_X + W_{GY}) \cdot L_Y^4}{E \cdot I_{GY}} = \frac{1}{384} \times \frac{(7.2 \times 10^{-3} \times 3{,}000 + 9.5) \times 7{,}000^4}{18.0 \times 10^3 \times 2.16 \times 10^{10}}$$

$= 0.50$mm

step. 4 小梁の最大たわみの算定

小梁の最大たわみδ_Fは、両端固定の小梁のたわみ（δ_B）と、これに直交する大梁のたわみ（δ_{GX}）をそれぞれ計算し、その和を小梁中央のたわみと考える。すなわち、柱位置を基準とした小梁中央でのたわみ量と考える。

$$\delta_F = \delta_B + \delta_{GX} = 0.58 + 0.47 = 1.05\text{mm}$$

step. 5 付加たわみの算定

付加たわみとは、1枚のスラブの範囲での相対的なたわみ差をいい、111頁の付加曲げモーメントによる縁応力度の算定に必要となる。この場合であれば、小梁中央のたわみ量$\delta_F = \delta_B + \delta_{GX}$と、$G_Y$梁中央のたわみ量$\delta_{GY}$との差をいう。

$$\delta_E = (\delta_B + \delta_{GX}) - \delta_{GY} = (0.58 + 0.47) - 0.50 = 0.55\text{mm}$$

施工期間中のたわみ（自重だけの状態）は、小梁有効スパンの1／1,000かつ5mm以内とすることが望ましいんだ。また、施工期間3カ月程度が経過した時点におけるたわみは、自重作用時の3倍程度と考えられる。本例題でいえば、1.05×3＝3.15≦5mm（7,000／1,000=7mmかつ5mm）→OKとなるんだ

3 スラブの縁応力度の算定

負曲げモーメントによる縁応力度の算定

床スラブ下支保工の撤去に必要となるコンクリートの圧縮強度を求めるために、小梁の変形を考慮したスラブの曲げ応力度σ_0を求める。

$$\sigma_0=\frac{M_x}{Z}\ [N/mm^2]$$

M_x：最大曲げモーメント[N·mm/m]

Z ：スラブの断面係数[mm³/m]

このうちの最大曲げモーメントについて、四辺固定スラブの曲げモーメントは、短辺方向端部で最大となる。その値はスパンのとり方によって下記の２式のいずれかを用いて算定する。

$$M_{x1}=\frac{1}{12}\cdot\frac{l_y^4}{l_x^4+l_y^4}\cdot W\cdot l_x^2\ [kN\cdot mm/mm]$$

$$M_{x2}=0.8\cdot\frac{1}{12}\cdot\frac{L_y^4}{L_x^4+L_y^4}\cdot W\cdot L_x^2\ [kN\cdot mm/mm]$$

l_x：短辺方向内法スパン[mm]

l_y：長辺方向内法スパン[mm]

L_x：短辺方向心々スパン[mm]

L_y：長辺方向心々スパン[mm]

W：施工荷重（7.2×10^{-6}kN/mm²）

ここでは心々スパンの式を用いてスラブの負曲げモーメントM_xを算定する。

$$M_{x2}=-0.8\cdot\frac{1}{12}\cdot\frac{L_y^4}{L_x^4+L_y^4}\cdot W\cdot L_x^2=-0.8\times\frac{1}{12}\times\frac{7{,}000^4}{3{,}000^4+7{,}000^4}\times7.2\times10^{-6}\times3{,}000^2$$

$$=-4.18\,kN\cdot mm/mm=-4.18\times10^6\,N\cdot mm/m$$

よって、スラブの負曲げモーメントによるスラブの縁応力度σ_xは以下のとおりとなる。

$$\sigma_x=\frac{M_x}{Z_{SL}}=\frac{-4.18\times10^6}{3.75\times10^6}=-1.11\,N/mm^2$$

M_{x1}は、スラブの内法寸法から求めた短辺方向端部での曲げモーメント、M_{x2}はスラブの心々寸法から略算的に求めた短辺方向端部での曲げモーメント。後で加算する付加曲げモーメントを心々寸法から求めていることから略算的なM_{x2}を用いるものとします

step.2 付加曲げモーメントによる縁応力度の算定

付加曲げモーメントの算定式は以下のとおりである。

$$\triangle M_x = 0.8 \cdot \delta_E \cdot \left(\frac{6 \cdot E \cdot I_{SL}}{L_x^2} \right)$$

δ_E：たわみ差[mm]

E ：コンクリートのヤング係数[N/mm²]

I_{SL}：スラブの断面2次モーメント[mm⁴]

L_x：短辺方向スパン[mm]

上式を用いてスラブの付加曲げモーメントΔM_xを算定する。

$$\Delta M_x = -0.8 \cdot \delta_E \cdot \frac{6 \cdot E \cdot I_{SL}}{L_x^2} = -0.8 \times 0.55 \times \frac{6 \times 18 \times 10^3 \times 2.81 \times 10^8}{3{,}000^2} = -1.48 \times 10^6 \mathrm{N/mm^2}$$

スラブの付加モーメントによるスラブの縁応力度$\Delta\sigma_x$は以下のとおりとなる。

$$\Delta\sigma_x = \frac{\Delta M_x}{Z_{SL}} = \frac{-1.48 \times 10^6}{3.75 \times 10^6} = -0.39 \mathrm{N/mm^2}$$

step.3 スラブの曲げ応力度の算定

step.1・2で算定した縁応力度より付加曲げモーメントを考慮したスラブの曲げ応力度σ_oを算出する。

$$\sigma_o = \sigma_x + \Delta\sigma_x = -1.11 - 0.39 = -1.50 \mathrm{N/mm^2}$$

step.1のM_{x1}、M_{x2}は、小梁の変形を考慮しない四辺固定スラブの変形であり、スラブの縁応力度σ_xは、小梁の変形を含まないものとなっています。これに、小梁の変形によって生じた付加曲げモーメントから求めた縁応力度を加算し、スラブに生じている最大曲げ応力度を算定しています

4 梁の曲げ応力度の算定

step. 1

小梁の中央曲げモーメントの算定

小梁、X･Y方向大梁それぞれの支保工の撤去に必要となるコンクリートの圧縮強度を求めるために、各部材の中央部の曲げモーメントを用いる。

113頁表より小梁の中央曲げモーメントM_{BC}を算定し、その数値を基に小梁下端の応力度σ_Bを算定する。

$$M_{BC}=-\frac{1}{24}\cdot(W_{SL}\cdot L_X+W_B)\cdot L_Y{}^2=-\frac{1}{24}\times(7.2\times10^{-6}\times3{,}000+7.13\times10^{-3})\times7{,}000^2$$

$$=-58.7\times10^3\text{kN·mm}=-58.7\times10^6\text{N·mm}$$

$$\sigma_B=\frac{M_{BC}}{Z_{B2}}=\frac{-58.7\times10^6}{3.53\times10^7}=-1.66\text{N/mm}^2$$

step. 2

X方向大梁の中央曲げモーメントの算定

X方向大梁の中央曲げモーメントM_{GXC}を算定し、その数値を基にG_X梁下端の応力度σ_{GX}を算定する。

$$M_{GXC}=-\frac{1}{8}\cdot P\cdot L-\frac{1}{24}\cdot W_{GX}\cdot L^2=-\frac{1}{8}\cdot(W_{SL}\cdot L_X+W_B)\cdot L_Y\cdot2\cdot L_X-\frac{1}{24}\cdot W_{GX}\cdot(2\cdot L_X)^2$$

$$=-\frac{1}{8}\times(7.2\times10^{-6}\times3{,}000+7.13\times10^{-3})\times7{,}000\times2\times3000-\frac{1}{24}\times11.23\times10^{-3}\times6{,}000^2$$

$$=-167.7\times10^3\text{kN·mm}=-167.7\times10^6\text{N·mm}$$

$$\sigma_{GX}=\frac{M_{GXC}}{Z_{GX2}}=\frac{-167.7\times10^6}{5.73\times10^7}=-2.93\text{N/mm}^2$$

step. 3 Y方向大梁の中央曲げモーメントの算定

Y方向大梁の中央曲げモーメントM_{GYC}を算定し、その数値を基にG_Y梁下端の応力度σ_{GY}を算定する。

$$M_{GYC}=-\frac{1}{24}\cdot(W_{SL}\cdot L_X+W_{GY})\cdot L_Y^2=-\frac{1}{24}\times(7.2\times10^{-6}\times3{,}000+9.50\times10^{-3})\times7{,}000^2$$

$$=-63.5\times10^3\,\mathrm{kN\cdot mm}=-63.5\times10^6\,\mathrm{N\cdot mm}$$

$$\sigma_{GY}=\frac{M_{GYC}}{Z_{GY2}}=\frac{-63.5\times10^6}{4.49\times10^7}=-1.41\,\mathrm{N/mm^2}$$

梁の最大曲げ応力（σ_o）の算定

		$\sigma_o=M/Z$	
	検討対象大梁スパン	梁中央曲げモーメント M_c	梁端部曲げモーメント M_e
直交梁 小梁1本	P　W_{GX}	$\frac{1}{8}\cdot P\cdot L+\frac{1}{24}\cdot W_{GX}\cdot L^2$	$\frac{1}{8}\cdot P\cdot L+\frac{1}{12}\cdot W_{GX}\cdot L^2$
直交梁 小梁2本	P P　W_{GY}	$\frac{1}{9}\cdot P\cdot L+\frac{1}{24}\cdot W_{GX}\cdot L^2$	$\frac{2}{9}\cdot P\cdot L+\frac{1}{12}\cdot W_{GX}\cdot L^2$
小梁または平行大梁	W_B or (W_{GY})	$\frac{1}{24}\cdot W_B\cdot L^2$ $\left(\frac{1}{24}\cdot W_{GY}\cdot L^2\right)$	$\frac{1}{12}\cdot W_B\cdot L^2$ $\left(\frac{1}{12}\cdot W_{GY}\cdot L^2\right)$
Zの求め方	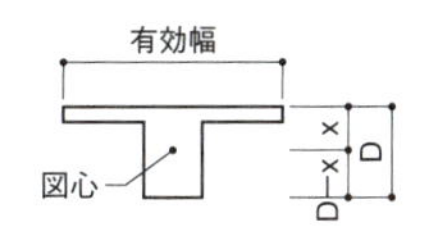	$Z=I/x$ $Z_b=I/(D-x)$ I：T形梁の断面2次モーメント	

荷重算定　（2層受けの場合）

$P=W\cdot L_x\cdot L_y+$（小梁自重・L_Y）$\times1.8$

W：施工荷重

$W_{GX}=$（G_X自重）$\times1.8$

$W_{GY}=W\cdot L_x+$（G_Y自重）$\times1.8$

$W_B=W\cdot L_x+$（小梁自重）$\times1.8$

5 | コンクリート所要圧縮強度の算定

床スラブの所要圧縮強度の算定

次式を用いて各部位の所要圧縮強度F_Oを算定する。

$$F_O = \frac{\sigma^2}{0.51^2} \qquad \sigma_O：下端応力度[N/mm^2]$$

まず、床スラブの所要圧縮強度F_{OSL}を算定する。床スラブの下端応力度$\sigma_O = 1.50 N/mm^2$であるので、

$$F_{OSL} = \frac{1.50^2}{0.51^2} = 8.7 N/mm^2$$

となり、最低強度$12 N/mm^2$を下回る。したがって、$12 N/mm^2$の発現を待って支柱・せき板を取り外すことができる。

小梁の所要圧縮強度の算定

同様にして、小梁の所要圧縮強度F_{OB}を算定する。

$$\sigma_B = 1.68 N/mm^2$$

$$F_{OB} = \frac{1.68^2}{0.51^2} = 10.9 N/mm^2$$

よって、最低強度$12 N/mm^2$を下回る。したがって、$12 N/mm^2$の発現を待って支柱・せき板を取り外すことができる。

X方向大梁の所要圧縮強度の算定

X方向大梁の所要圧縮強度F_{OGX}を算定する。

$$\sigma_{GX} = 2.93 N/mm^2$$

$$F_{OGX} = \frac{2.93^2}{0.51^2} = 33.0 N/mm^2$$

$1.5 F_C = 1.5 \times 21 = 31.5 N/mm^2$を超えるが、床スラブと異なり、有害なひび割れ条件は適用されないため、設計基準強度$= 21 N/mm^2$の発現を待って支柱・せき板を取り外すことができる。

step. 4 Y方向大梁の所要圧縮強度の算定

Y方向大梁の所要圧縮強度F_{OGY}を算定する。

$$\sigma_{GY} = 1.41\,\mathrm{N/mm^2}$$

$$F_{OGY} = \frac{1.41^2}{0.51^2} = 7.6\,\mathrm{N/mm^2}$$

よって、最低強度12N/mm^{2}を下回る。したがって、12N/mm^{2}の発現を待って支柱・せき板を取り外すことができる。

step. 5 検討結果

スラブ、小梁、X・Y方向大梁について、計算で求められた所要圧縮強度を求めている。基本的には、この圧縮強度、かつ12N/mm^{2}以上が確認できれば支保工を外してよい。

X方向大梁の検討の結果、F_cを超える強度が必要となるという結果が出ているが、本体構造としての設計がなされているのであるから、設計基準強度の発現をもって十分な強度を有することから、支保工を外してよいものとする。

ただし、資材を置くなどの設計荷重以上が作用する可能性がある場合には、サポート存置期間の延長など、何らかのひび割れ対策が必要となる。

壁付き梁の場合、壁に並立している支保工についてはせき板と同様に5N/mm^{2}の発現で取り外してよいですが、壁と梁が著しく偏心するとき、下部が開口となるときには注意を要します

足場

施工計画と構造計算のポイント

1 | 足場の種類と要求条件

足場に求められるもの

建設工事においては、基礎工事の段階から躯体の立ち上がり、外壁の仕上げなど工事の進捗に応じて、施工対象物への近接作業や高所作業を安全かつ容易に作業できるようにするため、足場を設置する必要がある。

足場は、材料·構造·機能などの違いにより、多種多様なものが存在する[**表1、118・119頁図1～8**]。

足場の機能面だけを取り上げてみても、作業用の材料置き場や、作業者のための作業場所、施工管理者や監理者が確認するための場所としての機能が求められる。また、作業者や施工管理者、監理者が、その場所に行くための通路としての機能も要求される。材料面では、現在では鋼材や軽金属が主に用いられており、構造面でもいろいろな形状および構造のものが使用されている。

しかし、それらの足場は、その種類によって強度や安全性が異なるのが通常であり、工事の種類や規模、場所、工期、コストなどを考慮して、最も適した足場を選定する必要がある。また、積載荷重や風圧などにより大きな応力が生じるため、構造計算によりその安全性の確認をしなければならない。

準拠すべき規格·規準

足場を計画するにあたっては、労働安全衛生法や(一社)仮設工業会による『足場·型枠支保工設計指針』、JIS(日本工業規格)、(一社)日本建築学会のJASSの諸規定に準拠しなければならない。

足場に使用される部材や付属金物などについては、労働安全衛生法にもとづく仮設機材に関する厚生労働省構造規格に準ずる。また、部材·付属金物の安全性については、(一社)仮設工業会が自主的に定めている仮設機材認定基準に準拠しているかを確認する。

表1｜足場の用途別構造別分類

構造別		支柱足場			吊り足場	機械足場	その他
用途別		本足場	一側足場	棚足場			
高層建築物外壁工事用	足場の高さが31mを超える場合	・枠組足場 ・張り出し足場	—	—	—	・機械駆動式足場 ・ゴンドラ	—
中層建築物外壁工事用	足場の高さが31m以下の場合	・枠組足場 ・張り出し足場 ・くさび緊結式足場 ・単管足場	ブラケット一側足場	—	—	・機械駆動式足場 ・ゴンドラ	—
住宅工事用	足場の高さが10m以下の場合	・くさび緊結式足場 ・単管足場	・くさび緊結式一側足場 ・ブラケット一側足場	—	—	—	—
内装工事用		—	—	・枠組足場 ・くさび緊結式足場 ・単管足場	—	—	・移動式足場 ・移動式室内足場 ・高所作業台 ・アルミ合金製可搬式作業台 ・脚立足場
躯体工事用		・枠組足場 ・くさび緊結式足場 ・単管足場	・くさび緊結式一側足場 ・ブラケット一側足場	—	・吊り枠足場 ・吊り棚足場	—	—
橋梁補修用		・枠組足場 ・くさび緊結式足場 ・単管足場	—	—	吊り棚足場	—	—

図1｜枠組足場

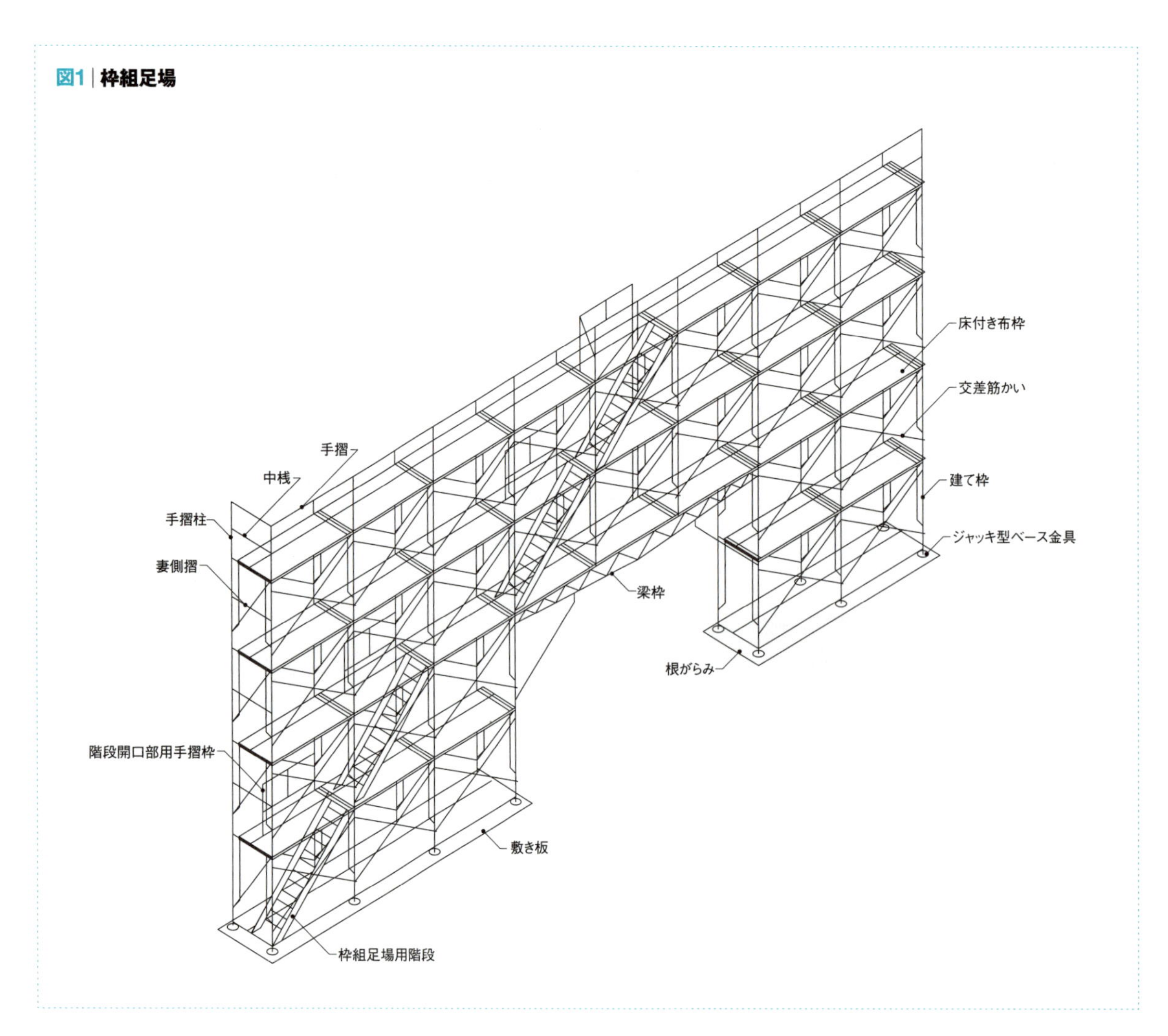

図2｜単管本足場

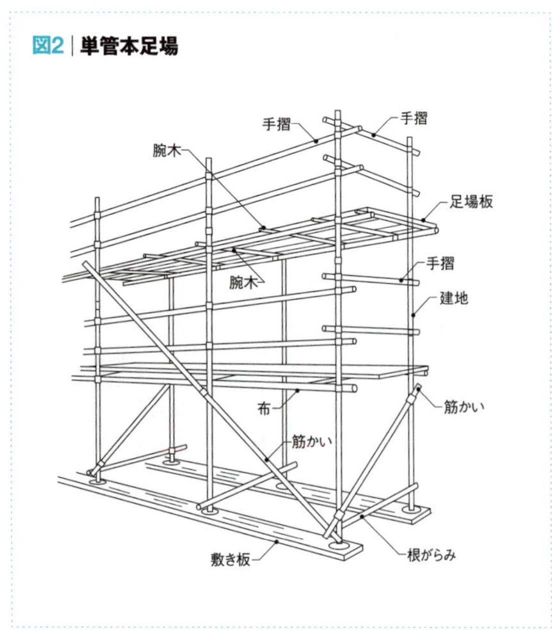

図3｜張り出し足場

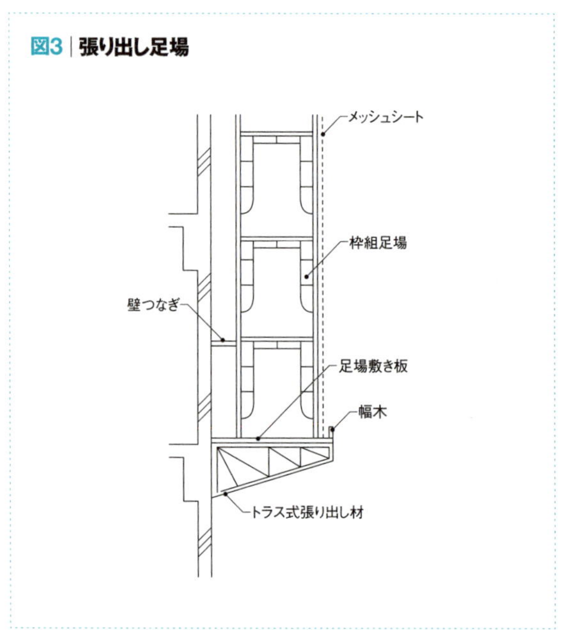

図4 | ブラケット一側足場

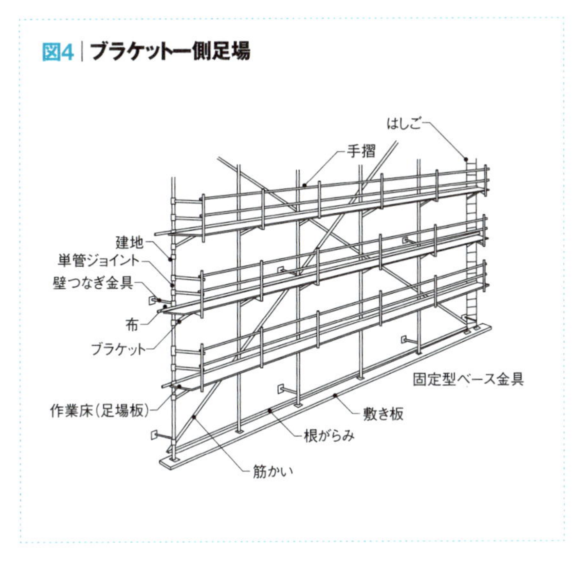

図5 | 棚足場

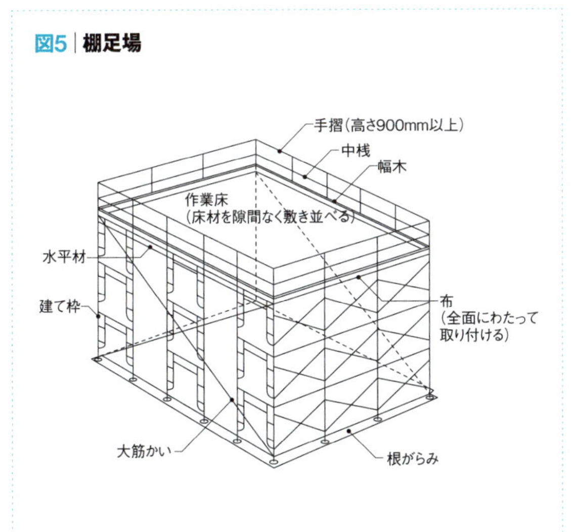

図6 | くさび緊結式足場

図7 | 吊り枠足場

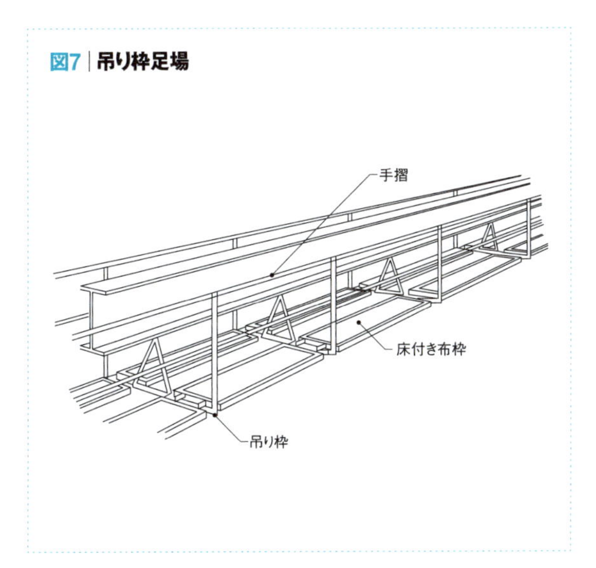

図8 | 吊り棚足場

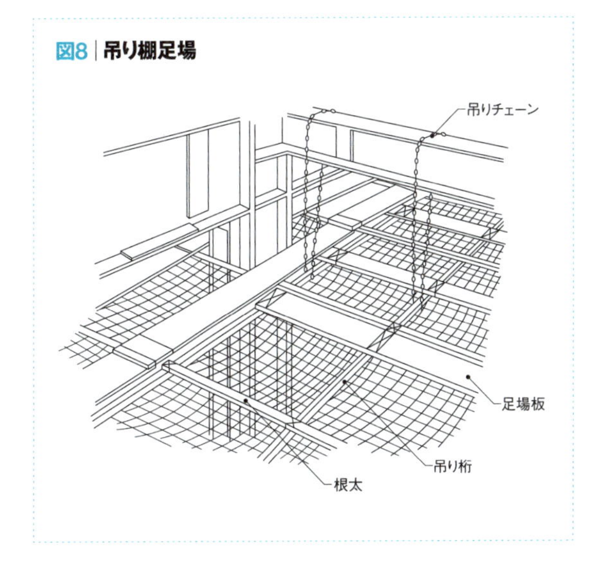

2 | 荷重の算定

check

- □ 鉛直荷重として、足場の自重+積載荷重により建地の脚柱を検討する
- □ 水平力として風荷重で壁つなぎを検討する

足場設計の流れ

足場の設計は以下のような流れで進める。このうちの荷重の算定が足場の設計では非常に重要である。

設計条件、図面情報などの整理

- ・施工場所
- ・建物の高さ
- ・足場の高さ
- ・足場の種類
- ・積載荷重
- ・落下物防護材
- ・近接する高層建物の有無

↓

荷重の算定

- ・鉛直荷重
- ・積載荷重
- ・風荷重

↓

足場主要部材の検討

- ・ジャッキベース
- ・建て枠、建地、足場板
- ・壁つなぎ
- ・梁枠

足場に作用する荷重

足場に作用する荷重には、足場部材の自重および積載荷重などの鉛直荷重と、風圧力により生ずる風荷重——すなわち水平荷重がある。また、棚足場のような単独自立型の足場の場合は、鉛直荷重の2.5%を水平荷重として強度の検討を行う。この水平荷重のことを「照査水平荷重」という。

足場の場合は、鉛直荷重で建地の検討を行い、斜め材、水平つなぎ材、壁つなぎの強度確認は水平荷重で検討することになる。

鉛直荷重の算定

足場に作用する鉛直荷重は、足場部材の自重と積載荷重の合計となる。足場の自重は通常、製品カタログなどに各部材の重量が記載されているので、計画図から使用部材の数量を積算し、合計重量を算出する。

積載荷重は、作業者、資材、工具などを作業床に積載するときの重量のことであり、足場の種類や構造、部材によって異なる。主な足場の種類ごとの数値を表2に示す。

表2 | 足場の種類と積載荷重の限度

足場の種類		1スパン当たりの積載荷重［kN］
標準枠組足場	建て枠幅 1,200mm	4.90
	建て枠幅 900mm	3.92
簡易枠組足場		2.45
単管本足場		3.92
吊り枠足場		片側1.96

風荷重(水平荷重)の算定

足場の安全性の確認において、水平荷重として風荷重に対する壁つなぎの検討が重要である。
足場に作用する風圧力Pの算定式を図9に示す。

[1]――設計風速の計算

風圧力Pの算定要素のうち、地上高さZにおける設計風速 V_Z は図9中に示す算定式により求める。

算定要素の1つである近接高層建築物による割り増し係数 E_B に関しては、近接建築物との距離Lや高さ、形状により、124頁図10から L_1、L_2、L_3、L_4 をそれぞれ求め、距離Lとの大小関係から E_B を算出する。
距離Lと E_B との関係は以下のとおりとなっている。

$L > L_1$	$E_B = 1.0$
$L_1 \geqq L > L_2$	$E_B = 1.1$
$L_2 \geqq L > L_3$	$E_B = 1.2$
$L_3 \geqq L \geqq L_4$	$E_B = 1.3$

[2]――足場の風力係数の計算

風圧力Pの算定要素のうち、足場の風力係数Cを求めるにあたっては、シートやネット、防音パネルなど(以下、シート等)の縦横比がポイントになる。

縦横比は、シート等が空中にあるか、地上から建っているかによってその取り方が違ってくる。空中にある場合は、シート等の高さ(B)と長さ(L)との比(L/B)を、地上から建つ場合はシート等の高さ(H)と幅(B)の比(2・H/B)を縦横比として用いる。

図9｜風圧力Pの算定式

$P = q_Z \cdot C \cdot A$

P：足場に作用する風圧力[N]

q_Z：地上高さZ[m]における設計用速度圧[N/m²]

$$q_Z = \frac{5}{8} \cdot V_Z^2$$

V_Z：地上高さZ[m]における設計風速[m/s]

$V_Z = V_0 \cdot K_e \cdot S \cdot E_B$

V_0：基準風速[m/s]
(122頁表3参照。表3以外の地域は14m/sとする)

K_e：台風時割り増し係数
(123頁表4参照。表4以外の地域は1.0とする)

S：地上高さZ[m]における瞬間風速分布係数
(123頁表5参照)

E_B：近接高層建築物による割り増し係数
(124頁図10参照)

C：足場の風力係数

$C = (0.11 + 0.09 \cdot \gamma + 0.945 \cdot C_0 \cdot R) \cdot F$

γ：第2構面風力低減係数

$\gamma = 1 - \phi$(第1構面のみで構成される足場については $\gamma = 0$ とする)

ϕ：足場外部養生用のシートおよびネットの充実率

C_0：シート、ネットおよび防音パネルなどの基本風力係数
(125頁図11参照)

R：シート、ネットおよび防音パネルの縦横比による形状補正係数(125頁図12参照)

F：建築物に併設された足場の設置位置による補正係数
(125頁図13、表6参照)

A：作用面積[m²]

表3｜基準風速V_0

地方	基準風速［m/s］	地域
北海道	16	宗谷支庁（18m/s地域を除く全域）、上川支庁（中川郡）、十勝支庁全域、空知支庁全域、石狩支庁全域、後志支庁（20m/s・18m/s地域を除く全域）、網走支庁（20m/s・18m/s地域を除く全域）
	18	宗谷支庁（稚内市、天塩郡、礼文郡、利尻郡）、留萌支庁全域、網走支庁（斜里郡）、根室支庁（20m/s地域を除く全域）、釧路支庁全域、日高支庁（20m/s地域を除く全域）、後志支庁（島牧郡）、胆振支庁全域、渡島支庁全域、桧山支庁（20m/s地域を除く全域）
	20	網走支庁（紋別郡、雄武町、興武町）、根室支庁（根室市）、日高支庁（三石郡、浦河郡、様似郡、幌泉郡）、後志支庁（寿都郡）、桧山支庁（桧山郡）
東北	16	福島県（白河市、須賀川市、岩瀬郡、西白河郡）
	18	青森県全域、岩手県全域、宮城県全域、秋田県（20m/s地域を除く全域）、山形県（酒田市、鶴岡市、飽海郡、東田川郡、西田川郡）
	20	秋田県（秋田市、本庄市、由利郡）
関東	16	茨城県（鹿島郡、行方郡、稲敷郡、竜ヶ崎市、北相馬郡、東茨城郡、新治郡、石岡市、土浦市、取手市）、栃木県（那須郡、黒磯市）、群馬県（利根郡、勢多郡、山田郡、桐生市、前橋市、高崎市、伊勢崎市、佐波郡、新田郡、太田市、邑楽郡、館林市、沼田市）、埼玉県（秩父市、飯能市、秩父郡、入間郡、児玉郡を除く全域）、千葉県（安房郡、館山市、鴨川市）、東京都（20m/s・18m/s地域を除く全域）、神奈川県（18m/s地域を除く全域）
	18	千葉県（銚子市、安房郡、館山市、鴨川市を除く全域）、東京都（23区内）、神奈川県（川崎市、横浜市、横須賀市、逗子市、鎌倉市、三浦市、三浦郡）
	20	千葉県（銚子市）、東京都（大島支庁、三宅支庁、八丈支庁、小笠原支庁）
北陸・中部	16	新潟県（18m/s地域を除く全域）、富山県全域、山梨県全域、岐阜県（不破郡、養老郡）、静岡県（18m/s地域を除く全域）、愛知県（18m/s地域を除く全域）、三重県（18m/s地域を除く全域）
	18	新潟県（岩船郡、村上市、北蒲原郡、新発田市、豊栄市、新潟市、新津市、五泉市、白根市、燕市、西蒲原郡、三島郡、両津市、佐渡郡）、石川県（輪島市、珠洲市、珠洲郡、鳳至郡、鹿島郡、七尾市、羽咋市、羽咋郡）、静岡県（小笠郡、榛原郡のうち、御前崎町、相良町、吉田町、榛原町）、愛知県（渥美郡）、三重県（津市、久居市、松坂市、伊勢市、鳥羽市、志摩郡、一志郡、多気郡、度会郡）
近畿	16	滋賀県全域、大阪府全域、兵庫県（伊丹市、宝塚市、川西市、川辺郡、三田市、美嚢郡、加東郡、西脇市、三木市、小野市、加西市、多可郡、神崎郡、飾磨郡、揖保郡、竜野市、相生市、赤穂市、赤穂郡、津名郡、洲本市、三原郡）、和歌山県（18m/s地域を除く全域）
	18	兵庫県（尼崎市、西宮市、芦屋市、神戸市、明石市、加古郡、加古川市、高砂市、印南郡、姫路市）、和歌山県（和歌山市、海草郡、有田市、海南市）
中国	16	鳥取県全域、山口県（阿武郡、萩市、大津郡、長門市、豊浦郡、下関市、厚狭郡、小野田市、宇部市）
	18	島根県全域
四国	16	徳島県（鳴門市、板野郡）、香川県全域、愛媛県（南宇和郡、北宇和郡、宇和島市、東宇和郡、西宇和郡、八幡浜市、喜多郡長浜町、大洲市）
	18	徳島県（徳島市、小松島市、那賀郡、阿南市、海部郡）、高知県（安芸市、安芸郡、幡多郡、中村市、土佐清水市、宿毛市）
	20	高知県（室戸市）
九州	16	福岡県（北九州市、中間市、京都郡苅田町、行橋市、遠賀郡）、長崎県（平戸市、松浦市、北松浦郡、壱岐郡、上県郡、下県郡）、宮崎県（宮崎市、宮崎郡、南那珂郡、日南市、指宿郡、川辺郡、枕崎市、加世田市、大島郡、名瀬市）
	18	長崎県（南松浦郡、福江市）、鹿児島県（薩摩諸島の大島郡、名瀬市以外）
沖縄	18	沖縄県全域

注　上表以外の地域は14m/sとする

表3〜5出典：『足場・型枠支保工設計指針』（（一社）仮設工業会）

表4｜台風時割り増し係数Ke

地方名	県名	割り増し係数
中国	山口県	1.1
九州	福岡県、佐賀県、長崎県、熊本県、大分県、宮崎県	1.1
	鹿児島県	1.2
沖縄	沖縄県	1.2

注　上表以外の地域は1.0とする

表5｜地上からの高さZにおける瞬間風速分布係数S

地上からの高さZ	地域区分				
	I	II	III	IV	V
	海岸・海上	草原・田園	郊外・森	一般市街地	大都市市街地
0m以上 5m未満	1.65	1.50	1.35	1.19	1.07
5m以上 10m未満	1.65	1.50	1.35	1.19	1.07
10m以上 15m未満	1.74	1.62	1.47	1.25	1.07
15m以上 20m未満	1.74	1.62	1.47	1.25	1.07
20m以上 25m未満	1.84	1.74	1.59	1.36	1.13
25m以上 30m未満	1.84	1.74	1.59	1.36	1.13
30m以上 35m未満	1.84	1.74	1.59	1.36	1.13
35m以上 40m未満	1.84	1.74	1.68	1.46	1.22
40m以上 45m未満	1.92	1.85	1.68	1.46	1.22
45m以上 50m未満	1.92	1.85	1.68	1.46	1.22
50m以上 55m未満	1.92	1.85	1.68	1.55	1.31
55m以上 60m未満	1.92	1.85	1.77	1.55	1.31
60m以上 65m未満	1.92	1.85	1.77	1.55	1.31
65m以上 70m未満	1.92	1.85	1.77	1.55	1.31
70m以上 100m未満	1.99	1.94	1.84	1.64	1.41

図10｜近接高層建築物による割り増し係数E_B

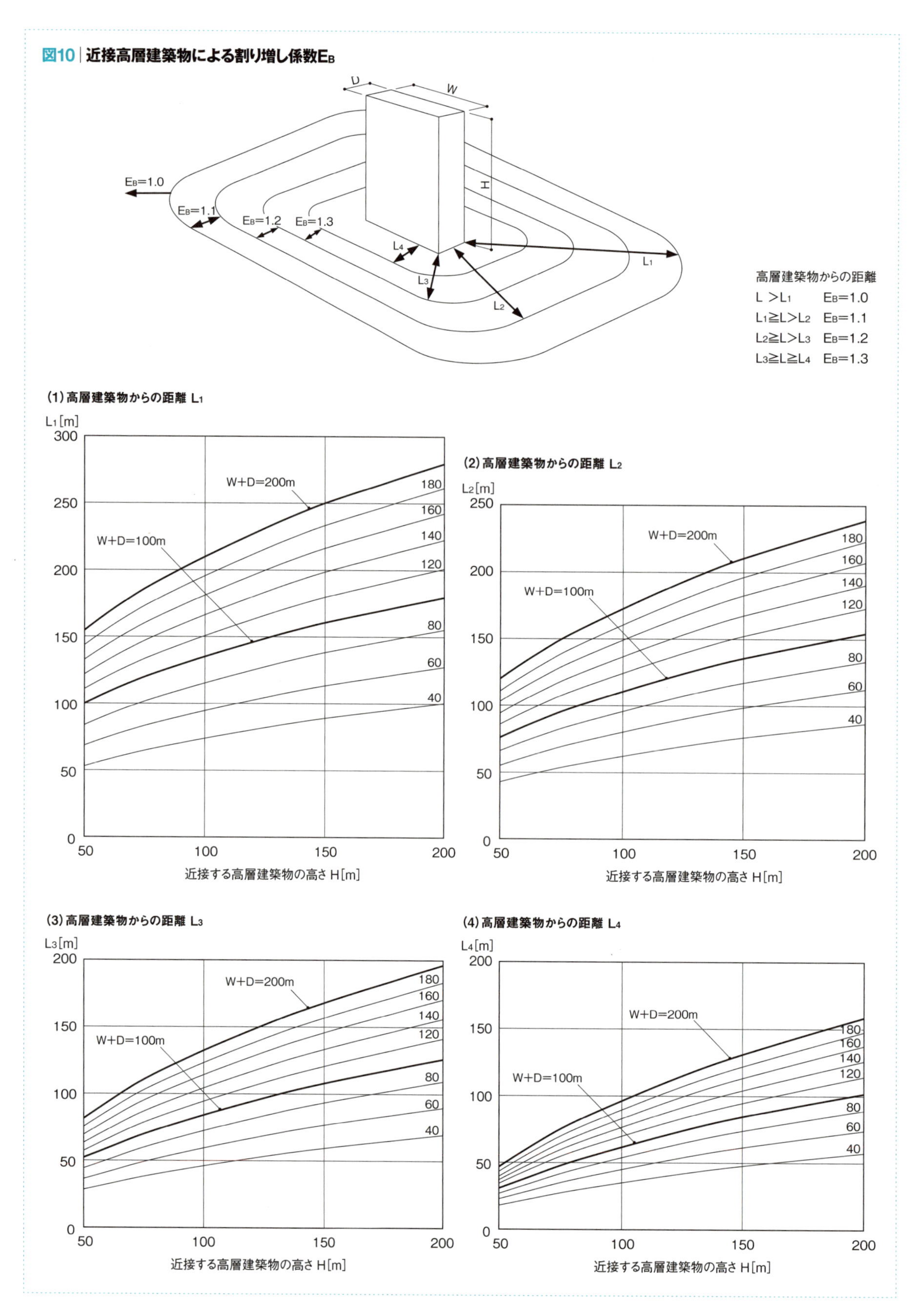

図10～13、表6出典：『足場・型枠支保工設計指針』((一社)仮設工業会)

図11｜基本風力係数C_0

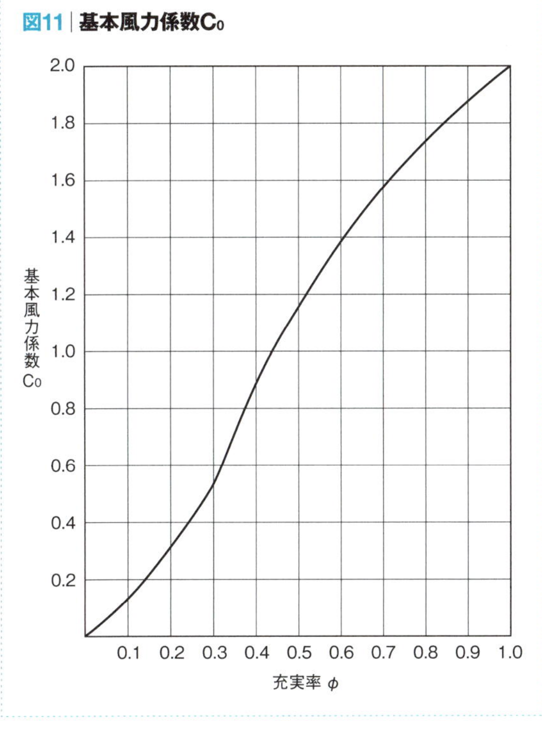

図12｜シート等の縦横比による形状補正係数R

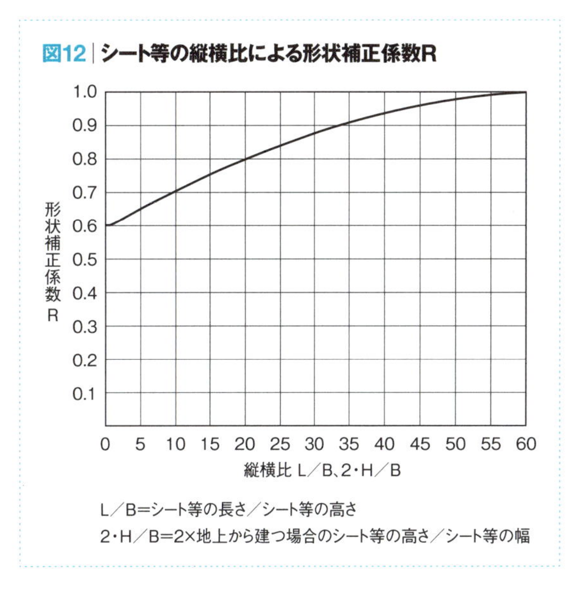

L/B=シート等の長さ/シート等の高さ
2・H/B=2×地上から建つ場合のシート等の高さ/シート等の幅

図13｜併設足場の設置位置による補正係数F

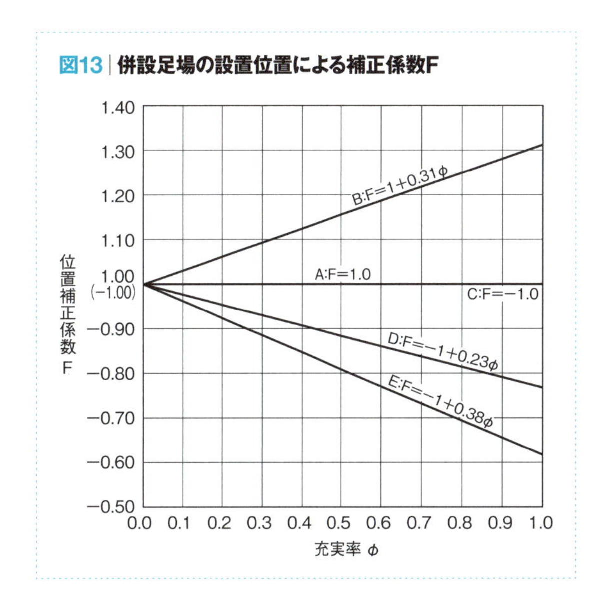

表6｜併設足場の設置位置による補正係数Fの適用

足場の種類	風力の方向	シート・ネットの取り付け位置	F
独立して設置された足場	正・負	全部分	A
建物外壁面に沿って設置された足場	正	上層2層部分	A
		その他の部分	B（A［※2］）
	負	開口部付近および突出部［※1］	C
		隅角部から2スパンの部分	D
		その他の部分	E

※1　開口部付近とは、シート等の開口部から2スパンの距離間とする。また、突出部とは建物頂部より突出した部分をいう

※2　足場の一部分にシート等を取り付けた場合は、Fの値として図13に示すAを適用することができる

照査水平荷重

棚足場など、壁つなぎが設置できない単独自立型の足場の場合は、安定した構造にするために筋かいが欠かせない。この筋かいなどの強度の検討を行うための水平力を「照査水平荷重」という。

照査水平荷重Hは次式により求める。

枠組足場の場合

$H = 0.025 \cdot P$

そのほかの足場の場合

$H = 0.05 \cdot P$

P：足場の自重と積載荷重の合計［N］

安全性の検証

設計風速V_z、足場の風力係数Cと壁つなぎの負担面積Aを基に風圧力Pを算出し、Pの数値と壁つなぎの許容耐力とを比較して安全性を検証する。

風荷重は足場に常時作用するものではない。風の特性から、作用した場合でも比較的瞬間的な荷重といえる。そのため、（一社）仮設工業会の『風荷重に対する足場の安全技術指針』においては、部材に生じる作用応力が風荷重による場合は、許容耐力を30%を限度に割り増した値とすることができる、と規定されている。

P＜壁つなぎの許容支持力×1.3→安全

P：足場に作用する風圧力［N］

以上のとおり、風荷重は各種の条件から図・表などを使用して数値を読み取って計算していく。しかし、非常に煩雑であるため、表7に条件表としてまとめているので参考にしてほしい。

表7｜足場に作用する風荷重算出用条件表

項目		
V_0：基準風速［m/s］		
K_e：台風時割増係数		
S：地上Zにおける瞬間風速分布係数		
E_B：近接高層建築物（50m以上）による風速の割り増し係数		近接高層建築物なし
		近接高層建築物あり
V_z：設計風速［m/s］		
q_z：設計用速度圧［N/m²］		
C：風力係数	γ：第2構面風力低減係数	
	C_0：シート等の基本風力係数	
	R：シート等の縦横比による形状補正係数	地上からシート等を張る場合
		足場の途中からシート等を張る場合
	F：建築物に併設された足場などの設置位置による補正係数	独立して設置された足場の場合
		建物外壁に沿って設置された足場の場合
A：作用面積［m²］		
P：足場に作用する風圧力［N］ 壁つなぎ、控えなど1本が負担する荷重		

計算上必要な条件	表および式など		計算例	
県・地域名	122 頁表 3		東京都内	$V_0 = 18$ m / s
県名	123 頁表 4		東京都	$K_e = 1.0$
地上からの足場の高さ	123 頁表 5		40m	$S = 1.22$
地域区分			大都市市街地	
—	$E_B = 1.0$		—	
近接高層建築物の高さ（H）	124 頁図10 から $L_1 \sim L_4$ を算出 $L > L_1 \rightarrow E_B = 1.0$ $L_1 \geqq L > L_2 \rightarrow E_B = 1.1$ $L_2 \geqq L > L_3 \rightarrow E_B = 1.2$ $L_3 \geqq L \geqq L_4 \rightarrow E_B = 1.3$		$H = 70$m	$L_1 = 100$m $L_2 = 80$m $L_3 = 60$m $L_4 = 38$m $L_1 = 100 \geqq L = 90 > L_2 = 80$ よって、$E_B = 1.1$
近接高層建築物の幅（W）+奥行（D）			$W = 35$m $D = 45$m $W + D = 80$m	
近接高層建築物からの距離（L）			$L = 90$m	
$V_z = V_0 \cdot K_e \cdot S \cdot E_B$			$V_z = 24.16$m / s	
$q_z = 5 / 8 \cdot V_z^2$			$q_z = 364.8$N / m^2	
シート等の充実率(シート等のカタログから)	$1 - \phi$ ϕ : シート等の充実率		充実率 0.7 のメッシュシート	$\gamma = 1 - 0.7 = 0.3$
シート等の充実率	125 頁図11		充実率 0.7	$C_0 = 1.57$
H : シート等の高さ（縦）	$2 \cdot H / B$	125 頁図12	$H = 40$m	$2 \times 40 \div 50 = 1.6$ 125 頁図12 より $R = 0.6$
B : シート等の幅（横）			$B = 50$m	
B : シート等の高さ（縦）	L / B		—	
L : シート等の長さ（横）			—	
風の方向 シート等の取り付け位置 シート等の充実率	125 頁図13、表6		—	
			風の方向が正 その他の部分 充実率 0.7 のシート使用	$F = 1.22$
$C = (0.11 + 0.09 \cdot \gamma + 0.945 \cdot C_0 \cdot R) \cdot F$			$C = 1.25$	
壁つなぎなどの設置間隔	縦×横		1.7m × 2 層× 1.8m × 2 スパン $A = 12.24$m^2	
$P = q_z \cdot C \cdot A$			$P = 5{,}580$N → 5.58kN	

枠組足場の検討

check

- □ 床付き布枠の積載荷重は許容積載荷重以下であることを確認する
- □ 建て枠・ジャッキベースは足場の自重と積載荷重に対して各々の許容支持荷重以下であることを確認する
- □ 壁つなぎは労働安全衛生規則に規定されている取り付け間隔であること、また風荷重に対して許容支持力以下であることを確認する
- □ 基礎は鉛直荷重に対して十分な支持力があることを確認する

枠組足場の検討手順は、①足場構成材の検討、②風荷重の算定、③風荷重に対する各部材の検討、④梁枠の検討、といった流れになる。このうちの風荷重の算定については、足場の設置個所の状況をよく把握したうえで、122～125頁に掲載した図表を駆使し、適切な数値を選択することがポイントである。

1 | 検討条件

足場の仕様と設計条件

右の条件において建築物の4面に枠組足場を組む場合の主要部材の安全性について検討する。

- 設置場所：東京都23区内
- 地域区分：一般市街地
- 近隣高層建築物：100m先にH＝80m、W＝50、D＝30mの高層建築物がある
- 足場の高さ：45.0m（層数：26）
- 足場の長さ：40m
- 建て枠：高さ1,700mm×幅900mm（ジョイントはピンロック式）
- 壁つなぎ：2層、1スパン
- ジャッキベース：繰り出し長さ　200mm以下
- 落下物防護材：充実率ϕ＝0.8のメッシュシート
- 積載荷重：3.92kN/層（1スパン2層まで）
- 使用材料の許容支持力
  - 建て枠：ジャッキベースの繰り出し長さによる
  - 壁つなぎ：4.41kN
  - 建て枠ジョイント：4.9kN

2 | 足場構成材の検討

step. 1 鉛直荷重の算定

まず、最下層の建て枠に作用する鉛直荷重ΣNを算定する。
鉛直荷重ΣNは、右に示す建て枠1層かつ1スパン(建て枠間隔)当たりの固定荷重N_1、ならびに積載荷重N_2を基に算出する。固定荷重には、このほかに壁つなぎなどの重量として固定荷重の3%程度を考慮する。

・建て枠(VF−0917):	15.7kg
・布板(HF−518)×1枚:	14.6kg
・布板(HF−218)×1枚:	8.3kg
・筋かい(B−1218)×2本:4.3kg×2＝	8.6kg
・メッシュシート(3.2m²):0.5kg/m²×3.2＝	1.6kg
・荷重合計	48.8kg
	→固定荷重N_1＝0.48kN

積載荷重N_2＝3.92kN×2層＝7.84kN

鉛直荷重

ΣN＝(固定荷重N_1×足場の層数−最上部の布板の重量)×水平つなぎなどの割り増し＋積載荷重N_2

＝(0.48kN×26層−0.22kN)×1.03＋7.84kN

＝20.47kN

最上部の布板の重量＝14.6kg＋8.3kg＝22.9kg→0.22kN

建て枠柱脚の検討

建て枠の許容支持力を求め、**step.1**で算定した鉛直荷重が建て枠の許容支持力以下であることを確認する。
建て枠の許容支持力は下表から求める。

ジャッキベースの繰り出し長さによる建て枠の許容支持力[kN]

建て枠の種類	標準枠		簡易枠
繰り出し長さ	1,800mm以下	1,800mm超～2,000mm以下	
200mm以下	42.6	39.2	34.3
200mm超～250mm以下	40.6	37.2	32.8
250mm超～300mm以下	38.7	35.7	31.3
300mm超～350mm以下	37.2	34.3	29.8

128頁の設計条件より、ジャッキベースの繰り出し長さは200mm以下、建て枠の長さは1,700mmであるので、建て枠の許容支持力F_cは42.6kNとなる。よって、

$$\Sigma N = 20.47\,\mathrm{kN} < F_c = 42.6\,\mathrm{kN} \rightarrow \mathrm{OK}$$

ジャッキベースの検討

ジャッキベースは、最大使用長である350mmでの圧縮強度やねじ部のせん断強度については一般的には98.1kN以上あるため、ジャッキベースそのものが強度上問題になることは少ない。しかし、ジャッキベースを建て枠の脚柱に挿入して使用する場合は、最下層の脚柱の座屈長さが長くなり、結果として建て枠の許容支持力が低下する。
そのため、**step.2**で示した表のように、ジャッキベースの使用長さ別に建て枠の許容支持力が設定されているので、通常は、ジャッキベースの強度の検討を行う必要はない。

3 風荷重に対する検討

step. 1 設計風速・速度圧の算定

風圧力Pを算定するため、まずは算定要素の1つである設計風速V_Zを求める。

128頁の設計条件より、設置場所は東京、地域区分は一般市街地で、地上からの高さが45mであるので、122・123頁表3～5より、基準風速V_0、台風時割り増し係数K_e、瞬間風速分布係数Sは、それぞれ右のとおりに求められる。

近接高層建築物による影響係数E_Bについては、100m先に高さ(H)80m、W+D=50+30=80mとなる建築物があることから、右のグラフより$L_1 \fallingdotseq 110$m、$L_2 \fallingdotseq 90$mと読み取ることができ、さらに建築物からの距離L=100mであることにより、$L_1 \geqq L > L_2$の式に該当するので、$E_B = 1.1$となる。

よって、設計風速V_Zは以下のとおりとなる。

$$V_Z = V_0 \cdot K_e \cdot S \cdot E_B$$
$$= 18 \times 1.0 \times 1.46 \times 1.1$$
$$= 28.9 \text{m/s}$$

また、以上より設計速度圧q_Zは、以下のとおりに求められる。

$$q_Z = \frac{5}{8} \cdot V_Z^2 = \frac{5}{8} \times 28.9^2 = 522 \text{N/m}^2$$

・基準風速V_0＝18m/s
・台風時割り増し係数K_e＝1.0
・地上からの高さZにおける瞬間風速分布係数S＝1.46
・近接高層建築物による影響係数E_B＝1.1

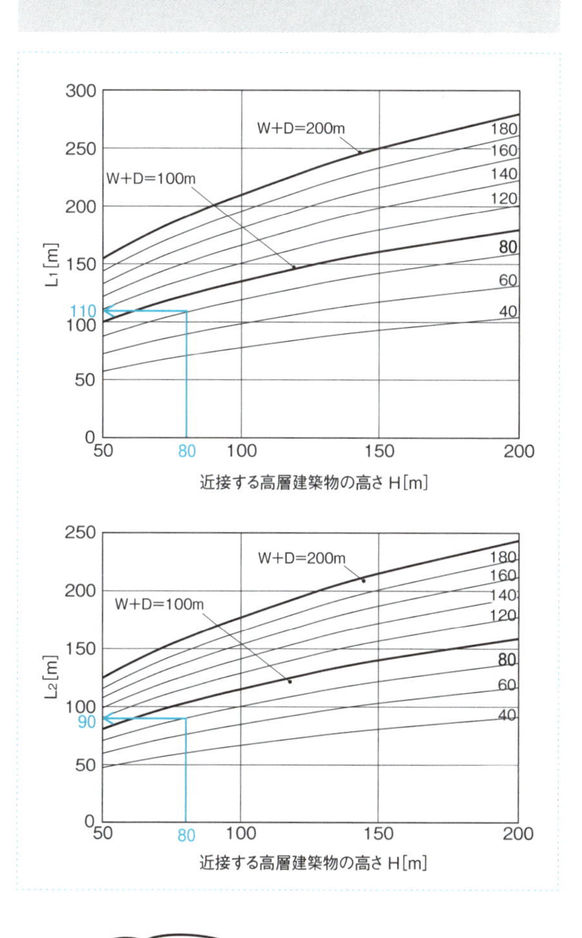

step. 2

風力係数の算定

次に、足場の風力係数Cを算定する。

128頁の設計条件より、落下物防護材として使用するメッシュシートの充実率ϕが0.8であることから、算定要素の1つである第2構面風力係数γは、

$$\gamma = 1 - \phi = 1 - 0.8 = 0.2$$

また、右のシート等の基本風力係数C_0のグラフより$C_0 \fallingdotseq 1.73$と読み取ることができる。さらに、シートを地上から張るので、その縦横比は、

$$\frac{2 \cdot H}{B} = \frac{2 \times 45}{40} = 2.25$$

であるから、右のシート等の縦横比による形状補正係数Rのグラフより$R \fallingdotseq 0.61$と読み取ることができる。

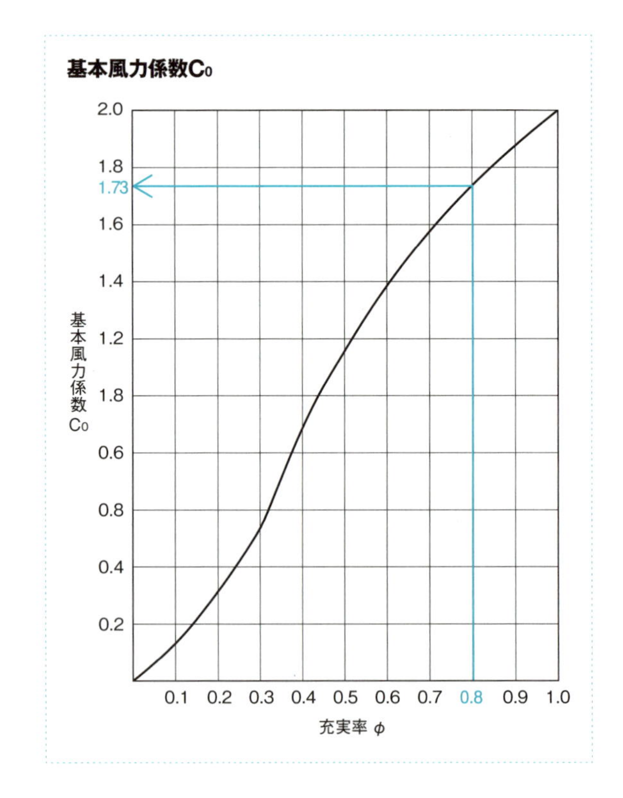

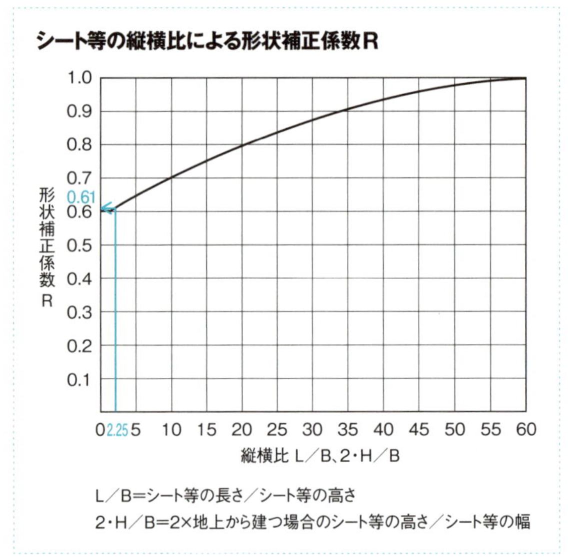

併設足場の設置位置による補正係数Fは、風力方向が「正」であるので、下表より、上層2階部分については右のグラフのA、その他部分についてはBを適用することとなる。充実率ϕ=0.8であるので、グラフより

・上層2層部分の補正係数 F_1=A=1.0
・その他部分の補正係数 F_2=B≒1.25

と読み取ることができる。

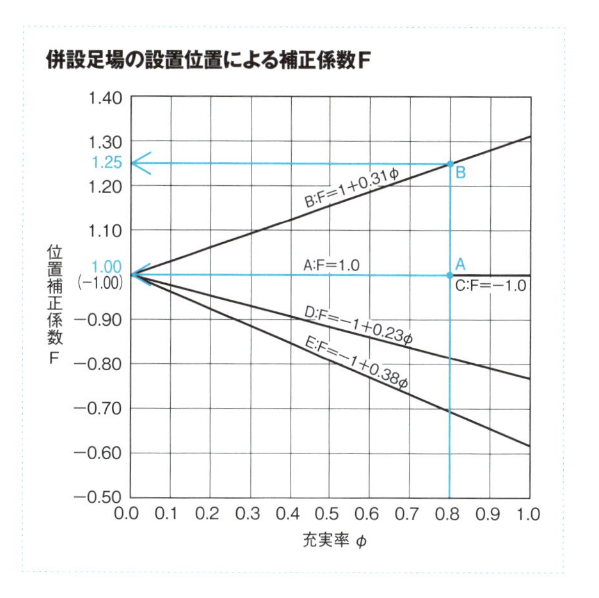

併設足場の設置位置による補正係数Fの適用

足場の種類	風力の方向	シート・ネットの取り付け位置	F
独立して設置された足場	正・負	全部分	A
建物外壁面に沿って設置された足場	正	上層2層部分	A
		その他の部分	B（A［※2］）
	負	開口部付近および突出部［※1］	C
		隅角部から2スパンの部分	D
		その他の部分	E

※1　開口部付近とは、シート等の開口部から2スパンの距離間とする。また、突出部とは建物頂部より突出した部分をいう
※2　足場の一部分にシート等を取り付けた場合は、Fの値として上図に示すAを適用することができる

以上より、足場の風力係数Cは以下のとおりに求められる。

・上層2層部分の風力係数 $C_1=(0.11+0.09\cdot\gamma+0.945\cdot C_0\cdot R)\cdot F_1$
$=(0.11+0.09\times0.2+0.945\times1.73\times0.61)\times1.0=1.13$
・その他部分の補正係数 $C_2=(0.11+0.09\cdot\gamma+0.945\cdot C_0\cdot R)\cdot F_2$
$=(0.11+0.09\times0.2+0.945\times1.73\times0.61)\times1.25=1.41$

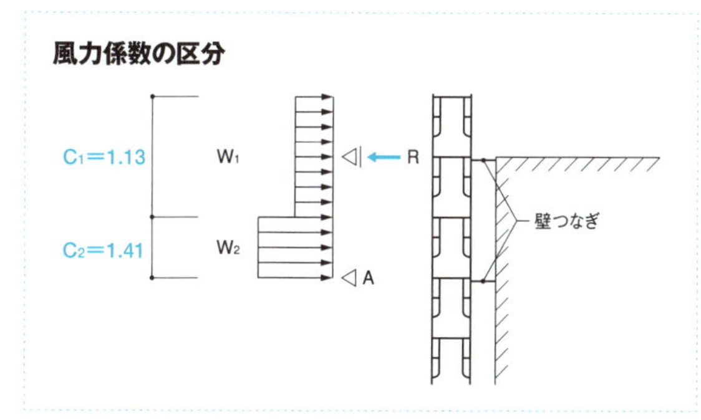

step. 3

壁つなぎの検討

step.1・2で求めた算定要素を基に風圧力を算定し、右図に示す上層2層部分以外の「その他部分」の壁つなぎを検討する。

作用面積A_1は1.7 m×2層×1.8 m×1スパン=6.12 m²であるので、風圧力Pは、

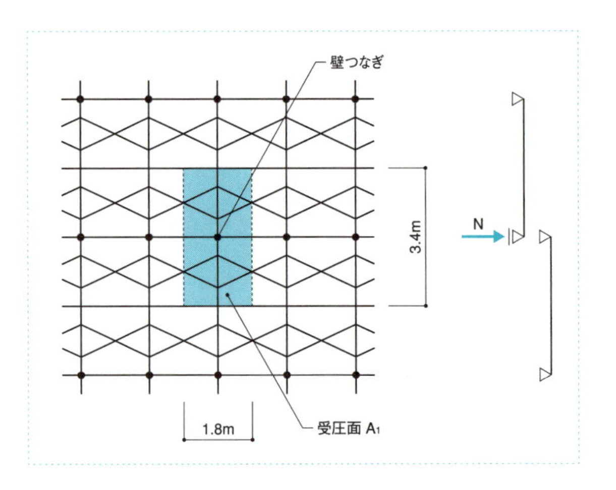

$$P = q_z \cdot C_2 \cdot A_1 = 522 \times 1.41 \times 6.12$$
$$= 4{,}504\,\mathrm{N} = 4.50\,\mathrm{kN}$$

となる。壁つなぎ用金具の許容支持力は、壁つなぎにかかる作用応力の主体が風荷重であるため、3割増しとして風圧力Pと比較する。

$$P = 4.50\,\mathrm{kN} < \text{壁つなぎの許容支持力} \times 1.3 = 4.41\,\mathrm{kN} \times 1.3 = 5.73\,\mathrm{kN} \rightarrow \mathrm{OK}$$

次に、上層2層部分とその他部分に作用する風荷重(風圧力)W_1とW_2を算定し、上層2層部分(最上端)の壁つなぎを検討する。作用幅Aはそれぞれ1.8×1スパン=1.8 mとなるので、

上層2層部分の風荷重 $W_1 = q_z \cdot C_1 \cdot A = 522 \times 1.13 \times 1.8 = 1{,}062\,\mathrm{N/m}$

その他部分の風荷重　$W_2 = q_z \cdot C_2 \cdot A = 522 \times 1.41 \times 1.8 = 1{,}325\,\mathrm{N/m}$

最上端の壁つなぎに作用する荷重Rは、下図に示すa点廻りのモーメントの釣り合いより、

$$R = \frac{(W_1 \times 3.4 \times 3.4) + \dfrac{(W_2 \times 1.7 \times 1.7)}{2}}{3.4} = \frac{(1{,}062 \times 3.4 \times 3.4) + \dfrac{(1{,}325 \times 1.7 \times 1.7)}{2}}{3.4}$$

$$= \frac{12{,}277 + 1{,}915}{3.4} = 4{,}174\,\mathrm{N} = 4.17\,\mathrm{kN}$$

これを、先に求めた壁つなぎ用金具の許容支持力と比較する。

$$R = 4.17\,\mathrm{kN} < 5.73\,\mathrm{kN} \rightarrow \mathrm{OK}$$

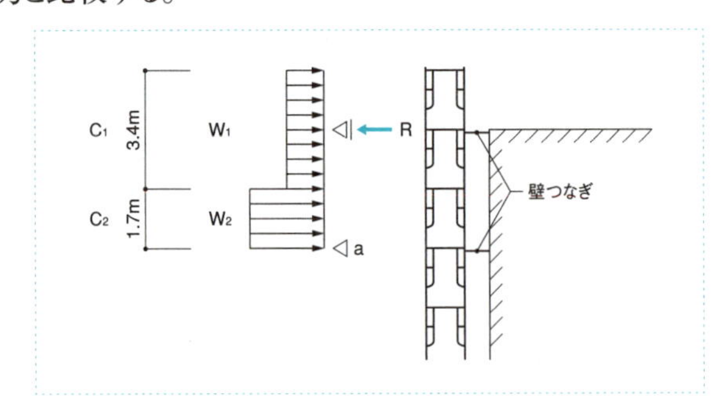

step.4

脚柱ジョイントの検討

下図に示すように、控えを設けない場合の脚柱ジョイントの検討を行う。

まず、幅1.8mに対する単位高さ当たりの風荷重wを求める。上部なので風力係数C_1＝1.13として風荷重wを算定すると、

$$w=q_z\cdot C_1\cdot A=522\times1.13\times1.8=1{,}062\,\mathrm{N/m}$$

建て枠に作用する曲げモーメントMは、

$$M=\frac{w\cdot L^2}{2}=\frac{1{,}062\times1.7^2}{2}=1{,}535\,\mathrm{N\cdot m}$$

よって、建て枠の引張力Rは、

$$R=\frac{M}{b}=\frac{1{,}535}{0.9}=1{,}706\,\mathrm{N}=1.7\,\mathrm{kN}$$

脚柱ジョイントはピンロック方式を採用しており、作用応力の主体が風荷重であるため、許容引張力を3割増しとして建て枠の引張力Rと比較する。

$$R=1.7\,\mathrm{kN}<\text{脚柱ジョイントの許容引張力}=4.90\,\mathrm{kN}\times1.3=6.37\,\mathrm{kN}\rightarrow\mathrm{OK}$$

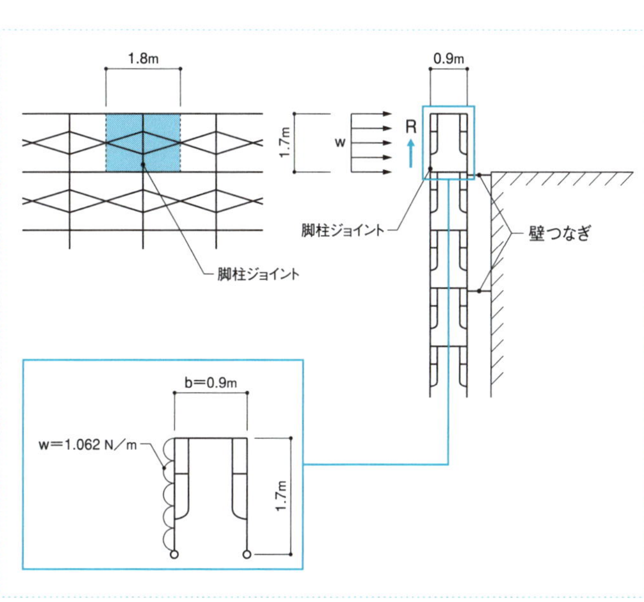

最上端の控えの検討

step.3・4における検討結果より、本例題では最上部の控え材の必要はないが、最上端の壁つなぎや脚柱ジョイントの強度が不足する場合には、控え材を取り付ける必要がある。ここでは、下図のケースを例に、控え材の検討方法を示す。

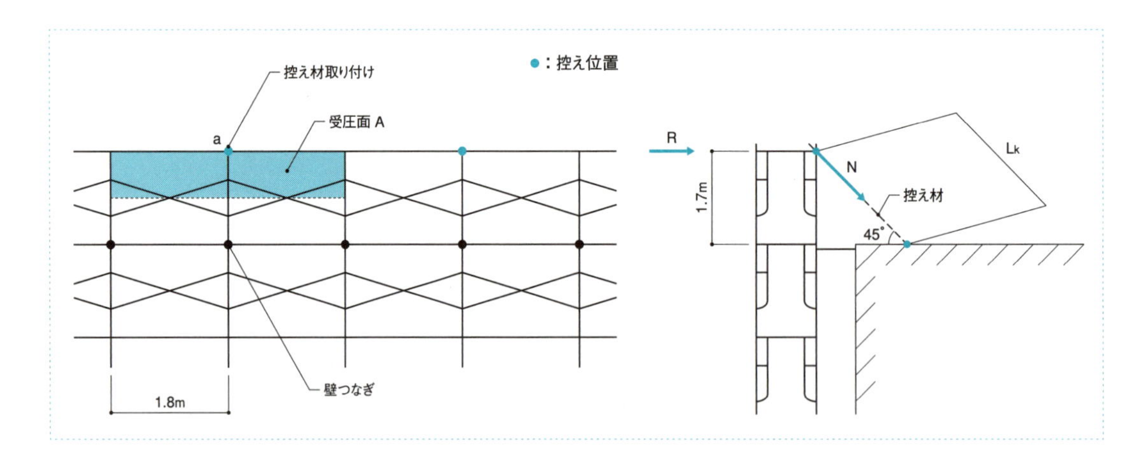

控え材の取り付け間隔を2スパンごととすると、控え材の負担面積Aは、

$$A=\frac{1.7}{2}\times1.8\times2=3.06\text{m}^2$$

よって、図のa点にかかる水平力Rは以下のとおりとなる。

$$R=q_z\cdot C_1\cdot A=522\times1.13\times3.06=1{,}805\text{N}=1.81\text{kN}$$

さらに、控え材に作用する軸方向力Nを算定する。

$$N=\frac{R}{\cos45^\circ}=\frac{1.81}{\cos45^\circ}=2.56\text{kN}$$

また、控え材の座屈長さLkは、

$$L_k=170\times\sqrt{2}=240\text{cm}$$

ここで、控え材に使用する鋼管（ϕ48.6×2.3、STK500）の断面積A＝3.62 cm²とすると、控え材に生じる座屈応力度σbは、

$$\sigma_b = \frac{N}{A} = \frac{2.56}{3.62} = 0.71\,\mathrm{kN/cm^2}$$

一方、鋼管の断面2次半径 i＝1.63 cm、F値＝35.5 kN/cm²とすると、

$$\frac{L_k}{i} = \frac{240}{1.63} = 147 > \Lambda = \sqrt{\frac{\pi^2 \cdot E}{0.6 \cdot F}} = 99$$

であるから、許容座屈応力度fbは、

$$f_b = \frac{0.29}{\left(\frac{L_k}{i}/\Lambda\right)^2} \cdot F = \frac{0.29}{\left(\frac{240}{1.63}/99\right)^2} \times 35.5 = 4.66\,\mathrm{kN/cm^2}$$

作用応力の主体が風荷重であるため、許容座屈応力度を3割増しとして控え材に生じる座屈応力度σbと比較すると、以下のとおり問題がないことが確認された。

$$\sigma_b = 0.71\,\mathrm{kN/cm^2} < 4.66\,\mathrm{kN/cm^2} \times 1.3 = 6.06\,\mathrm{kN/cm^2}$$

材の座屈長さL_k（L：材長）

	両端自由	両端拘束	1端自由 他端拘束	両端拘束	1端自由 他端拘束	一般の場合
材端の支持状態						$L_k = \pi\sqrt{\frac{E \cdot I}{N_k}}$ E：ヤング係数 I：座屈軸に関する断面2次モーメント Nk：弾性座屈荷重
Lk	L	0.5L	0.7L	L	2L	

4 | 梁枠の検討

step. 1

荷重の算定

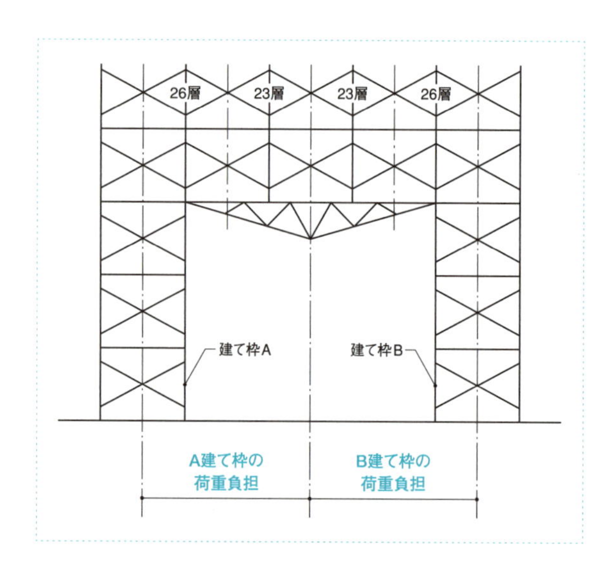

右図に示すように、高さ3層部分の位置に3スパン用の梁枠を2枚使用するものとして、その安全性を検討する。

まず、梁枠に作用する荷重を算定する。荷重は、梁枠上の建て枠1層・1スパン当たりの枠組足場の部材の自重N_1、梁枠上1層分の積載荷重N_2、梁材および梁枠上の作業床材の自重N_3の3つである。これらを以下のように設定する。

・梁枠上の建て枠1層・1スパン当たりの枠組足場の部材の自重N_1：0.48kN

・梁枠上1層分の積載荷重N_2：3.92kN

・梁材と梁枠上の作業床材の自重N_3：

梁枠（A-147）×2枚	46.0kg×2＝92.0kg
梁渡し（A-150）×2本	8.8kg×2＝17.6kg
梁受け金物（A-1453）×4個	2.8kg×4＝11.2kg
方杖（A-1471）×4本	5.9kg×4＝23.6kg
布板（BKN-6）×3枚	15.6kg×3＝46.8kg
布板（BKN-624）×3枚	8.5kg×3＝25.5kg
合計	216.7kg→2.12kN

開口部両端の建て枠の検討

上図に示すように、梁枠を使用した開口部両端の建て枠A、または建て枠Bに作用する鉛直荷重ΣNと建て枠の許容支持力F_c＝42.6kNを比較する。

$$\Sigma N=\{N_1\times 26層+N_1\times 23層-\underline{(0.15+0.08)\times 2}\}\times 1.03+N_2+\frac{N_3}{2}$$

$$=\{0.48\times(26+23)-0.46\}\times 1.03+3.92+\frac{2.12}{2}$$

$$=28.73\text{kN}$$

最上部の布板の重量

$$\frac{\Sigma N}{F_c}=\frac{28.73}{42.6}=0.67<1.0\rightarrow \text{OK}$$

NGの場合、建て枠を単管で補強することも可能ですよ

step.3

強度の検討

梁枠の強度を検討する。

梁枠に作用する荷重Wが梁枠2枚の許容支持力以下となることを確認する。Wは**step.1**で求めた$N_1+N_2+N_3$の合計値（ただし、N_1は2スパン分）で、3スパン用の梁枠の許容支持力F_cは下表より9.81となる。

梁枠の許容荷重[kN]

梁枠の種類	荷重点	梁枠2枚で1点当たりの許容荷重	2枚の許容荷重
2スパン用	1	7.85	7.85
3スパン用	2	4.90	9.81
4スパン用	3	3.27	

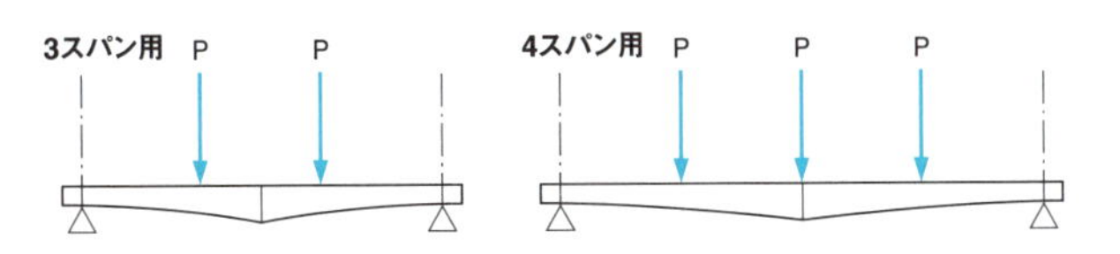

$$W=N_1\times2+N_2+N_3=0.48\times2+3.92+2.12=7.00\text{kN}$$

$$\frac{W}{F_c}=\frac{7.00}{9.81}=0.71<1.0\rightarrow \text{OK}$$

以上より梁枠の安全性が確認された。

point

ポイント

梁枠使用上の注意点

梁枠を使用する際には以下の点に注意する。

①梁枠上に組み立てた枠組足場の積載荷重は、1,000kg（9.8kN）以下で計画する

②梁枠を用いた開口部端より外方および上方の枠組足場において、下表に示すスパン、全層にわたり両面に交差筋かいを設け、かつ床付き布板を枠幅いっぱいに設けなければならない[右図参照]

③梁枠から上方に組み立てる枠組足場は25m（14層）以下とする。ただし、梁枠支持部の建て枠に補強などの措置を講じる場合はこの限りではない

④梁枠が取り付けられた建て枠の柱脚部に壁つなぎを設ける

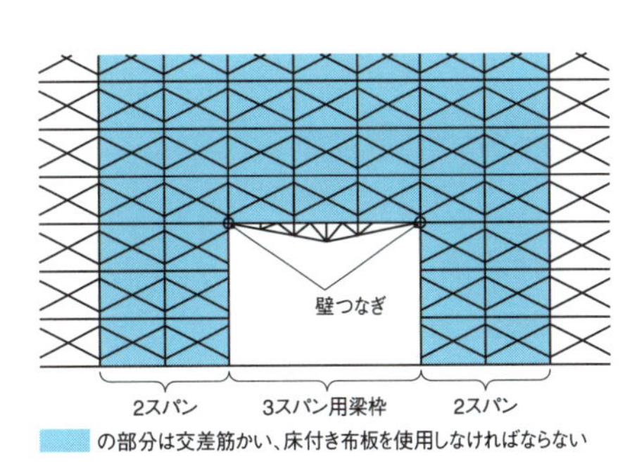

の部分は交差筋かい、床付き布板を使用しなければならない

梁枠の種類別の枠組足場の構成

梁枠の種類	開口部端の支持部から外方へのスパン数
2スパン用	1スパン以上
3スパン用	2スパン以上
4スパン用	3スパン以上

注　3スパン用と4スパン用にあっては、これにより難いときは、梁枠の支持部の建て枠に補強などの措置を講ずる

単管足場の検討

check

□ **労働安全衛生規則に規定されている建地の間隔、布の取り付け間隔を遵守して計画する**
□ **大筋かい(桁行筋かい)は、足場の外面に垂直方向15.0m以下、水平方向16.5m以下の設置間隔ごとに交互2方向に設ける**

単管足場の検討は、①荷重の計算、②足場板の検討、③腕木の検討、④布の検討、⑤建地の検討、という手順で進める。計画にあたっては労働安全衛生規則に則り、建地の間隔を桁行方向:1.85m以下、梁間方向:1.5m以下とし、布の取り付け間隔については地上第一の布は高さ2m以下とすることが重要である。

1 | 部材構成と検討条件

step. 1 設計条件

下図に示すような単管足場を組む場合の主要部材の安全性について検討する。
設計条件は以下のとおりである。

- 設置場所:東京都23区内
- 地域区分:一般市街地
- 近隣高層建築物:なし
- 足場の高さ:18.3m(層数:10層)
- 足場の長さ:18m
- 建地間隔:桁行方向1.8m
  梁間方向1.2m
- 布間隔:最下層1.8m
  一般部1.65m
- 腕木間隔:0.9m
- 作業床:鋼製足場板4枚使用
- 落下物防護材:
  充実率ϕ=0.8のメッシュシート
- 積載荷重:1.96kN/層(1スパン2層まで)

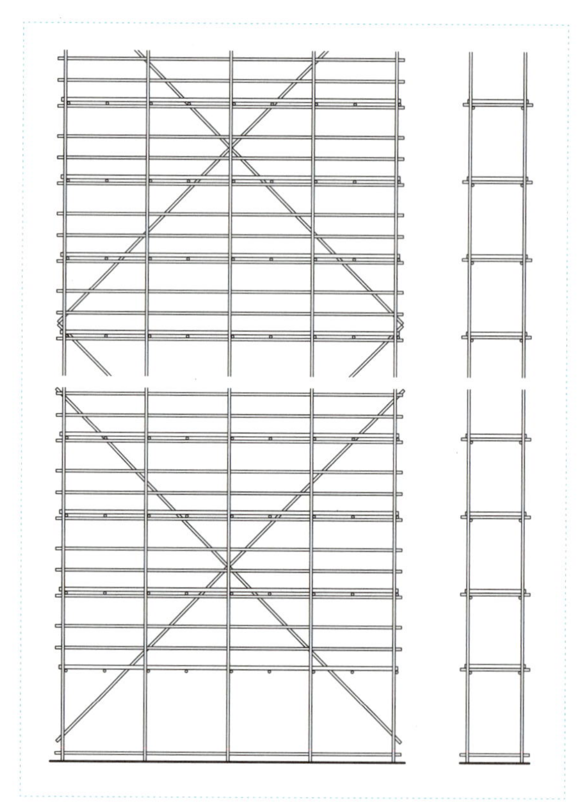

step. 2

荷重の算定

建地1本当たりに作用する1層分の固定荷重N_1は以下のとおりとする。

・建地（1.65m）	2.84kg/m×1.65m＝	4.69kg
・布（1.8m）	2.84kg/m×1.8m＝	5.11kg
・手摺（1.8m）×2段	2.84kg/m×1.8m×2＝	10.22kg
・腕木（1.5m）×2本×1/2	2.84kg/m×1.5m×2×1/2＝	4.26kg
・筋かい（2.44m）	2.84kg/m×2.44m＝	6.93kg
・足場板（鋼製・2m）×2枚	3.7kg/m×2m×2＝	14.80kg
・養生シート（1.65×1.8m）	0.71kg/m²×（1.65×1.8）m＝	2.11kg
・クランプ（壁つなぎ）		2.00kg
合計		50.12kg→固定荷重N_1＝0.49kN

2 | 足場板の検討

step. 1

荷重の算定

まず、足場板の安全性について検討する。足場板を支持している布パイプの間隔が900mmであるため、検討モデルは右図のように両端ピンの単純梁の荷重状態になる。
図中のPは集中荷重として積載荷重、wは分布荷重として足場板の自重となる。この単管足場は足場板4枚敷きであるが、集中荷重は足場板1枚に作用すると仮定すると、Pおよびwは右のとおりとなる。
また、足場板の断面性能についても右のとおりとする。

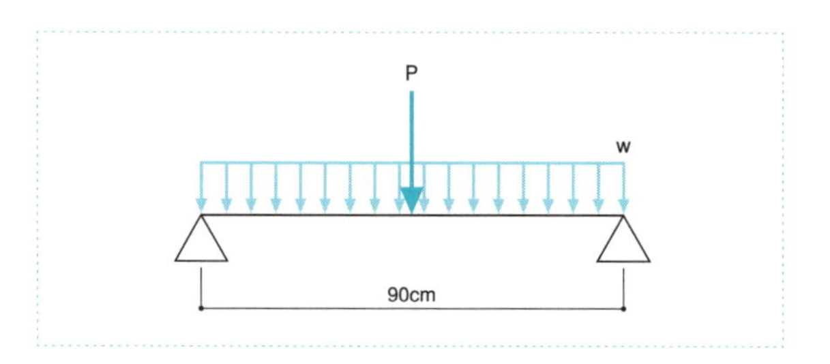

・集中荷重（=積載荷重）P：1.96kN
・分布荷重（=足場板の自重）w：3.7kg/m
→0.00036kN/cm

・足場板の断面性能：
断面2次モーメントI＝9.24cm⁴
断面係数Z＝3.8cm³
許容曲げ応力f_b＝15.7kN/cm²
ヤング係数E＝2.05×10⁴kN/cm²

step. 2

曲げに対する検討

上図の荷重状態における最大曲げモーメントM_{max}を求め、さらに足場板に作用する応力σ_bを算定して足場板の許容曲げ応力f_bと比較し、問題がないことを確認する。

$$M_{max}=\frac{P \cdot L}{4}+\frac{w \cdot L^2}{8}=\frac{1.96\times 90}{4}+\frac{0.00036\times 90^2}{8}$$

$$=44.1+0.37=44.47\text{kN}\cdot\text{cm}$$

$$\sigma_b=\frac{M_{max}}{Z}=\frac{44.47}{3.8}=11.70\text{kN/cm}^2$$

$$\frac{\sigma_b}{f_b}=\frac{11.70}{15.7}=0.75<1.0\rightarrow \text{OK}$$

3 腕木の検討

step. 1 荷重の算定

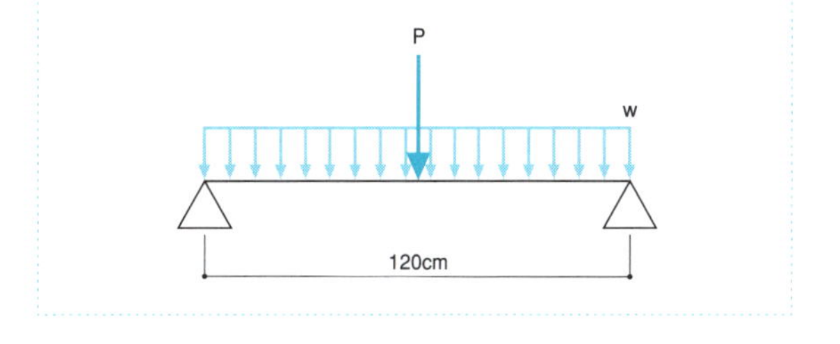

腕木にはϕ48.6×2.5mmの単管パイプ(STK500)を使用する。腕木は建地の梁間方向のスパン(L=1,200mm)で支持されているので、右図のような単純梁として応力検討を行う。図中のPは集中荷重で、積載荷重がこれに該当する。また、wは分布荷重として、腕木1本当たりが負担する足場板の重量+自重となり、以下のとおりに求められる。

・集中荷重(=積載荷重)P:1.96kN
・単管パイプの自重:2.84kg/m→0.0003kN/cm
・分布荷重w:足場板重量×腕木間隔×足場板枚数/布間隔+腕木自重
=(0.00036kN/cm×90cm×4枚)/120cm+0.0003kN/cm=0.00138kN/cm

そのほか、単管パイプの断面性能については右のとおりとする。

・単管パイプの断面性能:
断面2次モーメントI=9.65cm^4
断面係数Z=3.97cm^3
許容曲げ応力f_b=23.7kN/cm^2
ヤング係数E=2.05×10^{4}kN/cm^2

step. 2 曲げに対する検討

上図の荷重状態における最大曲げモーメントM_{max}を求め、さらに単管パイプに作用する応力σ_bを算定して単管パイプの許容曲げ応力f_bと比較し、問題がないことを確認する。

$$M_{max}=\frac{P\cdot L}{4}+\frac{w\cdot L^2}{8}=\frac{1.96\times120}{4}+\frac{0.00138\times120^2}{8}$$

$$=58.8+2.48=61.28\text{kN·cm}$$

$$\sigma_b=\frac{M_{max}}{Z}=\frac{61.28}{3.97}=15.44\text{kN/cm}^2$$

$$\frac{\sigma_b}{f_b}=\frac{15.44}{23.7}=0.65<1.0\rightarrow\text{OK}$$

4　布の検討

step. 1

荷重の算定

布にはϕ48.6×2.5mmの単管パイプ(STK500)を使用する。布は建地の桁行方向のスパン(L＝1,800mm)で支持されているので、下図のような単純梁として応力検討を行う。

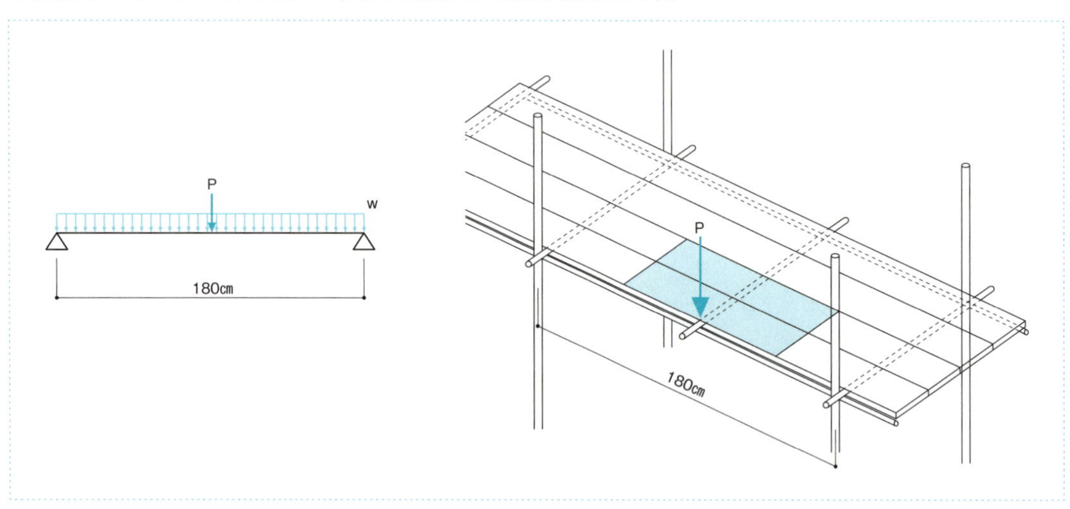

図中のPは、積載荷重と足場板の負担面積分の重量および腕木1本の半分の重量が腕木を介して集中荷重として作用する。また、wは布の自重で、それぞれ以下のとおりとなる。

・集中荷重P：

1/2×(積載荷重＋足場板重量×腕木間隔×足場板枚数＋腕木自重×腕木長さ)

＝1/2×(1.96kN＋0.00036kN/cm×90cm×4枚＋0.0003kN/cm×150cm)＝1.07kN

・分布荷重w：0.0003kN/cm

そのほか、単管パイプの断面性能については143頁に示したとおりである。

step. 2

曲げに対する検討

上図の荷重状態における最大曲げモーメントM_{max}を求め、さらに単管パイプに作用する曲げ応力σ_bを算定して単管パイプの許容曲げ応力f_bと比較し、問題がないことを確認する。

$$M_{max}=\frac{P\cdot L}{4}+\frac{w\cdot L^2}{8}=\frac{1.07\times 180}{4}+\frac{0.0003\times 180^2}{8}$$

$$=48.15+1.22=49.37\,\text{kN}\cdot\text{cm}$$

$$\sigma_b=\frac{M_{max}}{Z}=\frac{49.37}{3.97}=12.44\,\text{kN/cm}^2$$

$$\frac{\sigma_b}{f_b}=\frac{12.44}{23.7}=0.52<1.0\rightarrow \text{OK}$$

5 建地の検討

許容支持力の算定

建地にはφ48.6×2.5mmの単管パイプ(STK500)を使用する。足場最下層の建地1本当たりに作用する鉛直荷重に対して許容支持力と比較検討を行う。

建地の許容支持力F_cは座屈を考慮して算出する。建地の座屈長さL_kは、(一社)仮設工業会の『足場・型枠支保工設計指針』にもとづき次式で求める。

$$L_k = 1.4 \cdot h + 0.75 \cdot L = 1.4 \times 1.8 + 0.75 \times 1.8 = 4.24\text{m}$$

h:足場1層の高さ

L:足場1スパンのスパン長

座屈長さより許容支持力F_cは以下の式で算定される。

$L_k < 1.63$mの場合　$F_c = 85.2 - 18.7 \cdot L_k^2$

$L_k \geqq 1.63$mの場合　$F_c = \dfrac{94.6}{L_k^2}$

よって、本例題における建地の許容支持力F_cは以下のとおりとなる。

$$F_c = \frac{94.6}{4.24^2} = 5.26\text{kN}$$

鉛直荷重に対する検討

足場最下層の建地1本当たりに作用する鉛直荷重Nを算定する。Nは、1層分の固定荷重N_1と最上段の手摺、壁つなぎなどの荷重N_2、および積載荷重N_3の合計となる。

$$N = N_1 \times 層数 n + N_2 + 積載荷重 = 0.49\,\mathrm{kN} \times 10層 + 0.15\,\mathrm{kN} + 1.96\,\mathrm{kN} = 7.01\,\mathrm{kN}$$

以上の鉛直荷重Nとstep.1で算定した許容支持力F_cを比較すると、

$$\frac{N}{F_c} = \frac{7.01}{5.26} = 1.33 > 1.0 \rightarrow \mathrm{NG}$$

となり、建地の支持力が不足していることが分かる。この場合、建地を補強するか、積載荷重を制限するか、いずれかの方法で対応する必要がある。

step. 3 建地補強の検討

建地の支持力不足を補うため、補強として建地を2本にする範囲を検討する。
建地1本当たりに作用する荷重が許容支持力F_c以下となる層数nを求める。

$$N = N_1 \times 層数 n + N_2 + 積載荷重 N_3 \leqq F_c$$

より、

$$層数 n \leqq \frac{F_c - (N_2 + 積載荷重 N_3)}{N_1} = \frac{5.26 - (0.15 + 1.96)}{0.49} = 6.4 \rightarrow 6層$$

以上から、足場上部より6層は建地1本、それ以下の層は建地2本組とする。

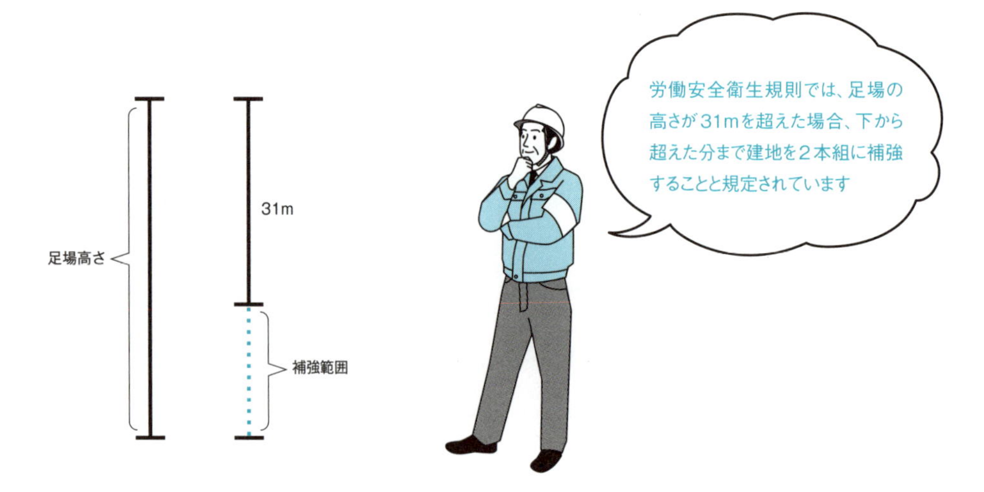

step. 4

積載荷重の検討

一方、積載荷重を制限する方法による場合は、建地１本に作用する鉛直荷重が許容支持力F_c以下になる積載荷重N_3を算出する。

$$N = N_1 \times 層数n + N_2 + 積載荷重N_3 \leqq F_c$$

と考えると、

$$N_3 \leqq F_c - N_1 \times 層数n - N_2 = 5.26 - 0.49 \times 10 - 0.15 = 0.21\,\mathrm{kN}$$

したがって、建地１本当たりの積載荷重を0.21 kN（21.4kg）に制限すればよいことになる。しかしながら、許容される積載荷重が小さすぎて足場上での作業ができないため、この場合は建地補強のほうを選択することになる。

張り出し足場の検討

- □ 張り出し足場は地上から足場を建てられないなどの制約がある場合に計画する
- □ 通常は躯体から張り出し材をアンカーボルトで固定して構台を架設し、その上に足場を組み立てる

張り出し足場の検討は、①荷重の計算、②張り出し材に架け渡す大引材の検討、③張り出し材の検討、④張り出し材の固定部の検討、という手順で進める。なお本来ならば、枠組足場の計算も行う必要があるが、計算の方法手順は128～139頁と同様であるので、本例題では省略する。

1 | 構成部材と検討条件

step.1 設計条件

右の条件において張り出し足場を組む場合の主要部材の安全性について検討する。

張り出し材は規格品を使用するか、新規製作品を使用するかは、取り付ける場所の状況によって検討することになるが、本例題では規格品を使用する。

また、張り出し材に架け渡す大引材は、ペコビーム(軽量支保梁)やH形鋼を使用するが、本例題ではペコビームを3本つなぎで使用することとする。

- ・張り出し長さ：1,500mm
- ・張り出し材のピッチ：7,000mm
- ・大引材：ペコビーム(軽量支保梁)3本つなぎを使用
- ・足場の高さ：7層
- ・使用建て枠：高さ1,725mm×幅914mm
- ・落下物防護材：充実率ϕ＝0.8のメッシュシート
- ・積載荷重：1.96kN/層(1スパン2層まで)

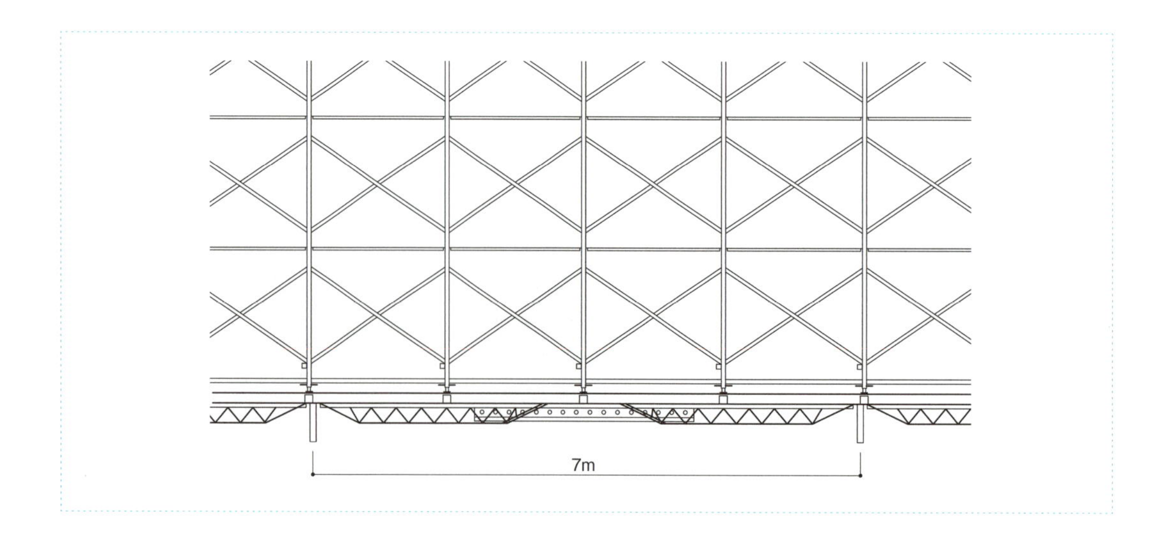

step. 2

荷重の算定

まず、最下層の建て枠に作用する鉛直荷重ΣNを算定する。鉛直荷重ΣNは、右に示す建て枠1層かつ1スパン(建て枠間隔)当たりの固定荷重N_1、ならびに積載荷重N_2を基に算出する。固定荷重には、このほかに壁つなぎなどの重量として固定荷重の3%程度を考慮する。

・建て枠(VF-0917):	15.7kg
・布板(HF-518)×1枚:	14.6kg
・布板(HF-218)×1枚:	8.3kg
・筋かい(B-1218)×2本:4.3kg×2＝	8.6kg
・メッシュシート(3.2m²):0.5kg/m²×3.2＝	1.6kg
・荷重合計	48.8kg
	→固定荷重N_1＝0.48kN

積載荷重N_2＝1.96kN×2層＝3.92kN

鉛直荷重

ΣN＝(固定荷重N_1×足場の層数－最上部の布板の重量)×水平つなぎなどの割り増し＋積載荷重N_2

＝(0.48kN×7層－0.22kN)×1.03＋3.92kN

＝7.15kN

また、大引材などの検討に必要な建て枠柱脚部の1スパン当たりの荷重N_3を算定する。

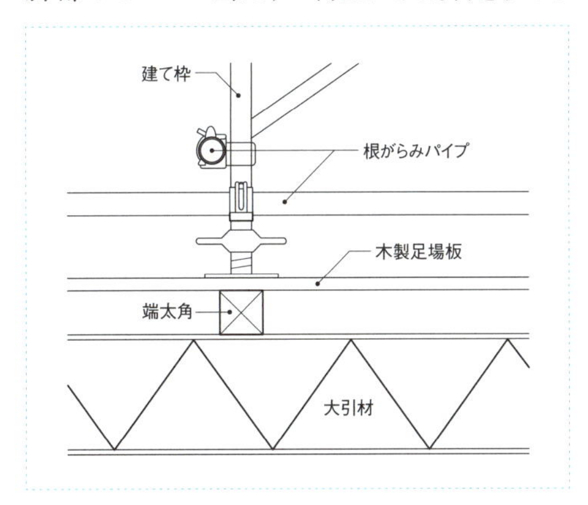

・根がらみパイプ:	
桁行方向1.8m×2本×2.84kg/m＝	10.22kg
梁間方向1.0m×0.5本×2.84kg/m＝	1.42kg
・ジャッキベース:3.92kg×2個＝	7.84kg
・足場板:2m×4枚×4kg/m＝	32.00kg
・根太材(端太角):2m×1本×4.1kg/m＝	8.20kg
・クランプ:0.7kg×2個＝	1.40kg
合計	61.08kg
	→建て枠柱脚部の荷重N_3＝0.60kN

そのほか、大引材にはペコビームを3本つなぎで使用するが、その内訳は外ビーム・内ビームともP-9を使用する。

2 | 大引の検討

荷重の算定

大引材はペコビーム3本つなぎを4本使用する。このペコビームの許容応力は右のとおりである。

大引には、端太角を介して建て枠の荷重ΣNと建て枠柱脚部の荷重N_3が集中荷重Pとして、大引の自重が分布荷重wとして右図のように作用する。この状態のとき、曲げモーメントが最大になる。

大引は張り出し材1スパンに対して4本使用しているので、大引1本当たりに作用する集中荷重Pは以下のとおりとなる。

$$P=\frac{\Sigma N+N_3}{4}=\frac{7.15+0.60}{4}=1.94\,\mathrm{kN}$$

また、分布荷重wは大引材の自重から以下のとおりとなる。

$$w=\frac{N_4}{L}=\frac{0.78}{7.0}=0.11\,\mathrm{kN/m}$$

・ペコビーム P-9の重量＝0.78kN

・最大許容曲げモーメントM_f：

分布荷重の場合　$M_f=13.7\,\mathrm{kN\cdot m}$

集中荷重の場合　$M_f=13.7\,\mathrm{kN\cdot m}\times0.7=9.6\,\mathrm{kN\cdot m}$

（分布荷重時の70%）

・最大許容せん断力Q_f：

分布荷重の場合　$Q_f=24.5\,\mathrm{kN}$

集中荷重の場合　$Q_f=24.5\,\mathrm{kN\cdot m}\times0.7=17.1\,\mathrm{kN}$

（分布荷重時の70%）

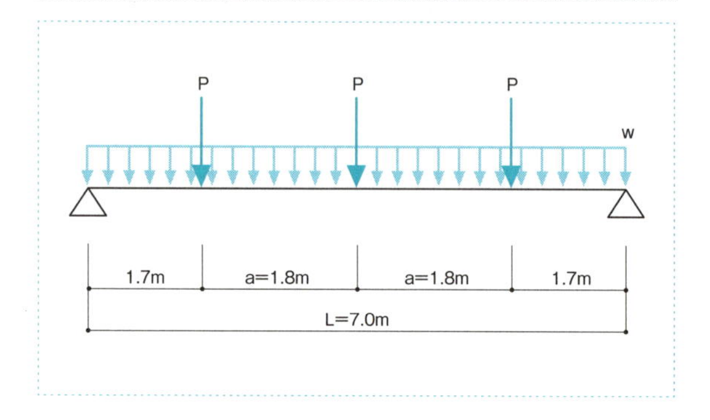

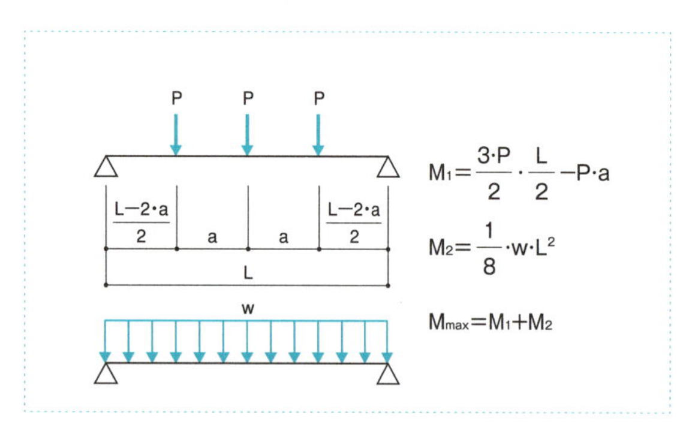

step. 2

曲げモーメントに対する検討

step.1で求めた集中荷重Pおよび分布荷重wを基に最大曲げモーメントMmaxを算定し、ペコビームの最大許容曲げモーメントMfと比較して問題がないことを確認する。

$$M_{max}=\frac{w\cdot L^2}{8}+\left(\frac{3\cdot P}{2}\cdot\frac{L}{2}-P\cdot a\right)=\frac{0.11\times7.0^2}{8}+\left(\frac{3\times1.94}{2}\times\frac{7}{2}-1.94\times1.8\right)$$

$$=7.37\text{ kN·cm}$$

$$\frac{M_{max}}{M_f}=\frac{7.37}{9.6}=0.77<1.0\rightarrow\text{OK}$$

step. 3

せん断力に対する検討

大引材のせん断力が最大になるのは、建て枠の荷重が4点作用する右図の状態のときである。この荷重状態における最大せん断力Qmaxを算定し、ペコビームの最大許容せん断力Qfと比較して問題がないことを確認する。

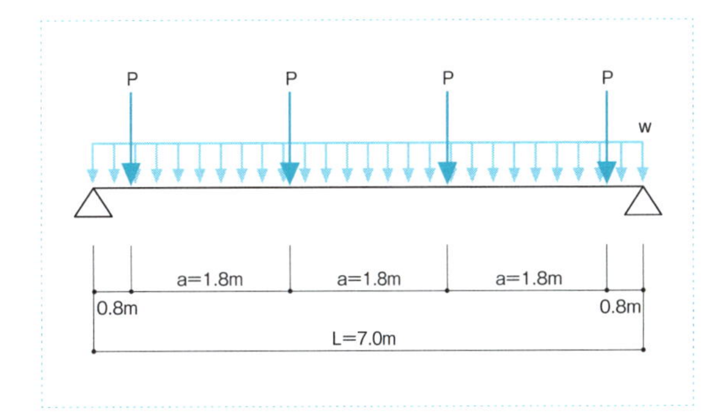

$$Q_{max}=\frac{w\cdot L}{2}+2\cdot P=\frac{0.11\times7.0}{2}+2\times1.95=4.29\text{ kN}$$

$$\frac{Q_{max}}{Q_f}=\frac{4.29}{17.1}=0.25<1.0\rightarrow\text{OK}$$

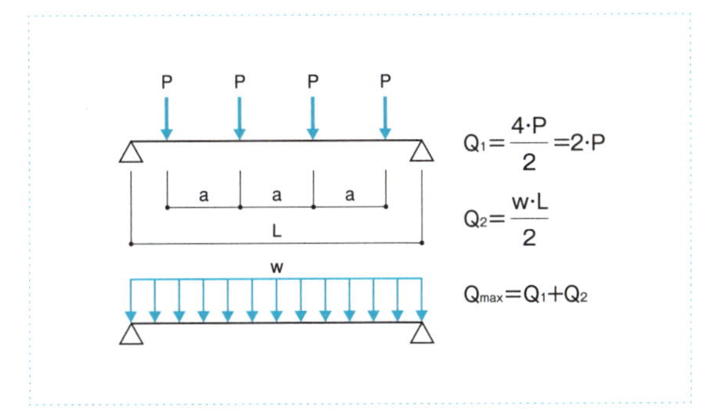

3 | 張り出し材の検討

step. 1

張り出し材の仕様

—

張り出し材には、下図に示す規格品のブラケットを使用する。この張り出し材の許容荷重は右のとおりである。

- ・P_1：24.5kN
- ・P_2：19.6kN
- ・製品重量：0.50kN

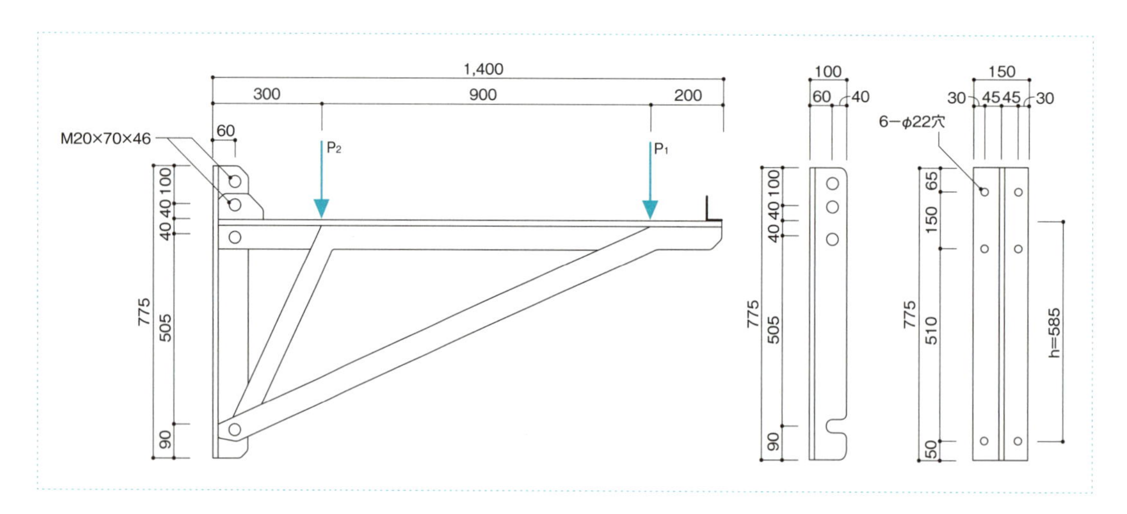

step. 2

集中荷重に対する検討

—

張り出し材には大引からの集中荷重と、張り出し材自重の分布荷重が作用するが、規格品であるので集中荷重のみ検討する。

張り出し材に作用する集中荷重Pは建て枠のスパン分（7m÷1.8m＝3.88スパン）の荷重の半分である。この集中荷重Pを算定し、P_2と比較して問題がないことを確認する。

$$P=\frac{1}{2}\{(\Sigma N+N_3)\times 3.88\text{スパン}+N_4\times 4\text{本}\}=\frac{1}{2}\{(7.15+0.60)\times 3.88+0.78\times 4\}$$

$$=16.60\text{kN}$$

$$\frac{P}{P_2}=\frac{16.60}{19.6}=0.85<1.0\rightarrow \text{OK}$$

4 アンカーボルトの検討

step. 1

アンカーボルトの仕様

張り出し材がトラス形状の場合、右図に示すように、上部アンカーボルトには張り出し材の曲げモーメントから引張力Tが発生し、下部アンカーボルトにはせん断力Qが作用する。ここでは、上下それぞれのアンカーボルトがそれらの応力に対して十分な強度を有するかを確認する。

アンカーボルトはM20（SS400、フック付き）を使用する。また、断面性能は右のとおりである。

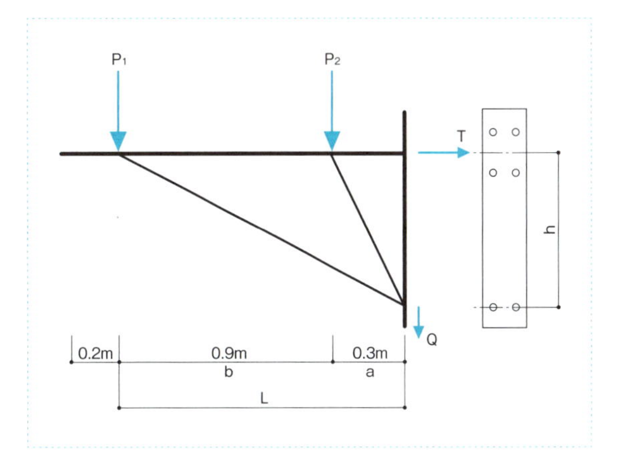

・断面積 $A = 3.14 cm^2$

・許容引張応力度 $f_t = 12 kN/cm^2$

・許容せん断応力度 $f_s = 7 kN/cm^2$

step. 2

引張力に対する検討

まず、上部アンカーボルトに作用する引張力Tと、アンカーボルト1本当たりに作用する引張力T_gを算定する。

$$T = \frac{P_1 \cdot L + P_2 \cdot a}{h} = \frac{16.6 \times 1.2 + 16.6 \times 0.3}{0.585} = 42.6 kN$$

$$T_g = \frac{T}{\text{アンカーボルト本数}} = \frac{42.6}{4} = 10.64 kN$$

また、アンカーボルト1本の許容引張力T_fは、以下のとおりとなる。

$$T_f = A \cdot f_t = 3.14 \times 12 = 37.68 kN$$

アンカーボルト1本当たりに作用する引張力T_gと、アンカーボルト1本の許容引張力T_fを比較して問題がないことを確認する。

$$\frac{T_g}{T_f} = \frac{10.64}{37.68} = 0.28 < 1.0 \rightarrow OK$$

step. 3

せん断力に対する検討

下部アンカーボルトに作用するせん断力Q、およびアンカーボルト1本当たりに作用するせん断力Q_gを算定する。

$$Q = P_1 + P_2 = 16.60 + 16.60 = 33.20\text{kN}$$

$$Q_g = \frac{Q}{\text{アンカーボルト本数}} = \frac{33.20}{2} = 16.60\text{kN}$$

また、アンカーボルト1本の許容せん断力Q_fは、以下のとおりとなる。

$$Q_f = A \cdot f_s = 3.14 \times 7 = 21.98\text{kN}$$

アンカーボルト1本当たりに作用するせん断力Q_gと、アンカーボルト1本の許容せん断力Q_fを比較して問題がないことを確認する。

$$\frac{Q_g}{Q_f} = \frac{16.60}{21.98} = 0.76 < 1.0 \rightarrow \text{OK}$$

step.4 アンカーボルトの長さの検討

最後に、アンカーボルトの埋込み長さを検討する。

アンカーボルトの必要埋込み長さL_Aは次式から求める。

$$L_A = \frac{T_g}{f_a \cdot \psi}$$

T_g：アンカーボルト1本当たりに作用する引張力

f_a：付着応力度

（(一社)日本建築学会基準：0.072 kN/cm²、(一社)仮設工業会規準：0.069 kN/cm²）

ψ：アンカーボルトの周長

$\psi = \pi \cdot r$（r：アンカーボルトの直径）

付着応力度faは、(一社)日本建築学会の基準と(一社)仮設工業会の規準とで数値が異なるが、安全側である後者を採用する。よって、必要埋込み長さL_Aは、

$$L_A = \frac{T_g}{f_a \cdot \psi} = \frac{10.64}{0.069 \times (3.14 \times 2.0)} = 24.6\,\text{cm} \rightarrow 25\,\text{cm}$$

となり、アンカーボルトは必要埋込み長さが25 cm以上のものを使用する。

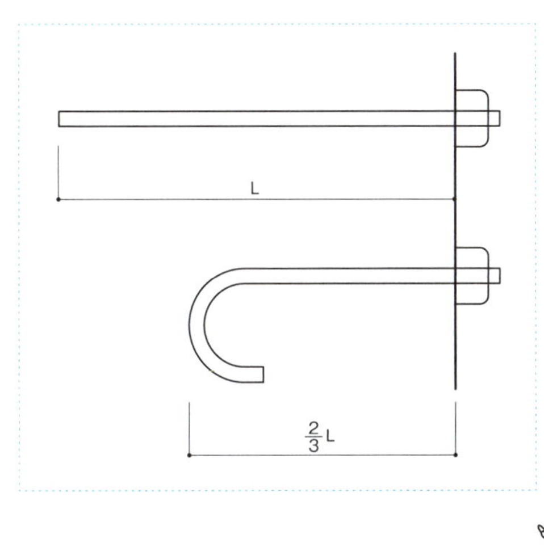

ブラケット一側足場の検討

check

- □ ブラケット一側足場は建地が1列であるため、自立できないうえに、偏心荷重が作用する
- □ 上記の問題を解消するには壁つなぎが重要であり、また大筋かいの配置が必要となる

ブラケット一側足場の検討は、①荷重の計算、②足場板の検討、③ブラケットの検討、④建地の検討、という手順で進める。

1 | 構成部材と検討条件

step. 1

設計条件

右図に示すようなブラケット一側足場を組む場合の主要部材の安全性について検討する。足場の構成は次による。

①建地の間隔は桁行方向を1.8m以下とする

②布の上下間隔は1.8m以下とする

③垂直・水平方向とも10m以下ごとに交差筋かいをX状に設け、各建地に緊結する

④建地1本当たりの積載荷重は100kg以下とする

⑤建地の最高部から測って15mを超える部分の建地は2本組とする

また、そのほかの設計条件については右のとおりである。

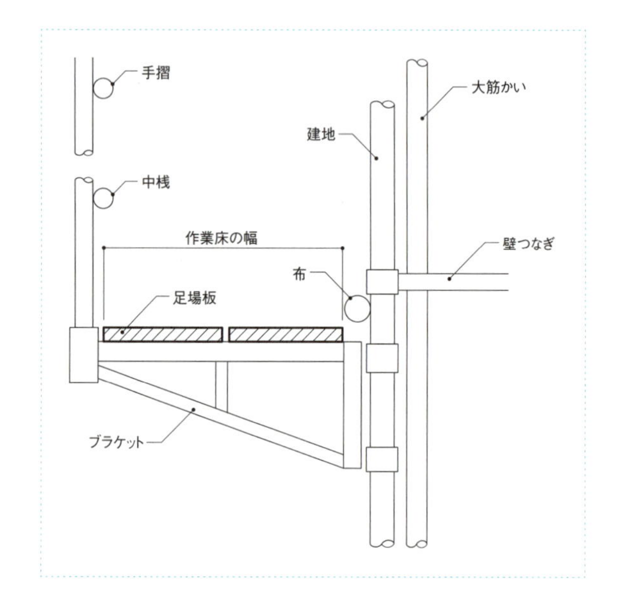

- 設置場所：東京都23区内
- 地域区分：一般市街地
- 近隣高層建築物：なし
- 建地間隔：1.8m
- 布間隔：1.7m
- 足場の高さ：15.1m（層数：9）
- 壁つなぎ間隔：スパンごと、高さ方向は3.0mピッチ
- 積載荷重：0.98kN
- 作業床は足場板2枚敷きとする
- 垂直養生は充実率0.7のメッシュシートを張る

step.
2

荷重の算定

建地1スパン当たりに作用する1層分の固定荷重N_1と、ブラケットに作用する固定荷重N_2を算定する。
N_2については、ブラケットを介して建地に作用する荷重がブラケットに作用する固定荷重になる。具体的には、固定荷重N_1のうち、ブラケットと手摺柱、足場板、メッシュシートの荷重と、手摺と中桟の半分の荷重、およびクランプなどの重量の合計となる。
このほか、積載荷重N_3については、設計条件にあるとおり0.98kNとする。

・建地：2.84kg/m×1.7m＝	4.83kg
・布：2.84kg/m×1.8m＝	5.11kg
・ブラケット（先端カプラー付き）：	4.00kg
・手摺・中桟：2.84kg/m×1.8m×4本＝	20.45kg
・手摺柱：2.84kg/m×1.7m＝	4.83kg
・足場板：3.7kg/m×1.8m×2枚＝	13.32kg
・大筋かい：2.84kg/m×2.5m＝	7.10kg
・メッシュシート：0.7kg/m²×3.1m²＝	2.17kg
・クランプ、壁つなぎなど：	2.00kg
合計	63.81kg
	→固定荷重N_1＝0.63kN

・ブラケット（先端カプラー付き）：	4.00kg
・手摺・中桟：	
2.84kg/m×1.8m×4本×1/2＝	10.22kg
・手摺柱：2.84kg/m×1.7m＝	4.90kg
・足場板：3.7kg/m×1.8m×2枚＝	13.32kg
・メッシュシート：0.7kg/m²×3.1m²＝	2.17kg
・クランプ、壁つなぎなど：	2.00kg
合計	36.61kg
	→固定荷重N_2＝0.36kN

ブラケットのピッチは建て枠に合わせて計画し、壁つなぎは建物の階高に合わせて計画しますよ

2 足場板の検討

step. 1

足場板の仕様

—

まず、足場板の検討を行う。

足場板には、中央に積載荷重が集中荷重Pとして、足場板の自重が分布荷重wとして右図のように作用する。よって、このような単純梁として応力を検討する。

足場板には鋼製のものを使用する。この足場板の断面性能は右のとおりである。

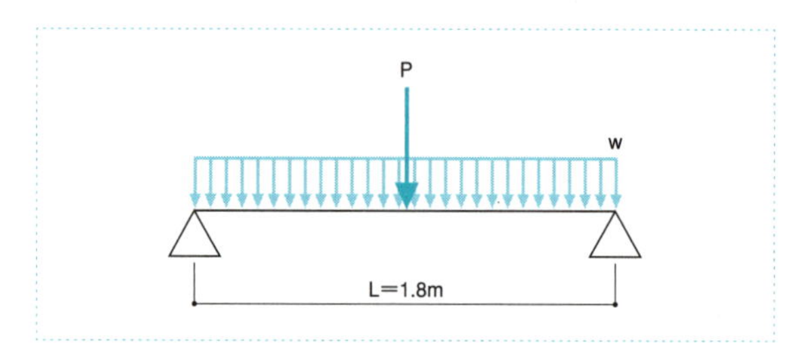

- 断面2次モーメント I = 9.12 cm^4
- 断面係数 Z = 3.8 cm^3
- 許容曲げ応力 f_b = 23.5 kN/cm^2
- ヤング係数 E = 2.06 × 10^7 N/cm^2
- 足場板の重量 w = 0.00036 kN/cm

step. 2

曲げモーメントに対する検討

—

足場板に作用する最大曲げモーメントM_{max}を求め、さらに足場板に作用する応力σ_bを算定して足場板の許容曲げ応力f_bと比較し、問題がないことを確認する。

$$M_{max} = \frac{P \cdot L}{4} + \frac{w \cdot L^2}{8} = \frac{0.98 \times 180}{4} + \frac{0.00036 \times 180^2}{8}$$

$$= 44.1 + 1.46 = 45.56 \, kN \cdot cm$$

$$\sigma_b = \frac{M_{max}}{Z} = \frac{45.56}{3.8} = 11.99 \, kN/cm^2$$

$$\frac{\sigma_b}{f_b} = \frac{11.99}{23.5} = 0.51 < 1.0 \rightarrow OK$$

3　ブラケットの検討

ブラケットに作用する荷重の算定

使用するブラケットの許容耐力Fは1.96kNである。また、ブラケットに作用する荷重Pは、ブラケットに作用する固定荷重N_2と積載荷重N_3の合計となる。

$$P = N_2 + N_3 = 0.36\,\text{kN} + 0.98\,\text{kN} = 1.34\,\text{kN}$$

荷重に対する検討

ブラケットの許容耐力Fとブラケットに作用する荷重Pを比較して、ブラケットの安全性に問題がないことを確認する。

$$\frac{P}{F} = \frac{1.34}{1.96} = 0.68 < 1.0 \rightarrow \text{OK}$$

ブラケットにはいろいろな種類があるので、重量や許容耐力については、必ず実際に使用するものを確認してほしい

4 建地の検討

建地の仕様

―

ブラケット一側足場の建地には、足場材の自重や積載荷重による圧縮力と、ブラケットで受ける偏心荷重による曲げが作用する。これらを受ける単純梁として検討する。

建地には、φ48.6×2.5mmの単管(STK500)を使用する。この単管の断面性能は右のとおりである。

- ・断面2次モーメント$I=9.65cm^4$
- ・断面係数$Z=3.97cm^3$
- ・断面積$A=3.621cm^2$
- ・許容曲げ応力度$f_b=23.7kN/cm^2$
- ・許容引張応力度$f_t=23.7kN/cm^2$

曲げモーメントの算定

―

建地に作用する曲げモーメントM_1は、右図のように建地中心から250mm離れた位置に集中荷重Pが作用して生じる。よって、M_1は以下のとおりに求められる。

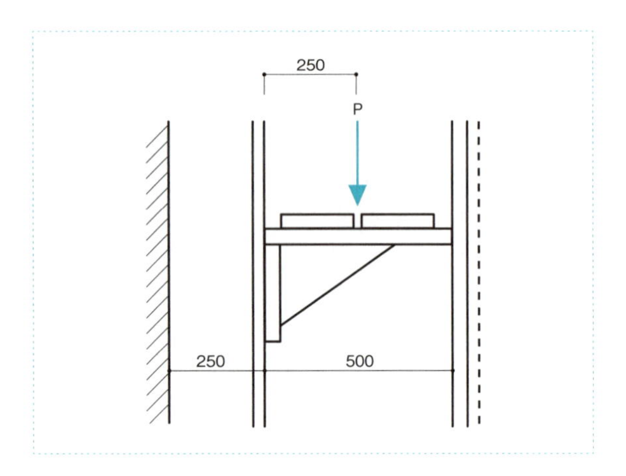

$$M_1=P \cdot L=1.28kN \times 25cm=32kN \cdot cm$$

また、曲げモーメントは、壁つなぎとブラケット位置によって以下のように変わる。

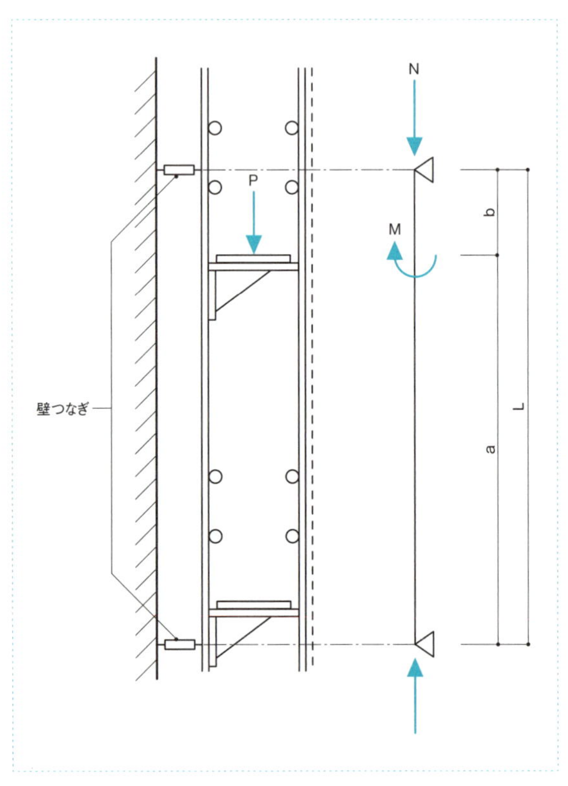

右図においてa＞bの場合

$$M=M_1 \cdot \frac{a}{L}$$

右図においてa＜bの場合

$$M=M_1 \cdot \frac{b}{L}$$

よって、曲げモーメントが最大になるのはL=aもしくはL=bのときであるので、最大曲げモーメントM_{max}は、

$$M_{max}=M_1 \times 1.0=32kN \cdot cm$$

となる。

step. 3

圧縮力の算定

最下層の建地に作用する圧縮力Nは、建地1スパン当たりに作用する1層分の荷重N_1の全層分と積載荷重N_3の合計となる。

$$N = N_1 \times 層数 + N_3 = 0.63\,\mathrm{kN} \times 9層 + 0.98 = 6.65\,\mathrm{kN}$$

また、建地の許容圧縮耐力は座屈を考慮し、右図から求める。

座屈長さは壁つなぎ間隔となるので、L_k＝3.0mであるから、座屈荷重F_c＝10.2となる。

よって、許容圧縮応力度fcは以下のとおりとなる。

$$f_c = \frac{F_c}{A} = \frac{10.2\,\mathrm{kN}}{3.621\,\mathrm{cm}^2} = 2.82\,\mathrm{kN/cm^2}$$

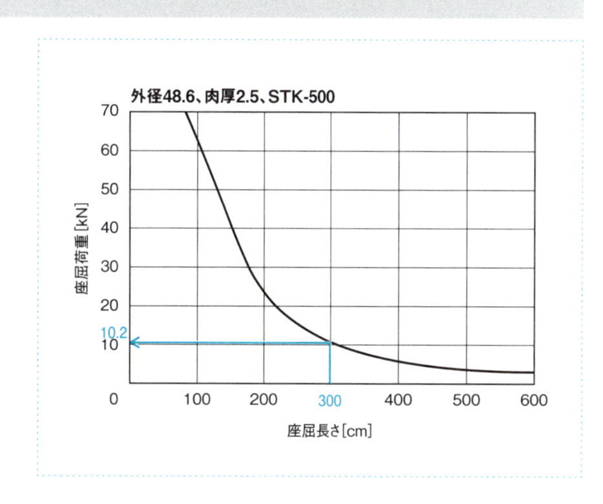

step. 4

断面検討

—

曲げと圧縮力を受ける部材は次式にて検討を行う。

$$\frac{\sigma_b}{f_b}+\frac{\sigma_c}{f_c}\leqq 1.0 \text{かつ} \frac{\sigma_b-\sigma_c}{f_t}\leqq 1.0$$

f_b：許容曲げ応力度［kN/cm²］

f_c：許容圧縮応力度［kN/cm²］

f_t：許容引張応力度［kN/cm²］

σ_b：曲げ応力度［kN/cm²］

σ_c：圧縮応力度［kN/cm²］

まず、曲げ応力度σ_b、圧縮応力度σ_cを算定すると、

$$\sigma_b=\frac{M_{max}}{Z}=\frac{32}{3.97}=8.06\,\text{kN/cm}^2$$

$$\sigma_c=\frac{N}{A}=\frac{6.65}{3.621}=1.84\,\text{kN/cm}^2$$

よって、

$$\frac{\sigma_b}{f_b}+\frac{\sigma_c}{f_c}=\frac{8.06}{23.7}+\frac{1.84}{2.82}=0.34+0.65=0.99\leqq 1.0\rightarrow \text{OK}$$

$$\frac{\sigma_b-\sigma_c}{f_t}=\frac{8.06-1.84}{23.7}=0.26\leqq 1.0\rightarrow \text{OK}$$

となり、応力的には許容値以内であるが、最高部が15mを超える部分の建地については、労働安全衛生規則の規定に則り、建地の最高部から測って15mより下の部分は2本組とする。

step. 5

壁つなぎの検討

156頁の設計条件より、足場の設置場所が東京都23区内で、地域区分が一般市街地であることから、設計用速度圧 $q_z = 316\,N/m^2$、風力係数 $C_1 = 1.03$、$C_2 = 1.26$として風荷重Pの算定を行う。
壁つなぎ1本の負担する面積Aは、

$$A = 3.0\,m \times 1.8\,m = 5.4\,m^2$$

よって、風荷重Pは、

$$P = 316 \times 1.26 \times 5.4 = 2{,}150\,N = 2.15\,kN$$

壁つなぎの許容圧縮耐力および引張耐力F＝4.41 kNであるので、風荷重による許容耐力の30%を割り増した F_k は以下のとおりとなり、風荷重Pと比較して問題がないことが確認された。

$$F_k = 4.41 \times 1.03 = 5.73\,kN$$

$$\frac{P}{F_k} = \frac{2.15}{5.73} = 0.38 < 1.0 \rightarrow OK$$

乗り入れ構台

施工計画と構造計算のポイント

1 | 要求性能

概要

乗り入れ構台は、基礎躯体工事や地下躯体工事によって制約される車両動線や作業スペースを補うために計画・設置されるものである[図1]。掘削、山留め支保工の設置、基礎・地下躯体の構築など、多くの工事に利用され、構台を走行・使用する建設機械も多種多様である。また、車両の待機や資機材のストックなどにも利用されるので、乗り入れる車両や作業員の動線が阻害されたり、作業スペースが不足することなく、各種作業が支障なく進められるように規模や形状、乗り入れ個所の配置を計画しなくてはならない。

乗り入れ構台に求められる性能

各工程における乗り入れ構台の使用状況を想定したうえで規模・配置などを決定し、構造計算によって構台が十分に安全であることを確認しなくてはならない。

特に注意すべきであるのは、各部材のたわみと構台の揺れである。覆工板や根太材、大引材は単純梁として計算し、たわみについては部材角（δ_{max}/L）が1／300以下となるよう検討する。また、水平・垂直ブレースをバランスよく配置することによって各構面の剛性を高め、揺れを極力抑えるように検討する。

準拠すべき法規、規準

使用材料、許容応力度、応力算定および断面検討は、以下の法規・規準にもとづく。

準拠すべき法規・規準

1 —— 建築基準法および同施行令

2 —— 労働安全衛生法および同規則

3 —— (一社)日本建築学会
『鋼構造設計規準』
『建築基礎構造設計指針』

図1 | 乗り入れ構台の計画例

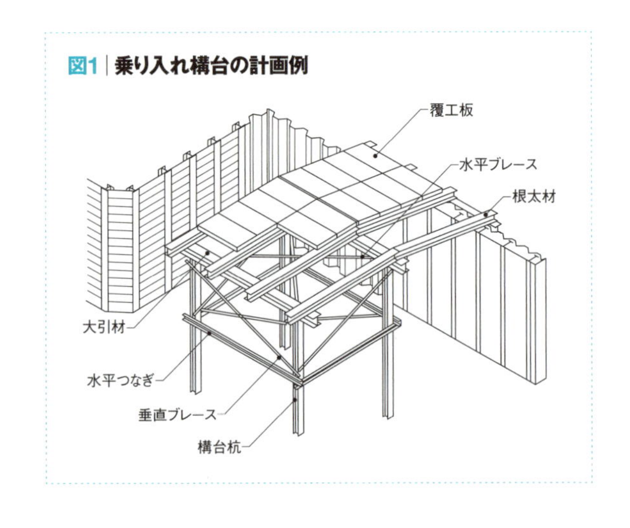

2 施工計画

検討フロー

乗り入れ構台に関する検討フローを以下に示す。

施工計画

・構台の規模・配置
・乗り入れ位置
・スロープ

↓

使用重機・車両の選定

・掘削重機
・揚重機
・搬入出車両
・コンクリートの打設形態

↓

荷重設定

・固定荷重
・積載荷重
・衝撃荷重
・水平荷重

↓

部材検討

・覆工板
・根太材
・大引材
・支柱
・水平つなぎ
・垂直ブレース
・水平ブレース

施工計画のポイント

[1]――配置

乗り入れ構台の大きさは、乗り入れる車両の大きさや工事用機械の作業状況、車両の通行頻度などを考慮して決定する。

また、スロープは、1/8 ～ 1/12程度の勾配を確保できるように、敷地境界と乗り入れ構台の位置を確定する。

[2]――高さ

乗り入れ構台は通常、1階の梁・床の施工時まで使用されるので、その際の施工性を考慮して高さを設定する。

床コンクリート打設時の均し作業ができるように、大引下端を床上端より200 ～ 300mm程度上に設定するとよい。

また、構造体の柱鉄筋のジョイント位置の仕様をよく考慮したうえで、位置・高さを設定する。

[3]――使用重機

掘削用のパワーショベルや移動式クレーンの性能などが多様であるため、必ずメーカーが用意している性能表を確認し、重機重量や最大接地圧などを確認しておく。

3 | 荷重の算定

乗り入れ構台の構造計算に用いる荷重には、鉛直荷重として、固定荷重、積載荷重、重機の作業時に生じる衝撃荷重がある。また、水平荷重としては、地震力、風荷重、重機の作業時や車両の走行時に生じる衝撃力がある。

鉛直荷重

[1]――固定荷重

固定荷重は乗り入れ構台自体の自重で、各構成部材の重量に数量を乗じて算定する。

[2]――積載荷重① 車両荷重

積載荷重は構台上に乗り入れる車両のことで、車両の種類や、走行時・作業時の別で前輪と後輪の荷重比率(負担率)が異なってくる。

一般的な工事用車両では、前輪と後輪の荷重比率が2:8になるものが多いが、コンクリートミキサー車においては3:7の比率になる[図2]。

[3]――積載荷重② ラフテレーンクレーン(ラフタークレーン)

走行時と作業時とで荷重の負担状況が異なる。

走行時は、前輪と後輪の荷重比率は5:5の負担状況になる。一方、作業時のアウトリガーの最大接地荷重は、ブームの位置によって異なる。ラフテレーンクレーン自重と付加荷重(吊り荷重)の合計の負担状況を図3に示す。

[4]――積載荷重③ コンクリート圧送車

走行時は、工事用車両と同様、前輪と後輪の荷重比率が2:8になる。一方、作業時はラフテレーンクレーンと同様、ブームの方向でアウトリガーの接地荷重は変わるが、図4に示すように、最大接地荷重は車両自重Wの0.9の比率となる。

[5]――積載荷重④ クローラクレーン

走行時は、168頁図5に示すように、接地荷重は接地面に対して均等に加わると仮定するが、カウンターウェイトへの偏りがあるので、正確には台形分布となる。大型のクローラクレーンの場合、偏りが生じやすいので、詳細検討が必要なときは台形分布で検討する。

一方、作業時については、前方作業の接地荷重はクローラクレーンの接地長さLに対して、L/5の位置に重心があるものとして、クローラクレーン自重と付加荷重の合計を検討する。

図2 | 車両の荷重負担

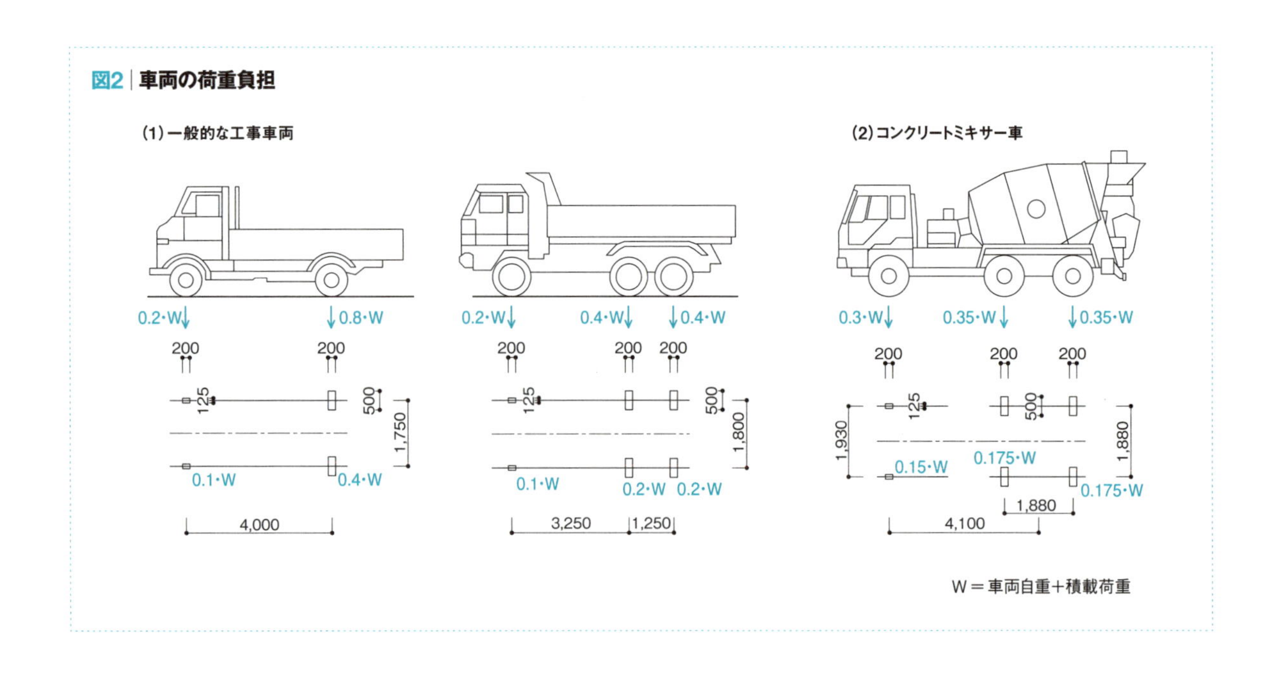

図3｜ラフテレーンクレーンの荷重負担

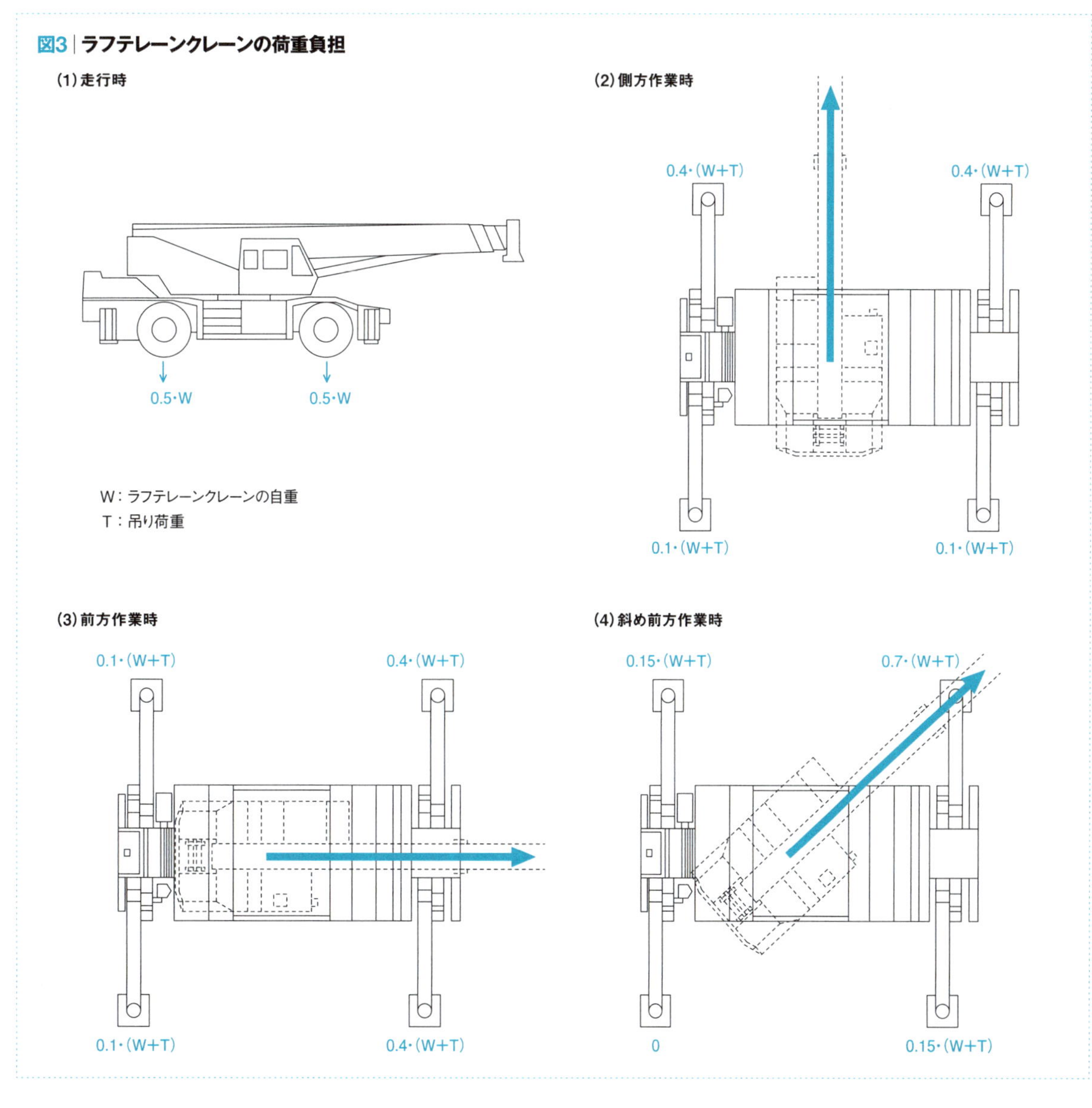

図4｜コンクリート圧送車の荷重負担

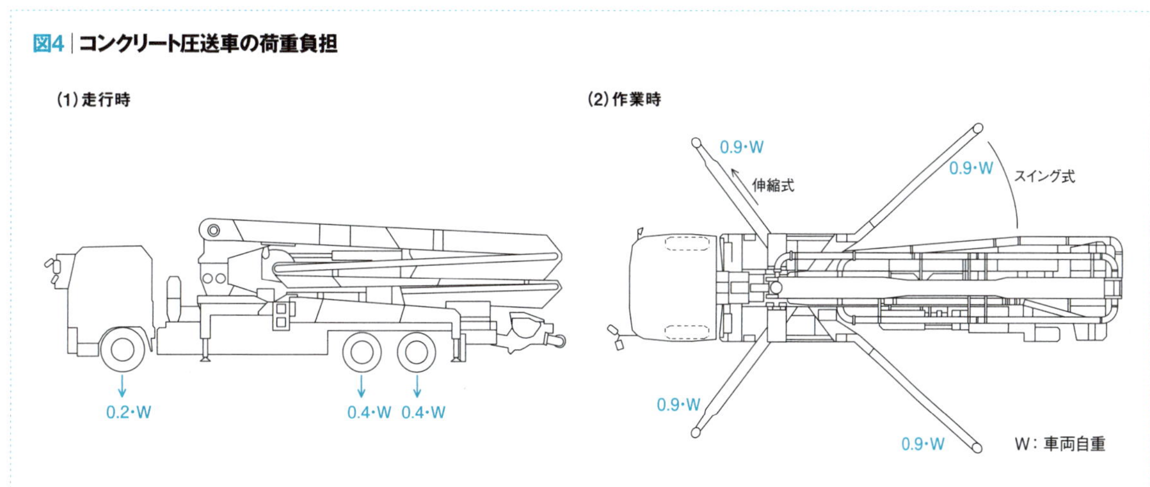

側方作業時は、ブーム側のクローラシュー（履板）が80%を負担し、反対側は20%を負担するものとして検討する。

斜め前方作業の場合は、ブーム側のクローラシューが70%を負担し、反対側は30%を負担する。また、設地面のブーム側から3・L／10の位置に重心があるものとして検討を行う。

[6]──衝撃荷重

鉛直荷重としての衝撃荷重は、積載荷重の20%を見込んで検討する。

[7]──積雪荷重

通常は考慮しなくてよい。

水平荷重

[1]──地震荷重

地震震度を0.2として、固定荷重、積載荷重の総和の20%を見込む。

[2]──衝撃荷重

重機や車両の作業時や走行時による水平力が生じるが、この荷重として積載荷重の20%を考慮して検討する。

図5｜クローラクレーンの荷重負担

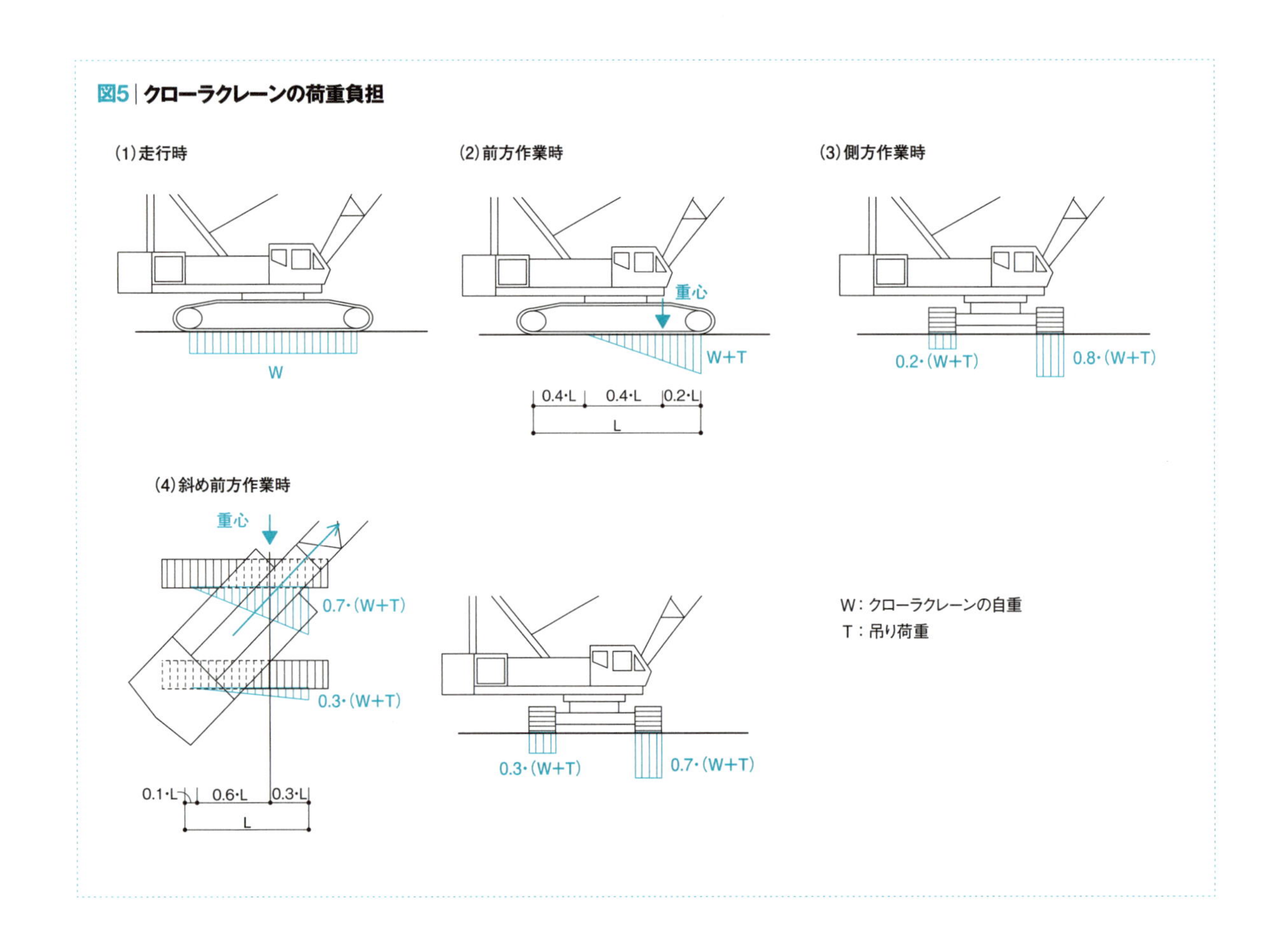

4 部材の検討

□ 各部材の検討に際しては、最も不利な荷重状態を想定して検討する
□ 鋼材の許容応力度には中期許容応力度を採用する

使用材料と許容応力度

乗り入れ構台に使用する鋼材には、SS400材を使用する。検討にあたっては、鋼材の許容応力度には中期許容応力度（長期許容応力度と短期許容応力度の平均）を採用する。

許容引張応力度 $f_t = 19.5 \mathrm{kN/cm^2}$
許容せん断応力度 $f_s = 11.25 \mathrm{kN/cm^2}$
許容圧縮応力度 $f_c = 19.5 \mathrm{kN/cm^2}$

また、許容たわみ量については、部材角（δ_{max}/L）を1／300以下とする。

覆工板の検討

覆工板は、根太材に架け渡して架設されるので、鉛直荷重を受ける単純梁として応力を算定する。

[1]──固定荷重による応力

固定荷重は覆工板自体の重量であるので、図6に示すように等分布荷重として応力算定を行う。

[2]──車両荷重による応力

通常は、最大である後輪荷重が集中荷重として加わるものとして応力算定するが、コンクリートミキサー車など2台を並列に乗り入れて作業する場合、2台分の後輪荷重が1枚の覆工板に加わる場合があるので注意する。

①車両1台の場合：曲げモーメントが最大になるのは覆工板の中央に荷重が加わるときで、せん断が最大になるのは端部に荷重が加わったときとなる［170頁図7］。
②車両2台の場合：曲げモーメントが最大になるのは覆工板の中央に2台分の荷重が均等に加わるときで、せん断が最大になるのは1台の荷重が端部に加わったときとなる［170頁図8］。

[3]──ラフテレーンクレーンによる応力

走行時の荷重状態は、小型ラフテレーンクレーンは車両荷重と同じであるが、大型のものは車輪の幅を考慮して、分布荷重として応力算定する。曲げモーメントが最大になるのは覆工板の中央に荷重が加わるときで、せん断が最大になるのは端部に荷重が加わったときとなる［170頁図9］。

作業時は、アウトリガーの最大荷重をアウトリガーフロート幅の分布荷重として応力算定する。曲げモーメントが最大になるのは覆工板の中央に荷重が加わるときで、せん断が最大になるのは端部に荷重が加わったときとなる［170頁図10］。

[4]──クローラクレーンによる応力

走行時・作業時とも、覆工板に作用する状況は同じになり、荷重は作業時より小さくなるので、走行時についてはここでは省略する。

作業時については、覆工板の長手方向に対してクローラ（履帯）が平行になる場合と直交する場合の応力を算定する［171頁図11・12］。

図6｜覆工板に作用する固定荷重による応力

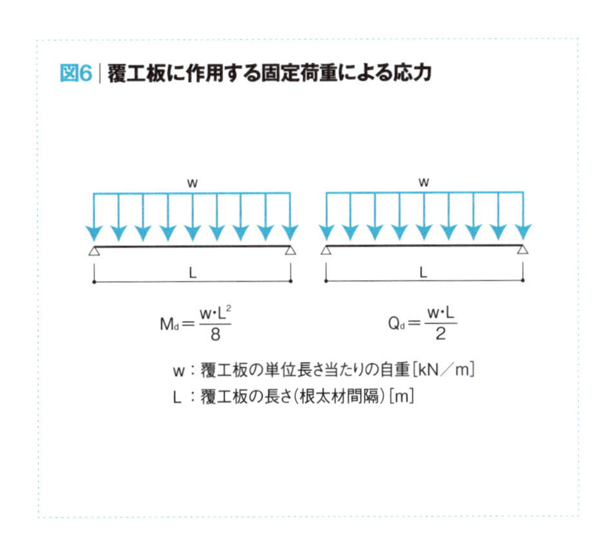

図7｜覆工板に作用する車両荷重による応力（車両1台の場合）

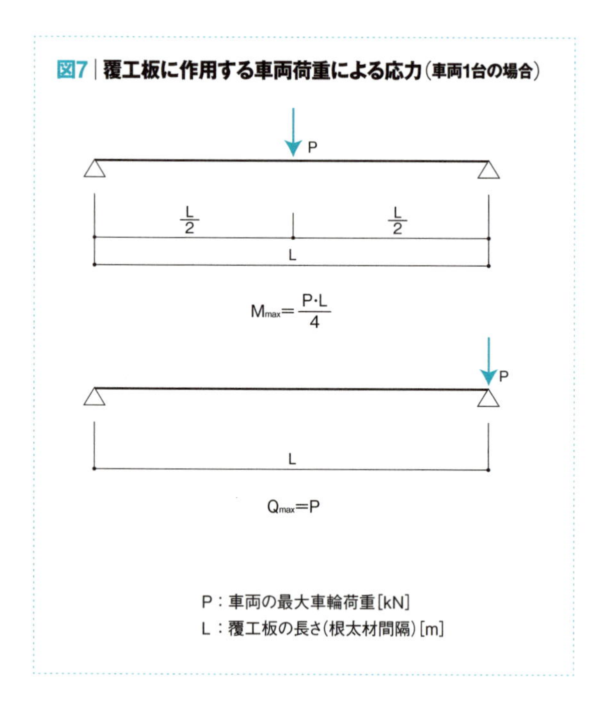

図8｜覆工板に作用する車両荷重による応力（車両2台の場合）

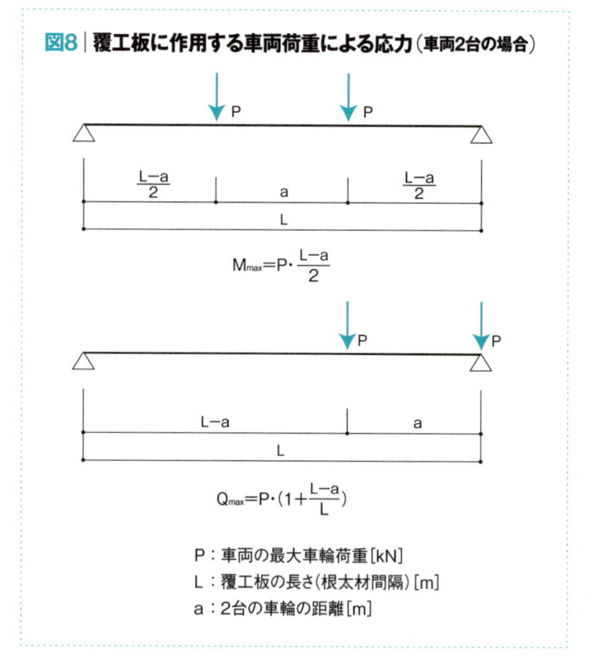

図9｜覆工板に作用するラフテレーンクレーンによる応力（走行時）

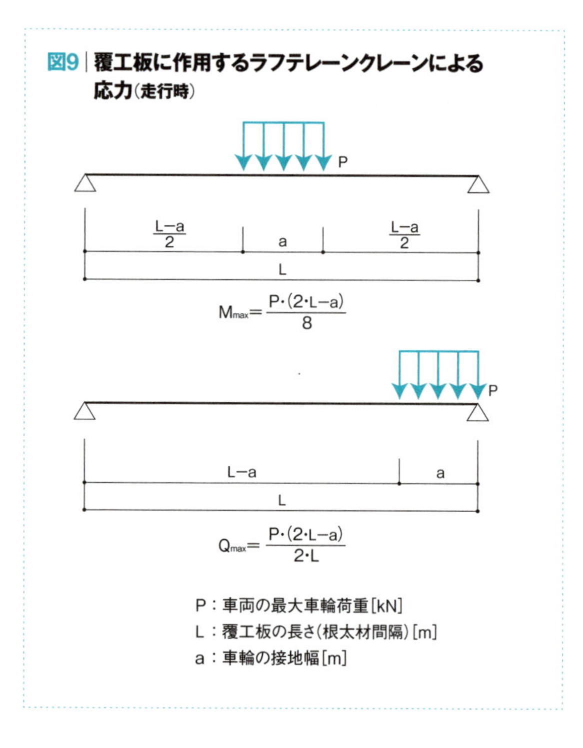

図10｜覆工板に作用するラフテレーンクレーンによる応力（作業時）

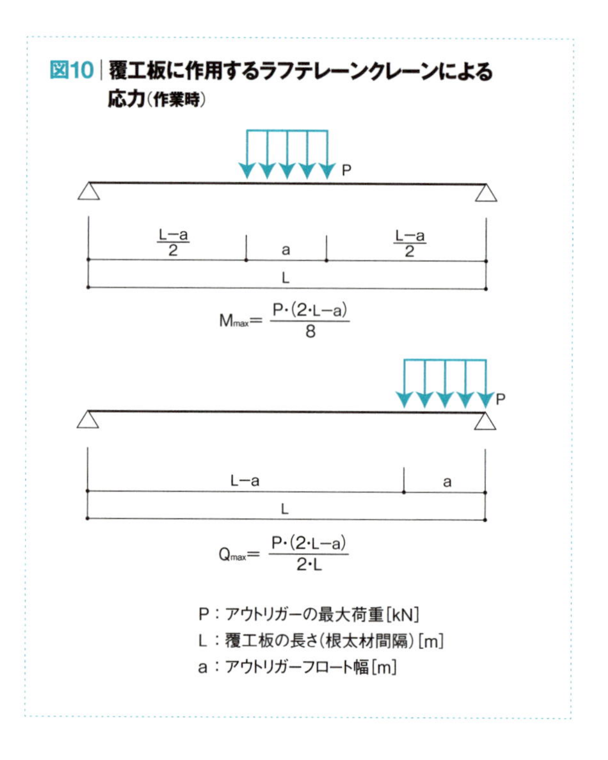

図11｜覆工板の長手方向に対してクローラが平行になる場合

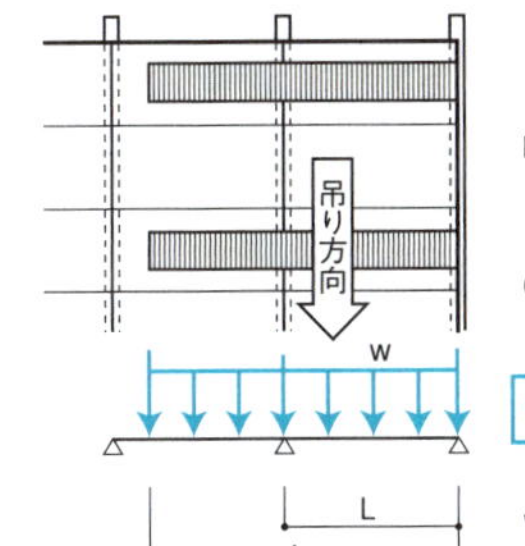

$$M_{max}=\frac{w\cdot L^2}{8}$$

$$Q_{max}=\frac{w\cdot L}{2}$$

衝撃荷重分の割り増し

$$w=\frac{0.8\cdot(W+T)\times1.2}{L'}$$

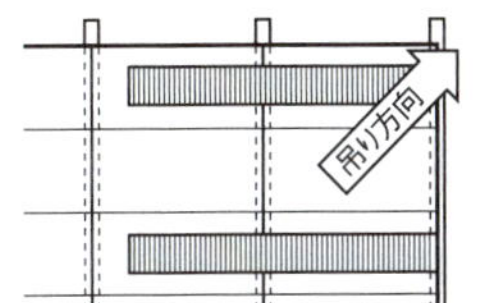

$$M_{max}=\frac{w'\cdot L^2}{8}+\frac{w''\cdot L^2}{9\sqrt{3}}$$

$$Q_{max}=\frac{w'\cdot L}{2}+\frac{w''\cdot L}{3}$$

$$w''=\frac{0.7\cdot(W+T)\times1.2}{0.9\cdot L'\times\frac{1}{2}}\cdot\frac{L}{0.9\cdot L'}$$

$$w'=\frac{0.7\cdot(W+T)\times1.2}{0.9\cdot L'\times\frac{1}{2}}\cdot\left(1-\frac{L}{0.9\cdot L'}\right)$$

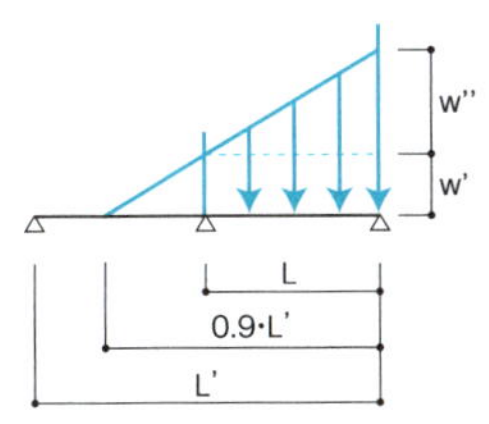

W：クローラクレーンの自重[kN]
T：吊り荷重[kN]
L'：クローラシューの接地長さ[m]
L：覆工板の長さ（根太材間隔）[m]

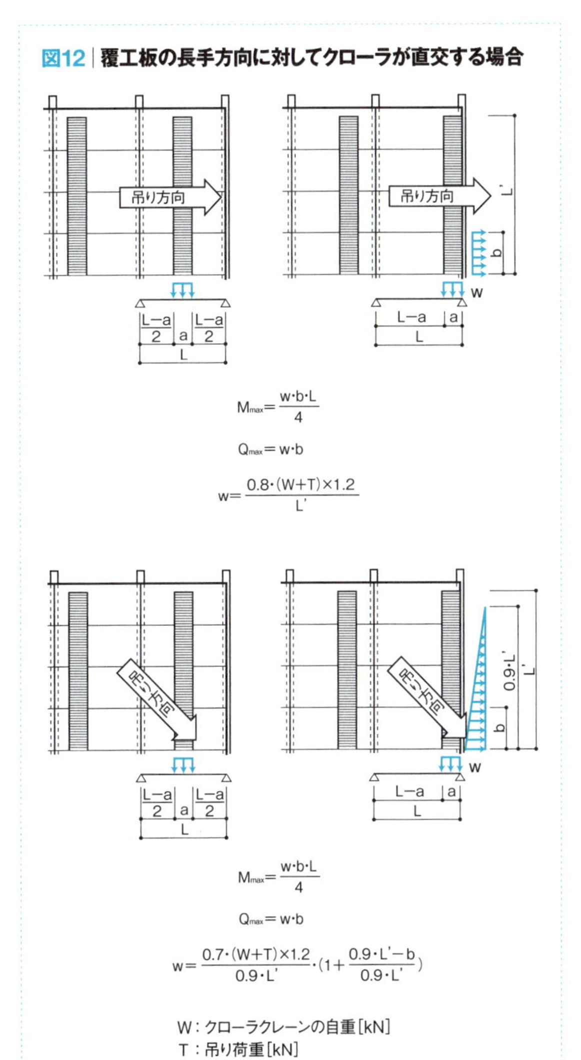

根太材の検討

根太材は大引材で支持され、覆工板からの鉛直荷重が作用する単純梁として応力算定する。

[1]——固定荷重による応力

根太材の荷重負担領域は、図13に示すように両側の覆工板の中央までの範囲となり、覆工板の重量と根太材の自重が固定荷重となって作用する。

[2]——車両による応力

根太材は、車両の走行方向に平行に配置されることが多い。この場合、車両の片側の前輪・後輪の荷重が同時に作用するときに応力が最大になるが[図14]、構台上でUターンスペースなどに配置したときは両側の後輪の荷重が同時に作用する場合もある[図15]。

車輪からの荷重は覆工板を介して根太材に作用するが、覆工板は根太材部分で突き付けて敷設してあるため、車輪の荷重は集中荷重として応力算定する。

[3]——ラフテレーンクレーンによる応力

走行時は車両による応力と同様に算定する。

作業時については、車両と同様、集中荷重として応力算定するが、根太材に最大荷重の発生するアウトリガーのみ作用する場合と、最大荷重の発生するアウトリガーとその隣のアウトリガーの荷重の2点の荷重が作用する場合がある[図16·17]。

図13｜根太材に作用する固定荷重による応力

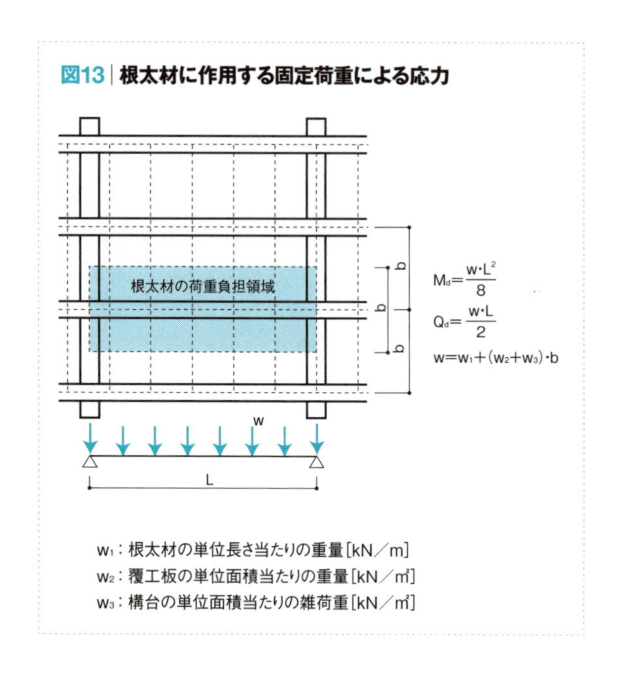

w_1：根太材の単位長さ当たりの重量[kN／m]
w_2：覆工板の単位面積当たりの重量[kN／m²]
w_3：構台の単位面積当たりの雑荷重[kN／m²]

図14｜車輪の前輪·後輪荷重が同時に作用する場合

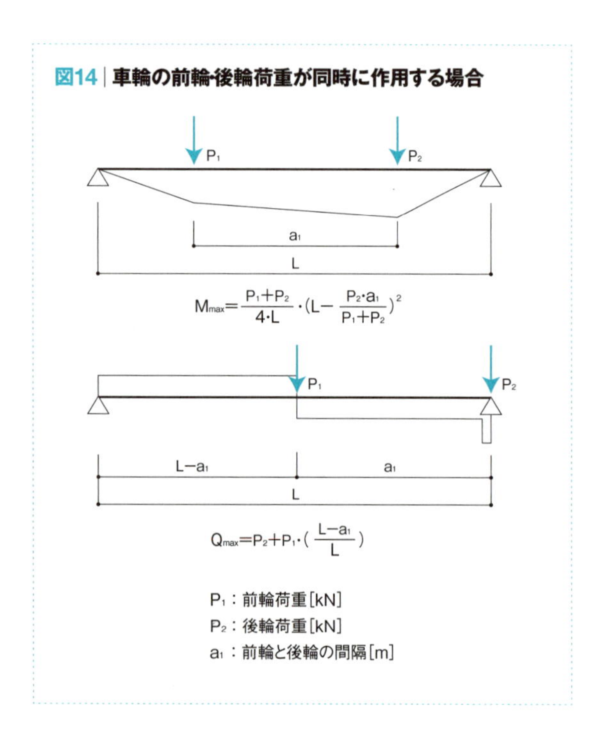

P_1：前輪荷重[kN]
P_2：後輪荷重[kN]
a_1：前輪と後輪の間隔[m]

図15｜車輪の後輪荷重が同時に作用する場合

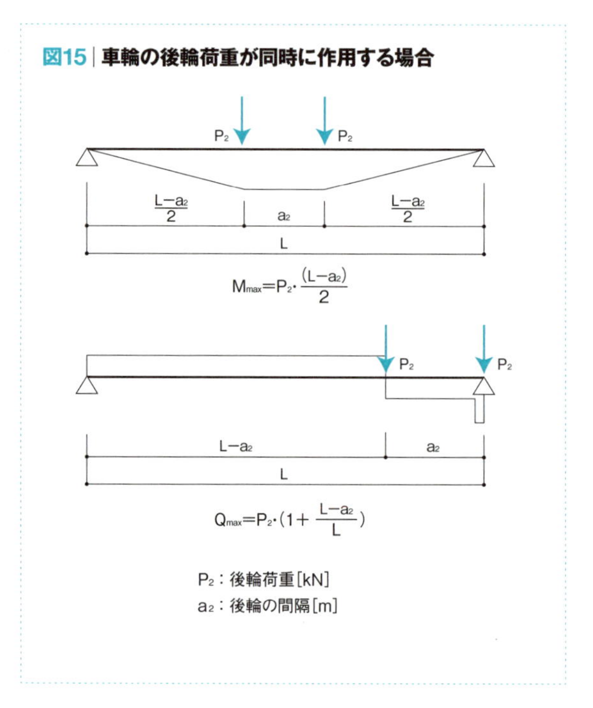

P_2：後輪荷重[kN]
a_2：後輪の間隔[m]

[4]——クローラクレーンによる応力

走行時・作業時とも、根太材に作用する状況は同じになり、荷重は作業時より小さくなるので、走行時についてはここでは省略する。

作業時については、片側のクローラが根太材に平行に載った場合の応力と、直交して載った場合の応力算定を行う[図18・19]。なお、クローラが根太材に直交して載った場合は、集中荷重として応力算定する。

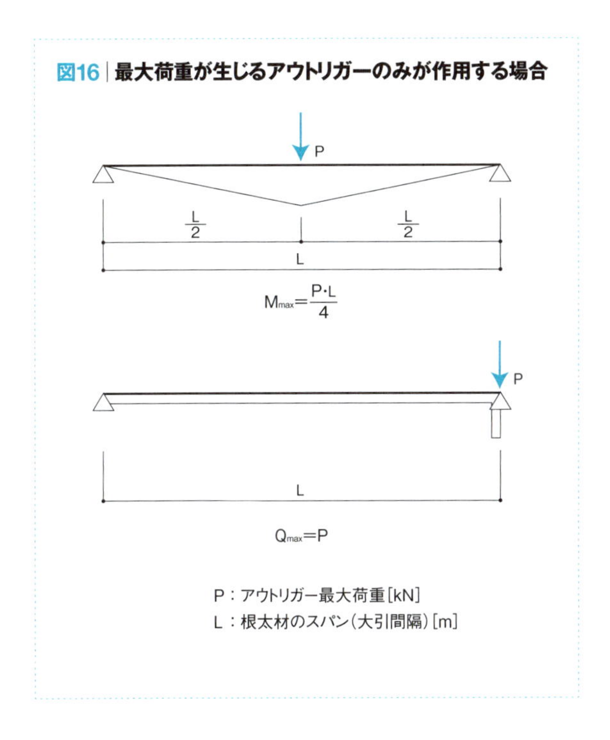

図16｜最大荷重が生じるアウトリガーのみが作用する場合

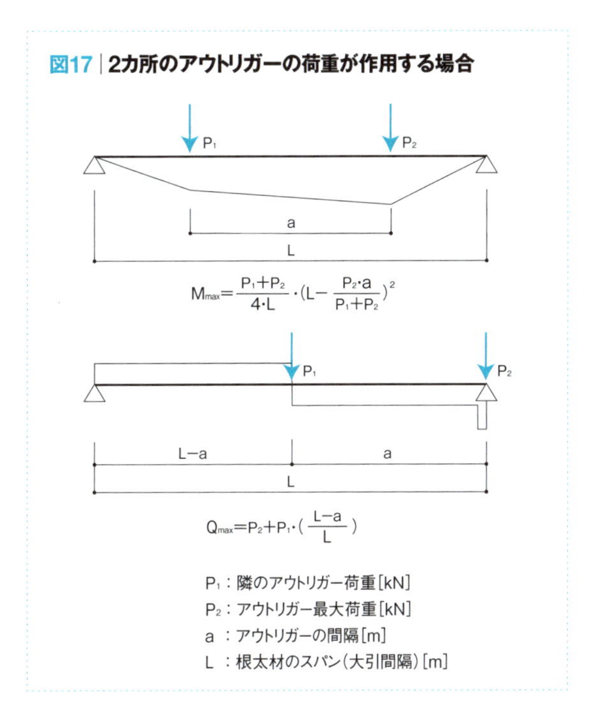

図17｜2カ所のアウトリガーの荷重が作用する場合

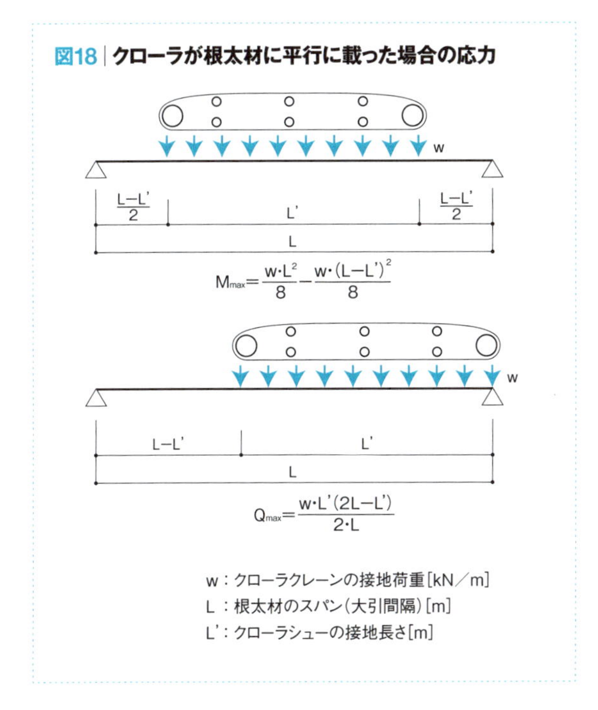

図18｜クローラが根太材に平行に載った場合の応力

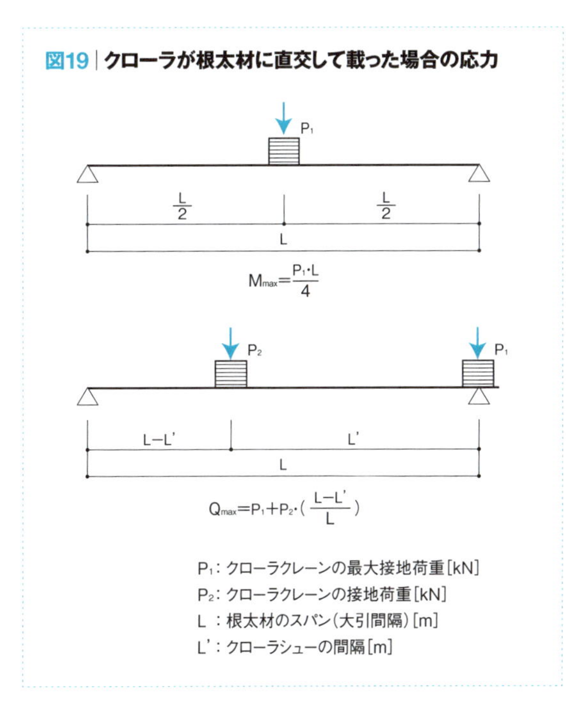

図19｜クローラが根太材に直交して載った場合の応力

大引材の検討

大引材は、支柱で支持される単純梁として応力算定する。

大引材には、根太材を介して鉛直荷重が作用する。根太材のピッチに分散された集中荷重として作用するが、荷重が直接大引材に作用する場合でも大引材に作用するせん断力は同一であり、曲げモーメントについても多少安全側の検討ができることや、計算が簡略化できることから、荷重が直接大引材に作用するものとして応力を算定する。

[1]──固定荷重による応力

大引材の荷重負担領域は、両隣の大引材の中央までの範囲となり、覆工板、根太材の重量と大引材の自重が固定荷重となって作用する[図20]。

[2]──車両による応力

大引材は、車両の走行方向に直交方向に配置されることが多い。この場合、車両の後輪の荷重が同時に作用するときに応力が最大になる[図21]。

[3]──ラフテレーンクレーンによる応力

走行時は車両による応力と同様に算定する。

作業時については、車両と同様、集中荷重として応力算定するが、大引材にアウトリガーの荷重が2カ所作用する場合に応力が最大になる[図22]。

図20｜大引材に作用する固定荷重による応力

$$M_d=\frac{w \cdot L^2}{8}$$

$$Q_d=\frac{w \cdot L}{2}$$

$$w=w_1+(w_2+w_3+w_4)\cdot\frac{L_1+L_2}{2}$$

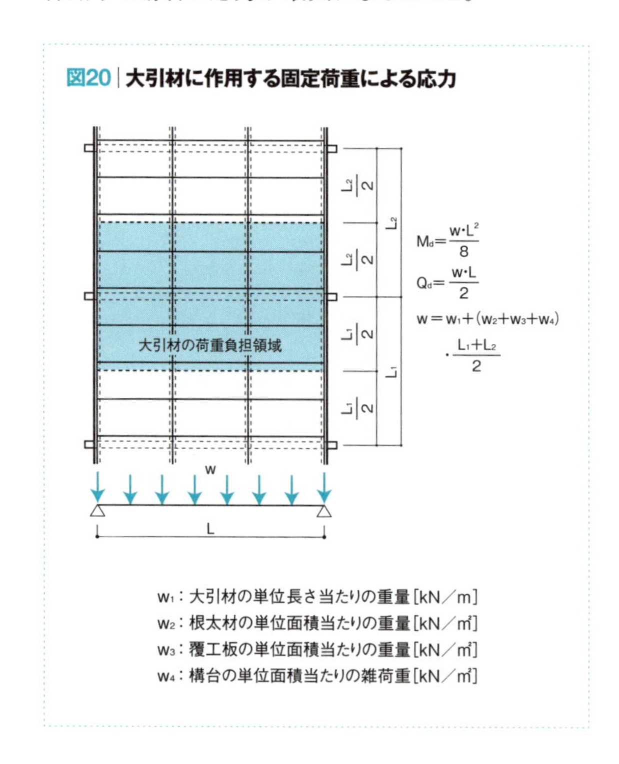

w_1：大引材の単位長さ当たりの重量[kN／m]
w_2：根太材の単位面積当たりの重量[kN／m²]
w_3：覆工板の単位面積当たりの重量[kN／m²]
w_4：構台の単位面積当たりの雑荷重[kN／m²]

図21｜大引材に作用する車両による応力

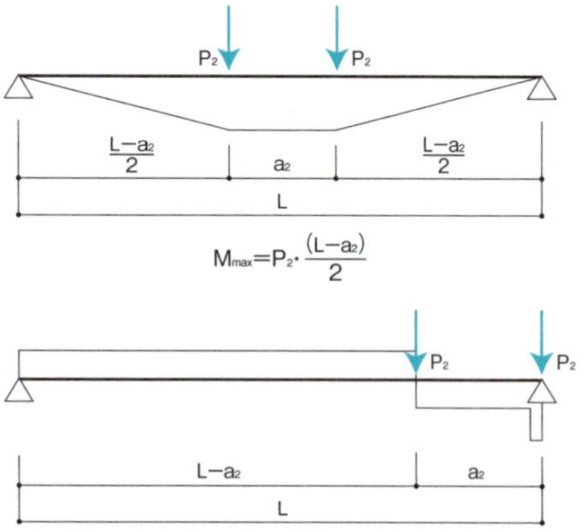

$$M_{max}=P_2\cdot\frac{(L-a_2)}{2}$$

$$Q_{max}=P_2\cdot\left(1+\frac{L-a_2}{L}\right)$$

P_2：後輪荷重[kN]
a_2：後輪の間隔[m]

図22｜ラフテレーンクレーンによる応力

$$M_{max}=\frac{P_1+P_2}{4\cdot L}\cdot\left(L-\frac{P_2\cdot a}{P_1+P_2}\right)^2$$

$$Q_{max}=P_2+P_1\cdot\left(\frac{L-a}{L}\right)$$

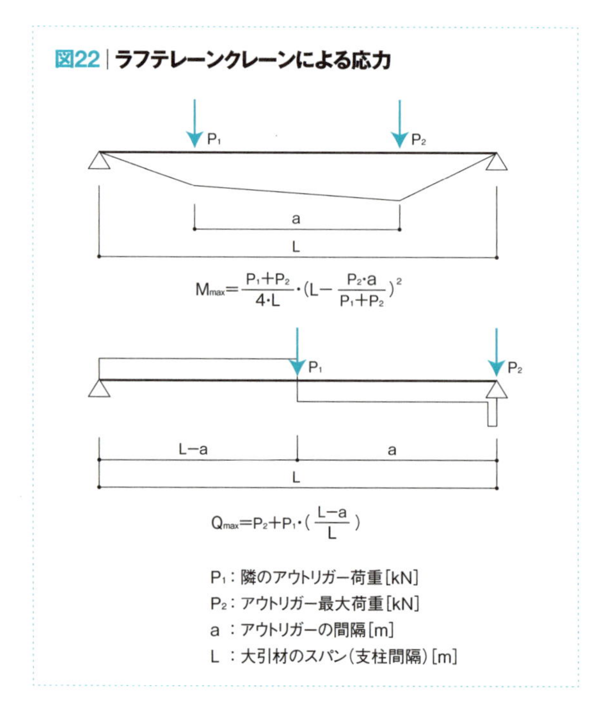

P_1：隣のアウトリガー荷重[kN]
P_2：アウトリガー最大荷重[kN]
a ：アウトリガーの間隔[m]
L ：大引材のスパン(支柱間隔)[m]

[4]──クローラクレーンによる応力

走行時は作業時と状況は同じで、荷重は作業時より小さくなるので、ここでは省略する。

作業時については、片側のクローラが大引材に平行に載った場合の応力と、直交して載った場合の応力算定を行う[図23・24]。なお、クローラが大引材に直交して載った場合は、集中荷重として応力算定する。

図23｜クローラが大引材に平行に載った場合の応力

$$M_{max}=\frac{w \cdot L^2}{8}+\frac{w \cdot (L-L')^2}{8}$$

$$Q_{max}=\frac{w \cdot L'(2L-L')}{2 \cdot L}$$

w：クローラクレーンの接地荷重[kN／m]
L：大引材のスパン(支柱間隔)[m]
L'：クローラシューの接地長さ[m]

水平つなぎ・垂直ブレースの検討

水平つなぎと垂直ブレースから構成される垂直構面は、その構面に作用する水平力を負担する。水平つなぎは水平力による軸方向圧縮力に対して、ブレース材は引張力に対して有効であると仮定して応力算定する[図25]。

図24｜クローラが大引材に直交して載った場合の応力

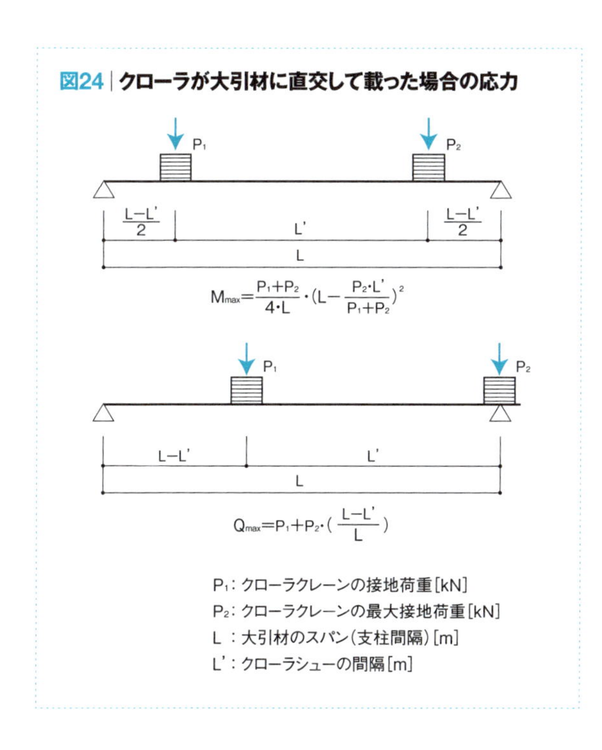

$$M_{max}=\frac{P_1+P_2}{4 \cdot L} \cdot \left(L-\frac{P_2 \cdot L'}{P_1+P_2}\right)^2$$

$$Q_{max}=P_1+P_2 \cdot \left(\frac{L-L'}{L}\right)$$

P_1：クローラクレーンの接地荷重[kN]
P_2：クローラクレーンの最大接地荷重[kN]
L：大引材のスパン(支柱間隔)[m]
L'：クローラシューの間隔[m]

図25｜水平つなぎ・垂直ブレースの検討条件

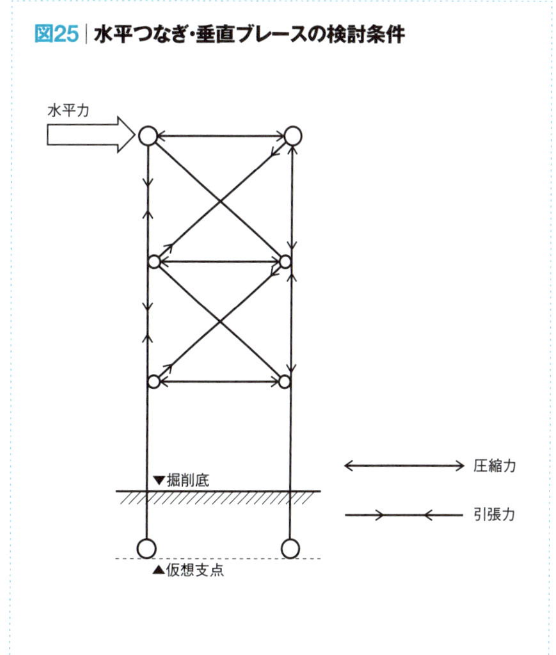

水平ブレースの検討

水平ブレースは、1構面の水平力の1/2を負担するものとして応力算定する[図26]。

支柱の検討

支柱は固定荷重、積載荷重、衝撃荷重からなる鉛直荷重による軸力と、水平荷重による曲げ、軸力の組み合わせ応力に対して算定する。

構台を構成する各部材の接合部はピン接合であり、支柱の根入れ部は仮想支点でピン支持と仮定して応力算定する[図27]。

[1]――固定荷重による応力

固定荷重には、支柱の自重、構台を構成する各部材の総重量、構台上の雑荷重が含まれる。支柱1本は荷重負担領域を支持するとして、応力算定する[図28]。

[2]――車両・重機による応力

車両や重機により支柱へ作用する荷重は、車両や重機による大引材の応力算定時の支点反力となるが、作業する状況や台数などにより異なってくる。支柱1本の荷重負担領域を1台の車両・重機が占有した状況を想定し、構台に乗り入れる車両・重機の最大重量を上限として応力算定する。

[3]――水平力による支柱軸方向の応力

支柱頭部に作用する鉛直荷重の20%が水平力として作用するものとして応力算定する。

[4]――水平力による支柱の曲げ応力

1スパンの構台では、同一構面内の支柱2本が水平力の1/2を負担する。また、2スパンの構面では支柱が3本となり、それぞれ1/3の水平力を負担するものとして応力算定する。

図26｜水平ブレースの検討条件

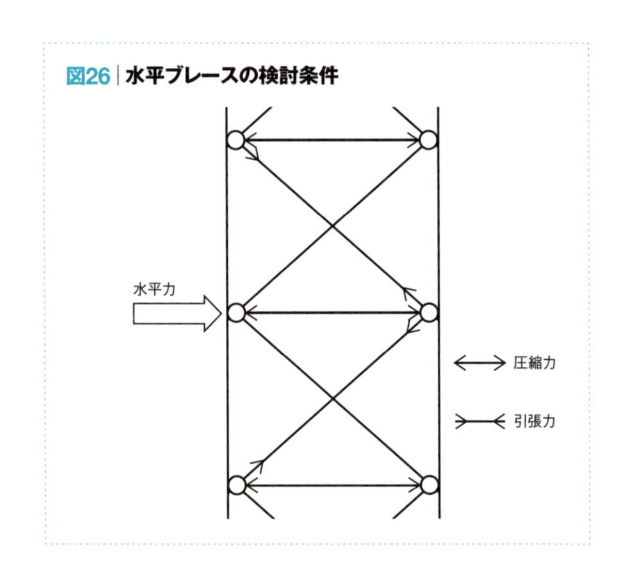

図27｜支柱の検討条件

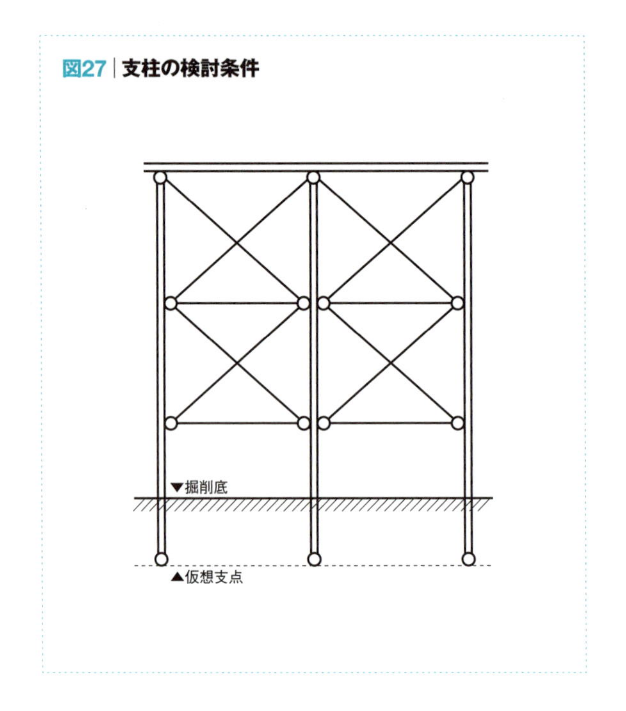

図28｜支柱に作用する固定荷重による応力

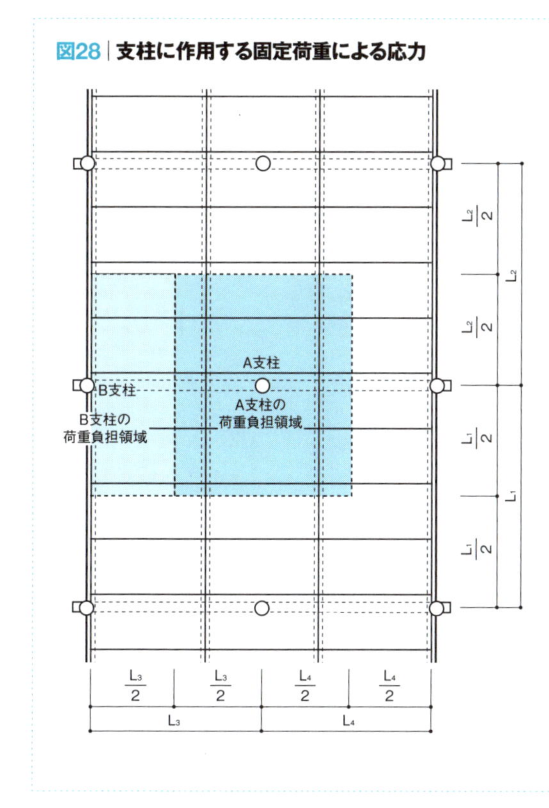

$$N_{dA}=w_1+(w_2+w_3)\cdot\left(\frac{L_1+L_2}{2}\right)\cdot\left(\frac{L_3+L_4}{2}\right)$$

w_1：支柱の自量[kN]
w_2：荷重負担領域内の構成部材の単位面積当たりの重量[kN／㎡]
w_3：荷重負担領域内の構台の単位面積当たりの雑荷重[kN／㎡]

乗り入れ構台の検討

check

□ 各工程における構台の使用状況を想定したうえで規模・配置を決定する
□ 想定した構台の規模・配置の安全性を構造計算によって確認する

設計は、（一社）日本建築学会「期限付き構造物の設計施工マニュアル同解説 乗り入れ構台」の規準に準ずる。検討の手順は、①荷重の算定→②覆工板の検討→③根太材の検討→④大引材の検討→⑤支柱材の検討（支柱支持力の検討も含む）→⑥ブレース材の検討→⑦つなぎ材の検討、といった流れで行う。

1 部材構成と検討条件

step.1 設計条件

—

右図に示す乗り入れ構台について計算する。使用する車両および重機は、トラック、55tクローラクレーン、50tラフテレーンクレーンの3種である。

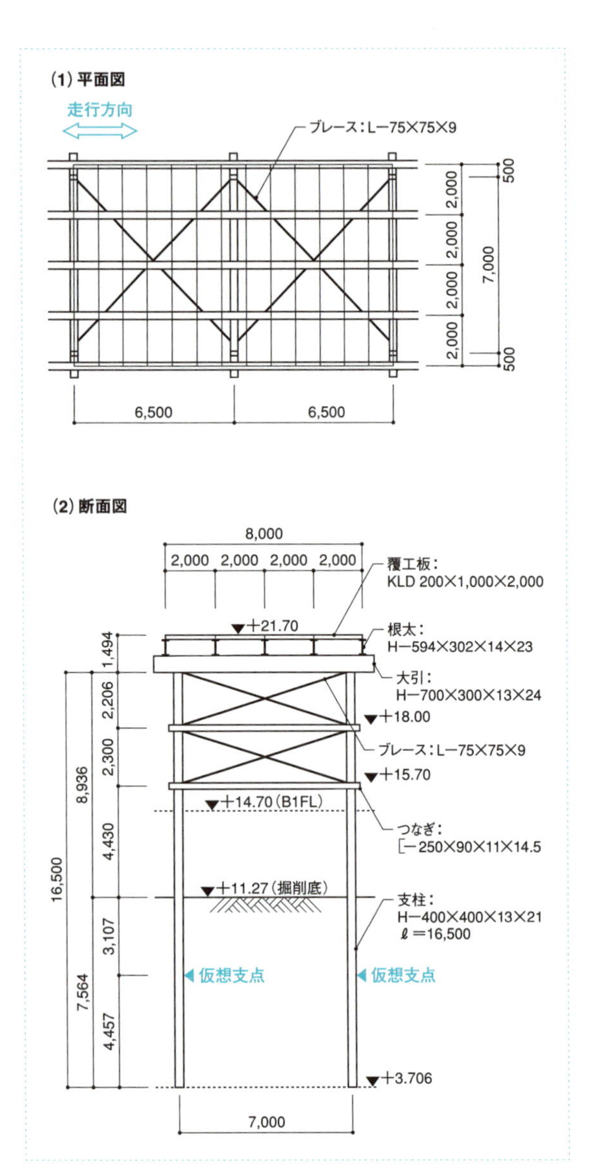

step. 2

使用材料と許容応力度

使用する材料および各仕様については下表のとおりとする。

材料		断面係数Z [cm³]	断面2次モーメントI [cm⁴]	断面積A [cm²]	断面2次半径i [cm]	備考
覆工板	KLD 200 × 1,000 × 2,000	1,688	16,040	225	8.44	—
根太	H − 594 × 302 × 14 × 23	4,500	134,000	76.72	—	—
大引	H − 700 × 300 × 13 × 24	5,640	197,000	84.76	—	—
支柱	H − 400 × 400 × 13 × 21	3,330	66,600	218.7	10.1	限界細長比Λ= 120
ブレース材	L − 75 × 75 × 9	—	—	12.69	—	—
つなぎ材	[− 250 × 90 × 11 × 14.5	—	—	51.17	2.54	限界細長比Λ= 120 座屈長さl_k = 700cm

注　根太・大引の断面積はせん断有効断面積A_wを表す

また、使用材料の許容応力度は中期許容応力度を使用し、以下のとおりとする。

・鋼材　許容引張応力度f_t＝195N/mm²

許容せん断応力度f_s＝113N/mm²

許容圧縮応力度

$$\lambda \leqq \Lambda \quad f_c=\left\{\frac{\{1-0.4(\lambda/\Lambda)^2\}\cdot F}{\frac{3}{2}+\frac{2}{3}\left(\frac{\lambda}{\Lambda}\right)^2}\right\}\cdot 1.25$$

$$\lambda > \Lambda \quad f_c=\left\{\frac{0.277\cdot F}{(\lambda/\Lambda)^2}\right\}\cdot 1.25$$

$$\Lambda：限界細長比=\left(\frac{\pi^2\cdot E}{0.6\cdot F}\right)^{\frac{1}{2}}$$

E：ヤング係数＝2.05×10^5N/mm²

F：F値＝235N/mm²

$$\lambda：細長比=\frac{L_k}{i}$$

L_k：座屈長さ[mm]

i　：断面2次半径[mm]

・ボルトの許容せん断応力度　普通ボルト　f_s＝102N/mm²

高力ボルト　f_s＝220N/mm²

・隅肉継ぎ目ののど断面に対する許容せん断応力度 f_s＝70N/mm²

荷重の算定

固定荷重、重機の作業時に生じる衝撃荷重、水平荷重については以下のとおりとする。

・固定荷重

覆工板：2.11kN/m²

根太：1.7kN/m

大引：1.82kN/m

支柱：1.75kN/m

ブレース・つなぎ材：0.20kN/m³

（構台の単位体積当たりの重量とする）

・衝撃荷重：総和荷重に対し、20%（衝撃係数i＝1.2）を考慮する

・水平荷重：積載荷重に対する水平力は、総和荷重の20%とする

また、積載荷重については、下図のとおりとする。

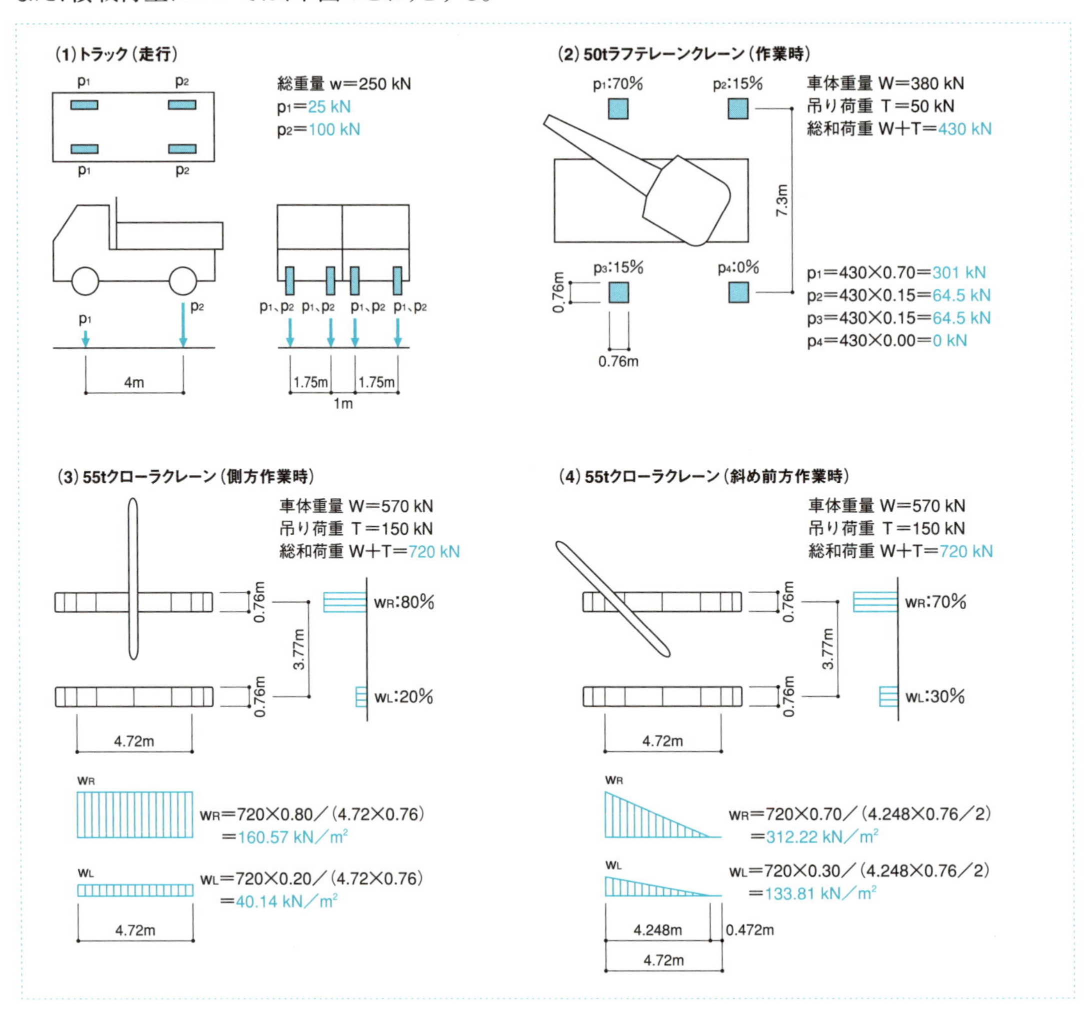

2 覆工板の検討

step. 1 固定荷重による応力の算定

覆工板（KLD－200×1,000×2,000）は、根太材に支持された単純梁として検討を行う。覆工板の重量は2.11 kN／m²なので、単位幅当たりの荷重wは、

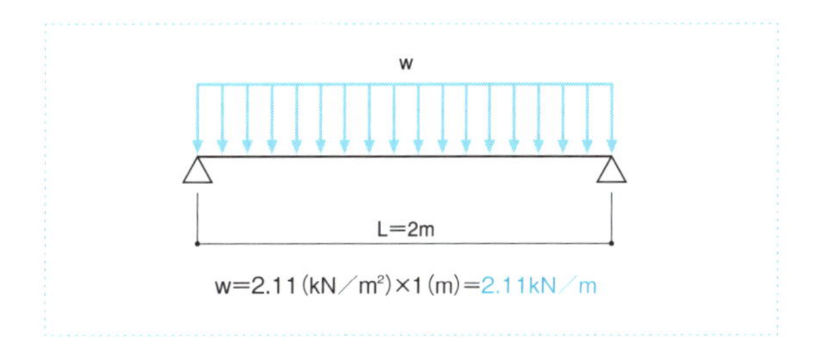

$$w=2.11\,(\mathrm{kN/m^2})\times1\,(\mathrm{m})=2.11\,\mathrm{kN/m}$$

よって、曲げモーメントMd、およびせん断力Qdは以下のとおりとなる。

$$M_d=\frac{w\cdot L^2}{8}=\frac{2.11\times2^2}{8}=1.06\,\mathrm{kN\cdot m}$$

$$Q_d=\frac{w\cdot L}{2}=\frac{2.11\times2}{2}=2.11\,\mathrm{kN}$$

step. 2 積載荷重（トラック）による応力の算定

まず、トラックによる応力を算定する。この場合、曲げモーメントが最大になるのは覆工板の中央に2台分の荷重が均等に加わるときである。また、せん断が最大になるのは1台の荷重が端部に加わったときとなる。荷重には積載荷重の20％分を衝撃荷重として考慮する。よって、最大曲げモーメントMmax、および最大せん断力Qmaxは以下のとおりとなる。

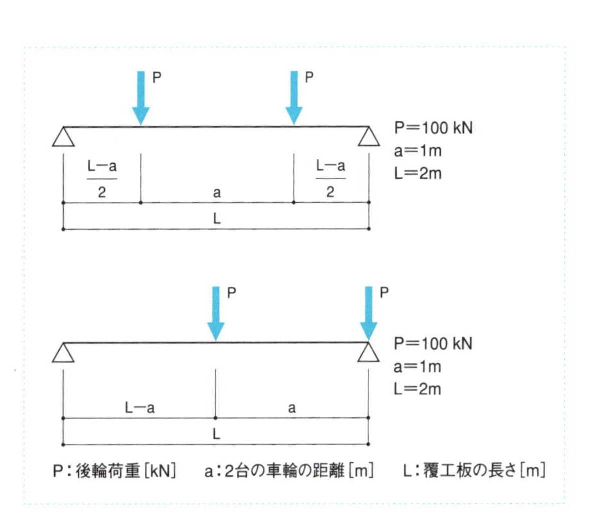

$$M_{max}=P\cdot\frac{L-a}{2}\cdot1.2=100\times\frac{2-1}{2}\times1.2=60\,\mathrm{kN\cdot m}$$

$$Q_{max}=P\cdot\left(1+\frac{L-a}{L}\right)\cdot1.2=100\times\left(1+\frac{2-1}{2}\right)\times1.2=180\,\mathrm{kN}$$

step. 3 積載荷重（クローラクレーン）による応力の算定

次に、55tクローラクレーンによる応力を算定するが、走行時は作業時より覆工板に作用する荷重は小さくなるので、ここでは省略する。また、覆工板の長手に対してクローラが直交する場合が最も不利となるので、この場合の応力を算定する。

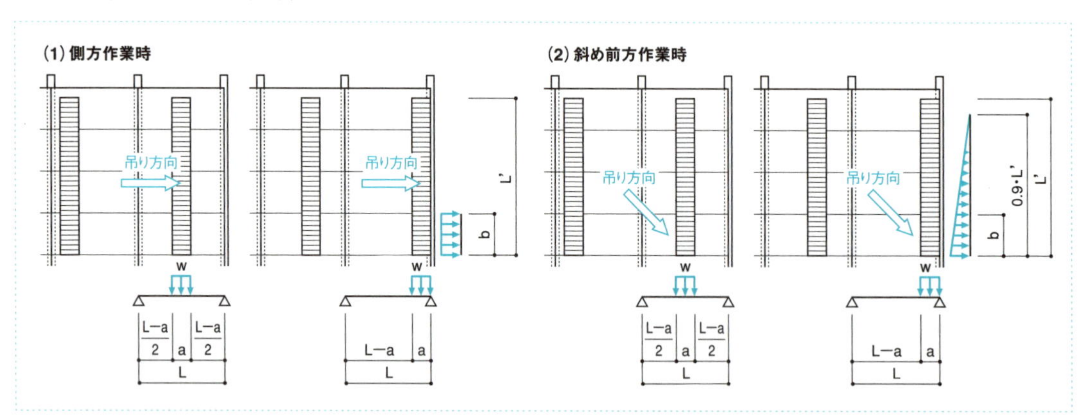

まず、側方作業の場合の最大荷重w、ならびに最大曲げモーメントMmax、最大せん断力Qmaxは、

$$w=\frac{0.8\cdot(W+T)\cdot 1.2}{L'}=\frac{0.8\times(570+150)\times 1.2}{4.72}=146.44\text{kN/m}$$

$$M_{max}=\frac{w\cdot b\cdot L}{4}=\frac{146.44\times 1\times 2}{4}=73.22\text{kN·m}$$

$$Q_{max}=w\cdot b=146.44\times 1=146.44\text{kN}$$

次に、斜め前方作業の場合の最大荷重w、最大曲げモーメントMmax、最大せん断力Qmaxを算定する。

$$w=\frac{0.7\cdot(W+T)\cdot 1.2}{0.9\cdot L'}\cdot\left(1+\frac{0.9\cdot L'-b}{0.9\cdot L'}\right)=\frac{0.7\times(570+150)\times 1.2}{0.9\times 4.72}\times\left(1+\frac{0.9\times 4.72-1}{0.9\times 4.72}\right)$$

$$=251.23\text{kN/m}$$

$$M_{max}=\frac{w\cdot b\cdot L}{4}=\frac{251.23\times 1\times 2}{4}=125.62\text{kN·m}$$

$$Q_{max}=w\cdot b=251.23\times 1=251.23\text{kN}$$

step. 4

積載荷重(ラフテレーンクレーン)による応力の算定

最後に50tラフテレーンクレーンによる応力を算定する。この場合、曲げモーメントが最大になるのは覆工板の中央にアウトリガーの最大荷重が均等に加わるときであり、せん断が最大になるのはアウトリガーの最大荷重が端部に加わったときとなる。よって、最大曲げモーメントM_{max}および最大せん断力Q_{max}は、

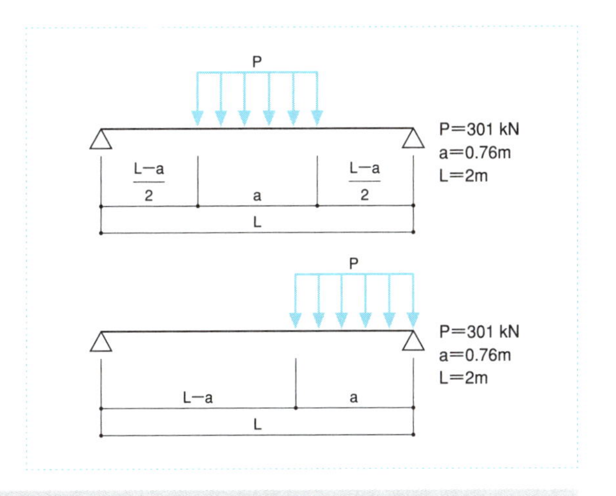

$$M_{max}=\frac{P\cdot(2\cdot L-a)\cdot 1.2}{8}=\frac{301\times(2\times2-0.76)\times1.2}{8}=146.29\,\mathrm{kN\cdot m}$$

$$Q_{max}=\frac{P\cdot(2\cdot L-a)\cdot 1.2}{2\cdot L}=\frac{301\times(2\times2-0.76)\times1.2}{2\times2}=292.57\,\mathrm{kN}$$

以上までの固定荷重および積載荷重による応力の算定結果を下表にまとめる。曲げモーメント・せん断力ともに最大となるのは50tラフテレーンクレーンの作業時であるので、これにより断面の検討を行う。

積載荷重		曲げモーメント[kN・m]			せん断力[kN]		
		M_d	M_{max}	合計M	Q_d	Q_{max}	合計Q
トラック	走行	1.06	60	61.06	2.11	180	182.11
55t クローラクレーン	側方		73.22	74.28		146.44	148.55
	斜め		125.62	126.68		251.23	253.34
50t ラフテレーンクレーン	作業		146.29	147.35		292.57	294.68
最大値		1.06	146.29	147.35	2.11	292.57	294.68

step. 5

断面の検討

曲げ応力度σbおよびせん断応力度τを算定し、鋼材の許容曲げ応力度fb、許容せん断応力度fsと比較して強度的に問題がないことを確認する。

$$\sigma_b=\frac{M}{Z}=\frac{147.35\times10^6}{1{,}688\times10^3}=87.29\,\mathrm{N/mm^2}<f_b=f_t(\text{許容引張応力度})=195\,\mathrm{N/mm^2}\rightarrow \mathrm{OK}$$

$$\tau=\frac{Q}{A}=\frac{294.68\times10^3}{225\times10^2}=13.10\,\mathrm{N/mm^2}<f_s=113\,\mathrm{N/mm^2}\rightarrow \mathrm{OK}$$

3 根太材の検討

固定荷重による応力の算定

根太材は大引に支持された単純梁として検討を行う。ここではまず、固定荷重wd(根太の自重+覆工板の重量)による曲げモーメントMd、せん断力Qdを算定する。
なお、固定荷重の等分布荷重による最大曲げモーメント発生位置と、積載荷重による最大曲げモーメント発生位置が多少異なるが、根太に作用する最大曲げモーメントは、両者の最大曲げモーメントの和とする。

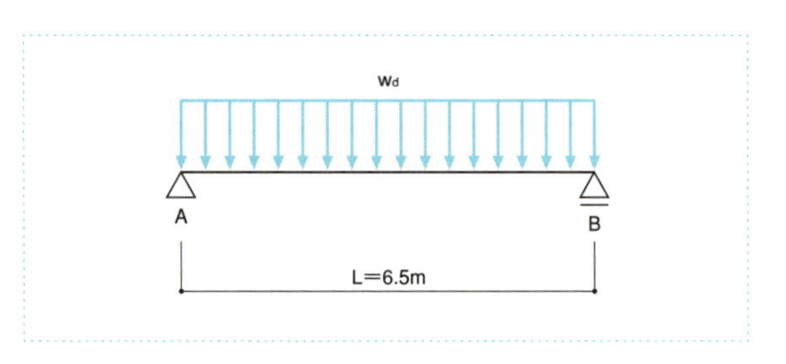

$$w_d = w_f \cdot a + w_n = 2.11 \times 2 + 1.7 = 5.92\,\text{kN/m}$$

w_f：覆工板自重(=2.11kN/m²)

a ：根太1本が受けもつ覆工板の幅(=2m)

w_n：根太自重(=1.7kN/m)

$$M_d = \frac{w_d \cdot L^2}{8} = \frac{5.92 \times 6.5^2}{8} = 31.27\,\text{kN·m}$$

$$Q_d = \frac{w_d \cdot L}{2} = \frac{5.92 \times 6.5}{2} = 19.24\,\text{kN}$$

積載荷重(トラック)による応力の算定

トラックによる応力を算定する。荷重は、180頁で算定した積載荷重に20%分を考慮した値とする。まず、車輪の前輪・後輪が同時に作用する場合のMmaxとQmaxを算定すると[172頁図14参照]、

$$M_{max} = \frac{P_1 + P_2}{4 \cdot L} \cdot \left(L - \frac{P_2 \cdot a_1}{P_1 + P_2}\right)^2 = \frac{30+120}{4 \times 6.5} \times \left(6.5 - \frac{120 \times 4.0}{30+120}\right)^2 = 62.83\,\text{kN·m}$$

$$Q_{max} = P_2 + P_1 \cdot \left(\frac{L - a_1}{L}\right) = 120 + 30 \times \left(\frac{6.5 - 4.0}{6.5}\right) = 131.54\,\text{kN}$$

P_1：前輪荷重に衝撃荷重20%を考慮した値[kN](=p_1×1.2=25×1.2=30kN)

P_2：後輪荷重に衝撃荷重20%を考慮した値[kN](=p_2×1.2=100×1.2=120kN)

a_1：前輪と後輪の間隔[m]

L ：大引材のスパン(根太材の間隔)[m]

次に、2台の後輪荷重が同時に作用する場合のMmaxとQmaxを算定する[172頁図15参照]。

$$M_{max} = P_2 \cdot \frac{L - a_2}{2} = 120 \times \frac{6.5 - 1}{2} = 330\,\text{kN·m}$$

$$Q_{max} = P_2 \cdot \left(1 + \frac{L - a_2}{L}\right) = 120 \times \left(1 + \frac{6.5 - 1}{6.5}\right) = 221.5\,\text{kN}$$

P_2：後輪荷重に衝撃荷重20%を考慮した値[kN](=p_2×1.2=100×1.2=120kN)

a_2：2台の後輪の間隔[m]

step. 3 積載荷重(クローラクレーン)による応力の算定

55tクローラクレーンが根太材に平行に載った場合の応力を算定する。まず、側方作業時のMmax、Qmaxを算定する[173頁図18参照]。この場合の最大荷重は、180頁で算定した積載荷重の20%分を衝撃荷重として考慮した値とする。

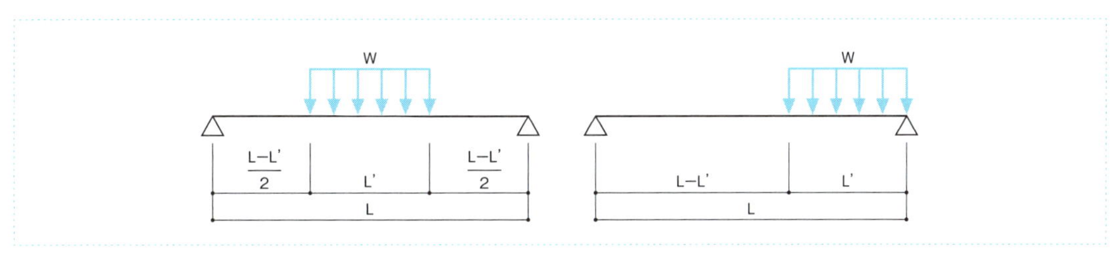

$$w=\frac{0.8\cdot(W+T)\cdot1.2}{L'}=\frac{0.8\times720\times1.2}{4.72}=146.44\text{kN/m}$$

$$M_{max}=\frac{w\cdot L^2}{8}-\frac{w\cdot(L-L')^2}{8}=\frac{146.44\times6.5^2}{8}-\frac{146.44\times(6.5-4.72)^2}{8}$$

$$=773.39-58.0=715.39\text{kN·m}$$

$$Q_{max}=\frac{w\cdot L'\cdot(2L-L')}{2\cdot L}=\frac{146.44\times4.72\times(2\times6.5-4.72)}{2\times6.5}=440.24\text{kN}$$

次に、斜め前方作業時のMmaxとQmaxを算定する。斜め前方吊り、前方吊りは三角形分布荷重となるが、Mmaxは総荷重Pの分布重心を根太中央に合わせて求め、Qmaxは荷重幅を根太端部に合わせて算定する。

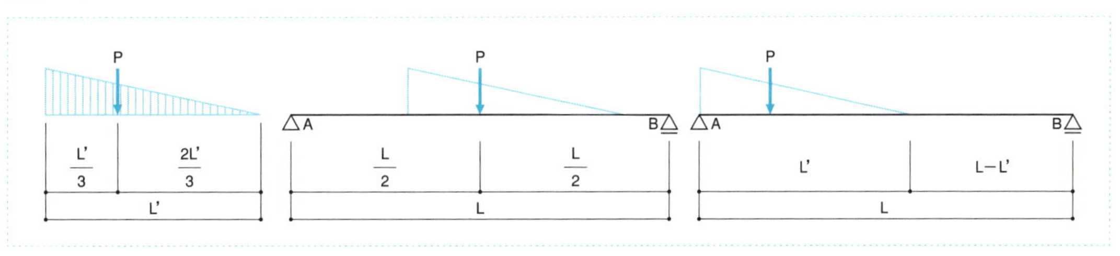

$$P=0.7\cdot(W+T)\cdot1.2=0.7\times720\times1.2=604.8\text{kN}$$

$$M_{max}=\frac{P\cdot L}{4}-\frac{8\cdot P\cdot L'}{81}=\frac{604.8\times6.5}{4}-\frac{8\times604.8\times4.248}{81}=729.05\text{kN·m}$$

$$Q_{max}=P-\frac{P\cdot L'}{3\cdot L}=604.8-\frac{604.8\times4.248}{3\times6.5}=473.05\text{kN}$$

step.4 積載荷重(ラフテレーンクレーン)による応力の算定

50tラフテレーンクレーンによる応力を算定する。まず、最大荷重が生じるアウトリガー1カ所のみが作用する場合のMmax、Qmaxを算定する[173頁図16参照]。衝撃荷重として、最大荷重の20%分を考慮すること。

$$P_1=0.7\cdot(W+T)\times1.2=0.7\times430\times1.2=361.2\,\text{kN}$$

$$M_{max}=\frac{P_1\cdot L}{4}=\frac{361.2\times6.5}{4}=586.95\,\text{kN·m}$$

$$Q_{max}=P_1=361.2\,\text{kN}$$

次に、根太材にアウトリガー2カ所が作用する場合のMmax、Qmaxを求めるのだが[173頁図17参照]、本例題ではアウトリガー間隔(=7.3m)より根太材のスパン(大引間隔)が小さいので、アウトリガー2カ所が作用することはない。したがって、応力の算定はアウトリガー1カ所が作用する場合のみでよい。
以上までの固定荷重および積載荷重による応力の算定結果を下表にまとめる。

積載荷重		曲げモーメント[kN·m]			せん断力[kN]		
		M_d	M_{max}	合計M	Q_d	Q_{max}	合計Q
トラック	走行	31.27	330	361.27	19.24	221.5	240.74
55t クローラクレーン	側方		715.39	746.66		440.24	459.48
	斜め		729.05	760.32		473.05	492.29
50t ラフテレーンクレーン	作業		586.95	618.22		361.2	380.44
最大値		31.27	729.05	760.32	19.24	473.05	492.29

step.5 断面の検討

上表に示す曲げモーメント・せん断力の最大値により断面の検討を行い、たわみについても確認する。

$$\sigma_b=\frac{M}{Z}=\frac{760.32\times10^6}{4{,}500\times10^3}=169.0\,\text{N/mm}^2<f_b=195\,\text{N/mm}^2\rightarrow\text{OK}$$

$$\tau=\frac{Q}{A}=\frac{492.29\times10^3}{76.72\times10^2}=64.2\,\text{N/mm}^2<f_s=113\,\text{N/mm}^2\rightarrow\text{OK}$$

$$\delta=\frac{5\cdot M_l\cdot L^2}{48\cdot E\cdot I}=\frac{5\times638.81\times10^6\times6.5^2\times10^6}{48\times2.05\times10^5\times134{,}000\times10^4}=10.2\,\text{mm}$$

M_l:衝撃荷重を含まないモーメント
$\left(M_l=31.27+\frac{729.05}{1.2}=638.81\,\text{kN·m}\right)$

$$\frac{\delta}{L}=\frac{10.2}{6{,}500}=\frac{1}{635}\leqq\frac{1}{300}\rightarrow\text{OK}$$

[注]——step.5において、たわみの検討は衝撃係数を含まない積載荷重で行う

4 大引材の検討

step.1 単純梁部の応力算定(固定荷重)

大引は、支柱に支持された単純梁として扱う単純梁部と、支柱からの片持ち梁として扱う片持ち梁部の2種類について検討を行う。なお、覆工板+根太自重による最大曲げモーメント発生位置と、大引自重による最大曲げモーメント発生位置、および積載荷重による最大曲げモーメント発生位置が多少異なるが、大引に作用する最大曲げモーメントは、三者の最大曲げモーメントの和とする。

まず、単純梁部における固定荷重(覆工板+根太自重)を下式により求める。

$$P = (w_f \cdot a + w_n) \cdot L'$$

$$= (2.11 \times 2 + 1.7) \times 6.5 = 38.48\text{kN}$$

P :大引に集中荷重として作用する覆工板および根太材の自重[kN]

w_f:覆工板自重(=2.11kN/m²)

a :根太1本が受けもつ覆工板の幅(=2m)

w_n:根太自重(=1.7kN/m)

L' :根太長さ(=6.5m)

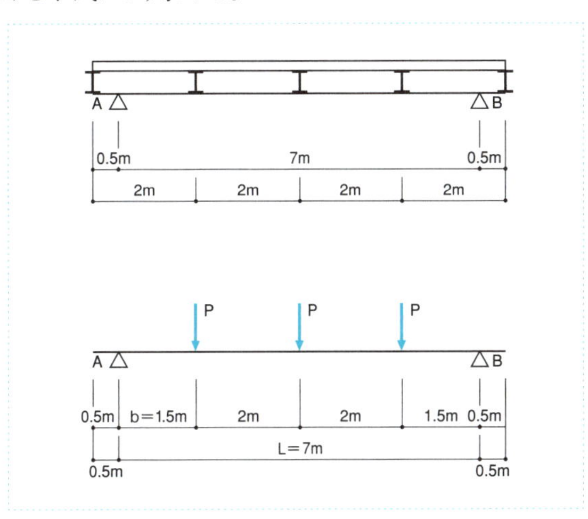

よって、最大曲げモーメントM_{d1}、および最大せん断力Q_{d1}は右図より、

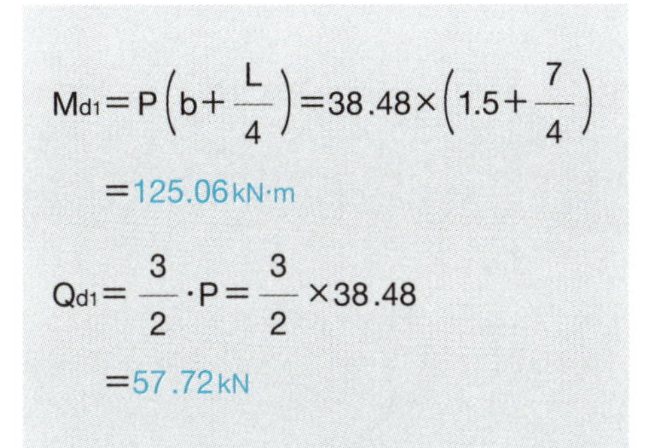

$$M_{d1} = P\left(b + \frac{L}{4}\right) = 38.48 \times \left(1.5 + \frac{7}{4}\right)$$

$$= 125.06\text{kN}\cdot\text{m}$$

$$Q_{d1} = \frac{3}{2} \cdot P = \frac{3}{2} \times 38.48$$

$$= 57.72\text{kN}$$

次に、大引の自重w_bによる最大曲げモーメントM_{d2}および最大せん断力Q_{d2}を算定する。

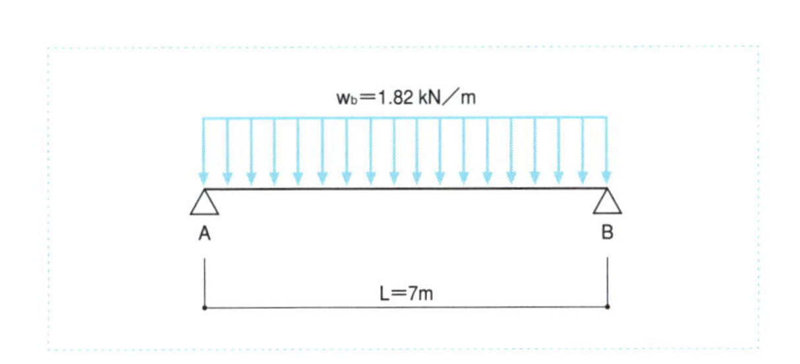

$$M_{d2} = \frac{w_b \cdot L^2}{8} = \frac{1.82 \times 7^2}{8} = 11.15\text{kN}\cdot\text{m}$$

$$Q_{d2} = \frac{w_b \cdot L}{2} = \frac{1.82 \times 7}{2} = 6.37\text{kN}$$

step. 2

単純梁部の応力算定(トラック)

トラックによる応力を算定する。大引材は車両の走行方向に対して直交方向に配置されているので、車両の後輪荷重が同時に作用するときに応力が最大になる。このときのM_{max}、Q_{max}は174頁図21より、

$$M_{max}=P_2\cdot\frac{L-a_2}{2}=120\times\frac{7-1}{2}=360\,\mathrm{kN\cdot m}$$

$$Q_{max}=P_2\cdot\left(1+\frac{L-a_2}{L}\right)=120\times\left(1+\frac{7-1}{7}\right)=222.86\,\mathrm{kN}$$

P_2：後輪荷重に衝撃荷重20%を考慮した値[kN]($P_2=p_2\times1.2=100\times1.2=120$kN)

a_2：後輪の間隔[m]

L ：大引材のスパン[m]

step. 3

単純梁部の応力算定(クローラクレーン)

大引材に対して55tクローラクレーンが直交する場合において、側方作業時と斜め前方作業時の応力をそれぞれ算定する。

クローラクレーンが大引材と直交する場合のMmax、Qmaxは175頁図24より、

側方作業時

$$M_{max}=\frac{P_1+P_2}{4\cdot L}\cdot\left(L-\frac{P_2\cdot L'}{P_1+P_2}\right)^2=\frac{172.8+691.2}{4\times 7}\times\left(7-\frac{691.2\times 3.77}{172.8+691.2}\right)^2=489.77\text{kN}\cdot\text{m}$$

$$Q_{max}=P_2+P_1\cdot\left(\frac{L-L'}{L}\right)=691.2+172.8\times\left(\frac{7-3.77}{7}\right)=770.93\text{kN}$$

P_1: $0.2\cdot(W+T)\times 1.2=0.2\times 720\times 1.2=172.8\text{kN}$

P_2: $0.8\cdot(W+T)\times 1.2=0.8\times 720\times 1.2=691.2\text{kN}$

斜め前方作業時

$$M_{max}=\frac{P_1+P_2}{4\cdot L}\cdot\left(L-\frac{P_1\cdot L'}{P_1+P_2}\right)^2=\frac{604.8+259.2}{4\times 7}\times\left(7-\frac{604.8\times 3.77}{604.8+259.2}\right)^2=586.85\text{kN}\cdot\text{m}$$

$$Q_{max}=P_1+P_2\cdot\left(\frac{L-L'}{L}\right)=604.8+259.2\times\left(\frac{7-3.77}{7}\right)=724.4\text{kN}$$

P_1: $0.7\cdot(W+T)\times 1.2=0.7\times 720\times 1.2=604.8\text{kN}$

P_2: $0.3\cdot(W+T)\times 1.2=0.3\times 720\times 1.2=259.2\text{kN}$

単純梁部の応力算定（ラフテレーンクレーン）

50tラフテレーンクレーンによる応力算定を行う。50tラフテレーンクレーンのアウトリガー間隔は7.3mで、大引材のスパンよりも大きい。したがって、アウトリガー1カ所が作用したときのM_{max}、Q_{max}を算定する。

$$P=0.7\cdot(W+T)\times1.2=0.7\times430\times1.2=361.2\,\text{kN}$$

$$M_{max}=\frac{P\cdot L}{4}=\frac{361.2\times7}{4}=632.1\,\text{kN}\cdot\text{m}$$（大引材中央にアウトリガーが載ることはないが、安全側の算定とする）

$$Q_{max}=P=361.2\,\text{kN}$$

固定荷重および積載荷重による応力の算定結果を下表にまとめる。このうちの曲げモーメント・せん断力の最大値により断面の検討を行う。

積載荷重		曲げモーメント［kN・m］				せん断力［kN］			
		M_{d1}	M_{d2}	M_{max}	合計M	Q_{d1}	Q_{d2}	Q_{max}	合計Q
トラック	走行	125.06	11.15	360	496.21	57.72	6.37	222.86	286.95
55t クローラクレーン	側方			489.77	625.98			770.93	835.02
	斜め			586.85	723.06			724.4	788.49
50t ラフテレーンクレーン	作業			632.1	768.31			361.2	425.29
最大値		125.06	11.15	632.1	768.31	57.72	6.37	770.93	835.02

単純梁部の断面検討

曲げ応力度σ_bおよびせん断応力度τを算定し、鋼材の許容曲げ応力度f_b、許容せん断応力度f_sと比較して強度的に問題がないことを確認する。

$$\sigma_b=\frac{M}{Z}=\frac{768.31\times10^6}{5{,}640\times10^3}=136.23\,\text{N/mm}^2<f_b=195\,\text{N/mm}^2\rightarrow\text{OK}$$

$$\tau=\frac{Q}{A_w}=\frac{835.02\times10^3}{84.76\times10^2}=98.52\,\text{N/mm}^2<f_s=113\,\text{N/mm}^2\rightarrow\text{OK}$$

$$\delta=\frac{5\cdot M_l\cdot L^2}{48\cdot E\cdot I}=\frac{5\times662.96\times10^6\times7^2\times10^6}{48\times2.05\times10^5\times197{,}000\times10^4}=8.4\,\text{mm}$$

$$\frac{\delta}{L}=\frac{8.4}{7{,}000}=\frac{1}{833}\leqq\frac{1}{300}\rightarrow\text{OK}$$

M_l：衝撃荷重を含まないモーメント

$\left(M_l=125.06+11.15+\frac{632.1}{1.2}=662.96\,\text{kN}\cdot\text{m}\right)$

［注］──**step.5**において、たわみの検討は衝撃係数を含まない積載荷重で行う

step. 6

片持ち梁部の応力算定(固定荷重)

片持ち梁部を検討する。まずは、固定荷重による応力を算定する。
覆工板、根太自重による大引への荷重は、単純梁部と同様に計算する。

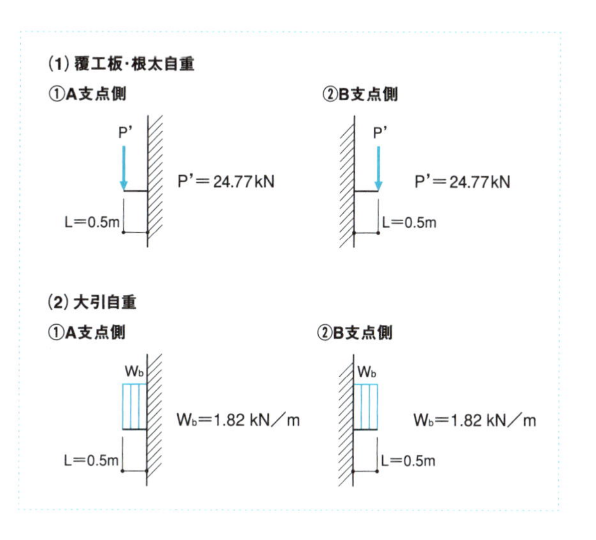

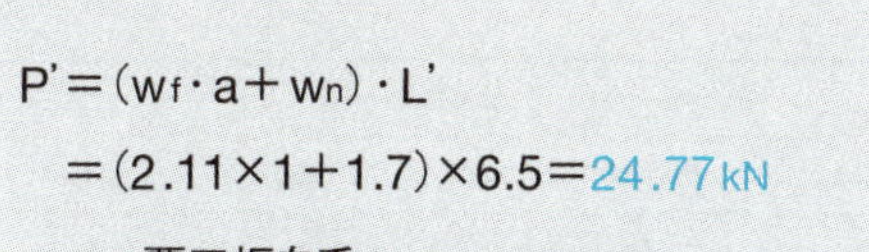

$P' = (w_f \cdot a + w_n) \cdot L'$

$= (2.11 \times 1 + 1.7) \times 6.5 = 24.77\,\mathrm{kN}$

w_f：覆工板自重(＝2.11kN/m²)

a　：根太1本が受けもつ覆工板の幅(＝1m)

w_n：根太自重(＝1.7kN/m)

L'　：根太長さ(＝6.5m)

よって、最大曲げモーメントM_{d1}、および最大せん断力Q_{d1}は、A・B支点側とも

$M_{d1} = P' \cdot L = 24.77 \times 0.5 = 12.39\,\mathrm{kN \cdot m}$

$Q_{d1} = P' = 24.77\,\mathrm{kN}$

大引の自重wbによる最大曲げモーメントM_{d2}、および最大せん断力Q_{d2}を算定する。

A・B支点側とも

$$M_{d2} = \frac{w_b \cdot L^2}{2} = \frac{1.82 \times 0.5^2}{2} = 0.23\,\mathrm{kN \cdot m}$$

$Q_{d2} = w_b \cdot L = 1.82 \times 0.5 = 0.91\,\mathrm{kN}$

片持ち梁部の応力算定(積載荷重)

単純梁と同様、下図に示すように、積載荷重(トラック、55 tクローラクレーン、50 tラフテレーンクレーン)による応力を算定する。

固定荷重および積載荷重による応力の算定結果は下表のとおりである。曲げモーメント・せん断力が最大となるのは、A支点側・B支点側ともに55 tクローラクレーンの側方作業時であるので、これにより断面の検討を行う。

積載荷重			曲げモーメント [kN·m]				せん断力 [kN]			
			M_{d1}	M_{d2}	M_{max}	合計M	Q_{d1}	Q_{d2}	Q_{max}	合計Q
トラック	走行	A支点側	12.39	0.23	60	72.62	24.77	0.91	120	145.68
		B支点側			60	72.62			120	145.68
55t クローラクレーン	側方	A支点側			345.6	358.22			691.2	716.88
		B支点側			345.6	358.22			691.2	716.88
	斜め	A支点側			302.4	315.02			604.8	630.48
		B支点側			302.4	315.02			604.8	630.48
50t ラフテレーンクレーン	作業	A支点側			180.6	193.22			361.2	386.88
		B支点側			180.6	193.22			361.2	386.88
最大値		A支点側	12.39	0.23	345.6	358.22	24.77	0.91	691.2	716.88
		B支点側								

(1) トラック(走行時)

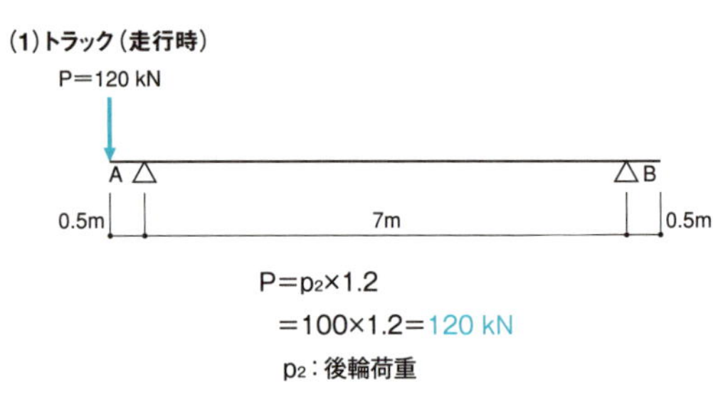

P=p₂×1.2

=100×1.2=120 kN

p₂:後輪荷重

A·B支点側とも

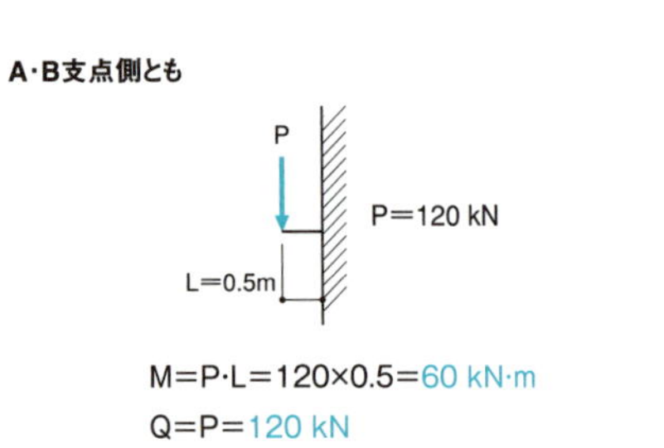

M=P·L=120×0.5=60 kN·m

Q=P=120 kN

(2) 55tクローラクレーン(側方作業時)

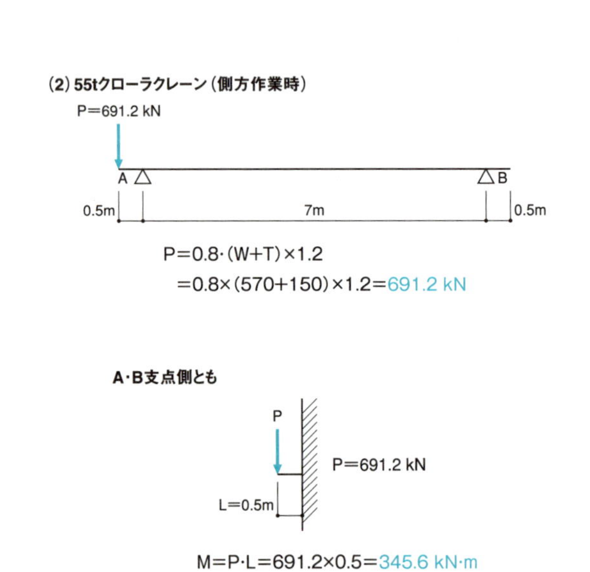

P=0.8·(W+T)×1.2

=0.8×(570+150)×1.2=691.2 kN

A·B支点側とも

M=P·L=691.2×0.5=345.6 kN·m

Q=P=691.2 kN

step 8 片持ち梁部の断面検討

曲げ応力度σ_bおよびせん断応力度τを算定し、鋼材の許容曲げ応力度f_b、許容せん断応力度f_sと比較して強度的に問題がないことを確認し、たわみについてもスパン長さに対して1/250以下か、確認する。

A·B支点側とも

$$\sigma_b=\frac{M}{Z}=\frac{358.22\times10^6}{5{,}640\times10^3}=63.5\,N/mm^2<f_b=195\,N/mm^2\rightarrow OK$$

$$\tau=\frac{Q}{A_w}=\frac{716.88\times10^3}{84.76\times10}=88.1\,N/mm^2<f_s=113\,N/mm^2\rightarrow OK$$

$$\delta=\frac{M_I\cdot L^2}{4\cdot E\cdot I}=\frac{300.62\times10^6\times0.5^2\times10^6}{4\times2.05\times10^5\times197{,}000\times10^4}=0.05\,mm$$

$$\frac{\delta}{L}=\frac{0.05}{500}=\frac{1}{10{,}000}\leqq\frac{1}{250}\rightarrow OK$$

M_I：衝撃荷重を含まないモーメント

$$\left(M_I=12.39+0.23+\frac{345.6}{1.2}=300.62\,kN\cdot m\right)$$

(3) 55tクローラクレーン（斜め前方作業時）

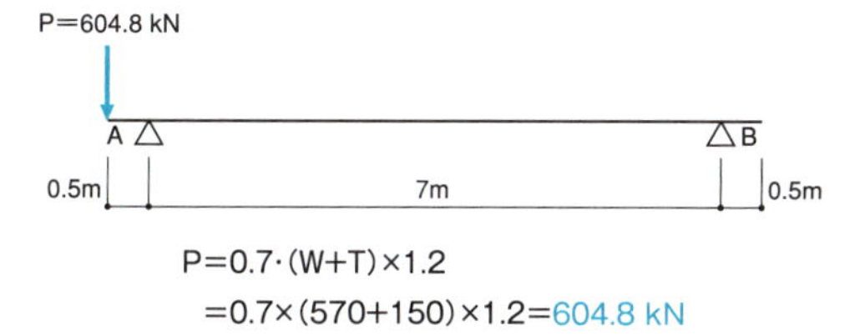

P=0.7·(W+T)×1.2
=0.7×(570+150)×1.2=604.8 kN

A·B支点側とも

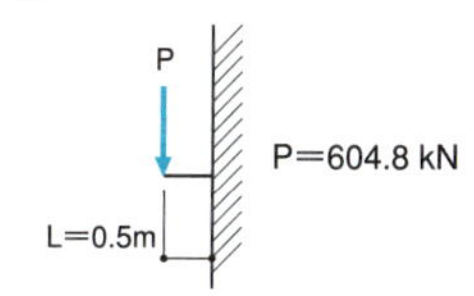

M=P·L=604.8×0.5=302.4 kN·m
Q=P=604.8 kN

(4) 50tラフテレーンクレーン（作業時）

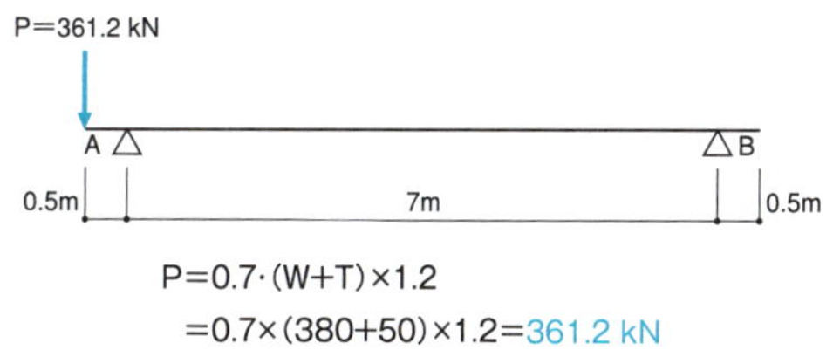

P=0.7·(W+T)×1.2
=0.7×(380+50)×1.2=361.2 kN

A·B支点側とも

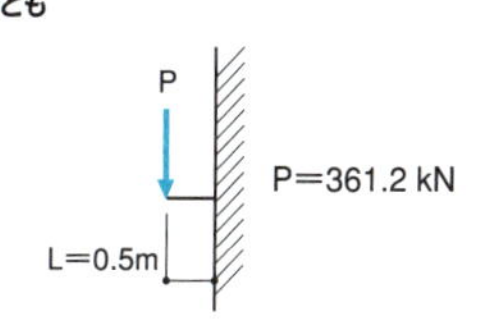

M=P·L=361.2×0.5=180.6 kN·m
Q=P=361.2 kN

5 支柱材の検討

鉛直荷重による軸力の算定

支柱は、鉛直荷重による軸力と、水平力による曲げ・軸力の組み合わせ応力について算定する。
まず、固定荷重による軸力を算定する。覆工板、根太自重によるA支点側の軸力N_{d1A}、およびB支点側の軸力N_{d1B}は、下式により荷重を求めたうえで算定する。

$P=(w_f \cdot a+w_n)\cdot L'$
$=(2.11\times2+1.7)\times6.5$
$=38.48\,kN$

$P'=(2.11\times2/2+1.7)\times6.5=24.77\,kN$

w_f：覆工板自重（$=2.11kN/m^2$）
a　：根太1本が受けもつ覆工板の幅（=2m）
w_n：根太自重（=1.7kN/m）
L'　：根太長さ（=6.5m）

$N_{d1A}=N_{d1B}=24.77+38.48+38.48/2$
$=82.5\,kN$

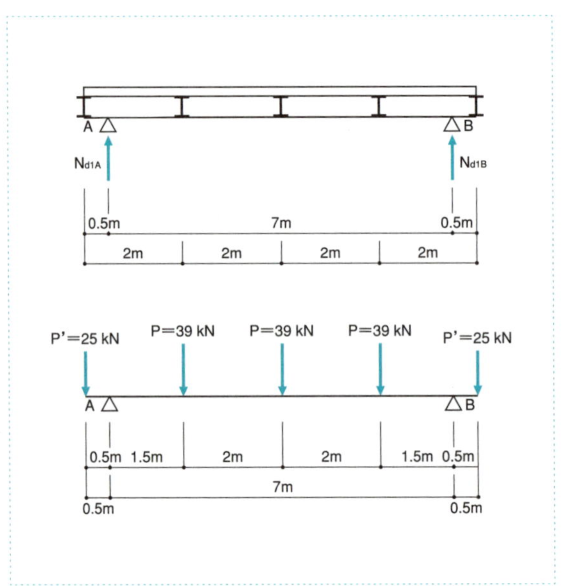

また、大引自重によるA支点側の軸力N_{d2A}、およびB支点側の軸力N_{d2B}は、以下のとおりである。

$N_{d2A}=N_{d2B}=(0.5+7/2)\cdot w_b$
$=4\times1.82=7.28\,kN$

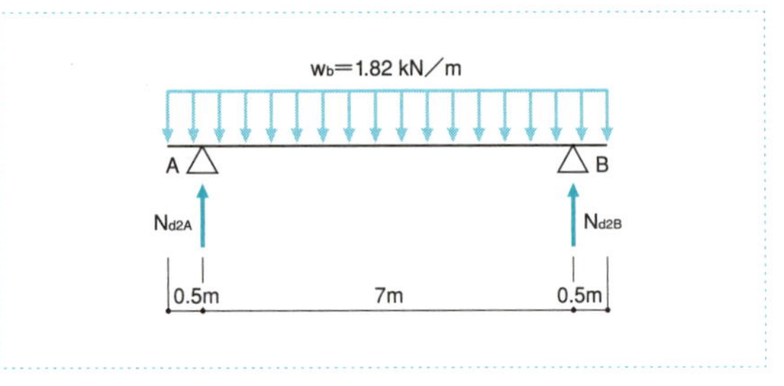

支柱自重による軸力N_{d3}、ブレース・つなぎ材による軸力N_{d4}は、それぞれ以下のとおりとなる。

$N_{d3}=w_c\cdot h_c=1.75\times8.936=15.64\,kN$

$N_{d4}=w_z\cdot(l_x\cdot l_y)\cdot l_z=0.2\times(4\times6.5)\times4.506$
$=23.43\,kN$

w_c：支柱自重（=1.75kN/m）
h_c：自重を考慮する支柱長さ（=8.936m）
w_z：ブレース・つなぎ材自重（$=0.2kN/m^3$）
$l_x\cdot l_y$：支柱が受けもつ面積（$=4\times6.5m^2$）
l_z　：ブレース・つなぎ材を考慮する高さ（=4.506m）

よって、固定荷重による軸力は、

A支点側：$N_{dA}=N_{d1A}+N_{d2A}+N_{d3}+N_{d4}=82.5+7.28+15.64+23.43=128.85\,kN$
B支点側：$N_{dB}=N_{d1B}+N_{d2B}+N_{d3}+N_{d4}=82.5+7.28+15.64+23.43=128.85\,kN$

積載荷重による軸力の算定

積載荷重(トラック、55 tクローラクレーン、50 tラフテレーンクレーン)による軸力は、大引材の検討時のせん断力が軸力として作用する。固定荷重および積載荷重による応力の算定結果は下表のとおりで、A支点側・B支点側ともに55 tクローラクレーンの側方作業時に軸力が最大となる。

積載荷重			軸力 [kN]		
			N_d	N_l	合計N
トラック	走行	A支点側	128.85	222.86	351.71
		B支点側		222.86	351.71
55t クローラクレーン	側方	A支点側		770.93	899.78
		B支点側		770.93	899.78
	斜め	A支点側		724.4	853.25
		B支点側		724.4	853.25
50t ラフテレーンクレーン	作業	A支点側		361.2	490.05
		B支点側		361.2	490.05
最大値		A支点側	128.85	770.93	899.78
		B支点側			

step. 3

水平荷重による応力の算定

支柱頂部に作用する水平力Hは、作用点支柱の構面が構台に作用する水平荷重P_Hの1／2を分担するものとして算定する。積載荷重の最大は55tクローラクレーンの作業時の総和荷重であるため、水平荷重P_Hは、

$$P_H = 720 \times 0.2 = 144\,\text{kN}$$

よって、水平力Hならびにその水平力による軸力N_3、曲げモーメントMは、以下のとおりとなる。

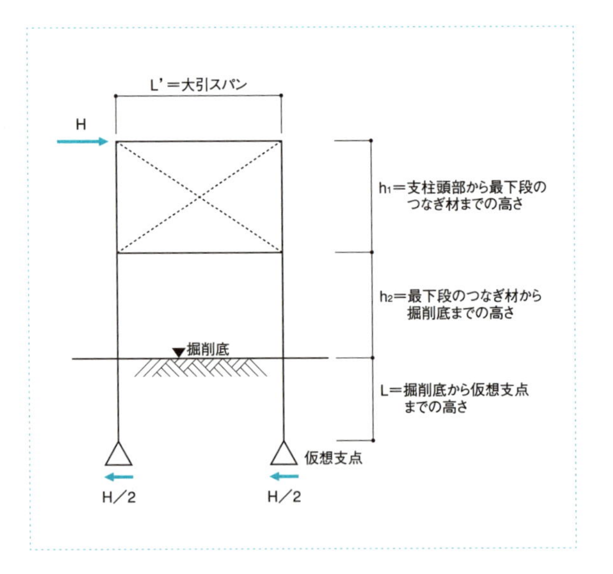

$$H = \frac{P_H}{2} = \frac{144}{2} = 72\,\text{kN}$$

$$N_3 = \frac{H \cdot (h_1 + h_2 + L)}{L'} = \frac{72 \cdot (4.506 + 4.43 + 3.107)}{7} = 123.88\,\text{kN}$$

$$M = \frac{H}{2} \cdot (h_2 + L) = \frac{72}{2} \times (4.43 + 3.107) = 271.35\,\text{kN·m}$$

step. 4

断面の検討

step.1 ～ 3で算定した軸力・曲げモーメントを基に断面検討を行う。

許容圧縮応力度

$$f_c=\left[\frac{\{1-0.4(\lambda/\Lambda)^2\}\cdot F}{\frac{3}{2}+\frac{2}{3}\left(\frac{\lambda}{\Lambda}\right)^2}\right]\cdot 1.25$$

$$=141\,\mathrm{N/mm^2}$$

$$\lambda=\frac{L_k}{i_y}=\frac{753.7}{10.1}=75\leqq\Lambda=120$$

許容曲げ応力度 $f_b=f_t=195\,\mathrm{N/mm^2}$

圧縮応力度

$$N_{max}=N+N_3=899.78+123.88$$

$$=1{,}023.66\,\mathrm{kN}$$

$$\sigma_c=\frac{N_{max}}{A}=\frac{1{,}023.66\times10^3}{218.7\times10^2}=46.8\,\mathrm{N/mm^2}$$

曲げ応力度

$$M=271.35\,\mathrm{kN\cdot m}$$

$$\sigma_b=\frac{M}{Z}=\frac{271.35\times10^6}{3{,}330\times10^3}=82\,\mathrm{N/mm^2}$$

合成応力度

$$\frac{\sigma_c}{f_c}+\frac{\sigma_b}{f_b}=\frac{46.8}{141}+\frac{82}{195}=0.33+0.42$$

$$=0.75\leqq1.0\rightarrow\mathrm{OK}$$

step. 5

支柱支持力の検討

支柱の許容鉛直支持力Raを求め、支柱に作用する軸力と比較して問題がないことを確認する。支柱に作用する軸力は、step.4で算定した値（N_{max}＝1,023.66kN）とする。

$$R_a=F_s\cdot\{\alpha\cdot N\cdot A_p+(2\cdot\Sigma(N_s\cdot L_s)$$

$$+\Sigma(C\cdot L_c))\cdot\phi\}$$

$$=\frac{2}{3}\cdot\{200\times41\times0.16$$

$$+(2\times75.72+495.52)\times1.6\}$$

$$=1{,}564.76\,\mathrm{kN}\geqq N_{max}=1{,}023.66\,\mathrm{kN}\rightarrow\mathrm{OK}$$

F_s：安全率

α：施工形式による係数

N：先端抵抗N値＝41

A_p：杭先端の有効断面積［m²］

N_s：杭周囲の地盤中、砂質部分の実測N値の平均

L_s：杭周囲の地盤中、砂質部分にある杭の有効長さ［m］

C：杭周囲の地盤中、粘性土部分のC値の平均［kN/m²］

L_c：杭周囲の地盤中、粘性土部分にある杭の有効長さ［m］

ϕ：杭の有効周長［m］

L：杭根入れ深さ［m］（＝7.564m）

	層厚［m］	土質	Ls、Lc［m］	Ns	C［kN/m²］	計算に考慮
L_1	4.240	粘性土	4.240	－	98.00	する
L_2	1.500	砂質土	1.500	30.0	－	する
L_3	0.800	粘性土	0.800	－	100.00	する
L_4	2.000	砂質土	1.024	30.0	－	する

L_1
L_2
L_3
L_4
7,564

砂質部分の数値の平均がNs

粘性土部分の数値の平均がC

6 ブレース材の検討

step. 1 水平ブレースの検討

水平ブレースは、1構面が分担する水平力Hの1/2を分担するものとする。よって、水平ブレースに作用する水平力H_1および引張力Tは、

$$H_1=\frac{H}{2}=\frac{72}{2}=36\text{kN}$$

$$T=\frac{H_1}{\cos\theta}=\frac{36}{0.733}=49.11\text{kN}$$

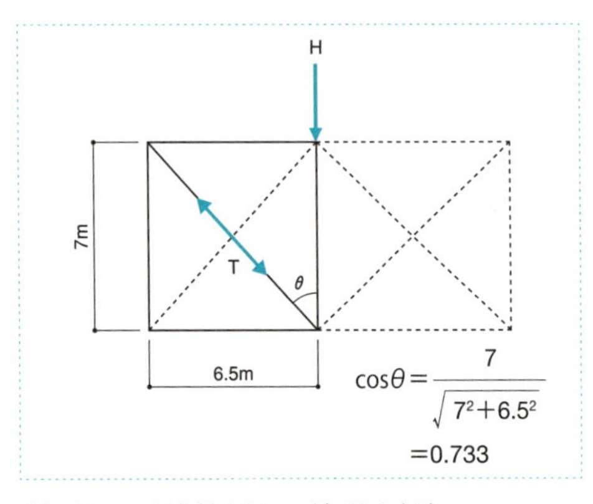

$$\cos\theta=\frac{7}{\sqrt{7^2+6.5^2}}=0.733$$

断面および溶接長さの検討を行う。

断面の検討

$$\sigma_t=\frac{T}{A}=\frac{49.11\times10^3}{12.69\times10^2}$$

$$=39\text{N/mm}^2\leqq f_t=195\text{N/mm}^2$$

→OK

溶接長さの検討

$$L=\frac{T}{f_s\cdot\alpha\cdot a}=\frac{49.11\times10^3}{70\times10^2\times1\times0.42}$$

$=16.71$cm以上

f_s：隅肉継ぎ目ののど断面に対する許容せん断応力度[N/mm²]

α：現場溶接による許容応力度の低減値

a：のど厚（0.7×脚長=0.7×0.6=0.42cm）

step. 2 垂直ブレースの検討

垂直ブレースは、1構面が分担する水平力Hを負担するものとする。よって、垂直ブレースに作用する水平力H_2および引張力Tは、

$$H_2=H=72\text{kN}$$

$$T=\frac{H_2}{\cos\theta}=\frac{72}{0.95}=75.79\text{kN}$$

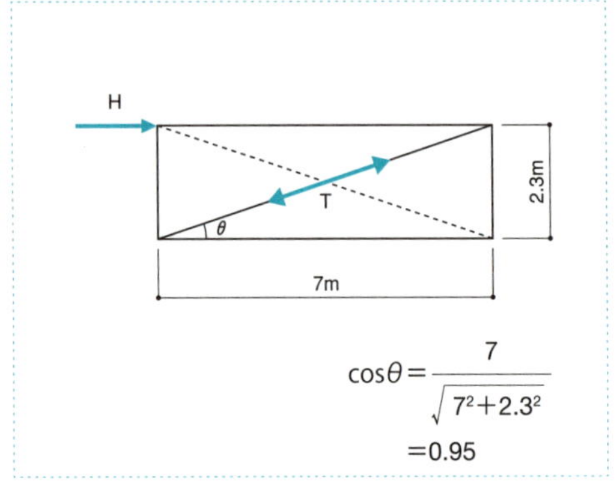

$$\cos\theta=\frac{7}{\sqrt{7^2+2.3^2}}=0.95$$

断面および溶接長さの検討を行う。

断面の検討

$$\sigma_t=\frac{T}{A}=\frac{75.79\times10^3}{12.69\times10^2}$$

$$=60\text{N/mm}^2\leqq f_t=195\text{N/mm}^2$$

→OK

溶接長さの検討

$$L=\frac{T}{f_s\cdot\alpha\cdot a}=\frac{75.79\times10^3}{70\times10^2\times1\times0.42}$$

$=25.78$cm以上

f_s：隅肉継ぎ目ののど断面に対する許容せん断応力度[N/mm²]

α：現場溶接による許容応力度の低減値

a：のど厚（0.7×脚長=0.7×0.6=0.42cm）

7 つなぎ材の検討

応力の算定

つなぎ材には、構面に作用する水平力Hが軸力Nとして作用するものとする。

$N = H = 72\,\mathrm{kN}$

断面の検討

断面および溶接長さの検討を行う。

許容圧縮応力度

$$f_c = \frac{0.277 \cdot F}{(\lambda / \Lambda)^2} \cdot 1.25 = \frac{0.277 \times 235}{2.3^2} \times 1.25 = 15.38\,\mathrm{N/mm^2}$$

$$\lambda = \frac{L_k}{i_y} = \frac{700}{2.54} = 276 > \Lambda = 120$$

圧縮応力度

$$\sigma_c = \frac{N}{A} = \frac{72 \times 10^3}{51.17 \times 10^2} = 14.07\,\mathrm{N/mm^2} \leqq 15.38\,\mathrm{N/mm^2} \rightarrow \mathrm{OK}$$

溶接長さの検討

$$L = \frac{N}{f_s \cdot \alpha \cdot a} = \frac{72 \times 10^3}{70 \times 10^2 \times 1 \times 0.42} = 24.49\,\mathrm{cm}\text{以上}$$

f_s：隅肉継ぎ目ののど断面に対する許容せん断応力度［N/mm²］

α：現場溶接による許容応力度の低減値

a：のど厚（0.7×脚長＝0.7×0.6＝0.42cm）

山留め

施工計画と構造計算のポイント

1 | 要求性能

概要

山留めは、地下工事のために掘削をする際、周辺地盤の崩壊を防ぎ、安定を図るために設ける仮設で、山留め壁と山留め支保工で構成される[図1]。また、必要に応じて山留め補助工法(排水工法、地盤改良など)が併用されることもある。

山留め工事としての対象期間は、山留め壁の施工から掘削に伴う支保工の架設、躯体の構築、埋め戻し、杭の引き抜きまでとなる。

想定にもとづくことも多い山留め掘削計画は、掘削中の計測管理が重要であり、当初の計画や計算は絶対ではないことを念頭に、工事の進捗に合わせて対応や見直しを行う必要がある。

要求性能

山留めの要求性能は、工事規模や施工条件、敷地条件、地盤条件、地下水の条件ならびに周辺環境に適合し、安全でかつ経済的な方法で所要の地下空間が得られることとし、以下の事項を考慮する。

①側圧荷重に対する安全性を確保する

②掘削底面の安定性を確保する

③周辺に有害な影響を及ぼさないように掘削できる

④床付け地盤を乱すことなく、所定期間内に所定深さまでの掘削を終了できる

準拠すべき法規・規準

掘削山留め工事を行うにあたっては、工事途中での計画変更が生じないよう、法規や各種規制(自治体独自の条例、鉄道など公共施設に関するもの)などを十分に理解しておくことが必要である。

準拠すべき法規・規準

1 —— 建築基準法および同施行令

2 —— 労働安全衛生法および同規則

3 —— (一社)日本建築学会
『山留め設計施工指針』
『建築地盤アンカー設計施工指針』

図1 | 山留めの構成例

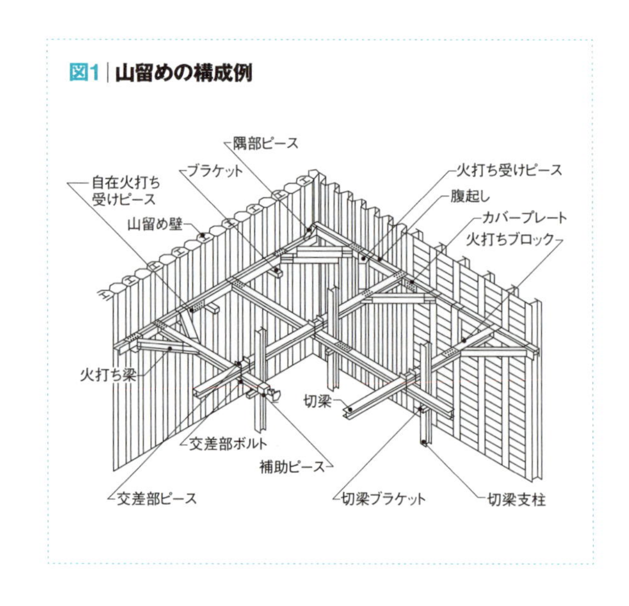

2 | 施工計画

基本計画のフロー

建築で多く用いられる山留め壁オープンカット工法を想定した掘削山留めの基本計画フローを以下に示す。他工法においても基本的には同様である。

設計図書
↓ 地下形状、深さ、躯体と境界の離隔などの把握

調査
↓ 敷地、地盤、地下水、周辺環境の調査

工事条件
↓ 工事規模、施工条件、敷地条件、地盤条件、地下水条件、周辺環境の確認

掘削山留め工法選定
↓ 掘削山留め工法(山留め壁、支保工)の選択
地下水処理、補助工事の計画(排水工法、薬液注入、地盤改良)

荷重設定
↓ 土質に関する定数、地下水、上載荷重、側圧の設定

掘削底面の安定検討
↓ 根入れ長さ、ヒービング・ボイリング・盤膨れの防止、斜面安定の検討

山留め壁・支保工の応力・変形計算
↓ 計算方法、支点反力の算出
支保工の割り付け:平面(スパン、荷重負担幅)・断面(高さ)

部材、材料などの許容値
↓ 許容応力度、許容変形値

山留め壁・支保工の断面検討
↓ 応力・変形の許容値以下であることを確認

工事周辺への影響検討
↓ 地盤沈下やその他有害な影響がないかを確認

掘削山留めの施工計画
計測管理、管理体制

施工計画のポイント

[1]——側圧荷重に対する安全性

山留め壁の片側を掘削すると、バランス状態にあった土水圧による側圧に差が生じ、壁に側圧荷重が作用する。荷重は、地盤構成・性状、地下水状況、地表面荷重などで異なるが、これに対し山留め壁と支保工の安全性が確保できるように計画を行う。

山留め壁の応力・変形を検討するにあたっては、掘削深さや工事規模などの条件に応じて適切な算定モデルを用いる。

[2]——掘削底面の安定確保

掘削底面の破壊現象としては、軟弱粘性土地盤の「ヒービング」、地下水位の浅い砂質土地盤の「ボイリング」、掘削底面下に被圧水のある地盤の「盤膨れ」が挙げられる。これらが発生すると施工不能となるだけでなく、周辺へも多大な影響を与えるおそれがあるので、地下水処理や補助工事の併用を含めて、根入れ長さの検討などを入念に行う。

[3]——周辺への影響

工事期間中、周辺構造物や埋設物などに有害な影響を与えないように計画する。

特に、地下水については影響が広範囲に及ぶことがあるので注意を要する。影響範囲を把握し、その範囲の井戸枯れや水質変化の有無、地下水低下に伴う地盤の圧密沈下の可能性など検討する。

[4]——掘削における留意事項

所定期間内に所定深さまで安全に掘削できることが重要で、工事条件に適合した無理のない掘削計画を立案する。掘削においては不測の事態が発生するおそれがあるので、計測管理を行い、適切な対策のとれる体制を施工計画に盛り込んでおく。

3 | 調査

調査の概要

掘削山留め工事の計画・設計・施工にあたり、事前に行うべき調査には、以下のようなものがある。

①敷地内外の障害物・埋設物、隣接構造物などの敷地条件に関するもの
②地層構成、土質性状などの地盤および地下水に関するもの
③工事に伴う周辺への影響検討を目的とする環境保全に関するもの

掘削山留めの設計・施工には、掘削底以深の地盤も対象であるが、特に掘削底以浅の地盤や地下水に関する情報も重要で、建物基礎の設計を目的とする本設計の調査情報だけでは不十分なことが多い。大規模工事においては、山留め工事を対象とした調査を実施することが望ましい。

調査を基に、工事場所における各種条件を把握し、施工条件を加えて工事条件を設定する。

敷地条件

[1]——敷地内の調査

敷地境界、敷地の高低、地中障害など、技術者による現地踏査を実施する。特に、境界と山留め壁との関係は、山留め打設機の施工必要寸法を見込んだ離隔が必要であるため注意する。

[2]——敷地周辺調査

近接構造物の沈下・傾斜、クラックの状況や井戸枯れなど、近隣補償問題発生の危険性のある項目をはじめ、工事用電力、給水設備や排水設備、工事車両の搬出入経路上の工作物や周辺道路状況などについて調査する。また、周辺に施工中の現場がある場合は、その山留め仕様が大いに参考になる。

[3]——その他敷地の自然条件

工程に影響する気象条件のほか、切梁温度応力に影響する気温、地下水位に影響する可能性のある潮位などを調査する。

地盤・地下水

[1]——事前調査

事前調査は、敷地地盤の概況を把握し、条件に適した山留め工法の選定に必要な本調査の計画を立案するための調査である。既往の文献などによる資料調査と、実際に技術者が現地を踏査する現地調査とがある。

[2]——本調査

地盤構成を把握するためのボーリング調査や、採取した試料から地盤の物理的・力学的性質を調べる土質試験、地下水の水位や透水性を確認する地下水調査を行う。

調査の範囲や位置、深度、内容、方法、数量などは、掘削面積・深度といった工事規模に関する条件や、地盤の性状、地下水位、地層の傾斜の有無といった地盤固有の条件、あるいは敷地形状、近接施工の有無などの周辺条件を考慮して決定する。

周辺環境

[1]——周辺構造物や埋設物に関する調査

山留めの変形に伴う周辺構造物や埋設物の沈下・傾斜、水平移動に関する調査で、工事着手前の状況を把握するとともに、工事による有害な影響がないことを検討するために行う。

[2]——地下水に関する調査

揚水に伴う周辺地盤の圧密沈下や、影響圏における地下水の利用状況(井戸枯れなど)、水質などに関する調査である。

[3]——その他

工事に伴う振動・騒音、掘削残土や廃棄物処理に関する調査である。工事が関連法規に抵触しないことを確認するとともに、工事内容について周辺住民と事前の協議をしたり、近隣協定を結んでおく必要がある。

図2｜周辺環境のチェックポイント

⑦
⑥ ⑤
近隣建物
①
③
④
②

周辺状況
①地盤高低差
②周辺との高低差(擁壁の仕様など)
③近隣建物との関係(建物の仕様、距離)
④地中障害の有無
⑤周辺地中埋設物
⑥道路状況
⑦近隣現場の調査

point

ポイント

ボーリング調査の本数と調査深度

ボーリング調査の本数は、地層構成に変化がないことが明らかな場合や、特に小規模な工事を除いて、できるだけ2本以上の実施が望ましい。目安として、建築面積5,000m²程度であれば、

・地層構成に変化がないと想定される場合:
 1本/1,000m²
・地層構成に変化があると想定される場合:
 1本/500m²

また、調査深度については、掘削面の安定確保のための根入れ検討ができる深さまで実施する。目安としての深さを以下に示す。

・地下水位が掘削底以深:設計のための深さまで
・地下水位が掘削底以浅:地表面から掘削深さの3倍まで、あるいは掘削深さ+掘削平面の短辺長のうち、大きいほうの深さまで

4 | 工法の選定

掘削山留め工法

山留め工法は、掘削方法や山留め壁・支保工の組み合わせを考えると多種多様であり、計画・選定の自由度は大きい[図3・6]。半面、その巧拙が安全性や経済性などに大きく影響するため、各工法の長所・短所を把握し、与条件に対して適切な選定を行う。

山留め壁

山留め壁の役割は、側圧を直接受け止め、荷重を地盤や支保工に伝達し、掘削における架構の安定を図るとともに、周辺地盤や構造物に有害な影響を及ぼさないようにすることである。水を通すか通さないかが分類上の大きなポイントである[図4、206頁図7]。

図3 | 山留め工法の分類

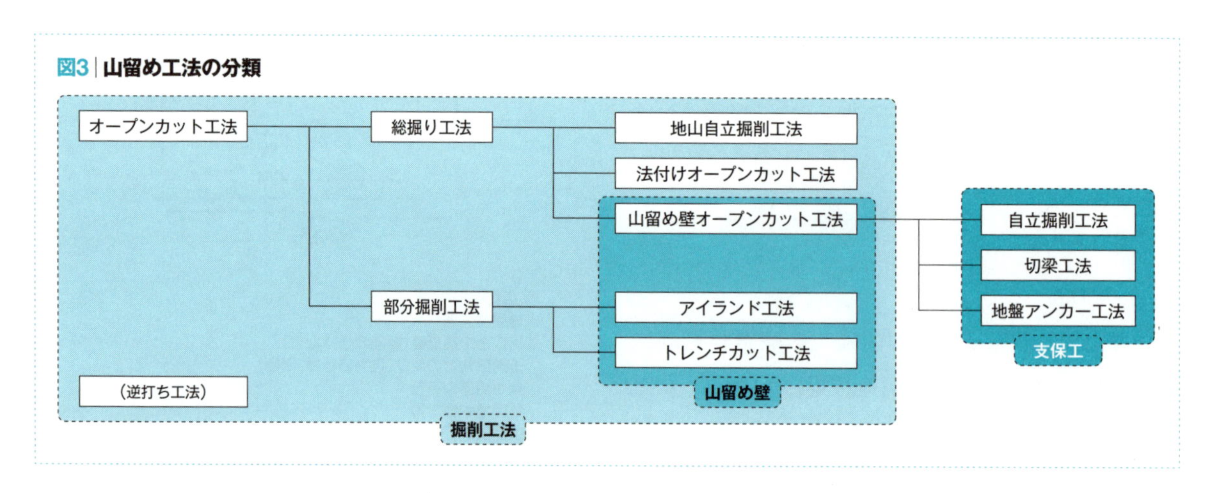

図4 | 山留め壁の分類

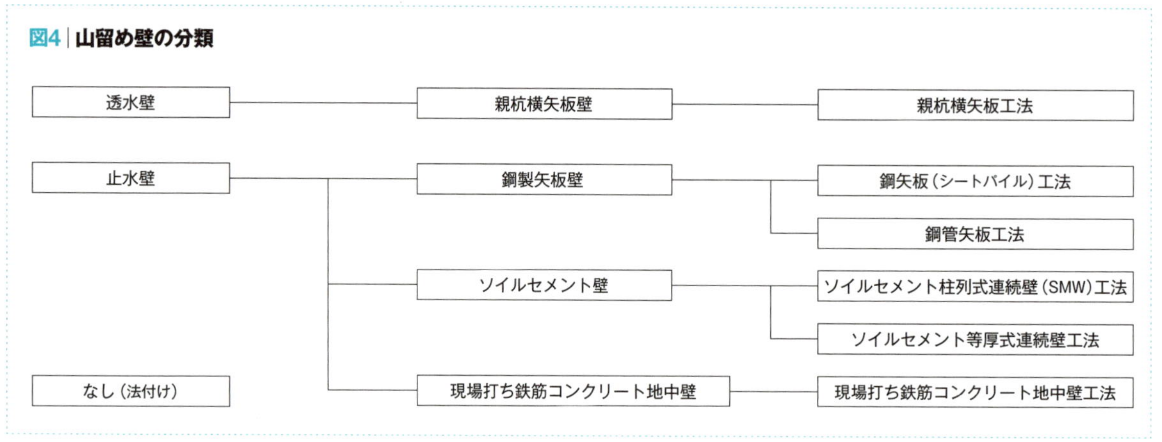

図5 | 支保工の分類

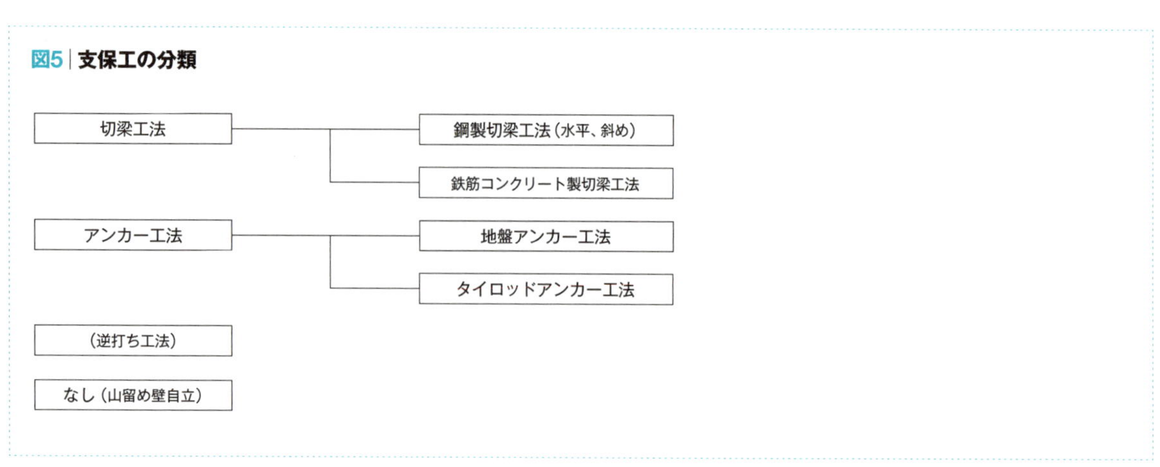

支保工

支保工とは、山留め壁に作用する側圧を支持するための、腹起し、切梁、支柱、地盤アンカーなどの総称である[図5、206頁図8]。側圧を安全に支え、山留め壁の変形をできるだけ小さくし、周辺地盤や構造物に有害な影響を及ぼさないようにする。

図6｜山留め工法の例

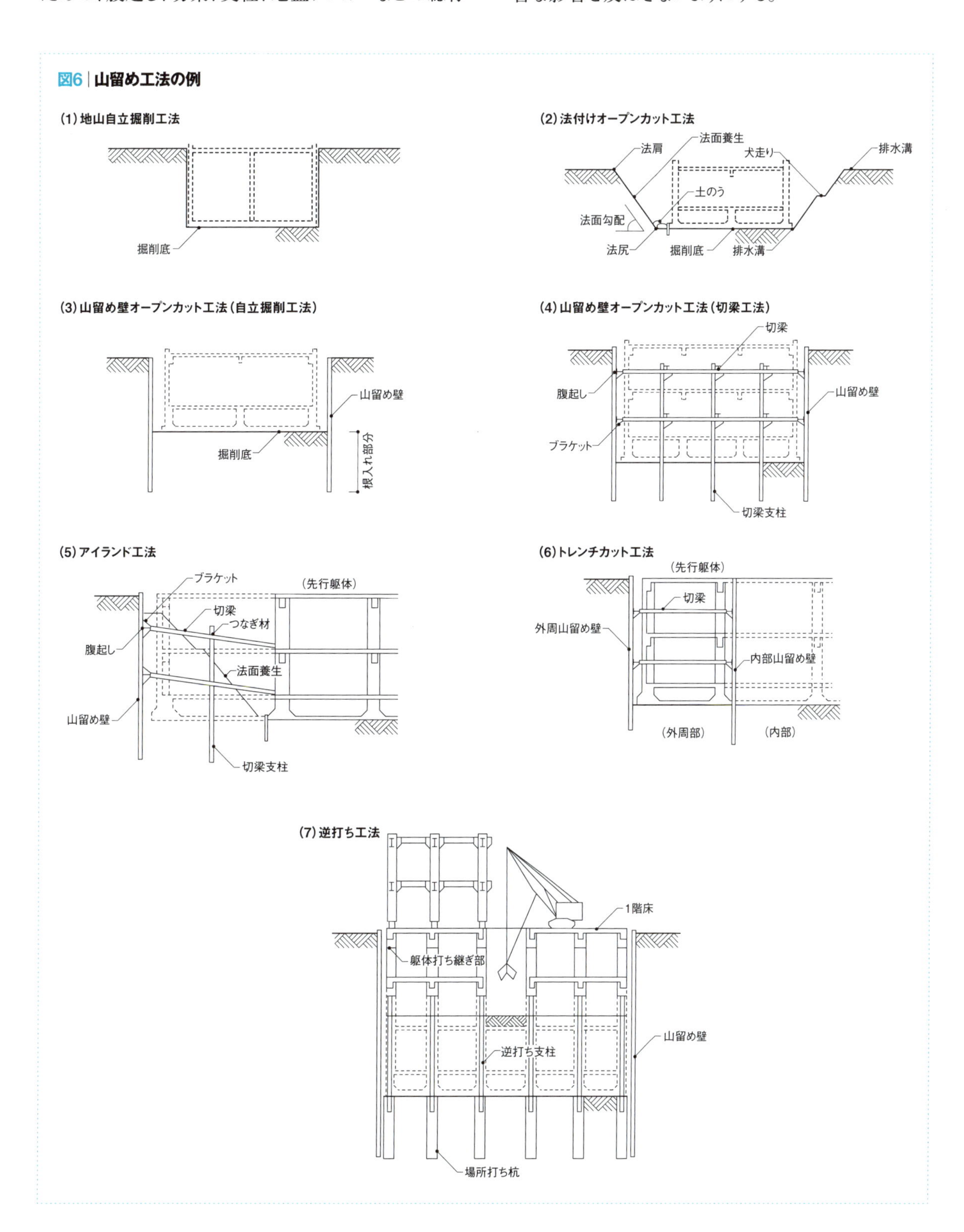

図7｜山留め壁の例

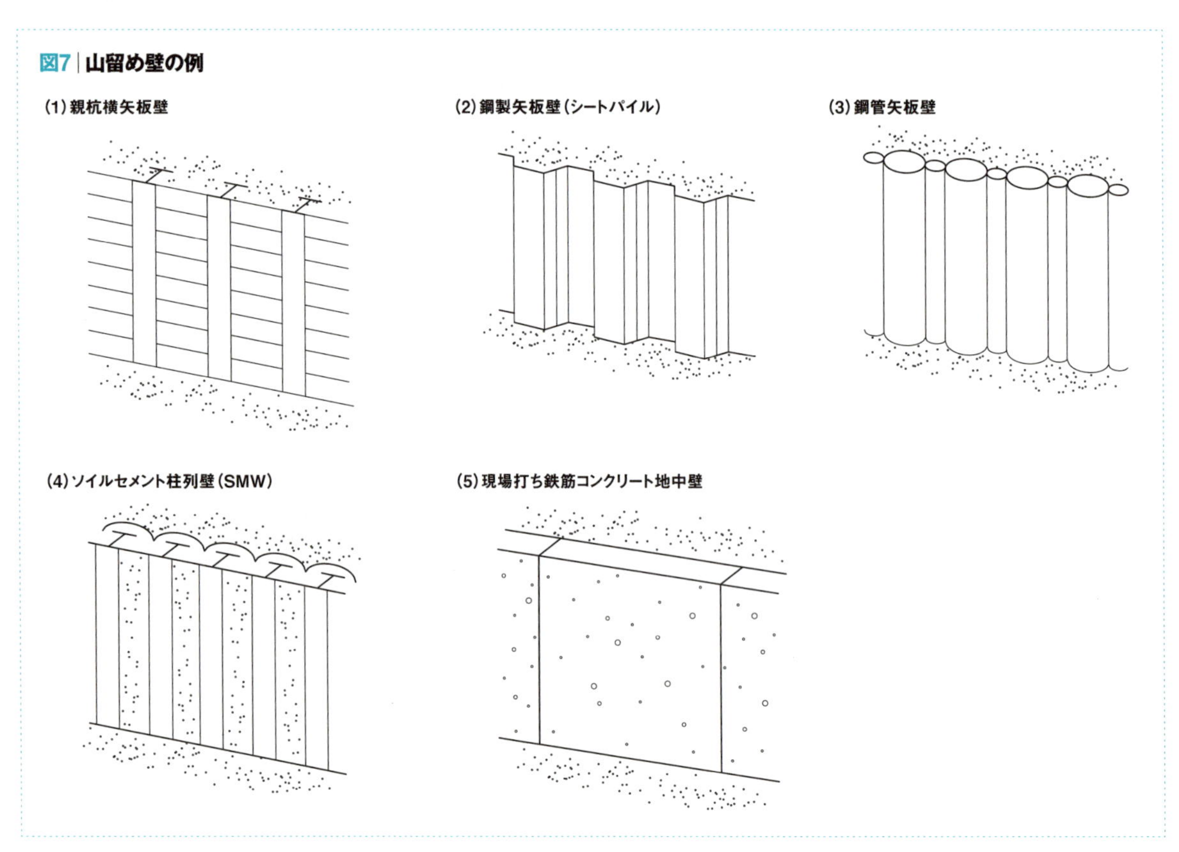

図8｜支保工の例

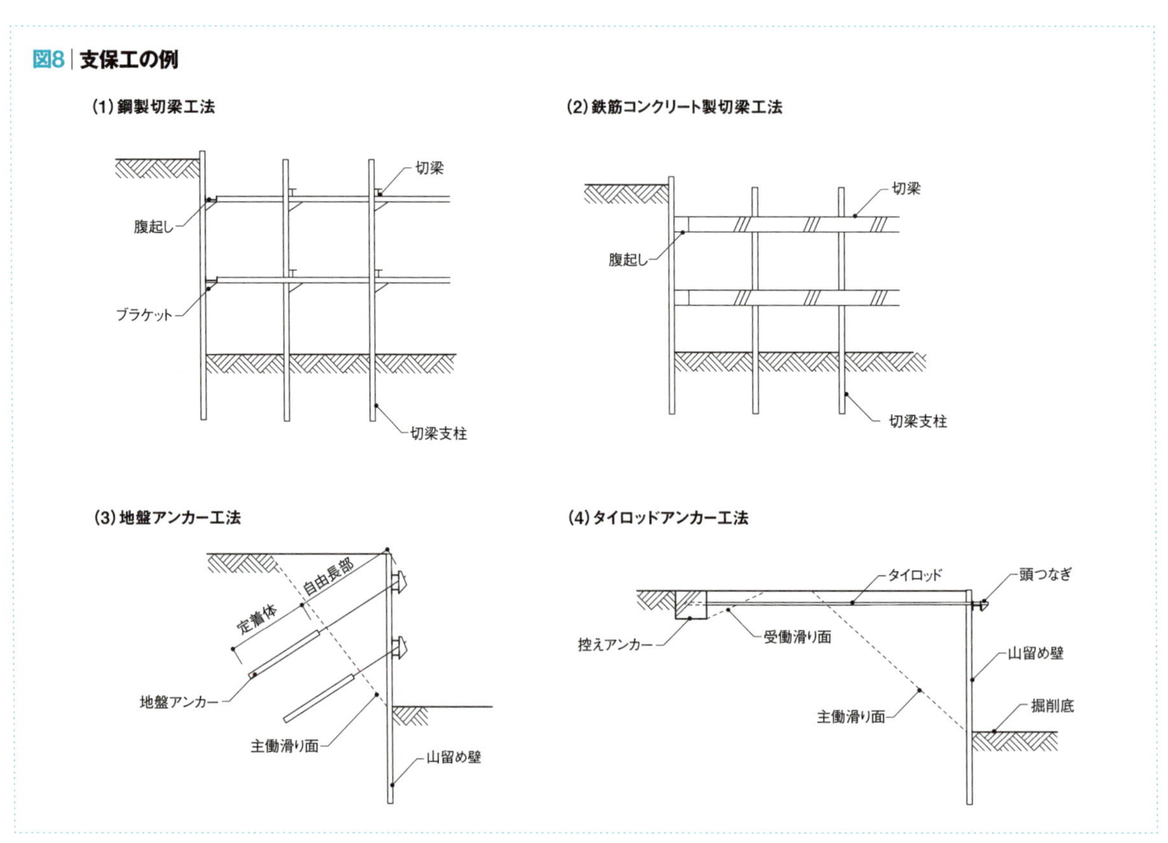

5 | 荷重の算定

- □ 対象となる各土質に関する定数を適切に評価する
- □ 地下水がある場合、荷重における影響が大きいので、水位などを適切に判断する
- □ 周辺地盤、施工条件をよく把握し、上載荷重を考慮して側圧設定を適切に行う

土質定数と地下水を基に、土圧および水圧を決め、上載荷重による地中応力を考慮して、山留め背面にかかる側圧を設定する。

土質に関する定数

地盤各層の土質定数は、試験結果がすべて存在するわけではないので、実際には近隣の類似データを用いたり、参考資料を基に推定する。目安値であるため、過大評価しないことが重要である。過大あるいは過小評価が累乗され、誤差が極端に大きくなることがあるからである。また、土質より地下水状態（水位など）の把握精度のほうがより大きく山留めに影響を及ぼすことが少なくない。

土は粒径により、大きく砂質土と粘性土に分けられる。特徴を**表1**に示す。

また、土はせん断強さで表され、純粋な砂質土は内部摩擦角ϕ（粘着力C=0）、純粋な粘性土は粘着力C（内部摩擦角ϕ=0）、一般の土（中間土）はϕとC両方の性質をもつ［**図9**］。土の多くは中間土であるが、安全側とする場合は砂質土と粘性土のどちらかに分類し、ϕまたはCの一方の値を用いる。

表1｜粘性土・砂質土の構造と特徴

排水性	実用上不透水		排水不良	排水良好					
粒径［mm］	0.001 以下	0.001 ～ 0.005	0.005 ～ 0.075	0.075 ～ 0.25	0.25 ～ 0.85	0.85 ～ 2.0	2.0 ～ 4.75	4.75 ～ 19	19 超
土質名	コロイド	粘土	シルト	細砂	中砂	粗砂	細礫	中礫	粗礫
				砂			礫		
土の構造	綿毛構造～蜂の巣構造			単粒構造					

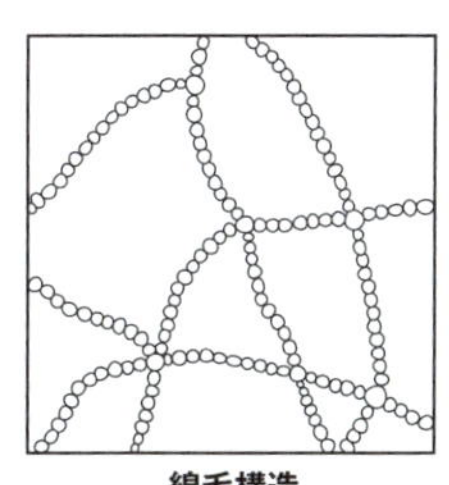

綿毛構造

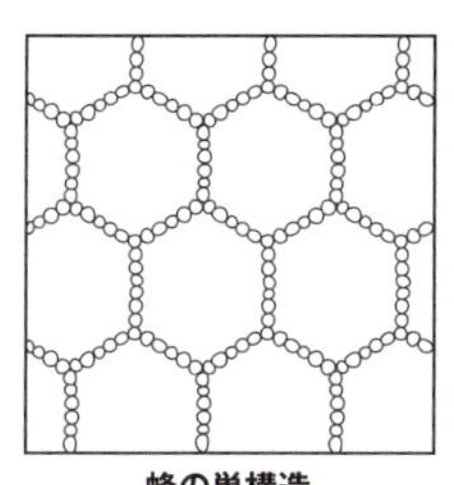
蜂の巣構造

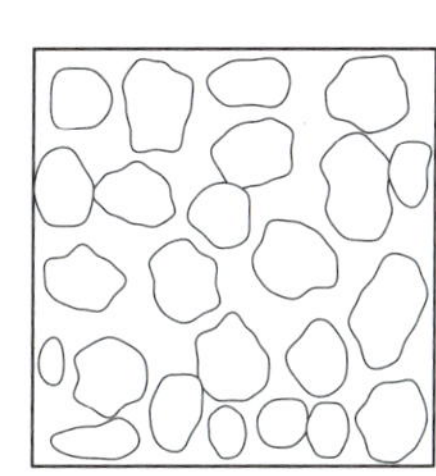
単粒構造

図9｜土の性質

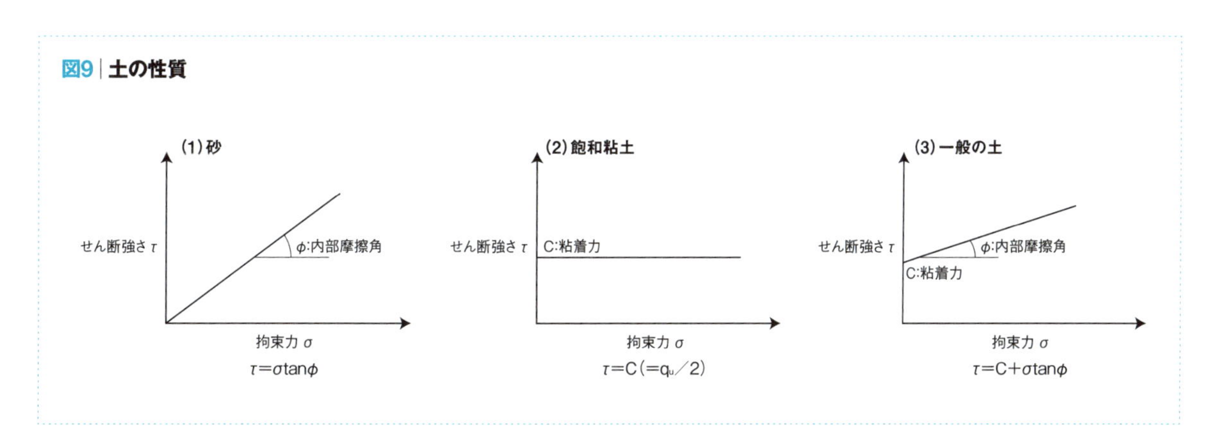

山留めの設計には、このφやCのほか、湿潤単位体積重量γt、水平地盤反力係数khといった要素が必要となる。

[1]——湿潤単位体積重量γt

湿潤単位体積重量とは、土を構成している土粒子の間隙に水を含んでいる状態における単位体積当たりの土の重量のことである。代表的な土の湿潤単位体積重量と含水比を**表2**に示す。なお、地下水面下での土の場合は、水の単位体積重量を10kN/m³として、水中単位体積重量γ'(=γt−10)を用いる。

[2]——内部摩擦角φ

内部摩擦角とは、土粒子が滑り面を境に移動するときの摩擦である内部摩擦抵抗で、横軸に垂直応力(拘束力)、縦軸にせん断強さの関係で表現したときの直線と横軸との角度である。砂質土地盤のN値による分類と内部摩擦角φの関係を**表3**に、N値から内部摩擦角φを求める推定式を**表4**に示す。

[3]——粘着力C

粘着力は、非常に小さい粘土粒子の表面に存在する吸着水(半固体の水の膜)が互いに接触して電気化学的に引き合っている力で、せん断抵抗として働くものである。粘性土地盤のN値による分類と一軸圧縮強度quの関係を**表5**に、N値から一軸圧縮強度qu(C=qu/2)を求める推定式を**表6**に示す。

N値が0や低い値が続く沖積粘土に関しては、以

表2｜代表的な土の単位体積重量と含水比

	沖積世		洪積世粘性土	関東ローム	有機土(ピート)
	粘性土	砂質土			
湿潤単位体積重量γt[kN/m³]	13〜18	16〜20	16〜20	12〜15	8〜13
含水比w[%]	150〜30	30〜10	40〜20	180〜80	1,200〜80

表3｜砂質土地盤のN値による分類と内部摩擦角φ

N値	相対密度	現場判別法(東京都交通局データによる)	内部摩擦角φ[°]
0〜4未満	非常に緩い	φ13mmの鉄筋が容易に手で貫入できる	30未満
4以上〜10未満	緩い	ショベル(スコップ)で掘削できる	30以上〜35未満
10以上〜30未満	中くらいの	φ13mmの鉄筋を5ポンドのハンマーで容易に打ち込める	35以上〜40未満
30以上〜50以下	密な	同上で30cmくらい入る	40以上〜45以下
50超	非常に密な	同上でも5〜6cmくらいしか入らない。掘削にはつるはしを要し、打ち込むときに金属音を発する	45超

表4｜砂質土地盤のN値から内部摩擦角φを求める推定式

提唱者	φ推定式[°]	備考
ダナム	$\phi=\sqrt{12\cdot N}+(15\sim25)$	ダナムの式の定数項 ・丸い粒子で一様な粒形のもの:15 ・丸い粒子で粒度分布のよいもの:20 ・角ばった粒子で一様な粒形のもの:20 ・角ばった粒子で粒度分布のよいもの:25
ペック	$\phi=0.3\cdot N+27$	
大崎	$\phi=\sqrt{20\cdot N}+15$	

表3・5出典:『新・ボーリング図を読む』(理工図書)
図10出典:『山留め設計施工指針』((一社)日本建築学会)

下の深さによる強度の推定式も参考となる。

$q_u = 20 + 4 \cdot Z$ [kN/m²]

Z：地盤面からの深度[m]

ただし、粘性土の場合、N値からの土質定数を推定する各式はばらつきも多く精度が低いため、不攪乱試料を用いた土質試験によるのが安全である。

[4]――水平地盤反力係数kh

地盤のばね定数である水平地盤反力係数khは、後述する「梁・ばねモデル」による算定法に用いる[229頁参照]。

khの推定方法はいろいろあるが、ここでは3つの方法を示す。1つは、図10を用いて、砂質土ではN値から、粘性土では粘着力Cから推定する方法である。山留め壁が連続する鋼矢板などだけでなく、親杭横矢板にも適用できる。その場合には、親杭の見付け幅や間隔の影響は考慮せず、連続する山留め壁同様、山留め壁全面に対する単位面積当たりの水平地盤反

表5｜粘性土地盤のN値による分類と一軸圧縮強度qu

N値	相対稠度	現場判別法（テルツァーギ・ペックによる）	一軸圧縮強度 qu [kN/m²]
2未満	非常に軟らかい	こぶしが容易に10数cm入る	25未満
2以上～4以下	軟らかい	親指が容易に10数cm入る	25以上～50以下
4超～8以下	中くらい	努力すれば親指が10数cm入る	50超～100以下
8超～15以下	硬い	親指でへこませられるが、突っ込むことは大変である	100超～200以下
15超～30以下	非常に硬い	爪で印が付けられる	200超～400以下
30超	大変硬い	爪で印を付けるのが難しい	400超

表6｜粘性土地盤のN値から一軸圧縮強度quを求める推定式

提唱者	qu推定式 [kN/m²]	備考
ダナム	$q_u = N / 0.077$	内部摩擦角$\phi = 0$として、粘着力$C = q_u / 2$
テルツァーギ・ペック	$q_u = N / 0.082$	
大崎	$q_u = 40 + 5 \cdot N$	

図10｜水平地盤反力係数の推奨範囲

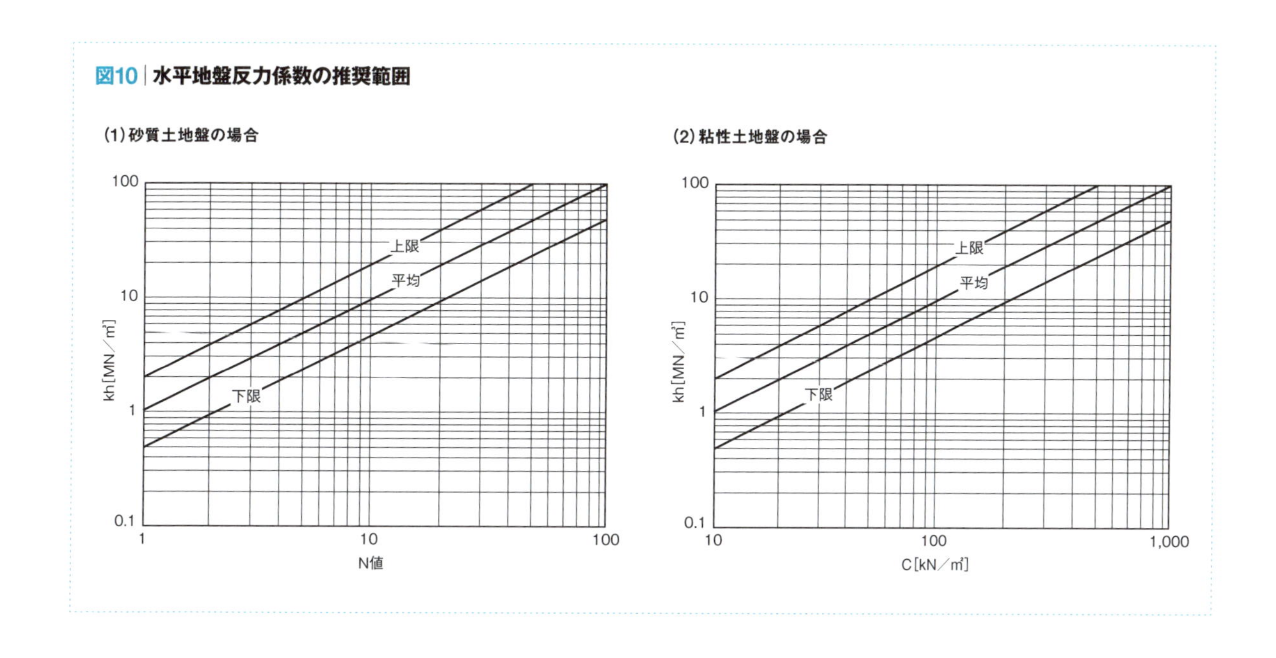

力を考える。

2つ目は、孔内水平載荷試験により求めたkhとN値との関係（地表面から深さ4m程度までの区間）を示す福岡・宇都の提案式を使う方法である。この式をグラフ化したものが**図11**である。

3つ目は、地盤の変形係数などからkhを推定する方法で、その代表的な算定式を**図12**に示す。なお、変形係数は図中の①～③のいずれかで算出するが、粘性土の値としては、①または②によるのがよい。

[5]――地下水

地下水に関しては、帯水層の位置、地下水位、透水性を調べる。

柱状図のボーリング孔内水位は、一般に複数の帯

図11｜福岡・宇都の提案式による水平地盤反力係数の算定

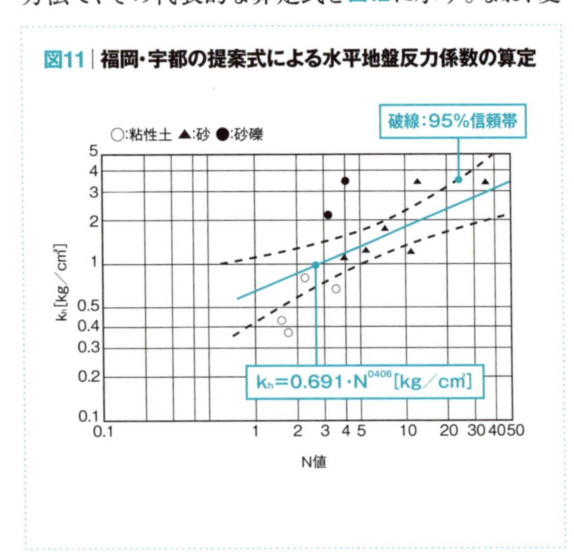

図12｜地盤の変形係数などから求める水平地盤反力係数の算定式

$k_{h0}=\alpha\cdot\zeta\cdot E_0\cdot B^{-3/4}$

k_{h0}：水平地盤反力係数［kN/m³］

α：評価法によって決まる定数（m^{-1}）。E_0の算出法による

ζ：群杭の影響を考慮した係数（単杭の場合は$\zeta=1.0$）

E_0：変形係数［kN/m²］。下記いずれかの方法による

①ボーリング孔内で測定する：
粘性土の場合$\alpha=80$、砂質土の場合$\alpha=80$

②一軸または三軸圧縮試験から求める：
粘性土の場合$\alpha=80$

③対象土層の平均N値より$E_0=700\cdot N$で推定する：
粘性土の場合$\alpha=60$、砂質土の場合$\alpha=80$

B：無次元化杭径（杭径をcmで表した無次元数値。たとえば、杭径50cmは50とする）

表7｜クレガーによるD_{20}と透水係数

D_{20}［mm］	透水係数 k［cm/sec］	土質	D_{20}［mm］	透水係数 k［cm/sec］	土質
0.005	3.00×10^{-6}	粗粒粘土	0.18	6.85×10^{-3}	細砂
0.01	1.05×10^{-5}	細粒シルト	0.20	8.90×10^{-3}	
0.02	4.00×10^{-5}	粗粒シルト	0.25	1.40×10^{-2}	
0.03	8.50×10^{-5}		0.30	2.20×10^{-2}	中砂
0.04	1.75×10^{-4}		0.35	3.20×10^{-2}	
0.05	2.80×10^{-4}		0.40	4.50×10^{-2}	
0.06	4.60×10^{-4}	微細砂	0.45	5.80×10^{-2}	
0.07	6.50×10^{-4}		0.50	7.50×10^{-2}	
0.08	9.00×10^{-4}		0.60	1.10×10^{-1}	粗細砂
0.09	1.40×10^{-3}		0.70	1.60×10^{-1}	
0.10	1.75×10^{-3}		0.80	2.15×10^{-1}	
0.12	2.60×10^{-3}	細砂	0.90	2.80×10^{-1}	
014	3.80×10^{-3}		1.00	3.60×10^{-1}	
0.16	5.10×10^{-3}		2.00	1.80	細礫

注　D_{20}とは、粒径加積曲線（ある粒径のふるい目を通過した土量の重量百分率と粒径との関係を対数軸で表したもの）における通過重量20%に対する粒径［mm］である

表7・8出典：『山留め設計施工指針』（（一社）日本建築学会）

水層の地下水や孔内泥水の影響を受けるため、無水掘りによる自由地下水の水位以外は、地下水位推定の信頼性は低い。泥水位は実際の地下水位とは異なり、概ね高い位置で確認される。

帯水層の有無、深さや厚さは土質柱状図中の土質表記や記事による。平衡水位および透水係数kは、一般的には試験期間が短く、低コストである単孔透水試験により求める。ただし、この試験の透水係数は、期間、コストを要するが正確な揚水試験による値と数倍から2桁違う場合があるので扱いには注意する。

また、透水係数kは標準貫入試験で採取したサンプルの粒度組成(20%粒径D_{20})により概略値を得ることもできる。クレガーによる判別表を表7に示す。

上載荷重の算定

掘削する場所に近接して構造物やその他の載荷物がある場合は、その荷重による背面側側圧増加分を考慮する。

上載荷重の種類

[1]——軽微な荷重(一般車両荷重など)

不測の事態に対応できるよう、特に考慮すべき上載荷重がない場合でも、山留め背面にかかる等分布荷重として10kN/m²程度を見込んでおくとよい。

[2]——構造物の荷重

近接建物が直接基礎の場合の荷重は、下記の値あるいは表8の値を用いて概算できる。通常、建物基礎は地中にあるため、載荷面は地表面下に設定できる。

木造　7.5～10kN/m²・F

RC・S造　基礎25kN/m²、一般階15kN/m²・F

図13｜杭基礎構造物の荷重作用面

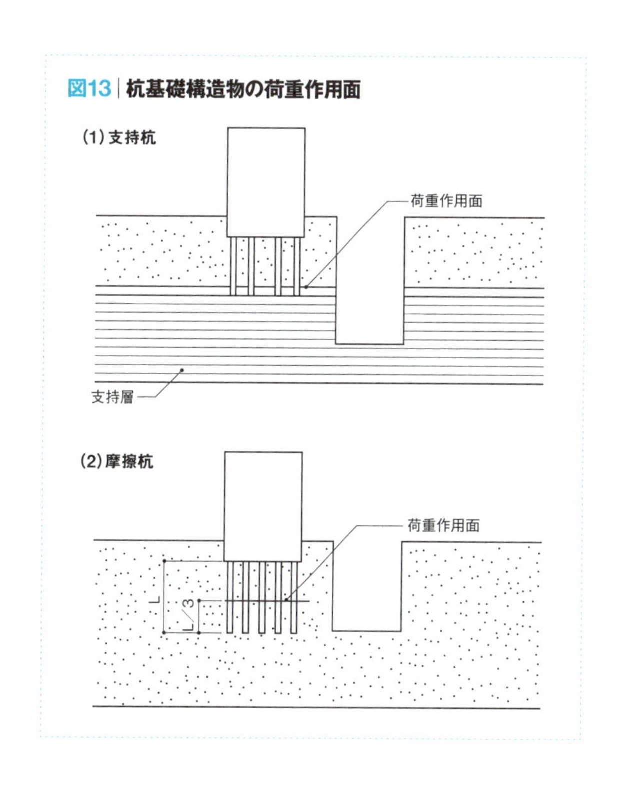

表8｜単位面積当たりの建物荷重の概略値[kN/m²]

用途	住宅		事務所		
構造種別	RC造	SRC造	S造	RC造	SRC造
最上階	14	16	11	16	16
	8～19	11～21	6～17	12～20	11～22
一般階	13	14	7	14	13
	11～15	11～16	6～9	12～16	11～15
1階	16	18	13	15	17
	10～22	13～24	5～22	11～18	11～23
地階	33	28	26	30	23
	9～57	15～42	15～37	4～57	14～33
基礎	建物高さH＝10m程度で10、H＝15m程度で15、H＝20m程度で20				

注1　最上階～地階の項目において、上段の数値は平均値、下段は1倍標準偏差領域の範囲を表す((一社)日本建築学会「建築物荷重指針・同解説」より)
注2　基礎の数値は概算値(杭の重量は含まない)

近接建物が杭基礎の場合は、杭と掘削深さの関係および杭支持形態により、荷重作用面を211頁図13のように考える。ただし、荷重作用面が掘削底面以深となる場合は考慮しなくてもよい。

[3]——車両などの荷重

山留め壁背面際で工事車両が作業をする場合などは別途荷重を考慮する。また、鉄道などに近接して施工する場合は、関係会社と協議のうえ各社の指針に従う。たとえば、JR在来線の場合は、上載荷重として軌道荷重（10kN/m²）と列車荷重（25kN/m²）の合計値を考慮する。

[4]——傾斜地あるいは山留め天端を法形状とした場合

背面地盤が山留め壁の天端よりも高い場合、背面地盤の重量を等分布帯状荷重とし、弾性論によって側圧の増分を求める方法と、掘削底面から主働滑り線を想定し、山留め壁と主働滑り線に囲まれた土塊重量が等価になるように仮想地盤面を設定する方法がある［図14］。

側圧増分の算出方法

[1]——弾性論による方法（ヴーシネスクの式）

地表面に等分布帯状荷重P_0が作用する場合、任意の深さに生じる水平応力を求める式と、任意深さに生じる鉛直応力に側圧係数を乗じて水平応力を求める式がある［図15］。深さ方向の分布形状は前者のほうが浅い位置で最大値を示し、深さ方向に対する減衰

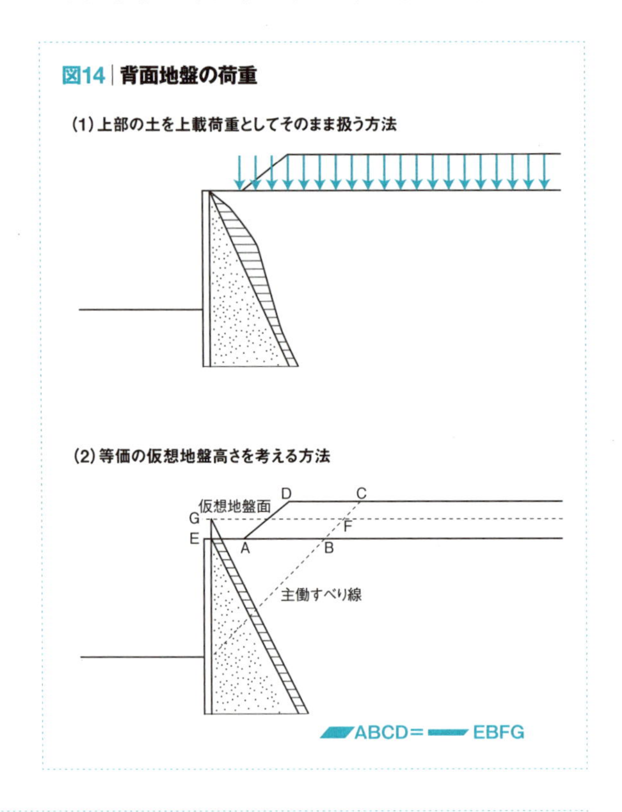

図14｜背面地盤の荷重

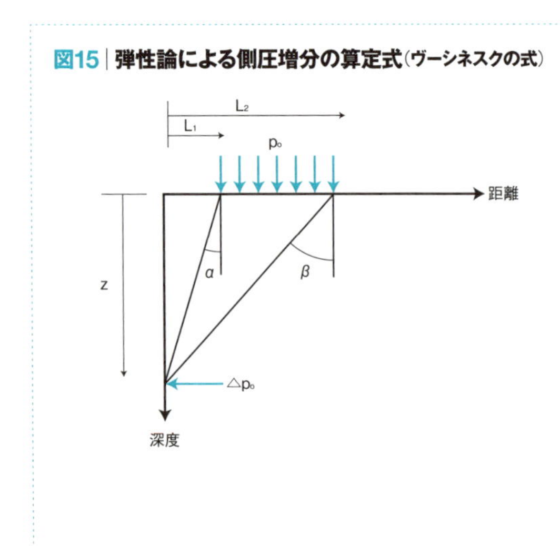

図15｜弾性論による側圧増分の算定式（ヴーシネスクの式）

$$\triangle P_a = P_0 \cdot {}_x f(\alpha, \beta)$$

$${}_x f(\alpha, \beta) = \frac{1}{2\pi}\{2(\beta-\alpha)+\sin 2\alpha-\sin 2\beta\}$$

$$\triangle P_a = K_a \cdot P_0 \cdot {}_z f(\alpha, \beta)$$

$${}_z f(\alpha, \beta) = \frac{1}{\pi}\{2(\beta-\alpha)-\sin 2\alpha+\sin 2\beta\}$$

$\triangle P_a$：上載荷重による側圧の増分［kN/m²］

P_0：地表面帯状等分布荷重［kN/m²］

K_a：主働土圧係数

$$K_a = \tan^2\left(45^\circ - \frac{\phi}{2}\right)$$

ただし、側圧設定に側圧係数法を用いる場合はその側圧係数による［214頁参照］

α、β：左図に示す鉛直面との角度［rad］

率は大きい傾向にある。深さに応じて算出された増分を後述する背面側圧に加算する。

[2]――地表面の集中荷重Qによる地中応力

地表面の集中荷重Qによる地中応力の増分は図16に示す算定式による。深さに応じて算出された増分を後述する背面側圧に加算する。

図16｜地表面の集中荷重による地中応力の算定式

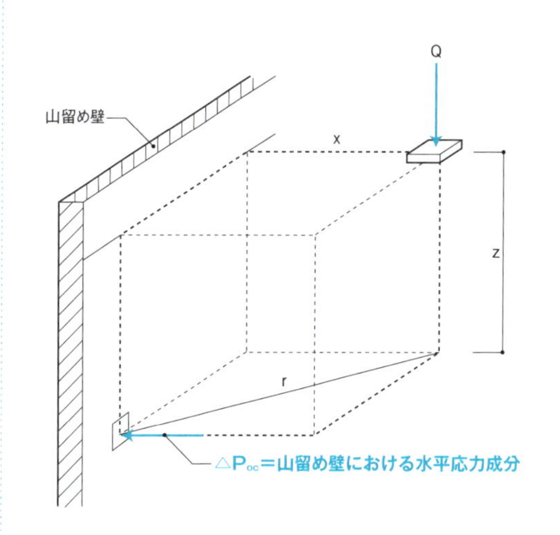

$$\triangle P_{0c}=\frac{3\cdot Q\cdot x^2\cdot z}{\pi(r^2+z^2)^{5/2}}\ [kN/m^2]$$

r：荷重の作用点から土圧を求めようとする位置までの水平距離[m]

z：荷重の作用点から土圧を求めようとする位置までの鉛直距離[m]

x：荷重の作用点から地下外壁までの最短距離[m]

Q：地表面に作用する鉛直集中荷重[kN]

図17｜上載荷重による側圧の比較

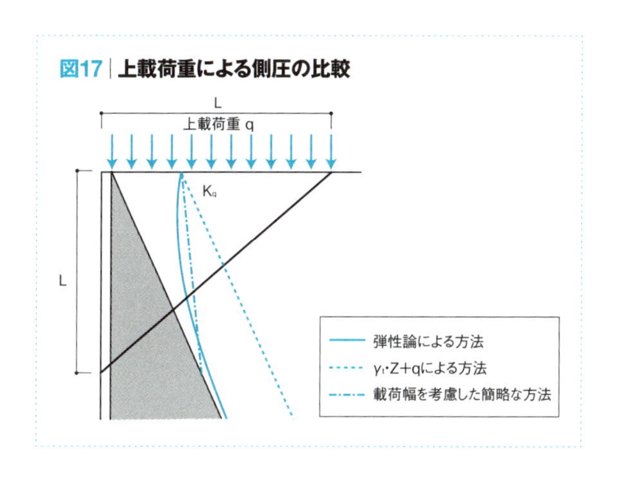

ポイント

荷重低減

point

通常、背面地盤は無限に連続しているとして土圧を算定するが、近接して地下構造物などがある場合、背面土を有限として荷重低減することも考えられる。土圧は、有限幅に等しい深さまで増加するとし、それ以深は構造物の下端までは一定とする方法がある。ただし、近接建物に関しては、部分地下の場合もあるので、十分に調査を行い、明確となった場合のみ採用する。

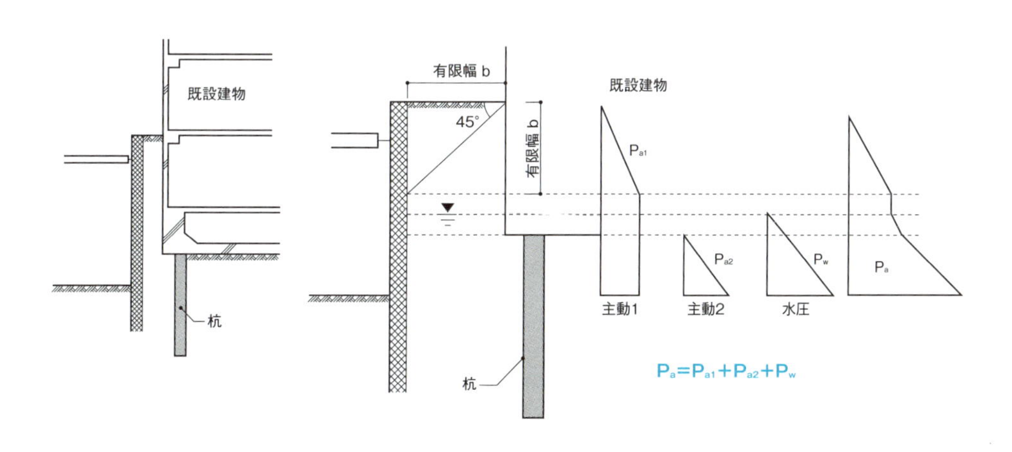

[3]——側圧算出式の土重量「$\gamma_t \cdot z$」を「$\gamma_t \cdot z+q$」とする方法

上載荷重qをこれと等価な土とみなして、見かけ上の地表面を高くして側圧を求める方法である[213頁図17]。算定は簡易であるが、側圧に対する増加分は深さ方向に対して一定値となるため、実際よりも過大な評価となる。

簡略法として、載荷幅に等しい深さで上載荷重による側圧を0とする逆三角形側圧を213頁図17(一点鎖線)に示す。

側圧の設定

山留め壁に作用する水平方向の荷重を側圧といい、地層構成、土質性状、地下水状況、周辺構造物の影響などを考慮して設定する。

背面側側圧

背面側側圧の算定法にはランキン・レザール法や側圧係数法があるが、総合的に判断して設計側圧を決定する。一般的には、ランキン・レザール法で求めた主働土圧を包括するように側圧係数を定めるのがよい。

[1]——ランキン・レザール法

ランキン・レザールの主働土圧(山留め壁を掘削側へ押し出そうとする土圧)に水圧を加算した土水圧分離型の側圧を求める方法である。図18に算定式を示す。

なお、算定式の右辺第1・2項の土圧に関する合計値が負となる場合はこれを0とし、側圧P_aが水圧P_{wa}を下回らないこととする。ただし、粘性土で水圧の評価が困難な場合は、P_{wa}を0とし、土水圧一体(土圧と水圧を分離しない)で算定する。

また、上載荷重を考慮する場合は、212頁で解説したヴーシネスクの式で、荷重増分を各深さの側圧に加算するか、ランキン・レザール法の式中第1項の「$\gamma_t \cdot z$」を「$\gamma_t \cdot z+q$」に置き換えて算定する。

[2]——側圧係数法

山留め壁の受ける土圧の実測値にもとづいて提案された土水圧一体型の側圧を求める方法である。土水圧分離で考えると分かりやすいが、側圧の大半を占める水圧の性状を定量的に評価するのは困難な場合が多く、一体型として図19に算定式を示す。

側圧係数は、基本的に図19中の表によるが、計画地周辺や類似地盤における実測値などを参考に、設計者が判断して設定すべきものである。その場合の設定の目安を表9に示す。

ただし、算定した側圧が水圧を下回らないよう、係数設定への配慮も必要である。また、側圧係数にはある程度の上載荷重は含まれた値と考えられるが、考慮しないと地表面における荷重が0となる。そのため、一般的にはランキン・レザール法と同様、安全側に「$\gamma_t \cdot z$」を「$\gamma_t \cdot z+q$」として算定する。

なお、土圧係数、水圧係数を適切に評価できる場合は、図20に示す算定式で側圧を算定してもよい。

図18 | ランキン・レザール法

$$P_a=(\gamma_t \cdot z-P_{wa}) \cdot \tan^2\left(45°-\frac{\phi}{2}\right)-2 \cdot c \cdot \tan\left(45°-\frac{\phi}{2}\right)+P_{wa}$$

P_a :地表面からの深さz[m]における背面側側圧[kN/m²]
γ_t :土の湿潤単位体積重量[kN/m³]
z :地表面からの深さ[m]
P_{wa}:地表面からの深さz[m]における背面側水圧[kN/m²]
c :粘着力[kN/m²]
ϕ :土の内部摩擦角[°]

図19 | 側圧係数法

$$P_a=K \cdot \gamma_t \cdot z$$

P_a:地表面からの深さz[m]における背面側側圧[kN/m²]
γ_t:土の湿潤単位体積重量[kN/m³]
z :地表面からの深さ[m]
K :側圧係数(下表参照)

地盤		側圧係数
砂質地盤	地下水位が浅い場合	0.3 ~ 0.7
	地下水位が深い場合	0.2 ~ 0.4
粘土質地盤	沖積粘土	0.5 ~ 0.8
	洪積粘土	0.2 ~ 0.5

表9出典:『山留め設計施工指針』((一社)日本建築学会)

表9｜側圧係数

地盤	条件			側圧係数	備考	
					N値	qu [kN/m²]
砂質地盤	地下水位が浅い地盤で不透水性の山留め壁を用いた場合など、高い水位が保たれると判断されるような掘削	一様な透水性の地盤	緩い	0.7 ~ 0.8	10未満	—
			中くらいの	0.6 ~ 0.7	10以上 ~ 25以下	—
			密実な	0.5 ~ 0.6	25超	—
		不透水層を挟むなど一様でない場合	緩い	0.6 ~ 0.7	10未満	—
			中くらいの	0.4 ~ 0.6	10以上 ~ 25以下	—
			密実な	0.3 ~ 0.4	25超	—
	上記以外の場合の掘削		緩い	0.3 ~ 0.5	15未満	—
			中くらいの	0.2 ~ 0.3	15以上 ~ 30以下	—
			密実な	0.2	30超	—
粘土質地盤	層厚の大きい未圧密ないし正規圧密程度の特に鋭敏な粘土		非常な軟弱粘土	0.7 ~ 0.8	—	50未満
	層厚の大きな正規圧密程度の特に鋭敏な粘土		軟弱粘土	0.6 ~ 0.7	—	
	正規圧密程度の粘土		軟弱粘土	0.5 ~ 0.6	—	
	過圧密と判断される粘土		中くらいの粘土	0.4 ~ 0.6	—	50以上 ~ 100以下
	安定した洪積粘土		硬質粘土	0.3 ~ 0.5	—	100超 ~ 200以下
	硬い洪積粘土		非常な硬質粘土	0.2 ~ 0.3	—	200超

図20｜土圧・水圧係数を適切に評価できる場合の側圧算定式

$$P_a = K_s(\gamma_t \cdot h_1 + \gamma' \cdot h_2) + K_w \cdot \gamma_w \cdot h_2$$
$$= K \cdot \gamma_t (h_1 + h_2)$$

P_a：背面側側圧[kN/m²]

K_s：土圧係数

K_w：水圧係数

K ：側圧係数

γ_t：土の湿潤単位体積重量[kN/m³]

γ'：土の水中単位体積重量[kN/m³]

γ_w：水の単位体積重量[kN/m³]

h_1：地表面から地下水位までの深さ[m]

h_2：地下水位からの深さ[m]

側圧係数の概念

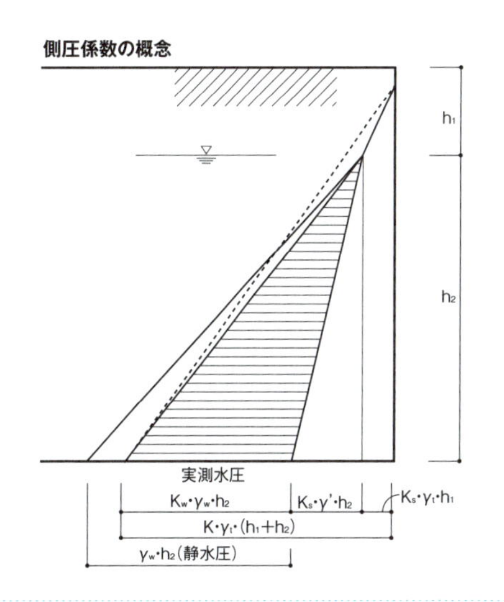

硬質地盤における浅い掘削などは地山に自立性があり、側圧係数Kaが表中の下限である0.2を下回ることがあります。このような場合は、側圧係数は目安値によらず設計者判断で設定して構いません

掘削側の側圧

山留め壁掘削側根入れ部に作用する側圧の上限値は、ランキン・レザール式の受働土圧(山留め壁を押し返そうとする土圧)に水圧を加算した土水圧分離型の値とする。ただし、粘性土で水圧の評価が困難な場合は、水圧P_{wp}を0として、土水圧一体で算定する[図21]。

図21｜山留め壁掘削側に作用する側圧の上限値

$$P_p=(\gamma_t \cdot z_p-P_{wp}) \cdot \tan^2\left(45°+\frac{\phi}{2}\right)+2 \cdot c \cdot \tan\left(45°+\frac{\phi}{2}\right)+P_{wp}$$

P_p ：掘削底面からの深さz_p[m]における掘削側側圧の上限値[kN/m²]

γ_t ：土の湿潤単位体積重量[kN/m³]

z_p ：掘削底面からの深さ[m]

P_{wp}：掘削底面からの深さz_p[m]における掘削側水圧[kN/m²]

c ：粘着力[kN/m²]

ϕ ：土の内部摩擦角[°]

図22｜土・水圧分離による平衡側圧の算定式

$$P_{eq}=K_{eq}(\gamma_t \cdot z_p-P_{wp})+P_{wp}$$

P_{eq}：掘削底面からの深さz_p[m]における平衡側圧[kN/m²]

K_{eq}：掘削底面からの深さz_p[m]における平衡土圧係数

γ_t ：土の湿潤単位体積重量[kN/m³]

z_p ：掘削底面からの深さ[m]

P_{wp}：掘削底面からの深さz_p[m]における掘削側水圧[kN/m²]

平衡側圧

平衡側圧は、山留め壁が変位しないと仮定した場合の、山留め壁掘削側根入れ部に作用する側圧をいう。後述する「梁・ばねモデル」の外力設定に用いられる。山留め壁の背面側と掘削側で変位とは無関係にバランスするので、掘削側に等しい背面側根入れ部の側圧も平衡側圧と考える。したがって、背面側圧のうち平衡側圧分は山留めに対する外力とならない。図22に土水圧分離による算定式を示す。

平衡側圧は、側圧の一部を便宜的に定義したものである。平衡土圧係数K_{eq}の設定について代表的な考え方を図23に示す。

[1]――掘削底から静止側圧を想定する方法

掘削底面から想定した静止土圧に水圧を加えて平衡側圧とする。K_{eq}=静止土圧係数K_0(一般に0.5程度)とする。

[2]――除荷に伴う土圧の残留を考慮する方法

掘削側地盤が過圧密状態にあり、掘削しても土圧は土かぶり圧の減少ほど低下しない傾向にあることを考慮して、土圧係数を割り増して算定する[図24]。

また、実務的には、掘削底面からある深さhを定め、それ以深では掘削前の土圧がそのまま残るとする方

図23｜平衡土圧の考え方

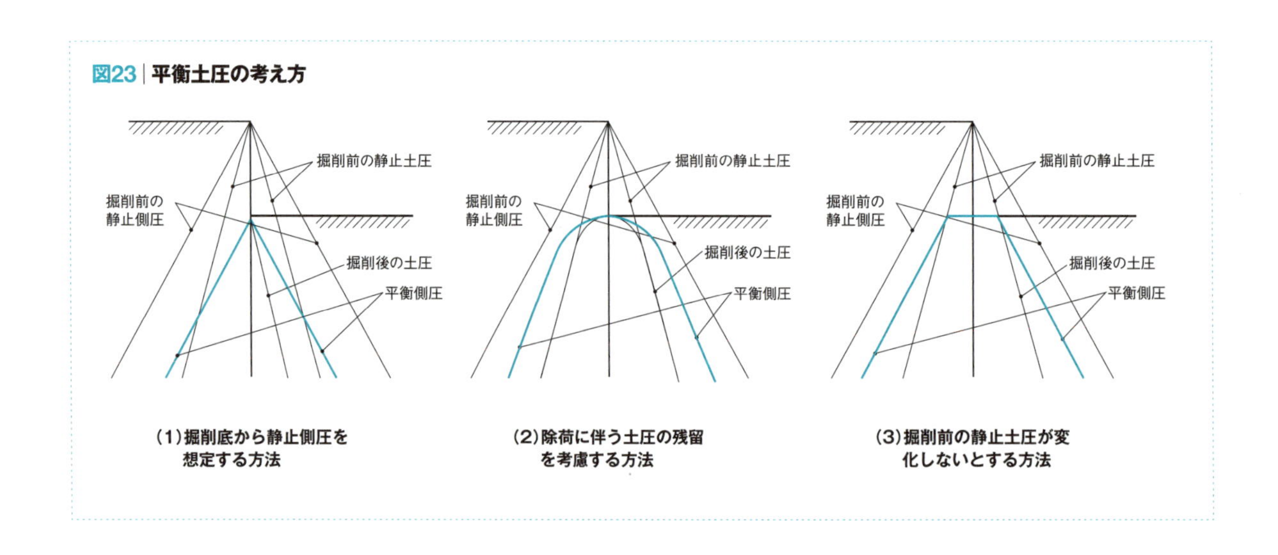

法がある[図25]。h設定の目安となる3つの方法を以下に示す。

①山留め架構の実測挙動にもとづく方法：山留め架構の実測挙動の逆解析結果にもとづく提案値hを表10に示す。これは土圧が対象で、掘削に伴って減少する水圧は低下した水圧を加算して、平衡側圧を算定する

②室内要素試験にもとづく方法：室内要素試験結果によれば、鉛直土圧が初期の60%より大きい範囲では、水平土圧の減少量は少ないことが示されており、土圧減少深さhは図26で表される。水圧については、①に同じである

③実測側圧のバランスにもとづく方法：山留め壁の背面側と掘削側に作用する側圧のバランスを実測値にもとづいて評価した提案式を図27に示す。なお、水圧変化は考慮されている

[3]――掘削前の静止土圧が変化しないとする方法

掘削しても、山留め壁根入れ部に作用する土圧はまったく変化せず、掘削前の静止土圧を維持すると考える。この方法の場合、山留め壁根入れ部に作用する土圧は無視することとなる。硬質地盤での影響は小さいと思われるが、通常、設計外力としては危険側となる。

図24｜平衡土圧係数の割り増し

$K_{eq}=K_0\cdot OCR^{\alpha}$

K_{eq}：平衡土圧係数

K_0：静止土圧係数（一般に$K_0=0.5$程度とすることが多い）

OCR：過圧密比

α：係数 $\alpha=\sin\phi$（粘性土で土･水圧一体評価の場合は$\alpha=0.6$とする）

ϕ：内部摩擦角[°]

図25｜実務的な平衡土圧の設定方法

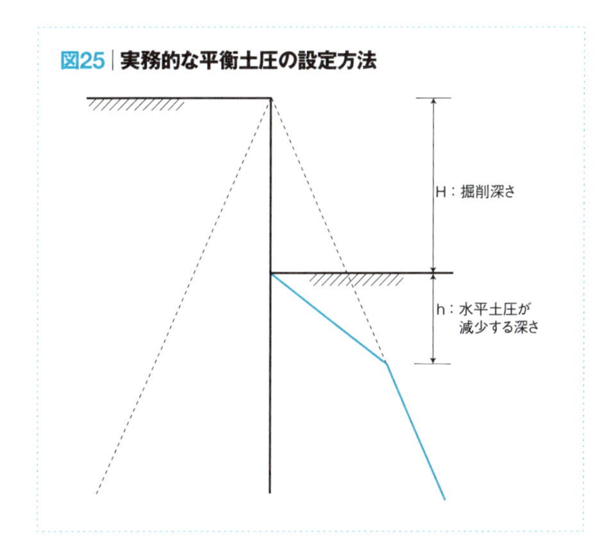

図26｜室内要素実験にもとづく土圧減少深さh

$h=1.5\cdot H$

h：水平土圧が減少する深さ[m]

H：掘削深さ[m]

図27｜実測側圧のバランスにもとづく土圧減少深さh

砂質地盤：$h=3.0-0.1N$

粘土質地盤：$h=3.0-0.05c$

h：根入れ部で外力として作用する側圧の深さ[m]（ただし、$h\geqq 0.5$）

N：N値

c：土の粘着力[kN/m²]

表10｜実測挙動にもとづく掘削底面以深の土圧減少深さ

砂質土			粘性土		
N値	相対密度	深さ[m]	N値	コンシステンシー	深さ[m]
～5	非常に緩い	3.0～	～2	非常に軟らかい	5.0～
5～10	緩い	2.0～3.0	2～4	軟らかい	3.0～5.0
10～30	中くらい	1.0～2.0	4～8	中くらい	2.0～3.0
30～50	密な	0.5～1.0	8～15	硬い	1.0～2.0
50～	非常に密な	0.5	15～	非常に硬い	1.0

表10出典：『山留め設計施工指針』（(一社)日本建築学会）

水圧の設定

土水圧分離の側圧を採用する場合の水圧は、深度ごとに設定することが原則である。各深度の水圧が測定されていない場合、砂質土層では各層の水頭に応じた静水圧を仮定し、粘性土層では上下の砂質土層の水圧を直線補完して設定する[図28]。

また、砂質土層で山留め壁先端が不透水層に根入れされていない場合は、山留め壁の下端において背面側と掘削側の水圧が等しくなるように、動水勾配iを考慮してそれぞれの水圧係数(K_{wa}、K_{wp})を設定する[図29]。

なお、動水勾配を考慮せず、背面側の水圧には静水圧($K_{wa}=1.0$)を仮定し、山留め壁先端で水圧が等しくなるよう掘削側の水圧係数を$K_{wp}=D_a/D_p$とする考え方もある。

図28｜水圧による荷重の設定(砂質土・粘性土互相地盤の場合)

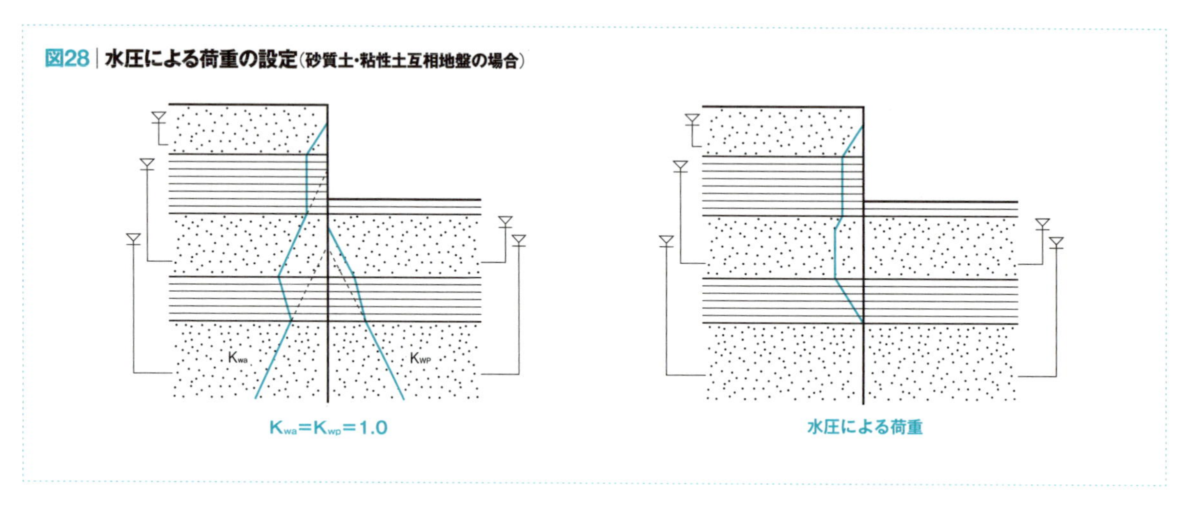

図29｜動水勾配 i を考慮した水圧係数の設定(砂質地盤)

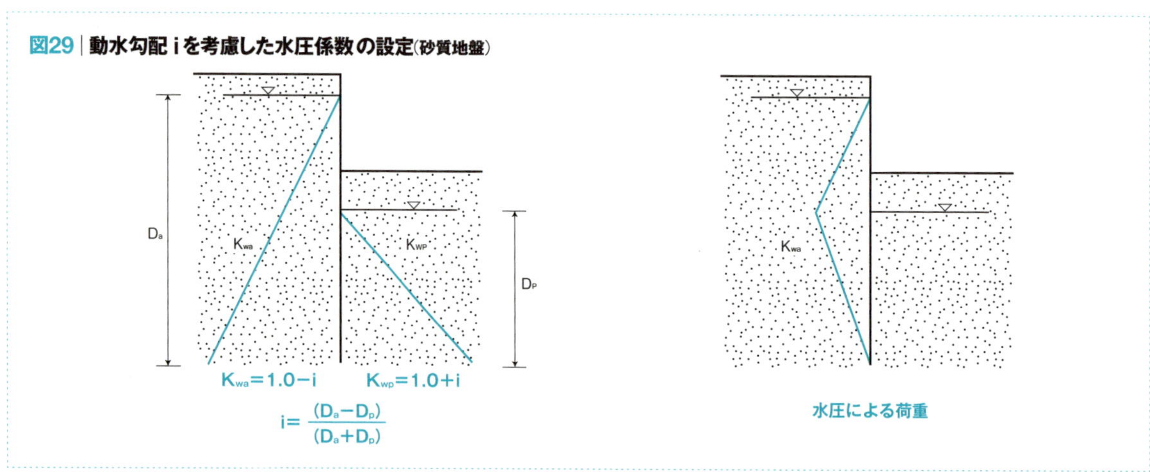

6 | 掘削面の安定

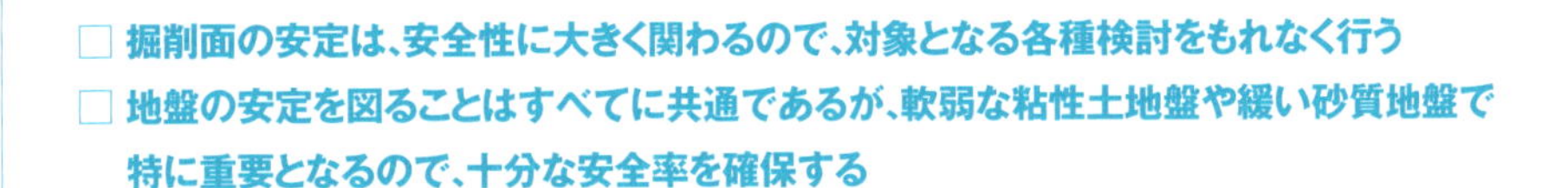

□ 掘削面の安定は、安全性に大きく関わるので、対象となる各種検討をもれなく行う
□ 地盤の安定を図ることはすべてに共通であるが、軟弱な粘性土地盤や緩い砂質地盤で特に重要となるので、十分な安全率を確保する

山留め壁の根入れ長さ

山留め壁の掘削底面以深の根入れ長さは、工事条件に応じて総合的に判断して決定する。

[1]――側圧による力の釣り合いにおける検討

山留め壁が側圧によって転倒することのないよう、山留め壁の掘削側側圧による抵抗モーメントM_pと背面側側圧による転倒モーメントM_aの関係が安全率1.2を満足するように根入れ長さを決定する[図30]。

親杭横矢板壁の掘削底面以深の側圧は、232頁図52に示すように、山留め壁背面側では親杭の有効幅D（＝親杭の見付け幅）とし、掘削側地盤では地盤条件に応じて1・D～3・Dの範囲で設定し、根入れ部に有効に作用する側圧に換算する。

バランスが崩れることによって生ずる転倒の危険性は、自立山留めおよび支保工段数が1段の山留めで高く、多段支保工の場合は比較的低い。

[2]――掘削底面の安定に対する検討

掘削底面の安定については、ボイリングと盤膨れ、ヒービングについて検討を行い、これらに対して十分安全であるように根入れ長さを決定する。

[3]――地下水の遮水に対する検討

地下水の処理対策として、山留め壁を掘削面内への地下水流入を防ぐ遮水工法とした場合、通常は止水性を有する山留め壁を透水性の低い地盤（不透水層または難透水層）まで根入れするため、当該層までの必要な到達長さを確保する。

図30｜モーメントの釣り合いによる山留め壁の転倒の検討方法

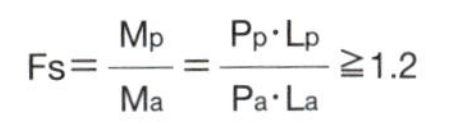

$$F_s=\frac{M_p}{M_a}=\frac{P_p\cdot L_p}{P_a\cdot L_a}\geqq 1.2$$

F_s：安全率
M_p：抵抗モーメント[kN·m]
M_a：転倒モーメント[kN·m]
P_p：山留め壁掘削側側圧の合力[kN]
P_a：山留め壁背面側側圧の合力[kN]
L_p：転倒の回転中心から掘削側側圧の合力P_pまでの距離[m]
L_a：転倒の回転中心から背面側側圧の合力P_aまでの距離[m]

(1) 自立山留めの場合

転倒の回転中心を山留め壁先端（下端）Oとする

(2) 支保工が1段の場合

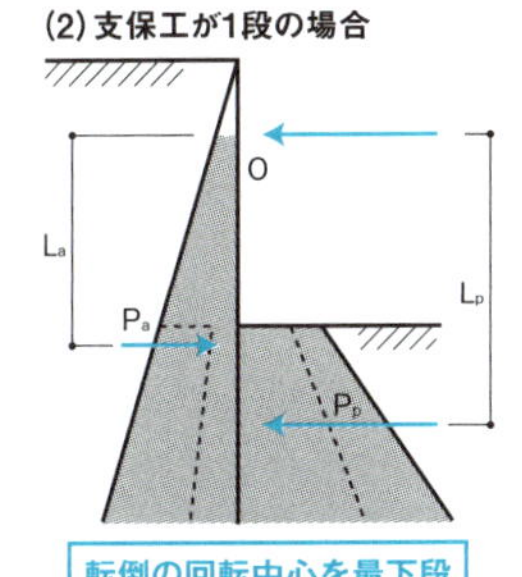

転倒の回転中心を最下段切梁の支持点Oとする

[4]――山留め壁の支持力に対する検討

支保工を地盤アンカーとした場合や、逆打ち工法で躯体の鉛直荷重を山留め壁に負担させる場合には、山留め壁の支持力についての検討を要し、図31に示す許容支持力Raが想定する鉛直荷重を上回るように根入れ長さを決定する。

山留め壁の支持力は、切梁支柱や構台杭の短期許容支持力(極限支持力の2/3)と比べ、長期許容支持力と短期許容支持力の中間値(極限支持力の1/2)として安全側の設定となっている。これは、アンカーの鉛直分力や逆打ちの躯体荷重が比較的大きく、施工中恒常的に作用することや、支持力不足で過大な沈下が発生した場合、山留めの崩壊や躯体の損傷を引き起こす可能性があることを考慮したことによる。

なお、山留め壁の摩擦抵抗力を考慮できる範囲は、原則掘削以深とする[図32]。また、地震時に液状化が予想される地盤では抵抗力を期待できないので注意する。

ボイリング

透水性の大きい砂質土などの地盤において、止水性の山留め壁で掘削した場合、掘削面内と背面に生ずる地下水位差によって上向きの浸透流が発生し、掘削面の有効重量より大きくなると、水流によって砂粒子が浮遊するクイックサンドの状態となる。クイックサンドが発生し、砂質土地盤が支持力を失って沸騰したような状態で地盤が破壊する現象をボイリングという[図33]。また、ボイリング状態が局部的に発生し、山留め

図31｜山留め壁の支持力の算定

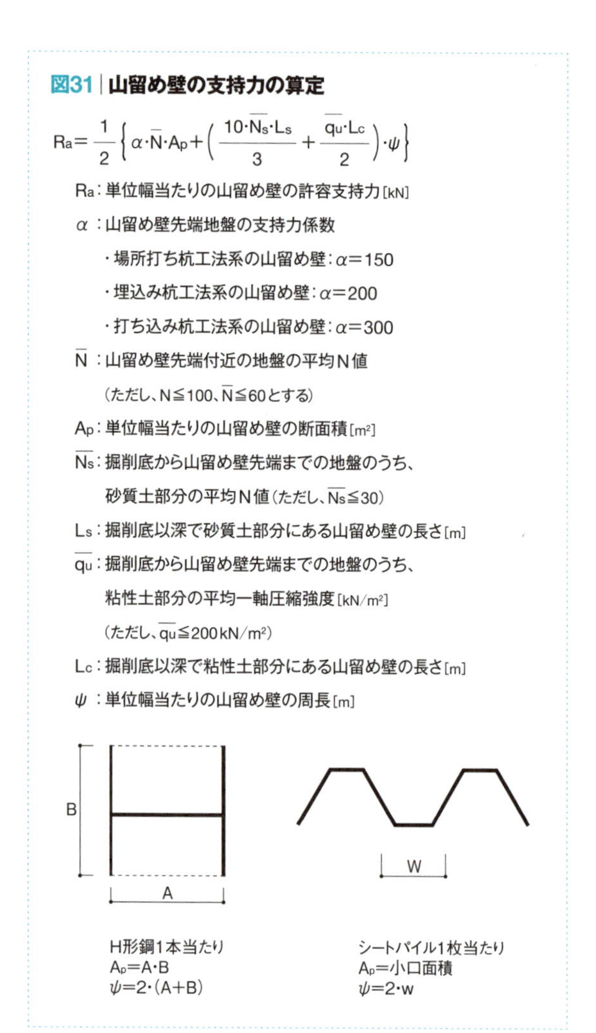

図32｜山留め壁の鉛直方向摩擦力を考慮できる範囲

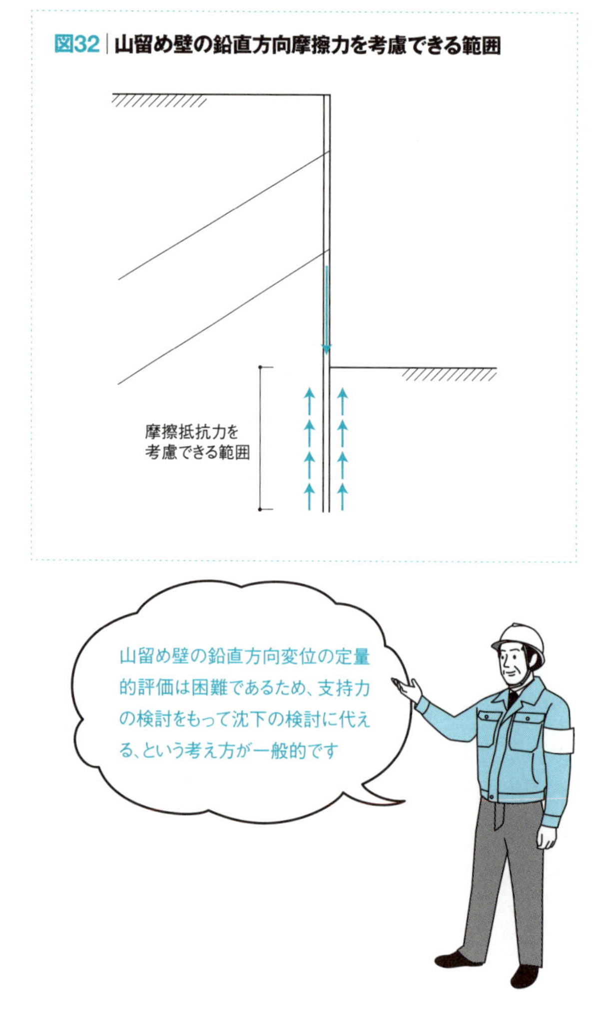

壁近傍や本設杭の周辺など異質の接触面に沿って、地盤内にパイプ状の孔や水みちができる現象をパイピングという。

ボイリングを防止する山留め壁の根入れ長さの算出には、テルツァーギの方法がある。地盤がボイリング破壊する幅（＝D／2）における過剰間隙水圧$\gamma w \cdot ha$と土重量γ'の釣り合い、および平均過剰間隙水圧の高さhaと水位差hwの関係である、ha＝hw／2より、**図34**に示す算定式が得られる。

掘削面より上の背面地盤内での水頭損失を無視しているために安全側であると考えられ、安全率は1.2以上を確保する。

パイピングに対する検討には、浸透流路長と水位差の比較をした算定式を用いる［**図35**］。

ボイリング対策としては次のものが挙げられる。

①ディープウェルなどで掘削面内の水位を低下させ、上向きの浸透力を低下させる。釜場工法のような表面の付近の集水・排水方法は危険である

②止水壁の根入れを長くし、浸透流の流線長を確保して上向きの浸透力を低下させる。山留め壁施工時に周辺地盤を緩めてしまうと、検討での安全率を確保していても、ボイリングが発生する懸念があるので注意する

図33｜ボイリング

地表面
地下水位
止水壁
掘削底面
砂質土層

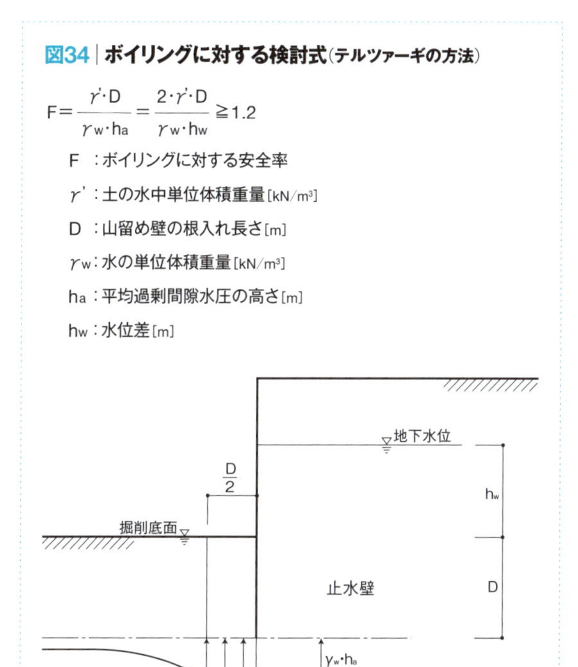

図34｜ボイリングに対する検討式（テルツァーギの方法）

$$F=\frac{\gamma' \cdot D}{\gamma w \cdot ha}=\frac{2 \cdot \gamma' \cdot D}{\gamma w \cdot hw} \geqq 1.2$$

F ：ボイリングに対する安全率

γ'：土の水中単位体積重量［kN/m³］

D ：山留め壁の根入れ長さ［m］

γw：水の単位体積重量［kN/m³］

ha：平均過剰間隙水圧の高さ［m］

hw：水位差［m］

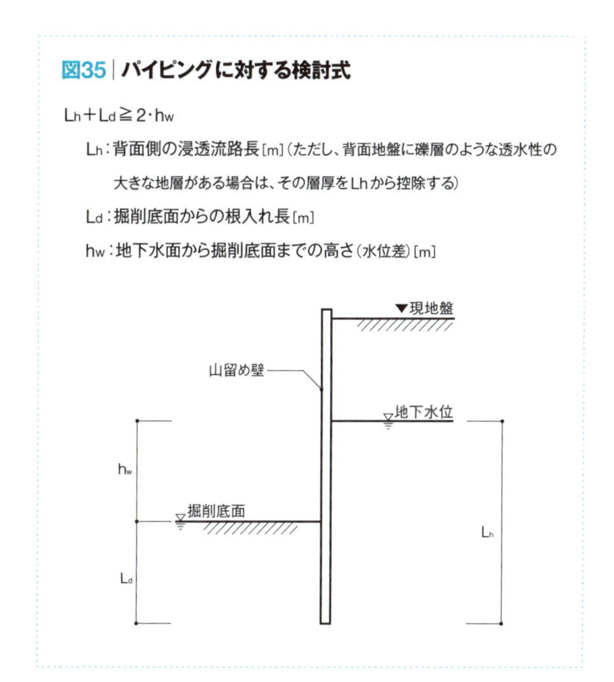

図35｜パイピングに対する検討式

$$L_h + L_d \geqq 2 \cdot h_w$$

L_h：背面側の浸透流路長［m］（ただし、背面地盤に礫層のような透水性の大きな地層がある場合は、その層厚をLhから控除する）

L_d：掘削底面からの根入れ長［m］

h_w：地下水面から掘削底面までの高さ（水位差）［m］

盤膨れ

掘削面下に粘性土や細粒分の多い細砂層のような難透水層があり、その下に被圧帯水層があって被圧水の揚圧力が土かぶり圧より大きい場合に、掘削底面がもち上がる現象を盤膨れという[図36]。

盤膨れに対する検討は、被圧水の揚圧力と土かぶり圧の荷重バランスについて行う[図37]。

抵抗要素として地盤と山留め壁の摩擦力や地盤のせん断強度が考えられるが、建築では一般的な掘削平面規模などより無視することとし、その代わりに安全率は1.0とする。

なお、掘削底面下に複数の被圧帯水層が存在する場合、それぞれについて検討を行う。

盤膨れ対策としては次のものが挙げられる。

①ディープウェルなどで排水し、被圧水頭を下げる

②止水壁を被圧帯水層下の難透水層まで根入れする方法で、掘削底面下へ流入する地下水を遮断し、揚圧力をなくす

図36｜盤膨れ

切梁支柱
山留め壁
地下水の噴出
盤膨れ
難透水層
杭の引き抜き跡など
揚圧力
被圧帯水層

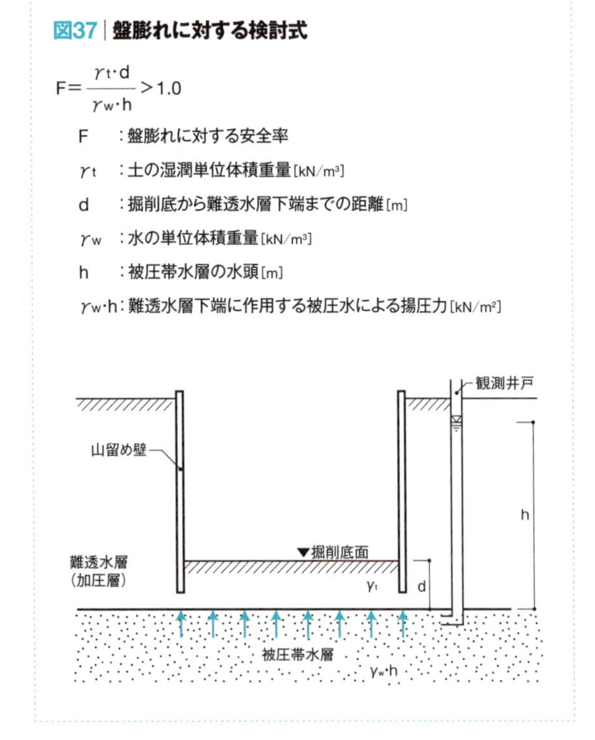
図37｜盤膨れに対する検討式

$$F=\frac{\gamma_t \cdot d}{\gamma_w \cdot h}>1.0$$

F ：盤膨れに対する安全率

γ_t ：土の湿潤単位体積重量[kN/m³]

d ：掘削底から難透水層下端までの距離[m]

γ_w ：水の単位体積重量[kN/m³]

h ：被圧帯水層の水頭[m]

$\gamma_w \cdot h$：難透水層下端に作用する被圧水による揚圧力[kN/m²]

ヒービング

軟弱な粘性土地盤において、山留め壁背面の土塊重量や近接した地表面荷重などにより、滑り面に沿って掘削底面に周囲の地盤が回り込んで盛り上がってくる現象をヒービングという[図38]。

検討方法は各種あるが、仮定した滑り面に沿うせん断抵抗モーメントと滑動モーメントとの関連による式を図39に示す。支保工を用いる場合は滑り中心を最下段支保工と山留め壁の交点とし、自立の場合は掘削床付け面と山留め壁の交点として、それぞれ検討する。なお、地盤のせん断強さSuは、一軸圧縮強さの1／2(=粘着力C)で評価する。

掘削底面下かなりの深さまで地層が一様と考えられる場合、式はそれぞれ以下のように簡単に表せる。

切梁を用いる場合

$$F=\frac{(\pi+2\alpha)\cdot S_u}{\gamma_t\cdot H+q}$$

自立山留めの場合

$$F=\frac{2\cdot\pi\cdot S_u}{\gamma_t\cdot H+q}$$

224頁図40に示すように、掘削底部の地盤が多層の場合には、検討する円弧滑り面と地盤層境との交点で滑り面を分割し、分割した滑り面ごとに対象となる地盤のせん断強度で滑り面の回転中心に対する抵抗

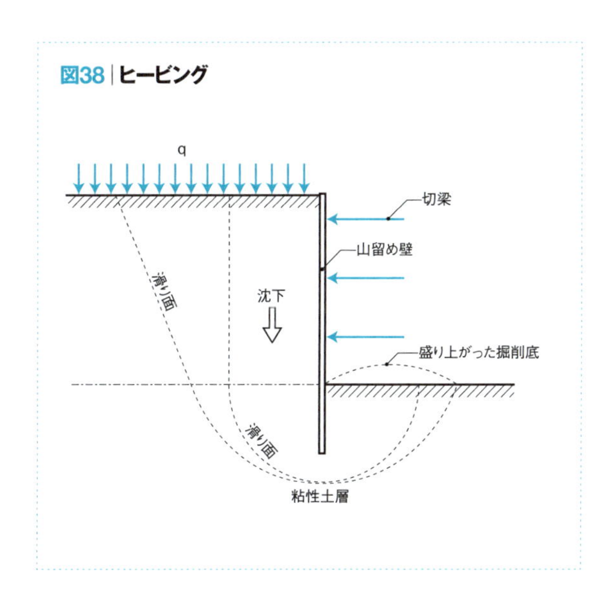

図38｜ヒービング

図39｜ヒービングに対する検討式

(1) 切梁を用いる場合

$$F=\frac{M_r}{M_d}=\frac{x\int_0^{\frac{\pi}{2}+\alpha}S_u\cdot x\cdot d\theta}{W\cdot\frac{x}{2}}\geqq 1.2$$

(2) 自立山留めの場合

$$F=\frac{M_r}{M_d}=\frac{x\int_0^{\pi}S_u\cdot x\cdot d\theta}{W\cdot\frac{x}{2}}\geqq 1.5$$

F ：ヒービングに対する安全率

M_r：単位奥行き当たりの滑り面に沿う地盤のせん断抵抗モーメント[kN·m/m]

M_d：単位奥行き当たりの背面土塊などによる滑動モーメント[kN·m/m]

S_u：地盤の非排水せん断強さ[kN/m²]

x ：検討滑り円弧の半径[m]

α ：最下段切梁中心から掘削面までの間隔と検討滑り円弧の半径で決まる角度[rad](ただし、$\alpha<\frac{\pi}{2}$)

W：単位奥行き当たりの滑動力[kN/m]

$W=x(\gamma_t\cdot H+q)$

H：掘削深さ[m]

γ_t：土の湿潤単位体積重量[kN/m³]

q：地表面で考慮する上載荷重[kN/m²]

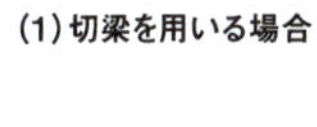

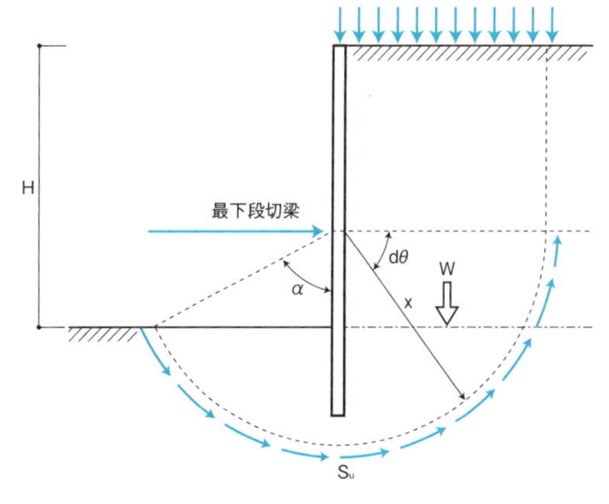

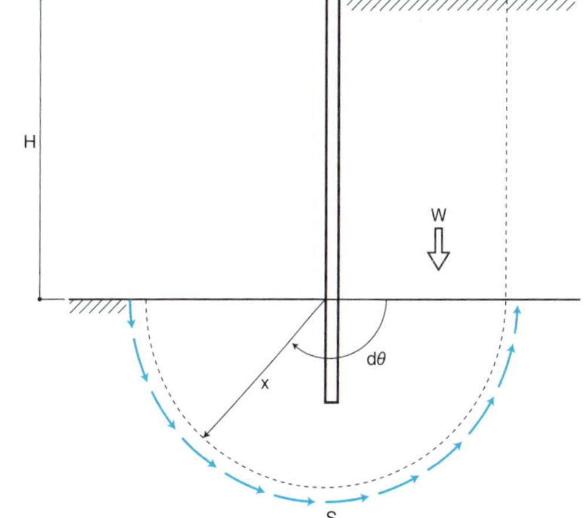

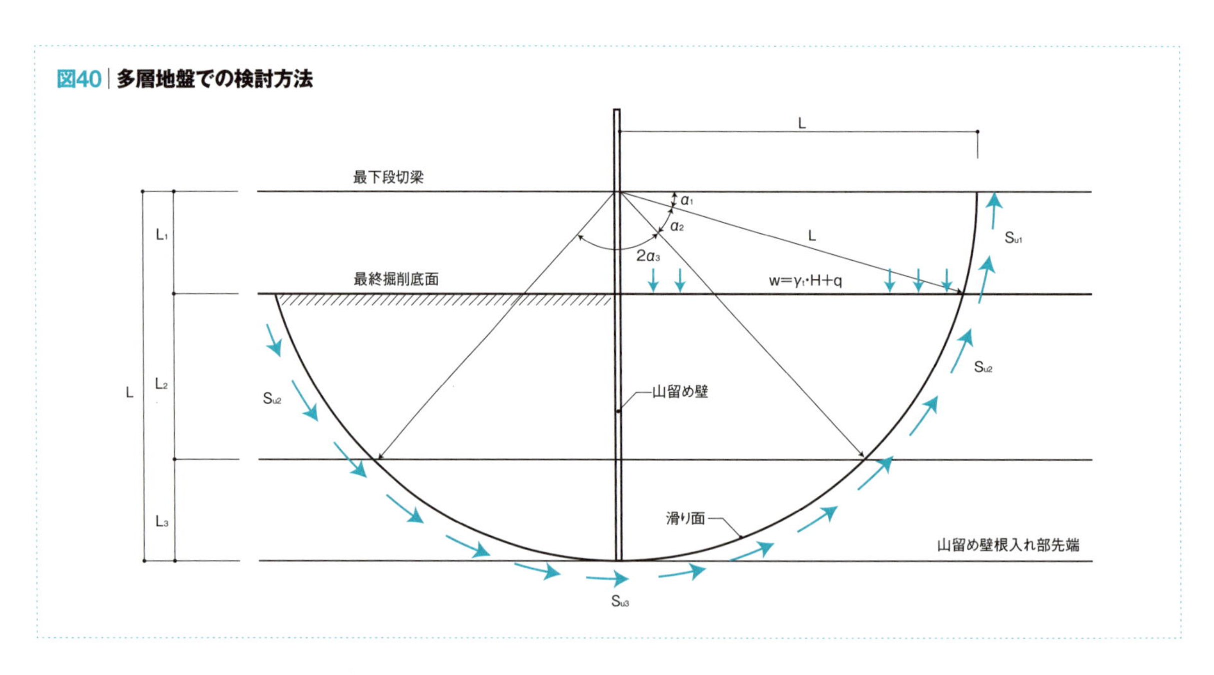

図40｜多層地盤での検討方法

図41｜ペックの検討式

$$N_b = \frac{\gamma_t \cdot H}{S_{ub}}$$

N_b：掘削底面の安定係数

N_{cb}：底面破壊もしくはヒービングが発生する限界のN_b

γ_t：土の湿潤単位体積重量［kN/m³］

H：掘削深さ［m］

S_{ub}：掘削底面以下の粘土の非排水せん断強さ［kN/m²］

（一軸圧縮強度quの1/2、すなわち粘着力Cに等しいとしてよい）

$N_b < 3.14$：掘削底面の上向きの変位はほとんど弾性的で、その量は小さい

$N_b = 3.14$：塑性域が掘削底面から拡がり始める

$N_b = 3.14 \sim 5.14$：掘削底面の膨れ上がりが顕著になる

$N_{cb} = 5.14$：極限に達して掘削底面は底面破壊もしくはヒービングにより継続的にもち上がる

ヒービング現象に対し、上載荷重は直接的に地盤を滑らせる力となり、安全率を大きく変動させる要因であるため、的確に評価します

ヒービングの検討は掘削底以深の地盤強度に支配されるので、深い位置まで適正にせん断強さを設定します。せん断強さがわずかに低下しても安全率が急激に下がるので、土質試験結果を低めに評価するなどの配慮も必要です

モーメントを算定し、その総和を全抵抗モーメントとして用いる。また、地盤重量も多層の場合は層ごとに評価して滑動モーメントを算出する。

また、ヒービングの可能性を判断する目安にペックの式がある［図41］。掘削底面の状態と安定係数の関係から判定するもので、判定の目安としては安定係数N_bを4以下程度とすることが望ましい。

ヒービング対策としては次のものが挙げられる。

①高剛性の山留め壁を良質地盤まで根入れして背面地盤の回り込みを抑制する

②掘削底面以深の軟弱地盤を改良してせん断耐力を上げる。地盤中に切梁状の改良体をつくる方法もあるが、改良体が極端に薄いと曲げ破壊する危険もあるので注意を要する

③平面的にブロック分割して施工する。トレンチカット工法なども有効である

④山留め壁外周に余裕がある場合、周囲地盤のすき取りを行い、背面重量を減らして滑動モーメントを低減する

斜面安定

[1]――地盤全体の安定

傾斜地での掘削、法切りオープンカット工法、法と山留め壁の併用工法となる場合は、地盤全体の安定検討を要する[図42]。経験則より、滑り面形状は円形を仮定するのが一般的である。

地盤全体の安定に対する安全率Fは、下式のどちらかで表される。

$$F_m = \frac{\text{滑りに対する抵抗モーメント}}{\text{滑りの滑動モーメント}}$$

$$F_s = \frac{\text{滑り面上のせん断抵抗の和}}{\text{滑り面上のせん断応力の和}}$$

安定計算の方法は、円形滑り面の中心・半径をいろいろ変えて行い、そのなかで最小の安全率を与えるものを、滑りが発生する可能性が高い滑り面と考える。

砂質地盤では、法面角を内部摩擦角以内にしておけば安全で、法面高さに制限がなくなるが、地下水位は必ず掘削底面以下に下げておく。

粘性土では、安定計算で安全が確保できれば掘削可能であるが、法面高さ3～6m程度、土質性状がよく、中間部に犬走りを設けて多段形状とした場合でも10～12mを限度とするのが実状である。

土質が一様でない場合、あるいはアイランド工法の掘り残し法面をもつ場合のように、断面が複雑な場合には分割法による検討を行う[図43]。これは、法面形状と地盤構成を考慮して滑り面内の対象土塊を複数に分割して検討する方法である。滑り面上の長さLで分割された土塊底面では、同一強度(φ、C)をもつものとする。

土塊重量Wの滑り線の接線方向力Tが、滑り面中心Oからの離隔rで滑動モーメントM_Dを生じる。また、滑り面に垂直に働く法線方向力Nにtan φを乗じて得られる摩擦力と、滑り面に沿って働く粘着力C×Lを加算した力が滑り抵抗力Rで、滑り面中心Oに対する抵抗モーメントM_Rを生じる。安全率Fは滑動モーメントM_Dに対する抵抗モーメントM_Rとの比で、1.2以上確保する。

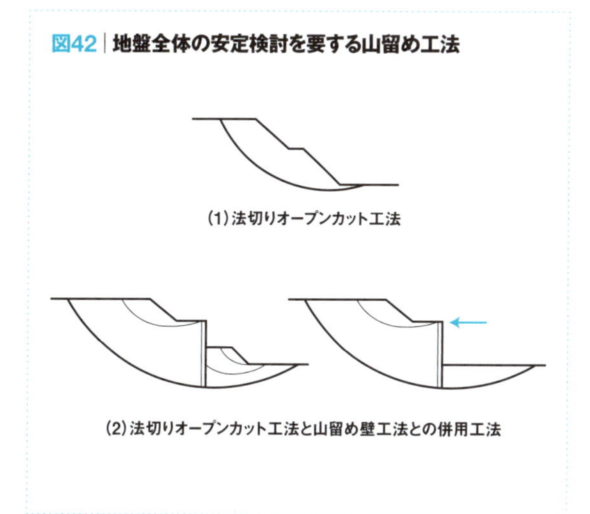

図42 | 地盤全体の安定検討を要する山留め工法

図43 | 分割法による検討

$$R = C \cdot L + N \cdot \tan\phi$$

$$F = \frac{M_R}{M_D} = \frac{\Sigma \triangle M_{Ri}}{\Sigma \triangle M_{Di}} = \frac{\gamma \cdot \Sigma (N_i \cdot \tan\phi_i + c_i \cdot L_i)}{\gamma \cdot \Sigma T_i} \geqq 1.2$$

R :滑り抵抗力[kN/m]
C :粘着力[kN/m²]
L :分割土塊片の滑り面上での長さ[m]
N :滑り面に垂直に働く法線方向力[kN/m]
T :滑り面の接線方向力[kN/m]
F :安全率
M_R:滑り面中心Oに対する抵抗モーメント[kN·m/m]
M_D:滑り面中心Oに対する滑動モーメント[kN·m/m]
r :仮定した円弧(滑り面)の半径[m]

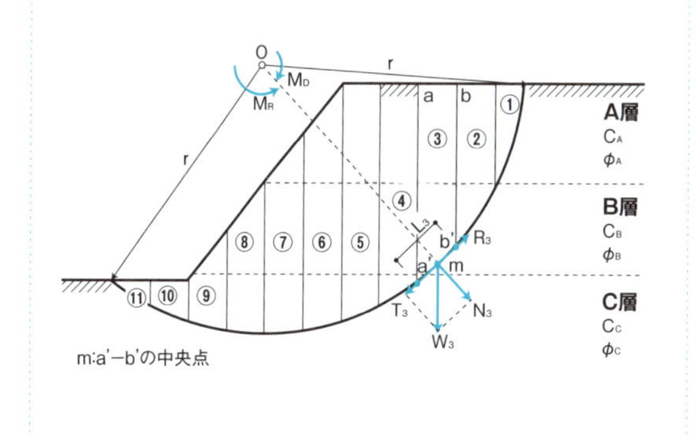

地盤内に地下水がある場合は、各分割土塊片の底面に間隙水圧uが作用するので、法線方向力Nはuを減じ有効力N'となる[図44]。なお、土の粘着力は地下水の存在によっては変化しない。分割土塊片の底面に作用する水圧が被圧されていない場合は、滑り面に作用する法面内の地下水位を周辺地盤内の地下水位と仮定する。

[2]——掘削場内法面の安定

掘削場内法面が単純な形状で、滑り面が同一地盤内となる場合は、テーラーの安定図表を用いることができる[図45]。ϕ、β、Dの値を基に図から安定係数Nを読み取り、このNとC、γ、Hから安全率Fを算定式によって求め、1.2以上を確保する。

図44｜地盤内に地下水がある場合

$R=C\cdot L+N'\cdot\tan\phi=C\cdot L+(N-u\cdot L)\tan\phi$

R：滑り抵抗力[kN/m]
C：粘着力[kN/m²]
L：分割土塊片の滑り面上での長さ[m]
N'：有効力＝N−u·L[kN/m]
　N：滑り面に垂直に働く法線方向力[kN/m]
　u：分割土塊片の底面に作用する間隙水圧[kN/m²]

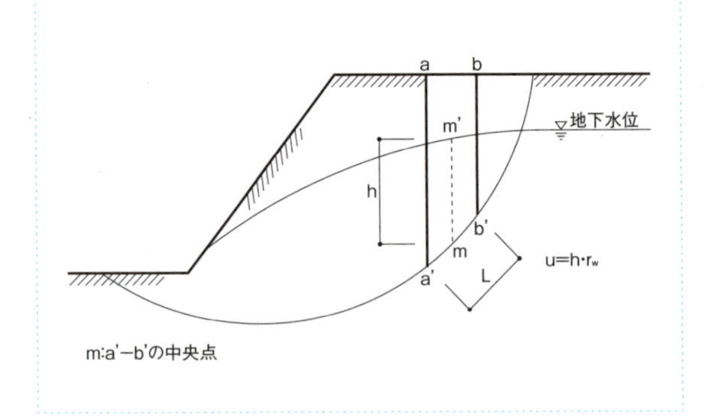

m:a'−b'の中央点

図45｜テーラーの検討方法

$F=N\cdot\left(\frac{C}{\gamma\cdot H}\right)\geqq 1.2$

F：安全率
N：安定係数(下図参照)
　ϕ：内部摩擦角[°]
　β：法面勾配[°]
　D：硬質地盤までの深さを表す深度係数
C：粘着力[kN/m²]
γ：地盤の単位体積重量[kN/m³]
H：法面高さ[m]

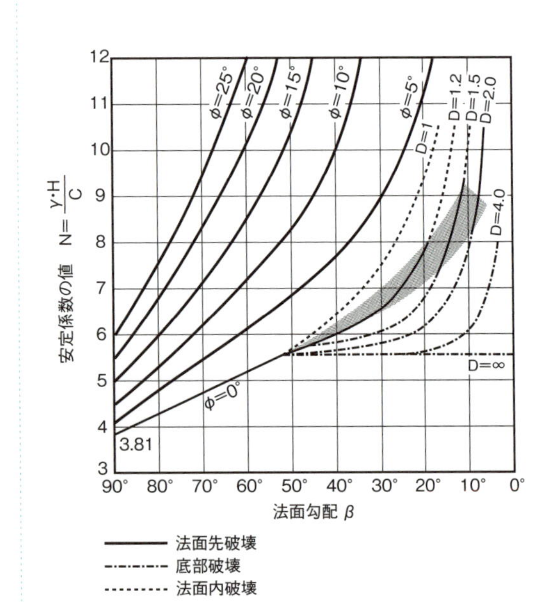

滑り面中心

(1)法面先破壊

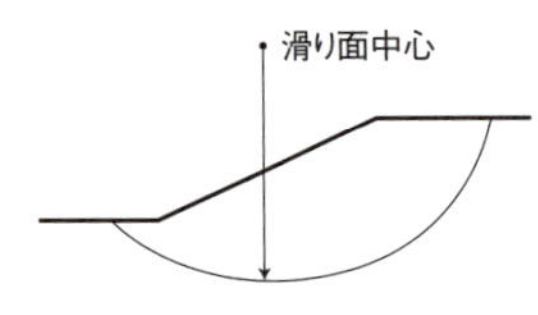

(2)底部破壊

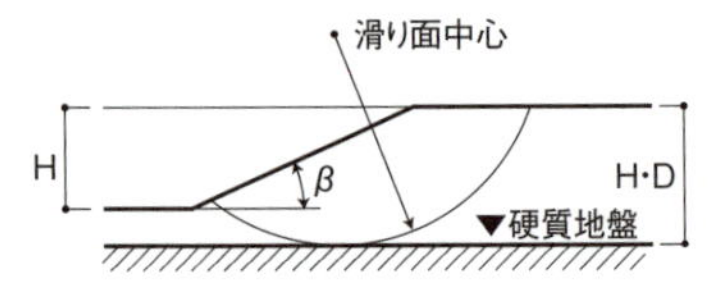

(3)法面内破壊

図45出典：『山留め設計施工指針』((一社)日本建築学会)
図46出典：『新·ボーリング図を読む』(理工図書)

[3]——法と山留め壁の併用

山留め際に地山を残して押さえる場合、その法形状に応じて、受働土圧が完全に期待できる深度として仮想の掘削底(IEL)に置き換え、これに対して山留め壁の根入れや断面について検討する。法(切土斜面)が地盤のせん断強さから十分安定する角度であれば、図46に示す円弧滑り面は無視できる。

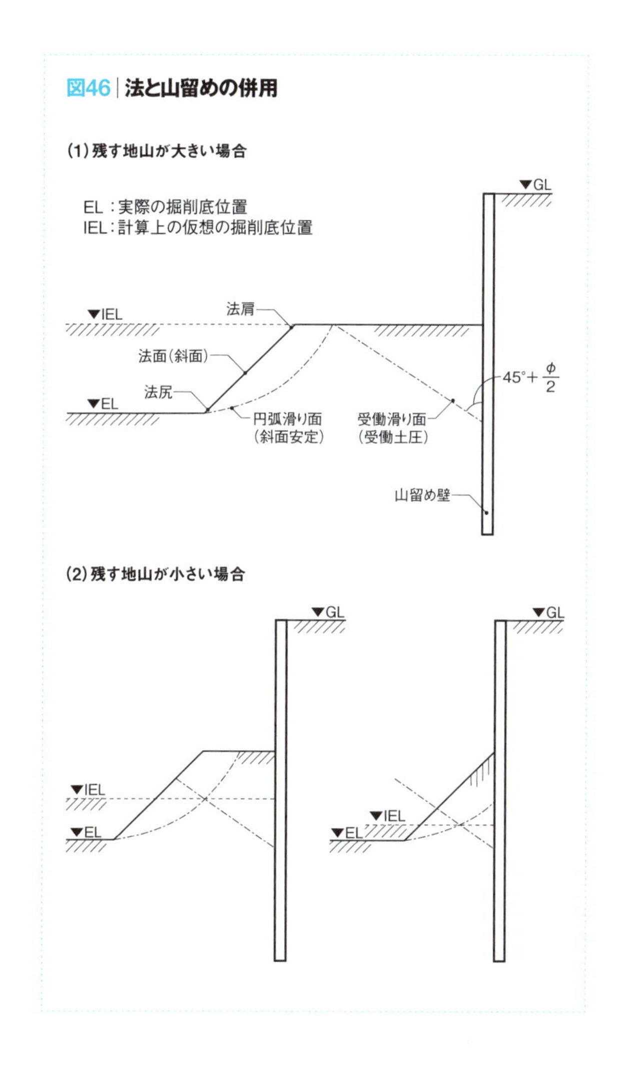

図46｜法と山留めの併用

7 | 山留め壁の応力・変形計算

□ 山留め壁の応力・変形の計算方法は、工事規模に対する適正をよく把握して選定する
□ 計算方法にはその使用における仮定条件があるので、十分理解して用いる

応力・変形計算の種類

山留め壁に生じる応力と変形の計算は、山留め架構および地盤のモデル化の方法によってさまざまな種類があるが、一般的には以下に大別される。

[1]——単純梁法

山留め壁を切梁支点間で支持される単純梁に分割して算定する方法である。掘削底以深の地盤に抵抗要素として仮の支持点を設けることから、「分割単純梁法」あるいは「仮想支点法」とも呼ばれる。計算が簡便で、計算過程が理解しやすいため、比較的小規模な山留めでは現在も使用頻度が高い。

[2]——連続梁法

山留め壁全長を1つの梁として複数の支持点を設け、コンピュータによって解析を行う方法である。山留め壁を有限あるいは半無限長の梁に、切梁などの支持点と地盤をばねと見なすことから「梁・ばねモデル」による方法ともいえる。地盤を弾性体と見なす「弾性支承梁法」や、地盤の塑性化を考慮する「弾塑性法」などがこれに属する。

[3]——有限要素法

山留め壁周囲の地盤を有限の要素に分割して配し、各要素間の応力と変形の連続性を満足させることで解を得る方法で、平面規模の影響を考慮した解析も可能である。荷重や地盤定数の設定方法などがほかの方法と異なり、計算モデルも多少煩雑で、通常の山留め設計に用いられることは少ないが、地盤変形まで算定可能であるため、周辺への影響検討で用いられる場合が多い。

以上のなかから、本書では通常山留め設計に用いられる方法として、[1]の「単純梁モデルによる方法」、[2]に属する「梁・ばねモデルによる方法」と「自立山留めの梁・ばねモデルによる方法」を解説する。

表11は、工事規模（掘削深さ）に対する各算定方法の適用範囲の目安である。算定方法選定の際は、適用条件をよく認識し、算定結果の解釈については方法の特徴を十分理解して判断する。

使用実績の高い単純梁モデルの適用対象となる中小規模工事とは、15m程度（硬質地盤で15m、軟弱地盤で8m程度の適応性検討結果より）の掘削を目安とします

表11 | 工事規模に対する算定方法の適用範囲の目安

工事の規模	掘削深さの目安［m］	算定方法		
		単純梁モデル	梁・ばねモデル	自立山留めの梁・ばねモデル
自立	5m以下	—	◎	○
中小規模	15m以下	○	◎	—
大規模	15m超	△	◎	—

凡例　◎：推奨　○：適用可　△：条件によっては適用可

表11出典：『山留め設計施工指針』（（一社）日本建築学会）

自立山留めの梁・ばねモデル

[1]──チャンの算定式

梁・ばねモデルによる方法のうち、自立山留めを対象とした簡易的な慣用法で、使用頻度が高い[図47・48]。また、支保工のある山留めの1次掘削時(自立状態)の検討用としても、通常は単純梁モデルの方法と合わせて用いられる。

算定における仮定条件を以下に示す。

①山留め壁背面に側圧による分布荷重を設定する。一般的には根入れ部分の荷重は無視する

②分布荷重の合力を集中荷重P_aとして、掘削底から高さhに作用させる

③山留め壁を半無限長の弾性梁とみなし、単位幅Bと単位幅当たりの曲げ剛性E・Iを設定する

④山留め壁根入れ部分の地盤を弾性体と仮定し、ばね定数として水平地盤反力係数k_hを設定する。

⑤杭頭が突出する長い杭としてP_aを作用させ、変位や応力を求める

⑥山留め壁頭部の変位y_oは、P_a作用点でθ_aの傾斜角が一律に生じているものとして算出する

図47 | 自立山留めの梁・ばねモデル

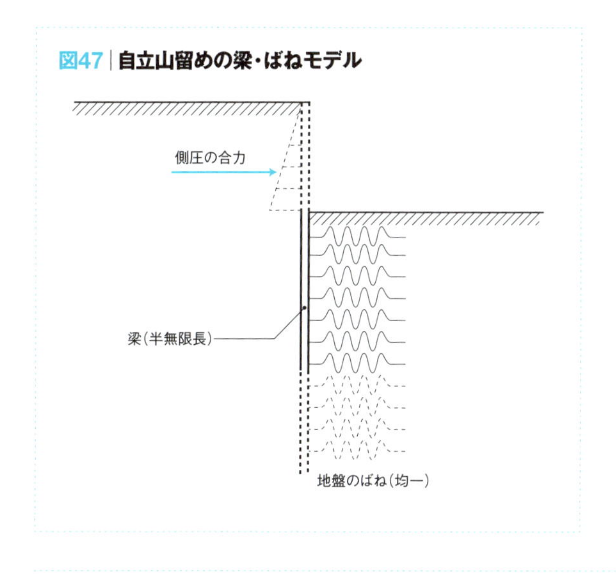

図48 | チャンの算定式

$$y_a=\frac{P_a\left\{(1+\beta\cdot h)^3+\frac{1}{2}\right\}}{3\cdot E\cdot I\cdot \beta^3}$$

$$\theta_a=\frac{P_a(1+\beta\cdot h)^2}{2\cdot E\cdot I\cdot \beta^2}$$

$$M_{max}=P_a\cdot\frac{\sqrt{(1+2\cdot\beta\cdot h)^2+1}}{2\cdot\beta}\exp\left(-\tan^{-1}\frac{1}{1+2\cdot\beta\cdot h}\right)$$

$$Q_{max}=P_a$$

$$y_o=y_a+\theta_a L=\frac{P_a}{E\cdot I\cdot\beta^2}\left\{\frac{(1+\beta\cdot h)^3+\frac{1}{2}}{3\cdot\beta}+\frac{(1+\beta\cdot h)^2\cdot L}{2}\right\}$$

y_a :P_aの作用点での山留め壁の変位[m]

P_a:単位幅当たりの分布荷重の合力[kN]

β :特性値[m^{-1}] $\beta=\sqrt[4]{\frac{k_h\cdot B}{4\cdot E\cdot I}}$

 k_h :水平地盤反力係数[kN/m^3]

 B :単位幅[m]

 E・I:単位幅当たりの曲げ剛性[$kN\cdot m^2$]

h :P_aの作用点から掘削底面までの距離[m]

θ_a:P_aの作用点での傾斜角[rad]

M_{max}:単位幅当たりの山留め壁の最大曲げモーメント[kN・m]

Q_{max}:単位幅当たりの山留め壁の最大せん断力[kN]

y_o:山留め壁頭部の変位[m]

L :P_aの作用点から山留め壁頭部までの距離[m]

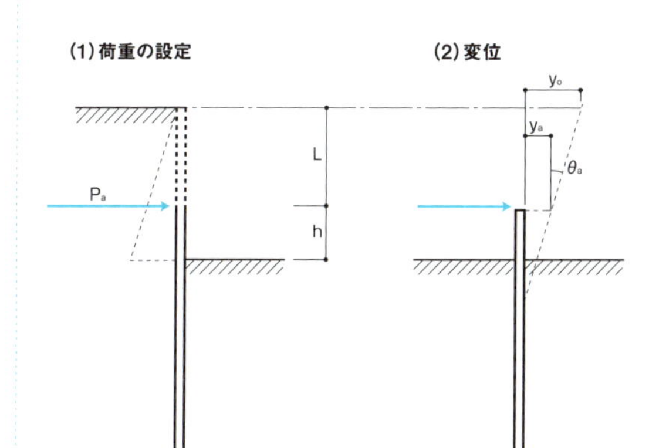

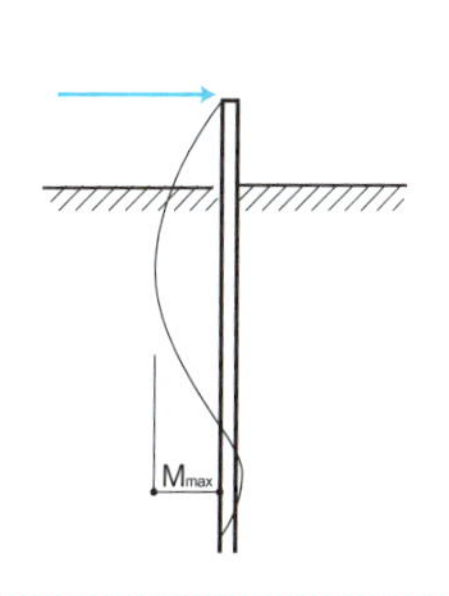

山留め壁を半無限長と見なせることが条件であるため、根入れ長さは下式を満足させる。βにもとづくDfは、掘削深さに関係なく、地盤(k_h)と山留め部材(B、I)の剛性で決定される。

$$Df \geqq \frac{2}{\beta} \sim \frac{\pi}{\beta}$$

Df:山留め壁の根入れ深さ[m]

地盤に関する評価はk_hのみとなるが、危険側の設定にならないよう注意する。掘削底面での変位ygは下式で求められるが、ygは20mm程度以下に抑える。超えるようであればk_hを低減して用いる。

$$yg = \frac{P_a \cdot (1+\beta \cdot h)}{2 \cdot E \cdot I \cdot \beta^3}$$

yg:掘削底面での山留め壁の変位[m]

地盤性状は均一とみなせることが条件であるが、山留めの挙動に支配的な範囲は掘削底面から$1/\beta$程度である。k_hはその範囲の平均的な値を設定する。仮定どおり、掘削以深についての荷重は考慮しないが、荷重の過小評価は、地盤の塑性化を考慮しないことと合わせて危険側となる可能性がある。したがって、荷重は側圧係数法の採用を前提に、少し大きめな安全側に設定する。

[2]――ブロムスの算定式

ブロムスは、長い杭と短い杭の判別をして、破壊形式の違いによる杭の極限抵抗力Quを求める式を提案している。図49に杭頭自由の場合における、短い杭の算定式を示す。

図49|ブロムスの算定式

(1)杭の長さの判定

$$\beta = \sqrt[4]{\frac{B \cdot k_h}{4 \cdot E \cdot I}}$$

$L \geqq \frac{2.25}{\beta}$ ならば長い杭　　$L < \frac{2.25}{\beta}$ ならば短い杭

L:杭の地中部長さ[m]

(2)粘性土地盤の場合

$$Q_u = 9 \cdot c_u \cdot B^2 \cdot \left[\left\{4 \cdot \left(\frac{h}{B}\right)^2 + 2 \cdot \left(\frac{L}{B}\right)^2 + 4 \cdot \left(\frac{h}{B}\right) \cdot \left(\frac{L}{B}\right) + 6 \cdot \left(\frac{L}{B}\right) + 4.5\right\}^{\frac{1}{2}} - \left\{2 \cdot \left(\frac{h}{B}\right) + \left(\frac{L}{B}\right) + 1.5\right\}\right]$$

$$D_y = \frac{Q_u}{9 \cdot c_u \cdot B}$$

$$M_{max} = Q_u (h + 1.5 \cdot B + 0.5 \cdot D_y)$$

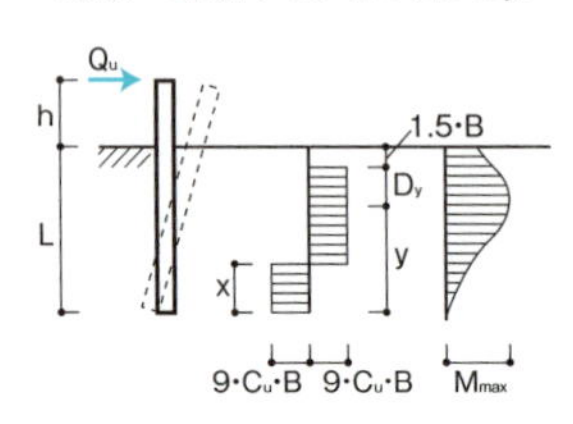

(3)砂質土地盤の場合

$$Q_u = \frac{K_p \cdot \gamma \cdot B \cdot L^2}{2\left(\frac{h}{L}+1\right)}$$

$$D_y = \sqrt{\frac{2 \cdot Q_u}{3 \cdot K_p \cdot \gamma \cdot B}} = \frac{L}{\sqrt{3\left(1+\frac{h}{L}\right)}}$$

$$M_{max} = Q_u \left\{h + \frac{2}{3} \cdot \frac{L}{\sqrt{3\left(1+\frac{h}{L}\right)}}\right\} = Q_u \left\{h + \frac{0.385 \cdot L}{\sqrt{1+\frac{h}{L}}}\right\}$$

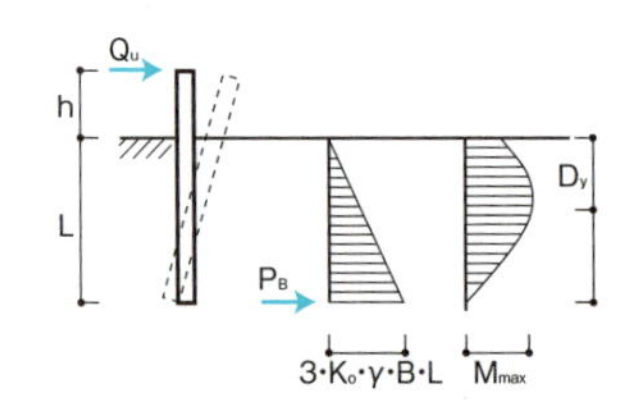

Q_u:極限水平抵抗力[kN]
c_u:土の非排水せん断強さ[kN/m²]
B:杭の見付け幅[m]
h:加力点高さ[m]
L:杭の根入れ深さ[m]
D_y:地中部最大曲げモーメントの発生深さ[m]
γ:土の単位体積重量[kN/m³]
K_p:ランキンの受働土圧係数

$$K_p = \frac{1+\sin\phi}{1-\sin\phi}$$

ϕ:土の内部摩擦角[°]
M_{max}:地中部最大曲げモーメント[kN·m]

支保工架設時

[1]――梁・ばねモデル

山留め壁を梁、切梁と地盤をばねとみなす梁・ばねモデルにより、以下の基本仮定にもとづいて、基本式（微分方程式）の各境界条件を満足するよう解を求め、山留め壁の応力・変形を算定する[図50]。これには通常、コンピュータの解析ソフトを用いる。

①山留め壁は有限長で、両端の境界条件は自由とする

②山留め壁は均一な弾性体とする

③山留め壁背面側に作用する側圧は、山留め壁の変形にかかわらず常に一定とする

④山留め壁の根入れ部分には、地盤の強度・変形特性から定まる分布ばねを設定する

⑤切梁、地盤アンカー、躯体などによる支持点は、水平方向の集中ばねとして評価する

⑥山留め壁の応力・変形の算定は、各施工段階ごとに独立して行う。ただし、施工過程の連続性は、各段切梁などの設置条件（設置段階での山留め壁の変位やプレロードなど）の考慮により、間接的に評価する

設計側圧は、背面側・掘削側とも、算出した側圧からそれぞれ平衡側圧を引いたものとする。なお、平衡側圧は曲線分布となるが、実務的には直線近似してよいものとする[図51]。

図50｜梁・ばねモデルによる応力・変形の算定

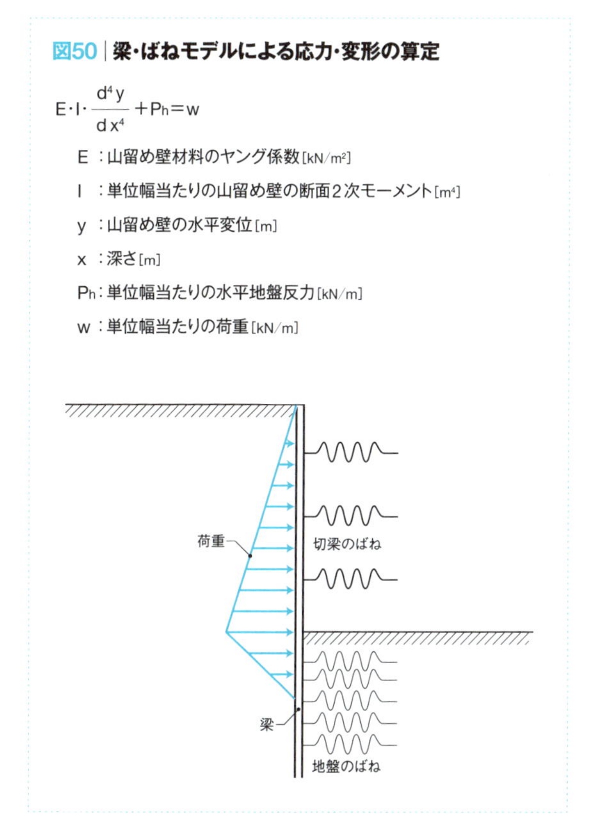

図51｜梁・ばねモデルにおける荷重と水平地盤反力の考え方

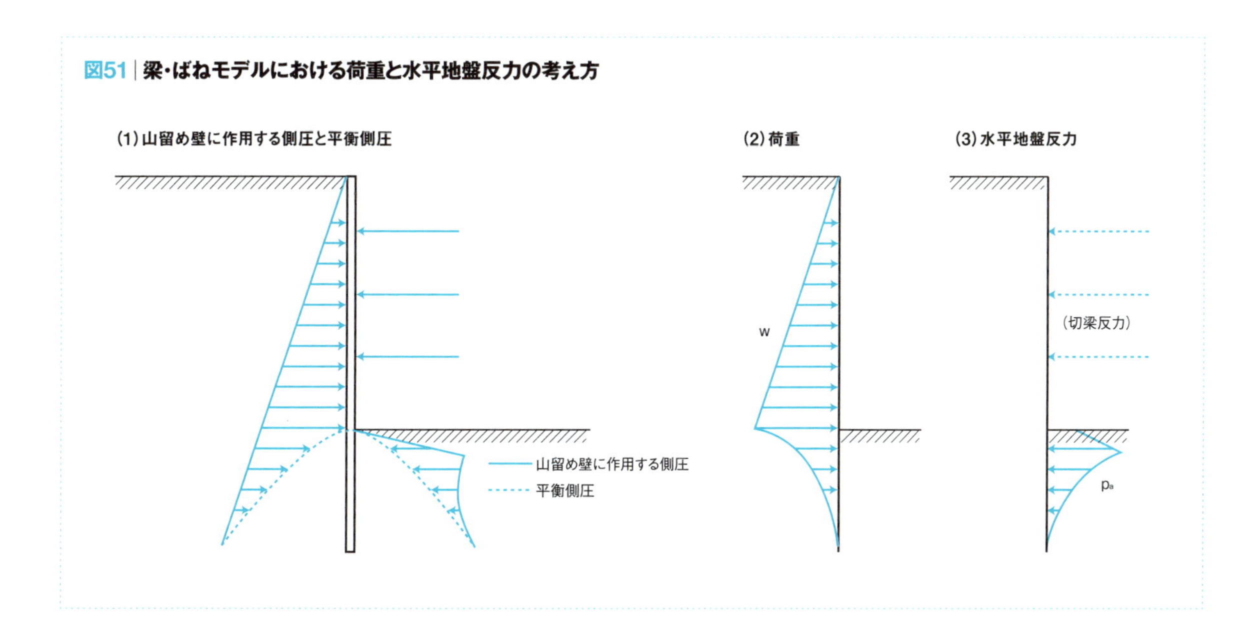

また、親杭横矢板壁の根入れ部の設計側圧については、止水壁などの連続壁と同様、便宜的に掘削側と背面側に分け、親杭見付け幅と親杭間隔の関係に応じて図52に示す算定式により補正する。

側圧と変位の関係は、一般には土圧理論によって側圧の上限値を定め、地盤の弾性域と塑性域に分けてバイリニア型で表すことが多い。側圧pと変位yの関係をバイリニアとして模式的に図53に示す。この場合、一点鎖線で示した掘削側と背面側を合成した側

図52｜親杭横矢板壁根入れ部の側圧算定

(1) 背面側側圧

$$P_{aj}=\frac{P_a \cdot D}{a}$$

(2) 掘削側側圧の上限値

$$P_{pj}=\frac{(1\sim3)\cdot P_p \cdot D}{a} \quad \left(ただし、\frac{(1\sim3)\cdot D}{a}\leqq 1\right)$$

(3) 平衡側圧

$$P_{eaj}=\frac{P_{ea} \cdot D}{a}$$

P_{aj}、P_{pj}、P_{eaj}：親杭横矢板壁根入れ部の側圧[kN/m²]

P_a：ランキン・レザール法または側圧係数法による側圧[kN/m²]

P_p：ランキン・レザール法の受働土圧による側圧[kN/m²]

P_{ea}：平衡側圧算出式による側圧[kN/m²]

D：親杭の見付け幅[m]

a：親杭間隔[m]

図53｜山留め壁両面での側圧と変位の関係

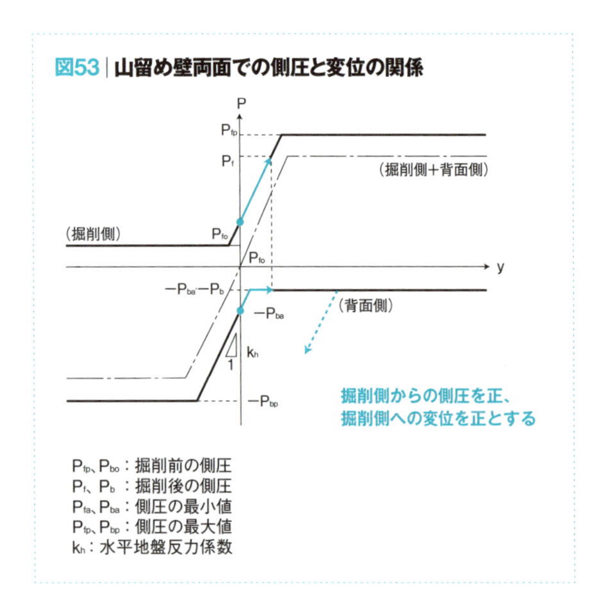

P_{fo}、P_{bo}：掘削前の側圧
P_f、P_b：掘削後の側圧
P_{fa}、P_{ba}：側圧の最小値
P_{fp}、P_{bp}：側圧の最大値
k_h：水平地盤反力係数

図54｜切梁間隔および不動点までの距離

$$K=\alpha\cdot\frac{E\cdot A}{a\cdot L}$$

K：鋼製切梁のばね定数[kN/m²]

α：低減係数($\alpha\leqq1.0$)

E：切梁のヤング係数[kN/m²]

A：切梁の有効断面積(ボルト孔考慮)[m²]

a：切梁の水平間隔[m]

L：支持点から不動点までの距離[m]

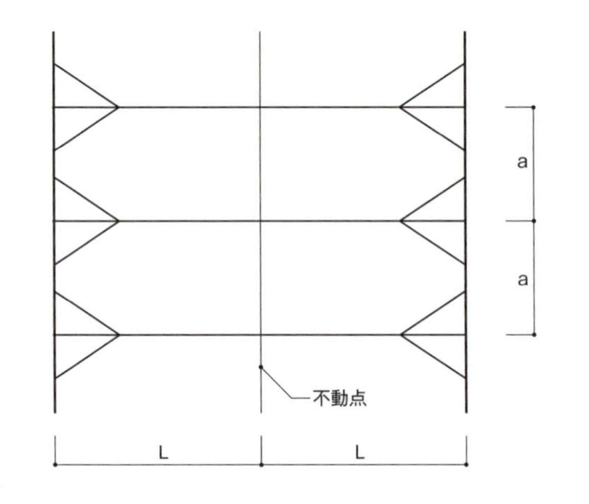

図55｜地盤アンカー引張材の自由長(圧縮型アンカー)

$$K=\frac{E\cdot A}{a\cdot L}\cos^2\theta$$

K：地盤アンカー鋼材のばね定数(水平方向に換算)[kN/m²]

E：地盤アンカー鋼材のヤング係数[kN/m²]

A：地盤アンカー鋼材の有効断面積[m²]

a：地盤アンカーの水平間隔[m]

L：支持点から不動点までの距離[m]

θ：水平面と地盤アンカーの角度[傾角]

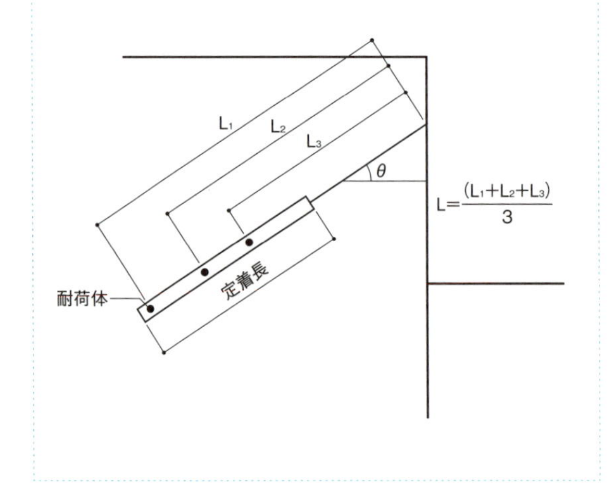

圧と変位の関係が水平地盤反力と水平変位の関係で、図53では正・負ともトリリニアで表されている。

支持点は、山留め壁の応力・変位の算定において、通常、切梁や地盤アンカーなどを水平方向のみに作用する集中ばねとして評価する。ただし、実際の支持点のばねとしての値は施工の影響を受け、不確定要素も多いことを認識しておく。その支持点深さでは、基本式に集中ばねによる反力の項を付加した下式となる。

$$E \cdot I \cdot \frac{d^4 y}{dx^4} + Ph + K \cdot y = w$$

K：単位幅当たりの切梁などのばね定数［kN/m^2］

一般の鋼製切梁の場合のばね定数Kは、図54の算定式による。山留め全体の平面形状がほぼ対称の場合、切梁の中央を不動点とみなして、切梁全長の1／2をLと考える。αは架構の安定性に関する係数で、切梁全体が変形しやすい場合には低減する。

また、地盤アンカーの場合の水平方向に換算したばね定数Kは、図55の算定式によって求める。長さLは、摩擦型アンカーでは自由長とし、圧縮型アンカーではアンカー頭部から各耐荷体までの距離の平均値とする。

［2］――単純梁モデル

山留め壁を切梁支点間、あるいは切梁支点と地盤中の仮想支点間をスパンとし、それぞれを分割した単純梁として計算する。なお、1次掘削時については自立山留めの梁・ばねモデルにより検討する［図56］。各段切梁の撤去については、切梁支点と地下構造体を支点とする単純梁とし、最上段切梁の撤去時は地下構造体位置を固定支点とする片持ち梁として計算する。

仮想支点は、各次掘削の最下段切梁を支点とするモーメントの釣り合いから求める［234頁図57］。背面側側圧による回転モーメントと掘削側側圧による抵抗モーメントが等しくなる根入れ長さ（釣り合い長さ）を求め、その際の掘削側側圧の合力作用位置とする。

図56｜単純梁モデルによる山留め壁の検討

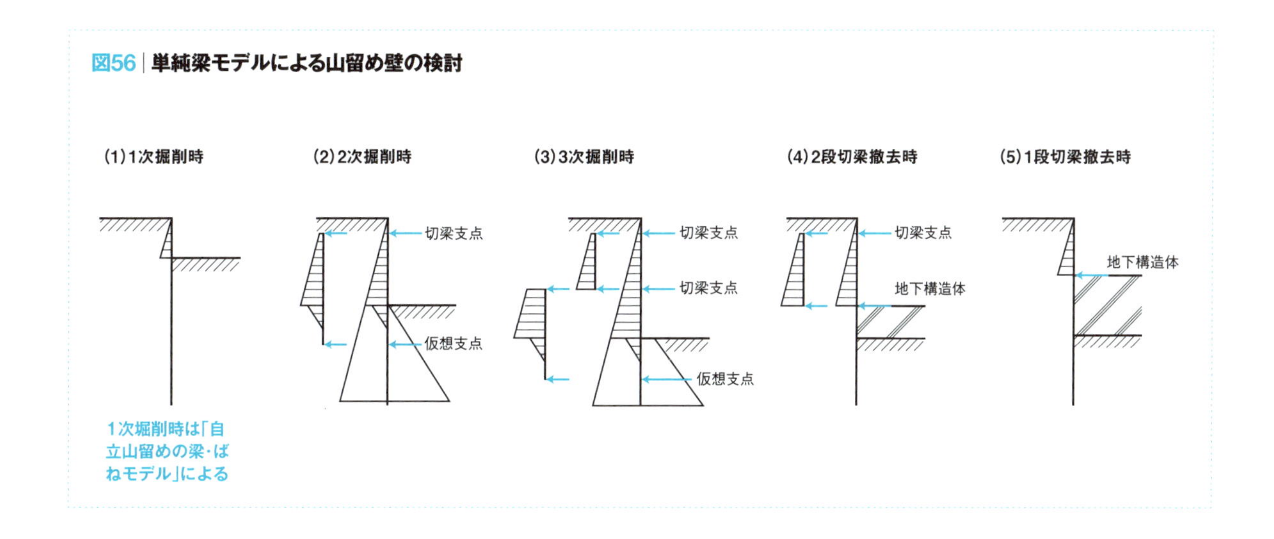

図57｜仮想支点の算出

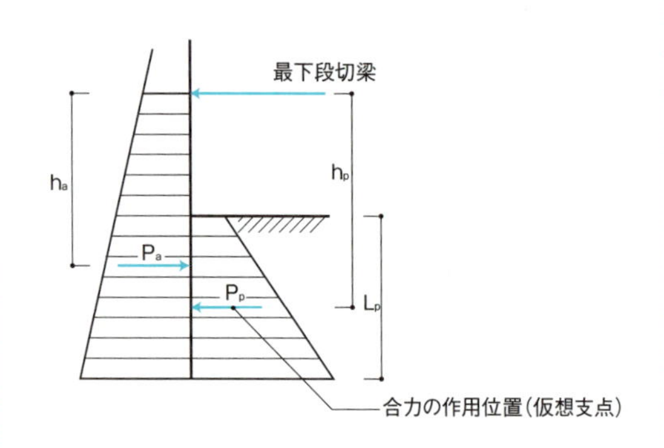

M_a：背面側側圧による回転モーメント（$=P_a \cdot h_a$）
P_a：背面側側圧の合力
h_a：最下段切梁位置から背面側側圧の合力の作用位置までの距離
M_p：掘削側側圧による抵抗モーメント（$=P_p \cdot h_p$）
P_p：掘削側側圧の合力
h_p：最下段切梁位置から掘削側側圧の合力の作用位置までの距離
L_p：$M_a=M_p$となる根入れ長さ（釣り合い長さ）

図58｜掘削底以深の背面側側圧

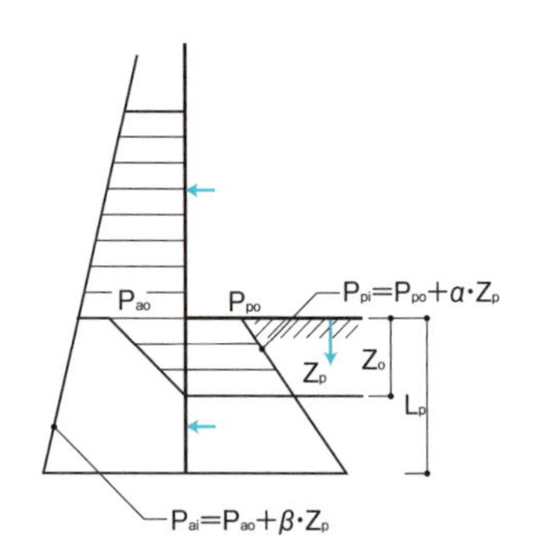

P_{ai}：掘削底以深の任意の背面側側圧
P_{ao}：掘削底における背面側側圧の合力
P_{pi}：掘削底以深の任意の掘削側側圧
P_{po}：掘削底における掘削側側圧
Z_p：掘削底からの深さ
Z_o：根入れ部で外力として作用する背面側側圧の深さ

$$Z_o=\frac{P_{ao}-P_{po}}{(\alpha-\beta)}$$

α：掘削側側圧の勾配
β：背面側側圧の勾配
L_p：$M_a=M_p$となる根入れ長さ（釣り合い長さ）

図59｜単純梁モデルの支点反力

(1) 2次掘削時

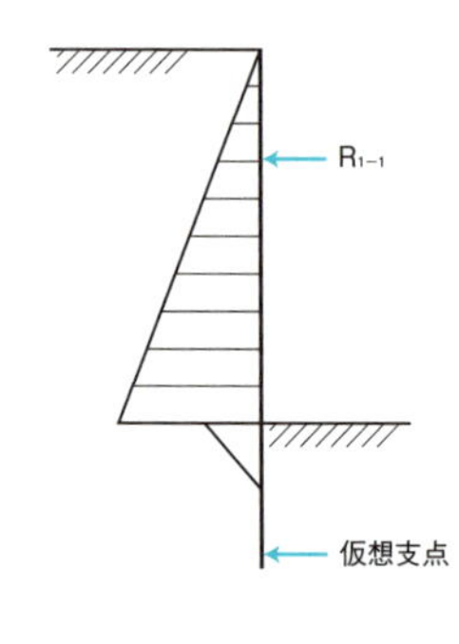

(2) 最終掘削時

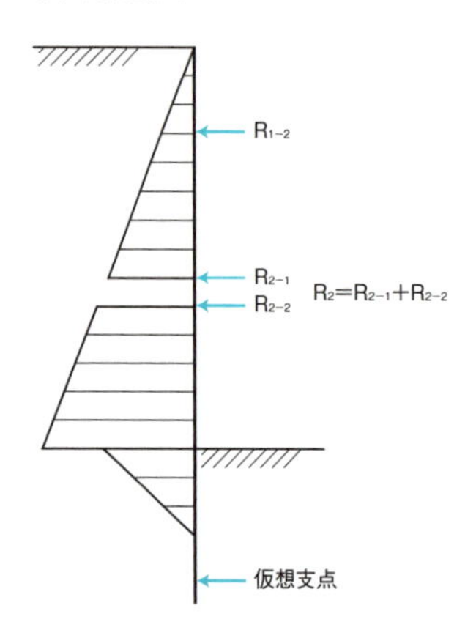

(3) 第2段切梁撤去時

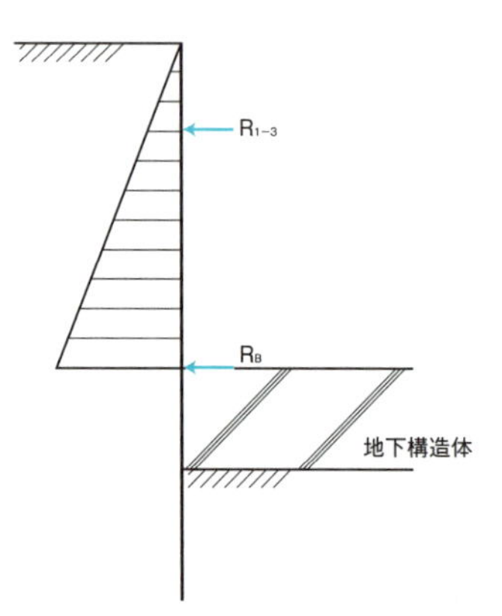

R_{1-1}：2次掘削時における第1段切梁の支点反力
R_{1-2}：最終掘削時における地表面～第2段切梁間で算定した第1段切梁の支点反力
R_{1-3}：第2段切梁撤去時における第1段切梁の支点反力
R_{2-1}：最終掘削時における地表面～第2段切梁間で算定した第2段切梁の支点反力
R_{2-2}：最終掘削時における第2段切梁～仮想支点間で算定した第2段切梁の支点反力
R_2　：第2段切梁の支点反力
R_B　：地下構造体の固定位置の支点反力

掘削底以深の背面側側圧は、根入れ長さ(釣り合い長さ)に関して、背面側側圧から掘削側側圧を差し引いた残分を作用させる[図58]。一般的に、親杭横矢板壁の場合は掘削底以深の背面側側圧の残分が微小になることが多いので、考慮しない。

2次掘削以降の各掘削段階における支保工(切梁、腹起しなど)に作用する荷重は、単純梁モデルにおける支点反力とする。第1段切梁には上部の側圧を考慮し、2段目以深の切梁には上下の単純梁モデルの各支点の和を反力とする[図59]。

また、支保工の設計に用いる支点反力の簡易計算法には、「1/2分割法」と「下方分担法」がある[図60]。前者は、背面側側圧を切梁間および最下段切梁と掘削底間をそれぞれ1/2に分割し、各段の切梁支点反力は隣接する上方の切梁間で分割された位置から下方の切梁間(最下段の場合は掘削底間)で分割された位置までの側圧が作用するものと考える。後者は、背面側側圧を切梁と掘削底位置で分割し、各段の切梁支点反力は下方に隣接する切梁間(最下段の場合は掘削底位置)の側圧が作用するものとして算定する。これらの方法は概略値として用いられる。

単純梁モデルは、山留め壁の応力と支点反力求める方法で、変位量については梁・ばねモデルによるのがよいが、参考値としては各施工段階で単純梁とした部材の中央部変形を算出する。なお、変形は図61のように、切梁位置での先行変位を考慮して累加することで、実状に近づけることができる。

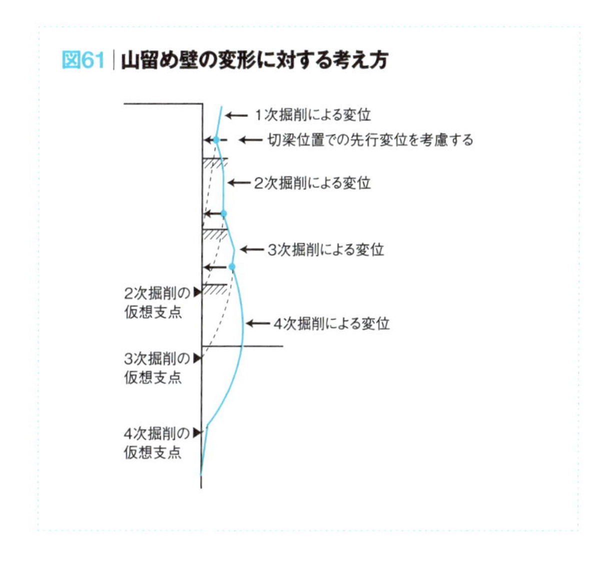

図61 | 山留め壁の変形に対する考え方

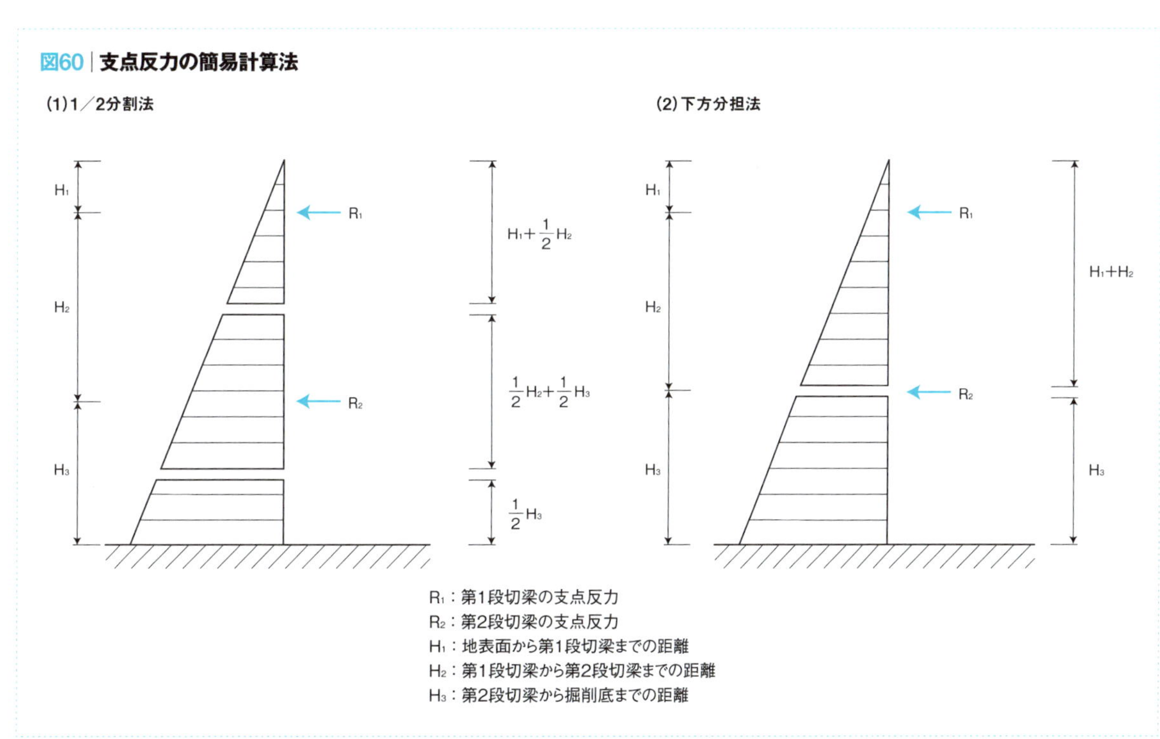

図60 | 支点反力の簡易計算法

8 | 許容値

山留め部材には、設計や施工上に不確定要素があり、荷重や材料強度に安全率が見込まれることや、仮設であるために経済性が要求され、再使用材が多く用いられるなどの条件がある。仮設的利用を考え、再使用材に関しては、中期許容応力度(長期許容応力度と短期許容応力度の平均値)とし、それ以外の材料は短期許容応力度を採用する。

図62｜形鋼材の許容応力度

(1)許容引張応力度 f_t

$$f_t = 195\ [\mathrm{N/mm^2}]$$

(2)許容せん断応力度 f_s

$$f_s = 110\ [\mathrm{N/mm^2}]$$

(3)許容圧縮応力度 f_c

$\lambda \leqq 120$の場合

$$f_c = \frac{293 \times \left\{1 - 0.4\left(\dfrac{\lambda}{120}\right)^2\right\}}{1.5 + \dfrac{2}{3} \times \left(\dfrac{\lambda}{120}\right)^2}\ [\mathrm{N/mm^2}]$$

$\lambda > 120$の場合

$$f_c = \frac{81.3}{\left(\dfrac{\lambda}{120}\right)^2}\ [\mathrm{N/mm^2}]$$

λ:圧縮材の細長比

$$\lambda = \frac{L_k}{i}$$

L_k:座屈長さ[cm]

i :座屈軸についての断面2次半径[cm]

(4)許容曲げ応力度 f_b

以下の算定式で得られる数値のうち、大きいほうの値を採用する(ただし、$f_b \leqq f_t$)

$$f_b = 195 \times \left\{1 - 0.4\left(\frac{L_b/i'}{120}\right)^2 \times \frac{1}{C}\right\}\ [\mathrm{N/mm^2}]$$

$$f_b = \frac{1.11 \times 10^5}{\dfrac{L_b \cdot h}{A_f}}\ [\mathrm{N/mm^2}]$$

L_b:圧縮フランジの支点間距離[cm]

i':圧縮フランジと梁せいの1/6とからなるT形断面の、ウェブ軸廻りの断面2次半径[cm]

C :部材端曲げモーメントによる補正係数

$$C = 1.75 - 1.05 \times \left(\frac{M_2}{M_1}\right) + 0.3 \times \left(\frac{M_2}{M_1}\right)^2 \ (\text{ただし、} C \leqq 2.3)$$

M_1、M_2:座屈区間端部における小さいほう、および大きいほうの強軸廻りの曲げモーメント。M_2/M_1は単曲率の場合は正、複曲率の場合は負とする。区間中間のモーメントがM_1より大きい場合は$C=1$とする

h :曲げ材の梁せい[cm]

A_f:圧縮フランジの断面積[cm²]

強度に対する許容値

[1]――形鋼材

山留めに用いる形鋼材(SS400など、$F = 235\ \mathrm{N/mm^2}$)は、中期許容応力度を採用する[図62]。ただし、ソイルセメント壁の芯材に新品を使用する場合に限り、図62に示す算定式などで求めた値の1.2倍相当の値(短期許容応力度)とできる。

[2]――矢板

矢板は、鋼製・木製とも中期許容応力度を採用する[表12・13]。

[3]――鉄筋コンクリート

山留め材に鉄筋コンクリートを用いる場合の、鉄筋とコンクリートの引張、圧縮、せん断、および付着の各許容応力度は短期の値とする[表14 ~ 16]。

[4]――ボルト

実状を考慮して、山留め部材の接合部では一般的である支圧接合の許容応力度には、表17の値に軸断面積を乗じて用いる。

[5]――溶接部

短期許容応力度とする[238頁表18]。ただし、アーク溶接継目ののど断面の許容応力度は、適切な溶接棒を使用し、十分な管理が行われる場合、以下の①~③にできる。

①隅肉溶接、フレア溶接、部分溶け込み溶接の許容応力度は、接合される母材の許容せん断応力度とする

②突き合わせ溶接の許容応力度は、接合される母材の許容応力度とする

③異種鋼材を溶接する場合は、接合される母材の許容応力度のうち小さいほうの値をとる

表12｜鋼矢板の許容応力度 [N/mm²]

種類	許容曲げ引張応力度	許容曲げ圧縮応力度
SY295	225	225
SS400	195	195

表13｜木製矢板の許容応力度 [N/mm²]

樹種	許容曲げ応力度	許容せん断応力度
アカマツ、クロマツ、ベイマツ、カラマツ、ヒバ、ヒノキ、ベイヒ	13.5	1.05
ツガ	13.0	1.05
ベイツガ、モミ、エゾマツ、トドマツ、ベニマツ、スギ、ベイスギ	10.5	0.75

表14｜鉄筋の許容応力度 [N/mm²]

種類	許容圧縮応力度	許容引張応力度	
		せん断補強以外に用いる場合	せん断補強に用いる場合
SR235	235	235	235
SR295	295	295	295
SD295	295	295	295
SD345	345	345	345
SD390	390	390	390

表15｜コンクリートの許容応力度 [N/mm²]

設計基準強度Fc	許容圧縮応力度	許容せん断応力度
21	14	1.05
24	16	1.11
27	18	1.15

表16｜鉄筋のコンクリートに対する許容付着応力度 [N/mm²]

設計基準強度Fc	許容付着応力度	
	上端筋	その他の鉄筋
21	1.14	1.42
24	1.20	1.50
27	1.26	1.57

注1：上端筋とは、曲げ材にあって、その鉄筋の下に30cm以上のコンクリートが打ち込まれる場合の水平鉄筋をいう

注2：上表の許容付着応力度は、(一社)日本建築学会「鉄筋コンクリート構造計算規準・同解説」の16・17条に規定される配筋による修正係数と併せて使用される値である

表17｜ボルトの許容応力度 [N/mm²]

種類	許容引張応力度	許容せん断応力度
中ボルト (SS400、SM400)	176	102
高力ボルト(F10T)	456	220

表12～17出典：『山留め設計施工指針』((一社)日本建築学会)

表18 | 溶接部の許容応力度 [N/mm²]

継ぎ目の形式	圧縮	引張	曲げ	せん断
突き合わせ	235	235	235	135
突き合わせ以外	135	135	135	135

上表の値はSS400、SM400、STK400、STKR400、SSC400の場合

図63 | ソイルセメントの許容応力度 [kN/m²]

(1) 許容圧縮応力度 f_c

$$f_c = \frac{F_c}{2}$$

(2) 許容せん断応力度 f_s

$$f_s = \frac{F_c}{6}$$

F_c:ソイルセメントの設計基準強度 [kN/m²]

F_c設定の目安値として、

砂質土、砂礫土、粘性土(粘土除く):F_c=500kN/m²

粘土:F_c=300kN/m²

図64 | 注入材の許容応力度 [N/mm²]

(1) 許容付着応力度

使用期間2年以上の場合:1.0

使用期間2年未満の場合:1.25

引張材の種類:PC鋼より線、多重PC鋼より線、異形PC鋼棒

(2) 許容圧縮応力度

使用期間2年以上の場合:$\frac{F_c}{3}$

使用期間2年未満の場合:$\frac{F_c}{2}$

F_c:注入材の設計基準強度 [N/mm²]

表19 | 引抜試験による場合の地盤アンカーの許容摩擦応力度 [kN/m²]

定着地盤種類	使用期間2年以上の場合	使用期間2年未満の場合
砂質土・砂礫	τ_u/3、かつ800以下	τ_u/2、かつ1,200以下
粘性土		
岩	τ_u/3、かつ1,200以下	τ_u/2、かつ1,800以下

τ_u:引抜試験によって求めた定着地盤の極限摩擦応力度 [kN/m²]

表20 | 引抜試験を省略する場合の地盤アンカーの許容摩擦応力度 [kN/m²]

定着地盤種類(特殊土および岩を除く)		使用期間2年以上の場合	使用期間2年未満の場合
砂質土・砂礫	N≧20	6N、かつ300以下	9N、かつ450以下
粘性土	N≧7、またはq_u≧200	6Nまたはq_u/6、かつ300以下	9Nまたはq_u/4、かつ450以下

N:定着地盤のN値の平均値　q_u:一軸圧縮強さの平均値 [kN/m²]

表18〜20出典:『山留め設計施工指針』((一社)日本建築学会)

なお、現場溶接の場合は、施工精度や管理方法などを考慮して、許容応力度を80%に低減する。

[6]——ソイルセメント

ソイルセメントは、原位置の土と固化材の混合攪拌で造成されるため施工方法に大きく影響されるが、圧縮強度を基本値として許容応力度は**図63**に示すとおりとする。

[7]——地盤アンカー

定着体周面地盤の許容摩擦応力度は原則、引抜試験により**表19**に示すとおりとする。なお、定着地盤が**表20**の条件を満足する場合は、引抜試験を省略して同表の許容摩擦応力度以下とできる。また、引張材付着長部分における注入材の許容応力度は**図64**に示すとおりとする。建築における山留めの場合、ほとんど使用期間は2年未満となる。

変形に対する許容値

掘削する以上、山留めをしても地盤の変形は0にはならない。山留めは、許容応力度法であるため変形の許容値に規定はないが、周辺への影響を最小限に抑えるために変形制御が必要となる。一般的に変形の目安は、沿道掘削で許容される30mm程度とすれば、周辺への影響は小さいと考えられる。しかし、近接建物が木造や直接基礎形式の構造の場合、またガス管などの埋設物がある場合には、変形をさらに小さく抑えるなど考慮が必要である。掘削が道路や敷地境界から離れ、周辺への影響の有無が問題とならない場合は、許容値を大きくするなど、状況に応じて別途規定し、設計での変形を山留め壁と躯体の離隔設定にも反映させる。

鉄道などに近接する場合は、協議を行い、対象構造物への影響変形が許容値以下となるように、山留め自体の変形を抑えるんだ(基本的に、山留めは変形値を優先して検討されるため、応力的には余裕のある場合が多い)

9 | 断面検討

山留め壁の応力および変形に対して、安全でかつ周辺環境に障害となる影響を与えないように断面設計する。応力の検討は曲げモーメント、せん断力であるが、地盤アンカーなどを用いた場合には鉛直力(軸方向力)も考慮する。

親杭横矢板

[1]――親杭(H形鋼)

全施工段階を通じて得られた最大応力を使って、図65を満足するように断面を決定する。なお、セメントミルク工法などの場合でも山留め壁の曲げ剛性や断面算定に固化材の影響は考慮しない。

[2]――横矢板

横矢板は水平方向の単純梁とみなし、作用する側圧を深さ方向の単位幅(通常は1m)の等分布荷重wとして応力を算定し、断面検討する[図66]。

一般的に、深さ方向に変化する荷重に対し、使用

図65｜親杭の断面算定

$$\sigma_b = \frac{M_{max}}{Z_b} < f_b$$

$$\tau = \frac{Q_{max}}{A_w} < f_s$$

σ_b ：曲げ応力度[kN/m²]
M_{max}：単位幅当たりの最大曲げモーメント[kN·m]
Z_b ：単位幅当たりの応力材の有効断面係数[m³]
f_b ：応力材の許容曲げ応力度[kN/m²]
τ ：せん断応力度[kN/m²]
Q_{max}：単位幅当たりの最大せん断力[kN]
A_w ：単位幅当たりの応力材のウェブに相当する部分の有効断面係数[m²]
f_s ：応力材の許容せん断応力度[kN/m²]

図66｜横矢板の応力・断面算定

$$M_{max} = \frac{w \cdot L^2}{8}$$

$$Q_{max} = \frac{w \cdot L}{A_w}$$

$$\sigma_b = \frac{M_{max}}{Z} < f_b$$

$$\tau_{max} = \frac{3 \cdot Q_{max}}{2 \cdot A} < f_s$$

M_{max}：単位深さ当たりの最大曲げモーメント[kN·m]
w ：単位深さ当たりの等分布荷重[kN/m]
L ：単純梁としてのスパン[m]
Q_{max}：単位深さ当たりの最大せん断力[kN]
σ_b ：曲げ応力度[kN/m²]
Z ：横矢板の単位深さ当たりの断面係数[m³]
f_b ：許容曲げ応力度[kN/m²]
τ_{max}：最大せん断応力度[kN/m²]
A_w ：横矢板の単位深さ当たりの断面積[m²]
f_s ：許容せん断応力度[kN/m²]

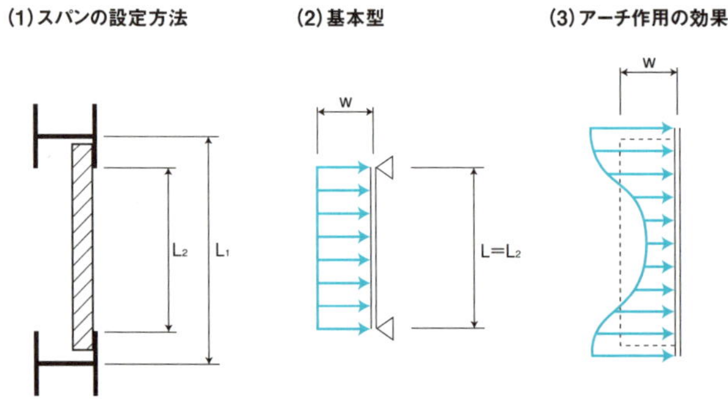

木材の必要板厚tを求める方法となる。通常、板厚は曲げモーメントによって決まり、単位深さ(1m)当たりの断面係数$Z=t^2/6$[m^3]と応力検定式により、下式で求められる。

$$t > \sqrt{\frac{6 \cdot M_{max}}{f_b}} \ [m]$$

鋼矢板

一般に、せん断力に対しては十分安全と考えられるので、親杭横矢板の親杭と同様の式[図65]で曲げ応力度に対して検討を行う。

ただし、U形鋼矢板では、曲げに対して継手部分にずれが生じるので、検討に用いる断面性能は単位幅で示されるカタログ値を、断面係数で60～80%、断面2次モーメントでは45～60%に低減する。

ソイルセメント壁

[1]――芯材

親杭横矢板の親杭と同様の式[図65]で検討を行う。芯材に対するソイルセメントの寄与分は小さいので、無視する。

[2]――ソイルセメント

ソイルセメントは、水平方向部材として、作用する側圧を深さ方向の単位幅(通常は1m)の等分布荷重wとして応力を算定する。応力および断面算定方法は、芯材を全孔設置の場合と隔孔設置の場合に分けて考える。

①芯材全孔設置の場合：押し抜きせん断力Qのみを考慮し、せん断応力度の検討をする[図67]

②芯材隔孔設置の場合：押し抜きせん断力のほか、ソイルセメント内に想定した仮想の放物線アーチの軸力に対する圧縮応力度の検討(A法)、または押し抜き力に対する圧縮応力度の検討(B法)のいずれかの方法により安全性を確認する[242頁図68]

図67 | ソイルセメントの応力・断面算定(芯材全孔設置の場合)

(1) 単位長さ当たりの応力の算定

$$Q=\frac{w \cdot L_2}{2}$$

(2) せん断応力度の検討

$$\tau=\frac{Q}{b \cdot d_e} \leqq f_s$$

Q：せん断力[kN]

w：深さ方向の単位長さ(=1m)当たりの側圧[kN/m]

L_2：芯材の内法間隔[m]

τ：せん断応力度[kN/m²]

b：深さ方向の単位長さ(=1m)

d_e：有効厚[m](押し抜きせん断力が生じる位置でのカット面からの最小厚)

f_s：許容せん断応力度[kN/m²]

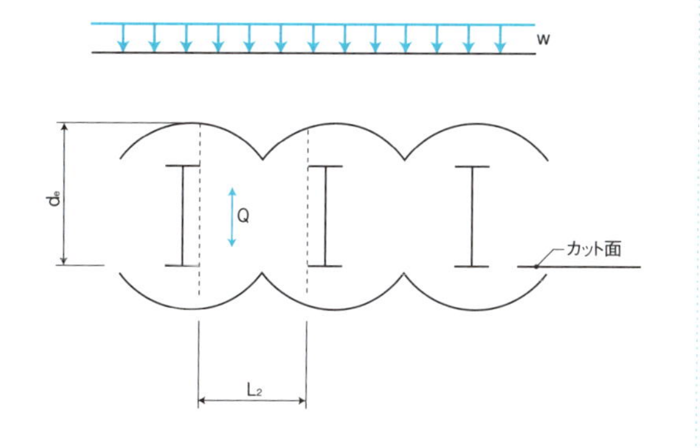

カット面とは、掘削時にソイルセメントを削り落とし、芯材を露出させる位置をいう

RC連壁

RC連壁も通常、鉛直方向のみの一方向板として応力・変形の算定と断面検討を行う。連壁は、荷重に合わせて深さ方向にいくつかに分割し、また曲げ応力の向きに対して、外側と内側の鉄筋量を変えるのが一般的である。ただし、応力分布は検討上の推定となるため、区間ごとの配筋決定には不足が生じないよう注意する。

壁体縦方向の必要引張鉄筋量は図69による。

横筋の検討は省略されるが、鉄筋比として0.2%以上とすることが望ましい。

せん断力に対しては図70による。

鉛直力が作用する場合

山留め壁に、曲げやせん断と同時に鉛直力が作用する場合は、圧縮応力度σcを算出し、親杭横矢板の親杭と同様の算定式［240頁図65］で求めた曲げ応力

図69｜RC壁体縦方向の必要引張鉄筋量の算定

$$a_t=\frac{M_{max}}{f_t \cdot j}$$

a_t ：単位幅当たりの引張鉄筋の必要断面積［m^2］

M_{max}：単位幅当たりの最大曲げモーメント［kN·m］

f_t ：鉄筋の許容引張応力度［kN/m^2］

j ：応力中心距離［m］

$$j=\frac{7}{8}\cdot d$$

d：有効壁厚［m］

図68｜ソイルセメントの応力・断面算定（芯材隔孔設置の場合）

（1）せん断・圧縮応力度の検討（A法）

応力算定

$$Q_1=\frac{w \cdot L_2}{2}$$

$$Q_2=\frac{w \cdot L_3}{2}$$

$$V=\frac{w \cdot L_1}{2}$$

$$H=\frac{w \cdot L_1^2}{8 \cdot f}$$

$$N=\sqrt{V^2+H^2}$$

応力度の検討

$$\tau_1=\frac{Q_1}{b \cdot d_{e1}} \leqq f_s$$

$$\tau_2=\frac{Q_2}{b \cdot d_{e2}} \leqq f_s$$

$$\sigma=\frac{N}{b \cdot t} \leqq f_c$$

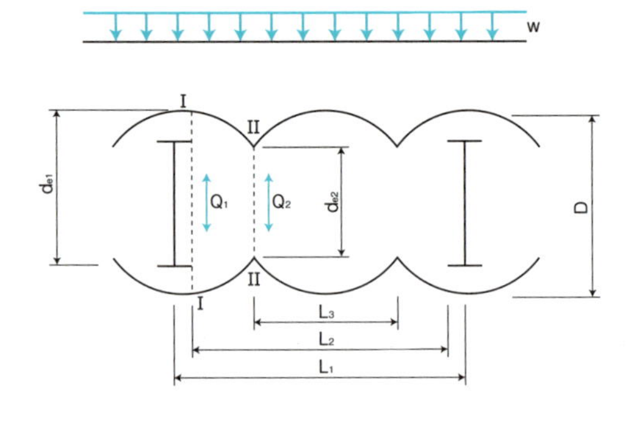

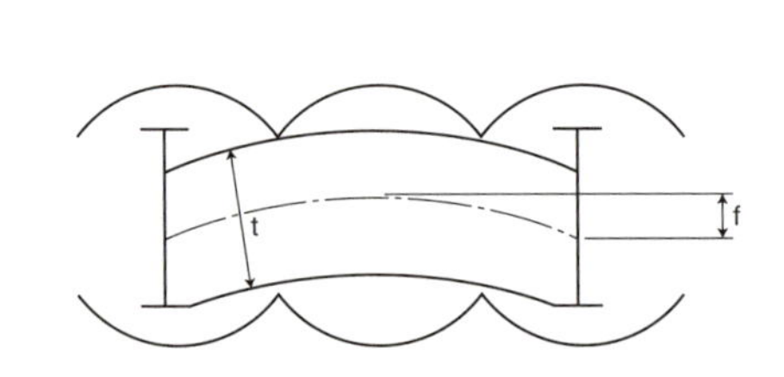

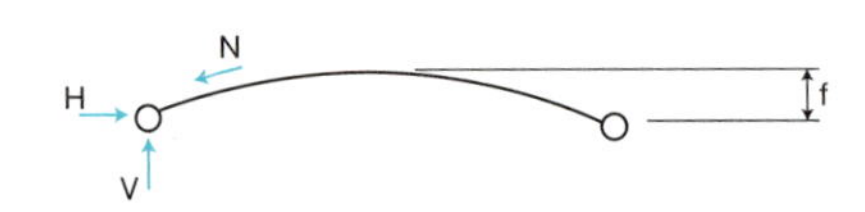

Q_1 ：I－I面でのせん断力［kN］

Q_2 ：II－II面でのせん断力［kN］

w ：深さ方向の単位長さ（＝1m）当たりの側圧［kN/m］

L_1 ：芯材の間隔［m］

L_2 ：芯材の内法間隔［m］

L_3 ：くびれ部分の間隔［m］

V ：支点反力［kN］

H ：水平反力［kN］

N ：アーチの軸力［kN］

f ：アーチのライズ［m］（468頁表による）

t ：アーチの厚み［m］（468頁表による）

τ_1 ：I－I面でのせん断応力度［kN/m^2］

τ_2 ：II－II面でのせん断応力度［kN/m^2］

b ：深さ方向の単位長さ（＝1m）

d_{e1}：I－I面の有効厚［m］

d_{e2}：II－II面の有効幅［m］

f_s ：許容せん断応力度［kN/m^2］

f_c：許容圧縮応力度［kN/m^2］

D：ソイルセメントの孔径［m］

度σbと合算して断面算定する[図71]。通常、芯材の許容圧縮応力度fcは、土や固化材で周囲を拘束されているので座屈による低減を考慮しない。

図70｜RC連壁のせん断力の検討

$$Q_a = \alpha \cdot f_s \cdot b \cdot j > Q_{max}$$

ただし、$\alpha = \dfrac{4}{\dfrac{M_{max}}{Q_{max} \cdot d} + 1}$ かつ$1 \leqq \alpha \leqq 2$

Q_a：単位幅当たりの許容せん断力[kN]

fs：コンクリートの許容せん断応力度[kN/m²]

b：単位幅[m]

j：応力中心距離[m]

$j = \dfrac{7}{8} \cdot d$

d：有効壁厚[m]

Q_{max}：単位幅当たりの最大せん断力[kN]

M_{max}：単位幅当たりの最大曲げモーメント[kN·m]

図71｜鉛直力が作用する場合の断面算定式

$$\frac{\sigma_b}{f_b} + \frac{\sigma_c}{f_c} \leqq 1$$

σ_b：曲げ応力度[kN/m²]

$\sigma_b = \dfrac{M}{Z}$

M：応力材に作用する曲げモーメント[kN·m]

Z：応力材の断面係数[m³]

f_b：応力材の許容曲げ応力度[kN/m²]

σ_c：圧縮応力度[kN/m²]

$\sigma_c = \dfrac{N}{A}$

N：単位幅当たりの軸力[kN]

A：単位幅当たりの応力材の断面積[m²]

f_c：許容圧縮応力度[kN/m²]

(2)圧縮応力度の検討(B法)

$$N = \frac{w \cdot L_2}{2}$$

$$\sigma = \frac{N}{A} = \frac{2N}{b \cdot B} \leqq f_c$$

N：圧縮力[kN]

A：圧縮力を受ける面積[m²]

$A = b \times \dfrac{B}{2}$

B：フランジ幅[m]

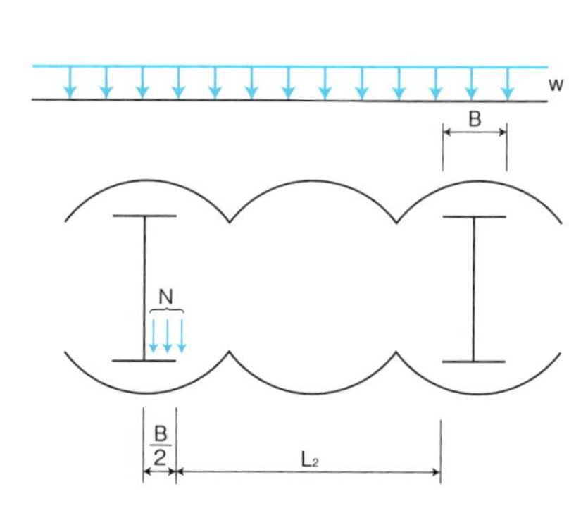

(3)くびれ部での有効厚の取り方

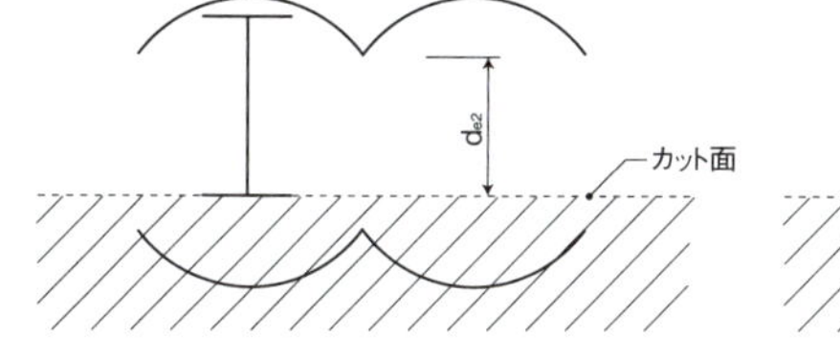

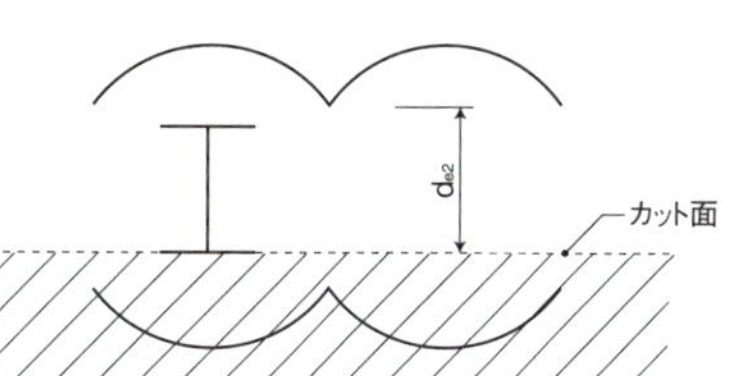

10 | 支保工の検討

□ 支保工の割り付けを明確にし、検討長さや荷重負担幅の設定を適切に行う
□ 切梁の軸力では温度による変分が大きく占める場合があるので、適切に評価する

□ 地盤アンカー使用の可否は周辺環境や地盤状況に左右されるので、よく把握して検討する

一般的に、鋼製の支保工材にはリース材を使用する。部材には取り付け用のボルト孔が開けられているため、断面性能は低減した値を用いる。

腹起し

腹起しは、切梁および火打ち(または地盤アンカー)に支持され、等分布荷重を受ける単純梁として算定する(連続梁として設置するが、継手部を連続材としてみなすのが困難であるため)。ただし、軸力が付加される場合は、曲げと圧縮力を同時に受ける部材として検討する。荷重は山留め壁の検討で得られる支点反力において、各施工段階のうち最大値を用いる。

[1]──腹起しに作用する曲げモーメント・せん断力

腹起しの有効スパンは、取り付く火打ちの角度θを考慮して決める。具体的には、各応力は以下のようにして算出する。

①60°≦θの場合:角度的に、火打ちは緩みなく腹起しを押さえられると考え、火打ちの取り付け位置を支点として有効スパンとする[図72]

②45°≦θ<60°の場合:緩みを考慮し、有効スパンは火打ちと切梁の中間位置とする。ただし、支点が火打ち内にあるため、半固定状態であり、曲げ応力算定の係数にはピン支持「1/8」から緩和した「1/10」を用いる[図73]

図72 | 腹起しに作用する応力の算定(60°≦θの場合)

$$M=\frac{w\cdot L^2}{8} \qquad Q=\frac{w\cdot L}{2}$$

M:腹起しに作用する曲げモーメント[kN·m]
Q:腹起しに作用するせん断力[kN]
w:腹起しに作用する荷重[kN/m]
L:腹起しの有効スパン(火打ち支点間)[m]

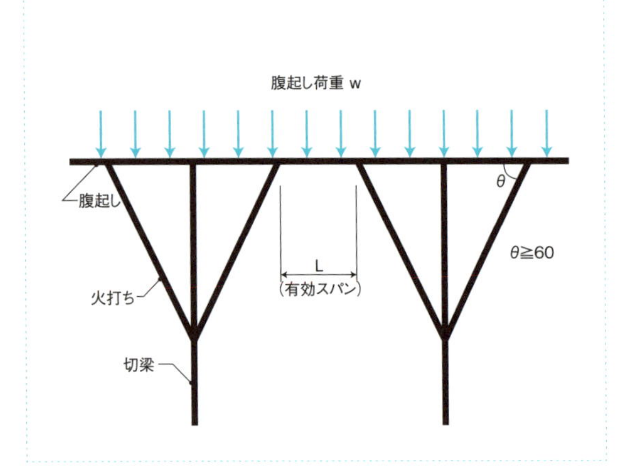

図73 | 腹起しに作用する応力の算定(45≦θ<60°の場合)

$$M=\frac{w\cdot L^2}{10} \qquad Q=\frac{w\cdot L}{2}$$

M:腹起しに作用する曲げモーメント[kN·m]
Q:腹起しに作用するせん断力[kN]
w:腹起しに作用する荷重[kN/m]
L:腹起しの有効スパン[m]

$$L=\frac{1}{2}(L_1+L_2)$$

L_1:火打ちの取り付け間隔[m]
L_2:切梁の間隔[m]

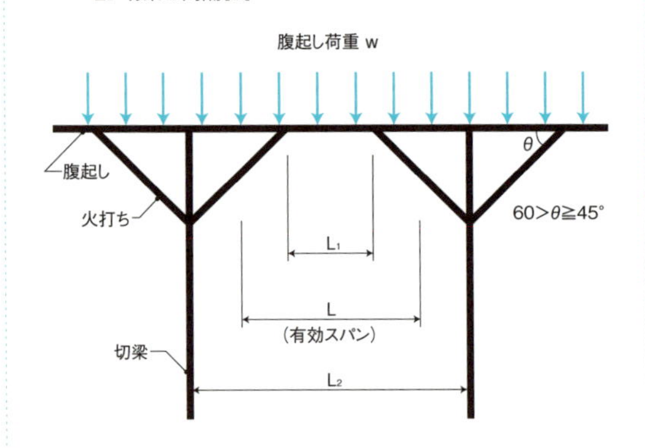

[2]——**断面検討**

腹起しは、通常、隅部から直交方向の側圧による負担幅分の圧縮力を受ける。各応力に対し、図74に示す式を満足させる。

切梁

切梁は、山留め壁の支点反力と切梁負担幅の積による軸力と、鉛直荷重(自重と安全通路などの軽微な荷重として5kN/m程度)による曲げモーメントを同時に受ける部材として算定する。原則、上記以外の積載荷重は許容しないが、やむを得ない場合は別途積載による架構の安全確認をする。

[1]——**切梁に作用する圧縮力・曲げモーメント**

各応力は図75に示す算定式により算出する。

切梁に作用する軸力は、温度変化による付加軸力

図75｜切梁に作用する応力の算定

$$M=\frac{w_0 \cdot L_1{}^2}{8}$$

$$N=w \cdot L_2+\triangle N$$

- M：切梁に作用する曲げモーメント[kN·m]
- N：切梁に作用する圧縮力[kN]
- w_0：自重などによる荷重[kN/m]
- w：腹起しに作用する荷重[kN/m]
- △N：切梁に生じる温度応力による増加軸力[kN]
- L_1：切梁の長さ[m]
- L_2：切梁の軸力負担幅[m]

$$L_2=\frac{1}{2}(L_3+L_4)$$

L_3、L_4：切梁の間隔[m]

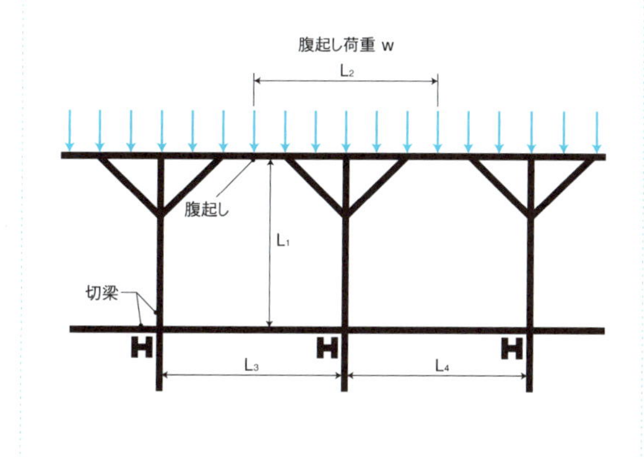

図74｜腹起しの断面検討

$$\sigma_b=\frac{M}{Z} \leqq f_b \qquad \tau=\frac{Q}{A_w} \leqq f_s$$

腹起しに曲げと圧縮力が作用する場合

$$\frac{\sigma_b}{f_b}+\frac{\sigma_c}{f_c} \leqq 1$$

- σ_b：腹起しに生じる曲げ応力度[kN/m²]
- σ_c：腹起しに生じる圧縮応力度[kN/m²]

$$\sigma_c=\frac{N}{A}$$

  - N：腹起しに作用する軸力[kN]
  - A：腹起し材の断面積[m²]
- τ：腹起しに生じるせん断応力度[kN/m²]
- M：腹起しに作用する曲げモーメント[kN·m]
- Z：腹起し材の断面係数[m³]
- Q：腹起しに作用するせん断力[kN]
- A_w：腹起し材のウェブ純断面積[m²]
- f_b：腹起し材の許容曲げ応力度[kN/m²]
- f_s：腹起し材の許容せん断応力度[kN/m²]
- f_c：腹起し材の許容圧縮応力度[kN/m²]

図76｜増加軸力の算定

$$\triangle N=\alpha \cdot A_k \cdot E_k \cdot \beta \cdot \triangle T_s$$

- △N：温度応力に伴う切梁軸力の増分[kN]
- α：固定度

$$\alpha=\frac{切梁の温度応力}{切梁端部が完全固定のときの温度応力}$$

  $0<\alpha\leqq 1.0$で、通常の場合、以下の値を用いることができる
  - ・沖積地盤：$\alpha=0.2\sim0.6$
  - ・洪積地盤：$\alpha=0.4\sim0.8$
- A_k：切梁の断面積[m²]
- E_k：切梁の弾性係数[kN/m²]
- β：切梁材の線膨張係数[1/℃]
- $\triangle T_s$：切梁の温度変化量[℃]

図77｜切梁の断面検討

$$\frac{\sigma_b}{f_b}+\frac{\sigma_c}{f_c} \leqq 1$$

- σ_b：切梁に生じる曲げ応力度(=M/Z)[kN/m²]
- σ_c：切梁に生じる圧縮応力度(=N/A)[kN/m²]
  - M：切梁に作用する曲げモーメント[kN·m]
  - Z：切梁材の断面係数[m³]
  - N：切梁に作用する圧縮力[kN]
  - A：切梁材の断面積[m²]
- f_b：切梁材の許容曲げ応力度[kN/m²]
- f_c：切梁材の許容圧縮応力度[kN/m²]

図78｜切梁の各種座屈波形

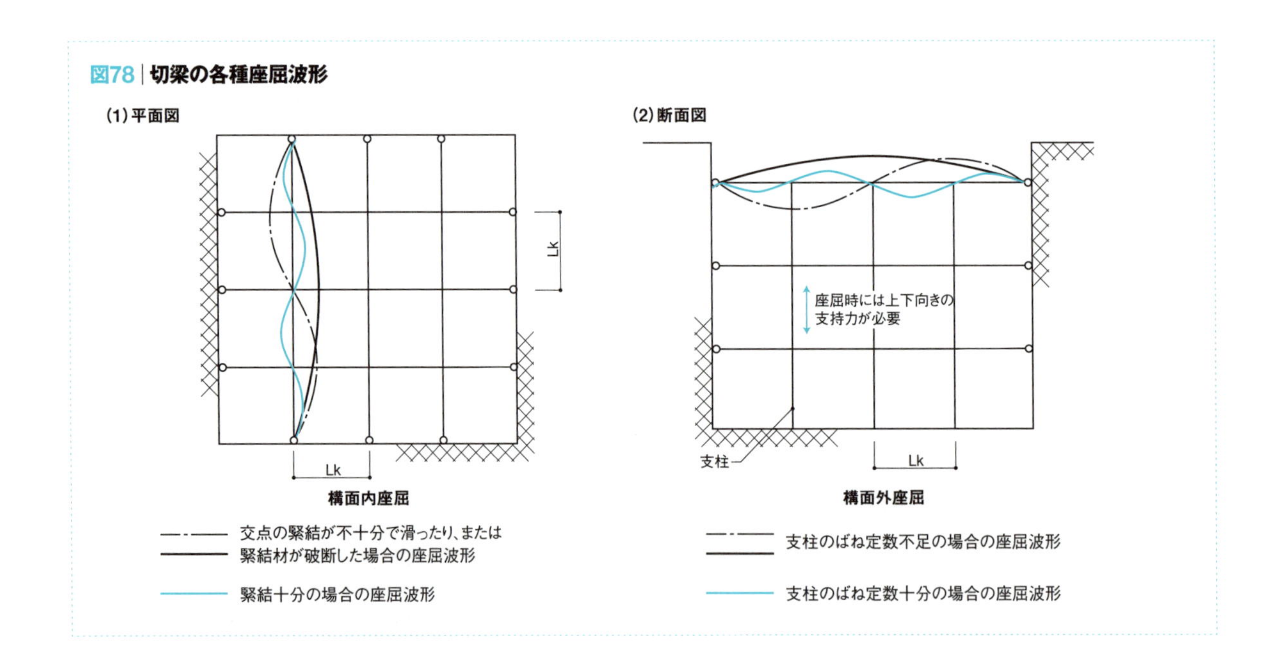

ΔNを考慮する。軸力増分は245頁図76により、温度変化量は10℃程度をみることが多い。固定度αの目安値は、切梁長さ60m程度までの概略範囲を示す。

[2]──断面検討

切梁は、曲げと圧縮力を同時に受ける部材として、245頁図77の式を満足させる。

許容圧縮応力度f_cは、座屈長さとして、強軸方向（構面外）は支柱間隔で、弱軸方向（構面内）は切梁交差部間隔で算定し、不利な方向で検討する[図78]。

[3]──切梁を斜めに架設する場合

納まり上、切梁を斜めにする場合や、打ち込んだ控え杭あるいは躯体から斜め梁を架設する場合、245頁図75における圧縮力Nに、腹起しと切梁の取り付け角度による影響を考慮する。

$$N' = \frac{N}{\cos\theta}$$

θ：傾角

なお、傾斜による上向きの分力も発生するので、荷重の大きさに応じて、腹起し弱軸方向[253頁図94参照]、腹起しを上側から押さえるブラケット[254頁図95·96

図79｜斜め梁に生じる上向きの分力

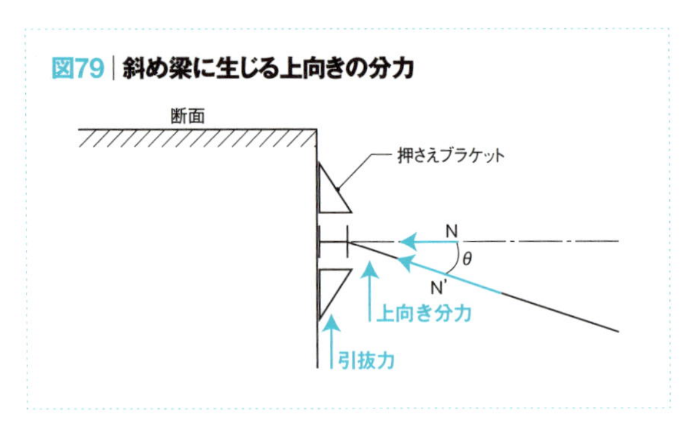

図80｜控え杭に生じる分力

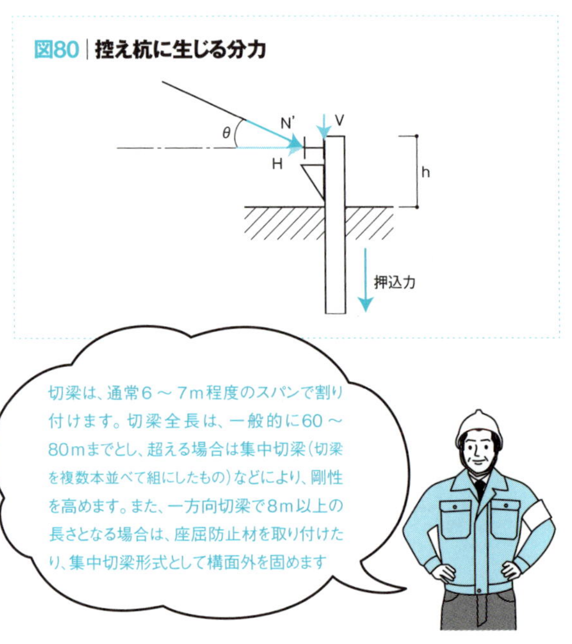

参照]、および山留め壁の引き抜きについて検討する[図79]。

[4]――控え杭

控え杭を打ち込んで斜め梁を受ける場合、軸力の水平分力Hが頭部自由の突出杭に加わるとして応力･変形を算出する。また、鉛直分力Vに対しては、腹起し弱軸方向、受けブラケットおよび地盤支持力[220頁図31参照]について検討する[図80]。根入れ長さは、通常長い杭として扱える長さ以上を確保する。控え杭の変形は、支持している山留め壁の応力や変形に影響するので、十分な剛性を確保し、山留め壁の変形と併せて検討する。

火打ち

火打ちは、山留め壁の支点反力と火打ち負担幅の積による軸力と、切梁と同様に、鉛直荷重による曲げモーメントを同時に受ける部材として算定する。軸力には火打ちの取り付け角度を考慮する。

[1]――火打ちに作用する圧縮力･曲げモーメント

各応力は図81により算出する。また、温度変化による付加軸力について、通常、切梁に取り付く火打ちは部材長が短いので影響しないとするが、長い場合は切梁同様に考慮する必要がある。

[2]――断面検討

火打ちは、曲げと圧縮力を同時に受ける部材として、245頁図77の式を満足させる。ただし、同式の凡例において「切梁」と記述されている個所を「火打ち」に読み替える。

[3]――ボルト

火打ちに取り付くボルト本数は、腹起し側、切梁側それぞれについて、図82の式により求める。

図81 | 火打ちに作用する応力の算定

$$M=\frac{w_0 \cdot L_k^2}{8}$$

$$N=\frac{w \cdot L_2}{\sin\theta}$$

M：火打ちに作用する曲げモーメント[kN･m]
N：火打ちに作用する圧縮力[kN]
w_0：自重などによる荷重[kN/m]
w：腹起しに作用する荷重[kN/m]
L：腹起しに取り付く火打ちの間隔[m]
L_1：腹起しに取り付く切梁と火打ちの間隔[m]
L_2：火打ちに作用する軸力負担幅[m]

$$L_2=\frac{1}{2}(L+L_1)$$

L_k：火打ちの曲げスパンおよび座屈長さ[m]
θ：火打ちの取り付け角度[°]

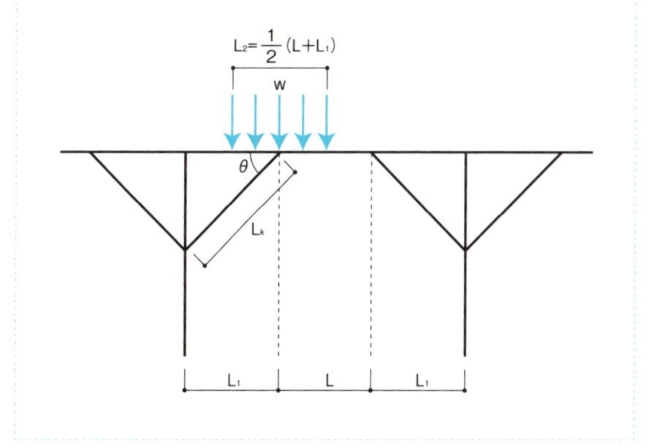

図82 | 火打ちに取り付くボルトの本数の算定

腹起し側　$n=\frac{N \cdot \cos\theta}{R_s}$

切梁側　$n=\frac{N}{R_s}$

n：火打ちに取り付くボルトの必要本数[本]
N：火打ちに作用する圧縮力[kN]
θ：火打ちの取り付け角度[°]
R_s：ボルト1本当たりの許容せん断力[kN/本]

切梁支柱

切梁支柱は、切梁の自重などによる荷重、切梁軸力の鉛直分力（切梁の座屈を抑えるのに必要な力。軸力Nの1／50）などによる押込力（または引抜力）と、これらの荷重による受けブラケットからの偏心曲げモーメントを同時に受ける部材として算定する。

［1］──切梁支柱に作用する荷重

各荷重は図83により算出する。

［2］──座屈長さの算定

切梁支柱の座屈長さは、鉛直方向の切梁間隔、または最下段切梁と地盤中の仮想支点との間隔のうちの大きいほうとする［図84］。一般的には最下部で決まることが多い。また、支点条件はピン支持とする。

［3］──断面検討

切梁支柱は、曲げと圧縮力を同時に受ける部材として、245頁図77の式を満足させる。ただし、同式の凡例において「切梁」と記述されている個所を「切梁支柱」に読み替える。

［4］──支持力の検討

切梁支柱の支持力は、押込力と引抜力について検討する。支持力は図85に示すが、杭の施工法によって算定式が違うので注意する。

引抜抵抗力は、付着部分が有効であるため、先端部のみを処理した施工法では、対応できない。

図83｜切梁支柱に作用する荷重の算定

(1) 切梁軸力による分力 N_1［kN］

$$N_1=\frac{1}{50}\{(L_x\cdot w_1+\triangle N_1)+(L_y\cdot w_1+\triangle N_1)+(L_x\cdot w_2+\triangle N_2)+(L_y\cdot w_2+\triangle N_2)+\cdots\}$$

w_1：1段目の腹起しに作用する荷重［kN/m］
w_2：2段目の腹起しに作用する荷重［kN/m］
L_x：y方向切梁の軸力負担幅［m］
L_y：x方向切梁の軸力負担幅［m］
$\triangle N_1$：1段目の切梁に生じる温度応力による増加軸力［kN］
$\triangle N_2$：2段目の切梁に生じる温度応力による増加軸力［kN］

(2) 切梁自重等による荷重 N_2［kN］

$$N_2=w_0\cdot(L_x'+L_y')\cdot n$$

w_0：切梁自重などによる単位長さ当たりの荷重［kN/m］
L_x'：切梁支柱に作用するx方向切梁の自重等の作用長さ［m］
L_y'：切梁支柱に作用するy方向切梁の自重等の作用長さ［m］
n：切梁段数［段］

(3) 切梁支柱の自重 N_3［kN］

$$N_3=w_a\cdot L_0$$

w_a：切梁支柱材の単位長さ当たりの荷重［kN/m］
L_0：支柱頭部から最下段の切梁までの長さ［m］

(4) 切梁支柱にかかる荷重 N［kN］

$$N=N_1+N_2+N_3$$

(5) 切梁支柱に作用する偏心曲げモーメントM［kN・m］

$$M=(n_1+n_2)\cdot e$$

n_1：最下段の切梁軸力のみによる鉛直分力［kN］
n_2：最下段（切梁自重などによる荷重）のみによる鉛直力［kN］
e：切梁支柱と切梁の偏心距離［m］

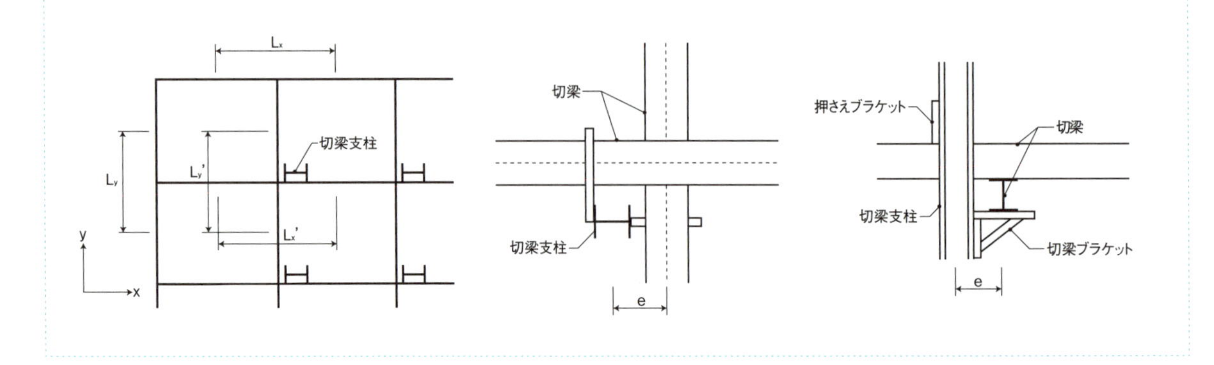

図84｜座屈長さの算定

$L_k = H_1 + H_2$

$H_2 = \frac{1}{\beta}$

L_k：切梁支柱の座屈長さ[m]

H_1：最下段切梁から掘削底までの深さ[m]

H_2：掘削底から仮想支持点までの深さ[m]

β：特性値[m^{-1}]

$$\beta = \sqrt[4]{\frac{k_h \cdot B}{4 \cdot E \cdot I_y}}$$

k_h：水平地盤反力係数[kN/m^3]

B：支柱材の径または幅[m]

E：鋼材のヤング係数(=2.05×10^8)[kN/m^2]

I_y：切梁支柱材の弱軸方向の断面2次モーメント[m^4]

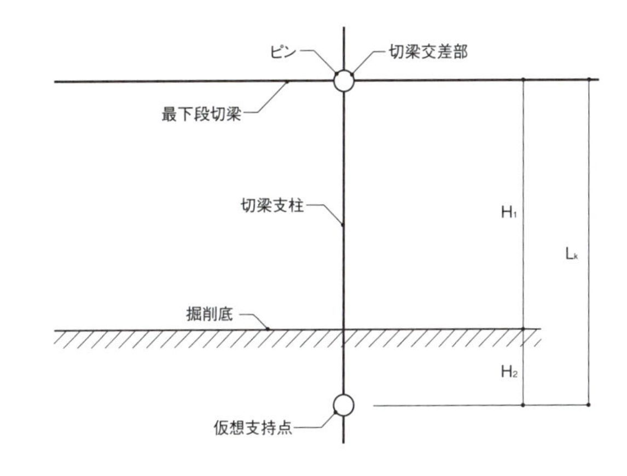

図85｜切梁支柱の支持力の検討

(1)支持力の算定

①打込み工法による場合

$$R_{a1} = \frac{2}{3}\left\{300 \cdot \bar{N} \cdot A_p + \left(\frac{10 \cdot \bar{N_s} \cdot L_s}{3} + \frac{\bar{q_u} \cdot L_c}{2}\right) \cdot \psi\right\}$$

②埋込み工法(プレボーリング後、モルタルで全体充填)による場合

$$R_{a2} = \frac{2}{3}\left\{200 \cdot \bar{N} \cdot A_p + \left(\frac{10 \cdot \bar{N_s} \cdot L_s}{3} + \frac{\bar{q_u} \cdot L_c}{2}\right) \cdot \psi\right\}$$

③埋込み工法(先端部のみを処理)による場合

最終打込み工法　$R_{a3} = \frac{2}{3}(300 \cdot \bar{N} \cdot A_p)$

根固め工法　$R_{a4} = \frac{2}{3}(200 \cdot \bar{N} \cdot A_p)$

R_{a1}：打込み工法による許容支持力[kN]

R_{a2}：埋込み工法(プレボーリング後、モルタルで全体充填)による許容支持力[kN]

R_{a3}：埋込み工法で最終打込みによる許容支持力[kN]

R_{a4}：埋込み工法で根固めによる許容支持力[kN]

$\bar{N}$：切梁支柱先端付近の地盤の平均N値(ただし、N≦100、$\bar{N}$≦60とする)

A_p：切梁支柱先端の有効支持面積[m^2](H形鋼の場合は幅×高さ)

$\bar{N_s}$：掘削底から切梁支柱先端までの地盤のうち、砂質土部分の平均N値(N_s≦30)

L_s：掘削底以深で砂質土部分にある切梁支柱の長さ[m]

$\bar{q_u}$：掘削底から切梁支柱先端までの地盤のうち、粘性土部分の平均一軸圧縮強度[kN/m^2](ただし、$\bar{q_u}$≦200とする)

L_c：掘削底以深で粘性土部分にある切梁支柱の長さ[m]

ψ：切梁支柱の周長[m]

(2)支持力の判定

$R_a \geqq N$

R_a：切梁支柱の許容支持力[kN]

N：切梁支柱に作用する荷重[kN][図83(4)参照]

(3)引抜抵抗力の算定

$$R_{at} = \frac{2}{3}\left\{\left(\frac{10 \cdot \bar{N_s} \cdot L_s}{3} + \frac{\bar{q_u} \cdot L_c}{2}\right) \cdot \psi\right\} + w$$

R_{at}：打込み工法および埋込み工法による場合の引抜抵抗力[kN]

w：切梁支柱の自重[kN]

(4)引抜抵抗力の判定

$R_{at} \geqq N_t$

N_t：切梁支柱に作用する引抜力[kN]

$N_t = N_1 - N_2'$

N_1：切梁軸力による分力[kN]

N_2'：切梁自重による重量[kN]

切梁支柱と構台杭を兼用する場合の条件として、杭はN値30以上に支持させ、沈下がないことを確認したり、変形のしにくい形状(幅の広い大きな平面、コの字形など)としたり、ブレースを強固にして、横ぶれを防止したりします

地盤アンカー

地盤アンカーは、地盤を反力としたアンカーの引抜抵抗力により、山留め壁に生じる応力・変形を支持する工法である[図86]。アンカー本体は掘削周辺部の地中に施工されるため、周辺の地盤状況や構造物への影響を十分検討して計画する。

また、地盤アンカーを用いた場合の特徴として、山留め壁の支持力およびアンカーを含む山留め背面の土塊全体の安定についての検討も必要となる。

アンカー体

[1]──設計アンカー力の算定

設計アンカー力は、山留め壁の応力・変形計算で求めた最大支点反力にアンカーの水平間隔を乗じ、水平面に対する傾角θv(一般的に15～45°)、場合によっては山留め壁面に対する水平角θhを考慮して算定する[図87]。

一般的に、水平間隔は最も接近したところでも1m以上確保できれば、引抜耐力を低減させる郡アンカー

図86｜地盤アンカー

主働滑り面
▼GL
アンカー体自由長 L_f[m]
アンカー体定着長 L_a[m]
アンカー傾角 θ_v
P_d
P_h
引張材
モルタル
$45+\frac{\phi}{2}$
掘削底
φ:地盤の内部摩擦角[°]

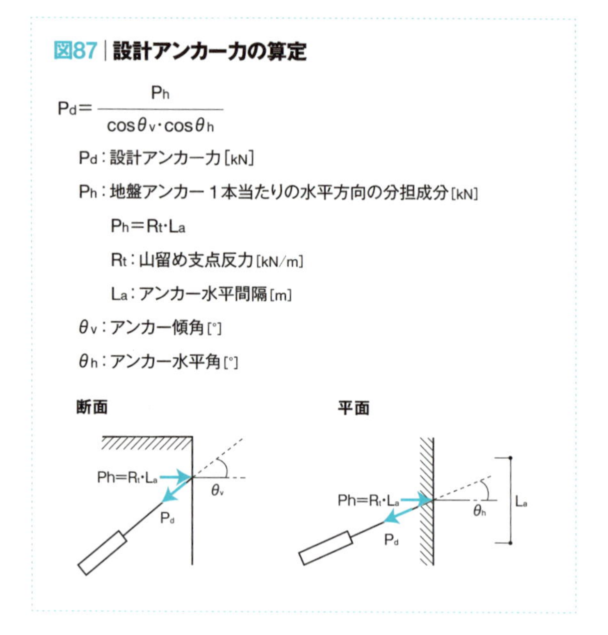

図87｜設計アンカー力の算定

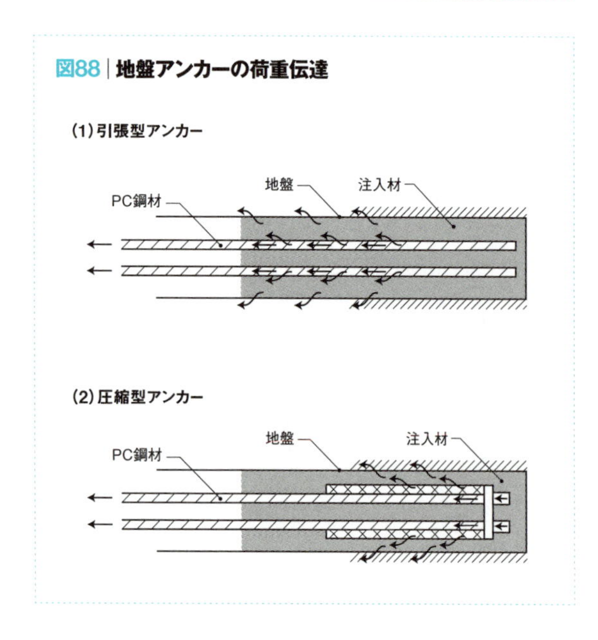

図88｜地盤アンカーの荷重伝達

表21出典：『建築地盤アンカー設計施工指針・同解説』((一社)日本建築学会)

となるような相互影響はないといわれている。

[2]──定着体の設計

地盤アンカーは、支持機構によっていくつかの方式に分類されるが、いずれにおいても1本の引抜抵抗力は、定着体と周辺地盤との抵抗、および注入材と引張材との抵抗によって決定される[図88]。以下2項目について、引張型アンカーの設計アンカー力に対する定着体の長さを求める。なお、定着長は3m以上10m以下を基本とする。

①定着体と周辺地盤との摩擦抵抗[図89]：定着体長と極限引抜抵抗力とは正比例せず、長くなるに従い低減が必要となる。定着体長が3mを超える分については、許容摩擦応力度を60%に低減する

②注入材と引張材との付着抵抗[図90]：周辺地盤の摩擦同様に、定着体全長にわたって付着応力が均等に働くとはいえず、定着体長が3mを超える分については、許容付着応力度を50%に低減する

図90の算定式における有効付着周長ψは、引張材の種類や組み方によって異なり、表21により引張材の公称径を用いて計算する。

[3]──引張材の設計

引張材は、設計アンカー力にもとづく引張力が許容引張力以下になるように、PC鋼線の径や本数を決定する。引張材の許容引張力と設計アンカー力の関係を図91に示す。また、PC鋼材の種類・径・組み合わせに応じた断面積などの諸元を469頁に示す。

セットロスは、アンカー頭部定着部材（頭部定着具）の

図89｜定着体と周辺地盤との摩擦抵抗

$$P_d \leqq \{3+(L_a-3)\times 0.6\}\cdot \tau_a \cdot \pi \cdot D_a \quad \text{より}$$

$$L_a \geqq \frac{5\cdot P_d}{3\cdot \tau_a \cdot \pi \cdot D_a}-2$$

L_a：定着体長[m]
P_d：設計アンカー力[kN]
τ_a：定着地盤の許容摩擦応力度[kN/m²]
D_a：定着体径[m]

図90｜注入材と引張材との付着抵抗

$$P_d \leqq \{3+(L_a-3)\times 0.5\}\cdot \tau_{ba} \cdot \psi \quad \text{より}$$

$$L_a \geqq \frac{2\cdot P_d}{\tau_{ba}\cdot \psi}-3$$

L_a：定着体長[m]
P_d：設計アンカー力[kN]
τ_{ba}：注入材の許容付着応力度[kN/m²]
ψ：有効付着周長[m]

表21｜有効付着周長のとり方

引張材の種類	組み方	有効付着周長
異形PC鋼棒 多重よりPC鋼より線	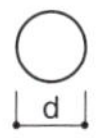 d	d×π（d：公称径）
PC鋼より線 異形PC鋼棒		左図の破線の長さ
	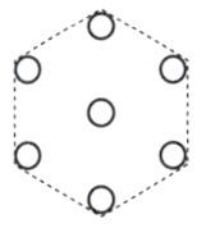	以下の①・②のうち小さいほう ①左図の破線の長さ ②単材周長の本数倍

図91｜引張材の許容引張力と設計アンカー力の関係

(1)緊張力導入時

0.75×(PC鋼材の規格引張強さ)×(PC鋼材の断面積)≧(設計アンカー力)＋(セットロス)

0.85×(PC鋼材の規格降伏強さ)×(PC鋼材の断面積)≧(設計アンカー力)＋(セットロス)

(2)定着完了時

0.70×(PC鋼材の規格引張強さ)×(PC鋼材の断面積)≧(設計アンカー力)

0.80×(PC鋼材の規格降伏強さ)×(PC鋼材の断面積)≧(設計アンカー力)

セット量・なじみなどによる緊張力の低下量のことで、通常はあらかじめ加算して初期緊張力を決定する。

[4]――**自由長部の設計**

非定着部である自由長部の長さは、定着体の起点が掘削面より(45°+φ/2)の主働滑り面を超え、地表面からの土かぶり厚さが5m以上確保できるように計画する。なお、最小自由長は4mとする。

[5]――**導入緊張力の決定**

山留め壁の応力、背面地盤の状況ならびに周辺の環境条件を考慮して許容される変形を設定した後、アンカーの供用期間における有効緊張力が設計アンカー力を超えないように決定する。通常は設計アンカー力の60～70%とするが、設計値より少ないため、山留め壁の変形が計算より大きくなる可能性はある。

地盤アンカーを含む山留め背面の土塊全体の安定検討

[1]――**外的安定**

外的安定とは、地盤アンカーを包含した地盤の外側で発生する土塊全体の滑り[図92]に対する安定のことで、斜面安定における円形滑り面を仮定する方法[225頁参照]で検討する。この場合、山留め壁の剛性とせん断抵抗は無視し、斜面の安定検討と同様、円の中心を変えて種々の滑り面を想定し、そのなかで最小の安全率が1.2以上になるように設計する。

[2]――**内的安定**

内的安定とは、複数の地盤アンカーが一体(群アンカー)となって挙動し、アンカー近傍の定着地盤内に発生するせん断滑り[図93]に対する安定である。同一定着層内に極めて密にアンカーを設置した場合に想定される破壊であるため、通常のアンカー配置ではあまり問題とならない。検討する場合は、クランツの方法や、掘削が浅い場合には簡易的に「アンカー体を設置しない領域を考慮すること」で安定性を確保する。

図92｜滑りによる破壊

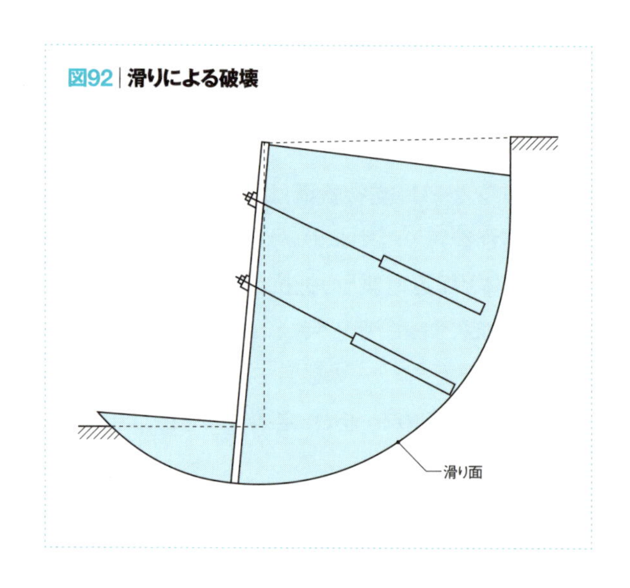

図93｜定着地盤のブロック破壊

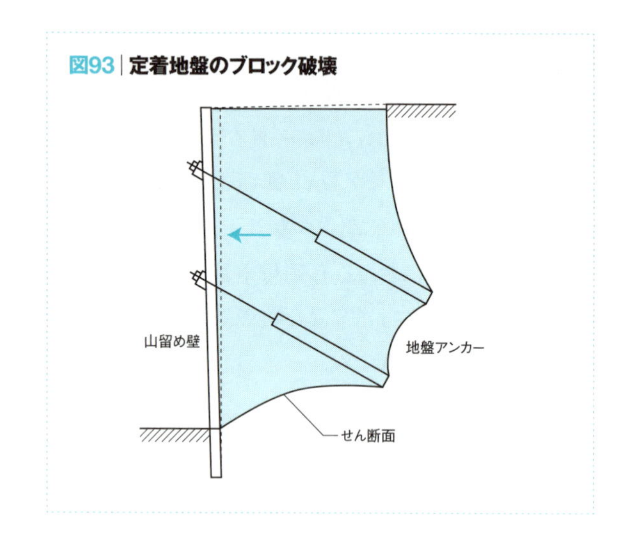

地盤アンカーの腹起し

地盤アンカーの腹起しは、水平(強軸)方向と鉛直(弱軸)方向の荷重を同時に受ける部材として、曲げモーメントとせん断力について算定する[図94]。これらの応力はそれぞれ異なるスパンに作用するので、応力の組み合わせは考慮しない。

強軸方向については、荷重を腹起し2本で等分担すると考える場合と、腹起しと台座の関係を考慮して主に上段に荷重を偏らせる(上段0.7:下段0.3など)場合がある。また、弱軸方向は一般的に下段のみで受ける場合が多いが、台座の構造により上下の腹起しで受ける場合もあるので、実状に応じて荷重を振り分けて算定する。

断面検討は、245頁図74の曲げ・せん断応力度について、強軸と弱軸方向それぞれに対して行う。

図94 | 腹起しに作用する応力の算定

(1)強軸方向の応力(水平面内の応力)

$$M_h = \frac{R \cdot L_a^2}{8}$$

$$Q_h = \frac{R \cdot L_a}{2}$$

(2)弱軸方向の応力(鉛直面内の応力)

[ブラケット間の中央にアンカーが位置する場合]

$$P_v = R \cdot L_a \cdot \tan\theta_v$$

$$M_v = \frac{1}{4} P_v \cdot L_b = \frac{1}{4} R \cdot L_a \cdot \tan\theta_v \cdot L_b$$

$$Q_v = \frac{1}{2} P_v = \frac{1}{2} R \cdot L_a \cdot \tan\theta_v$$

M_h:強軸方向曲げモーメント[kN・m]
Q_h:強軸方向せん断力[kN]
M_v:弱軸方向曲げモーメント[kN・m]
Q_v:弱軸方向せん断力[kN]
R :山留め壁支点反力[kN/m]
L_a:地盤アンカーの間隔[m]
L_b:ブラケットの間隔[m]
θ_v :アンカー傾角[°]
P_v:アンカー頭部金物に生じる鉛直方向力[kN]

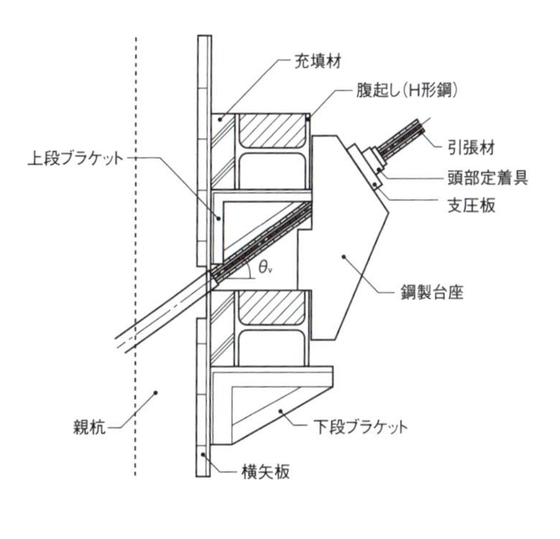

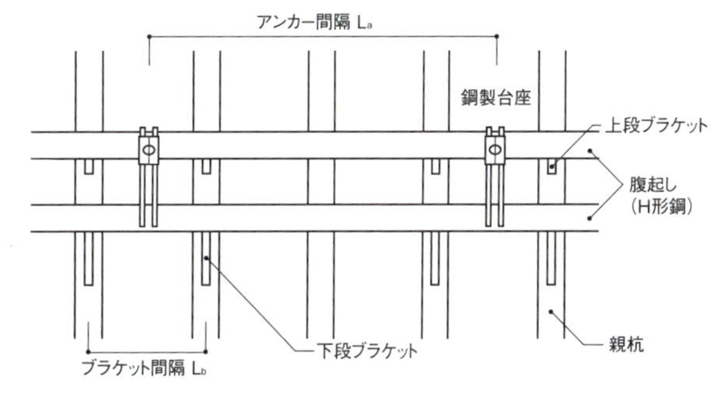

図95｜下段ブラケットに作用する軸力

(1)腹起しの掘削側フランジに作用する荷重

$$Q_v' = Q_v + w_b \cdot L_0$$

(2)上弦材に作用する引張力

$$P_t = Q_v' \cdot \tan\theta$$

(Q_v'が上弦材の中間に加わる場合は、引張力のほか、曲げモーメントとせん断力が作用する)

(3)斜め材に作用する圧縮力

$$P_c = \frac{Q_v'}{\cos\theta}$$

Q_v'：腹起しの掘削側フランジに作用する荷重[kN]

Q_v：腹起しの算定で得られる弱軸方向のせん断力[kN]

w_b：腹起し材の単位長さ当たりの重量[kN/m]

L_0：下段ブラケットが負担する腹起しの長さ[m]

P_t：上弦材に作用する引張力[kN]

P_c：斜め材に作用する圧縮力[kN]

θ：垂直材と斜め材との角度[°]

$$\tan\theta = \frac{L_2}{L_1}、\cos\theta = \frac{L_1}{L_3}$$

L_1：垂直材の部材長[m]

L_2：上弦材の部材長[m]

L_3：斜め材の部材長[m]

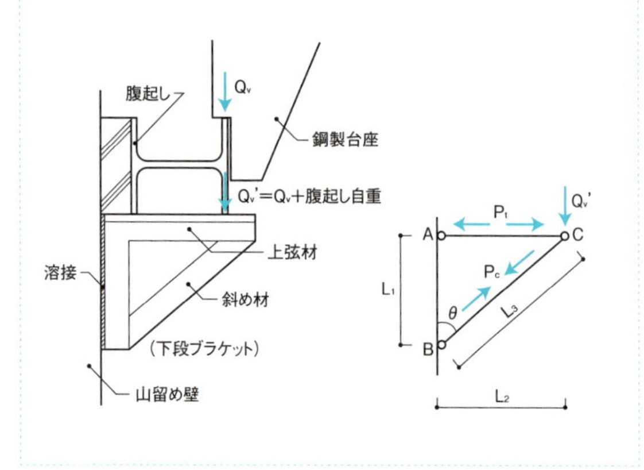

図96｜下段ブラケットの断面検討

(1)上弦材の検討

$$\sigma_t = \frac{P_t}{A} \leqq f_t$$

(2)斜め材の検討

$$\sigma_c = \frac{P_c}{A} \leqq f_c$$

σ_t：上弦材に生じる引張応力度[kN/m²]

σ_c：斜め材に生じる圧縮応力度[kN/m²]

P_t：下段ブラケットの上弦材に作用する引張力[kN]

P_c：下段ブラケットの斜め材に作用する圧縮力[kN]

f_t：許容曲げ応力度[kN/m²]

f_c：許容圧縮応力度[kN/m²]

A：ブラケット材の断面積[m²]

図97｜溶接部の検討

(1)溶接部に作用する曲げモーメントとせん断力

$$M = Q_v' \cdot e$$

$$Q = Q_v'$$

(2)溶接部の断面検討

$$\rho_M = \frac{M}{Z_w} \leqq f_w$$

$$\rho_Q = \frac{Q}{A_w} \leqq f_w$$

下式を満足するものとする

$$\rho_{MQ} = \sqrt{\rho_M^2 + \rho_Q^2} \leqq f_w$$

M：溶接部に作用する曲げモーメント[kN·m]

Q：溶接部に作用するせん断力[kN]

Q_v'：腹起しの掘削側フランジに作用する荷重[kN]

e：山留め壁から腹起しの掘削側フランジまでの距離[m]

ρ_M：溶接部に生じる曲げ応力度[kN/m²]

ρ_Q：溶接部に生じるせん断応力度[kN/m²]

ρ_{MQ}：曲げ応力度とせん断応力度の合成応力度[kN/m²]

Z_w：溶接部の有効断面係数[m³]

$$Z_w = \frac{2 \cdot I_w}{L_2 + 2 \cdot a}$$

I_w：溶接部の断面2次モーメント[m⁴]

$$I_w = \frac{1}{12}\{(L_1 + 2 \cdot a) \cdot (L_2 + 2 \cdot a)^3 - L_1 \cdot L_2^3\}$$

L_1、L_2：有効長[m]

a：のど厚(=$0.7 \cdot s$)[m]

s：脚長[m]

A_w：溶接部のせん断力を負担する有効断面積[m²]

$$A_w = 2 \cdot a \cdot L_2$$

f_w：溶接部の許容応力度[kN/m²]

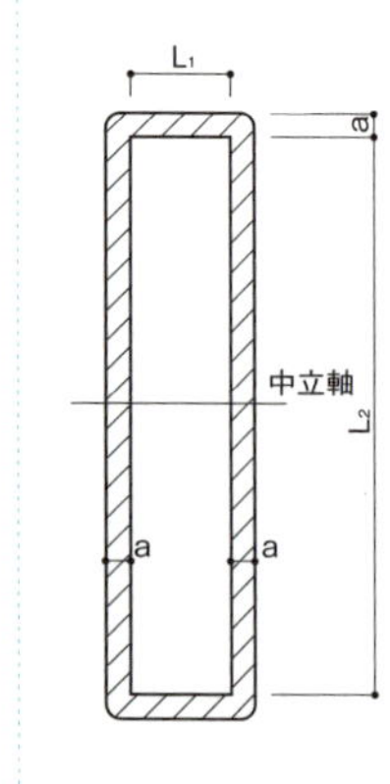

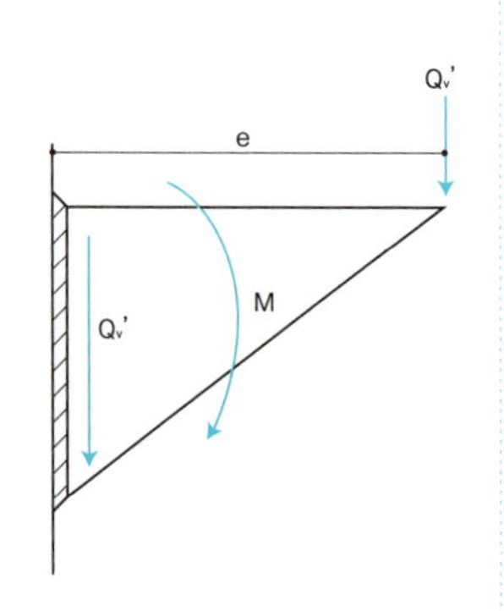

ブラケット

上下段の腹起しブラケットの荷重分担は、腹起しに合わせ、上段には腹起し自重のみを、下段にはアンカー緊張力によるせん断力Qvと腹起し自重を考慮する。通常、下段ブラケットは、荷重が腹起しの掘削側フランジに作用すると考えるので、三角形状の組み立てブラケットの場合、上弦材については曲げモーメントと軸力、せん断力を、斜め材については圧縮力について算定する。

図95・96の算出式は、下段ブラケットの検討について、上弦材と斜材の節点に荷重がかかるとしているので、上弦材は軸方向力のみの検討を示している。

山留めの芯材とブラケットの溶接は、曲げとせん断力について、図97により検討を行う。なお、ブラケットの取り付けは全周隅肉溶接とする。

上段ブラケットは、腹起し重量のみを受けるとした場合、かかる荷重が小さく、単材を用いて全周溶接とすることが多い。また、有効せいの大きい組み立てブラケットを使った場合には、縦部分のみの溶接とすることがある。

タイロッドアンカー

[1]──タイロッド

タイロッドアンカーは、安定した地盤に控えアンカーを設置し、山留め壁頂部とタイロッドで固定し、山留め壁を支持する工法である[図98]。控えアンカーには、杭あるいはコンクリートのブロックなどが用いられる。

通常、控えアンカーは、その受働滑り面と山留め壁の主働滑り面が地表面以下で交差しない位置に設けるため、山留め外周にはそのスペースが必要となる。なお、適正な離隔が設けられずに採用する場合は、滑り面の重なる部分の抵抗力を低減して検討する。

タイロッドの設置深さは、施工性や重機などの走行を考慮して、地表面から1m前後とする。

タイロッドの引張力は、支点反力に水平間隔を乗じて求める。また、断面については図99に示す算定式を満足させる。

頭つなぎの検討は、タイロッド設置位置を有効スパンとして、腹起しに準じて行う。

[2]──控え杭

控えアンカーを杭形式とした場合、検討は切梁（斜め梁）の控え杭[247頁参照]に準じ、荷重は水平力のみについて考える。

図98｜タイロッドアンカー

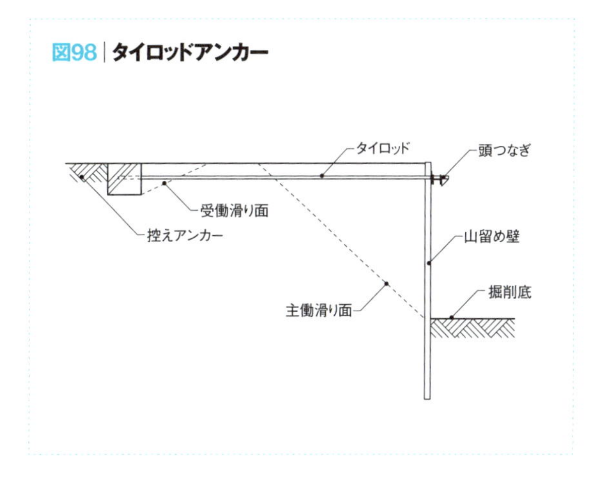

図99｜タイロッドアンカーの検討

(1) タイロッドに作用する引張力

$T=w\cdot a$

(2) 溶接部の断面検討

$$\sigma_t=\frac{T}{A}\leqq f_t$$

T ：タイロッドに作用する引張力[kN]

w ：支点反力[kN/m]

a ：タイロッドの水平間隔[m]

σ_t：タイロッドに生じる引張応力度[kN/m²]

A ：タイロッドの断面積[m²]

f_t ：許容引張応力度[kN/m²]

11 | 排水工法

排水工法の設計は、掘削部内におけるドライワークの確保や掘削底面の安定を前提に、掘削の深さや規模などの条件を考慮し、敷地周辺環境への有害な影響を含めたあらゆる不具合が生じないように行う。通常、透水係数kが1×10^{-4}cm／secを超える砂・砂礫・礫の透水層中の地下水が対象となる[図100]。

掘削に伴う地下水の流出量が多く予想される場合は、排水による下水道使用料を含む排水併用の山留めか、排水を完全に(あるいは極力)抑えた遮水・止水工法を採用するかは、総合的に判断する。

地盤や敷地の条件によるが、場内の掘削外部にリチャージウェルという深い井戸を設け、揚水した地下水を下水へ放流せず地盤へ戻すことも行われる。リチャージウェルの設計方法は後述するディープウェルと同様である。

排水期間は、地下水の影響を受ける掘削から、構造物の浮き上がりや地下躯体・防水工事に支障をきたすことがないところまで設定する。

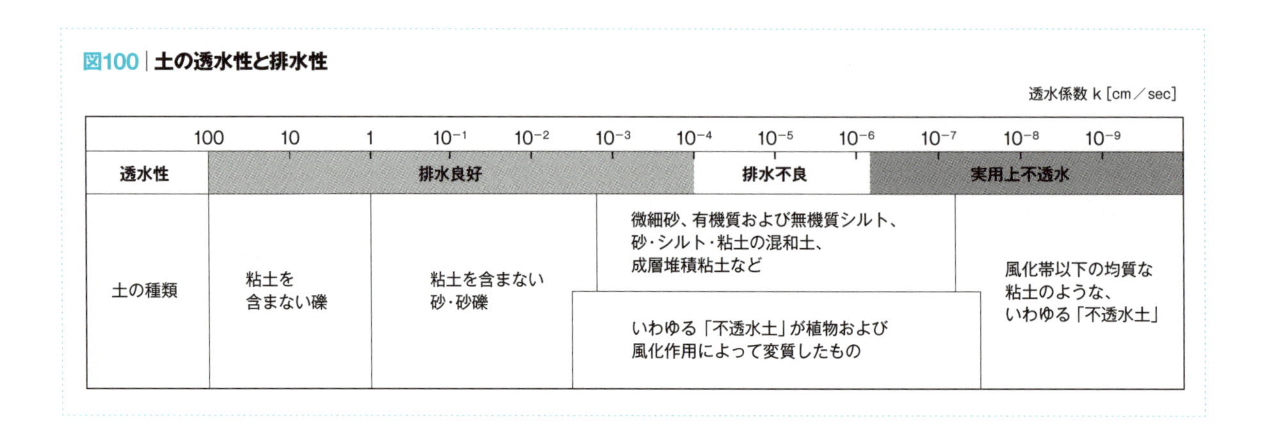

図100 | 土の透水性と排水性

透水係数 k [cm／sec]

	100	10	1	10^{-1}	10^{-2}	10^{-3}	10^{-4}	10^{-5}	10^{-6}	10^{-7}	10^{-8}	10^{-9}
透水性	排水良好						排水不良		実用上不透水			
土の種類	粘土を含まない礫		粘土を含まない砂・砂礫			微細砂、有機質および無機質シルト、砂・シルト・粘土の混和土、成層堆積粘土など／いわゆる「不透水土」が植物および風化作用によって変質したもの				風化帯以下の均質な粘土のような、いわゆる「不透水土」		

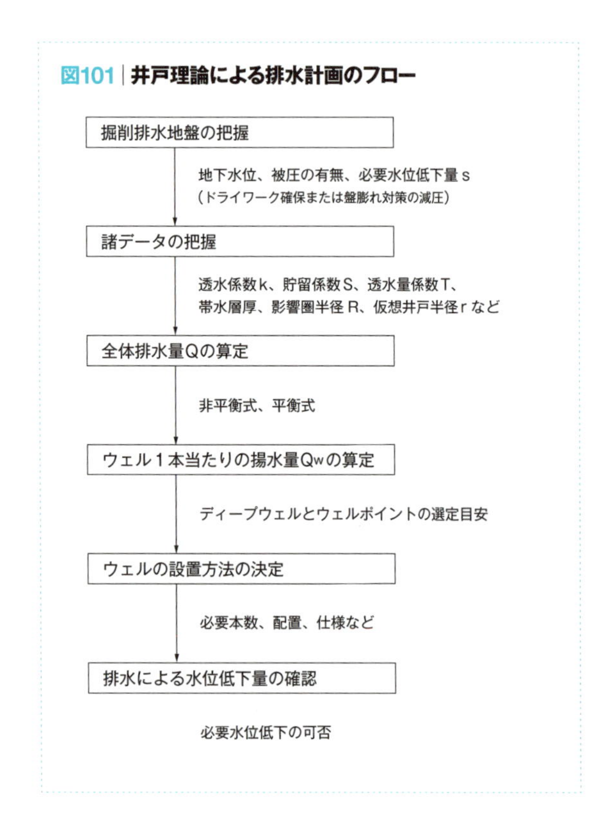

図101 | 井戸理論による排水計画のフロー

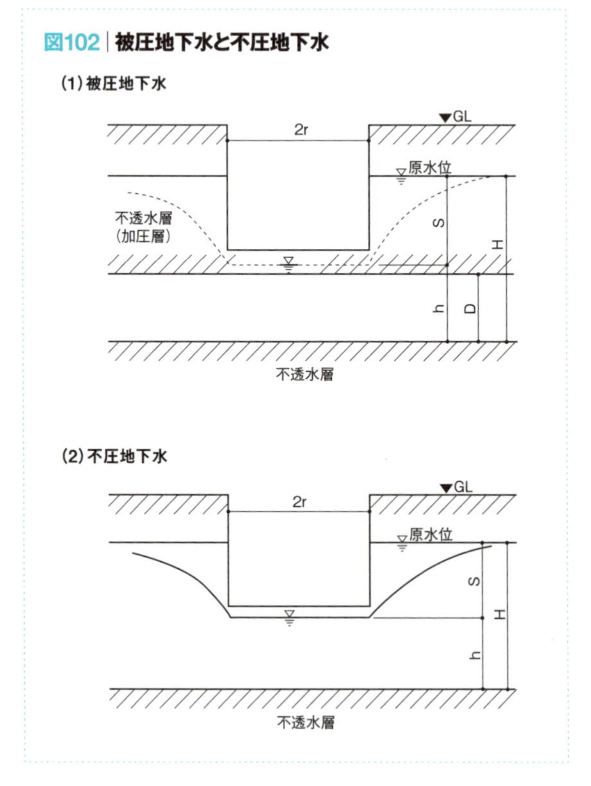

図102 | 被圧地下水と不圧地下水

排水計画

排水工法では、ディープウェル工法とウェルポイント工法が一般的に用いられる。ディープウェル工法は、フィルターの付いたケーシング管を地中に打ち込み、そこから地下水をポンプで汲み上げて排出する。「深井戸工法」ともいい、地下掘削が深く、地下水量が多い場合に採用される。ウェルポイント工法は、小口径のライザーパイプを取り付けた集水管（ウェルポイント）を地中に多数打ち込み、真空ポンプを用いて強制的に地下水を吸い上げて排出する。これらの工法について、設計の基本である井戸理論による計画フローを図101に示す。

[1]──掘削排水地盤の把握

地下水面下にあって重力作用で流動可能な水が地下水であり、その状態によって「被圧地下水」と「不圧地下水」とに分けられる[図102]。

前者は不透水層（加圧層）に上下を挟まれた状態で、地下水面をもたず、直接大気とは接していない。水圧（被圧水頭）は大気圧より高い。後者は「自由地下水」ともいい、地下水面をもち、土の間隙を通して直接大気と接する。

ドライワーク確保のため、地下水位を掘削底面以深に低下させるのか、あるいは盤膨れ防止のために土かぶり圧と揚圧力を考慮した減圧分を低下させるのかによって、必要水位低下量sを設定する。

[2]──諸データの把握

排水量計算に必要な諸データを図103、表22に示す。仮想井戸半径rは、ウェルが掘削部の内か外かなどの関係も考慮する。また、影響圏半径Rは図103に示すシーハルトの式で算定するが、表22を使い、土質との関係から求めることもできる。

[3]──全体排水量の算定

井戸理論には、非平衡（非定常）式と平衡（定常）式がある[258頁図104・105]。

平衡式は、ウェルからの排水量Qとウェルへの地下水流入量がバランスした状態のもので、長時間の揚水

表22｜土質と影響範囲

土質		影響圏半径R［m］
区分	粒径［mm］	
粗礫	10～	1,500～
礫	2～10	500～1,500
粗砂	1～2	400～500
	0.5～1	200～400
	0.25～0.5	100～200
細砂	0.10～0.25	50～100
	0.05～0.10	10～50
シルト	0.025～0.05	5～10

図103｜排水量計算に必要なデータ

r：仮想井戸半径［m］（右図参照）

$$r=\max\left(\sqrt{\frac{a\cdot b}{\pi}},\ \frac{a+b}{\pi}\right)$$

s：水位低下量［m］

H：帯水層下端から原水位までの高さ［m］

h：Hとsの差（＝H−s）［m］

下部に不透水層がない場合は、h＝(2.5～3.0)sとする

D：被圧帯水層厚［m］

k：透水係数［cm/sec］

R：影響圏半径［m］

$R=3{,}000\cdot s\cdot\sqrt{k}$（シーハルトの式。kの単位はm/secとする）

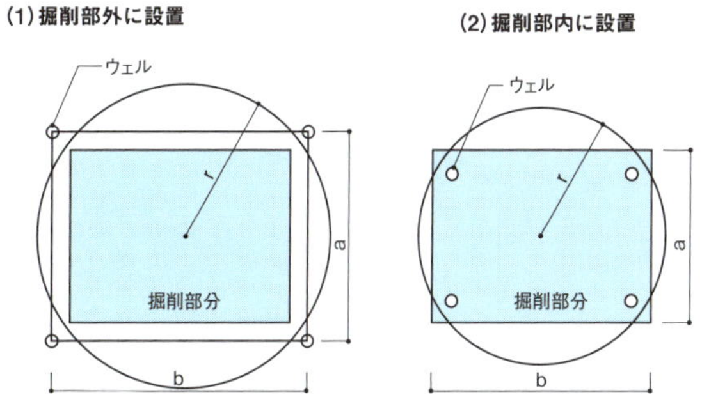

表22出典：『根切り工事と地下水─調査・設計から施工まで』（(公社)地盤工学会）

図104｜非平衡式

(1) Theisの式

$$u = \frac{r^2 \cdot S}{4 \cdot T \cdot t}$$

$$Q = \frac{T \cdot s}{0.0796 \cdot W_{(u)}}$$

Q：ウェルからの排水量[m³/min]
r：仮想井戸半径[m]
S：貯留係数
T：透水量係数[m²/min]
t：揚水継続時間[min]
（通常、14,400min[10日]が多い）
s：水位低下量[m]
W(u)：uの井戸関数

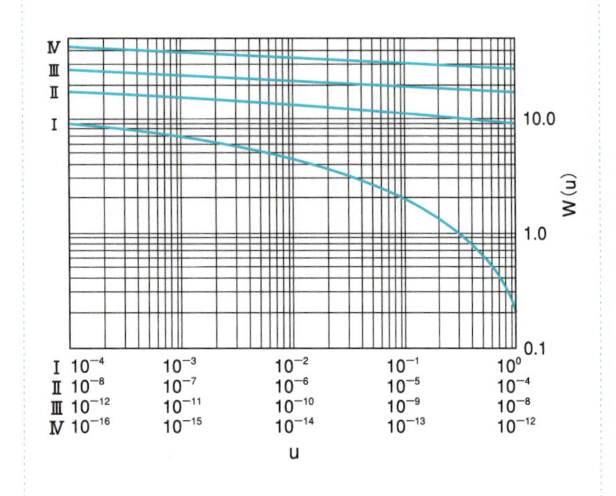

(2) 簡易的検討法

$$Q' = \alpha \cdot Q$$

Q'：初期排水量[m³/min]
α：平衡式による排水量から初期排水量を算出する係数
被圧地下水の場合：2～3
不圧地下水の場合：1.1～1.5
Q：平衡式によるウェルからの排水量[m³/min]

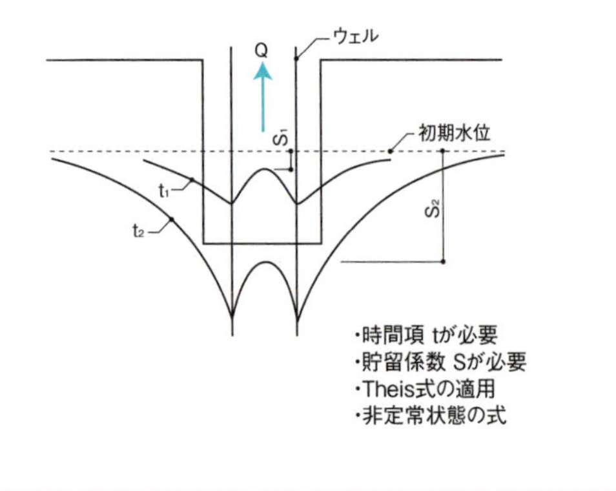

で生じる。また、非平衡式は、Qとウェルへの地下水流入量がバランスしていない状態のもので、排水時間tの経過により水位降下が生じる。通常、排水開始後、7～10日程度で地下水位を所定の深さに低下させる。簡易的には非平衡状態のQは排水初期の増量分と考え、平衡状態排水量の係数倍として算出できる。

[4]――ウェル1本当たりの揚水量qwの算定

ディープウェル工法とウェルポイント工法の選定目安を図106に示す。

図105｜平衡式(Thiemの式)

(1) 被圧地下水の場合

$$Q = \frac{2.73 \cdot k \cdot D \cdot s}{\mathrm{Log}\dfrac{R}{r}}$$

(2) 不圧地下水の場合

$$Q = \frac{1.36 \cdot k \cdot (H^2 - h^2)}{\mathrm{Log}\dfrac{R}{r}}$$

Q：ウェルからの揚水量[m³/min]
k：透水係数[m/min]
D：被圧帯水層厚[m]
s：水位低下量[m]
R：影響圏半径[m]
r：仮想井戸半径[m]
H：帯水層下端から原水位までの高さ[m]
h：Hから水位低下量sを引いた値[m]

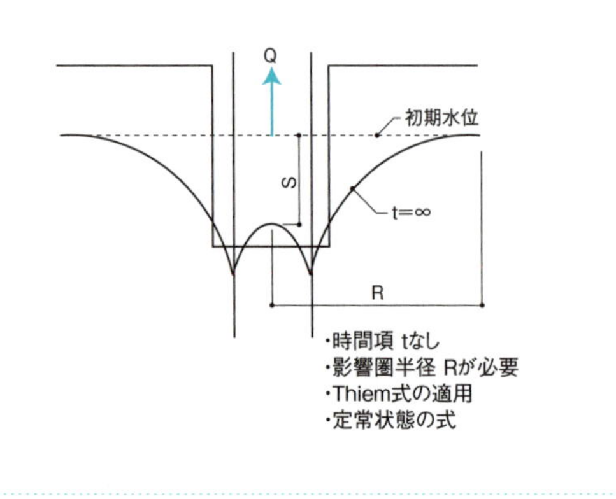

図104中「井戸関数曲線」、表23・24出典：『根切り工事と地下水―調査・設計から施工まで』((公社)地盤工学会)

ディープウェル1本当たりの揚水量qwは、次のうちの小さいほうの値で決定する。

①井戸公式より求まる揚水量：ディープウェルの半径をrwとし、ポンプ位置から水位低下量sを設定し、図105(1)あるいは(2)式により揚水量qwを求め、これに井戸効率(井戸損失と井戸相互間の干渉)36.5%を乗じて算出する

$q_w' = 0.365 \cdot \alpha \cdot q_w$（$\alpha$は図104(2)参照）

②ストレーナー長より求められる揚水量：図107に示す算定式により算出する

また、ウェルポイント1本当たりの揚水量qwは、透水係数kあるいは土質との関係から求める[表23・24]。

[5]――ウェルの必要本数、配置、仕様の決定

ウェルの必要本数nは、図108の算定式で求める。ウェルポイントのピッチaも同図に示す算定式で決定するが、通常は0.8～2.0m間隔で割り付ける。

表23｜透水係数kとウェルポイント1本当たりの揚水量qw

透水係数 k [cm/sec]	揚水量 qw [m³/min]
1×10^{-3}	$(1 \sim 5) \times 10^{-3}$
5×10^{-3}	$(5 \sim 10) \times 10^{-3}$
1×10^{-2}	$(10 \sim 20) \times 10^{-3}$
5×10^{-2}	40×10^{-3}

表24｜土質とウェルポイント1本当たりの揚水量qw

土質	揚水量 qw [m³/mim]
礫	$(50 \sim 70) \times 10^{-3}$
砂礫	$(30 \sim 50) \times 10^{-3}$
粗砂	$(20 \sim 25) \times 10^{-3}$
砂	15×10^{-3}
細砂	$(8 \sim 10) \times 10^{-3}$

図106｜排水工法の選定目安

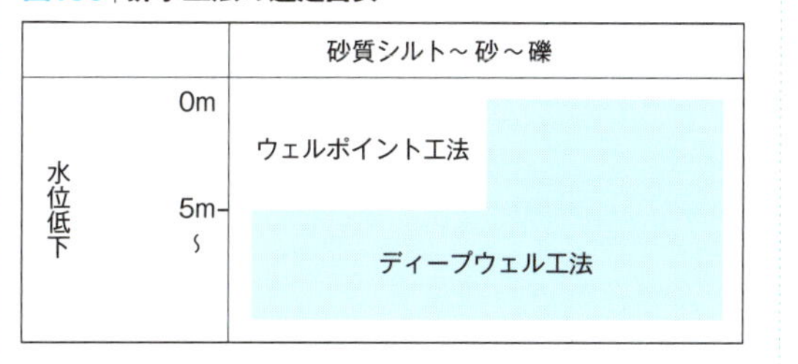

図107｜ストレーナー長より求められる揚水量

$q_w = 0.42 \cdot r_w \cdot l_w \cdot \sqrt{k}$

q_w：ディープウェル1本当たりの揚水量[m³/min]

r_w：ディープウェルの半径[m]

l_w：ストレーナー長[m]

k：透水係数[m/sec]

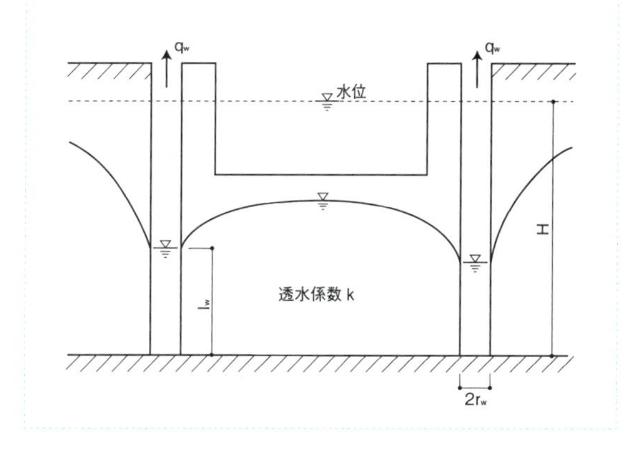

図108｜ウェルの必要本数とウェルポイントピッチの算定

$$n = \frac{\alpha \cdot Q}{q_w}$$

n：ウェルの必要本数[本]

Q：ウェルからの揚水量[m³/min]

α：図104(2)参照

ウェルポイントの場合のピッチ算定

$$a = \frac{L}{n}$$

q_w：ウェルポイント1本当たりの揚水量[m³/min]

a：ウェルポイントのピッチ[m]（通常、aは0.8～2.0mで割り付ける）

L：平面延長[m]

図109｜ウェルn本での揚水による任意地点の水位低下量の算定

(1)被圧地下水の場合

$$s = 0.366 \cdot q_w \cdot \frac{n}{k \cdot D} \cdot Z$$

(2)不圧地下水の場合

$$s = H - \sqrt{H^2 - 0.732 \cdot q_w \cdot \frac{n}{k} \cdot Z}$$

s：ウェルn本での揚水による任意地点の水位低下量[m]

q_w：ウェル1本当たりの揚水量[m³/min]

k：透水係数[m/min]

D：被圧帯水層厚[m]

$$Z = \mathrm{Log}R - \frac{1}{n} \mathrm{Log}(r_1 \times r_2 \times \cdots \times r_n)$$

R：ウェル1本の影響半径[m]

r_1、… r_n：任意地点から各ウェルまでの距離[m]

H：帯水層下端から原水位までの高さ[m]

［6］── 排水による水位低下量の確認

掘削部内の任意点における地下水位低下の充足性を確認する［259頁図109］。水位低下の過不足がある場合は、ウェルの本数や配置などを調整する。

排水工法における注意点

上部に圧密未了の軟弱粘性土層があり、下部に被圧水位が高い砂質土層のある地盤などでは、遮水工法を採用するのが一番であるが、掘削部以深に外部地下水の流入を遮断できる確実な止水層がない場合には、排水工法の選択となる。その場合、揚水量が多いと軟弱地盤の圧密を促進し、周辺地盤の沈下を引き起こす可能性が高い［図110］。

そのため、排水による周辺への影響を最小限とするよう、山留め壁を止水壁として、極力掘削場内への地下水の回り込みを低減する。根入れ長さは浸透流解析により決定し、単位長さ当たりの揚水量は1.0～2.0×10^{-3} m^3／min・m程度に抑えるのがよい。

浸透流解析はFEMや流線網によるのが正確であるが、簡易的な数式解法であるマスカットの式でも止水壁下を回り込む浸透水量qを算定できる［図111］。

なお、以下に示すように、算出されたqに山留め平面長さLを乗じると、総浸透流量Qが求められる。

$Q=q \cdot L$ ［m^3／min］

図110｜排水工法における注意点

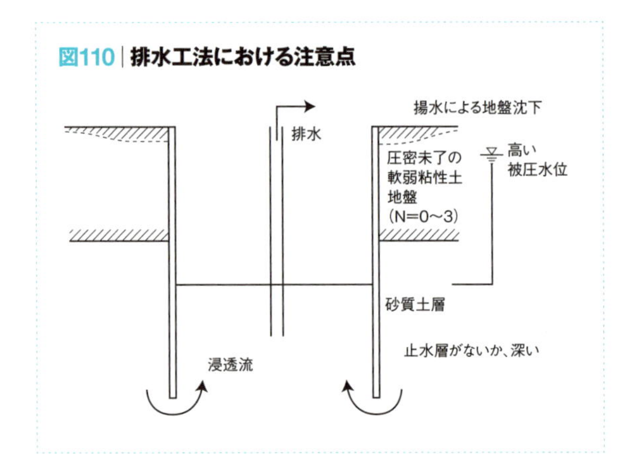

図111｜止水壁下を回り込む浸透水量の算定

$q=k \cdot B \cdot s$ ［m^3／min・m］

k：透水係数［m/min］

B：止水壁の貫入率などの条件から下図より求められる値

s：水位低下量［m］

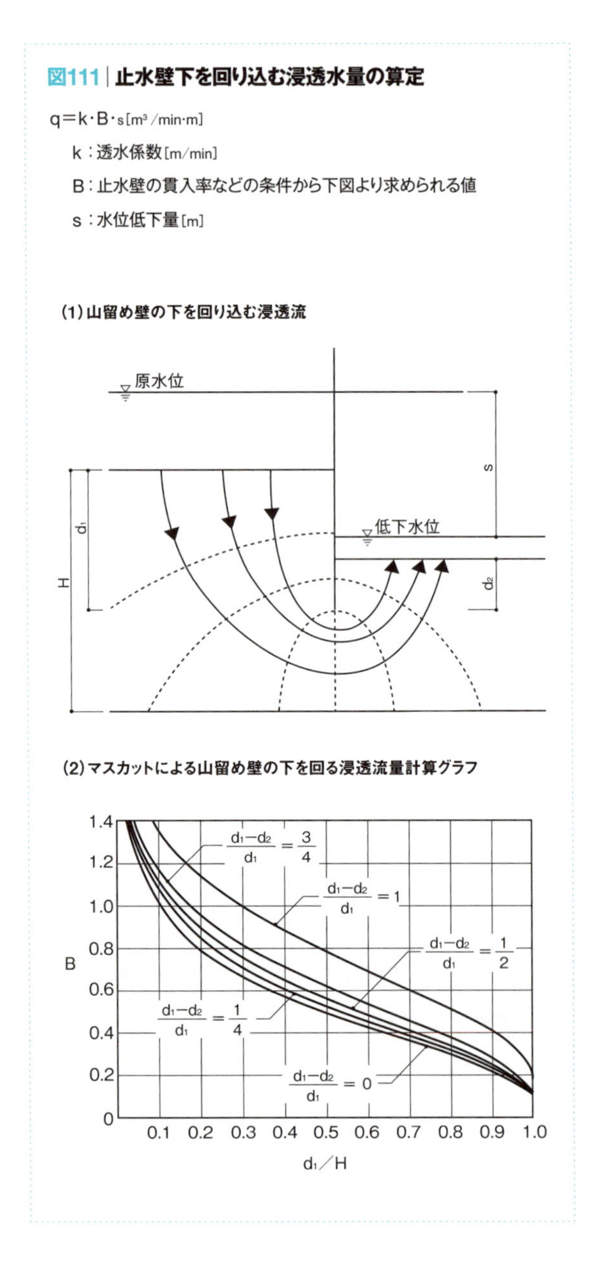

図111出典：『根切り工事と地下水－調査・設計から施工まで』（（公社）地盤工学会）

12 ｜周辺への影響検討

山留め壁の変形によって発生する地表面沈下量の概算値は、図112に示す算定式で求められる。

実測される周辺沈下量が1次掘削時では三角形分布、山留め壁に支保工が架設され頭部の変位が抑えられる2次掘削以降では台形分布に近いことを考慮して、算出している。地表面の沈下形状は、山留め壁の変位形状に似かよったものになる。

この背面地盤の沈下量推定方法は、沖積粘性土などには比較的適用性がよいようである。洪積粘性土や砂質土では、土のせん断に伴う体積膨張の影響があるため、実際は少なくなることも考えられる。

また、近接して地中構造物がある場合、沈下を生じる部分が構造物と山留めの間に限定されるため、地盤沈下量は計算値より大きくなることがあるので注意が必要である。

図112｜山留め壁の変形によって生じる地表面沈下量

(1) 1次掘削時(三角形分布)

$A_{s1}=(0.5\sim1.0)A_{d1}$

$S_{max}=\dfrac{2\cdot A_{s1}}{L_0}$

(2) 2次掘削時以降(台形分布)

$A_{sn}=(0.5\sim1.0)A_{dn}$

$S_{max}=\dfrac{2\cdot A_{sn}}{L_0+L_1}$

A_s：地表面の沈下面積[m²]

A_d：山留め壁の変形面積[m²]

S_{max}：最大沈下量[m]

L_0：地表面沈下の影響範囲[m]

$L_0=(1.0\sim2.0)\cdot H$

H：山留め壁の変位ゼロまでの高さ[m]

L_1：台形分布での沈下量一定の範囲[m]

(各掘削時の深さ程度)

(1) 1次掘削時

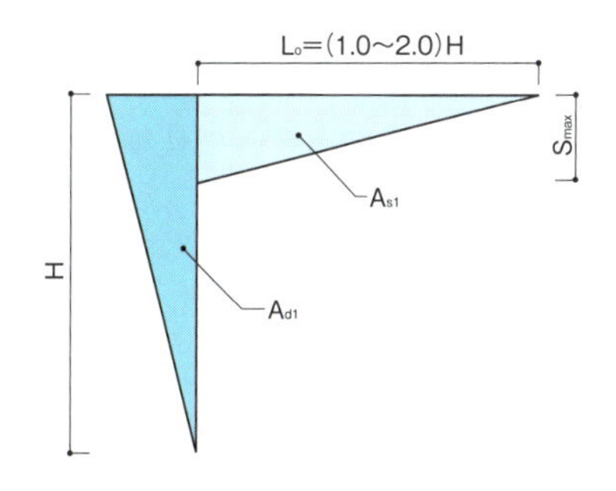

(2) 2次掘削時

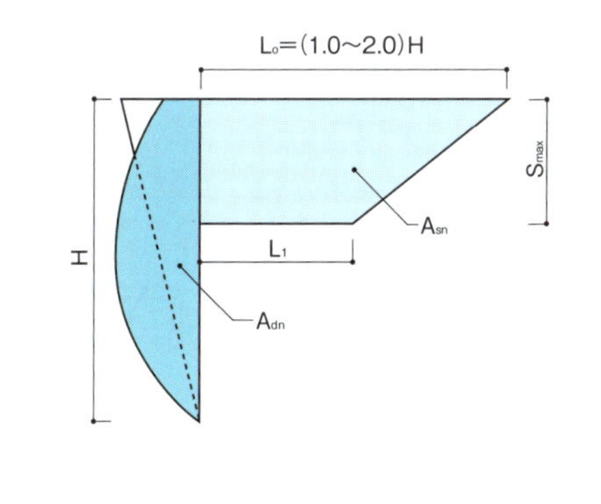

親杭横矢板工法の検討

check

- □ 土質柱状図や周辺状況より、土質定数、上載荷重、地下水位を設定し、適切に側圧を決定する
- □ 支保工計画の各寸法と、計算に用いる値を整合させる。また、発生する力の流れを把握し、部材検討に反映させる

例題として、多段支保工の山留め壁の応力変形計算法について、汎用性があり、手計算で追うことのできる「単純梁法」を示す。ただし、1次掘削の検討においては「自立山留めの梁ばねモデル」による。通常は条件に対し、最適となる部材仕様を計算によって決定していくこととなる。ここでは、まず部材仕様などを設定し、その条件に対する安全性を確認していく方法を採る。

1 | 検討条件

設計条件

—

掘削深さと263頁の土質柱状図などから地盤の状態や各層厚さ、地下水位を判断・考慮し、以下に示す親杭横矢板工法+支保工2段の山留めとする場合の仕様の安全性について検討する。設計条件などの詳細は右のとおりである。

・山留め壁：親杭横矢板工法
　　親杭　H－300×300×10×15（SS400）
　　@1,200mm　L＝13.0m
・掘削深さ：GL－9.0m
・支保工：1段目　地盤アンカー　GL－1.0m
　　　　　2段目　鋼製切梁　　　GL－5.0m
　　　　　H－300×300×10×15
　　　　　（SS400、リース材）
・余掘深さ：支保工下1.0m
・地下水位：GL－8.5m
・上載荷重：法状背面地盤の重量
・許容変位：30mm

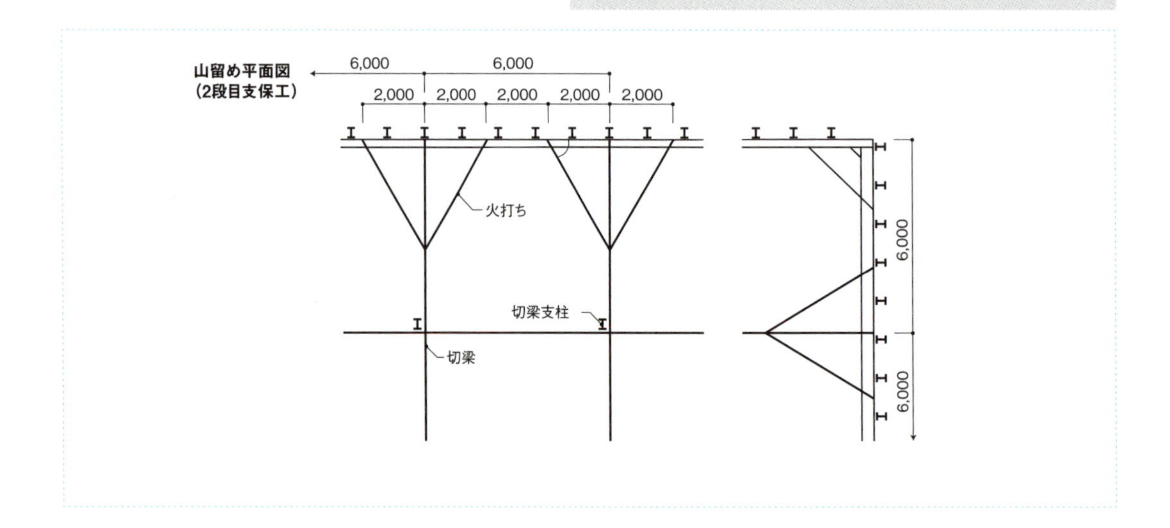

土質柱状図および山留め断面図

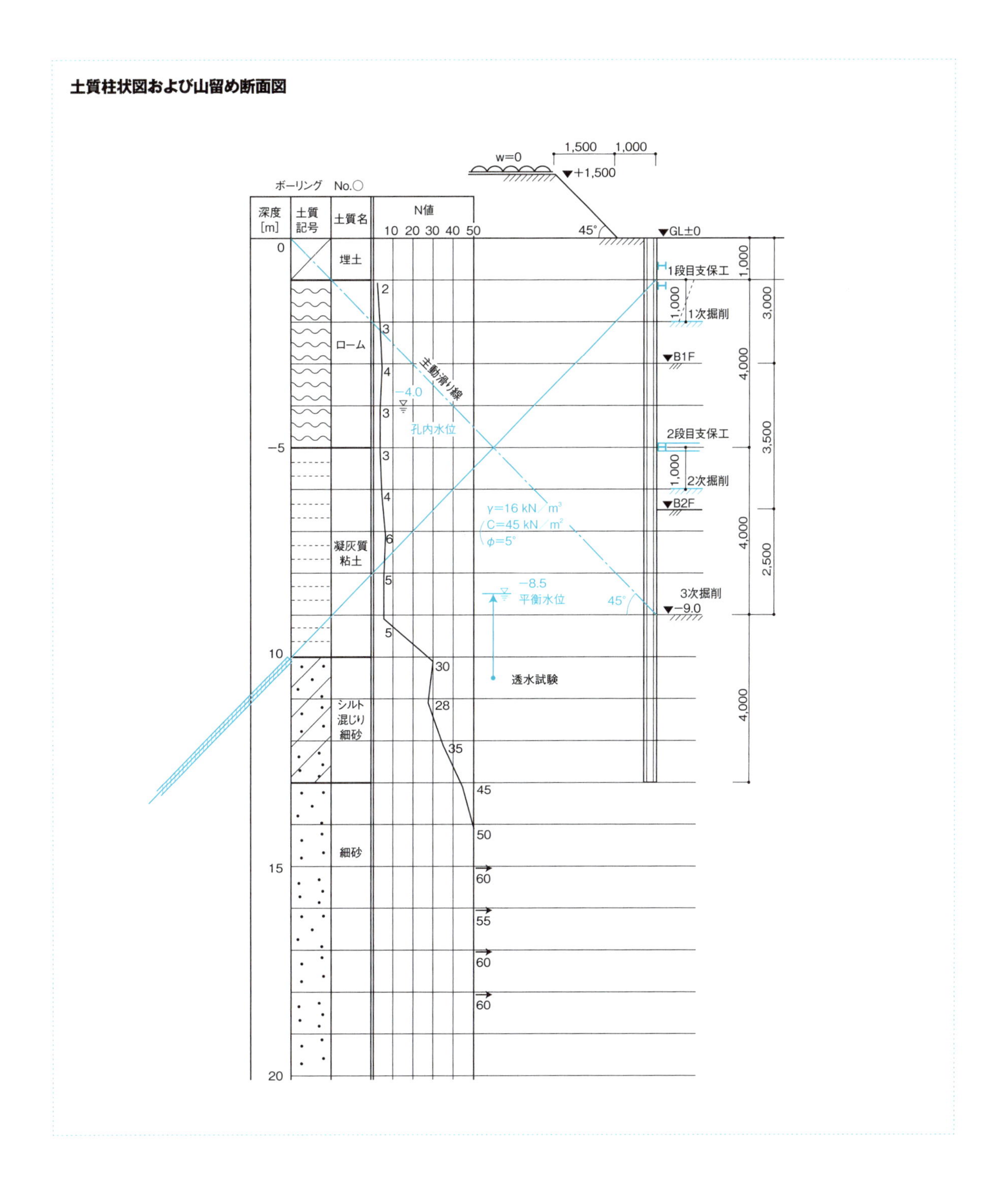

土質定数の設定

No.	土質名	平均N値	単位体積重量γt [kN/m³]	水中単位体積重量γ' [kN/m³]	粘着力C [kN/m²]	内部摩擦角φ [°]	備考
1	埋土	—	16	6	10	5	粘性土主体。C、φを若干考慮
2	ローム	3	15	5	25	10	ローム質土の一般的な値。 K_h = 3,000kN/m³（推奨範囲図より）
3	凝灰質粘土	5	16	6	45	0	試験値より決定。ただし、φ = 0°とする
4	シルト混じり細砂	31	17	7	10	35	$\phi=\sqrt{20N}+15$より決定。Cを若干考慮
5	細砂	50	20	10	0	45	$\phi=\sqrt{20N}+15$より決定

$\gamma' = \gamma t - \gamma w$（水の単位体積重量 γw = 10 kN/m³）

2 荷重の設定

step 1 上載荷重の算定

法上には荷重がかからないもの($w=0$ kN/m^2)とする。法自体の重量を山留め背面の上載荷重として算定するため、まずはGL面からの仮想地盤高さhを求める。□ABCD=□EFGDであるので、hは以下のとおりとなり、このhを埋土の単位体積重量γ(=16kN/m^3)に乗じて上載荷重qを算定する。

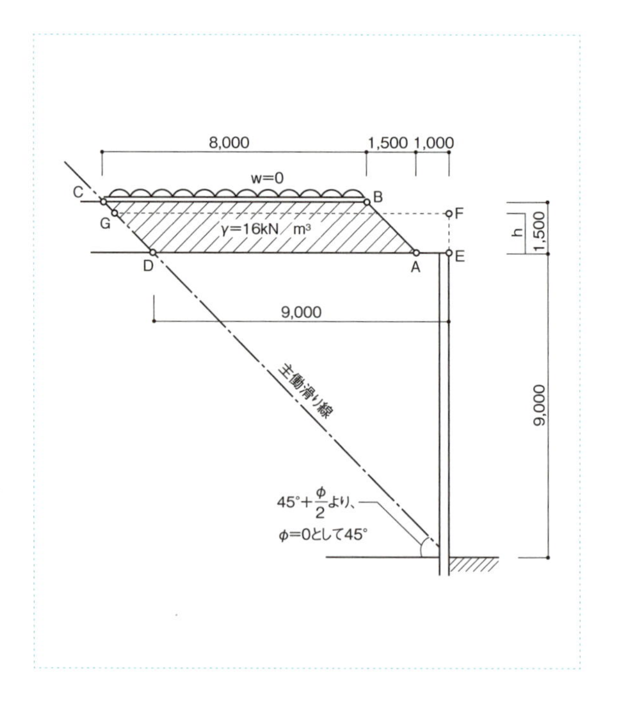

$1.5\times8.0=(9.0\times2+h)\times h/2$

$\therefore h=1.247\,m$

$q=\gamma\cdot h=16\times1.247=19.95\rightarrow 20\,kN/m^2$

step 2 背面側側圧の算定①

設計側圧は、土質定数より算出したランキン・レザール法による値を包括するような側圧係数の値として設定する。上載荷重による付加重量は、土重量$\gamma\cdot h$にstep.1で算定したqを加算する方法とする。まず、側圧をランキン・レザール法の主働土圧の式から、各土質の層ごとに上部・下部の値として求める。また、側圧は土水圧分離として求めているため、地下水面(GL−8.5m)での値も求める。

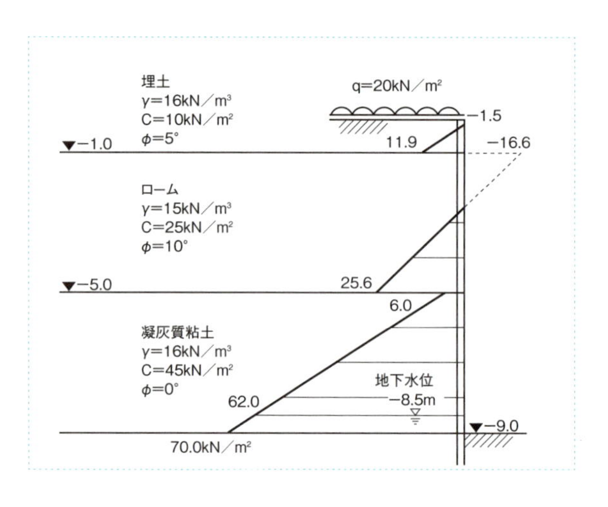

ランキン・レザール法による主働土圧式(Paの添記号「i」はGLからの深さを示す)

$_iPa=(\gamma\cdot h+q-p_w)\cdot\tan^2(45°-\phi/2)-2\cdot C\cdot\tan(45°-\phi/2)+p_w$

1層目 $_0Pa=(16\cdot0+20)\cdot\tan^2(45°-5/2)-2\cdot10\cdot\tan(45°-5/2)=16.8-18.3=-1.5\,kN/m^2$

$_{-1.0}Pa=(16\cdot1+20)\cdot\tan^2 42.5°-20\cdot\tan 42.5°=30.2-18.3=11.9\,kN/m^2$

2層目 $_{-1.0}Pa=36\cdot\tan^2(45°-10/2)-2\cdot25\cdot\tan(45°-10/2)=25.3-41.9=-16.6\,kN/m^2$

$_{-5.0}Pa=(36+15\cdot4)\cdot\tan^2 40°-50\cdot\tan 40°=67.6-42.0=25.6\,kN/m^2$

3層目 $_{-5.0}Pa=(96)\cdot\tan^2(45°-0/2)-2\cdot45\cdot\tan(45°-0/2)=96.0-90.0=6.0\,kN/m^2$

地下水面 $_{-8.5}Pa=(96+16\cdot3.5)\cdot\tan^2 45°-90\cdot\tan 45°=152-90=62.0\,kN/m^2$

$_{-9.0}Pa=\{152+(16-10)\cdot0.5\}\cdot\tan^2 45°-90\cdot\tan 45°+10\cdot0.5=155-90+5=70.0\,kN/m^2$

step. 3

背面側側圧の算定②

step.2で求めたランキン·レザール法による値を包括するように各層側圧係数を設定し、側圧を算定する。

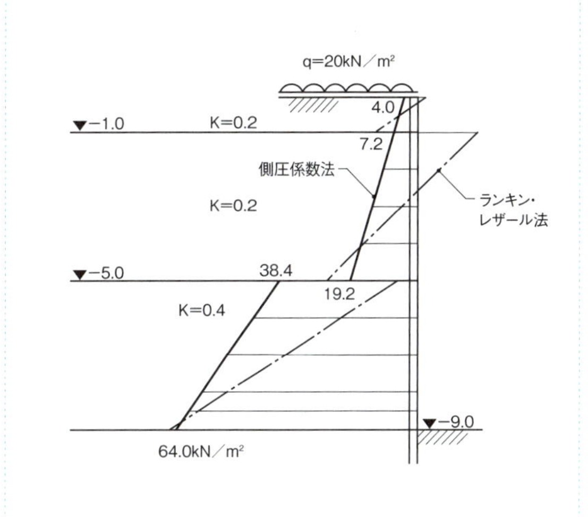

側圧係数法による土圧算定式（Paの添記号「i」はGLからの深さを示す）

$_{i}Pa = K \cdot (\gamma \cdot h + q)$

1層目　埋土　K＝0.2（粘土主体で層厚が薄い　下層に合わせる）

$_{0}Pa = 0.2 \cdot (16 \cdot 0 + 20) = 4.0\,kN/m^2$

$_{-1.0}Pa = 0.2 \cdot (16 \cdot 1 + 20) = 7.2\,kN/m^2$

2層目　ローム　K＝0.2（洪積粘性土　自立性あり　側圧の最小値とする）

$_{-1.0}Pa = 0.2 \cdot (36) = 7.2\,kN/m^2$

$_{-5.0}Pa = 0.2 \cdot (36 + 15 \cdot 4) = 19.2\,kN/m^2$

3層目　粘性土　K＝0.4（硬さ中位の洪積粘性土）

$_{-5.0}Pa = 0.4 \cdot (96) = 38.4\,kN/m^2$

$_{-9.0}Pa = 0.4 \cdot (96 + 16 \cdot 4) = 64.0\,kN/m^2$

step. 4

設計用側圧の設定

側圧係数法による値が第2層下部と第3層上部で異なり、段が生じている。そこで、ここでは簡略化してその中間値を採り、調整を行ったうえで、設計用の側圧を右図のように決定する。

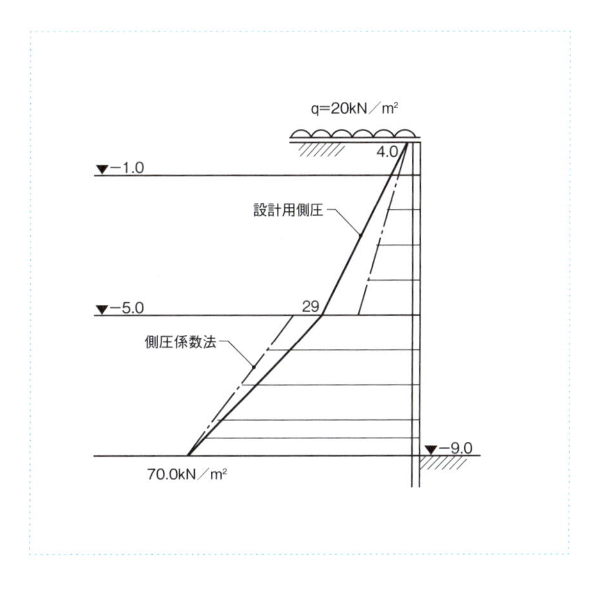

型枠・支保工
足場
乗り入れ構台
Part.4 山留め
鉄骨建方
PCa部材建方
揚重機
重機転倒防止対策
躯体の仮設利用
既存建物解体

3 | 掘削面の安定

根入れ長さの検討

本例では、1段目支保工として山留め壁に鉛直力が発生する地盤アンカーを採用しているため、壁の先端は、支持力が得られるように、N値の高い細砂層まで到達させておく。したがって、通常では必要な安全率が確保できるように検討して根入れ長さを決定するが、ここでは先行して決めた長さに対し、2段目支保工を支点として、背面側と掘削側の側圧による力の釣り合いの安全率の度合いを求める。

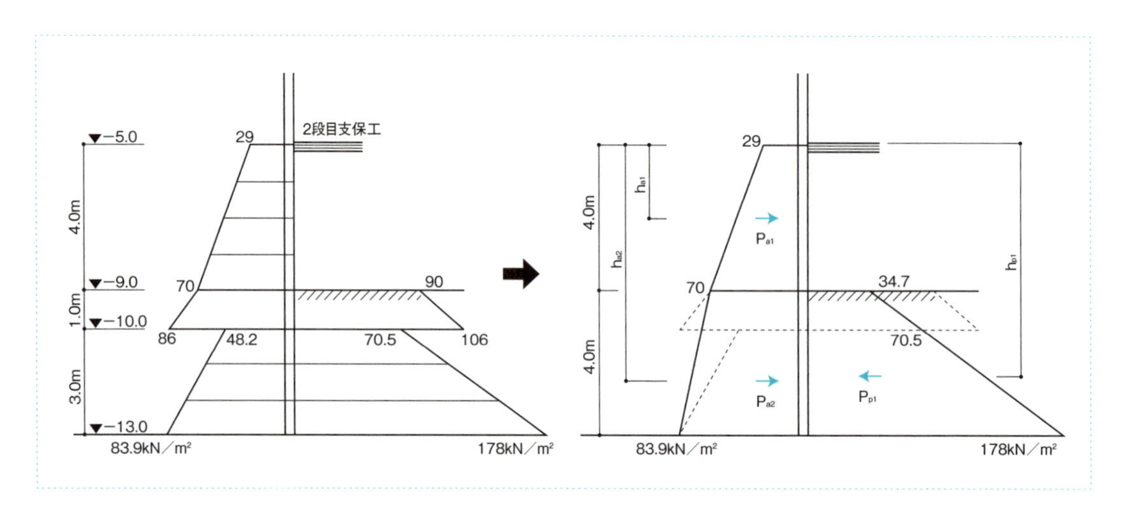

まずは、掘削底面以深の背面側側圧を算定する。ランキン・レザールの主働土圧の式より、

掘削底面より

1層目　$_{-9.0}P_a = 70.0\,\mathrm{kN/m^2}$

$_{-10.0}P_a = (155+6\cdot1.0)\cdot\tan^2 45^\circ - 90\cdot\tan 45^\circ + 10\cdot1.5 = 161-90+15 = 86.0\,\mathrm{kN/m^2}$

2層目　$_{-10.0}P_a = (161)\cdot\tan^2(45^\circ-35/2) - 2\cdot10\cdot\tan(45^\circ-35/2) + 15 = 43.6-10.4+15$

$= 48.2\,\mathrm{kN/m^2}$

$_{-13.0}P_a = (161+7\cdot3.0)\cdot\tan^2 27.5^\circ - 20\cdot\tan 27.5^\circ + 10\cdot4.5 = 49.3-10.4+45 = 83.9\,\mathrm{kN/m^2}$

次に、掘削側の側圧をランキン・レザールの受働土圧の式で算定する。ただし、掘削側の地下水位は掘削底以深に下げられているものとして、水位天端は掘削底（GL－9.0）とする。

$_iP_p = (\gamma\cdot h - p_w)\cdot\tan^2(45^\circ+\phi/2) + 2\cdot C\cdot\tan(45^\circ+\phi/2) + p_w$

1層目　$_{-9.0}P_p = (16\cdot0)\cdot\tan^2(45^\circ+0/2) + 2\cdot45\cdot\tan(45^\circ+0/2) = 0+90 = 90.0\,\mathrm{kN/m^2}$

$_{-10.0}P_p = (6\cdot1.0)\cdot\tan^2 45^\circ + 90\cdot\tan 45^\circ + 10\cdot1.0 = 6+90+10 = 106.0\,\mathrm{kN/m^2}$

2層目　$_{-10.0}P_p = (6)\tan^2(45^\circ+35/2) + 2\cdot10\cdot\tan(45^\circ+35/2) + 10 = 22.1+38.4+10$

$= 70.5\,\mathrm{kN/m^2}$

$_{-13.0}P_p = (6+7\cdot3.0)\cdot\tan^2 62.5^\circ + 20\cdot\tan 62.5^\circ + 10\cdot4.0 = 99.6+38.4+40 = 178.0\,\mathrm{kN/m^2}$

次に、背面側側圧による転倒モーメントMaを算定する。まず、層ごとの側圧合力を算出する。掘削底以深の側圧にはD/aを乗ずる（D：H形鋼幅、a：H形鋼ピッチ）。

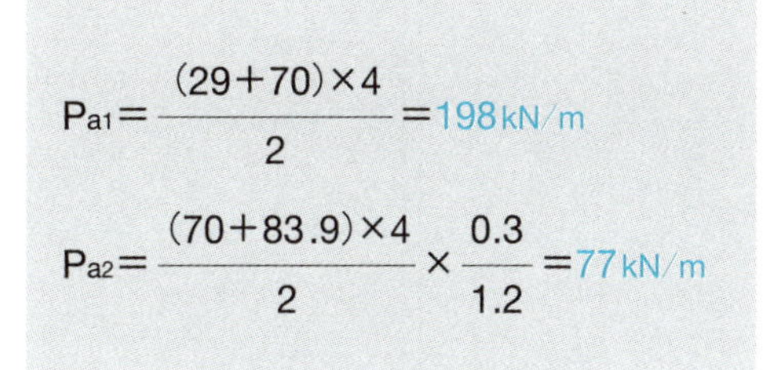

$$P_{a1}=\frac{(29+70)\times 4}{2}=198\,\mathrm{kN/m}$$

$$P_{a2}=\frac{(70+83.9)\times 4}{2}\times\frac{0.3}{1.2}=77\,\mathrm{kN/m}$$

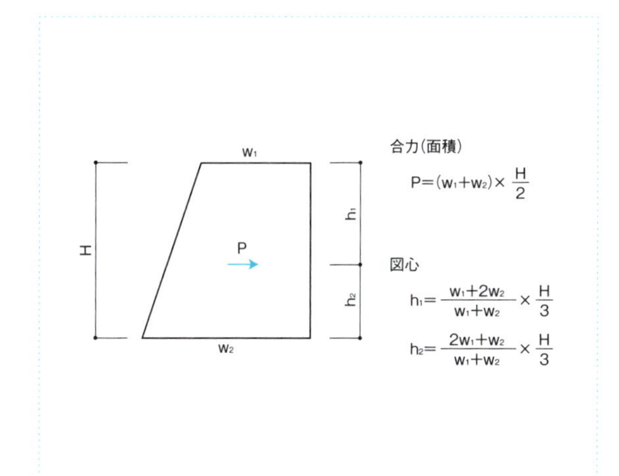

層ごとの図心と切梁の距離を求める。

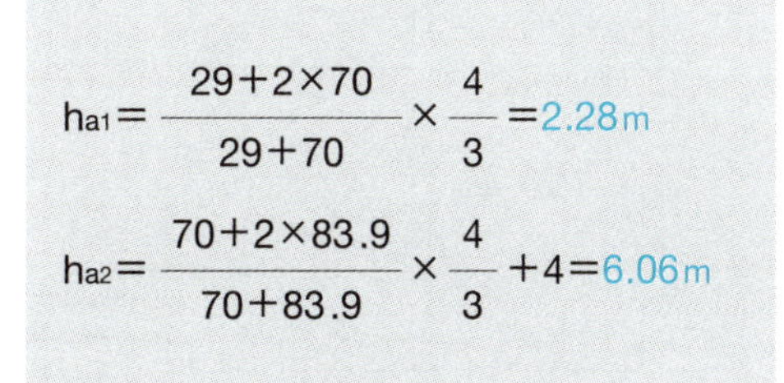

$$h_{a1}=\frac{29+2\times 70}{29+70}\times\frac{4}{3}=2.28\,\mathrm{m}$$

$$h_{a2}=\frac{70+2\times 83.9}{70+83.9}\times\frac{4}{3}+4=6.06\,\mathrm{m}$$

以上から、背面側側圧による転倒モーメントMaは、

$$M_a=\Sigma(P_a\times h_a)=198\times 2.28+77\times 6.06=918\,\mathrm{kN\cdot m/m}$$

次に、掘削側側圧による抵抗モーメントMpを算定する。

受働抵抗幅を杭幅の2倍とし、2･D/aを乗じて層の側圧合力を算出する。

$$P_{p1}=\frac{(34.7+178)\times 4}{2}\times\frac{2\times 0.3}{1.2}=213\,\mathrm{kN/m}$$

層の図心と切梁の距離を求める。

$$h_{p1}=\frac{34.7+2\times 178}{34.7+178}\times\frac{4}{3}+4=6.45\,\mathrm{m}$$

以上から、掘削側側圧による抵抗モーメントMpは、

$$M_p=P_{p1}\times h_{p1}=213\times 6.45=1{,}374\,\mathrm{kN\cdot m/m}$$

よって、側圧による力の釣り合いから求めた根入れ長さの安全率は以下のとおりとなり、安全性に問題がないことが確認された。

$$\frac{M_p}{M_a}=\frac{1{,}374}{918}=1.50>1.2\rightarrow \mathrm{OK}$$

step. 2

ボイリングの検討

—

本例では山留め壁が透水壁で、かつ掘削部が粘性土のため、本来ならばボイリングの検討は不要である。ここでは、山留め壁を止水壁に、掘削部を砂地盤として置き換え、参考例として検討を示す。

$$F=\frac{2\cdot\gamma'\cdot D}{\gamma_w\cdot h_w}=\frac{2\times 7\times 4}{10\times 0.5}=11.2>1.2\rightarrow OK$$

以上より、ボイリングに対する十分な安全性が確認された。

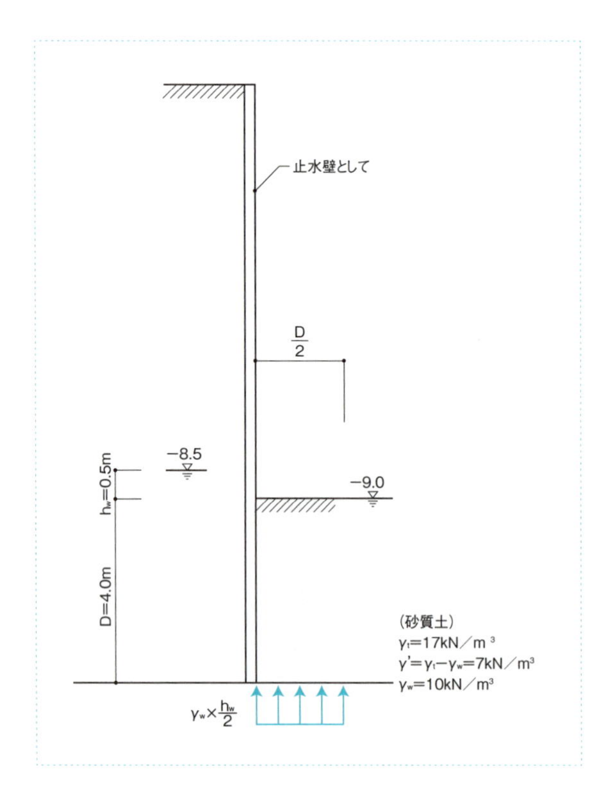

step. 3

盤膨れの検討

—

被圧水に対する掘削部の盤膨れの検討を行う。

$$F=\frac{\gamma_t\cdot d}{\gamma_w\cdot h}=\frac{16\times 1.0}{10\times 1.5}=1.07>1.0\rightarrow OK$$

以上より、盤膨れに対する安全性が確認された。

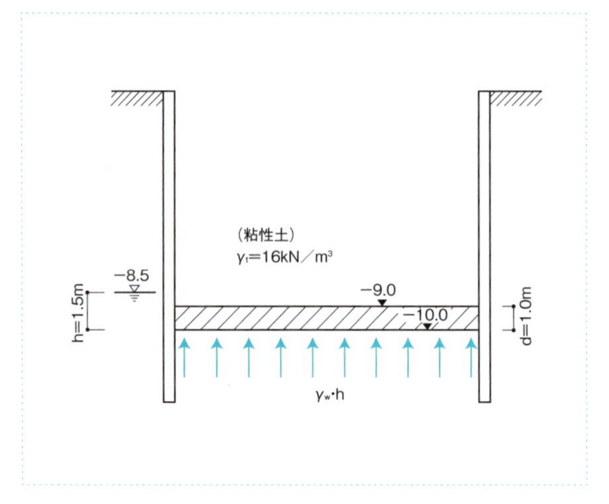

step. 4 ヒービングの検討

本例題の場合は安定地盤であるため、本来ならヒービングの検討は不要である。通常、検討を要するのは軟弱粘性土であるため、せん断抵抗力Suは粘着力Cのみで算定することとなるが、ここでは検討対象に含まれている砂質土の摩擦抵抗も考慮した$Su = C + \sigma \cdot \tan\phi$とし、参考例として検討を示す。
まず、砂質土層の中央深さ(GL－11.5m)で土塊重量σを算出する。

$$\sigma_1 = 6\times1.0 + 7\times1.5 = 16.5\,\mathrm{kN/m^2}$$

$$\sigma_3 = 16\times1.0 + 15\times4.0 + 16\times3.5 + 6\times1.5 + 7\times1.5 = 151.5\,\mathrm{kN/m^2}$$

各層のせん断抵抗力Suを算定する。

$$S_{u1} = 10 + 16.5\times\tan35^\circ = 21.6\,\mathrm{kN/m^2}$$

$$S_{u2} = S_{u4} = 45\,\mathrm{kN/m^2}\ \text{(粘性土であるため、}\phi=0\text{)}$$

$$S_{u3} = 10 + 151.5\times\tan35^\circ = 116\,\mathrm{kN/m^2}$$

地表面から掘削底面レベルまでの地盤重量Wと幅Xによる滑動モーメントMdを算定する。

$$M_d = W\cdot X\cdot\frac{X}{2} = (16\times1.0 + 15\times4.0 + 16\times3.5 + 6\times0.5 + 20)\times\frac{X^2}{2} = 77.5X^2\,\mathrm{kN\cdot m/m}$$

最下段支保工位置を回転中心とした円弧滑り面(回転半径X)での地盤せん断抵抗力による抵抗モーメントMrを算定する。

$$M_r = (\Sigma Su\cdot X\cdot\alpha)\cdot X$$
$$= \{45\times(0.151 + 0.675) + (21.6 + 116)\times0.896\}\times X^2$$
$$= 160X^2\,\mathrm{kN\cdot m/m}$$

よって、ヒービングに対する安全率は以下のとおりとなり、安全性が確認された。

$$\frac{M_r}{M_d} = \frac{160X^2}{77.5X^2} = 2.06 > 1.2$$

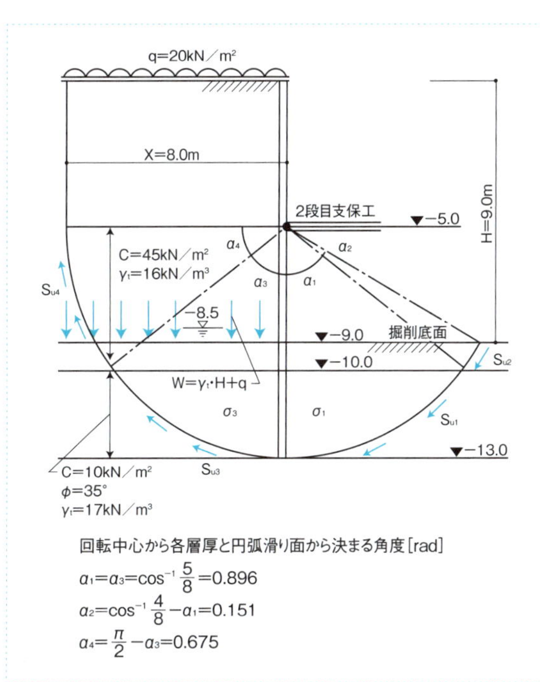

回転中心から各層厚と円弧滑り面から決まる角度[rad]

$\alpha_1 = \alpha_3 = \cos^{-1}\frac{5}{8} = 0.896$

$\alpha_2 = \cos^{-1}\frac{4}{8} - \alpha_1 = 0.151$

$\alpha_4 = \frac{\pi}{2} - \alpha_3 = 0.675$

山留め壁の支持力に対する検討

山留め壁（親杭）の施工には埋込み杭（プレボーリング根固め）工法を採用するものとして、許容支持力Raを算定する。

$$R_a=\frac{1}{2}\left\{200\cdot\bar{N}\cdot A_p+\left(\frac{10\cdot\bar{N_s}\cdot L_s}{3}+\frac{\bar{q_u}\cdot L_c}{2}\right)\cdot\psi\right\}$$

$$=\frac{1}{2}\left\{200\times45\times0.09+\left(\frac{10\times30\times3.0}{3}+45\times1.0\right)\times1.2\right\}$$

$$=612\,\text{kN}$$

ここで支持力検討を行っているが、実際はこの段階では目安を付けておく程度として、具体的には**286頁**の「1段目支保工の検討」段階で求められた鉛直方向分力Pvを用いて許容値との比較を行う。検討の流れが逆転するが、以下に結果を示すと、地盤アンカーにより発生するPvを両側の親杭2本で支持するため、鉛直力Nは、

$$N=\frac{P_v}{2}=\frac{239.8}{2}=120\,\text{kN/本}$$

となるので、

$$\frac{N}{R_a}=\frac{120}{612}=0.2<1.0\rightarrow\text{OK}$$

以上より支持力に対する安全性が確認された。

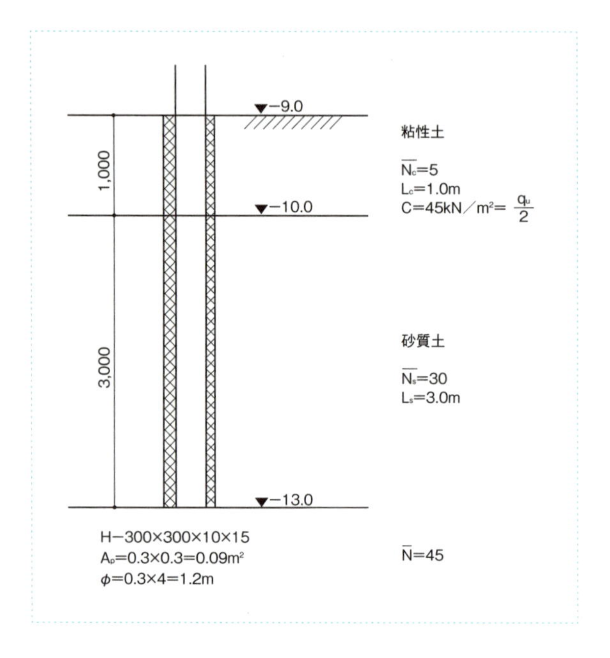

step. 6

斜面安定の検討

山留め壁背面の法面の安定検討を行う。法面勾配$\beta = 45°$、$\phi = 0°$（安全側として）、D＝∞より、テーラーの安定図表を用いてN＝5.5を得る。よって、

$$F = N \cdot \left(\frac{C}{\gamma_t \cdot H + w} \right) = 5.5 \times \frac{10}{16 \times 1.5 + 0}$$

$$= 2.3 > 1.2 \rightarrow OK$$

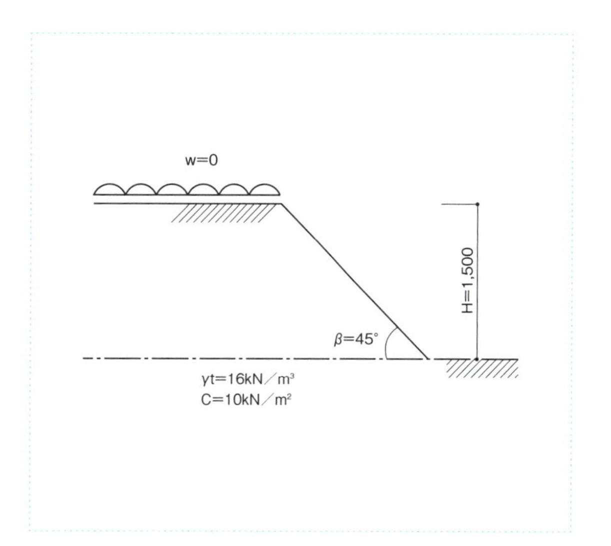

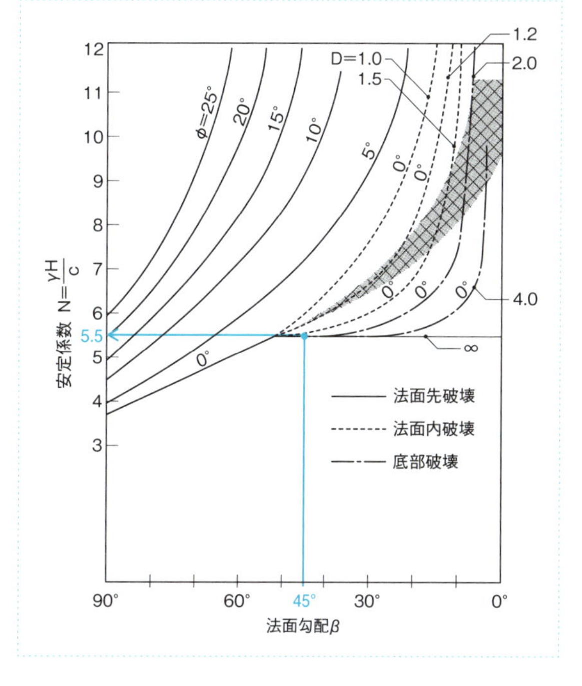

4 山留め壁の応力・変形計算

2次掘削時の仮想支点の算出

1段目支保工を支点として、背面側側圧と掘削側側圧によるモーメントが釣り合う根入れ長さを算出し、掘削側の合力作用位置を求める。

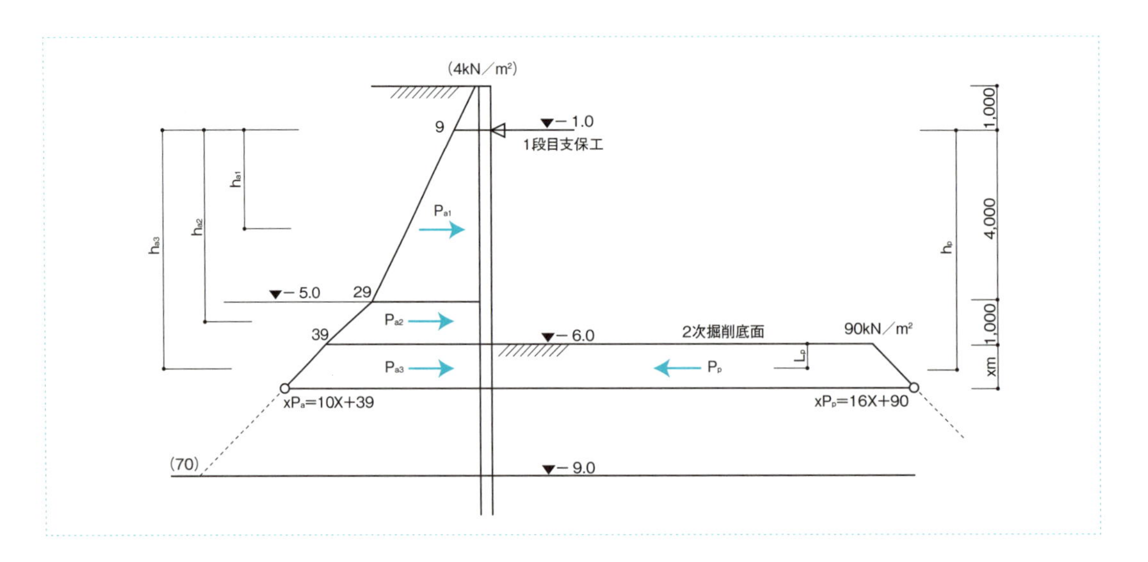

まず、掘削底からの山留め長さをX[m]とおき、掘削底面以深の背面側側圧 xPaを算定する。

$$ {}_{x}P_a = \frac{39-29}{1.0} \times X + 39 = 10X + 39 \, \mathrm{kN/m^2} $$

ランキン・レザールの受働土圧の式により、同じくXを使って2次掘削時の掘削側側圧 xPpを算定する。

$$ {}_{-6.0}P_p = 0 + 2 \times 45 \cdot \tan(45^\circ + 0/2) = 90.0 \, \mathrm{kN/m^2} $$

$$ {}_{x}P_p = (16 \cdot X) \cdot \tan^2 45^\circ + 90 = 16X + 90 \, \mathrm{kN/m^2} $$

各層について側圧合力Paと、支点から図心までの距離haを求め、背面側側圧による回転モーメントMaを算出する。掘削底以深にはD/aを乗ずる。

$$P_{a1}=\frac{(9+29)\times 4.0}{2}=76\,\mathrm{kN/m}$$

$$P_{a2}=\frac{(29+39)\times 1.0}{2}=34\,\mathrm{kN/m}$$

$$P_{a3}=\frac{(2\times 39+10X)\times X}{2}\times\frac{0.3}{1.2}=\frac{(78+10X)\times X}{8}\,\mathrm{kN/m}$$

$$h_{a1}=\frac{9+2\times 29}{9+29}\times\frac{4.0}{3}=2.35\,\mathrm{m}$$

$$h_{a2}=\frac{29+2\times 39}{29+39}\times\frac{1.0}{3}+4.0=4.52\,\mathrm{m}$$

$$h_{a3}=\frac{39+2\times(10X+39)}{2\times 39+10X}\times\frac{X}{3}+5.0=\frac{(117+20X)\times X}{(78+10X)\times 3}+5.0\,\mathrm{m}$$

$$M_a=\Sigma(P_a\cdot h_a)=76\times 2.35+34\times 4.52+\frac{(78+10X)\times X}{8}\times\left\{\frac{(117+20X)\times X}{(78+10X)\times 3}+5.0\right\}$$

$$=0.83X^3+11.13X^2+48.75X+332.3\,\mathrm{kN\cdot m/m}$$

掘削側側圧の合力Ppと、支点から図心までの距離hpを求め、抵抗モーメントMpを算定する。受働抵抗幅は杭幅の2倍とし、2·D/aを乗ずる。

$$P_p=\frac{(2\times 90+16X)\times X}{2}\times\frac{2\times 0.3}{1.2}=\frac{(180+16X)\times X}{4}\,\mathrm{kN/m}$$

$$h_p=\frac{90+2\times(16X+90)}{2\times 90+16X}\times\frac{X}{3}+5.0=\frac{(270+32X)\times X}{(180+16X)\times 3}+5.0\,\mathrm{m}$$

$$M_p=P_p\cdot h_p=\frac{(180+16X)\times X}{4}\times\left\{\frac{(270+32X)\times X}{(180+16X)\times 3}+5.0\right\}$$

$$=2.67X^3+42.5X^2+225X\,\mathrm{kN\cdot m/m}$$

必要根入れ長さを検討する。Mp＝Maより

$$M_p-M_a=(2.67X^3+42.5X^2+225X)-(0.83X^3+11.13X^2+48.75X+332.3)$$

$$=1.84X^3+31.37X^2+176.25X-332.3=0$$

$$\therefore X=1.47\,\mathrm{m}$$

以上より、仮想支点深さLpは以下のとおりとなる。

$$L_p=h_p-5=\frac{270+32\times 1.47}{180+16\times 1.47}\times\frac{1.47}{3}=0.76\,\mathrm{m}$$

step. 2

3次掘削時の仮想支点の算出

2段目支保工を支点として、背面側側圧と掘削側側圧によるモーメントの釣り合いより掘削側の合力作用位置を求める。方法は**step.1**と同様である。掘削底面以深の各側圧は以下のとおりである。

$$_{x}P_a = 3.5X + 70 \text{ kN/m}^2$$
$$_{-9.0}P_p = 34.7 \text{ kN/m}^2$$
$$_{x}P_p = 35.8X + 34.7 \text{ kN/m}^2$$

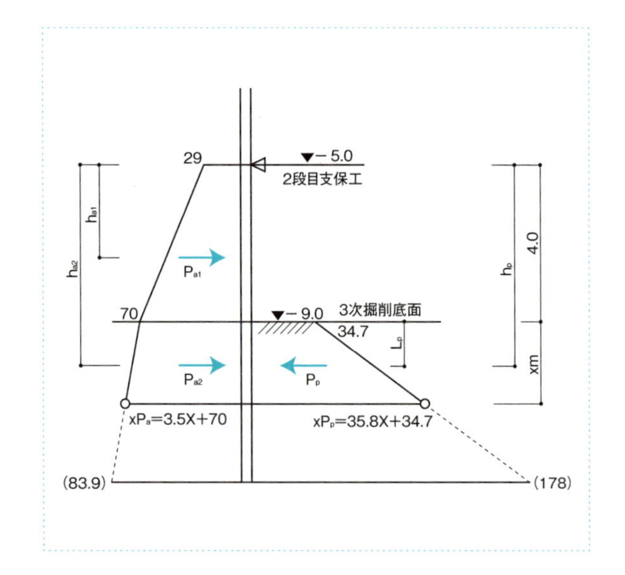

背面側側圧による回転モーメントMaは、

$$P_{a1} = 198 \text{ kN/m} \qquad P_{a2} = \frac{(140 + 3.5X) \times X}{8} \text{ kN/m}$$

$$h_{a1} = 2.28 \text{ m} \qquad h_{a2} = \frac{(210 + 7X) \times X}{(140 + 3.5X) \times 3} + 4.0 \text{ m}$$

$$M_a = \Sigma(P_a \cdot h_a) = 0.29X^3 + 10.5X^2 + 70X + 451.4 \text{ kN·m/m}$$

掘削側側圧による抵抗モーメントMpは、

$$P_p = \frac{(69.4 + 35.8X) \times X}{4} \text{ kN/m} \qquad h_p = \frac{(104.1 + 71.6X) \times X}{(69.4 + 35.8X) \times 3} + 4.0 \text{ m}$$

$$M_p = P_p \cdot h_p = 6X^3 + 44.5X^2 + 69.4X \text{ kN·m/m}$$

必要根入れ長さは、

$$M_p - M_a = 5.71X^3 + 34.0X^2 - 0.6X - 451.4 = 0$$
$$\therefore X = 2.98 \text{ m}$$

以上より、仮想支点深さLpは以下のとおりとなる。

$$L_p = 1.79 \text{ m}$$

step. 3

1次掘削時の応力・変形計算①

チャンの算定式[229頁参照]により検討を行う。まず、側圧合力Pa、合力作用高さha、特性係数βを算出する。

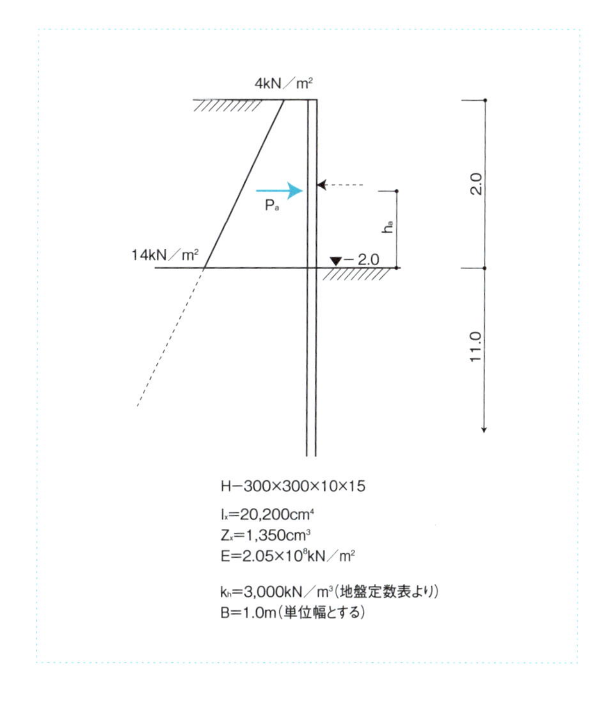

$$P_a=\frac{(4+14)\times 2}{2}=18\,\mathrm{kN/m}$$

$$h_a=\frac{2\times 4+14}{4+14}\times\frac{2}{3}=0.81\,\mathrm{m}$$

$$\beta=\sqrt[4]{\frac{k_h\cdot B}{4\cdot E\cdot I}}$$

$$=\sqrt[4]{\frac{3{,}000\times 1.0}{4\times 2.05\times 10^8\times 2.02\times 10^{-4}/1.2}}$$

$$\fallingdotseq 0.384\,\mathrm{m^{-1}}$$

ここで、チャンの式適用にあたり、洪積地盤で、掘削が深く、支保工が2段かかることから、1次掘削の根入れ長さDfに関しては十分と考えられるが、「長い杭」として扱えることを確認する。

$$D_f=\frac{2}{\beta}=\frac{2}{0.384}=5.2\,\mathrm{m}<11.0\,\mathrm{m}\rightarrow \mathrm{OK}$$

曲げモーメントMmax、せん断力Qmaxを算定する。

$$M_{max}=P_a\cdot\frac{\sqrt{(1+2\beta\cdot h_a)^2+1}}{2\cdot\beta}\cdot\exp\left(-\tan^{-1}\frac{1}{1+2\beta\cdot h_a}\right)$$

$$=18\times\frac{\sqrt{(1+2\times 0.384\times 0.81)^2+1}}{2\times 0.384}\times\exp\left(-\tan^{-1}\frac{1}{1+2\times 0.384\times 0.81}\right)$$

$$=25.7\,\mathrm{kN\cdot m/m}$$

$$Q_{max}=P_a=18\,\mathrm{kN/m}$$

step. 4

1次掘削時の応力・変形計算②

次に、たわみに対しての検討を行う。
まず、掘削底面での変位量y_gを算定し、2cm程度以下であることを確認する。

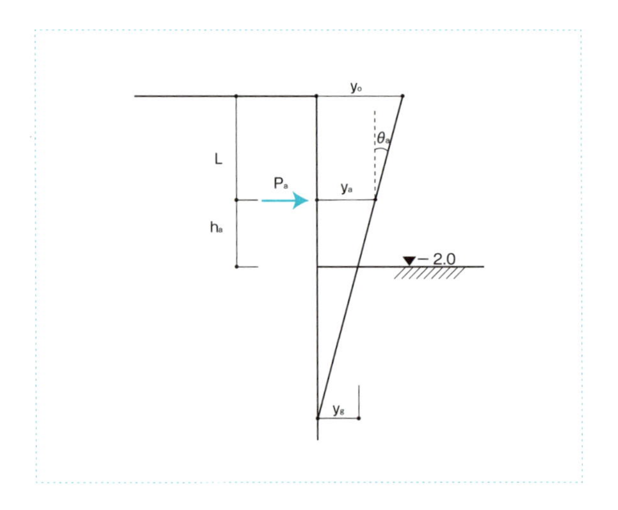

$$y_g = \frac{P_a \cdot (1+\beta \cdot h_a)}{2 \cdot E \cdot I \cdot \beta^3}$$

$$= \frac{18 \times (1+0.384 \times 0.81)}{2 \times 2.05 \times 10^8 \times 2.02 \times 10^{-4} \times 0.384^3}$$

$$= 0.005\,\mathrm{m} = 0.5\,\mathrm{cm} < 2.0\,\mathrm{cm} \rightarrow \mathrm{OK}$$

荷重作用点での変位y_aを算定する。

$$y_a = \frac{P_a \cdot \{(1+\beta \cdot h_a)^3 + 1/2\}}{3 \cdot E \cdot I \cdot \beta^3} = \frac{18 \times \{(1+0.384 \times 0.81)^3 + 1/2\}}{3 \times 2.05 \times 10^8 \times 2.02 \times 10^{-4} \times 0.384^3}$$

$$= 0.007\,\mathrm{m} = 0.7\,\mathrm{cm}$$

荷重作用点での傾斜角θ_aを求め、山留め壁頭部の変位y_oを算定する。

$$\theta_a = \frac{P_a \cdot (1+\beta \cdot h_a)^2}{2 \cdot E \cdot I \cdot \beta^2} = \frac{18 \times (1+0.384 \times 0.81)^2}{2 \times 2.05 \times 10^8 \times 2.02 \times 10^{-4} \times 0.384^2}$$

$$= 2.53 \times 10^{-3}\,\mathrm{rad}$$

$$y_o = y_a + \theta_a \cdot L = 0.7 + 2.53 \times 10^{-3} \times (200 - 81)$$

$$= 1.0\,\mathrm{cm} < 3.0\,\mathrm{cm} \rightarrow \mathrm{OK}$$

以上より、1次掘削時の山留め壁の頭部変位が3cm以下であることが確認された。

step. 5 2次掘削時の応力・変形計算①

1段目支保工とstep.1で求めた掘削底面以深の仮想支点をスパンとする単純梁として検討する。

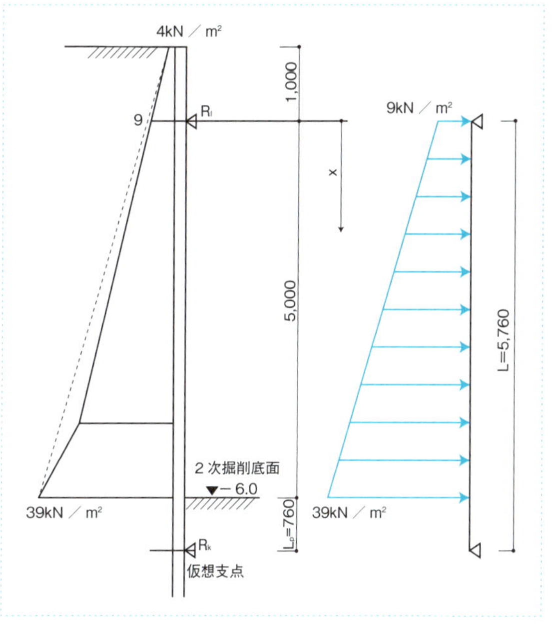

まず、支保工側のせん断力 Q_1 と仮想支点側 Q_k を算定し、大きいほうを2次掘削時のせん断力とする。

$$Q_1=(9+39)\times\frac{5}{2}\times\left(\frac{2\times9+39}{9+39}\times\frac{5}{3}+0.76\right)/5.76=57.1\text{kN/m}$$

$$Q_k=(9+39)\times\frac{5}{2}-57.1=62.9\text{kN/m}$$

$$Q_{max}=\max(Q_1,Q_k)=62.9\text{kN/m}$$

1段目支保工からの距離をXとして合力P、作用位置hを表すと、

$$P=\frac{(2\times9+6X)\times X}{2}=\frac{(18+6X)\times X}{2}$$

$$h=\frac{3\times9+6X}{2\times9+6X}\times\frac{X}{3}=\frac{27+6X}{18+6X}\times\frac{X}{3}$$

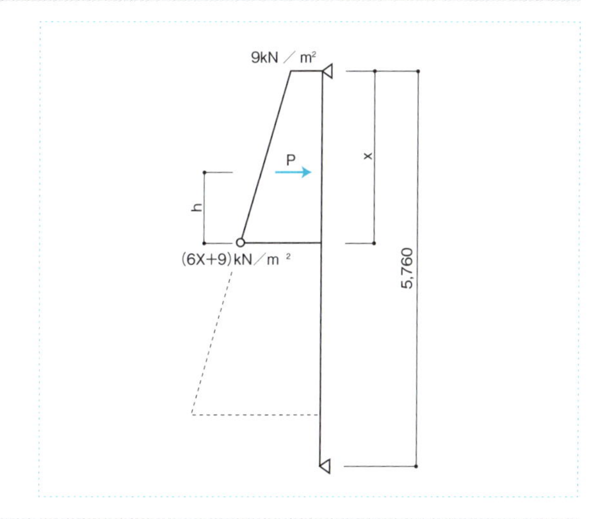

よって、山留め壁の発生曲げモーメントM(x)は、以下のとおりに表せる。

$$M_{(x)}=Q_1\cdot X-P\cdot h=57.1X-\frac{(18+6X)\times X}{2}\times\frac{27+6X}{18+6X}\times\frac{X}{3}=57.1X-4.5X^2-X^3$$

2次掘削時の応力・変形計算②

ここで、

$$\frac{dM_{(x)}}{dX} = -3X^2 - 9X + 57.1 = 0$$

であるので、X＝3.11 mのときにM(x)は最大となる。よって、

$$M_{max} = M(3.11) = 57.1 \times 3.11 - 4.5 \times 3.11^2 - 3.11^3 = 104.0\,\mathrm{kN \cdot m/m}$$

次に、1段目支保工反力R_1を算出する。

$$R_1 = \frac{4+39}{2} \times 6 \times \left\{ \frac{2 \times 4 + 39}{4+39} \times \frac{6}{3} + 0.76 \right\} / 5.76 = 66.0\,\mathrm{kN/m}$$

発生曲げモーメントより、等分布荷重のたわみの算定式を用いて変位量δを求める。

$$\delta = \frac{5 \cdot M \cdot L^2}{48 \cdot E \cdot I} \cdot @ = \frac{5 \times 104.0 \times 5.76^2}{48 \times 2.05 \times 10^8 \times 2.02 \times 10^{-4}} \times 1.2 = 0.0104\,\mathrm{m} = 1.04\,\mathrm{cm} < 3.0\,\mathrm{cm} \rightarrow \mathrm{OK}$$

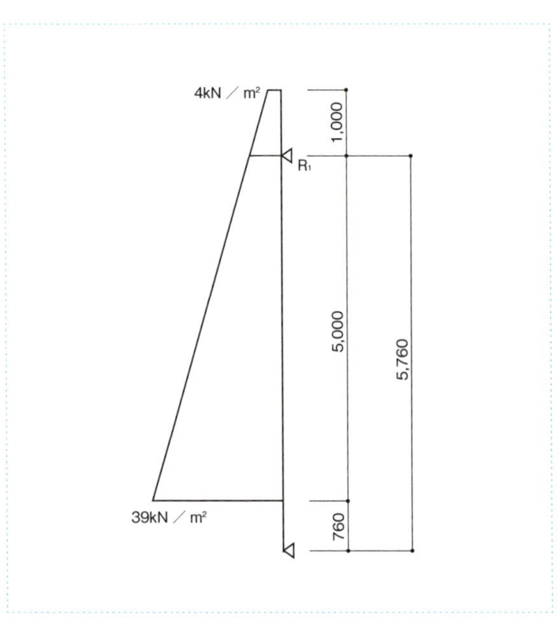

step. 7

3次掘削時の応力・変形計算

2段目支保工と掘削底面以深の仮想支点間をスパンとする単純梁として検討する。方法は2次掘削時と同様である。

$Q_{max} = \max(Q_2, Q_k) = \max(120.2, 77.8)$

$= 120.2\,\text{kN/m}$

$M_{max} = 185.4\,\text{kN·m/m}$

(x=2.78mに生ずる)

$\delta = 0.0188\,\text{m} = 1.88\,\text{cm} < 3.0\,\text{cm} \rightarrow \text{OK}$

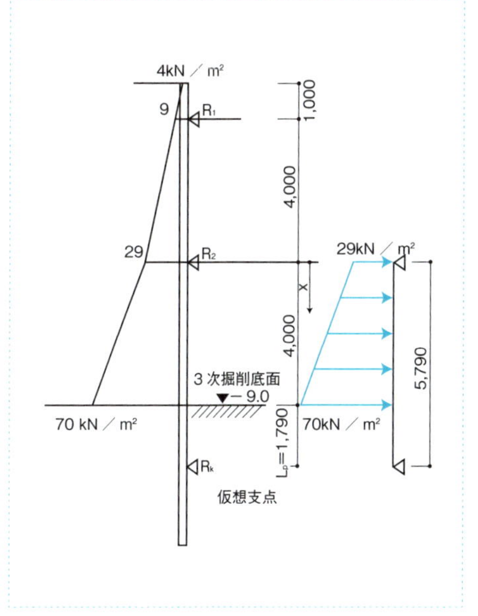

1段目支保工反力 R_1 ならびに2段目支保工上部からの反力 $R_{2上}$ と、下部からの反力 $R_{2下}$ を合算し、2段目支保工反力 R_2 として算出する。

$$R_1 = \frac{4+29}{2} \times 5 \times \left\{ \frac{2\times4+29}{4+29} \times \frac{5}{3} \right\} / 4.0 = 38.5\,\text{kN/m}$$

$$R_{2上} = \frac{4+29}{2} \times 5 - 38.5 = 44\,\text{kN/m}$$

$$R_{2下} = Q_2 = 120.2\,\text{kN/m}$$

$$R_2 = R_{2上} + R_{2下} = 44 + 120.2 = 164.2\,\text{kN/m}$$

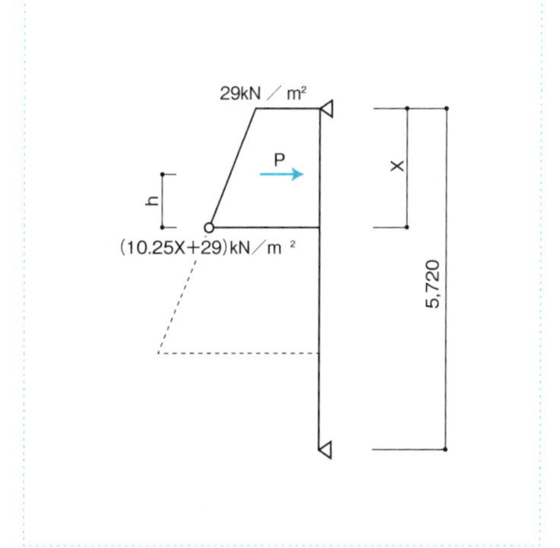

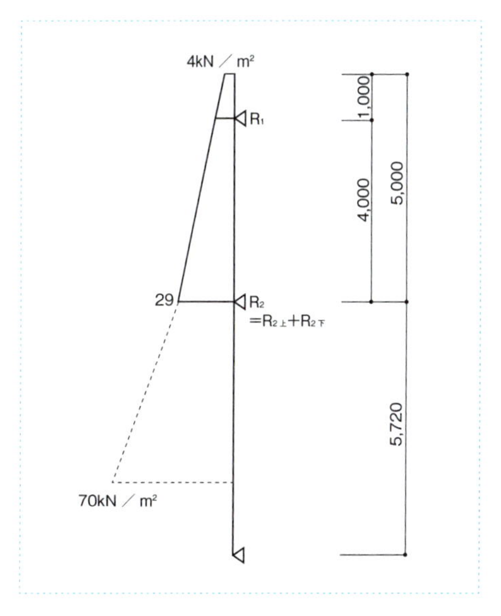

step. 8

2段目支保工撤去時の応力・変形計算

1段目支保工とB_2FL躯体間をスパンとする単純梁として検討する。下部支点は、仮想支点ではなく躯体となるが、検討方法は2次掘削時と同様である。

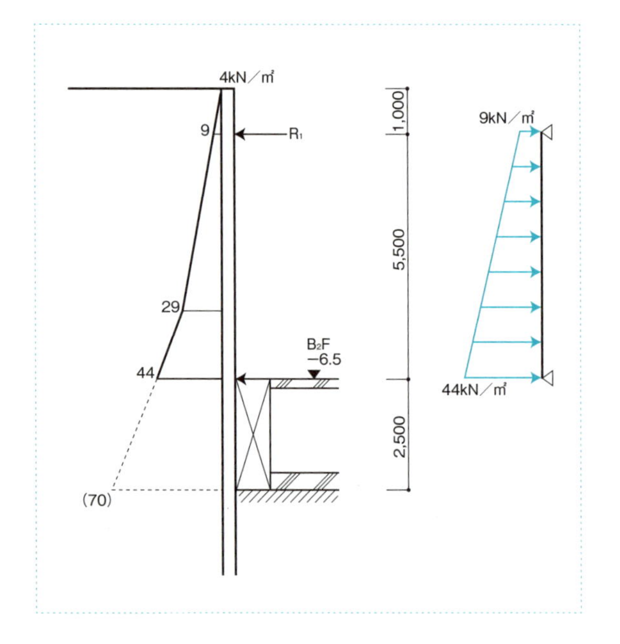

$$Q_{max}=max(Q_1,Q_2)=max(56.8,88.9)=88.9\text{kN/m}$$

$$M_{max}=101.3\text{kN·m/m}$$

(X=3.04mに生ずる)

$$\delta=0.0092\text{m}=0.92\text{cm}<3.0\text{cm}\rightarrow OK$$

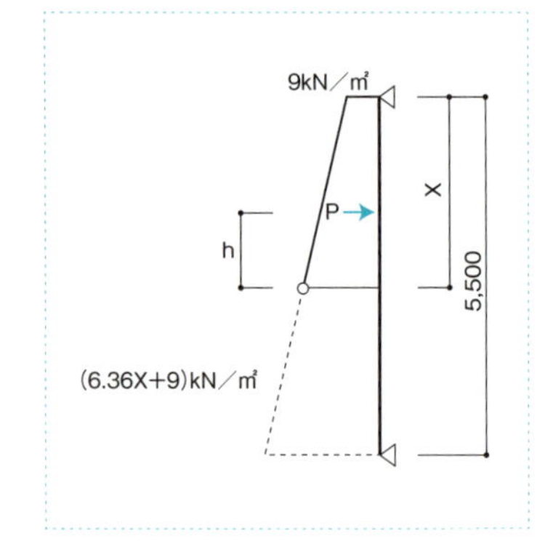

1段目支点反力R_1、ならびにB_2Fレベルの躯体反力R_{B2F}を算出する。

$$R_1=\frac{4+44}{2}\times6.5\times\left\{\frac{2\times4+44}{4+44}\times\frac{6.5}{3}\right\}/5.5=66.6\text{kN/m}$$

$$R_{B2F}=\frac{4+44}{2}\times6.5-66.6=89.4\text{kN/m}$$

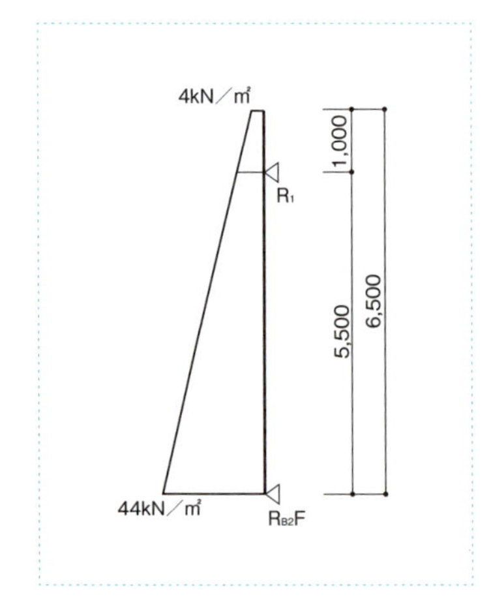

step. 9

1段目支保工撤去時の応力・変形計算

B_1FL躯体で支持される片持ち梁として検討する。
せん断力Q、曲げモーメントM、B_1Fレベルの躯体反力R_{B1F}、変位量δはそれぞれ以下のとおりとなる。なお、変位量は等分布荷重を受ける片持ち梁の算定式を用いて求める。

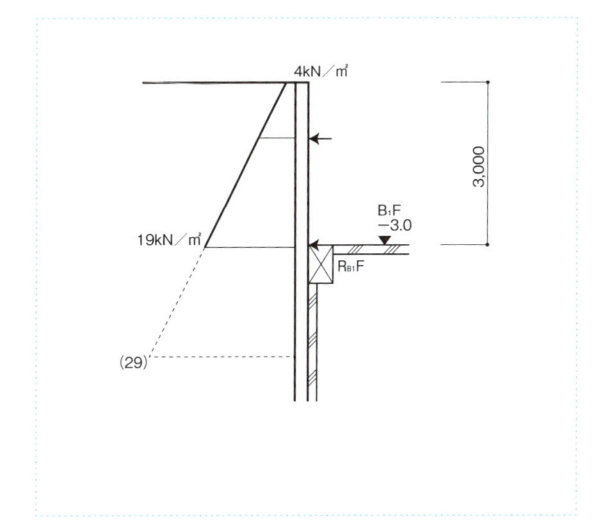

$$Q=(4+19)\times\frac{3}{2}=34.5\text{kN/m}$$

$$M=(2\times4+19)\times\frac{3^2}{6}=40.5\text{kN·m/m}$$

$$R_{B1F}=Q=34.5\text{kN/m}$$

$$\delta=\frac{M\cdot L^2}{4\cdot E\cdot I}\cdot @=\frac{40.5\times3.0^2}{4\times2.05\times10^8\times2.02\times10^{-4}}\times1.2=0.0026\text{m}=0.26\text{cm}$$

以上で、山留め壁の応力・変形計算は完了である。各施工時における応力・変形の計算結果および最大値を下表に示す。

施工状態	曲げモーメントM [kN・m／m]	せん断力Q [kN／m]	支点反力R [kN／m]		変位量δ [cm]
			1段目R_1	2段目R_2	
1次掘削時	25.7	18.0	—	—	1.00
2次掘削時	104.0	62.9	66.0	—	1.04
3次掘削時	185.4	120.2	38.5	164.2	1.88
2段目支保工撤去時	101.3	88.9	66.6	—	0.92
1段目支保工撤去時	40.5	34.5	—	—	0.26
最大値	185.4	120.2	66.6	164.2	1.88

5 山留め壁の断面検討

親杭の検討

親杭の使用材料ならびに断面性能などの詳細は右のとおりである。
まず、281頁表の山留め壁に発生する最大曲げモーメントM_{max}を基に曲げ応力度σbを算定し、右に示す許容曲げ応力度f_bと比較して問題がないことを確認する。

・部材：H－300×300×10×15（SS400）　@1,200mm
・断面積A：11.84×10^3mm²
・ウェブ断面積A_w：
　$(300-15\times2)\times10=2.7\times10^3$mm²
・断面2次モーメントI：2.02×10^8mm⁴
・断面係数Z：1.35×10^6mm³
・許容曲げ応力度f_b：195N/mm²
・許容せん断応力度f_s：110N/mm²
・許容圧縮応力度f_c：195N/mm²

$$\sigma_b=\frac{M_{max}}{Z}\times@=\frac{185.4\times10^6}{1.35\times10^6}\times1.2=164.8\,\mathrm{N/mm^2}<f_b=195\,\mathrm{N/mm^2}\rightarrow OK$$

同じく山留め壁に発生する最大せん断力Q_{max}を基にせん断応力度τを算定し、上記の許容せん断応力度f_sと比較して問題がないことを確認する。

$$\tau=\frac{Q_{max}}{A_w}\times@=\frac{120.2\times10^3}{2.7\times10^3}\times1.2=53.4\,\mathrm{N/mm^2}<f_s=110\,\mathrm{N/mm^2}\rightarrow OK$$

また、1段目支保工の地盤アンカーにより、親杭に鉛直力（圧縮力）が発生するため、曲げ応力と合算して検討を行う。
270頁より、親杭1本に発生する鉛直力N＝120kNであるので、

$$\sigma_c=\frac{N}{A}=\frac{120\times10^3}{11.84\times10^3}=10.1\,\mathrm{N/mm^2}<f_c=195\,\mathrm{N/mm^2}\rightarrow OK$$

$$\frac{\sigma_b}{f_b}+\frac{\sigma_c}{f_c}=\frac{164.8}{195}+\frac{10.1}{195}=0.90<1.0\rightarrow OK$$

step. 2

横矢板の検討

横矢板は、親杭の内法をスパンとした単純梁で検討する。具体的には、使用木材をベイマツとして、深さに応じた板厚を求める。なお、板材の許容曲げ応力度fbは13.5 N／mm²、許容せん断応力度fsは1.05 N／mm²とする（板厚はほぼ曲げモーメントで決まるので、せん断力に対しては省略する）。

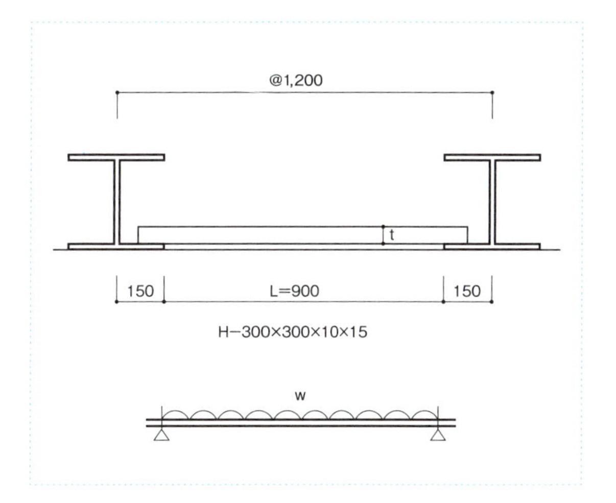

まず、1次掘削（−2.0 mまで）における底面荷重を使って必要板厚tを求める。

底面の荷重 $w = 14\,\mathrm{kN/m^2} = 14\times10^{-3}\,\mathrm{N/mm^2}$

$$t=\sqrt{\frac{6\cdot M}{f_b}}=\sqrt{\frac{6\cdot w\cdot L^2}{f_b\cdot 8}}=\sqrt{\frac{6\times14\times10^{-3}\times900^2}{13.5\times8}}=25.1\,\mathrm{mm}\rightarrow30\,\mathrm{mm}$$

次に、2次掘削（−6.0 mまで）における必要板厚を求める。

$w = 39\times10^{-3}\,\mathrm{N/mm^2}$

$$t=\sqrt{\frac{6\times39\times10^{-3}\times900^2}{13.5\times8}}=41.9\,\mathrm{mm}\rightarrow45\,\mathrm{mm}$$

次に、3次掘削（−9.0 mまで）における必要板厚を求める。

$w = 70\times10^{-3}\,\mathrm{N/mm^2}$

$$t=\sqrt{\frac{6\times70\times10^{-3}\times900^2}{13.5\times8}}=56.1\,\mathrm{mm}\rightarrow60\,\mathrm{mm}$$

4kN／㎡
14
▼−2.0 1次掘削
29
39
▼−6.0 2次掘削
▼−9.0 3次掘削
70kN／㎡

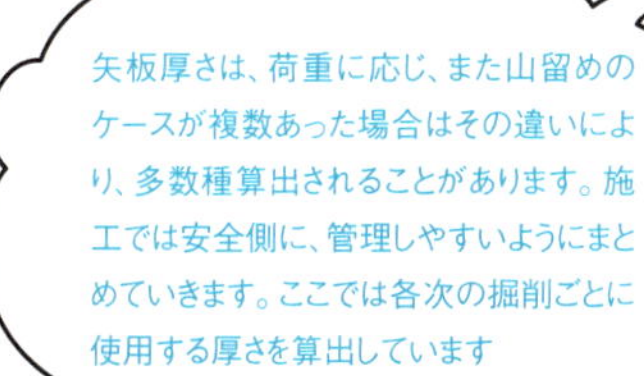

6 | 1段目支保工の検討

地盤アンカーの検討

設計アンカー力Pdを算定する。
最大支点反力R_1を考慮して、アンカーの水平間隔Laは親杭間隔(@1,200mm)の倍数より、3.6mと設定する。また、アンカー傾角θv＝45°、アンカー水平角θh＝0°として算定する。

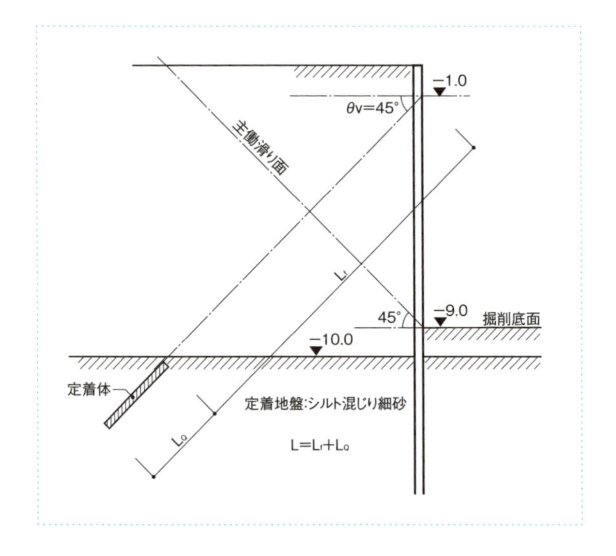

最大支点反力 R_1＝66.6kN/m

$$P_d = \frac{R_1 \cdot L_a}{\cos\theta_v \cdot \cos\theta_h} = \frac{66.6 \times 3.6}{\cos45^\circ \cdot \cos0^\circ}$$

$$= 339.1\mathrm{kN}$$

次に、定着体長Laを算定する。まず、Laを定着体と周辺地盤の摩擦抵抗より求める。
定着地盤は、−10m以深のシルト混じりの細砂層とする。この地盤の平均N値は$\overline{N}$＝31であるので、許容摩擦応力度τaは、

$$\tau_a = 9 \cdot \overline{N} = 9 \times 31 = 279\mathrm{kN/m^2} \ (\leqq 450\mathrm{kN/m^2})$$

よって、定着体径Da＝0.135mを使って定着体長Laは以下のとおりとなる。

$$L_a \geqq \frac{5 \cdot P_d}{3 \cdot \tau_a \cdot \pi \cdot D_a} - 2 = \frac{5 \times 339.1}{3 \times 279 \times \pi \times 0.135} - 2 = 2.78\mathrm{m} \rightarrow 3\mathrm{m}$$

次に、引張材を検討する。

引張材にはPC鋼より線の7本より B種12.7mmを使用するものとして、許容引張力Paを算定する。なお、引張材の規格引張強さPuは183kN、規格降伏強さPyは156kNである。

$$P_{a1}=0.7\times P_u=0.7\times 183=128.1\,\mathrm{kN}$$
$$P_{a2}=0.8\times P_y=0.8\times 156=124.8\,\mathrm{kN}$$
$$\therefore P_a=\mathrm{MIN}(P_{a1},P_{a2})=124.8\,\mathrm{kN}$$

設計アンカー力Pdより、引張材の使用本数nを求める。

$$n\geqq\frac{P_d}{P_a}=\frac{339.1}{124.8}=2.8本\rightarrow 5本$$

また、注入材と引張材の付着抵抗から定着体長Laを算定する。なお、注入材の許容付着応力度 τ baは、1.25 N/mm²(1,250kN/m²)とする。

$$L_a\geqq\frac{2\cdot P_d}{\tau_{ba}\cdot\psi}-3=\frac{2\times 339.1}{1{,}250\times 98.6\times 10^{-3}}-3$$
$$=2.5\mathrm{m}<3\mathrm{m}\rightarrow \mathrm{OK}$$

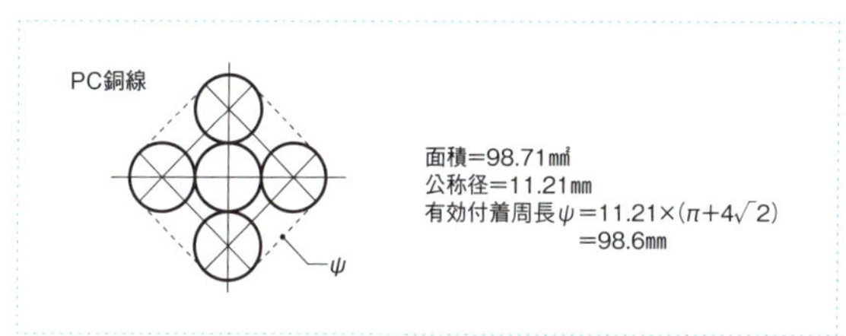

以上より、引張材の付着抵抗からも定着長 La=3mでよいことが確認できた。

続いて、自由長Lfを算定する。

定着地盤は−10m以深、支保工レベルは−1mであるので、

$$L_f\geqq\frac{10-1}{\sin 45^\circ}=12.7\mathrm{m}\rightarrow 13\mathrm{m}>4\mathrm{m}$$

よって、アンカーの全長Lは、定着体長Laと自由長Lfより以下のとおりとなる。

$$L=L_a+L_f=3+13=16\mathrm{m}$$

step. 2

腹起しの検討

—

腹起しの使用材料ならびに断面性能などの詳細は右のとおりである。また、荷重は1段目の最大支点反力R_1＝66.6kN/mとする。

まず、アンカーの水平間隔L_aを支点として腹起しの強軸方向(水平面内)の応力に対する検討を行う。本例題では、水平方向の荷重を上下段2本の腹起しで受けるものとする。よって、曲げモーメントM_h、せん断Q_hに対しては、

- 部材：H－300×300×10×15(SS400、リース材)
- ウェブ断面積 A_w：2.7×10^3mm²
- フランジ断面積(片側) A_f：$300\times15=4.5\times10^3$mm²
- 断面係数(強軸方向) Z_x：1.15×10^6mm³
- 断面係数(弱軸方向) Z_y：394×10^3mm³
- 許容曲げ応力度 f_b：195N/mm²
- 許容せん断応力度 f_s：110N/mm²
- 単位重量 w：0.98kN/m

$$M_h=\frac{1}{8}\cdot R_1\cdot L_a^2=\frac{1}{8}\times66.6\times3.6^2=107.9\text{kN·m}$$

$$\sigma_b=\frac{M_h}{Z_x}=\frac{107.9\times10^6}{1.15\times10^6\times2}=46.9\text{N/mm}^2<f_b=195\text{N/mm}^2\rightarrow\text{OK}$$

$$Q_h=\frac{1}{2}\cdot R_1\cdot L_a=\frac{1}{2}\times66.6\times3.6=119.9\text{kN}$$

$$\tau=\frac{Q_h}{A_w}=\frac{119.9\times10^3}{2.7\times10^3\times2}=22.2\text{N/mm}^2<f_s=110\text{N/mm}^2\rightarrow\text{OK}$$

次に、腹起しの弱軸方向(鉛直面内)の応力に対する検討を行う。本例題では、アンカーの鉛直方向分力P_vが、ブラケットを支点とするスパンL_b(＝親杭ピッチ)の単純梁に集中荷重としてかかるものとする。また、荷重は下段の腹起しのみで受けるものとする。よって、曲げモーメントM_v、せん断力Q_vに対しては、

$$P_v=R_1\cdot L_a\cdot\tan45^\circ=66.6\times3.6\times1.0=239.8\text{kN}$$

$$M_v=\frac{1}{4}\cdot P_v\cdot L_b=\frac{1}{4}\times239.8\times1.2=71.9\text{kN·m}$$

$$\sigma_b=\frac{M_v}{Z_y}=\frac{71.9\times10^6}{394\times10^3}=182.5\text{N/mm}^2<f_b=195\text{N/mm}^2\rightarrow\text{OK}$$

$$Q_v=\frac{1}{2}\cdot P_v=\frac{1}{2}\times239.8=119.9\text{kN}$$

$$\tau=\frac{Q_v}{A_f}=\frac{119.9\times10^3}{4.5\times10^3}=26.6\text{N/mm}^2<f_s=110\text{N/mm}^2\rightarrow\text{OK}$$

step. 3

ブラケットの検討①

—

ブラケットの使用材料ならびに断面性能などの詳細は以下のとおりである。

・部材：L－90×90×10を使った組立材
・断面積A：17×10^2mm²
・最小断面2次半径i_{min}：17.4mm

荷重については、腹起しの掘削側フランジに作用する荷重Qv'を基に検討を行う。

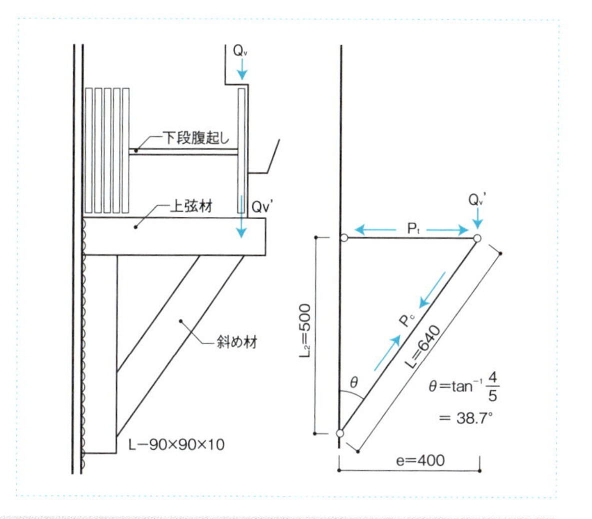

$$Q_v'=Q_v+w\cdot L_o=120+0.98\times1.8=121.8\text{kN}$$

下段ブラケットが負担する腹起し長さ L_o：$L_a/2=3.6/2=1.8$m

まず、上弦材について検討を行う。上弦材に作用する引張力P_tから引張応力度σ_tを算定し、上弦材の許容引張応力度f_tと比較して問題がないことを確認する。

$$P_t=Q_v'\cdot\tan\theta=121.8\times\tan38.7^\circ=97.6\text{kN}$$

$$\sigma_t=\frac{P_t}{A}=\frac{97.6\times10^3}{17\times10^2}=57.4\text{N/mm}^2<f_t=195\text{N/mm}^2\rightarrow\text{OK}$$

次に、斜め材に作用する圧縮力P_cから圧縮応力度σ_cを算定し、斜め材の細長比λより低減した許容圧縮応力度f_cと比較して問題がないことを確認する。

$$P_c=\frac{Q_v'}{\cos\theta}=\frac{121.8}{\cos38.7^\circ}=156.1\text{kN}$$

$$\sigma_b=\frac{P_c}{A}=\frac{156.1\times10^3}{17\times10^2}=91.8\text{N/mm}^2<f_c=180\text{N/mm}^2\rightarrow\text{OK}$$

$$\left(\lambda=\frac{L}{i_{min}}=\frac{640}{17.4}=37\text{より}\right)$$

step. 4

ブラケットの検討②

ブラケットを親杭に取り付ける溶接を検討する。

まず、曲げモーメントに対しては、溶接部の断面性能(I_w、Z_w)を求め、曲げ応力度ρ_Mを算出し、溶接部の許容応力度f_wと比較する。

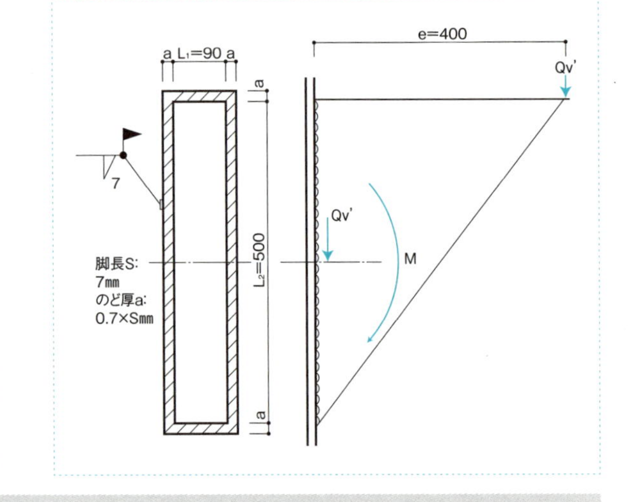

$$M=Q_v'\cdot e=121.8\times 0.4=48.7\text{kN}\cdot\text{m}$$

$$I_w=\frac{1}{12}\{(L_1+2a)(L_2+2a)^3-L_1\cdot L_2^3\}$$

$$=\frac{1}{12}\{(90+2\times 0.7\times 7)(500+2\times 0.7\times 7)^3-90\cdot 500^3\}=1.64\times 10^8\text{mm}^4$$

$$Z_w=\frac{2\cdot I_w}{L_2+2a}=\frac{2\times 1.64\times 10^8}{500+2\times 0.7\times 7}=0.64\times 10^6\text{mm}^3$$

$$\rho_M=\frac{M}{Z_w}=\frac{48.7\times 10^6}{0.64\times 10^6}$$

$$=76.1\text{N/mm}^2<f_w=135\times 0.8=108\text{N/mm}^2$$ (現場溶接より80%に低減)→OK

また、せん断力に対しては、溶接部のせん断用断面積A_wを求め、せん断応力度ρ_Qを算出し、許容応力度f_wと比較する。

$$Q=Q_v'=121.8\text{kN}$$

$$A_w=2\cdot a\cdot L_2=2\times 0.7\times 7\times 500=4.9\times 10^3\text{mm}^2$$

$$\rho_Q=\frac{Q}{A_w}=\frac{121.8\times 10^3}{4.9\times 10^3}=24.9\text{N/mm}^2<f_w=108\text{N/mm}^2$$ →OK

曲げとせん断の合成応力に対しても溶接に問題がないことを確認する。

$$\rho_{MQ}=\sqrt{\rho_M^2+\rho_Q^2}=\sqrt{76.1^2+24.9^2}=80.1\text{N/mm}^2<f_w=108\text{N/mm}^2$$ →OK

7 2段目支保工の検討

step 1 腹起しの検討

腹起しの使用材料は1段目と同じであり、断面性能などの詳細は**286頁**および以下に示すとおりである。荷重は、3次掘削時の2段目支点反力より、R_2＝164.2kN/mとなる。

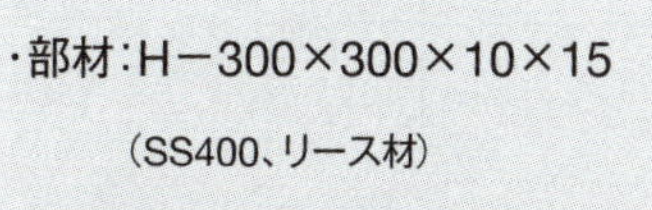

・部材：H－300×300×10×15
（SS400、リース材）
・断面積A：104.8×10^2 mm²
・断面2次半径（弱軸方向）iy：75.1mm

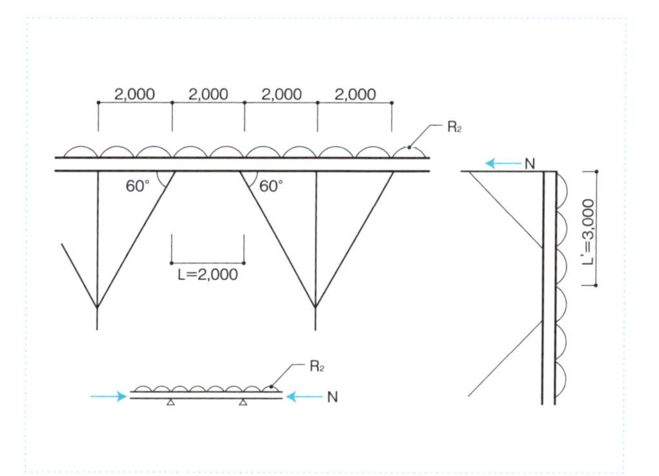

まず、曲げと軸力に対する検討を行う。本例題では、切梁に付く火打ちと腹起しの取り付け角度を60°とする。また、直交方向の荷重を受け、軸力が発生するものとする。

$$M=\frac{1}{8}\cdot R_2\cdot L^2=\frac{1}{8}\times164.2\times2^2=82.1\,\text{kN·m}$$

$$\sigma_b=\frac{M}{Z_x}=\frac{82.1\times10^6}{1.15\times10^6}=71.4\,\text{N/mm}^2<f_b=195\,\text{N/mm}^2\rightarrow\text{OK}$$

$$N=R_2\cdot L'=164.2\times3=492.6\,\text{kN}$$

$$\sigma_c=\frac{N}{A}=\frac{492.6\times10^3}{104.8\times10^2}=47.0\,\text{N/mm}^2<f_c=187\,\text{N/mm}^2\rightarrow\text{OK}$$

$$\left(\lambda=\frac{L}{i_y}=\frac{2{,}000}{75.1}=27\text{より}\right)$$

$$\frac{\sigma_b}{f_b}+\frac{\sigma_c}{f_c}=\frac{71.4}{195}+\frac{47.0}{187}=0.62<1.0\rightarrow\text{OK}$$

せん断に対する検討を行う。

$$Q=\frac{1}{2}\cdot R_2\cdot L=\frac{1}{2}\times164.2\times2=164.2\,\text{kN}$$

$$\tau=\frac{Q}{A_w}=\frac{164.2\times10^3}{2.7\times10^3}=60.8\,\text{N/mm}^2<f_s=110\,\text{N/mm}^2\rightarrow\text{OK}$$

step. 2

切梁の検討

切梁の使用材料は腹起しと同じとする。まず、切梁にかかる荷重を算定する。荷重は、支点反力R_2、温度応力による付加軸力△N、鉛直荷重w_oの3種類である。このうち、支点反力R_2は、3次掘削時の2段目支点反力よりR_2=164.2kN/m、鉛直荷重w_oは、切梁の自重+軽微な積載荷重を考慮してw_o=5kN/mとする。△Nについては、洪積地盤であるため、固定度αを0.6、線膨張係数βを1×10^{-5}[1/℃]、温度変化△Tsを10℃として以下のように算定する。

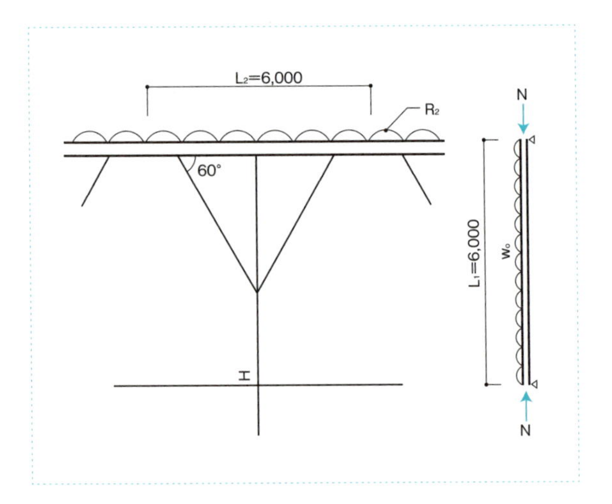

$$\triangle N=\alpha\cdot A\cdot E\cdot \beta\cdot \triangle T_s=0.6\times 104.8\times 10^{-4}\times 2.05\times 10^{8}\times 1\times 10^{-5}\times 10=129\,\text{kN}$$

曲げと軸力に対する検討を行う。本例題では、直交する切梁間隔L_1をスパンとする単純梁として検討する。各切梁交差部に支柱を設けるため、座屈スパンL_b=6mとなる。曲げモーメント、曲げ応力度は、

$$M=\frac{1}{8}\cdot w_o\cdot L^2=\frac{1}{8}\times 5\times 6^2=22.5\,\text{kN·m}$$

$$\sigma_b=\frac{M}{Z_x}=\frac{22.5\times 10^6}{1.15\times 10^6}=19.6\,\text{N/mm}^2<f_b=195\,\text{N/mm}^2\rightarrow \text{OK}$$

軸力負担幅L_2を切梁間隔として軸力を求め、曲げと軸力の合成応力に対しても問題ないことを確認する。

$$N_o=R_2\cdot L_2=164.2\times 6=985.2\,\text{kN}$$

$$N=N_o+\triangle N=985.2+129=1{,}114\,\text{kN}$$

$$\sigma_c=\frac{N}{A}=\frac{1{,}114\times 10^3}{104.8\times 10^2}=106.3\,\text{N/mm}^2<f_c=134\,\text{N/mm}^2\rightarrow \text{OK}$$

$$\left(\lambda=\frac{L_1}{i_y}=\frac{6{,}000}{75.1}=80\text{より}\right)$$

$$\frac{\sigma_b}{f_b}+\frac{\sigma_c}{f_c}=\frac{19.6}{195}+\frac{106.3}{134}=0.89<1.0\rightarrow \text{OK}$$

step. 3

火打ちの検討

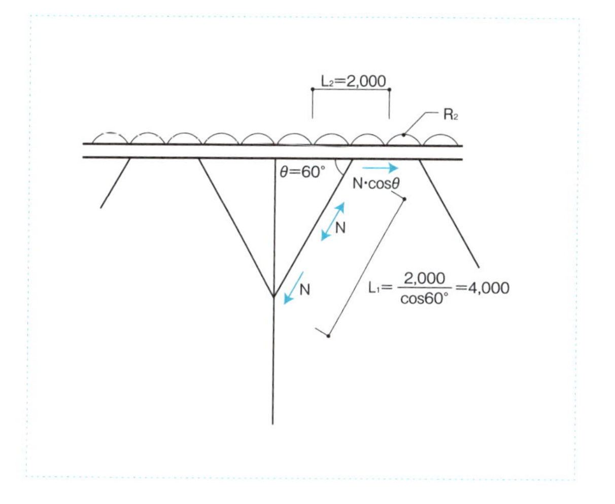

切梁に付く火打ちの使用材料は腹起し、切梁と同じとする。また、荷重はR_2＝164.2kN/mとする。

なお、本来であれば、応力に対する検討をまず行うのだが、本例題では切梁よりもスパンL_1が短く、取り付け角度を考慮した軸力負担幅（2.0/sin60°＝2.3m）も狭いため、省略する。

ここでは、切梁と腹起しを接合するボルトについての検討を行う。ボルトの仕様は以下のとおりである。

ボルト：M24（SS40）
断面積 A：452mm^2
許容せん断応力度 f_s：102N/mm^2
許容せん断力 R_s：$102 \times 10^{-3} \times 452 = 46.1$kN

まず、火打ちに発生する軸力Nを算出し、腹起し側の取り付けボルト本数nを求める。

$$N = \frac{R_2 \cdot L_2}{\sin\theta} = \frac{164.2 \times 2}{\sin 60^\circ} = 379\text{kN}$$

$$n = \frac{N \cdot \cos\theta}{R_s} = \frac{379 \times \cos 60^\circ}{46.1} = 4.1$$ →6本とする

切梁側の取り付けボルト本数nを求める。

$$n = \frac{N}{R_s} = \frac{379}{46.1} = 8.2$$ →10本とする

火打ちの腹起し側のボルトは、火打ち端部と腹起しのフランジ面とを接合するので、火打ち軸力Nに対しcosθ分のせん断力がかかります。切梁側のボルトは、火打ち側面と切梁のフランジ面とを接合するので、火打ち軸力Nがそのままなせん断力としてかかることになるんです

8　切梁支柱の検討

支柱の検討

切梁支柱の使用材料ならびに断面性能などの詳細は以下のとおりである。

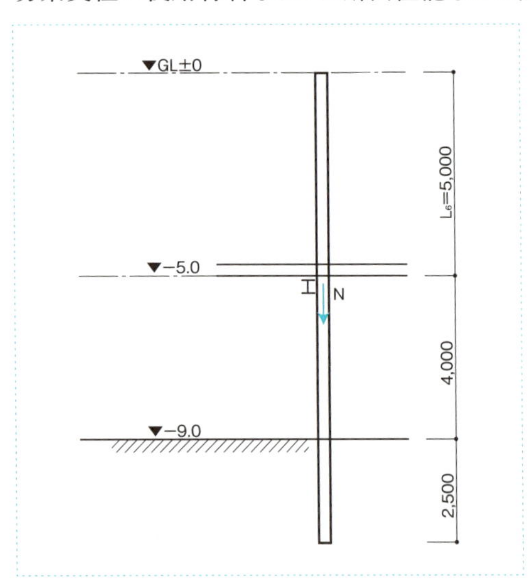

- 部材：H－300×300×10×15（SS400）
- 断面積A：11.84×10^3 mm²
- 単位重量w：0.91 kN/m
- 断面2次モーメント（弱軸方向）Iy：0.675×10^8 mm⁴
- 断面係数（強軸方向）Zx：1.35×10^6 mm³
- 断面2次半径（強軸方向）ix：131 mm
- 断面2次半径（弱軸方向）iy：75.5 mm

曲げと軸力に対する検討を行う。まず、荷重を算定する。支柱のブラケット位置にかかる軸力Nは、切梁軸力による下方鉛直分力N_1（2方向分）、切梁重量N_2（2方向分）、支柱の自重N_3の合計となる。

$$N_1=\frac{1}{50}\cdot(N_0+\triangle N)\times2=\frac{1}{50}(164.2\times6+129)\times2=44.6\,\mathrm{kN}$$

$$N_2=w_0\cdot L_1\times2=5\times6\times2=60\,\mathrm{kN}$$

$$N_3=w\cdot L_0=0.91\times5=4.55\,\mathrm{kN}$$

$$\therefore N=N_1+N_2+N_3=44.6+60+4.55=109\,\mathrm{kN}$$

支柱がブラケットを介して受ける偏心曲げモーメントについて検討する。クリアランス、施工精度を考慮し、偏心距離e＝500として最下段（2段目）支保工による荷重N_1、N_2から求める。

$$M=(N_1+N_2)\cdot e=(44.6+60)\times0.5$$
$$=52.3\,\mathrm{kN\cdot m}$$

$$\sigma_b=\frac{M}{Z_x}=\frac{52.3\times10^6}{1.35\times10^6}$$
$$=38.7\,\mathrm{N/mm^2}<f_b=195\,\mathrm{N/mm^2}\rightarrow \mathrm{OK}$$

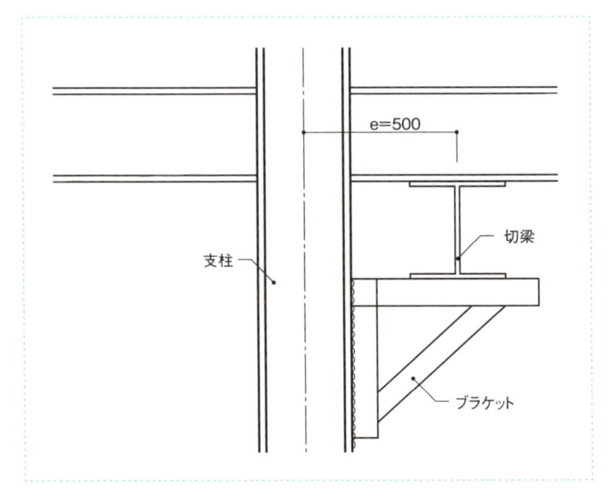

次に、支柱の仮想支点より座屈長さ Hを求め、許容圧縮応力度 fcを算出し、圧縮応力度 σcと比較する。また、曲げと軸力の合成応力に対しても問題がないことを確認する。

掘削底面N値＝5より、

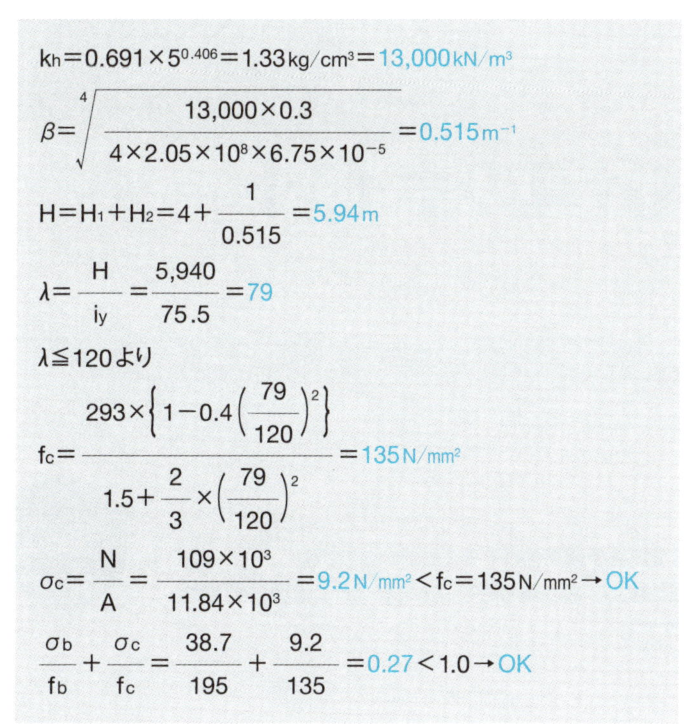

$$k_h = 0.691 \times 5^{0.406} = 1.33\,\mathrm{kg/cm^3} = 13{,}000\,\mathrm{kN/m^3}$$

$$\beta = \sqrt[4]{\frac{13{,}000 \times 0.3}{4 \times 2.05 \times 10^8 \times 6.75 \times 10^{-5}}} = 0.515\,\mathrm{m^{-1}}$$

$$H = H_1 + H_2 = 4 + \frac{1}{0.515} = 5.94\,\mathrm{m}$$

$$\lambda = \frac{H}{i_y} = \frac{5{,}940}{75.5} = 79$$

$\lambda \leqq 120$より

$$f_c = \frac{293 \times \left\{1 - 0.4\left(\frac{79}{120}\right)^2\right\}}{1.5 + \frac{2}{3} \times \left(\frac{79}{120}\right)^2} = 135\,\mathrm{N/mm^2}$$

$$\sigma_c = \frac{N}{A} = \frac{109 \times 10^3}{11.84 \times 10^3} = 9.2\,\mathrm{N/mm^2} < f_c = 135\,\mathrm{N/mm^2} \rightarrow \mathrm{OK}$$

$$\frac{\sigma_b}{f_b} + \frac{\sigma_c}{f_c} = \frac{38.7}{195} + \frac{9.2}{135} = 0.27 < 1.0 \rightarrow \mathrm{OK}$$

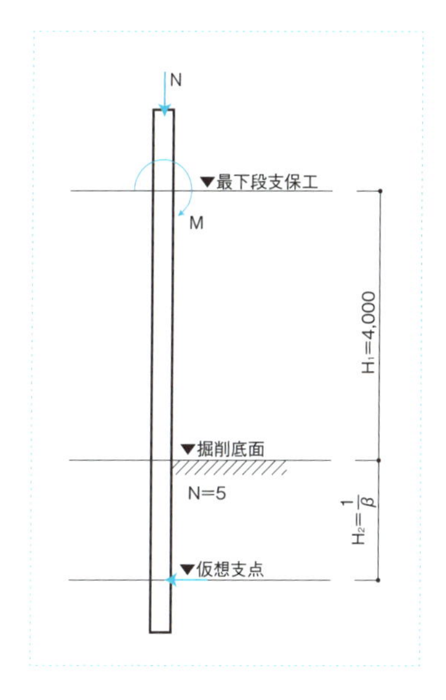

step. 2

支持力の検討

支持杭の施工方法は、埋込み杭（プレボーリング根固め）工法とする。押込力N'と杭の許容支持力Raを比較して問題がないことを確認する。N'は**step.1**のNにブラケット下の杭重量を加算する。

$$N' = N + w \times 6.5 = 109 + 0.91 \times 6.5 = 115\,\mathrm{kN}$$

$$R_a = \frac{2}{3}\left\{200 \times 30 \times 0.09 + \left(\frac{10 \times 30 \times 1.5}{3} + 45 \times 1.0\right) \times 1.2\right\} = 516\,\mathrm{kN}$$

$$\frac{N'}{R_a} = \frac{115}{516} = 0.22 < 1.0 \rightarrow \mathrm{OK}$$

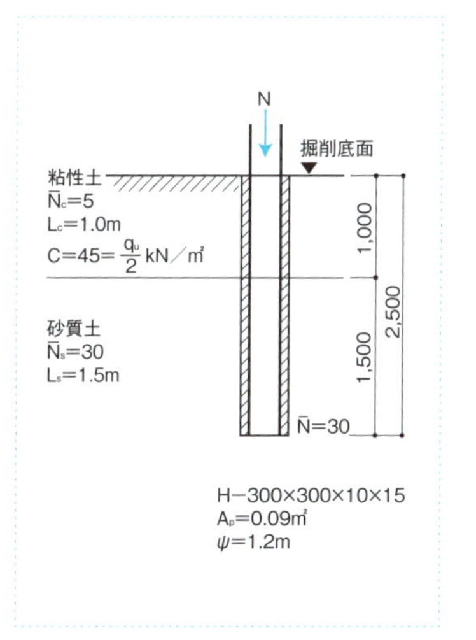

引抜力Ntと杭の引抜抵抗力Ratを比較して問題がないことを確認する。Ntは、切梁軸力による上方鉛直分力N1（2方向分）から切梁重量を減ずる。

$$N_t = N_1 - 0.98 \times 6 \times 2 = 44.6 - 11.8 = 32.8\,\mathrm{kN}$$

$$R_{at} = \frac{2}{3}\left(\frac{10 \times 30 \times 1.5}{3} + 45 \times 1.0\right) \times 1.2 + 0.91 \times 11.5 = 166.5\,\mathrm{kN}$$

$$\frac{N_t}{R_{at}} = \frac{32.8}{166.5} = 0.20 < 1.0 \rightarrow \mathrm{OK}$$

鉄骨建方

施工計画と構造計算のポイント

1 | 鉄骨建方と要求条件

□ 鉄骨工事計画においては、早い時点で建方手順を検討することが必要である
□ 鉄骨建方・躯体工事中に生じる外力に対して、鉄骨架構が倒壊しないように補強の要否や、補強が必要な場合は補強方法を決定する

安全性検討の必要性

建築構造物は、完成された時点ではじめて設計どおりの安全性が期待できる。言い換えれば、施工途中では不安定極まりない状態や、強度的にも限界を超える危険な状態が存在する可能性もある、ということである。特に、SRC造(鉄骨鉄筋コンクリート造)は、鉄筋コンクリートと鉄骨が一体になってはじめて安定し、所定の耐力を発揮するが、建方途中の鉄骨架構は、不安定な状態や耐力不足のため、倒壊の危険性をはらんでいると考えてよい。仮ボルトやワイヤロープで補強しているかに見えても、あるいはボルト本締め完了後であっても、部材断面や寸法・形状によっては、風雪・地震だけでなく、自重にも耐えられない場合がある。

鉄骨工事計画においては、早い時点で建方手順を検討し、自重や外力に対して自立可能かどうか、補強がいつ、どのように必要かを見極めなければならない。

要求品質の確認

躯体工事のなかでも鉄骨工事は、工場で製作された製品を現場で組み立てるという形態をとるため、現場技術者の目の届かない部分が多い。着工時点で確認すべき要求品質・仕様は以下のとおりである。

①鉄骨材料区分
②鉄骨製作工場のグレード
③溶接部の仕様
④溶接管理条件
⑤溶接技能者技量確認試験
⑥高力ボルトの仕様
⑦製品および溶接部の検査基準
⑧精度管理基準
⑨柱脚廻りの仕様

これらの項目は、設計図書では構造図や特記仕様書、鉄骨標準図および溶接規準図、さらに標準仕様書から読み取ることができる。特記仕様書には、材料区分、鉄骨製作工場のグレード、製品および溶接部の検査基準、精度管理基準、柱脚廻りの仕様などが示されている。また、法令では建築基準法、同施行令、関連告示および条例などを参照する。

鉄骨建方時の安全

鉄骨建方直後の鉄骨軸組は、仮ボルト・補強ワイヤなどによって、風や地震などの外力から倒壊を防いでいる。SRC造の鉄骨建方の場合は鉄骨の部材断面が小さいことや、S造（鉄骨造）では、溶接接合が主である場合に高力ボルト接合のボルト数が少ないため、曲げ・圧縮に対して不安定な状態になる場合がある。また、本接合完了後も不安定である場合がある。

鉄骨工事計画時から、鉄骨建方・躯体工事中に生じる外力に対して倒壊しないことを確認し、また補強する場合は補強方法を決定しておく必要がある。

図1は、建方中の鉄骨自立の考え方を示したものである。コンクリートが打設されていないSRC造や梁溶接前のS造の建物では、柱梁接合部がピン状態のために、風などの横外力に耐えることができない。そのような場合は、**図1**右図のように、補強ワイヤ、または補強用に計画された斜め材を入れることにより、架構の安定性が確保されることになる。

また、建方中には仮締めを行う。これは、建て入れ直しから本締め（本接合）までの期間、鉄骨架構を自重や風、地震、若干の積載荷重に対して安全に保つため、それに必要な本数の仮締めボルトを締め付けるものである。以下に注意点を示す。

①仮ボルトの状態では架構は不安定構造とみなせるので、仮締めは建て入れ直しの後、その日のうちに行う必要がある

②仮締めが不完全であると本締めの精度にも影響するため、部材が十分密着するように締め付けることも仮締めの目的の1つである

③仮締めまでの期間で強風のおそれのある場合や、積載荷重が計画されている場合は、それに応じたボルトの配置と本数の算定を行ったうえで締め付ける

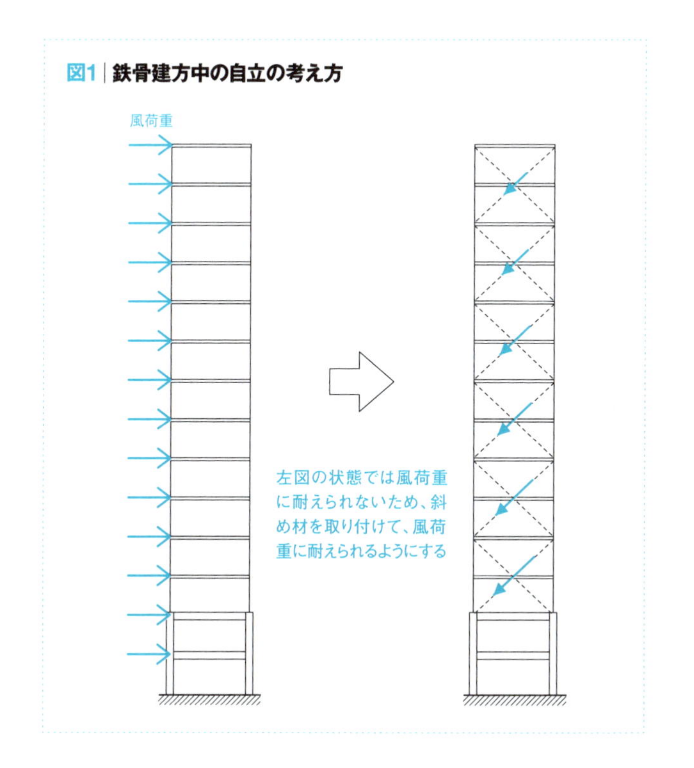

図1｜鉄骨建方中の自立の考え方

斜め材が付いてはじめて安定した骨組になるような、きゃしゃな部材で構成された架構や、SRC造の場合は特に、風や地震で倒れたりしないように、事前の検討が必要です

鉄骨建方時に特に注意が必要なケースとしては、以下のものが挙げられる。

[1]──鉄骨柱梁接合部がピン接合の建物

SRC造のマンションやホテルなどの建築構造物において、柱がH形鋼、大梁が溝形鋼や軽量鋼などになっている鉄骨の柱梁接合部がピン接合の建物では、本締めが完了しても、鉛直ブレースの補強ワイヤは、コンクリートが打設されるまでは外すことはできない。コンクリート打設前に外したり、弛んだりしていないか確認することが重要となる[図2]。

[2]──多スパンで連続している工場建屋

大スパンの骨組が桁行方向に多スパンで連続している工場建屋などにおいては、補強ワイヤまたは本設の筋かいを建方と同時に取り付けているかが重要となる[図3]。

[3]──スパンと高さの比が4以上の建物

S造やSRC造の塔状建物(スパンと高さの比が4以上)においては、補強ワイヤまたは補強用に計画された筋かいや火打ち材が、建方と同時に間違いなく取り付けられているかが重要となる[図4]。また、SRC造の場合は、本締めが完了しても補強ワイヤが外せない場合があるので注意が必要である。型枠工事などでやむを得ず外す場合は、盛り替えなどの処置方法が重要となる。

[4]──ウェブを高力ボルトで接合する建物

S造で梁の接合部が、フランジを現場溶接、ウェブを高力ボルトで接合する建物においては、補強ワイヤを必ず取り付けているかに注意する必要がある。また、原則として、本締め・現場溶接が完了してから補強ワイヤを取り外しているかが重要となる[図5]。

図2|鉄骨柱梁接合部がピン接合の建物

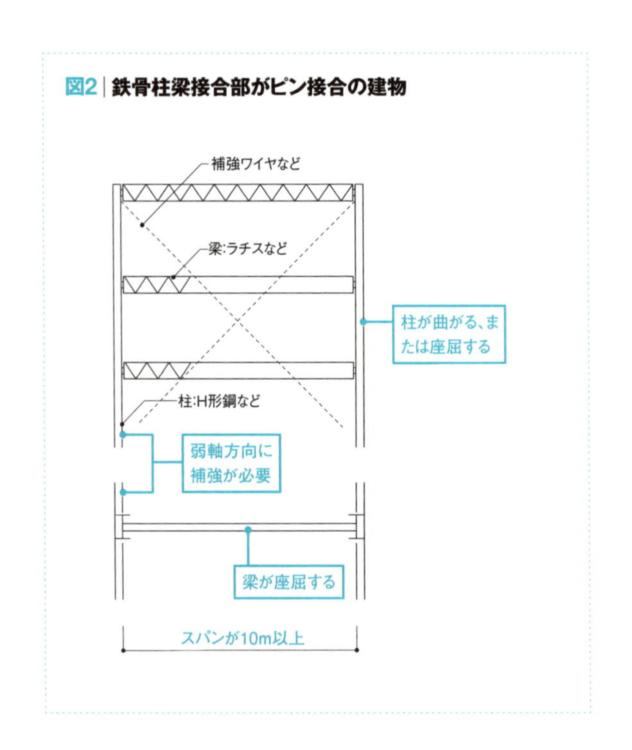

図3|多スパンで連続している工場建屋

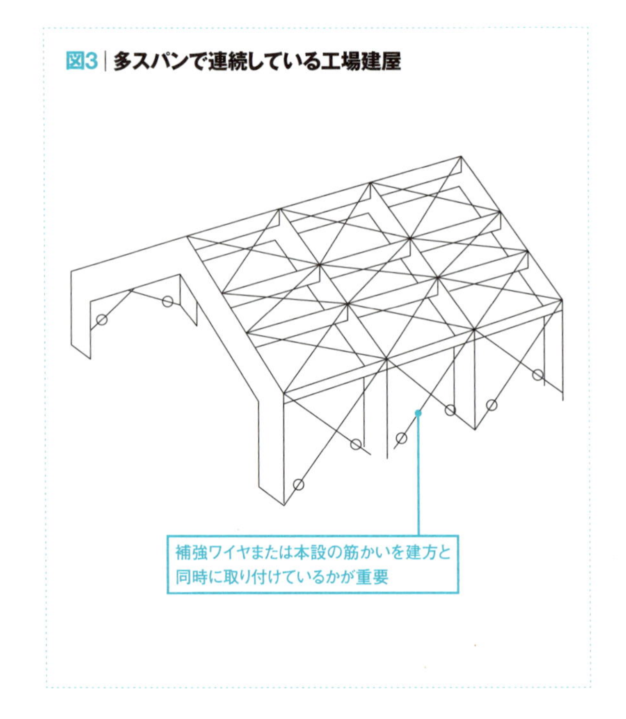

図4｜スパンと高さの比が4以上の建物

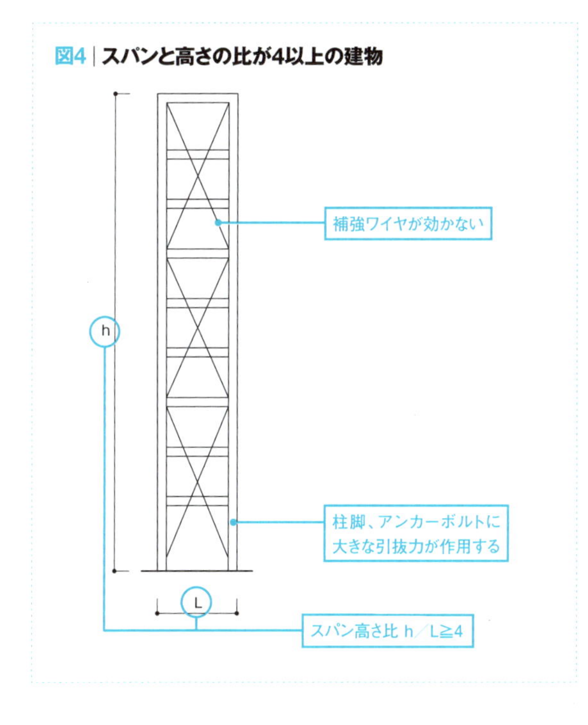

図5｜ウェブを高力ボルトで接合する建物

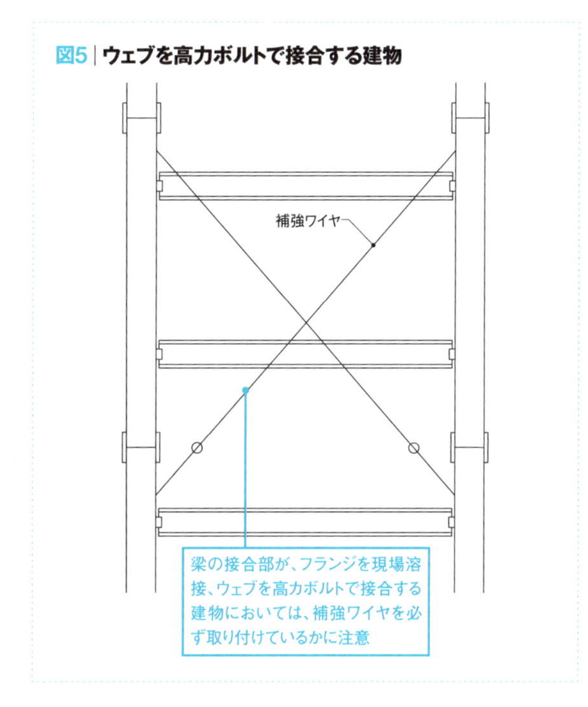

工事担当者が行うべき確認事項としては、設計者が建方中に生じる外力についてどの程度考えているか、ということも挙げられる。具体的には、以下のような事項を確認する。

①建方中の風圧に対する考え方

②仮補強の要否と、必要な場合はその方法

③仮筋かい、仮つなぎの位置や大きさ、取り付け方

④仮締めのボルトの位置・本数

また、工事中に躯体の一部を材料置き場にしたり、重機類の設置場所、あるいは通路などを計画する場合には、必ず設計者が仮定している事項を調べて検討し、必要があれば打ち合わせを行って安全を期さなければならない。

工事中の地震力によって生ずる応力は、一般的には風圧より小さいので無視されがちであるが、部材が特に重い場合や積載荷重、クレーン類の控え荷重などに対しては地震時の検討が必要となることに注意が必要である。

2 | 施工計画と安全性確認の流れ

□ 当該工事における鉄骨架構形式の特徴と、建方方法による特徴のそれぞれを把握したうえで、最適な建方方法を選択する

□ 鉄骨建方計画においては、建方方法に応じた使用重機の選定と配置が重要となる

施工計画の検討の流れ

鉄骨建方計画に際して考慮すべき外力としては、風･地震･雪などの荷重のほかに、施工法や施工手順に伴う特有の荷重によるものもある。したがって、施工手順を十分に検討しておく必要がある。

一般的には、施工中の風荷重による応力が、地震荷重や積雪荷重による応力より大きくなることが多い。風荷重に対する安全性確認の検討方法は、(一社)日本建築学会の『鉄骨工事技術指針・工事現場施工編』に詳細が記述されている。また、施工時応力に対する鉄骨部材･接合部の算定は、同学会の『鋼構造設計規準』に従うこととする。

安全性確認は、図6に示す手順で行うが、本節では風に対する安全性の確認について解説する。

図6 | 安全性確認の流れ

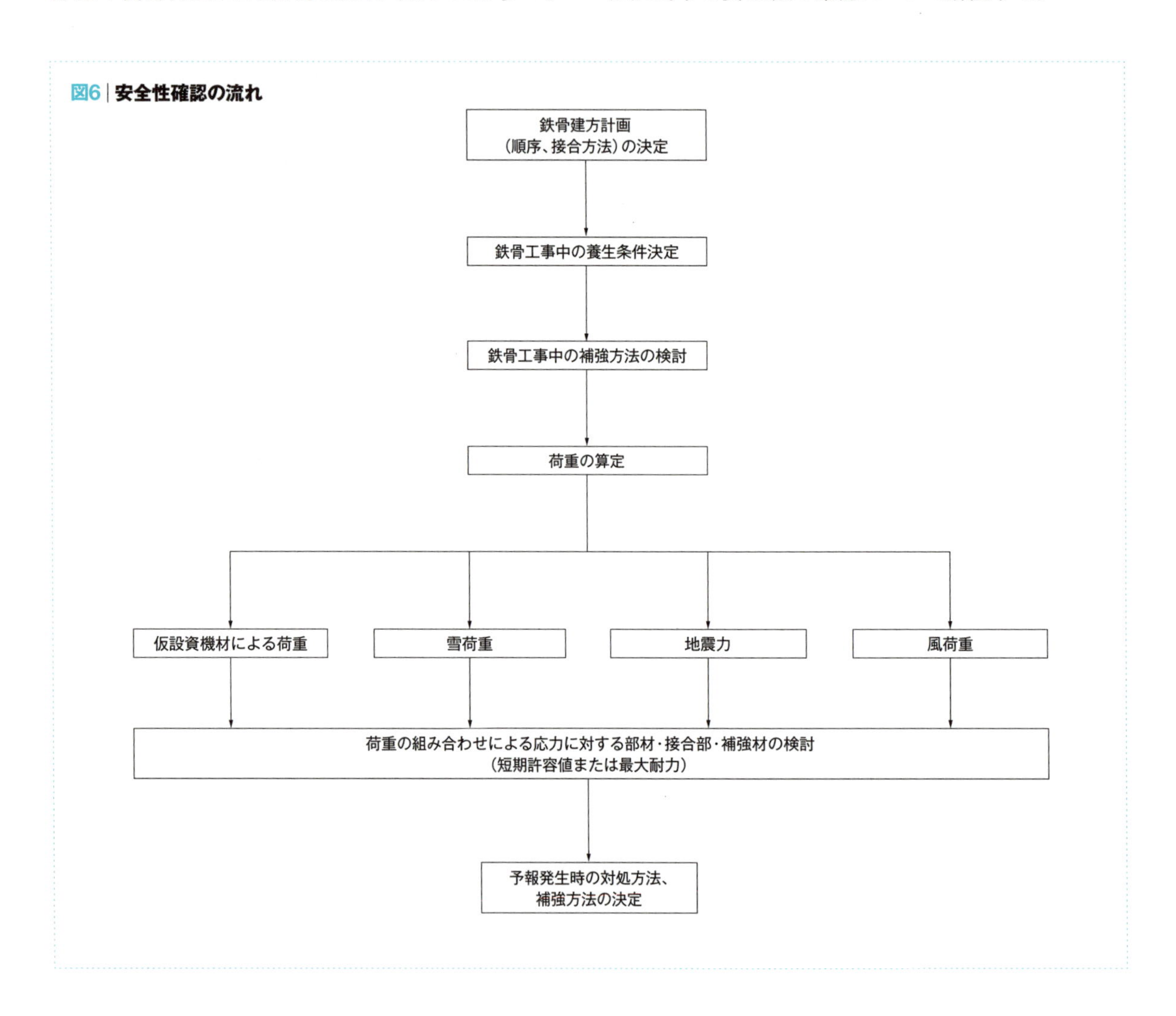

施工計画のポイント

[1]——建方条件の把握

設計図書、法的な規制を確認するとともに、以下に挙げるような工事現場の施工条件を確認することが必要である。

①搬入道路
②鉄骨建方ヤード
③荷捌きヤード
④鉄骨地組みヤード
⑤建物と隣接家屋との距離
⑥高さ制限(航空規制)
⑦地盤状況(建方機械走行)
⑧作業可能日(近隣協定)
⑨作業可能時間(近隣協定)
⑩電力引き込み(溶接機など)
⑪鉄骨ピース数
⑫最大ピースの重量と位置
⑬現場溶接の数量
⑭高力ボルトの数量
⑮使用建方重機の能力

これらの条件を基に施工計画を立てることになるが、鉄骨の構造形式と建方方法、建方機械には**300頁表1**のような関係があるので、条件に見合った建方方法、機械の選択を行う。

この時点で、機械の能力に合わせて、鉄骨の重量や長さを調整するため、節割りの変更や部材の分割も検討する。**図7**に示すように、建物の一部分に大スパンが存在する場合などは、特に注意が必要である。スパンの大きな梁部材を中心に建方機械の選定を行った場合は、建方全体を考えると、能力の大きな建方機械が必要となり、場合によっては、走行路盤を整えなければならない。梁を分割し、仮支柱方式で建方を行ったほうが合理的であることもある。

図7 | 鉄骨建方方式の見直し

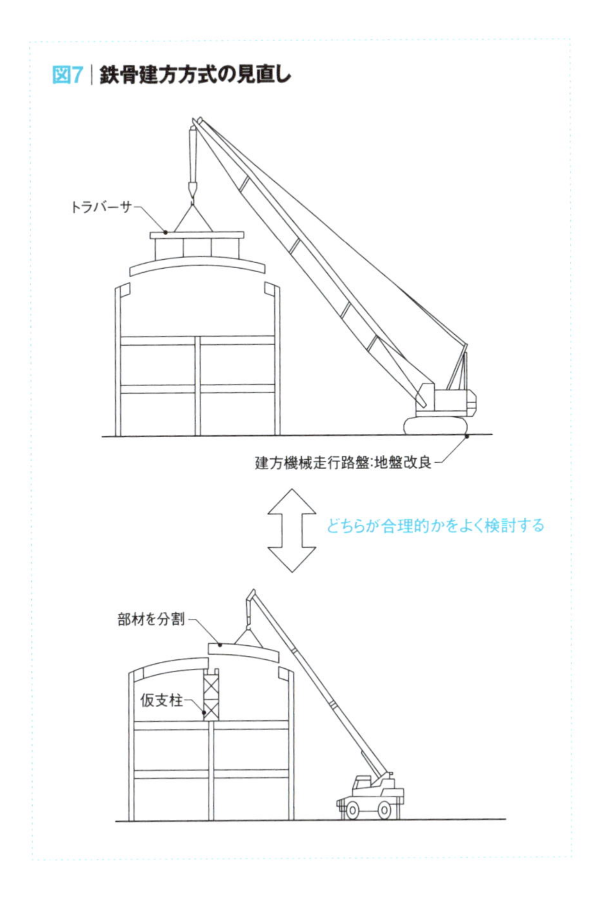

表1｜鉄骨建方方法の種類と特徴

建方方法		構造形式	建方機械	敷地条件	工程	安全性
積み上げ	1階 2階 3階 4階	鉄骨ラーメン、SRC造	定置式クレーン、移動式クレーン	クレーン設置ならびに荷取り場所が必要	全体工期の短縮が図れる	骨組みの安定性が確保できる
建て逃げ		鉄骨ラーメン、SRC造	移動式クレーン	狭い場所でも可	建方がクリティカルとなる	自立性に限界がある
輪切り建て		鉄骨ブレース	移動式クレーン	荷取り、荷捌き場所が必要	後続工事の後追いが可能	転倒防止の対策は講じやすい
仮支柱支持	仮支柱	大スパン	移動式クレーン	建物内部で処理	ジャッキダウンがキーデイト	仮支柱の転倒防止対策が必要
横引き	組み立て用ステージ	大スパン	移動式クレーン、油圧ジャッキなど	地組み場所が必要	塗装や屋根・外壁・設備工事を先行できる	建方は安定、移動時の検討
吊り上げ、押し上げ	吊り上げ構造	大スパン	移動式クレーン、油圧ジャッキなど	地組み場所が必要	塗装や屋根・外壁・設備工事を先行できる	地組みは安全、吊り上げ時の検討

[2]――鉄骨建方要領書の作成

鉄骨建方要領書に関しては、現場施工に関する要領書であり、直接現場で計画される事項であるが、地域によっては、鉄骨の製作から建方、建方機械の選定、建て入れ直しまで一括して鉄骨専門業者に発注する場合もある。このような発注形態の場合、どうしても専門工事業者任せになりがちなので、専門工事業者に要領書を作成させるとともに、鉄骨建方計画書を現場で作成して、現場技術者も建方を把握することが大切である。

鉄骨建方要領書のチェックポイントとしては、次の項目が挙げられる。

①鉄骨架構の特徴
②最大ピースの重量と位置
③建方方法の種類
④揚重機の選定
⑤建方工程
⑥建方時の控えワイヤ
⑦仮ボルトの本数と配置
⑧建て入れ直し用ワイヤ
⑨足場計画との関係
⑩ジブクレーンなどの揚重機との関係
⑪建方時の鉄骨架構の安定
⑫高力ボルトの本数と管理
⑬現場溶接の数量と管理

表1出典：『シリーズ建築施工　図解 鉄骨工事』（東洋書店）

図8｜鉄骨建方手順計画図の例

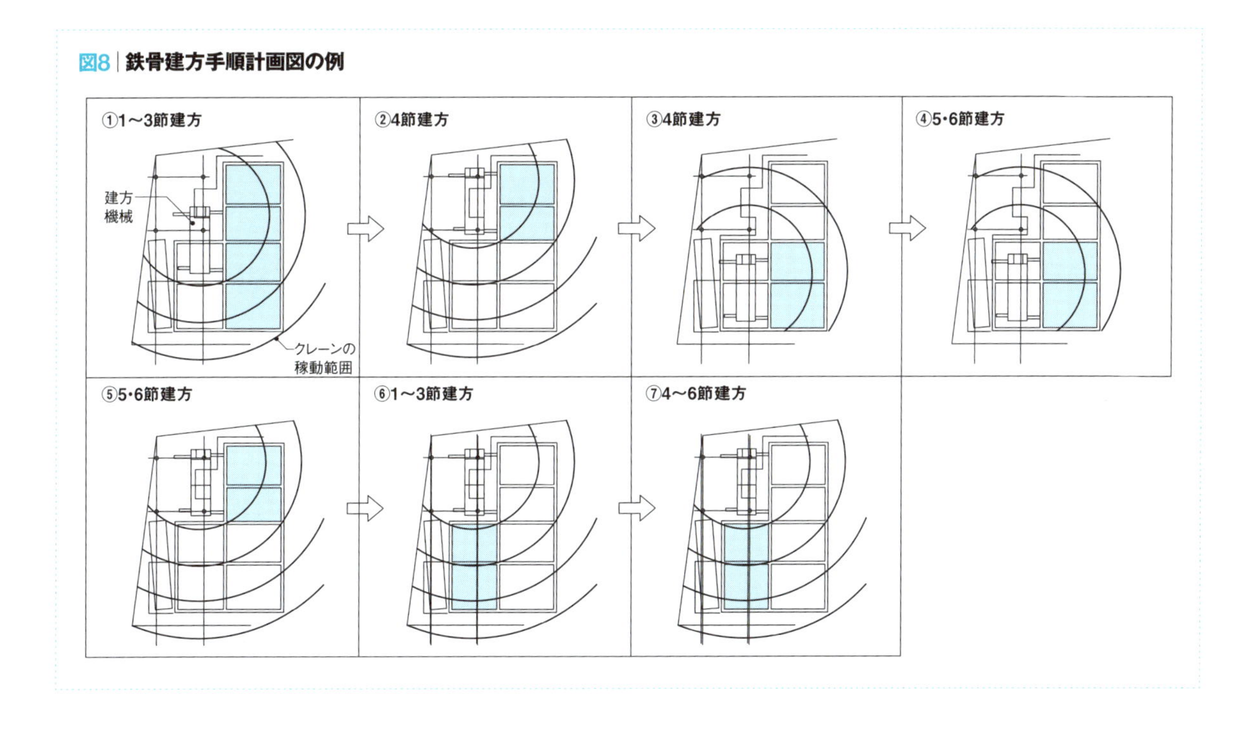

[3]──鉄骨建方方針の決定

当該工事の鉄骨架構の特徴を把握し、建方の基本方針を定める。**表1**に示したように、鉄骨架構の構造形式と建方方法には関連があり、建方方法にはそれぞれ特徴がある。これらの特徴を把握したうえで当該工事に最適な建方方法を選択する。架構形式は1つの建物で混在することもあり、**299頁図7**に示したように複数の建方方法が考えられることもある。

建方の方針が決まると、施工要領書では実施計画として、**図8**に示すような1日ごとの建方の状態を考えていく。この時点で、その地域と建方時期の特性を反映させた計画とする。たとえば、海辺に近い地域や春一番が吹く季節では、建方をしている途中に強風が吹くことを考慮に入れて工程と安全に留意する。少なくとも1日の作業が終了した時点では、鉄骨架構が安定できるような計画とするべきである。

建方の次に建て入れ直しの工程が来るが、ここで注意すべきことは、**図9**に示すように、第3節の頭部を建て入れ直し用のワイヤで引っ張ると、第3節の足元、すなわち第2節の頭部に逆向きの力がかかるということである。

図9｜建て入れ直しワイヤの引張力と鉄骨に作用する力

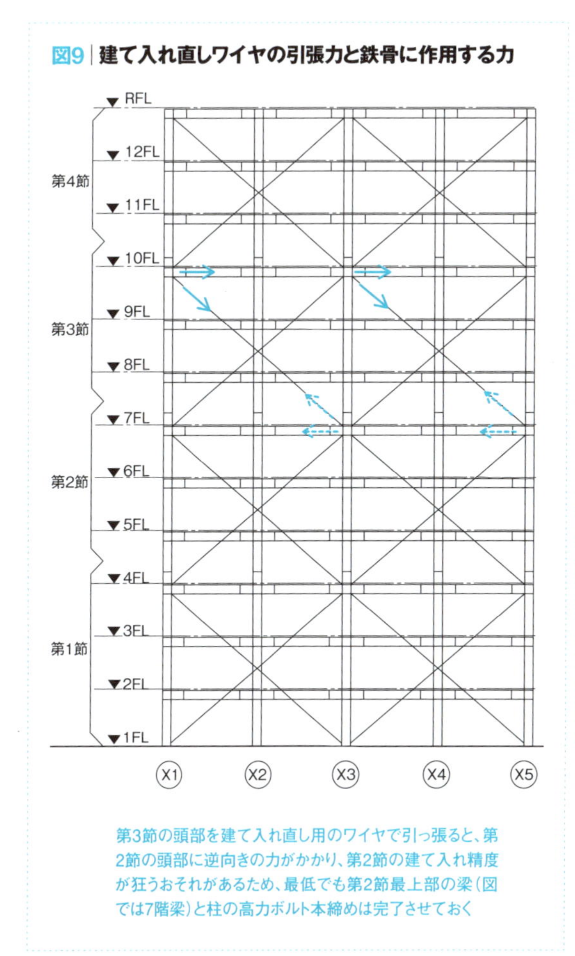

第3節の頭部を建て入れ直し用のワイヤで引っ張ると、第2節の頭部に逆向きの力がかかり、第2節の建て入れ精度が狂うおそれがあるため、最低でも第2節最上部の梁(図では7階梁)と柱の高力ボルト本締めは完了させておく

この時点において、第2節の高力ボルト本締めが終了していないと、第3節の建て入れ直しをするつもりが、第2節の建て入れ精度を狂わせてしまう結果になりかねない。最低でも第2節最上部の梁（301頁図9の例では7階梁）と柱の本締めは完了させておく計画とすることが必要である。

鉄骨建方計画上のチェック項目

[1]――敷地条件

建方計画を行うにあたり、敷地条件を整理し、建方計画が敷地条件を考慮しているかについてチェックを行う。

建方計画においては、使用重機の選定と配置が重要な要素となる。建物周囲に余裕がある場合は、建方計画においても自由度が大きく、使用重機も最小限にすることが可能となるが、敷地に余裕がない場合には、道路を利用したり建物内に重機を設置して計画しなければならなくなる[図10]。

表2に使用重機の配置計画のためのチェック項目を示す。

[2]――建物条件

建物の構造的特徴について確認し、自立検証モデルの条件を整理する。また、揚重部材の確認を行い、鉄骨建方のみでなく、揚重計画全体のチェックを行う[表3、図11]。

図10｜敷地条件と使用重機の選定・配置

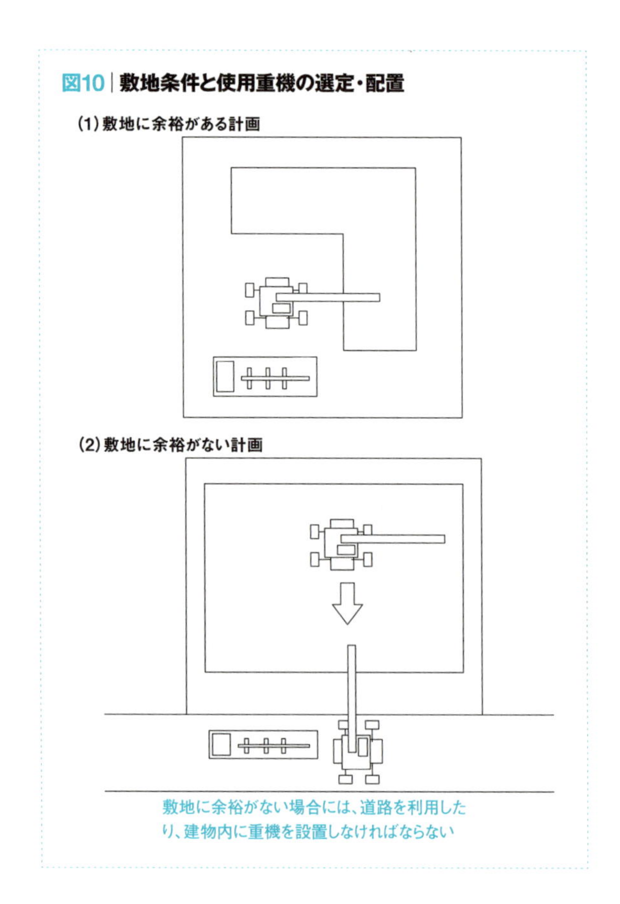

図11｜建方ブロックごとのスパン

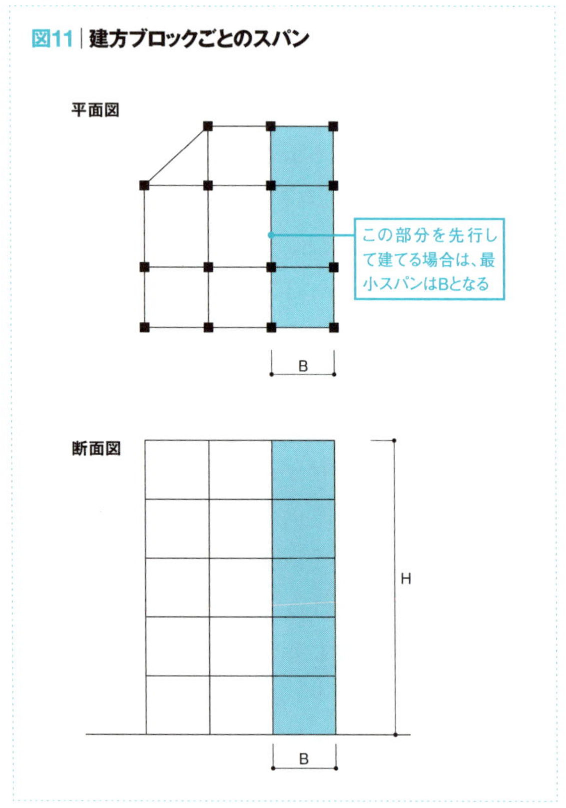

表2｜敷地条件によるチェック項目

チェック項目	詳細
敷地内での余裕度	・重機は搬入・配置できるか ・搬入トラックは配置できるか
道路使用条件	道路の使用は可能か
道路使用制限	・平日の使用は可能か、土日のみか ・時間制限はあるか
架空線、樹木など	架空線、樹木などの有無によって、重機の動きに制限が発生するか

表3｜建物条件によるチェック項目

チェック項目	詳細
建物構造	・S造の場合、本締め後の自立については問題は少ない。ただし、建方時については検討が必要 ・SRC造の場合は、建方時のみでなく、本締め後についても検討が必要
建物高さ	鉄骨部材の最高高さ（揚重機の選定にも関わる）
最小スパン	建物全体としてのスパンだけでなく、建方ブロックごとのスパンもチェックする［図11］
塔状比	H／B ≧ 4の建物では要注意
柱断面	・Iセクションがあるか ・柱の自立性能はどうか
梁接合	・ピン接合があるか ・不安定構造ではないか
柱脚	ピン柱（アンカーボルト仕様）、剛柱（埋込み、ハイベース仕様）の自立性能のチェック
外壁仕様	鉄骨建方後の揚重においてPCa部材などの重量物がある場合、タワークレーンが必要となることがある。 この場合は、積層建方方式のほうが有利である

［3］——現場への搬入計画

現場への搬入は下記の事項について検討のうえ、工事計画書へ盛り込み、輸送計画書をチェックする。

①運搬経路の道路幅員、高さ制限、大型車両規制、現場の出入口幅と高低差、一方通行の有無、交通規制など

②日ごとの搬入車台数、車種、荷姿（柱頭・柱脚の向き）

③現場周辺の待機場所と連絡方法（警察、道路管理者への届出・許可）

④周辺の環境（住宅・学校・病院・鉄道の有無、作業時間制限、電波障害など）

⑤出入口の路盤強度、架空線や公共埋設物の保護

⑥建方順序と部材の仕分け、ストックヤードとスペース確保、建方で残った部材の処置方法

⑦建方日程に合わせた荷積み発送日の連絡

[4]――揚重機選定

使用重機が鉄骨建方計画と整合しているかを検証する。吊り能力のみでなく、ブロック単位での建て逃げ時でのクレーンブームの鉄骨との干渉、限界吊り高さ、建物内に重機を設置する場合での最小吊り半径・最小回転半径に注意する。また、揚重機の設置による補強などを検証する[表4、図12]。

[5]――建方方法の選定

前項までの条件を総合的に判断し、構造検討前での建方方法を選定する。図13に建方方法の特徴と留意事項を示す。鉄骨建方順序に伴い、仮締め部分と本接合部分の関係と、SRC造にあってはコンクリート打設で固められた部分との関係を確認し、仮締め状態で補強を要する部分や仮締めの期間などを把握する。

表4｜揚重機選定によるチェック項目

チェック項目	詳細
鉄骨最大重量	鉄骨本体重量だけでなく、揚重時に取り付ける仮設部材の重量も加算する
その他重量	・仮設材、あるいは先行揚重する資材の最大重量 ・鉄骨建方後の揚重が可能か
使用重機の能力	吊り能力だけでなく、最大高さ、最小吊り半径、最小回転半径などにも注意する
設置場所	・敷地内（建物外・建物内）か、道路上か ・搬入車両の設置位置にも注意する
組み立て場所	・敷地内で可能か ・架空線と干渉しないか ・道路使用の場合は交通制限が必要か
設置地盤	揚重機の設置による補強はされているか ・構台上：アウトリガー補強 ・置き構台上：躯体補強 ・スラブ上：躯体補強 ・地盤上：地盤改良、鉄板敷きの有無

図12｜鉄骨建方時の揚重機の選定

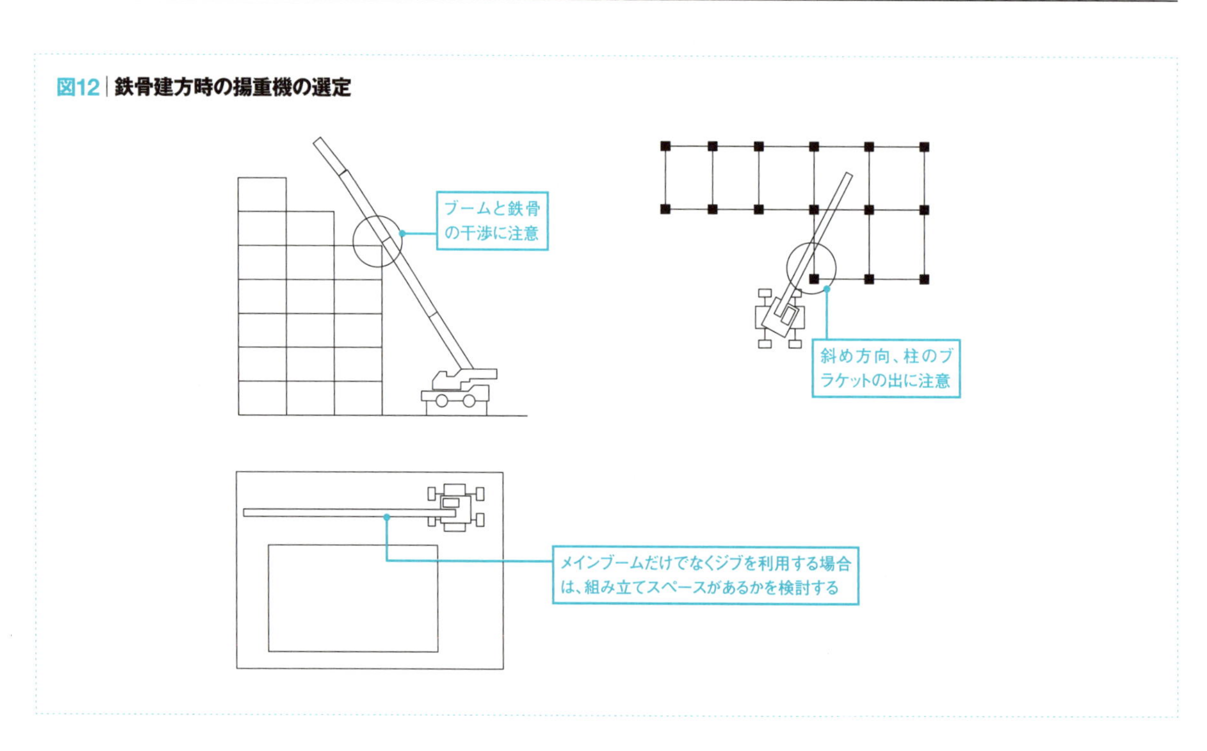

図13｜建方方法の選定

(1) 積層建方方式

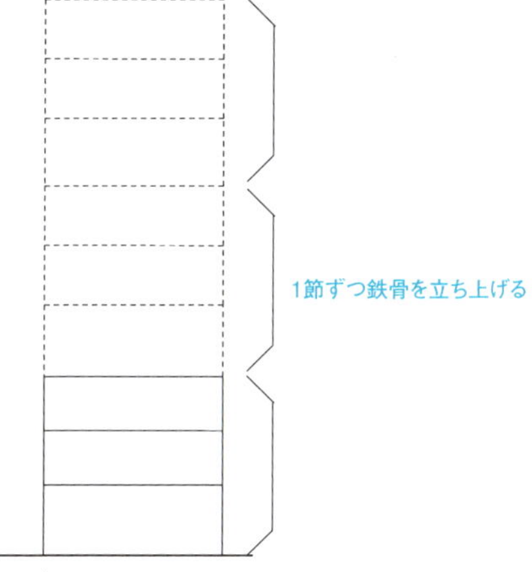

・1節ずつ建方を行う
・節ごとの建方の揚重計画(揚重スペース、タワークレーンの使用など)が必要
・建方としては最も安定した方法

(2) 一気建て方式

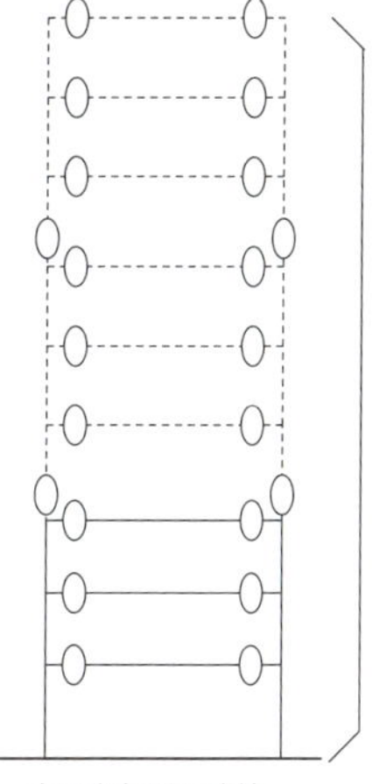

・一度に建方を行う方法
・鉄骨のみを先行して建てるため、工期・揚重コストでメリットがある。
・仮ボルト状態での建方となるため、鉄骨の自立性、建方手順などの詳細検討が必要となる

(3) 部分建て逃げ方式

①本締め部分完了

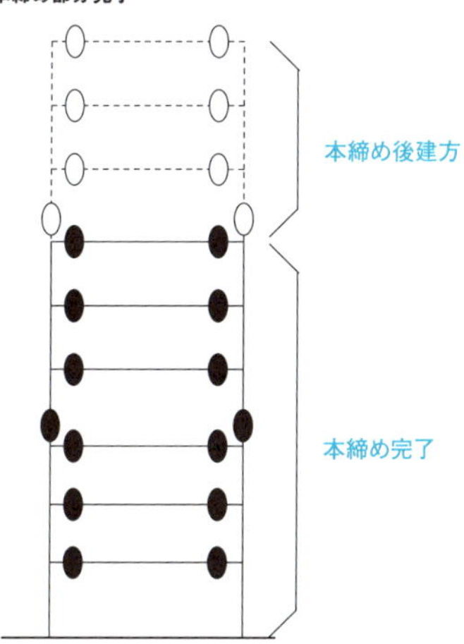

②コンクリート躯体部分完了

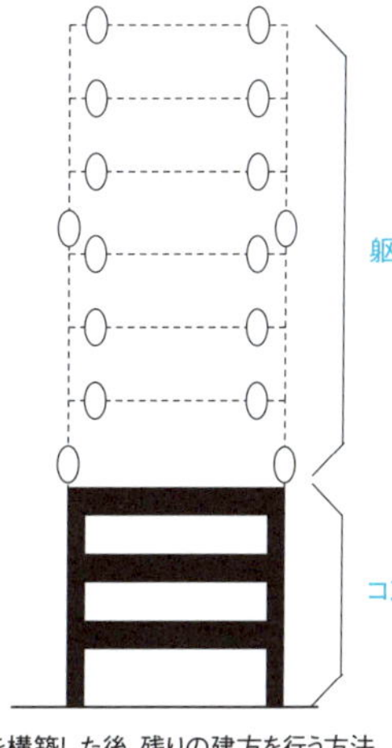

・安定して建てられる高さまで一気建てを行い、ボルト本締め、またはコンクリート躯体を構築した後、残りの建方を行う方法
・残りの建方部分の揚重計画(揚重スペース、タワークレーンの使用など)が必要
・本締めだけでは安定性を確保できないSRC造の鉄骨の場合は、②の方法を採用する

自立計算の結果、一気建て方式では大がかりな補強が必要となるか、十分な安定性が得られない場合は、積層建方方式か部分建て逃げ方式への変更も検討します

3 | 荷重の算定

荷重・外力評価

[1]——鉛直荷重

鉄骨自重、先組み鉄筋、仮設部材(ハイステージ、吊り足場など)、施工時積載荷重などを考慮する。また、状況に応じて積雪荷重なども考慮する。

簡易的に荷重を算定する場合は、鉄骨自重、先組み鉄筋、施工積載を除いた仮設物荷重を0.5kN/m^2程度と仮定する。

[2]——風荷重

風荷重は、鉄骨部材、グリーンネット、亀甲金網、足場用枠付き金網(エキスパンドメタル)、菱形金網、養生シートなど、実状に応じて風を受ける場合を考慮する。

基準風速V_0は、平成12年建設省告示1454号第2に規定されている値を用いる。ただし、基準風速は台風や季節風を含んだデータなので、季節や施工期間、周辺環境により適宜判断して低減してもよい。

また、現場に対象建物よりも大きい(高い)建物が隣接しているような場合は、風荷重を受けないとするか、低減してもよい[図14(1)]。

養生シートなどで鉄骨骨組外周を囲っている場合は、風上と風下の2面分の風力係数を採用して算定する[図14(2)]。

グリーンネットなどで空隙のある養生材では、通り抜けた風が鉄骨骨組に当たり、さらに風下へ通り抜けていくため、風力係数の算定が複雑になるが、養生材と鉄骨骨組の両者を加算すれば、安全側の算定となる。

鉄骨骨組のみの場合は、各通りの柱・梁が見付け面積上重なっている。この場合、風上側の柱・梁に対し、風下にある柱・梁は風力係数が低減できる[図14(3)]。

[3]——地震荷重

地震荷重は、(一社)日本建築学会の『建築物荷重指針・同解説』に準じて算定する。その際、地震力は震度5弱(100gal)程度を想定する。

図14 | 風荷重の算定

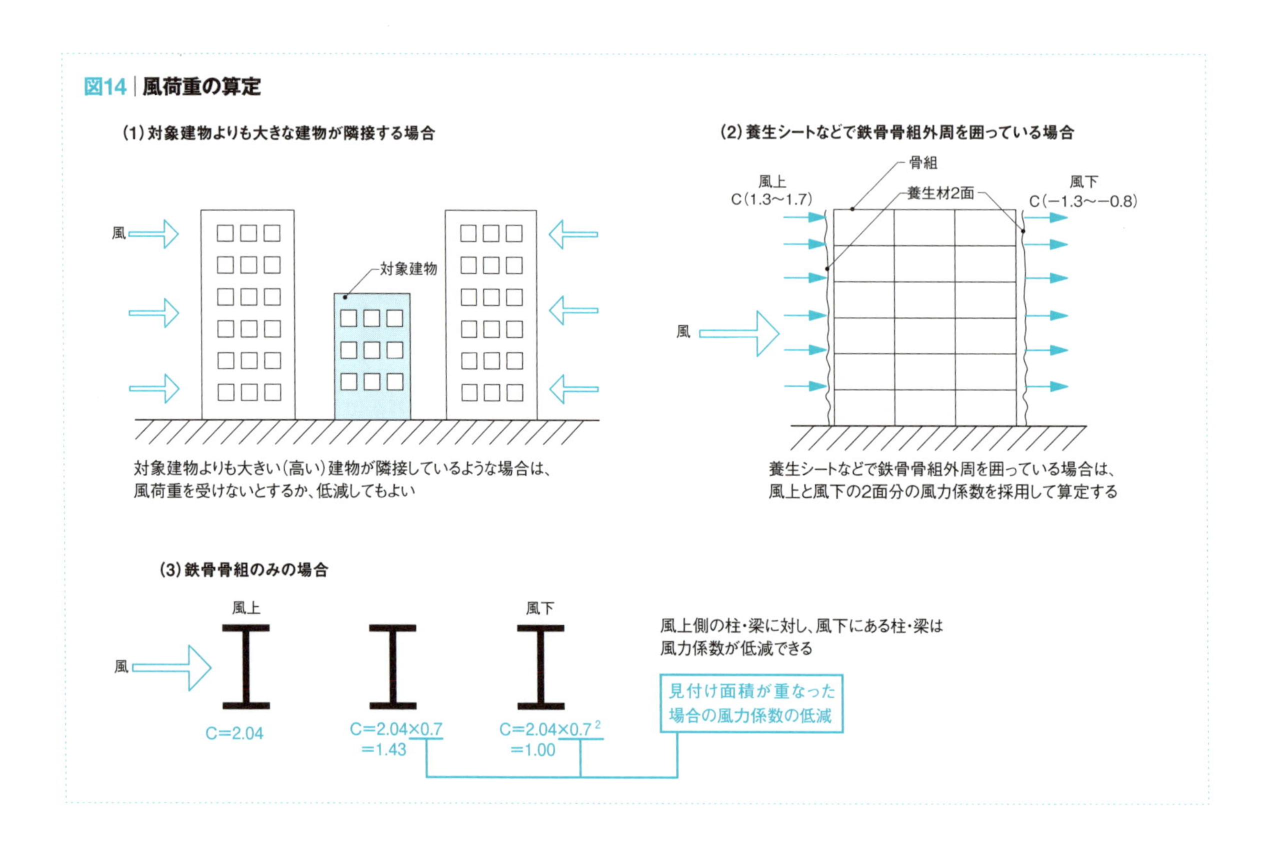

風に対する安全性確認

風に対する安全性確認は(一社)日本建築学会の『鉄骨工事技術指針・工事現場施工編』に準じて行う。風荷重の算定は下記の手順による。

①建設地点の地理的位置を基に基準風速V_0を決める[308～310頁表5]

②建設地点の周辺地域の状況に応じて、地表面粗度区分を決める[311頁表6]

③基準風速と地表面粗度区分に応じて速度圧qを設定する[図15参照]。なお、速度圧qは状況に応じて低減することができる[311頁表7]

④風力係数Cを鉄骨骨組と養生材に応じて決める[311頁表8]

⑤速度圧q、風力係数C、見付け面積Aを乗じて風荷重Pを求める(P＝C･q･A)

上記のうち、④・⑤については、次の点について考慮されているかを確認し、補強不足があれば対策を立てて実施する。

①積み上げ方式と建て逃げ方式などによる建方手順のステップごとの風荷重は考慮されているか

②吊り足場の種類による風荷重は考慮されているか

③外周および水平養生のネットの種類による風荷重は考慮されているか

図15｜地表面粗度区分ごとの各基準風速別の速度圧

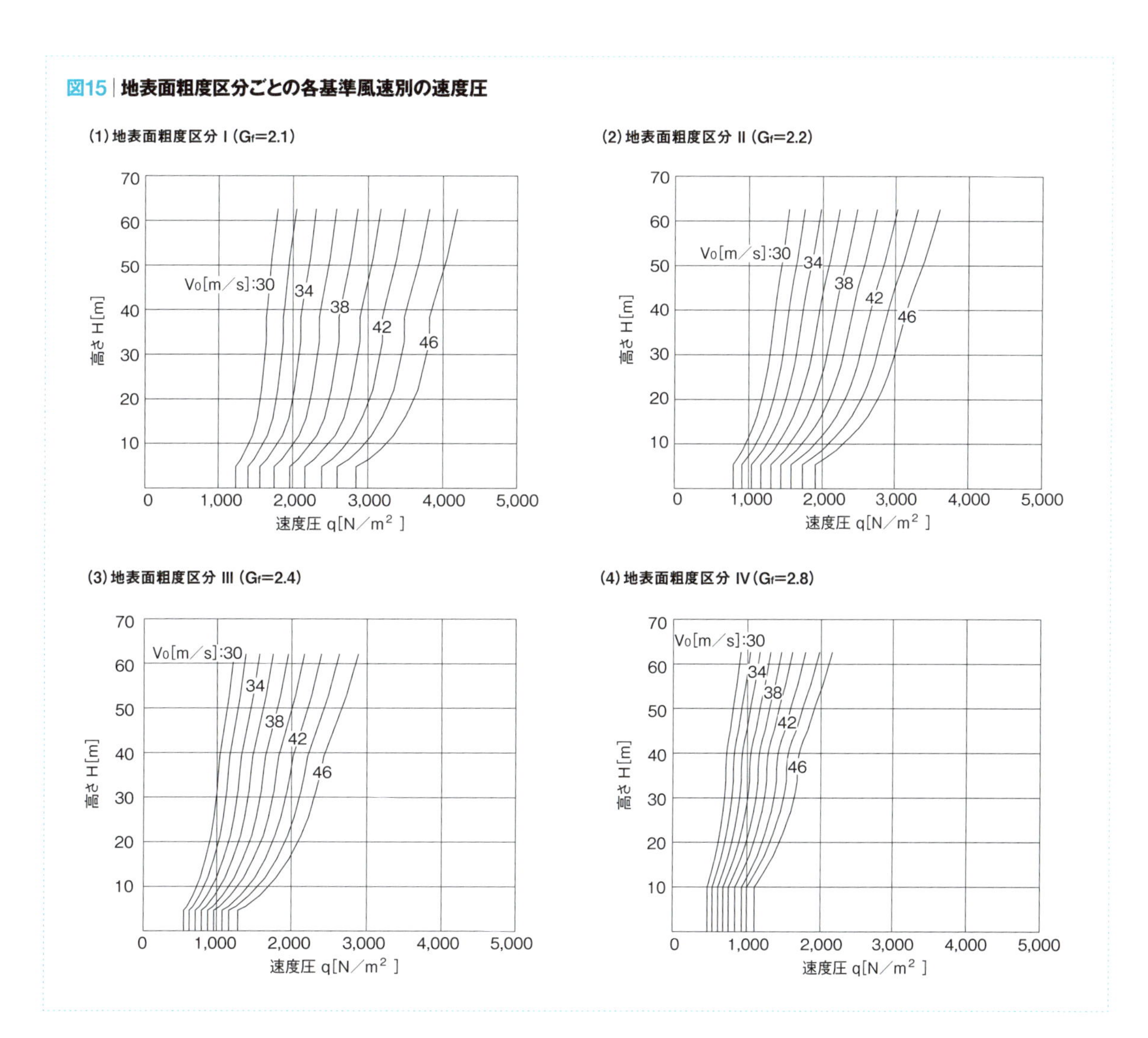

図15出典：『鉄骨工事技術指針・工事現場施工編』((一社)日本建築学会)

表5｜基準風速 V_0（平12建告1454号第2）

	地域	V_0[m/s]
(1)	(2)から(9)までに掲げる地方以外の地方	30
(2)	北海道のうち 札幌市　小樽市　網走市　留萌市　稚内市　江別市　紋別市　名寄市　千歳市　恵庭市　北広島市　石狩市　石狩郡　厚田郡　浜益郡　空知郡のうち南幌町　夕張郡のうち由仁町及び長沼町　上川郡のうち風連町及び下川町　中川郡のうち美深町、音威子府村及び中川町　増毛郡　留萌郡　苫前郡　天塩郡　宗谷郡　枝幸郡　礼文郡　利尻郡　網走郡のうち東藻琴村、女満別町及び美幌町　斜里郡のうち清里町及び小清水町　常呂郡のうち端野町、佐呂間町及び常呂町　紋別郡のうち上湧別町、湧別町、興部町、西興部村及び雄武町　勇払郡のうち追分町及び穂別町　沙流郡のうち平取町　新冠郡　静内郡　三石郡　浦河郡　様似郡　幌泉郡　厚岸郡のうち厚岸町　川上郡 岩手県のうち 久慈市　岩手郡のうち葛巻町　下閉伊郡のうち田野畑村及び普代村　九戸郡のうち野田村及び山形村　二戸郡 秋田県のうち 秋田市　大館市　本荘市　鹿角市　鹿角郡　北秋田郡のうち鷹巣町、比内町、合川町及び上小阿仁村　南秋田郡のうち五城目町、昭和町、八郎潟町、飯田川町、天王町及び井川町　由利郡のうち仁賀保町、金浦町、象潟町、岩城町及び西目町 山形県のうち 鶴岡市　酒田市　西田川郡　飽海郡のうち遊佐町 茨城県のうち 水戸市　下妻市　ひたちなか市　東茨城郡のうち内原町　西茨城郡のうち友部町及び岩間町　新治郡のうち八郷町　真壁郡のうち明野町及び真壁町　結城郡　猿島郡のうち五霞町、猿島町及び境町 埼玉県のうち 川越市　大宮市　所沢市　狭山市　上尾市　与野市　入間市　桶川市　久喜市　富士見市　上福岡市　蓮田市　幸手市　北足立郡のうち伊奈町　入間郡のうち大井町及び三芳町　南埼玉郡　北葛飾郡のうち栗橋町、鷲宮町及び杉戸町 東京都のうち 八王子市　立川市　昭島市　日野市　東村山市　福生市　東大和市　武蔵村山市　羽村市　あきる野市　西多摩郡のうち瑞穂町 神奈川県のうち 足柄上郡のうち山北町　津久井郡のうち津久井町、相模湖町及び藤野町 新潟県のうち 両津市　佐渡郡　岩船郡のうち山北町及び粟島浦村 福井県のうち 敦賀市　小浜市　三方郡　遠敷郡　大飯郡 山梨県のうち 富士吉田市　南巨摩郡のうち南部町及び富沢町　南都留郡のうち秋山村、道志村、忍野村、山中湖村及び鳴沢村 岐阜県のうち 多治見市　関市　美濃市　美濃加茂市　各務原市　可児市　揖斐郡のうち藤橋村及び坂内村　本巣郡のうち根尾村　山県郡　武儀郡のうち洞戸村及び武芸川町　加茂郡のうち坂祝町及び富加町 静岡県のうち 静岡市　浜松市　清水市　富士宮市　島田市　磐田市　焼津市　掛川市　藤枝市　袋井市　湖西市　富士郡　庵原郡　志太郡　榛原郡のうち御前崎町、相良町、榛原町、吉田町及び金谷町　小笠郡　磐田郡のうち浅羽町、福田町、竜洋町及び豊田町　浜名郡　引佐郡のうち細江町及び三ケ日町 愛知県のうち 豊橋市　瀬戸市　春日井市　豊川市　豊田市　小牧市　犬山市　尾張旭市　日進市　愛知郡　丹羽郡　額田郡のうち額田町　宝飾郡　西加茂郡のうち三好町 滋賀県のうち 大津市　草津市　守山市　滋賀郡　栗太郡　伊香郡　高島郡 京都府 大阪府のうち 高槻市　枚方市　八尾市　寝屋川市　大東市　柏原市　東大阪市　四条畷市　交野市　三島郡　南河内郡のうち太子町、河南町及び千早赤阪村 兵庫県のうち 姫路市　相生市　豊岡市　龍野市　赤穂市　西脇市　加西市　篠山市　多可郡　飾磨郡　神崎郡　揖保郡　赤穂郡　宍粟郡　城崎郡　出石郡　美方郡　養父郡　朝来郡　氷上郡 奈良県のうち 奈良市　大和高田市　大和郡山市　天理市　橿原市　桜井市　御所市　生駒市　香芝市　添上郡　山辺郡　生駒郡　磯城郡　宇陀郡のうち大宇陀町、菟田野町、榛原町及び室生村　高市郡　北葛城郡 鳥取県のうち 鳥取市　岩美郡　八頭郡のうち郡家町、船岡町、八東町及び若桜町 島根県のうち 益田市　美濃郡のうち匹見町　鹿足郡のうち日原町　隠岐郡 岡山県のうち 岡山市　倉敷市　玉野市　笠岡市　備前市　和気郡のうち日生町　邑久郡　児島郡　都窪郡　浅口郡 広島県のうち 広島市　竹原市　三原市　尾道市　福山市　東広島市　安芸郡のうち府中町　佐伯郡のうち湯来町及び吉和村　山県郡のうち筒賀村　賀茂郡のうち河内町　豊田郡のうち本郷町　御調郡のうち向島町　沼隈郡 福岡県のうち 山田市　甘木市　八女市　豊前市　小郡市　嘉穂郡のうち桂川町、稲築町、碓井町及び嘉穂町　朝倉郡　浮羽郡　三井郡　八女郡　田川郡のうち添田町、川崎町、大任町及び赤村　京都郡のうち犀川町　築上郡 熊本県のうち 山鹿市　菊池市　玉名郡のうち菊水町、三加和町及び南関町　鹿本郡　菊池郡　阿蘇郡のうち一の宮町、阿蘇町、産山村、波野村、蘇陽町、高森町、白水村、久木野村、長陽村及び西原村 大分県のうち 大分市　別府市　中津市　日田市　佐伯市　臼杵市　津久見市　竹田市　豊後高田市　杵築市　宇佐市　西国東郡　東国東郡　速見郡　大分郡のうち野津原町、狭間町及び庄内町　北海部郡　南海部郡　大野郡　直入郡　下毛郡　宇佐郡 宮崎県のうち 西臼杵郡のうち高千穂町及び日之影町　東臼杵郡のうち北川町	32

表5出典：『鉄骨工事技術指針・工事現場施工編』（（一社）日本建築学会）

表5｜基準風速 V0（続き）

	地域	V0[m/s]
(3)	北海道のうち 函館市　室蘭市　苫小牧市　根室市　登別市　伊達市　松前郡　上磯郡　亀田郡　茅部郡　斜里郡のうち斜里町　虻田郡　岩内郡のうち共和町　積丹郡　古平郡　余市郡　有珠郡　白老郡　勇払郡のうち早来町、厚真町及び鵡川町　沙流郡のうち門別町　厚岸郡のうち浜中町　野付郡　標津郡　目梨郡 青森県 岩手県のうち 二戸市　九戸郡のうち軽米町、種市町、大野村及び九戸村 秋田県のうち 能代市　男鹿市　北秋田郡のうち田代町　山本郡　南秋田郡のうち若美町及び大潟村 茨城県のうち 土浦市　石岡市　龍ヶ崎市　水海道市　取手市　岩井市　牛久市　つくば市　東茨城郡のうち茨城町、小川町、美野里町及び大洗町　鹿島郡のうち旭村、鉾田町及び大洋村　行方郡のうち麻生町、北浦町及び玉造町　稲敷郡　新治郡のうち霞ケ浦町、玉里村、千代田町及び新治村　筑波郡　北相馬郡 埼玉県のうち 川口市　浦和市　岩槻市　春日部市　草加市　越谷市　蕨市　戸田市　鳩ヶ谷市　朝霞市　志木市　和光市　新座市　八潮市　三郷市　吉川市　北葛飾郡のうち松伏町及び庄和町 千葉県のうち 市川市　船橋市　松戸市　野田市　柏市　流山市　八千代市　我孫子市　鎌ヶ谷市　浦安市　印西市　東葛飾郡　印旛郡のうち白井町 東京都のうち 23区　武蔵野市　三鷹市　府中市　調布市　町田市　小金井市　小平市　国分寺市　国立市　田無市　保谷市　狛江市　清瀬市　東久留米市　多摩市　稲城市 神奈川県のうち 横浜市　川崎市　平塚市　鎌倉市　藤沢市　小田原市　茅ヶ崎市　相模原市　秦野市　厚木市　大和市　伊勢原市　海老名市　座間市　南足柄市　綾瀬市　高座郡　中郡　足柄上郡のうち中井町、大井町、松田町及び開成町　足柄下郡　愛甲郡　津久井郡のうち城山町 岐阜県のうち 岐阜市　大垣市　羽島市　羽島郡　海津郡　養老郡　不破郡　安八郡　揖斐郡のうち揖斐川町、谷汲村、大野町、池田町、春日村及び久瀬村　本巣郡のうち北方町、本巣町、穂積町、巣南町、真正町及び糸貫町 静岡県のうち 沼津市　熱海市　三島市　富士市　御殿場市　裾野市　賀茂郡のうち松崎町、西伊豆町及び賀茂村　田方郡　駿東郡 愛知県のうち 名古屋市　岡崎市　一宮市　半田市　津島市　碧南市　刈谷市　安城市　西尾市　蒲郡市　常滑市　江南市　尾西市　稲沢市　東海市　大府市　知多市　知立市　高浜市　岩倉市　豊明市　西春日井郡　葉栗郡　中島郡　海部郡　知多郡　幡豆郡　額田郡のうち幸田町　渥美郡 三重県 滋賀県のうち 彦根市　長浜市　近江八幡市　八日市市　野洲郡　甲賀郡　蒲生郡　神崎郡　愛知郡　犬上郡　坂田郡　東浅井郡 大阪府のうち 大阪市　堺市　岸和田市　豊中市　池田市　吹田市　泉大津市　貝塚市　守口市　茨木市　泉佐野市　富田林市　河内長野市　松原市　和泉市　箕面市　羽曳野市　門真市　摂津市　高石市　藤井寺市　泉南市　大阪狭山市　阪南市　豊能郡　泉北郡　泉南郡　南河内郡のうち美原町 兵庫県のうち 神戸市　尼崎市　明石市　西宮市　洲本市　芦屋市　伊丹市　加古川市　宝塚市　三木市　高砂市　川西市　小野市　三田市　川辺郡　美嚢郡　加東郡　加古郡　津名郡　三原郡 奈良県のうち 五條市　吉野郡　宇陀郡のうち曽爾村及び御杖村 和歌山県 島根県のうち 鹿足郡のうち津和野町、柿木村及び六日市町 広島県のうち 呉市　因島市　大竹市　廿日市市　安芸郡のうち海田町、熊野町、坂町、江田島町、音戸町、倉橋町、下蒲刈町及び蒲刈町　佐伯郡のうち大野町、佐伯町、宮島町、能美町、沖美町及び大柿町　賀茂郡のうち黒瀬町　豊田郡のうち安芸津町、安浦町、川尻町、豊浜町、豊町、大崎町、東野町、木江町及び瀬戸田町 山口県 徳島県のうち 三好郡のうち三野町、三好町、池田町及び山城町 香川県 愛媛県 高知県のうち 土佐郡のうち大川村及び本川村　吾川郡のうち池川町 福岡県のうち 北九州市　福岡市　大牟田市　久留米市　直方市　飯塚市　田川市　柳川市　筑後市　大川市　行橋市　中間市　筑紫野市　春日市　大野城市　宗像市　太宰府市　前原市　古賀市　筑紫郡　糟屋郡　宗像郡　遠賀郡　鞍手郡　嘉穂郡のうち筑穂町、穂波町、庄内町及び頴田町　糸島郡　三潴郡　山門郡　三池郡　田川郡のうち香春町、金田町、糸田町、赤池町及び方城町　京都郡のうち苅田町、勝山町及び豊津町 佐賀県 長崎県のうち 長崎市　佐世保市　島原市　諫早市　大村市　平戸市　松浦市　西彼杵郡　東彼杵郡　北高来郡　南高来郡　北松浦郡　南松浦郡のうち若松町、上五島町、新魚目町、有川町及び奈良尾町　壱岐郡　下県郡　上県郡 熊本県のうち 熊本市　八代市　人吉市　荒尾市　水俣市　玉名市　本渡市　牛深市　宇土市　宇土郡　下益城郡　玉名郡のうち岱明町、横島町、天水町、玉東町及び長洲町　上益城郡　八代郡　葦北郡　球磨郡　天草郡 宮崎県のうち 延岡市　日向市　西都市　西諸県郡のうち須木村　児湯郡　東臼杵郡のうち門川町、東郷町、南郷村、西郷村、北郷村、北方町、北浦町、諸塚村及び椎葉村　西臼杵郡のうち五ケ瀬町	34

表5｜基準風速 V_0（続き）

	地域	V_0[m/s]
(4)	北海道のうち 山越郡　檜山郡　爾志郡　久遠郡　奥尻郡　瀬棚郡　島牧郡　寿都郡　岩内郡のうち岩内町　磯谷郡　古宇郡 茨城県のうち 鹿島市　鹿島郡のうち神栖町及び波崎町　行方郡のうち牛掘町及び潮来町 千葉県のうち 千葉市　佐原市　成田市　佐倉市　習志野市　四街道市　八街市　印旛郡のうち酒々井町、富里町、印旛村、本埜村及び栄町　香取郡　山武郡のうち山武町及び芝山町 神奈川県のうち 横須賀市　逗子市　三浦市　三浦郡 静岡県のうち 伊東市　下田市　賀茂郡のうち東伊豆町、河津町及び南伊豆町 徳島県のうち 徳島市　鳴門市　小松島市　阿南市　勝浦郡　名東郡　名西郡　那賀郡のうち那賀川町及び羽ノ浦町　板野郡　阿波郡　麻植郡　美馬郡　三好郡のうち井川町、三加茂町、東祖谷山村及び西祖谷山村 高知県のうち 宿毛市　長岡郡　土佐郡のうち鏡村、土佐山村及び土佐町　吾川郡のうち伊野町、吾川村及び吾北村　高岡郡のうち佐川町、越知町、檮原町、大野見村、東津野村、葉山村、仁淀村及び日高村　幡多郡のうち大正町、大月町、十和村、西土佐村及び三原村 長崎県のうち 福江市　南松浦郡のうち富江町、玉之浦町、三井楽町、岐宿町及び奈留町 宮崎県のうち 宮崎市　都城市　日南市　小林市　串間市　えびの市　宮崎郡　南那珂郡　北諸県郡　西諸県郡のうち高原町及び野尻町　東諸県郡 鹿児島県のうち 川内市　阿久根市　出水市　大口市　国分市　鹿児島郡のうち吉田町　薩摩郡のうち樋脇町、入来町、東郷町、宮之城町、鶴田町、薩摩町及び祁答院町　出水郡　伊佐郡　姶良郡　曽於郡	36
(5)	千葉県のうち 銚子市　館山市　木更津市　茂原市　東金市　八日市場市　旭市　勝浦市　市原市　鴨川市　君津市　富津市　袖ヶ浦市　海上郡　匝瑳郡　山武郡のうち大網白里町、九十九里町、成東町、蓮沼村、松尾町及び横芝町　長生郡　夷隅郡　安房郡 東京都のうち 大島町　利島村　新島村　神津島村　三宅村　御蔵島村 徳島県のうち 那賀郡のうち鷲敷町、相生町、上那賀町、木沢村及び木頭村　海部郡 高知県のうち 高知市　安芸市　南国市　土佐市　須崎市　中村市　土佐清水市　安芸郡のうち馬路村及び芸西村　香美郡　吾川郡のうち春野町　高岡郡のうち中土佐町及び窪川町　幡多郡のうち佐賀町及び大方町 鹿児島県のうち 鹿児島市　鹿屋市　串木野市　垂水市　鹿児島郡のうち桜島町　肝属郡のうち串良町、東串良町、高山町、吾平町、内之浦町及び大根占町　日置郡のうち市来町、東市来町、伊集院町、松元町、郡山町、日吉町及び吹上町	38
(6)	高知県のうち 室戸市　安芸郡のうち東洋町、奈半利町、田野町、安田町及び北川村 鹿児島県のうち 枕崎市　指宿市　加世田市　西之表市　揖宿郡　川辺郡　日置郡のうち金峰町　薩摩郡のうち里村、上甑村、下甑村及び鹿島村　肝属郡のうち根占町、田代町及び佐多町	40
(7)	東京都のうち 八丈町　青ヶ島村　小笠原村 鹿児島県のうち 熊毛郡のうち中種子町及び南種子町	42
(8)	鹿児島県のうち 鹿児島郡のうち三島村　熊毛郡のうち上屋久町及び屋久町	44
(9)	鹿児島県のうち 名瀬市　鹿児島郡のうち十島村　大島郡 沖縄県	46

表6｜地表面粗度区分

地表面粗度区分	周辺地域の地表面の状況	代表例
I	都市計画区域外にあって、極めて平坦で障害物がないものとして特定行政庁が規則で定める区域	海岸地帯
II	都市計画区域外にあって地表面粗度区分 Iの区域以外の区域（建築物の高さが13m以下の場合を除く）、または都市計画区域内にあって地表面粗度区分 IVの区域以外の区域のうち、海岸線または湖岸線（対岸までの距離が1,500m以上のものに限る）までの距離が500m以内の地域（ただし、建築物の高さが13m以下である場合、または当該海岸線もしくは湖岸線からの距離が200mを超え、かつ建築物の高さが31m以下である場合を除く）	田園地帯
III	地表面粗度区分 I、IIまたはIV以外の区域	森林地帯、工場地帯、住宅地
IV	都市計画区域内にあって、都市化が極めて著しいものとして特定行政庁が規則で定める区域	中・高層市街地

表7｜速度圧の低減率

<table>
<tr><th>区分</th><th>月
都道府県</th><th>1</th><th>2</th><th>3</th><th>4</th><th>5</th><th>6</th><th>7</th><th>8</th><th>9</th><th>10</th><th>11</th><th>12</th></tr>
<tr><td>I</td><td>北海道、青森、岩手、秋田、山形、宮城、福島</td><td colspan="4">1.0</td><td colspan="6">0.8</td><td colspan="2">1.0</td></tr>
<tr><td>II</td><td>関東各県、新潟、富山、石川、静岡、山梨、長野、岐阜、鳥取、島根</td><td colspan="4">1.0</td><td colspan="4">0.8</td><td>1.0</td><td colspan="3">0.8</td></tr>
<tr><td>III</td><td>愛知、三重、滋賀、福井、京都、大阪、奈良、兵庫、岡山、広島、山口、福岡、佐賀、長崎、大分</td><td colspan="4">0.8</td><td colspan="2">0.65</td><td>0.8</td><td colspan="2">1.0</td><td colspan="3">0.65</td></tr>
<tr><td>IV</td><td>四国各県、和歌山、熊本、宮崎、鹿児島の一部</td><td colspan="4">0.65</td><td colspan="2">0.5</td><td>0.65</td><td colspan="2">1.0</td><td colspan="3">0.65</td></tr>
<tr><td>V</td><td>沖縄および V0＝40m/sの地域</td><td colspan="6">0.5</td><td>0.65</td><td colspan="2">1.0</td><td colspan="3">0.5</td></tr>
</table>

注1　仮ボルト期間が2カ月を超える場合は低減しない
注2　台風発生時は気象情報に応じて対応する

表8｜鉄骨部材の断面形状と風力係数 C

断面	C	断面	C
 V → C	2.03		1.99
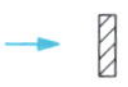	1.96～2.01		1.62
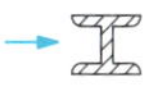	2.04	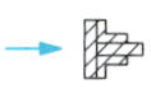	2.01
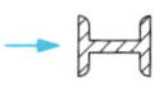	1.81	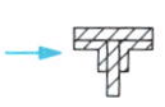	1.99
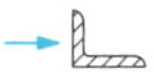	2.00	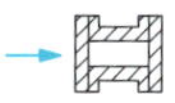	2.19
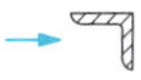	1.83	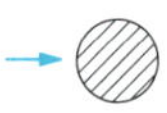	1.20

表6～8出典：『鉄骨工事技術指針・工事現場施工編』（（一社）日本建築学会）

4 | 鉄骨建方時の安全性検討

check

- □ 補強ワイヤを設けたことで、柱や梁には設計時に想定していなかった軸力が作用する
- □ 大梁鉄骨中間部に張り出し部材を取り付ける場合、大梁を軸方向回りにねじるモーメントが生じる
- □ クレーンのリース会社が計算する範囲は、揚重機を受ける仮設の桁までであり、桁を支える本設鉄骨が安全であるかの確認が必要となる

柱・梁と補強ワイヤの検討

鉄骨建方時の安全性を確保する方法は、補強ワイヤによる方法と仮ボルトによる方法の2つがある。仮ボルトによる方法は、建方時に風によって骨組みに作用する応力を求め、必要な仮ボルトの取り付け本数と位置を計算で決めるものであるが、現場管理が難しいので一般的ではない。よって、ここでは補強ワイヤによる方法について解説する。

あるフロアに作用する風荷重は、そのフロアより上階に作用する荷重の合計になる。補強ワイヤは、この荷重を下階の水平力が支持できるフロアに伝えていくことができるようにサイズを決める。

このとき、柱や梁には設計時に想定していなかった軸力が作用するため、必ず安全性のチェックをしておく必要がある。特に、SRC造では断面が大きくないケースが多く、補強ワイヤの強度は十分でも、柱や梁が荷重（軸力）に耐えられない場合があるので注意する。

架構のモデル化と検討のポイント

安全性の検討は、実状に合わせて架構をモデル化して行うが、その場合は以下の点に留意する。

①建方途中を含め、最も不利な架構または部材の小さな架構をモデル化する（建方計画を十分考慮して決定する）

②ねじれを生ずるような架構の場合、ねじれ対策を含めた検討を行う

③仮ボルト接合の梁は、原則としてピン接合として取り扱う

④本締め後であっても、構造上剛接合とならない場合があるので注意する（梁と柱をウェブだけ接合しているような場合）

⑤鉄骨の弱軸・強軸の取り扱いに注意する

⑥補強材として使用するワイヤロープ、鋼棒、アングル、フラットバーなどは、引張材として考慮する（圧縮材としては用いない）

⑦一般の解析ソフトでは、引張材であっても解析上は引張・圧縮の両方に有効となる（座屈が考慮されない）ため、荷重方向を考慮し、圧縮に効く部材を除いたモデルでの解析を行う

⑧解析結果は、応力だけでなく、変形にも注意する。架空線や隣接建物との関係などから、応力ではなく過大な変形を制御するために補強（補剛）が必要となることがある

足場の計算

仮設計算法で鉄骨工事に関連するのが、足場、揚重機、鉄骨建方の計算である。また、大スパン仮支柱方式の鉄骨では、施工中の応力計算とジャッキダウン時の弾性変形計算が仕上げ工事などに影響を与えることがあるので、工事管理としては重要な項目となる。

このうち、鉄骨工事に関連する足場のなかで、張り出し足場は事前に労働基準監督署に届出を要する足場である。片持ち梁形式であり、チェックポイントとしては次の項目がある。

①荷重の設定

②張り出し部材の横座屈防止策

③桁材の変形と座屈防止策

④張り出し部材を支持する鉄骨部材の強度

特に、張り出し部材を支持する鉄骨部材に関しては、注意が必要である。張り出し部材の取り付けは極力、柱鉄骨とするべきであるが、SRC造の柱で、H形断面の弱軸方向に取り付く場合などもある。この場合は、柱自体の曲げ耐力も小さいため、柱梁接合部からの取り付けとし、逆側あるいは直交方向の大梁に反力を期待することが望ましい。

大梁鉄骨の中間部に張り出し部材を取り付けたい

場合は、図16上図に示すように、単純に梁に取り付けただけでは、大梁を軸方向回りにねじるモーメントが生じ、大梁がその方向にねじられてしまう。元々、H形鋼は強軸曲げに対しては強いが、ねじり曲げに対しては非常に弱い性質をもっている。

計画上、大梁中間部に張り出し部材を取り付ける必要がある場合の対処法としては、図16下図に示すように、反力を負担できる小梁を張り出し部材の反対側に設置し、それぞれを大梁と剛接にするなどの処置をする。この場合においても、応力と変形は計算で確認しておくことが必要である。

揚重機に関わる計算

鉄骨最上階にジブクレーンなどの揚重機を設置する場合や、タワークレーンのフロアクライミングを行う場合で、本設鉄骨梁に仮設荷重をかける場合の計算を考える。この場合のチェックポイントとしては、次の項目が挙げられる。

①揚重機荷重条件(作動、風、地震)
②鉄骨にかかる荷重(風、地震)
③揚重機の浮き上がり
④鉄骨梁に生じる応力、変形
⑤鉄骨梁のねじれ

揚重機に関わる計算は、クレーンのリース会社が行うことが多い。したがって、揚重機荷重条件における作動時、停止(暴風)時[※]、地震時のどの条件で断面が決定し、それぞれの条件でどの程度の安全率を見込んでいるのかを把握しておくことが重要である。

構造計算は、ある仮定の下に安全性を確認しているが、クレーン構造規格に示される風荷重と、建築基準法で示される風荷重は計算方法が若干異なっている。また、許容応力度の考え方もクレーン構造規格と建築基準法では異なるので、注意が必要である。

いずれにしても、想定した風荷重が風速何m/sに相当するのか、その場合の安全率はどの程度なのかを把握しておくことにより、台風が直撃する場合などの補強要否を判断することになる。

※——メーカー資料では、暴風時は「停止時」と表現される

図16 | 張り出し足場と本設鉄骨取り合い部の補強

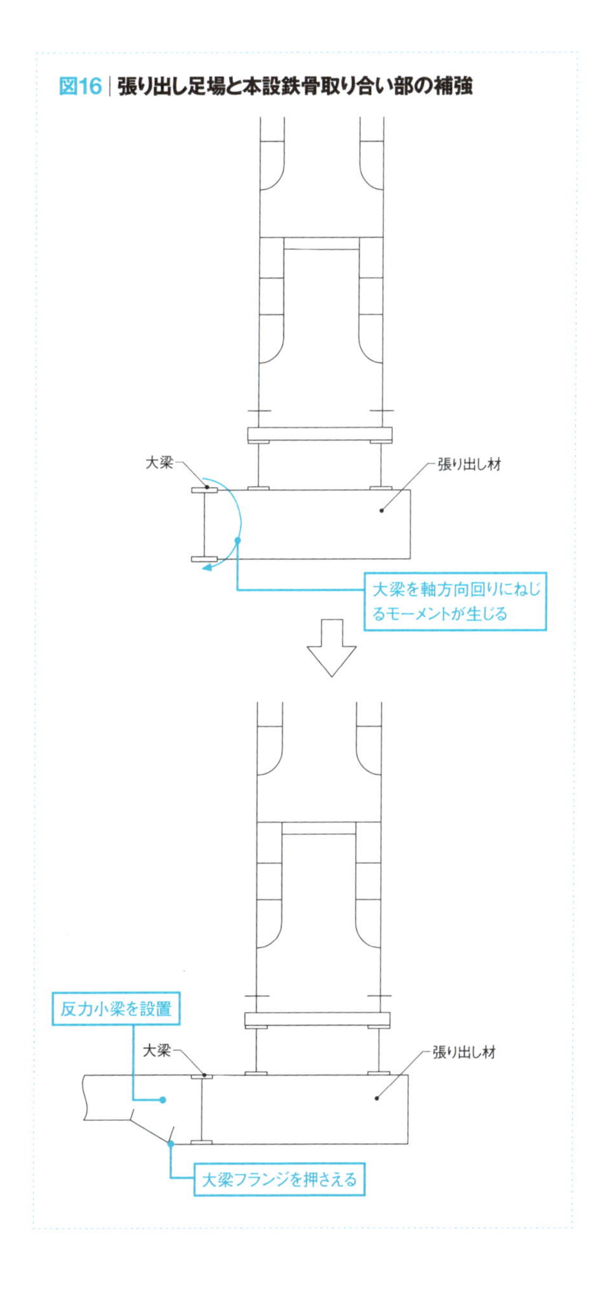

なお、注意が必要な点として、クレーンのリース会社が計算してくる範囲はほとんどの場合、揚重機を受ける仮設の桁までであるということである。したがって、桁を支える本設鉄骨が安全であるかを別途検討する必要がある。揚重機が風荷重や地震力を受ける場合は、決して揚重機のみが風荷重などを受けるわけではなく、必ず鉄骨本体も荷重を受けていることを忘れてはいけない。

揚重機作業荷重に対する検討

鉄骨建方後、屋上に揚重機を設置するか、建物に揚重機の控えを設ける場合は、鉄骨の自立性の検討に加え、揚重機による影響の検討が必要となる。以下に留意事項を示す。

①揚重機の荷重がかかる部分は、必ず本締めする。鉄骨が仮ボルト状態(本締め前)では、揚重機の荷重を建物に負担させない。または、揚重機を設置しない

②揚重機荷重は、必ず同条件でのメーカー資料による(機種、ブーム長さ、タワーの段数、設置高さ、控えの位置など)

③揚重機基礎荷重は、ブームの方向によって荷重パターンが多数存在する。全パターンをチェックして、危険側とならないように注意する[図17]

④荷重の検討は、鉛直荷重ならびに水平荷重について行う[図18・19]

⑤揚重機による躯体補強は、補強部材の追加によることとし、構造部材のサイズ変更は基本的に行わない(構造体の耐力バランスを崩すため)

図17|ブームの方向と荷重パターン

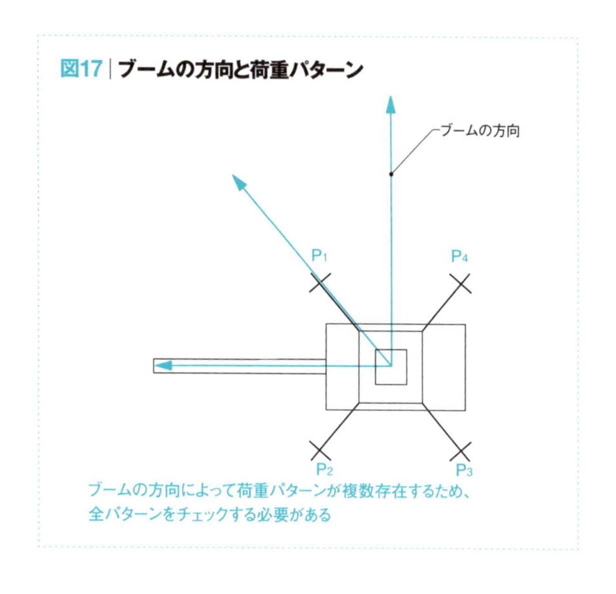

ブームの方向によって荷重パターンが複数存在するため、全パターンをチェックする必要がある

図18|鉛直荷重による検討

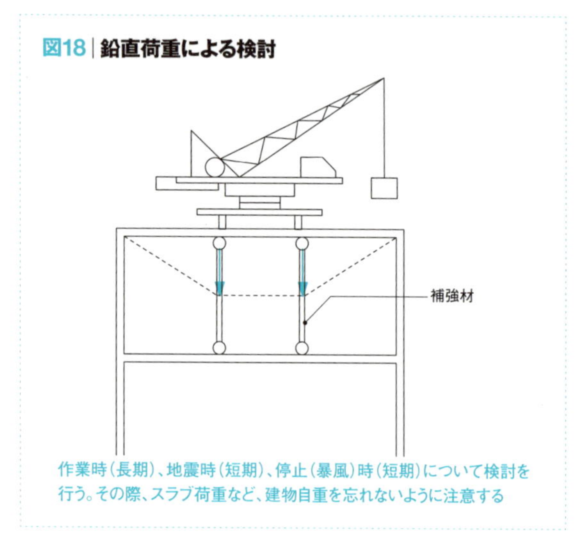

作業時(長期)、地震時(短期)、停止(暴風)時(短期)について検討を行う。その際、スラブ荷重など、建物自重を忘れないように注意する

図19|水平荷重による検討

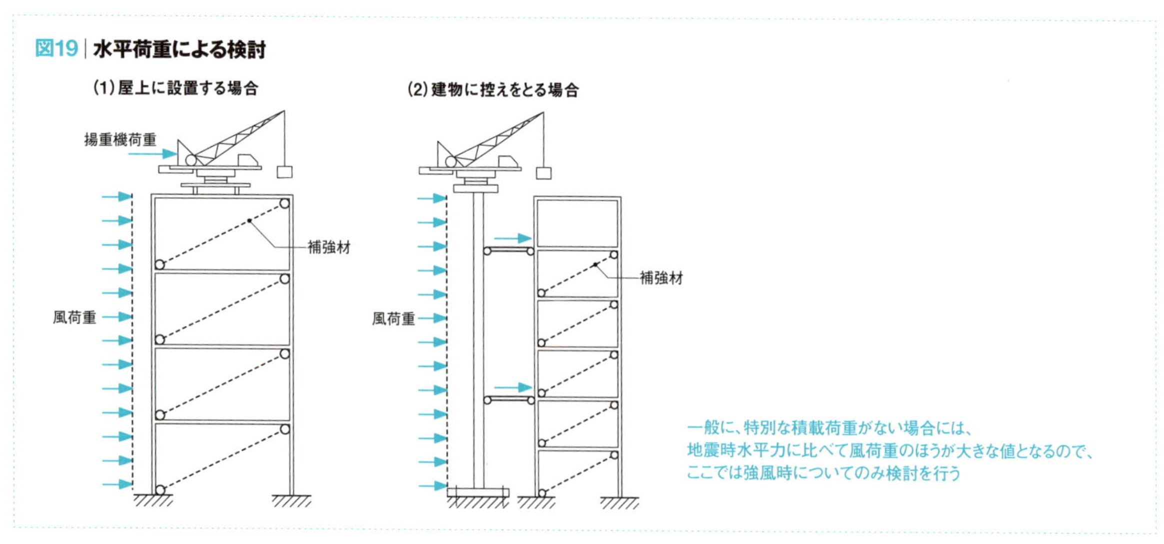

一般に、特別な積載荷重がない場合には、地震時水平力に比べて風荷重のほうが大きな値となるので、ここでは強風時についてのみ検討を行う

5 | 建方前のチェックポイント

安全性を確保するためには、以下の事項について、計画どおりに実施されているかを現場でチェックする必要がある。

①計画時の建方手順に変更がないか、また計画どおりの補強がされているかをチェックする。計画時の建方手順に変更があれば、補強方法を再検討する必要がある。また、足場の変更、外周の養生ネットの変更があれば、直ちに安全性を再確認する

②接合部の仮ボルトの数は問題ないかをチェックする[図20]

③補強ワイヤや筋かいは正しく配置されているかをチェックする[図21]

④製品の品質について、輸送や搬入時に生じた曲がりや変形、汚れなどがないか、あるいは補強材の取り付けピースが正しい位置に取り付けられているかをチェックし、問題がある場合は工場に送り返すなどの処置を行う。さらに、高力ボルト接合部の摩擦面の状態が適切であるかどうかを確認する

図21 | 補強ワイヤ・筋かいの配置

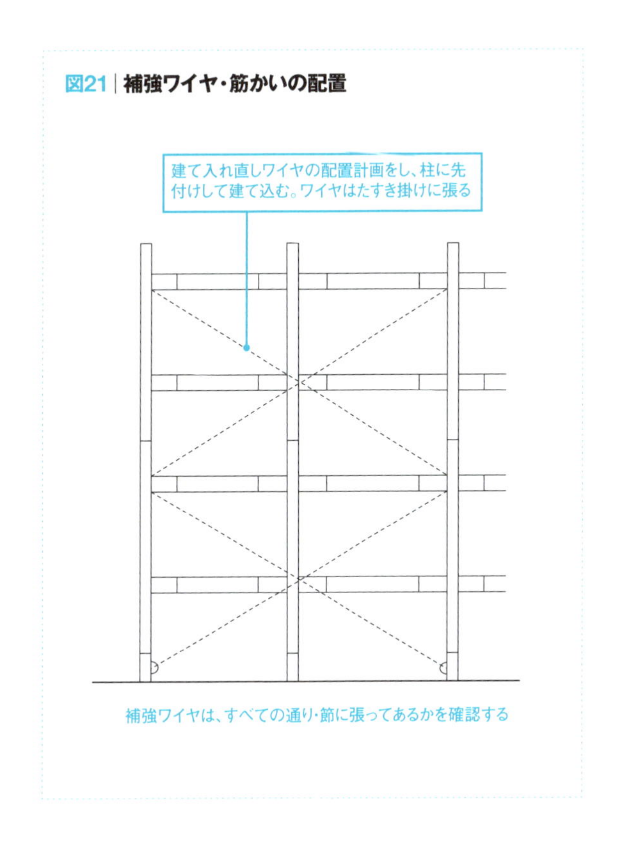

図20 | 接合部の仮ボルトの数の確認

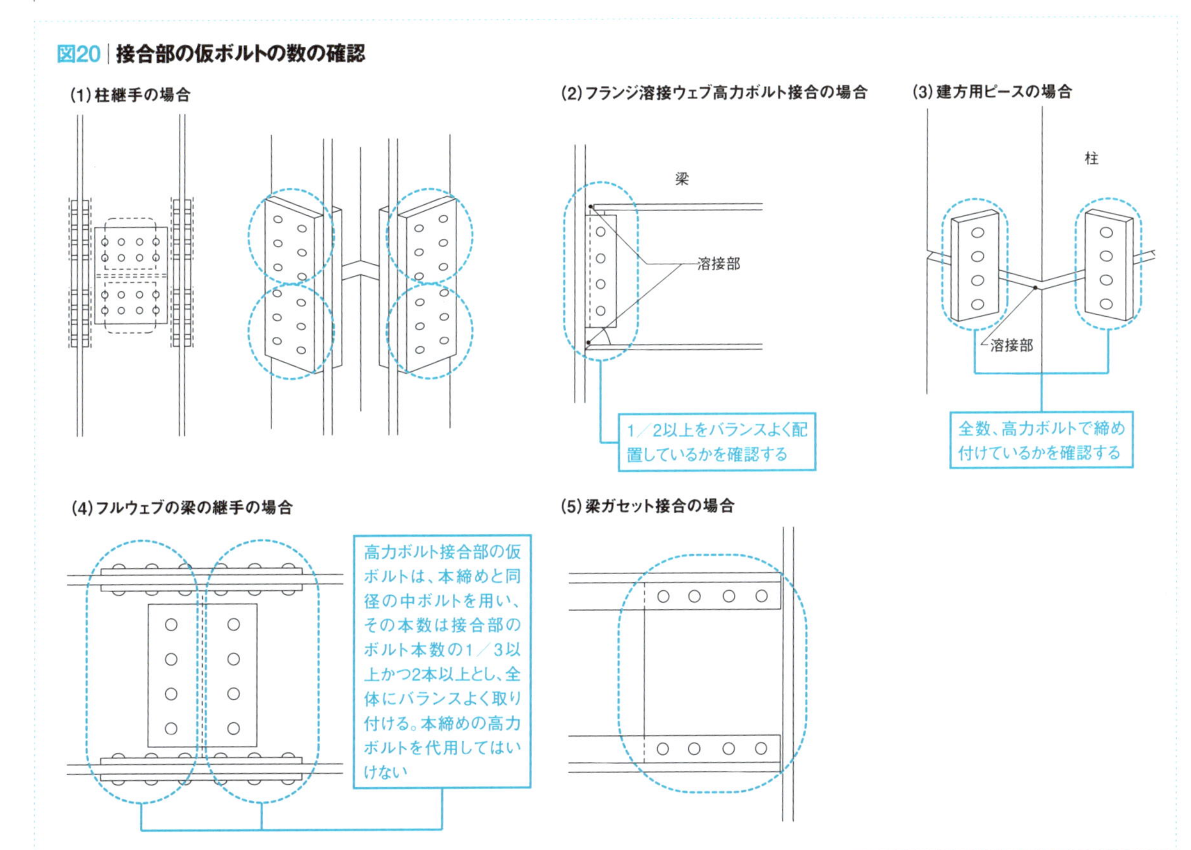

強風時の安全性検討

check

□ 通常は、地震時水平力よりも風荷重のほうが支配的になる
□ 風に対する安全性確認は(一社)日本建築学会の「鉄骨工事技術指針・工事現場施工編」に準じて行う

地震時水平力も考慮するが、通常は風荷重のほうが支配的となるので、本例題では強風時を例とする。検討の手順としては、建物にかかる風荷重を算定し、それに対して各部材の強度が十分であるかを確認する流れとなる。その結果、強度不足と判定された場合は、適切な対策を立てて実施する必要がある。

1 検討条件

step.1

設計条件

317頁に示す建物について計算する。当該建物の建設地などの詳細は以下に示すとおりである。

右の手順に則ってこの建物に作用する風荷重をまず算定し、大梁や補強ワイヤ、仮ボルト接合部などの強度と照らし合わせて問題がないかを確認する。

・建設地：東京23区
・地表面粗度区分：IV
・養生材：グリーンネット

①建設地点の地理的位置を基に基準風速 V_0 を決める
②建設地点の周辺地域の状況に応じて、地表面粗度区分を決める
③基準風速と地表面粗度区分に応じて速度圧qを設定する
④風力係数Cを鉄骨骨組と養生材に応じて決める
⑤速度圧q、風力係数C、見付け面積Aを乗じて風荷重Pを求める（P＝C･q･A）

鉄骨建方の様子

建物内部での作業の様子

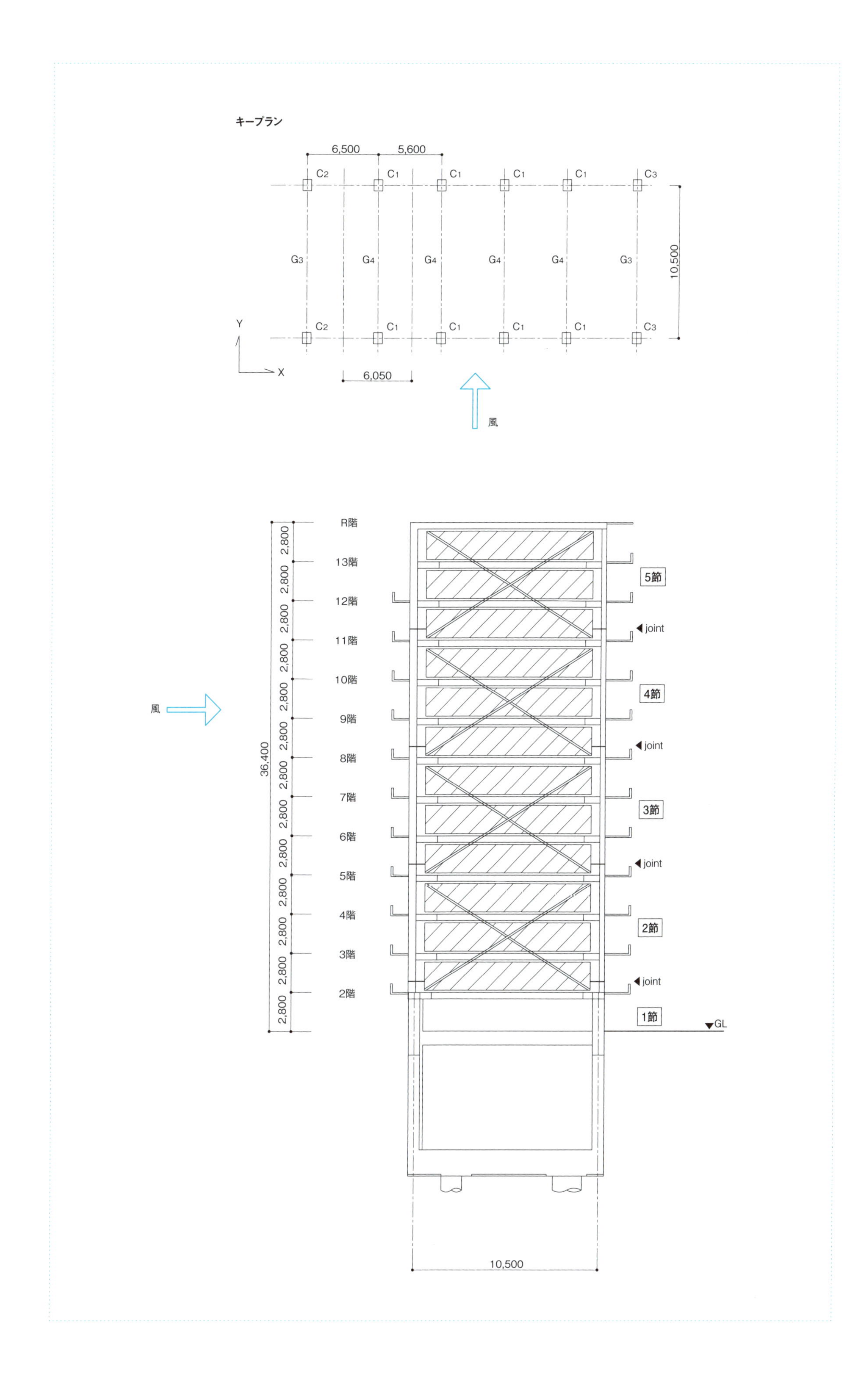
キープラン
6,500
5,600
C2
C1
C3
G3
G4
10,500
Y
X
6,050
風
R階
13階
12階
11階
10階
9階
8階
7階
6階
5階
4階
3階
2階
2,800
36,400
5節
4節
3節
2節
1節
joint
GL
10,500

風荷重算定のための準備計算

まず、建設地点の地理的位置から基準風速V_0を決める。本例題の建設地は「東京23区」なので、309頁表5よりV_0＝34m/sに設定される。

次に、建設地点の位置から地表面粗度区分を選定をする。区分の違いにより、設計用速度圧が大きく違ってくるので、311頁表6を参考にして、選定には注意しなければならない。ここでは、地表面粗度区分は「IV」である。

以上から下式により速度圧qを設定する。

速度圧 $q=0.6 \cdot E \cdot V_0^2 \cdot R$

E：当該建築物の屋根の高さおよび周辺の地域に存する建築物その他の工作物、樹木その他の風速に影響を与えるものの情況に応じて、国土交通省大臣が定める方法により算出した数値

R：再現期間換算係数

Eの数値は、平成12年建設省告示1454号第1に規定される算定式により算出する。地表面粗度区分は「IV」なので、Z_G＝550m、α=0.27。さらに、検討鉄骨高さ H=36.4mより、G_f=2.39であるので、

$$E=E_r^2 \cdot G_f=\left\{1.7 \cdot \left(\frac{H}{Z_G}\right)^{\alpha}\right\}^2 \cdot G_f=\left\{1.7 \times \left(\frac{36.4}{550}\right)^{0.27}\right\}^2 \times 2.39=0.817^2 \times 2.39=1.595$$

E_r：平均風速の高さ方向の分布を表す係数　　G_f：ガスト影響係数

また、再現期間換算係数Rはt＝10年と定めて算定すると、

$$R=0.61+0.10\left[-\log_e\left\{\log_e\left(\frac{t}{t-1}\right)\right\}\right]=0.61+0.10\left[-\log_e\left\{\log_e\left(\frac{10}{10-1}\right)\right\}\right]=0.835$$

よって、建物最高高さにおける速度圧qは以下のとおりとなる。

$$q=0.6 \cdot E \cdot V_0^2 \cdot R=0.6 \times 1.595 \times 34^2 \times 0.835 \fallingdotseq 925\,\mathrm{N/m^2}$$

次に、風力係数Cを鉄骨の養生材に応じて決める。本例題ではグリーンネットを使用しているが、グリーンネットの場合、養生材と鉄骨骨組の両者を加算して、エキスパンドメタル同程度のC＝0.45とする。

また、基準階における見付け面積Aは以下のとおりとする。

$$A=(6.5+5.6) \times \frac{1}{2} \times 2.8=16.9\,\mathrm{m^2}/\text{フロア}$$

step. 3 風荷重の算定

step.2の算定を基に各階の速度圧q、風力係数C、見付け面積Aを下式に当てはめて、各階に作用する風荷重Pを求める。

P=C·q·A　　C　q　A

節	階	風荷重	累計
5節	R階	P=0.45×925×16.9×1/2≒3,550N	3,550N
	13階	P=0.45×914×16.9≒6,950N	→ R階のP= 3,550Nを加算して 10,500N
	12階	P=0.45×899×16.9≒6,800N	→13階のP=10,500Nを加算して 17,300N
joint			
4節	11階	P=0.45×879×16.9≒6,650N	→12階のP=17,300Nを加算して 23,950N
	10階	P=0.45×854×16.9≒6,500N	→11階のP=23,950Nを加算して 30,450N
	9階	P=0.45×823×16.9≒6,250N	→10階のP=30,450Nを加算して 36,700N
joint			
3節	8階	P=0.45×787×16.9≒5,950N	→ 9階のP=36,700Nを加算して 42,650N
	7階	P=0.45×743×16.9≒5,650N	→ 8階のP=42,650Nを加算して 48,300N
	6階	P=0.45×691×16.9≒5,250N	→ 7階のP=48,300Nを加算して 53,550N
joint			
2節	5階	P=0.45×628×16.9≒4,750N	→ 6階のP=53,550Nを加算して 58,300N
	4階	P=0.45×596×16.9≒4,550N	→ 5階のP=58,300Nを加算して 62,850N
	3階	P=0.45×596×16.9≒4,550N	→ 4階のP=62,850Nを加算して 67,400N
joint			
1節	2階	P=0.45×596×16.9≒4,550N	→ 3階のP=67,400Nを加算して 71,950N

2 | 安全性の検討

step.1 大梁のチェック

梁の鉛直荷重に対しては、中期許容応力度（長期と短期の平均）で検定を行う。また、水平荷重に対しては、短期の許容応力度で検定を行う。

本例題では、梁間方向の梁が弱小断面となっているものとし、G_4をチェックする。

圧縮応力度 σ_cを算定し、許容圧縮応力度 f_cよりも小さいことを確認する。

11階G_4：BH－280×150×9×16（SS400）

断面積$A=70.3\,cm^2$、断面2次半径 $i_y=3.6\,cm$、長さ $L=1{,}050\,cm$、

梁の両端固定とした場合の座屈長さ $L_k=0.5\cdot L=525\,cm$より

梁の細長比 $\lambda=\dfrac{525}{3.6}=146$

許容圧縮応力度 $f_c=43.8\times1.5=65.7\,N/mm^2$

11階梁の風荷重 $_{11}P=23{,}950\,N$

$$\sigma_c=\frac{P}{A}=\frac{23{,}950}{70.3\times10^2}=3.4\,N/mm^2<f_c\rightarrow OK$$

8階G_4：BH－330×150×9×16（SS400）

断面積$A=74.8\,cm^2$、断面2次半径 $i_y=3.5\,cm$、長さ $L=1{,}050\,cm$、

梁の両端固定とした場合の座屈長さ $L_k=0.5\cdot L=525\,cm$より

梁の細長比 $\lambda=\dfrac{525}{3.5}=150$

許容圧縮応力度 $f_c=41.5\times1.5=62.3\,N/mm^2$

8階梁の風荷重 $_{8}P=42{,}650\,N$

$$\sigma_c=\frac{P}{A}=\frac{42{,}650}{74.8\times10^2}=5.7\,N/mm^2<f_c\rightarrow OK$$

5階G_4：BH－430×150×9×16（SS400）

断面積$A=83.8\,cm^2$、断面2次半径 $i_y=3.3\,cm$、長さ $L=1{,}050\,cm$、

梁の両端固定とした場合の座屈長さ $L_k=0.5\cdot L=525\,cm$より

梁の細長比 $\lambda=\dfrac{525}{3.3}=159$

許容圧縮応力度 $f_c=36.9\times1.5=55.4\,N/mm^2$

5階梁の風荷重 $_{5}P=58{,}300\,N$

$$\sigma_c=\frac{P}{A}=\frac{58{,}300}{83.8\times10^2}=7.0\,N/mm^2<f_c\rightarrow OK$$

step. 2

補強ワイヤのチェック

本例題では、2節目の補強ワイヤをチェックする。

2節目補強ワイヤ頂部に掛かる水平荷重Pより、補強ワイヤに掛かる引張力Tを算出し、設置されたワイヤの切断荷重よりも小さいことを確認する。

$P = 58{,}300 + 4{,}550$

$= 62{,}850\text{N} \rightarrow 63{,}000\text{N}$

$$T = 63{,}000 \times \frac{\sqrt{10.5^2 + 8.4^2}}{10.5}$$

$= 80{,}679\text{N}$

ワイヤ：JISG3525、6×24A種、ϕ20mm

切断荷重＝197,000Nより

$$\text{安全率 } F_s = \frac{197{,}000}{80{,}679} = 2.44 \geqq 1.0$$

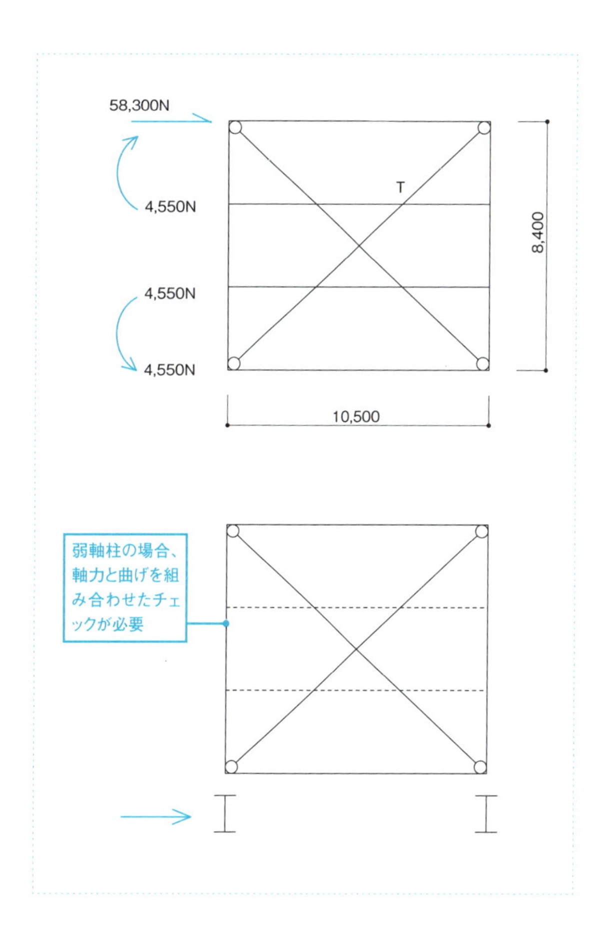

step. 3

仮ボルト接合部の検定

仮締めボルトの配置と本数は、原則としてボルト1群に対して2本以上、かつ設計本数の1/3以上とし、ウェブとフランジにバランスよく配置する。

混用継手と併用継手では、原則としてボルト1群に対して2本以上、かつ設計本数の1/2以上とし、バランスよく配置する。

上記は必要最低本数であるので、鉄骨建方自立検討における各応力状態に応じ、必要本数を算出して所定の本数・配置で取り付ける。

PCa部材建方

施工計画と構造計算のポイント

1 | PCa部材の構成

PCa部材の構成

高層のRC建物においてPCa(プレキャストコンクリート)工法を採用する場合は、その建物の構造形式、設計仕様、敷地条件、工期、コストなどの施工条件を総合的に検討してPCa部材構成を決定する。躯体の短工期が要求される場合には、柱・梁・床部材すべてをPCa化することが多く、その代表的な部材構成の例として、次のものが挙げられる[図1]。

①柱:梁下までのPCa部材

②柱脚継手:スリーブ充填継手

③柱脚:目地にライナープレート使用

④梁:床版下までのハーフPCa部材

⑤柱梁接合部:現場打ちコンクリート

⑥スラブ:上部現場打ちコンクリートのハーフPCa床版

⑦梁継手:梁のセンターまたは柱梁接合部内

ただし、工事の与条件によって、最適なPCa化部材・範囲・部材接合位置・大きさが異なるため、工事ごとに以下のような事項を考慮して部材構成を決める必要がある。

①基準階の躯体サイクル工程(全体工程を考慮して設定)

②PCa化部材の重量(揚重機の制約・能力)

③PCa化部材の大きさ(運搬の制約、揚重機の制約)

④PCa梁の継手可能位置(構造条件、X・Y方向梁の組み立て順序と梁下端筋の段数)

⑤現場打ち部分の型枠の施工性

図1 | PCa部材の構成例

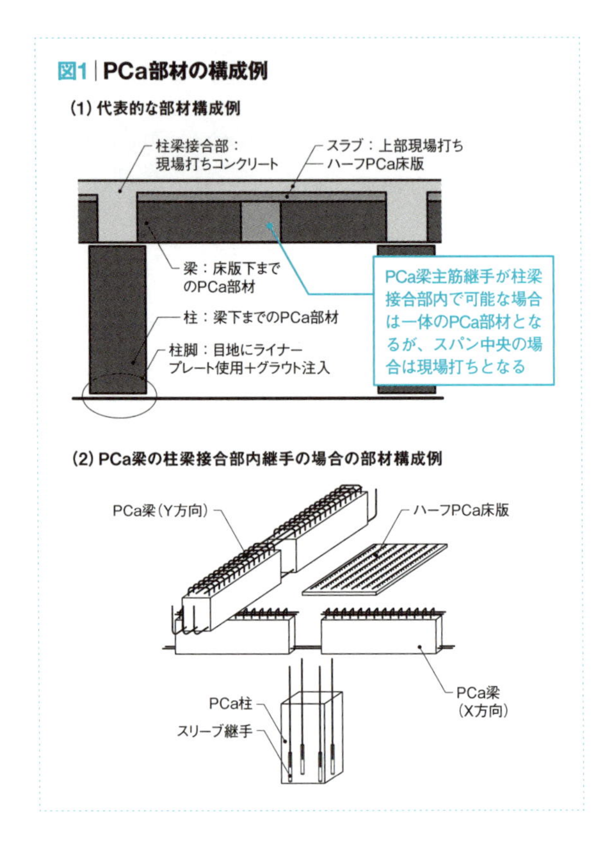

準拠すべき法規・規準

1 ―― (一社)日本建築学会

『建築工事標準仕様書・同解説 JASS 10 プレキャスト鉄筋コンクリート工事』

『建築工事標準仕様書・同解説 JASS 5 鉄筋コンクリート工事』

2 | PCa工法の施工計画検討の流れとポイント

- □ PCa部材の建方ステップごとに、部材接合部が一体化・固定されるまでの架構状態を想定して安全性を検討する必要がある
- □ PCa柱部材の計画では、柱脚の継手グラウトの時期によって、安全性の検討内容が異なる
- □ PCa梁部材の梁端部の下端筋が2段配筋となる場合は、建方順序や継手施工方法を十分に検討する

検討の流れ

図1の部材構成となるPCa工法における柱・梁部材の建方計画の検討フローは右図のとおりである。

PCa部材の構成や施工手順などが異なれば、検討事項は異なってくるため、採用工法ごとに躯体サイクル工程を設定し、その各ステップで必要となる検討事項を抽出することになる。特に、PCa柱部材の柱脚のグラウト時期とPCa梁の架設のタイミングを考慮して検討する必要がある。なお、ハーフPCa床版については98～99頁を参照のこと。

施工計画のポイント

[1]――サイクル工程の計画

高層RC建物の施工計画では、基準階のサイクル工程の設定が、全体工程はもちろんのこと、仮設計画やコスト、品質管理計画などに最も影響する重要な要

図2 | サイクル工程の例

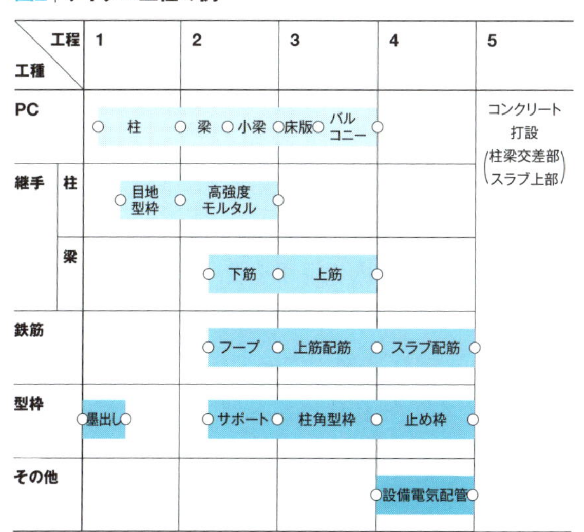

●標準工程は2工区分割・タワークレーン2基使用で5日間

PCa工法、部材構成、設計条件の確認

- ・柱・梁PCa部材の形状
- ・柱・梁筋継手の工法と位置
- ・スラブ部材の形状
- ・コンクリートの仕様

↓

施工手順・サイクル工程の設定

- ・柱PCa部材の建方時期
- ・柱脚グラウトの注入時期

↓

施工工程ごとの荷重の算定

- ・各PCa部材の重量
- ・コンクリート打設時の荷重
- ・地震時の水平荷重

↓

柱PCa部材建方時の安全性の検討

- ・柱脚ライナープレート計画
- ・スラブコンクリートの支圧の確認
- ・地震時の安全性確認と対策検討

↓

梁PCa部材の安全性の検討

- ・梁スラブの支保工計画
- ・梁PCa部材の曲げの検討

↓

スラブの検討[98～99頁参照]

↓

施工手順・サイクル工程の見直し

素となる。一般的には、要求されている全体工期に対して、基準階施工に割り当てられる日数をもとにサイクル工程を設定し、PCa工法、部材構成、揚重機などの仮設計画を決定する。図2は、322頁図1のPCa部材構成の場合のサイクル工程の例である。

[2]──柱PCa部材の計画

柱PCa部材の柱脚の接合目地の施工法には、敷きモルタル方式と鉄筋のスリーブ継手との同時注入方式がある。一般的には、施工性や品質などの面から、部材の建方固定後に行う同時注入方式が採用されている[図3]。また、柱PCa部材の工法によっては、図4に示すプレグラウト方式とする場合もある。

柱脚の接合目地にはレベル調整のためのライナープレートを設置するが、施工性と下部コンクリートの支圧を考慮してライナープレートの配置を計画する必要がある[図5]。

ライナープレートの大きさ、設置個所数は、後述する柱PCa部材の検討で決定されるが、3カ所とすると柱PCa部材のレベル調整が容易である。また、設置個所は、ライナープレートのかぶり厚さを確保するために柱鉄筋の内側とする。

[3]──柱脚の接合目地、柱主筋継手のグラウトの時期

柱建方の直後にグラウトを注入することで、柱PCa部材が固定されて安定するが、グラウト材の強度発現までの養生期間中は、柱PCa部材に梁PCa部材を載せかけて振動を与えることは、品質管理上避けたい。しかし、そのためにグラウト材に必要な養生期間をサイクル工程に組み込むと、後続作業に支障をきたす可能性がある。

そこで、柱PCa部材をPCサポートなどで保持した状態で後続の梁PCa部材・スラブPCa版建方、スラブコンクリート打設までを先行して実施し、グラウトを次フロアー施工時に行う計画とすることがある。その場合、柱脚の接合目地部分のグラウトがなされない状態で、上部躯体の積載荷重が柱PCa部材や柱脚ライナープレートを介して下部のコンクリートにかかる。そのコンクリートも打設後の若材齢ともいえる時期であり、強度が発現途中であるため、各施工段階でのライナープレートにかかる荷重による支圧応力の検討を行う必要がある。この検討結果によって、必要なライナープレートの大きさや個数が決まってくる。

図3｜同時注入方式

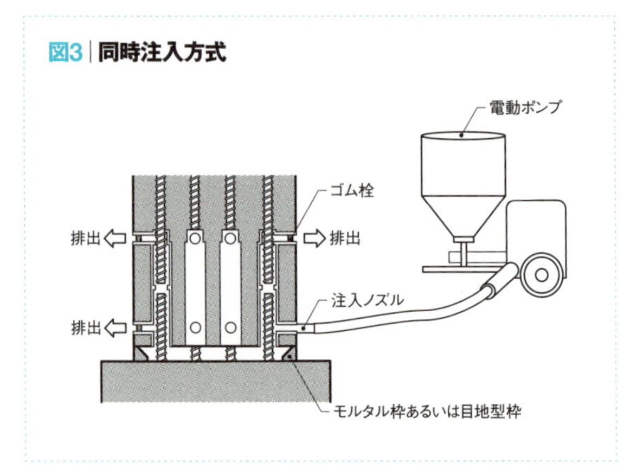

[4]──PCa梁主筋の継手位置

PCa梁の主筋の継手位置としては、柱梁接合部内に設ける場合と、梁のスパン内に設ける場合がある。継手位置は構造的な条件によって制約されることがあるが、柱・梁接合部内に継手を設けるほうが一般的には施工性がよい。

建方計画では、X・Y両方向の梁端部の下端筋が2段配筋となる場合は、柱梁接合部内での納まりが困難となる。柱梁接合部での鉄筋の納まりを確認してPCa部材構成、建方順序や継手施工方法の十分な検討が必要である。

図4 | プレグラウト方式

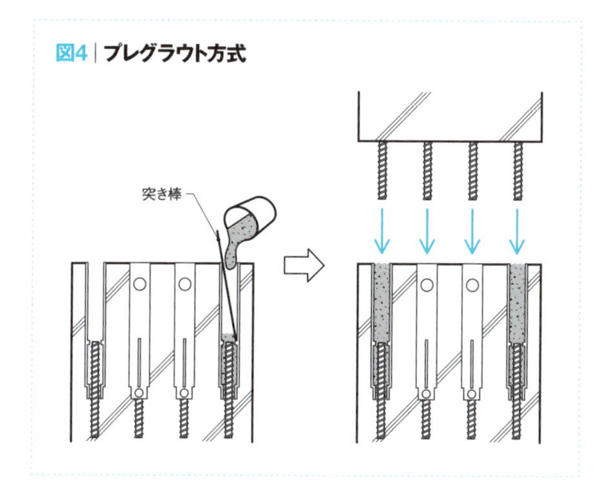

図5 | 柱脚ライナープレート

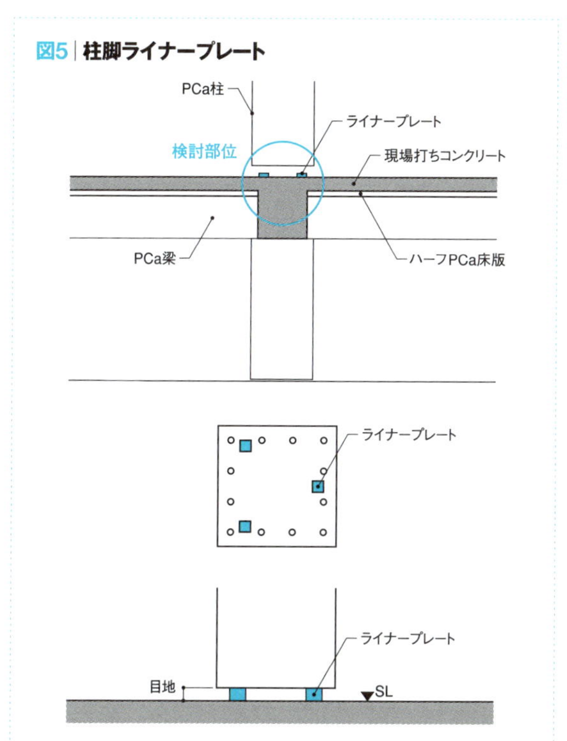

3 建方時の安全性の検証

PCa部材建方時の安全性の検討として必要な部位は、部材構成によって異なるため、ここでは322頁図1で示した工法の柱・梁PCa部材建方時の安全性に関する検討例を示す。

一般的に、高層RC建物でPCa工法を採用する場合、その施工サイクルは在来工法に比べてかなり短く、柱・梁PCa部材の建方時の安全性検討のための架構状態、荷重条件は日々変化する。したがって、建方ステップごとに検討部位、荷重条件を設定して安全性を確認しなくてはならない。

柱PCa部材建方時の下部コンクリートの支圧検討

柱PCa部材を打設したスラブコンクリート上にレベル調整用ライナープレートを設置して建方を行う場合は、前述のように柱脚の接合目地のグラウトが完了するまでは、上部の部材および施工荷重がライナープレートを介してスラブに集中してかかる。一般に、スラブコンクリートを打設した翌日からPCa部材の建方を開始するため、その荷重によって部材が沈下しないように、支圧応力に対する若材齢のスラブコンクリートの強度を検討し、ライナープレートの大きさや数量を決定する。

具体的には、各施工段階における柱・梁PCa部材重量などのライナープレートにかかる荷重を算出し、その支圧応力について、コンクリートの強度発現特性を考慮した許容支圧応力度と比較する。

許容支圧応力度については、種々の考え方があるが、本節で対象としている検討では図6に示す算定式で算出する。

柱PCa部材の地震時の安全性の検討

柱PCa部材の建方において、柱主筋の継手がスリーブ継手で、柱脚の接合目地と同時にグラウトを注入する工法を採用する場合は、グラウト注入の施工が完了するまでは、柱は躯体として一体化されない。その間に地震時の水平力が加わった場合には、柱部材が転倒するおそれがある。したがって、グラウト注入までの各部材建方時の所要の地震力による柱PCa部材転倒の安全性を検討し、グラウト注入の時期と補強方法を決定する必要がある。

具体的には、部材下端部を支点として、地震時の水平力によるモーメントと、柱部材にかかる固定荷重、積載荷重などの鉛直荷重によるモーメントと比較する。

梁PCa部材の曲げに対する検討

梁PCa部材と取り合う柱、あるいはスラブとの接合部のコンクリート打設が完了するまでは、梁は躯体として一体化されないため、上部の部材と施工荷重によって梁にひび割れが発生するおそれがある。したがって、梁PCa部材の曲げに対する検討が必要である。

具体的には、梁PCa部材にかかる曲げモーメントと許容ひび割れモーメントとを比較して、その安全性を確認する。

図6｜柱部材の下部コンクリートに対する支圧に関する許容応力度

$$F_b = F_0 \cdot \sqrt{\frac{A}{A_1}} \quad \left(ただし、\sqrt{\frac{A}{A_1}} \leqq 2.0\right)$$

F_b：許容支圧応力度［kN/m²］

F_0：$F/1.25$または$0.6 \cdot F_c$のうち小さいほうの値

F：検討する材齢におけるコンクリートの圧縮強度［kN/m²］

F_c：コンクリートの設計基準強度［kN/m²］

A：支承面積（支圧を受ける面積）［m²］

A_1：支圧面積（荷重作用面積）［m²］

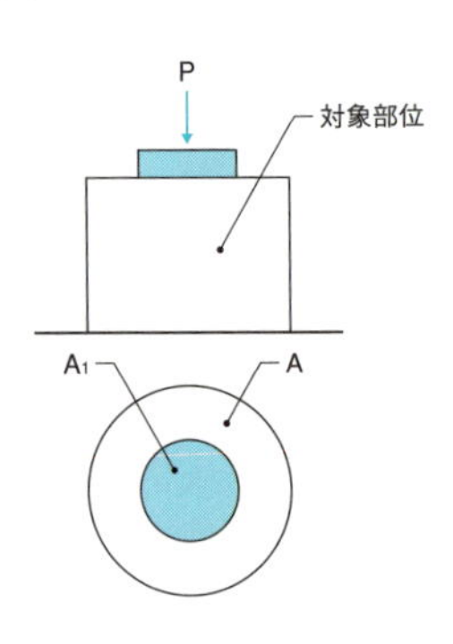

注　（一社）日本建築学会『プレストレストコンクリート設計施工規準・同解説』による算定

4 荷重の算定

- □ 架構状態や荷重条件が日々変化するため、工程ごとに安全性の検討部位に作用する荷重を決定する
- □ PCa部材の建方は、継手のグラウト充填、部材接合部のコンクリート打設までの間は不安定な状態で作業を進めることになるため、地震に遭遇した場合の水平荷重を設定する

PCa部材の安全性検討では、工程ごとに検討部位にかかる荷重を想定して算出する。荷重の種類としては、PCa部材の自重、打設するコンクリート重量と作業荷重、仮設部材重量などの鉛直荷重および地震時の水平荷重がある。

鉛直荷重

[1]――固定荷重

普通コンクリートのPCa部材の重量と現場打ち鉄筋コンクリート部材の単位体積重量γ［kN/m^3］は、使用する骨材や調合、鉄筋量によって異なるが、標準的には設計基準強度Fc［N/mm^2］に対して以下の数値となる。

$Fc \leqq 36 : \gamma = 24$

$36 < Fc \leqq 48 : \gamma = 24.5$

$48 < Fc \leqq 60 : \gamma = 25$

（軽量コンクリートの場合は$\gamma = 18 \sim 22$）

[2]――積載荷重

コンクリートの打設時の荷重に対して検討する場合は、型枠・支保工の検討と同様に、コンクリート打設時の作業員・機材などの重量と、打設作業に伴う衝撃荷重とを合わせた作業荷重として、積載荷重を1.5 kN/m^2とする。

なお、建物外周にスライド式連層足場を設置するなど、検討部位に特殊な荷重が加わる場合は、それらの仮設荷重を加算する必要がある。

水平荷重

柱・梁にPCa工法を採用する場合、柱脚接合目地のグラウトや柱梁接合部の現場打ちコンクリートの打設が完了しなければ、柱・梁は構造体として一体化されず、不安定な状態にある。そのため、地震力による水平荷重に対する検討が必要になる。

建方施工中の安全性を検討するための地震時水平力は、鉄骨建方と同様に、一般的な基準震度K＝0.2とし、部材の重量に対して図7に示す算定式で算出する。

ただし、基準震度を上回る大地震が発生したときに、以下のような状況により甚大な被害が予想される場合には、想定荷重を見直すか、被害を最小限にするための落下防止対策などを計画する。

①公共の鉄道施設が近接している

②幹線道路や通行人の多い歩道に面している

③PCa部材自体の破損による工程遅延が許されない

図7｜地震時水平力Qの算定式

$$Q = K \cdot W = 0.2 \cdot W$$

Q：地震時水平力［kN］

K：基準震度

W：部材重量［kN］

建物周辺の状況によっては、大地震が発生した場合の落下防止対策なども検討しておく必要がありますね

型枠・支保工 / 足場 / 乗り入れ構台 / 山留め / 鉄骨建方 / Part.6 PCa部材建方 / 揚重機 / 重機転倒防止対策 / 躯体の仮設利用 / 既存建物解体

柱PCa部材の検討①

check

□ 柱PCa部材の柱脚をグラウトする前に次工程の作業を進める場合は、ライナープレート下部のコンクリートの支圧の検討を行って、プレートの大きさ、個数を決定する
□ 建方工程の各段階での支圧強度の検討を行うため、工程とコンクリート初期の強度発現の関係を把握しておく

ここでは、柱PCa部材建方時における下部コンクリートの支圧を検討する手順とそのポイントについて解説する。

1 | 部材構成と検討条件

step.1 検討部位と施工手順

右図のような柱PCa部材について、329頁図に示す検討フローに従って検討する。
設置するライナープレートの大きさ、個数などは以下のとおりに設定する。

- ・ライナープレートの面積：
  $A_i=0.05\times0.05=0.0025\,m^2$
- ・ライナープレートの個数：$n=3$
- ・支承面積（ライナープレート1個あたり）：
  $A=2a\times2b=2\times0.1\times2\times0.1=0.04\,m^2$
  ただし　$A\leqq4A_i=4\times0.0025=0.01\,m^2$
  により　$A=0.01\,m^2$

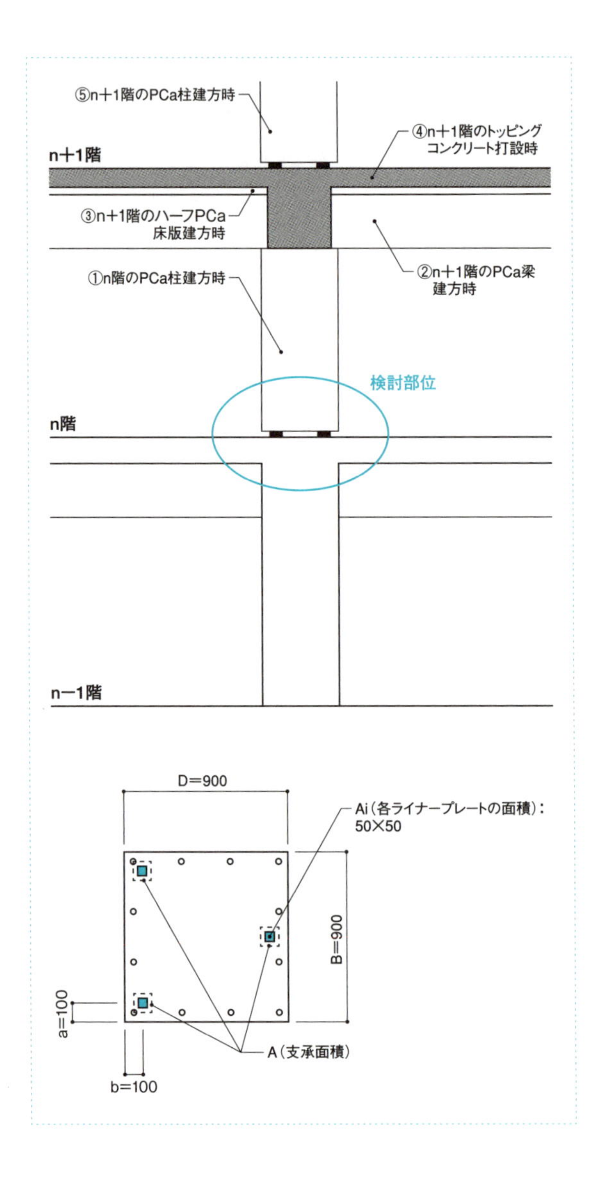

point

ポイント
支承面積の算定

一般にライナープレートは、柱断面の外周に配置されることから、支承面積Aは右図の最小面積として算出する。

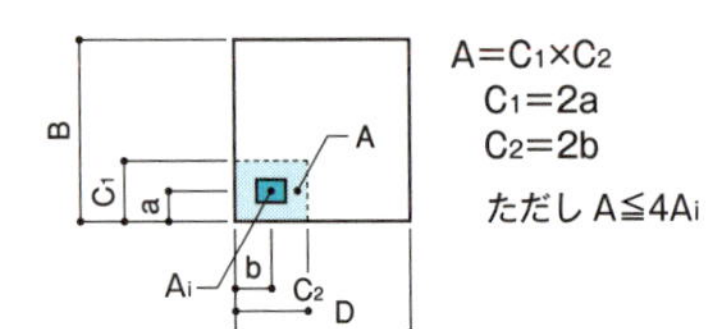

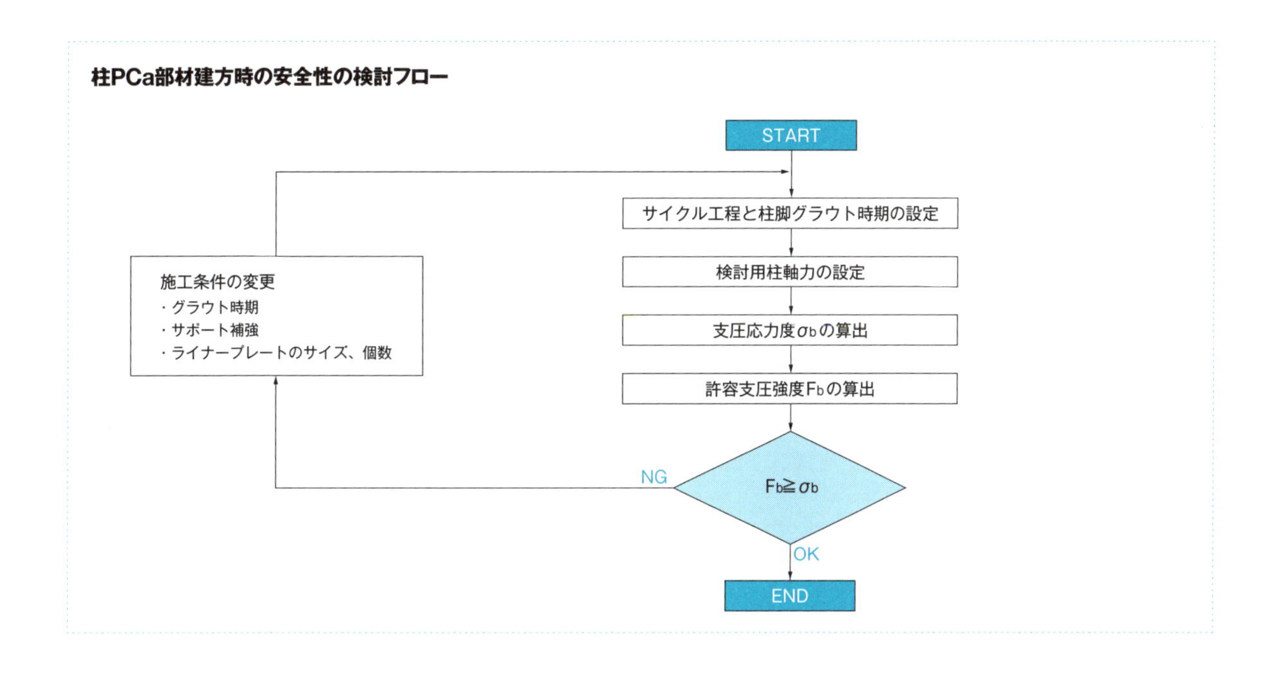

step. 2

検討用荷重の設定

検討用の柱の軸力は、工程ごとに、PCa部材および現場打ちコンクリート部材の荷重、作業荷重などを考慮して設定する。ただし、仮設荷重がある場合には、別途考慮する。

本例題では、以下のとおりに設定する。

・検討部材寸法[mm]　柱PCa部材：D_1=900、B_1=900、h=2,100

梁PCa部材：D_2=600、B_2=550（柱で支持する4本の梁PCa部材の延べ長さ L_1=2,000と設定）

ハーフPCa床版厚：t=80（柱で支持する床版面積 $L_2 \cdot L_3 \fallingdotseq 2{,}000 \times 2{,}000$ と設定）

スラブ厚：T=250

スパン　：L=6,000×6,000

γ　：PCa部材の単位体積重量=24kN/m³

W_0：作業荷重[kN]=1.5kN/m²×面積=1.5×2.0×2.0=6.0kN

W_1：PCa柱の重量[kN]=$D_1 \cdot B_1 \cdot h \cdot \gamma$=0.9×0.9×2.1×24=40.824 kN

${}_2W_1$：1層上のPCa柱の重量[kN]=40.824 kN（${}_2W_1=W_1$）

W_2：PCa梁の重量[kN]=$D_2 \cdot B_2 \cdot L_1 \cdot \gamma$=0.6×0.55×2.0×24=15.84 kN

W_3：ハーフPCa床版の重量[kN]=$L_2 \cdot L_3 \cdot t \cdot \gamma$=2.0×2.0×0.08×24=7.68 kN

W_4：現場打ちコンクリートの重量[kN]=$D_1 \cdot B_1 \cdot (D_2+T) \cdot \gamma + L_2 \cdot L_3 \cdot (T-t) \cdot \gamma$

=0.9×0.9×(0.6+0.25)×24+2.0×2.0×(0.25−0.08)×24

=32.844kN

・工程ごとの柱に作用する軸力N：[kN]

α　：作業荷重の低減係数=0.5（PCa床版建方時）

工程① n階のPCa柱建方時：$N=W_1$=40.824

工程② n+1階のPCa梁建方時：$N=W_1+W_2$=40.824+15.84=56.664

工程③ n+1階のハーフPCa床版建方時：$N=\alpha \times W_0+W_1+W_2+W_3$

=0.5×6.0+40.824+15.84+7.68=67.344

工程④ n+1階のトッピングコンクリート打設時：$N=W_0+W_1+W_2+W_3+W_4$

=6.0+40.824+15.84+7.68+32.844

=103.188

工程⑤ n+1階のPCa柱建方時：$N=W_0+(W_1+{}_2W_1)+W_2+W_3+W_4$

=6.0+(40.824+40.824)+15.84+7.68+32.844=144.012

2 下部コンクリートの支圧検討

支圧応力度の算定

各工程において、支圧応力度σbが許容支圧強度Fb以下となるように計画する。

まず、工程①のときの支圧応力度σbを算定すると、柱に作用する軸力N＝40.824kN、ライナープレートの総面積$A_1 = A_i \times n = 0.0025 \times 3 = 0.0075$であるので、

$$\sigma_b = \frac{N}{A_1} = \frac{40.824}{0.0075} = 5,443.2\,\mathrm{kN/m^2} \rightarrow 5.44\,\mathrm{N/mm^2}$$

となる。同様に、工程②～⑤の支圧応力度σbを算定すると、以下のとおりとなる。

工程②：$$\sigma_b = \frac{N}{A_1} = \frac{56.664}{0.0075} = 7,555.2\,\mathrm{kN/m^2} \rightarrow 7.56\,\mathrm{N/mm^2}$$

工程③：$$\sigma_b = \frac{N}{A_1} = \frac{67.344}{0.0075} = 8,979.2\,\mathrm{kN/m^2} \rightarrow 8.98\,\mathrm{N/mm^2}$$

工程④：$$\sigma_b = \frac{N}{A_1} = \frac{103.188}{0.0075} = 13,758.4\,\mathrm{kN/m^2} \rightarrow 13.76\,\mathrm{N/mm^2}$$

工程⑤：$$\sigma_b = \frac{N}{A_1} = \frac{144.012}{0.0075} = 19,201.6\,\mathrm{kN/m^2} \rightarrow 19.20\,\mathrm{N/mm^2}$$

ポイント

コンクリート強度

打設したコンクリートは次工程の施工中に強度が増進するため、検討に際しては工程ごとにコンクリート強度を把握する必要がある。打設後の材齢に対するコンクリート強度の発現は、セメントの種類や調合、打設時期、養生温度、養生方法などにより異なるため、実績データを確認する必要がある。

実績データがない場合は、試験練りで確認することが望ましいが、計画段階における概略の検証としては、コンクリートの材齢と圧縮強度の発現性状をまとめた下表の値を参考にして設定する

コンクリートの圧縮強度発現性状

材齢［日］	0.5	1	2	3
圧縮強度F	0.1Fc	0.2Fc	0.3Fc	0.4Fc
材齢［日］	7	14	21	28
圧縮強度F	0.6Fc	0.8Fc	0.9Fc	1.0Fc

Fc：設計基準強度または品質基準強度

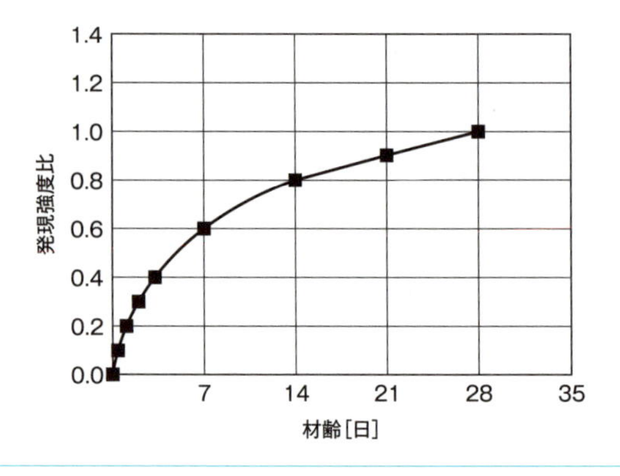

step. 2

許容支圧応力度の算定と判定

各工程における許容支圧応力度Fbを算定する(設計基準強度 Fc＝36 N/mm²の場合)。
検討する材齢のコンクリートの圧縮強度Fはそれぞれ以下のとおりに設定する。これを基に許容支圧応力度Fbを算定し、step.1で算定した支圧応力度σbと比較して問題がないことを確認する。

材齢7日以下では $\frac{F}{1.25} < 0.6F_c$ ($F < 0.75F_c$) であるため $F_o = \frac{F}{1.25}$

工程①:材齢0.5日として、$F = 0.1F_c = 0.1 \times 36 = 3.6$ N/mm²

$$F_b = F_o \cdot \sqrt{\frac{A}{A_1}} = \frac{F}{1.25} \times \sqrt{\frac{0.01}{0.0025}} = \frac{3.6}{1.25} \times 2.0 = 5.76\,\text{N/mm}^2 \geqq \sigma_b = 5.44 \rightarrow \text{OK}$$

工程②:材齢2日の場合　$F = 0.3F_c = 0.3 \times 36 = 10.8$ N/mm²

$$F_b = F_o \cdot \sqrt{\frac{A}{A_1}} = \frac{F}{1.25} \times \sqrt{\frac{0.01}{0.0025}} = \frac{10.8}{1.25} \times 2.0 = 17.28\,\text{N/mm}^2 \geqq \sigma_b = 7.56 \rightarrow \text{OK}$$

工程③:材齢3日の場合　$F = 0.4F_c = 0.4 \times 36 = 14.4$ N/mm²

$$F_b = F_o \cdot \sqrt{\frac{A}{A_1}} = \frac{F}{1.25} \times \sqrt{\frac{0.01}{0.0025}} = \frac{14.4}{1.25} \times 2.0 = 23.04\,\text{N/mm}^2 \geqq \sigma_b = 8.98 \rightarrow \text{OK}$$

工程④:材齢4日の場合　$F = 0.5F_c = 0.5 \times 36 = 18.0$ N/mm²

$$F_b = F_o \cdot \sqrt{\frac{A}{A_1}} = \frac{F}{1.25} \times \sqrt{\frac{0.01}{0.0025}} = \frac{18.0}{1.25} \times 2.0 = 28.8\,\text{N/mm}^2 \geqq \sigma_b = 13.76 \rightarrow \text{OK}$$

工程⑤:材齢7日の場合　$F = 0.6F_c = 0.6 \times 36 = 21.6$ N/mm²

$$F_b = F_o \cdot \sqrt{\frac{A}{A_1}} = \frac{F}{1.25} \times \sqrt{\frac{0.01}{0.0025}} = \frac{21.6}{1.25} \times 2.0 = 34.56\,\text{N/mm}^2 \geqq \sigma_b = 19.20 \rightarrow \text{OK}$$

step. 3

不合格の場合の対策

step.2における判定の結果、支圧応力度σbが許容支圧応力度Fbを上回ってしまった場合は、次のように計画の見直しを行って、施工方法を決定する。

①ライナープレートの大きさを増す
②PCa梁またはPCa床版架設時に不合格の場合は、柱にかかる荷重(柱軸力)を低減させるよう、梁や床の支保工配置を計画する

柱PCa部材の検討②

check

- □ 柱PCa部材の柱脚をグラウトする前に次工程の作業を進める場合は、地震時の転倒についての安全性を検証しておく
- □ 計算結果が合格の場合でも、周辺の環境条件によっては、地震力の大きさの妥当性や、想定外の大地震時の対策について検討する必要がある

柱梁にPCa工法を採用する場合、柱脚接合目地のグラウトや柱梁接合部の現場打ちコンクリートの打設が完了しなければ、柱梁は構造体として一体化されず、不安定な状態にあるため、地震力による水平荷重に対する検討が必要になる。ここでは、柱PCa部材の地震時における安全性の検討手順とポイントを解説する。

1 | 部材構成と検討条件

step.1 検討部位と施工手順

下図のような柱PCa部材について、右図に示す検討フローに従って検討する。

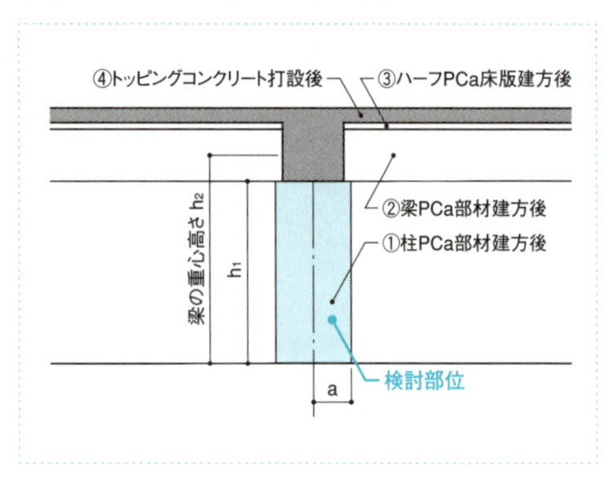

柱PCa部材地震時の安全性の検討フロー

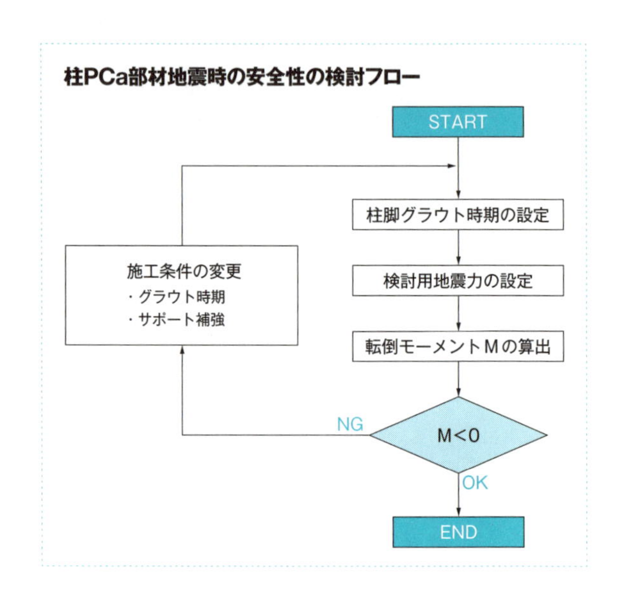

step.2 荷重の設定

地震時における安全性の検討は、以下に示す工程ごとに柱PCa部材に発生する転倒モーメントMを算定し、それぞれが0未満であることを確認する方法による。

- 工程①：柱PCa部材建方後
- 工程②：梁PCa部材建方後
- 工程③：ハーフPCa床版建方後
- 工程④：トッピングコンクリート打設後

ただし、工程④については、コンクリート打設後は、コンクリート強度の発現とともにフレームの固定度が高まって安定状態となるため、検討を省略できる。

柱PCa部材に発生する転倒モーメントMは、柱PCa部材の転倒時の回転の中心となる柱下端を支点として、地震時水平力によるモーメントから、工程ごとの各部材の荷重、作業荷重などの鉛直荷重によるモーメントを差し引いて算定する。

本例題における算定に必要な各部材の荷重については329頁を参照のこと。

2 | 地震時の安全性検討

step.1 柱PCa部材建方後の検討

柱PCa部材建方後の転倒モーメントMは、下図のようにモデル化したうえで下式により算定し、0未満であることを確認する。

$$M=0.2\times W_1\times\frac{h_1}{2}-W_1\times a$$

$$=0.2\times 40.824\times\frac{2.1}{2}-40.824\times 0.45$$

$$=-9.8\,\mathrm{kN\cdot m}<0\rightarrow \mathrm{OK}$$

以上から、工程①においては問題がないことが確認された。

なお別途、水平震度 K_H、鉛直震度 K_Vを設定する場合は、鉛直荷重を低減させて、下式にて検討を行う(以下、step.2においても同様)。

$$M=K_H\cdot W_1\cdot\frac{h_1}{2}-(1-K_V)\cdot W_1\cdot a<0$$

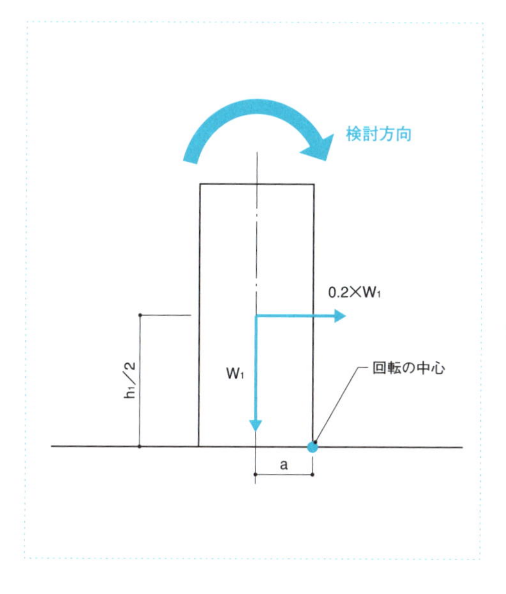

step.2 梁PCa部材・ハーフPCa床版建方後の検討

梁PCa部材およびハーフPCa床版建方後の転倒モーメントMは、下図のようにモデル化したうえで下式により算定し、0未満であることを確認する。

$$M=0.2\times W_1\times\frac{h_1}{2}+0.2\times(W_2+W_3)\times h_2$$

$$-(W_1+W_2+W_3)\times a$$

$$=0.2\times 40.824\times\frac{2.1}{2}$$

$$+0.2\times(15.84+7.68)\times(2.1+0.34)$$

$$-(40.824+15.84+7.68)\times 0.45$$

$$=-8.90\,\mathrm{kN\cdot m}<0\rightarrow \mathrm{OK}$$

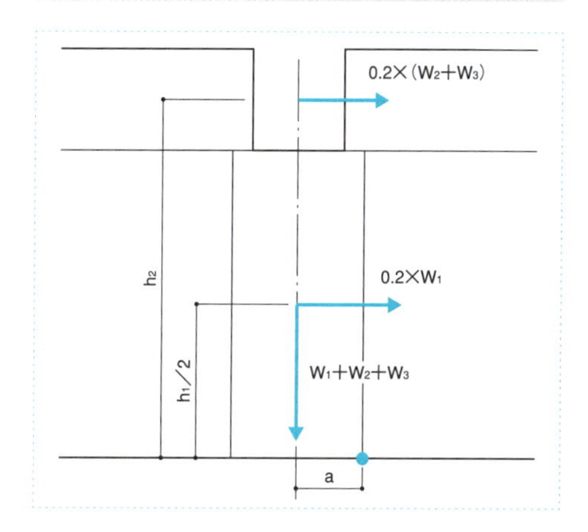

step.3 不合格の場合の対策

step.1・2での判定の結果、不合格となった場合は、以下の対策を講じる。

①PCa柱に対して、斜めサポート、控えワイヤなどによる補強を行う

②柱建方の直後に柱脚の鉄筋継手、接合目地のグラウト注入を行い、所定の養生期間(通常は1日)を経た後、次工程の梁PCa建方工事を開始するようにサイクル工程を修正する

梁PCa部材の検討

check

- □ 梁PCa部材に最も大きな荷重がかかるコンクリート打設時を想定して曲げひび割れが発生しないことを検証する
- □ 梁PCa部材の検証とともに支保工自体の検討も必要である

梁PCa部材と取り合う柱やスラブとの接合部のコンクリート打設が完了するまでは、梁は躯体として一体化されないため、上部の部材および施工荷重によって梁にひび割れが発生するおそれがある。したがって、梁PCa部材の曲げに対する検討が必要である。ここでは、梁PCa部材の曲げに対する安全性を検討する手順とポイントについて解説する。

1 | 部材構成と検討条件

step.1 検討部位と施工手順

下図のような梁PCa部材について、右図に示す検討フローに従って検討する。

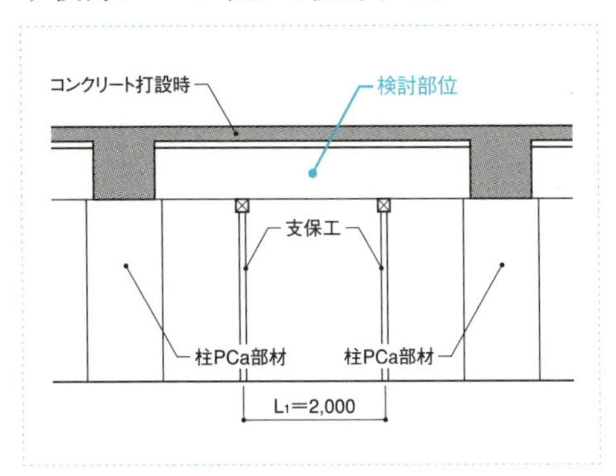

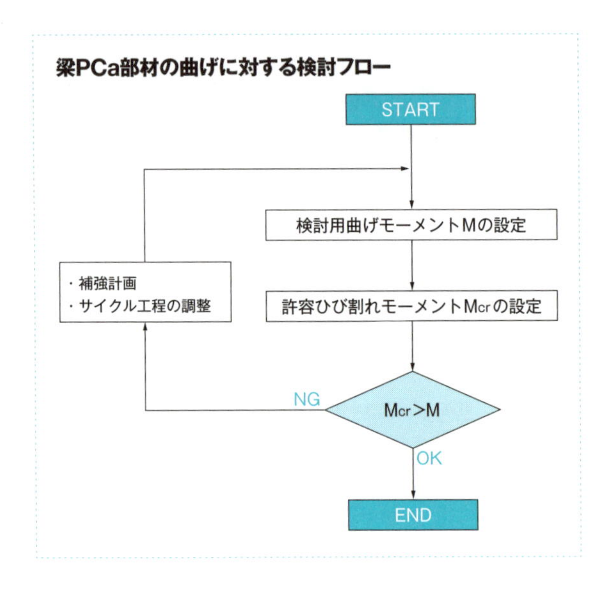

step.2 検討用荷重の設定

PCa梁部材の曲げモーメントMは、施工工程ごとのPCa部材および現場打ちコンクリート部材の荷重、作業荷重などを検討用荷重とし、PCa柱、支保工を支点として、実状に合ったモデル化により算定する。本例題では、検討用荷重Wを以下のとおりに設定する。

・工程 コンクリート打設時：$W=W_0+W_1+W_2=3.0+7.92+12=22.92$kN/m

W：検討用荷重[kN/m]　　W_0：作業荷重[kN/m]＝1.5kN/m²×L_2＝1.5×2.0＝3.0kN/m
（L_2：梁で支持する床版の幅）

W_1：PCa梁（PCa小梁）の重量$D_2 \cdot B_2 \cdot \gamma=0.6\times0.55\times24=7.92$kN/m

W_2：ハーフPCa床版＋現場打ちコンクリートの重量[kN]＝$L_2 \cdot T \cdot \gamma=2.0\times0.25\times24=12$kN/m

2　曲げに対する検討

曲げモーメントの算定

各工程において、曲げモーメントMが許容ひび割れモーメントM_{cr}未満となるように計画する。
コンクリート打設時の曲げモーメントMを算定する。

$$M=\frac{W\cdot L_1^2}{8}=\frac{22.92\times 2.0^2}{8}=11.46\,\mathrm{kN\cdot m}=11.46\times 10^6\,\mathrm{N\cdot mm}$$

許容ひび割れモーメントの算定

各工程における許容ひび割れモーメントM_{cr}を下式により算定する。

$$M_{cr}=0.51\times\sqrt{F}\times Z\,[\mathrm{N\cdot mm}]$$

F：各材齢に対するコンクリートの圧縮強度＝36 N/mm²

Z：梁PCa部材の断面係数$=\frac{1}{6}\cdot B_2\cdot D_2^2=\frac{1}{6}\times 0.55\times(0.6)^2=0.033\,\mathrm{m^3}=33\times 10^6\,\mathrm{mm^3}$

コンクリートの圧縮強度F、梁PCa部材の断面係数Zをそれぞれ以上のとおりに設定して許容ひび割れモーメントM_{cr}を算定し、**step.1**で算定した曲げモーメントMと比較して問題がないことを確認する。

$$M_{cr}=0.51\times\sqrt{F}\times Z=0.51\times\sqrt{36}\times 33\times 10^6=100.98\times 10^6\,\mathrm{N\cdot mm}>M=11.46\times 10^6\,\mathrm{N\cdot mm}$$

step.2における判定の結果、曲げモーメントMが許容ひび割れモーメントM_{cr}以上の場合は、PCa梁部材の支点間隔が小さくなるように、支保工の配置間隔を修正する。

揚重機

施工計画と構造計算のポイント

1 | 計画時の安全性検討

- □ 揚重機の使用・管理は、人的災害にも関わる重要な事項であり、計画時および施工時には、十分な検討が必要である
- □ 揚重機の制約条件から工法工程が決定される場合もあり、工事着工前に十分な検討を行ったうえで揚重機の機種、台数、設置位置を決定する

揚重機を選定するにあたって

建築工事では、土工事から躯体工事、仕上げ工事に至るまで、揚重機が必要となる。

揚重機には大きく分類すると、定置式クレーン(タワークレーン、ジブクレーン)、移動式クレーン、エレベータ、建設用リフトの4種類がある[表1]。その選定は、工事着工前に十分な検討が必要となり、場合によっては、揚重機の制約条件から工法や工程が決定される場合もある。揚重機の選定を行うにあたっては、まずそれぞれの機械の特徴、性能、価格(コスト)などを十分に把握し、そのうえで使用目的、工事量、工期、安全性、経済性、立地条件、近隣関係のほか、設置の可否、搬出入の方法までを含めて総合的に検討することが必要となる。

表1 | 揚重機の分類

分類		種類	概要
定置式クレーン	タワークレーン	マスト+ジブ形式	ジブ起伏式タワークレーン、ジブ水平式クレーンなどがある
	ジブクレーン	ジブ形式(マストなし)	定置式、走行式(レール上)などがある
移動式クレーン		トラッククレーン	走行・揚重の操作席が別
		ホイールクレーン	走行・揚重が同じ運転席でできるので効率がよい
		クローラクレーン	クローラ形式
エレベータ		ロングスパンエレベータ	人荷揚重用で揚重速度が10m/min以下
		人荷エレベータ	人荷揚重用で揚重速度が10m/min超
建設用リフト		貨物用リフト	荷のみ揚重

表1出典:『仮設構造物計画の手引き』((一社)日本建築学会)

設置計画のポイント

揚重機の設置計画は、表2に示す項目を考慮してクレーンの機種、台数、設置位置を決定する。

揚重機計画と管理

揚重機計画とその管理は、工事管理の根幹となる工程や安全性、経済性のいずれにも重大な影響を及ぼすものであり、計画と実施にあたっては周到な準備が必要となる。

揚重機では、ブームやジブの折損、移動や作業中に転倒する現象が多く見られ、揚重機そのものの損壊に留まらず、器物や建物の損壊、ひいては人身の事故につながった事例も多くある。計画時および施工時には、それらの事例を考慮して表3に挙げる項目を検討する必要がある。

揚重機の使用・管理は、人的災害にも関わる重要な事項にもなるため、現場員として確認しておく必要のある事項、専業者に注意を促す事項について十分把握しておくことが必要である。以下に、移動式クレーンを使った作業に関わる災害を防止するための安全対策を示す。

①移動式クレーンの旋回時や移動時において、作業員が本体に接触したり巻き込まれたりすることを防止するため、立入禁止の明確な措置を講じる

②移動式クレーンを複数台使用するときや近接構造物がある場合は、移動式クレーンのジブを接触・衝突させないよう機械的に管理をする

③クレーンのオペレータは、揚重作業時に吊り荷の下へ作業員を入らせないようにタイムリーに注意を促す

表2｜揚重機設置に関する検討項目

検討項目	詳細
使用目的	①鉄骨建方、PCaパネルや耐震壁の取り付け ②鉄筋や型枠などの揚重、コンクリートの打設 ③カーテンウォールや外壁パネルなどの取り付け ④仕上げ材の揚重 ⑤設備機器の揚重 ⑥仮設工事関係の揚重
工程とコスト	①揚重材の最大重量、数量と形状 ②使用期間 ③コスト
本設建物の特徴	①平面形状と建築面積 ②地上高さ ③構造種別 ④杭の有無とその種類 ⑤地下工事の有無
立地条件	①周辺環境 ②航空法の規制、電波障害の有無 ③高圧送電線、鉄道などの有無 ④敷地の広さや形状、高低差 ⑤地盤条件

表3｜クレーンの設置計画と管理に関する検討項目

種類	問題	対策
定置式クレーン	2機以上のタワークレーンを設置する場合、お互いのブームの干渉	衝突防止装置を設置する
	建物との離れが確保されていないため旋回体との接触、旋回不可	平面的な離れ、高さ方向の離れ（クライミングと躯体の上がり時期の確認）を検討する 旋回体から下がっている梯子などにも注意する
	強風によるクレーンブームの折損	風速による管理基準を決めておく
移動式クレーン	起伏ワイヤーロープの点検不良によるブームの落下	日常点検、月例点検、ワイヤー交換など、機械の維持管理基準や確認体制を明確化しておく
	アウトリガーの不適正な張り出し	アウトリガーの張り出しが完全にできる作業計画とする
	安全装置解除による作業	作業時にモーメントリミッタを解除しない
	軟弱地盤上での作業	地盤改良の方法、傾斜部でのアウトリガーの設置方法、敷き鉄板計画などを十分に検討する
	強風によるクレーンブームの折損	風速による管理基準を決めておく
	高圧線近くでの作業による近接感電	電力会社との安全に関する事前協議を行う

2 揚重機と法規制

揚重機に関する法的基準

揚重機に関する関係法令の代表的なものには、労働安全衛生法、労働安全衛生法施行令、労働安全衛生規則、クレーン等安全規則などがある。

揚重機の設置・廃止(撤去)には、労働安全衛生法に定められた届出が必要となる。また、運転や玉掛けに関しても、労働安全衛生法に定められた就業制限がある。そのほか、周辺状況により法的規制がかかる場合があるので、関係各所と事前に協議を行う必要がある。

[1]——揚重機の設置・廃止(撤去)

揚重機の設置・廃止(撤去)には、それぞれの揚重機の能力区分によって申請・報告が義務付けられている。申請手続き関連は、労働安全衛生法88条に定められている[339頁表4]。

[2]——揚重機の運転、玉掛け

揚重機の運転と玉掛けは、クレーンの性能区分により就業制限が設けられているが、その内容は労働安全衛生法61条に定められている[340頁表5]。

[3]——強風時の作業中止

移動式クレーンに関しては、クレーン等安全規則74条の3において、強風(10分間の平均風速が10m/s以上)による影響で危険が予想される場合の措置として作業中止が定められている。

[4]——道路法・道路交通法による規制

道路からの荷取りに関しては、道路使用・道路占有などについて、所轄の警察や道路管理者と協議の必要がある。市道、県道、国道とそれぞれ管理者が異なるので、敷地に複数の道路が接している場合は、それぞれの管理者と協議しなくてはならない。また、大型重機の場合、部品の搬入に際して車両の重量・幅・長さ・高さなどが道路交通法に抵触しないよう留意が必要である。

なお、万一道路で搬入事故などが発生した場合に備え、責任区分を明確にしておくため、材料搬入会社との荷受け条件(作業所場外道路、場内その他)をきちんと取り決めておくことが重要である。

[5]——航空法による高さの規制

クレーンのブームなど、高さが60m以上となる場合には、航空障害灯や中間障害標識(赤白の色分けなどを施したもの)が必要となる。

一般的に、定置式クレーンは、高さ規制に関しては対応済みがほとんどである。しかし、移動式クレーンの場合、特に滑走路に近接した場所などでは高さ規制も低くなっており、規制高さにブームが干渉するおそれがある。したがって、運輸局と事前に協議しておく必要がある。

[6]——電波法による電波などの規制

計画建物では電波障害が考慮されているのが普通であるが、工事中はまだその対応がなされていなかったり、クレーンブームの挙動が計画建物とは違うため、想定していた場所とは違うところからテレビの受像状況などに関して苦情がくる場合がある。事前の近隣説明で電波障害について十分に説明しておくとともに、工事が長期にわたる場合は、仮設の共聴アンテナの設置などを考えなくてはならない。

また、滑走路の近くでは航空保安無線、防衛施設近くではマイクロウェーブなどに関しても考慮しなくてはならない。

[7]——鉄道近接協議による規制

近接工事となる場合には、各鉄道会社と事前協議の必要がある。その際、ブームの旋回リミットの設定、監視人の配置などが協議項目となる場合がある。

[8]——電気事業法による送配電線からの最小隔離距離

道路からの荷取りに際して配電線が横断している場合、絶縁保護管や保護板を施して感電や地絡(漏電)を防止する措置をとる必要がある。また、高電圧の送電線は裸線であり、クレーンのジブなどが接近するだけで近接感電する危険が考えられるため、事前に電力会社と安全性確保について打ち合わせておく必要がある(必要に応じて、電力会社から監視立会人を派遣してもらう場合もある)。

表4 | 申請手続の適用(労働安全衛生法88条)

規則分類		クレーン			移動式クレーン			エレベータ			建設用リフト		
能力	吊り上げ荷重	5kN未満	30kN未満	30kN以上	5kN未満	30kN未満	30kN以上	—	—	—	—	—	—
	積載荷重	—	—	—	—	—	—	2.5kN未満	10kN未満	10kN以上	2.5kN未満	—	—
	ガイドレールの高さ	—	—	—	—	—	—	—	—	—	—	18m未満	18m以上
適用除外		○	—	—	○	—	—	○	—	—	○	—	—
設置時	設置報告(設置工事着工前)	—	○	—	—	—	○[※1]	—	○[※2]	—	—	—	—
	設置届(設置工事着工30日前)	—	—	○	—	—	—	—	—	○	—	—	○
	落成検査(検査希望日の15日前)	—	—	○	—	—	—	—	—	○	—	—	○
検査証	有効期間	—	—	○ 2年	—	—	○ 2年	—	—	○ 1年	—	—	○ ■
	性能検査(有効期間満了60日前)	—	—	○	—	—	○	—	—	○	—	—	—
検査・点検	定期自主検査(年次)	—	○	○	—	○	○	—	○	○	—	—	—
	定期自主検査(月次)	—	○	○	—	○	○	—	○	○	—	○	○
	作業開始前の点検	—	○	○	—	○	○	—	—	—	—	○	○
	暴風後等の点検	—	○	○	—	—	—	—	○	○	—	○	○
荷重試験	定格荷重(年次検査時)	—	○	○	—	○	○	—	—	—	—	—	—
	定格荷重(性能検査時)	—	—	○	—	—	○	—	—	○	—	—	—
	過荷重(設置時)	—	○	—	—	○	—	—	○	—	—	—	—
	過荷重(落成検査時)	—	—	○	—	—	—	—	—	○	—	—	○
変更	変更届(変更工事着工30日前)	—	—	○	—	—	○	—	—	○	—	—	○
	変更検査(変更希望日の15日前)	—	—	○	—	—	○	—	—	○	—	—	○
廃止	廃止したとき[※3]	—	—	○	—	—	○	—	—	○	—	—	○
報告	休止報告	—	—	○	—	—	○	—	—	○	—	—	—
	事故報告	—	○	○	—	○	○	—	○	○	—	○	○

凡例　○:該当する(労働安全衛生規則96条)　■:設置から廃止まで

※1:機械所有者が行う　※2:設置期間が60日未満は不要　※3:使用を廃止したときは検査証を返還する

表4出典:『仮設構造物計画の手引き』((一社)日本建築学会)

表5｜クレーン等の就業制限（労働安全衛生法61条）

資格の区分		クレーン				移動式クレーン			玉掛け		建設用リフト
クレーンの種別（業務）	吊り上げ荷重	運転士免許	限定免許	技能講習［※1］	特別教育	運転士免許	技能講習［※2］	特別教育	技能講習［※3］	特別教育	特別教育
クレーン（無線操作式も含む）	50kN以上	◎	×	×	×	×	×	×	×	×	×
床上運転式クレーン		●	◎	×	×	×	×	×	×	×	×
床上操作式クレーン		●	●	◎	×	×	×	×	×	×	×
跨線テルハ		●	●	●	◎	×	×	×	×	×	×
クレーン	50kN未満	○	○	○	◎	×	×	×	×	×	×
移動式クレーン	50kN以上	×	×	×	×	◎	×	×	×	×	×
	10kN以上 50kN未満	×	×	×	×	●	◎	×	×	×	×
	10kN未満	×	×	×	×	○	○	◎	×	×	×
玉掛けの業務	10kN以上	×	×	×	×	×	×	×	◎	×	×
	10kN未満	○	○	○	◆	○	○	◆	◎［※1］	×	×
建設用リフト	−	○	○	○	◆	○	○	◆	◆	×	◎
関係法令（クレーン等安全規則）		22条	224条の4	22条	21条	68条	68条	67条	221条	222条	183条

凡例　◎：主たる資格　●：運転することができる（安全衛生規則41条）　○：運転する（業務に就く）ことができる（基発145号　昭和48年3月19日）（基発180号　平成9年3月21日）　◆：運転する（業務に就く）ことができる（基発598号　昭和47年9月19日）　×：運転する（業務に就く）ことができない

床上運転式クレーン：床上で運転し、運転者がクレーンの走行とともに移動するクレーン

床上操作式クレーン：床上で運転し、かつ運転者が吊り荷の移動とともに移動するクレーン

建設用リフト：積載荷重2,500N以上で、昇降路高さ10m以上の建設用リフトの運転。建設用リフトの運転特別教育（クレーン等安全規則183条）

クレーン運転士免許、移動式クレーン免許、玉掛けの業務：昭和53年10月1日以降に、クレーン、移動式クレーンおよび揚荷装置（以下、「クレーン等」）の運転士免許を受けた者については、玉掛け技能講習を修了していなければ、制限荷重または吊り上げ荷重が10kN以上のクレーン等の玉掛け業務に就くことができない

※1：床上操作式クレーン運転技能講習（クレーン等運転関係技能講習規程）

※2：小型操作式クレーン運転技能講習（クレーン等運転関係技能講習規程）

※3：玉掛け技能講習（玉掛け技能講習規程）

タワークレーンの設置状況

表5出典：『仮設構造物計画の手引き』（（一社）日本建築学会）

3 ｜揚重機の選定

揚重機の選定は、揚重機の特性を把握し、計画条件に合致したものとする。揚重機の選定ケースは、建物の構造・規模、敷地条件、揚重材により**表6**のように分類できる。なお、同表では、敷地条件に余裕がある場合をCASE1・3・5・7、余裕がない場合をCASE2・4・6・8としてそれぞれ分類している。

また、例として、鉄骨建方用クレーンの選定要素を**表7**に示す。

表6｜揚重機の選定ケース

		大型揚重材		中型揚重材	小型揚重材	備考
		鉄骨、PCa	鉄筋材	型枠材、足場材、カーテンウォール	軽量下地材、ボード類、カーペット、造作材など	
大規模 S・SRC造	CASE 1	タワークレーン			・ロングスパンエレベータ ・人荷エレベータ	・建物の高さ、建築面積により選択方法は多様 ・鉄骨、PCa はタワークレーンまたはクローラクレーン
		タワークレーン＋ジブクレーン				
		タワークレーン＋クローラクレーン				
		クローラクレーン				
	CASE 2	タワークレーン				
		タワークレーン＋ジブクレーン				
小規模 S・SRC造	CASE 3	トラック、ホイールクレーン			ロングスパンエレベータ	鉄骨は移動式クレーン
		トラック、ホイールクレーン		ジブクレーン		
	CASE 4	トラック、ホイールクレーン	ジブクレーン		貨物用リフト	・鉄骨は移動式クレーン ・鉄筋、仮設材などはジブクレーン
大規模 RC造	CASE 5		水平クレーン		・ロングスパンエレベータ ・貨物用リフト	
			タワークレーン			
			ホイールクレーン			
			トラッククレーン			
			クローラクレーン			
	CASE 6		タワークレーン			
小規模 RC造	CASE 7		ジブクレーン		・ロングスパンエレベータ ・貨物用リフト	
			トラッククレーン			
	CASE 8		ジブクレーン		貨物用リフト	足場内に設置するクレーンも含む

表7｜鉄骨建方用クレーンの選定要素

選定要因	概要
建物の規模・構造	建物の形状、高さ、部材の重量などによって、機械の能力・台数、据え付け位置、移動（水平・垂直とも）、取り付け場所などを十分に検討する必要がある
敷地内外の状況	地形、面積、地盤、道路、隣地などの状況によって、使用できる機械が限定される
安全性	機械の取り扱いやすさ、組み立て、解体、盛り替えの方法などの点で、安全度の高いものを選ぶ必要がある。また、建方機械だけでなく、構造体（鉄骨）自体の安全度と建方作業、併用作業の安全度も高くなるような建方方法のとれる機械を選ぶ必要がある
経済性	建方機械にかかる費用だけでなく、取り込み桟橋、基礎、躯体補強などの補助設備も合わせて、経済的な比較検討が必要である
工期	経済性と同様に、建方工期だけの比較にとどまらず、補助設備に要する工期、建方機械の組み立て・解体にかかる工期、さらには他作業に建方機械を兼用する場合の総合工期をも含めて検討する必要がある
利用期間	利用期間の長短が経済性に大きく影響する。たとえば、利用期間が短い場合のタワークレーンの補助設備などは、長い場合に比べて、全体費用に占める割合が高くなる
遠隔地	遠隔地の場合、運送費（回送費）が割高となり、使用の自由性もないので、運搬回数を少なくし、回送の自由度の高いものを選ぶ必要がある
占有場所の大小	建方機械により占有場所が大きく異なるので、平面的および立体的な建方方法の検討が必要である

表6出典：『仮設構造物計画の手引き』（（一社）日本建築学会）

4 | 定置式クレーンの設置計画

- □ クレーンを建物内部に設置するか、外部に設置するかは、それぞれの特徴を比較検討したうえで決定する
- □ タワークレーンのクライミング方式は、マストクライミング方式とフロアークライミング方式による２種類に大別される
- □ タワークレーンの支持方法は、本設建物の利用、支持構台、RC基礎の設置による３種類に大別される

ここでは、定置式クレーンの選定や設置計画上のポイント、注意事項について解説する。

クレーンの能力

ジブクレーンは、「起伏ジブ」と「水平ジブ」に大別される。

起伏ジブは、吊り荷重が大きい場合や、高揚程の場合に適している。また、周辺の障害物の衝突回避ができるという特性もある。

一方、水平ジブは、鉄筋や型枠などの比較的軽い物の高速運搬に適している。高層の建物においては、クレーンの性能、台数、クライミング回数などの施工速度が大きく工期に影響する。

コスト面では、施工法によって変動するので、以下に示す複数の項目を検討したうえで経済的なコストを決定する。

[1]――基礎・躯体補強費用

一般的にクレーン能力が大きく、自立性が高いほどコストは大きくなる、ただし、極端な能力ダウンは、設置期間やクライミング回数、補強個所や補修が増える原因となる。

[2]――荷取り構台設置費用

荷取り構台の規模、補強の度合い、設置期間などがコストに大きく影響する。

[3]――組み立て・解体費用

クレーン能力や敷地条件、建物の形状により大きく変わる。使用期間が短い場合は、費用の占める割合が大きいため、詳細な検討が必要である。

[4]――運搬費用

機種や運搬距離により大きく変わる。道路によっては車種に規制があり、台数の増加、特殊車両の使用などが考えられる。

[5]――諸費用

電気設備、電気備品、ワイヤ、ボルトの費用のほか、整備費なども考慮することが必要である。

表8 | 外部設置と内部設置の特徴

	建物内部に設置する場合	建物外部に設置する場合
長所	・クレーンの作業半径が有効に建物を包含できるので、建物外部に設置する場合と比較して小能力のクレーンで済む ・別にクレーン基礎を設ける必要がなく、本体構造物を基礎として利用できる ・外壁に控えをとらないので、だめが生じない	・クレーンマスト部に床開口が生じない ・自立高さ以下の場合、建物本体に影響を与えることなく組み立て・解体作業が行える（仕上げ工程への影響が少ない） ・逆クライミングが可能な場合は、解体用ジブクレーンの必要がなく、安全性も増す ・敷地が広い場合が多いので、ストックヤードと建物との荷捌きに有効である
短所	・クレーンマスト部に床開口が生じる（ベースクライミングでは開口を生じないが、梁などの構造補強が必要となる） ・仕上げ工程との絡みで、解体時期での制約が大きい ・解体時に自力降下ができないため、解体用の補助クレーンや大型の移動式クレーンを必要とする ・作業半径の制約から、荷取りヤード、ストックヤードが制限を受けやすい	・作業半径内の約半分が建物本体を包含するだけであるため、能力や規模の大きいクレーンが必要となる ・自立高さを超える場合、マストおよび控えの費用が発生する ・自立高さを超える場合、控えにより外壁の残工事が生じる ・クレーン基礎を別に設ける必要がある

一般的には、

能力の大きいクレーンで計画　台数:少、設置期間:長

能力の小さいクレーンで計画　台数:多、設置期間:短

となるが、能力の大きいクレーンで計画した場合、ユニット化などにより揚重回数が減り、設置期間が短くなることもある。そのほか、合番クレーンの費用や作業員の確保・諸仮設設備の費用なども関係する。

外部・内部設置と平面配置の検討

建物外周の敷地に重機を設置したり車両動線を確保できる余裕があるかどうかによって、クレーンを建物内部に設置するか、外部に設置するかに分かれる。内部設置と外部設置とで、だめ工事の有無、必要なクレーンの種類、コスト、本体補強の有無や方法など、それぞれの特徴を比較検討したうえで決定する[表8]。

また、複数のクレーンが設置される場合は、ブーム相互の干渉に注意しなければならない。衝突防止装置が必要となるかを同時に検討する必要がある。

クレーン選定時には、組み立て方法と同時に解体方法の検討も行う必要がある。解体方法から平面配置計画が決まってくる場合もある。揚重機の解体方法の主なものとして、下記の方法がある。

①逆クライミング

②地上からの移動式クレーンによる解体

③解体用重機の屋上設置

鉄骨建方用タワークレーンを例として、定置式クレーンの配置・設置時期を決定する際に考慮しなければならない事項を以下に挙げる。

①吊り荷重と作業半径の関係から、平面的には全部材をクレーンの能力範囲内に包含しうること

②上記と同等に取り込み位置が包含されること

③立体的には、マストが鉄骨本体(小梁など)に当たらないこと

④基礎、控えなどの補助設備が、できるだけ安全かつ経済的に設置できること

⑤組み立てや盛り替え、解体などが安全かつ簡易に行えること(だめ開口などができるだけ少ないこと)

⑥他工事との併用・兼用の場合も、それぞれの工事について、上記と同様の事項を検討する

鉄骨建方用タワークレーンの設置時期

一般に考えられるタワークレーンの設置時期を以下に挙げる。

①掘削・山留め工事以前

②掘削工事完了後

③基礎梁・耐圧スラブ完了後

④地下1階床完了後(鉄骨ベース位置階完了後)

⑤1階床完了後

①の場合、山留め工事などの仮設材の揚重・取り付けから利用できるが、H形鋼などの支持杭によるクレーン専用構台が必要である。

②の場合、鉄筋コンクリート工事用材料の揚重が当初より行え、切梁解体などにも兼用できるが、①と同様の専用構台が必要である。

③の場合、耐圧スラブ・基礎梁などの工事中の鉄筋コンクリート工事用材料の揚重はできないが、それ以後の材料の揚重や切梁解体などには兼用できる。また、基礎梁を利用して、タワークレーン基礎を比較的容易に設けることが可能である。

④の場合、地下鉄骨より建方での利用が可能である。また、中間階梁上にタワークレーン基礎を設けることも可能であるが、相当の躯体補強が必要である。

⑤の場合、地下鉄骨の建方には別個のクレーンが必要である。また、クレーン基礎については、④の場合と同様である。

鉄骨建方用タワークレーンの解体時期

一般に考えられるタワークレーンの解体時期を以下に挙げる。

①鉄骨建方完了時

②PCa建方完了時、鉄筋コンクリート工事完了時

③カーテンウォール取り付け完了時、設備機械の取り込み完了時

①の場合、クレーンの設置期間が最も短く、タワークレーンのマストによる仕上げ工事へのだめを生じない。屋上から解体をする場合は、解体用ジブクレーンが早々に必要となり、仮設の作業床を設置しなければならず、トータルコストや後続工事の作業効率を考えると、必ずしも有効とならない場合が多い。

②の場合、建物内部にクレーンを設置しているときには、だめ工事に早く着手できるので、内部仕上げへの影響は少ない。型枠解体後の材料下ろし、設備機械などの取り込みなどに、ほかのリフトまたはクレーンを必要とする。

③の場合、一般にはこの時期に解体することが多い。設置期間が長くなるので、だめ工事の着手時期が遅くなる。また、屋上の防水との取り合いを検討する必要がある。

クライミング方式

タワークレーンのクライミング方式は、次の2種類に大別される。

[1]──マストクライミング方式

マストを継ぎ足すことによって旋回体がクライミングする方式である[図1]。旋回台下に昇降装置があり、追加マストを吊り込んだ後に昇降装置により旋回装置を上昇させる。

図1｜マストクライミング方式

- 汎用性：中高層建築に適している
- 鉄骨躯体の補強：ステーやベース部分の補強が必要な場合がある
- 作業性：マスト部分に後続作業のだめが生じる。外部に設置する場合は支障がない
- 安全性：下部より自立しているので、安全性は高い

図2｜フロアークライミング方式

- 汎用性：超高層建築に適している
- 鉄骨躯体の補強：クライミング時におけるマストと旋回体の支持点が異なるので補強は少ない
- 作業性：クライミング後はマスト下部に後続作業のだめを生じない
- 安全性：マストと旋回体が2分割されてクライミングするので安全性に優れる

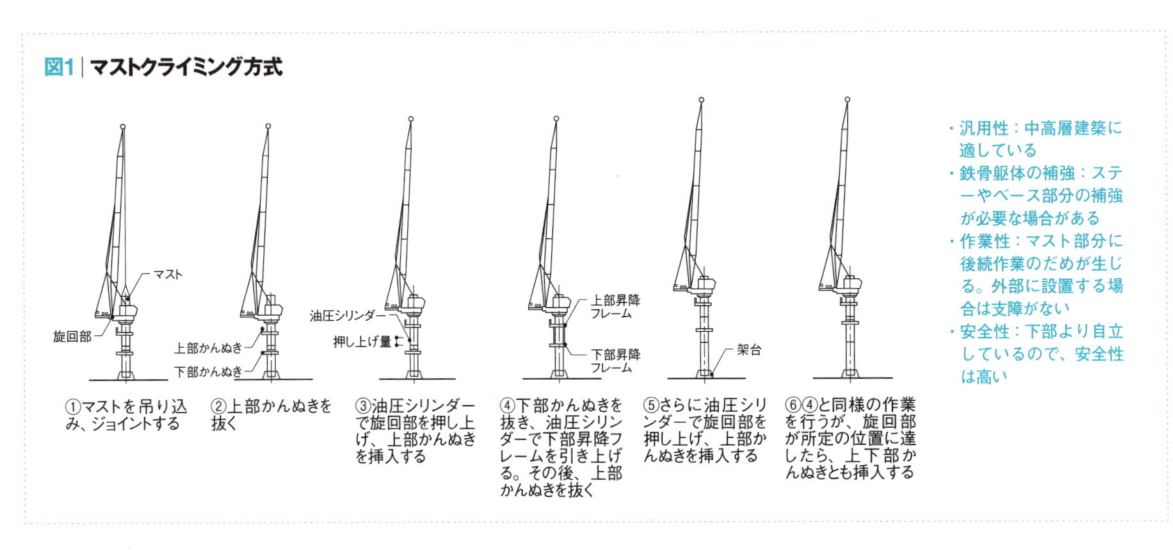

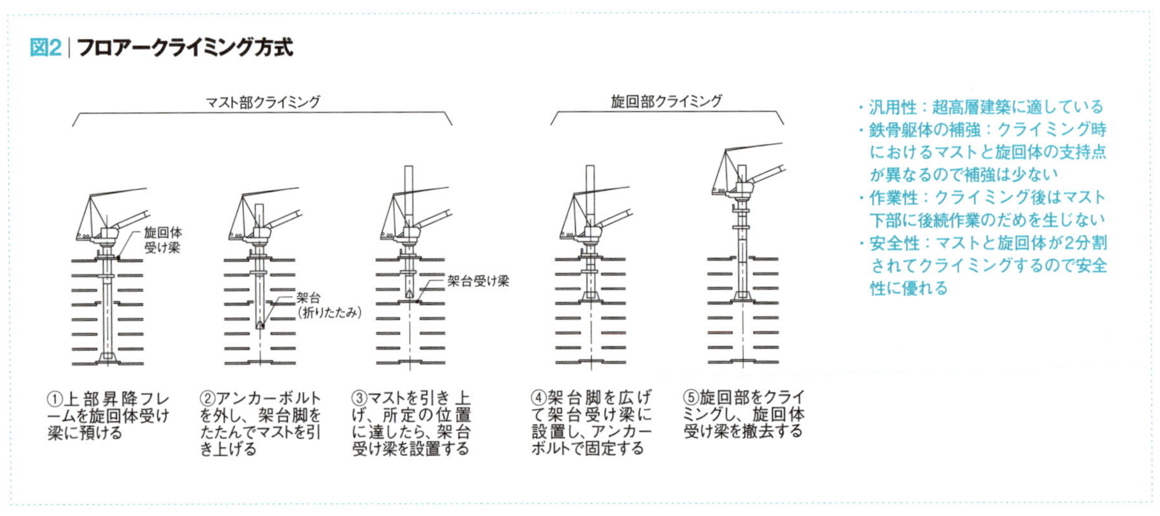

図1・2出典：『仮設構造物計画の手引き』（(一社)日本建築学会）

[2]──フロアークライミング方式

ベースも本体も一緒にクライミングする方式で、「ベースクライミング方式」とも呼ばれる[図2]。旋回台下に昇降装置があり、旋回台を躯体に預け、マストと架台を昇降させた後、旋回台を昇降させる。

フロアークライミングは、一般的に100m以上のS造建物に使用される。RC造でも可能であるが、クライミング時には旋回台を受ける場所と架台を受ける場所にコンクリートの強度発現が必要となる。

クライミングと水平つなぎの計画

架台からの自立高さ、水平つなぎからの自立高さが決まっており、躯体強度発現、クライミング機械、柱筋などの接触を考慮して、水平つなぎの取り付け時期やクライミング時期を確認する。

床開口計画

揚重機設置のだめ開口は、仕上げ工事ができるだけ少ない場所を選ぶ。また、便所・浴室などの水廻りは、あと工程が多いため避ける。

解体計画

クレーン選定時、組み立て方法と同時に解体方法の検討も行う。解体方法から平面配置計画が決まってくる場合もある。揚重機の主な解体方法としては表9に示す4つの方法が考えられる。

揚重機の基礎

揚重機の基礎の形式には、以下のものがある。

①H形鋼などを打ち込んで支持杭とし、専用構台を構築する方法

②場所打ちコンクリート杭を支持杭とし、構台を構築する方法

③建物の基礎梁、耐圧スラブなどを利用する方法

④建物の中間階の梁を利用して、鉄筋コンクリートまたはH形鋼などの受け梁を架設する方法

支持杭形式の基礎においては、引抜力に対する検討が盲点となりやすい。また、基礎廻りの掘削を行う場合、掘削の進行に伴って、筋かいやそのほかの補強材を使って十分な補強を行う。

また、上記③や④のように建物に預ける基礎形式の場合は、建物全体に及ぼす影響を考慮して、補強の要否を決定する必要がある。

揚重機設置の場合は、メーカーまたは業者から設置に関する条件としての基礎や中間ステー部にかかる荷重条件を入手し、把握しておく。それぞれの留意点としては以下のとおりである。

①本設建物を利用する場合は、構造設計者の確認をとる

②支持構台を設置する場合は、掘削工事での最も不利な架構での安定性を考慮する(杭の支持力、引抜力および水平つなぎ、ブレースなど)

③クレーンマストのステーを構造物で負担させる場合は、構造設計者の確認をとる

表9｜解体方法

方法	概要
逆クライミング	・躯体との距離が、水平つなぎの撤去時とマスト吊り降ろしの際などに、旋回台が回転可能な離れを有しているか確認する ・旋回が可能とならない場合には、一方向を向いたままその方向にマストを降ろし、別な重機で水平ステーの撤去方法を検討することになる
地上からの移動式クレーンによる解体	・移動式クレーンの性能を最大限発揮するためのセット位置、ジブの解体のための重心吊り位置、ジブを降ろす場所などの検討が必要である ・最高高さは80～100m程度が限度である
屋上に解体用重機を設置	・逆クライミングも地上からの解体もできない場合に、解体する重機で屋上に解体用重機を上げて施工に使用した重機を解体する ・重機解体後に解体用重機を解体するため、その次に解体する重機を上げて解体するといった作業を繰り返して最後にエレベータで降ろす
ほかの定置式クレーンによる解体	建設用に複数のタワークレーンが建っていた場合、一番解体しやすい揚重機でほかの揚重機を解体し、残った揚重機は最後に上記の方法のいずれかで解体を行う

タワークレーンの支持方法

一般的にタワークレーンの支持方法は、以下に挙げる3種類に大別される。これらのうちから、その現場に最も適した計画を行うが、支持方法によっては、設置位置や設置期間について再検討が必要となる場合もあるので注意したい。

[1]――本設建物の利用

本設建物の基礎や基礎梁、大梁などを利用してタワークレーンの架台を設置する方法である[図3]。架台は、仮設の受け梁で直接支持し,受け梁を本設建物で支持する。本設梁がそのまま受け梁となる場合もある。この方式の特徴は以下のとおりである。なお、本設建物の部材変更・配筋変更を行う場合は、確認申請上の手続きが必要となるので注意したい。

①一般に、基礎はそのまま利用でき、梁・柱の補強程度で済むので、地盤が悪い場合には特に有効である
②S造の場合、本接合を完了してクレーンを設置すれば、直ちに使用できる
③RC造では、コンクリートの強度発現期間が必要である
④建物内部に設置する場合には、一般にスラブにだめ孔ができることが多い
⑤クレーン解体搬出の際に、ジブクレーンの設置が必要な場合が多い

[2]――支持構台

支持杭としてH形鋼を打設し、クレーン架台を受ける架構を設ける方法である[図4]。特徴は以下のとおりである。

①掘削工事以前に設置することができるので、地下工事の作業では効率的である
②本設建物を利用する場合に比べ、構台の設置費が余分にかかる
③クレーン設置後、直ちに使用できる
④建物内部に設置する場合、山留め工事の切梁と交錯しないように計画しなければならない。また、スラブにはだめ開口が残り、耐圧盤は支柱廻りに防水処理が必要である

図3 | 本設建物の利用

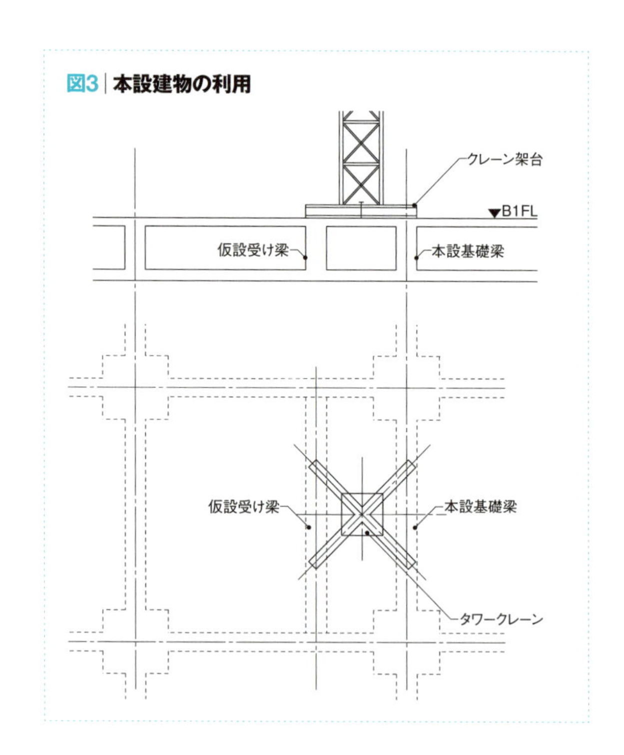

図4 | 支持構台の設置

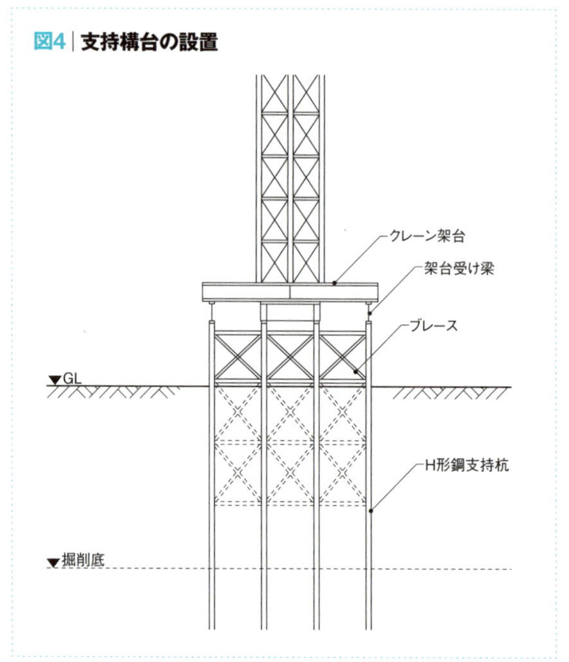

図3・4出典:『仮設構造物計画の手引き』((一社)日本建築学会)

[3]──RC基礎の設置

地盤に直接基礎スラブをつくるか、場所打ちコンクリート杭や既製抗を打設して基礎をつくり、その上にクレーンを設置する方法である[図5]。特徴は以下のとおりである。

①支持地盤が浅い場合は直接基礎でよく、最も簡単に設置できる。ただし、転倒防止のための大きさが必要である[図5(1)]。

②支持地盤が深く、杭が必要な場合は、本設の抗と同時施工するようにできればコスト的に有利である[図5(2)]

③いずれの方式も、組み立て使用開始までに、コンクリートの強度発現期間が必要である

水平ステー(控え)の設置(建物内部設置の場合)

自立限界高さ(自立高さ)以上でクレーンを使用する場合、所定の位置に形鋼などによる水平ステー(控え)を設けて、水平力を負担させる必要がある[図6]。水平ステーは本設構造体に固定する。

水平ステーの位置を決定するには、躯体施工とクレーンマストのせり上げとの関連を配慮して計画的に行う必要がある。また、水平ステーのクレーンへの取り付け位置が正規の高さと異なると、マスト自体の補強が必要となるので注意したい。

RC造に水平ステー取り付けのアンカーをとる場合は、コンクリートの所要強度発現を待って行う。

そのほか、タワークレーンを例に、水平ステー設置に関する留意点を以下にまとめる。

①鉄骨の節点のような剛強な部分を支点とするほうが望ましい

②鉄骨梁を利用して控えを設ける場合、鉄骨梁が弱軸方向で控えにかかる水平力を負担することのないような計画のほうが望ましい

③本体鉄骨と控えとの接合は、ボルトまたは溶接によるので、鉄骨製作時に、控えの接合部の加工も行うのが望ましい(工場加工により、鉄骨本体に悪影響を与えないようにする)。したがって、控えの計画が鉄骨の図面承認の前後に完了している必要がある

④控えの接合部の検討だけでなく、鉄骨架構全体に与える控えの水平力による影響を考慮する

図5 | RC基礎の設置

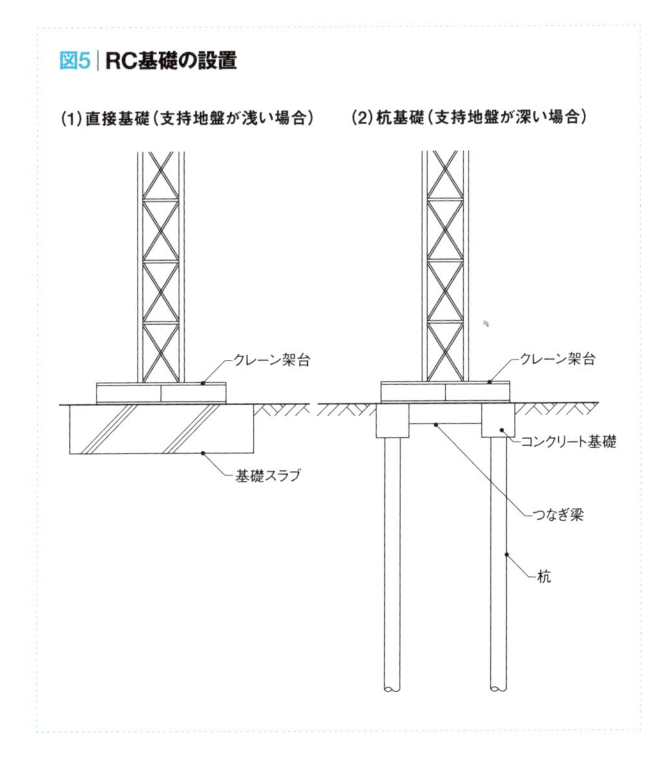

図6 | 水平ステー(控え) ※建物内部設置の場合

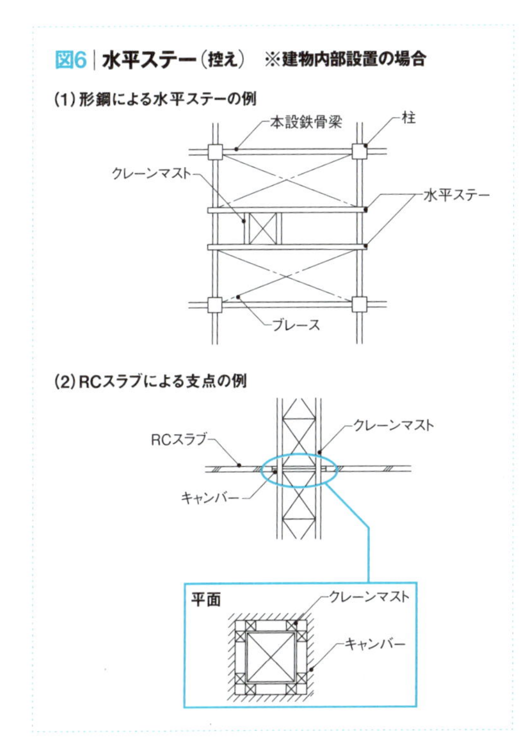

図5・6出典:『仮設構造物計画の手引き』((一社)日本建築学会)

5 | 移動式クレーンの配置計画

□ クレーンの能力については、吊り荷重と揚程と水平距離が選定のポイントになる
□ 定置式クレーンと異なり、移動式クレーンはその日の作業によって設置する位置が変わる可能性があり、毎日の作業ごとの周辺状況の確認が重要となる

ここでは、移動式クレーンの選定や配置計画上のポイント、注意事項について解説する。

クレーンの能力

クレーンの能力については、吊り荷重と揚程と水平距離が選定のポイントとなるが、建物の立ち上がりに従いブームが倒せなくなるので断面図を描いて確認しておく必要がある。

揚程は性能表で検討するが、ブーム先端からのフックまでの吊り代を考慮する必要がある。車体に対する吊り方向より吊り能力が変わってくるので注意を要する。また、吊り荷重（定格総荷重）には吊りフックの荷重を見込まなければならない。トラッククレーンは後方吊りが最も安定しており、ホイールクレーンは前方吊りが安定している。

作業床強度

移動式クレーンの移動・据え付けを行う作業床は平坦で、かつその荷重に十分耐え得るものでなければならない。

また、山留めのそばで作業する場合には、上載荷重として側圧増につながるので、山留めの別途検討が必要となる。敷き鉄板だけでなく地盤改良が必要になることもあるので注意したい。

地盤上が作業床となる場合は、あらかじめ土質試験データや試掘により、その状況を調査・確認する必要がある。表面だけでなく所定の深さまでの調査が必要で、めり込みなどのおそれのある場所は、路盤の補強を行う。

補強としては、マット敷きや鉄板敷き、土間コンクリート打設などがあるが、安全性や経済性、使用頻度などを考慮して適切な処置を講ずる。特にトラッククレーンの場合、アウトリガー反力が大きい半面、その接地面積が小さいので、鉄板や地盤改良などにより接地面積を広げることも有効である。

構台上や1階床上が作業床となる場合、覆工板の負担を低減することや、構台全体補強、あるいは1階床梁補強など、ごく細かい検討が必要である。

作業床の補強方法は移動式クレーンを設置する場所によって異なるが、一般的に**表10**に示すものが挙げられる。

そのほか、機械式ブームの場合、組み立て・解体用

表10 | 移動式クレーン設置場所による補強方法

設置場所	一般的な補強方法
地山	・敷き鉄板 ・砕石敷き+敷き鉄板 ・地盤改良+敷き鉄板 ・そのほか
構台上	・大引・根太ピッチの変更 ・大引・根太材のメンバーアップ ・杭材のメンバーアップ ・杭先端深さの変更
建物躯体上	・敷き鉄板 ・床・梁・柱性能のアップ ・仮設梁、柱、ブレスなどの追加

表10出典：『移動式クレーンPlanning百科』（（一社）日本建設機械施工協会）

のスペースが必要である。

周辺状況

定置式クレーンと異なり、移動式クレーンはその日の作業によって設置する位置が変わる可能性がある。したがって、毎日の作業ごとに以下の事項について確認する必要がある。

①ブームの旋回が敷地境界を越境しないか
②ブームとカウンター旋回範囲に障害物がないか
③揚重範囲に配電線や電話線などがないか
④アウトリガーの張り出しが確実に行えるか
⑤地盤の状態に問題はないか

特に⑤については、以下のような地盤に移動式クレーンを設置しようとする場合は、地盤の補強方法について別途詳細な検討が必要となる場合がある[図7]。

①傾斜地または凹凸地盤
②地下埋設物の直上地盤
③舗装構成の薄い舗装路面、もしくは敷き石舗道
④法肩部や工事現場の掘削部付近
⑤造成地の盛土部、ならびに切土・盛土の境界付近

鉄骨建方時のポイント

移動式クレーンの場合、設置位置は比較的自由に選べるわけであるが、敷地および建物の状況により限定される。また、作業範囲も比較的狭いので、建て逃げ工法をとる場合が多い[図8]。したがって、建方順序図を作成するなどして、平面的かつ立体的に建方順序を綿密に計画する必要がある。

建方順序の計画においては、以下の点に注意する。

①屏風建てをできるだけ避ける
②ブームの旋回・起伏の作業をできるだけ少なくする
③クレーンの最終時の建物外への逃げを考慮する

また、市街地のビル建築などにおいては、構台上や1階床上がクレーンの設置位置あるいは仮置場となるので、構台計画や床補強計画まで綿密に行う必要がある。

図7｜危険な地盤への設置例

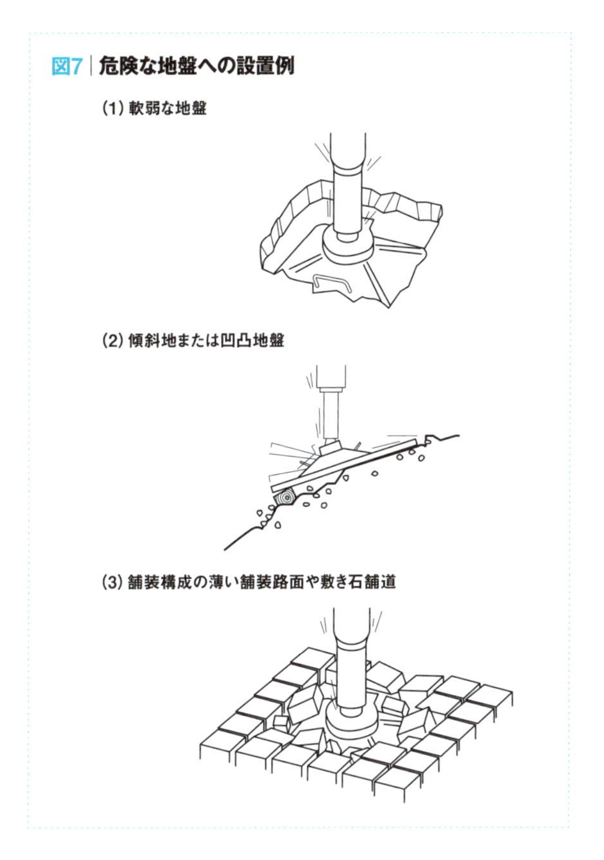

図8｜建て逃げ工法

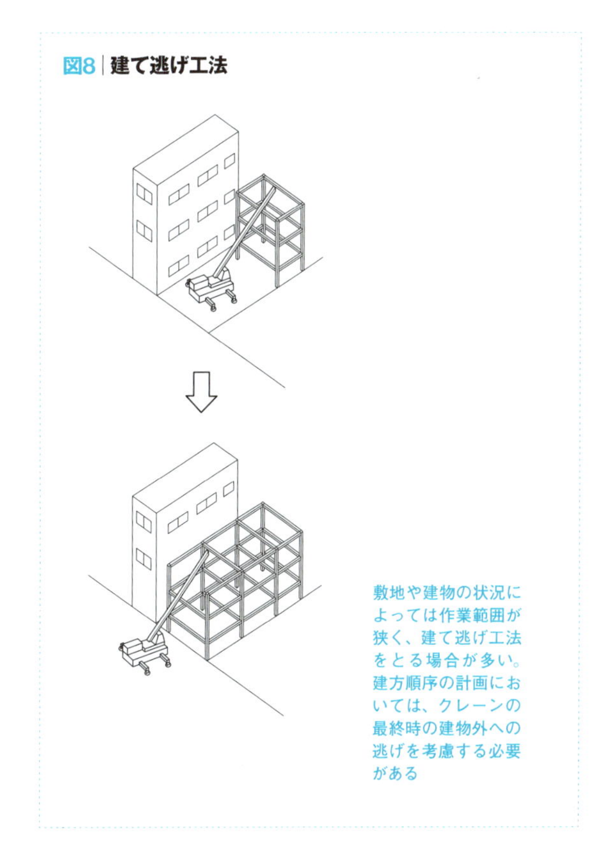

敷地や建物の状況によっては作業範囲が狭く、建て逃げ工法をとる場合が多い。建方順序の計画においては、クレーンの最終時の建物外への逃げを考慮する必要がある

6　仮設エレベータ・リフトの設置計画

check

- □ エレベータ・リフトの設置位置の選定にあたっては、建物や敷地の形状、工期、経済性などを総合的に考慮して判断する
- □ できるだけ明確に揚重材の量的・質的な把握と工程上の正確な位置付けを行うことが重要となる

建物が高層化すればするほど、人荷用エレベータやリフトの計画が重要となる。そのため、施工計画にあたっては、機種と設置場所を十分に検討する必要がある。ここでは、エレベータおよびリフトの選定や配置計画上のポイント、注意事項について解説する。

仮設エレベータの広さと能力

ロングスパンエレベータと人荷用エレベータの仕様の違いは、ロングスパンエレベータは昇降速度が10m/min以下で、運転台にしか人が乗れないことである。運転者以外は歩いて昇降しなければならないので、建物が高くなると作業員に過度な階段での移動を要請することになり、その採用には限度がある。10階が人荷用エレベータへ移行する分岐点と考える。

エレベータ・リフトによる揚重材としては、**表11**に挙げるようにさまざまなものがある。その種類や形状、重量、数量などは複雑で、定量的に把握することは非常に難しい。しかしながら、できるだけ明確に揚重材の量的・質的な把握と工程上の正確な位置付けを行うことが、その後の揚重工程のみならず、全体工程を計画どおりに進められるかどうかの重要な条件となる。

外部・内部設置と平面配置の検討

エレベータ・リフトの設置位置の選定にあたっては、以下の条件を満たすことが望ましい。

①車両の出入りが容易な位置
②占有場所が広く取れる位置
③水平運搬距離が短くなる位置
④ほかの動線と錯綜しない位置
⑤最終残工事の少ない位置
⑥仕上げ工事への影響が少ない位置

しかしながら、これらのすべてを満足することは難しいので、建物や敷地の形状、工期、経済性などを考慮して総合的に判断することになる。

エレベータ・リフトの設置場所としては建物内に設置するケースと建物外に設置するケースとがある。それぞれのケースでの長所と短所を**表12**に示す。

設置構造

基礎の計画において考慮せねばならない荷重を**表13**に示す。

エレベータ・リフトを建物内に設置する場合、スラブ上に基礎が設けられるので、ポストをスラブで直受けするとパンチング（押抜きせん断破壊）のおそれがある。この場合には形鋼などをスラブ上に敷いたり、梁間に仮設梁を架け渡して荷重負担幅を広げたり、スラブへ直接負担させないなどの処置を講じる必要がある。また、あらかじめスラブ厚を増して補強する方法も有効となる。

表11｜エレベータ・リフトによる揚重材

分類	揚重材の種類		備考
中型揚重	建築材料	型枠材料	パイプ、サポートなど
		仕上げ材料	ALC板、建具、天井材など
	設備材料		パイプ類、ダクトなど
小型揚重	人員輸送		—
	工具材料		アセチレンガス、酸素、抵抗器など
	仮設材料、左官材料、金物など		—
	設備材料		ジョイント類、保温材など

表12｜外部設置と内部設置の特徴

	建物内部に設置する場合	建物外部に設置する場合
長所	屋上床の開口がない場合は、天候の影響を受けない	・内部仕上げ工程への影響が少ないため、比較的工事後期段階まで存置できる ・組み立て・解体が容易である
短所	・各階スラブにだめ工事が生じる ・開口部から建物内部に雨水が浸入しやすい ・荷取りステージは不要となるが、開口部の安全設備が必要となる ・内部仕上げ工程への影響が大きい ・エレベータシャフトを利用した場合は、本設エレベータ工事に影響を及ぼすことがある	・荷取りステージが必要となる ・取り込み開口部が本体開口部と合致しない場合は、外壁面に仮設の開口が必要となり、大きなだめ工事となる ・天候の影響を受けやすい

表13｜基礎の計画に考慮する荷重

種類	詳細
垂直力	機械重量（ポストなどまで含めた重量）
	付属設備重量（水平振れ止め架構、安全設備など）
	人・積み荷の重量
水平力	機械作動時の横揺れによる水平力
	風荷重による水平力
	地震時の水平力
	吊りワイヤ用シーブにかかる水平力

仮設エレベータの設置状況

7 定置式クレーン基礎の計画・設計

check

- □ 計画の時点で、定置式クレーンの設置から最終使用状態までの諸条件の変化を把握しておく
- □ 把握するべき設計条件は荷重、設置場所の状況、設置期間、架台の設置レベルの4つである

計画・検討の流れ

クレーンの設置に関する検討フローは図9に示すとおりである。

一般に、機種が決定すると、その使用条件を決定し、設置位置と設置時期との関連からその支持方法を決定する。さらに、決定した支持方法に従って、詳細の設計を進めていくという流れになる。

したがって、計画の時点で、クレーン設置から最終使用状態までの諸条件の変化を明確に把握しておくことが大切である。

設計条件の把握

把握しておくべき設計条件を以下に挙げる。

[1]――荷重条件

クレーンの架台反力および水平反力は、クレーンメーカーの計算書による。

[2]――設置場所の状況(地盤上設置の場合)

基礎の設計をする場合、ボーリングデータにより設置場所の地盤条件を把握しなければならない。

また、杭耐力、地盤の支持力に大きく影響するので、周辺で掘削を行うことがないか、埋め戻し土や盛土の部分でないかを確認しなければならない。

[3]――設置期間

クレーンの設置位置、支持方法と掘削、杭工事との関連が深いので、いつ設置するのかを確認する。

また、設置やクライミングの時期が、S造では床コンクリート施工の前か後か、SRC造では躯体コンクリート施工の前か後かで、本体に対する荷重が変わるので、本設建物利用の検討の際に注意しなければならない。

[4]――クレーン架台の設置レベル

クレーンの架台が、本設建物のどの階に設置されるのか確認し、その設置階の構造的特徴があれば注意しておく。

設計計算に用いる許容値

設計計算に適用される規準としては、以下のものが挙げられる。

準拠すべき法規・規準

1 ―― (一社)日本建築学会

『建築基礎構造設計指針』

『鋼構造設計規準』

『鉄筋コンクリート構造計算規準・同解説』

『鉄骨鉄筋コンクリート構造計算規準・同解説』

2 ―― 厚生労働省労働基準局クレーン構造規格

[1]――構造用鋼材・鉄筋・コンクリートの許容応力度

本設建物の構造検討にあたっては、本体に生ずる最大応力に対して長期許容応力度以内であることを原則とする。

仮設構造物に関しては、作業時架台反力の1.5倍と、地震時および停止時(暴風時)の架台反力を比較して最も大きい反力を採用し、作業時架台反力に対しては長期許容応力度を、そのほかの場合は短期許容応力度を用いて設計する。

[2]――杭・地盤の許容値

杭と地盤に作用する荷重として、作業時架台反力の2.0倍と、地震時および停止時(暴風時)の架台反力を比較して最も大きい架台反力を採用して、表14の許容値に従って設計する。

なお、コンクリート以外の構造材料である鋼材や鉄

図9｜クレーン基礎設計のフロー

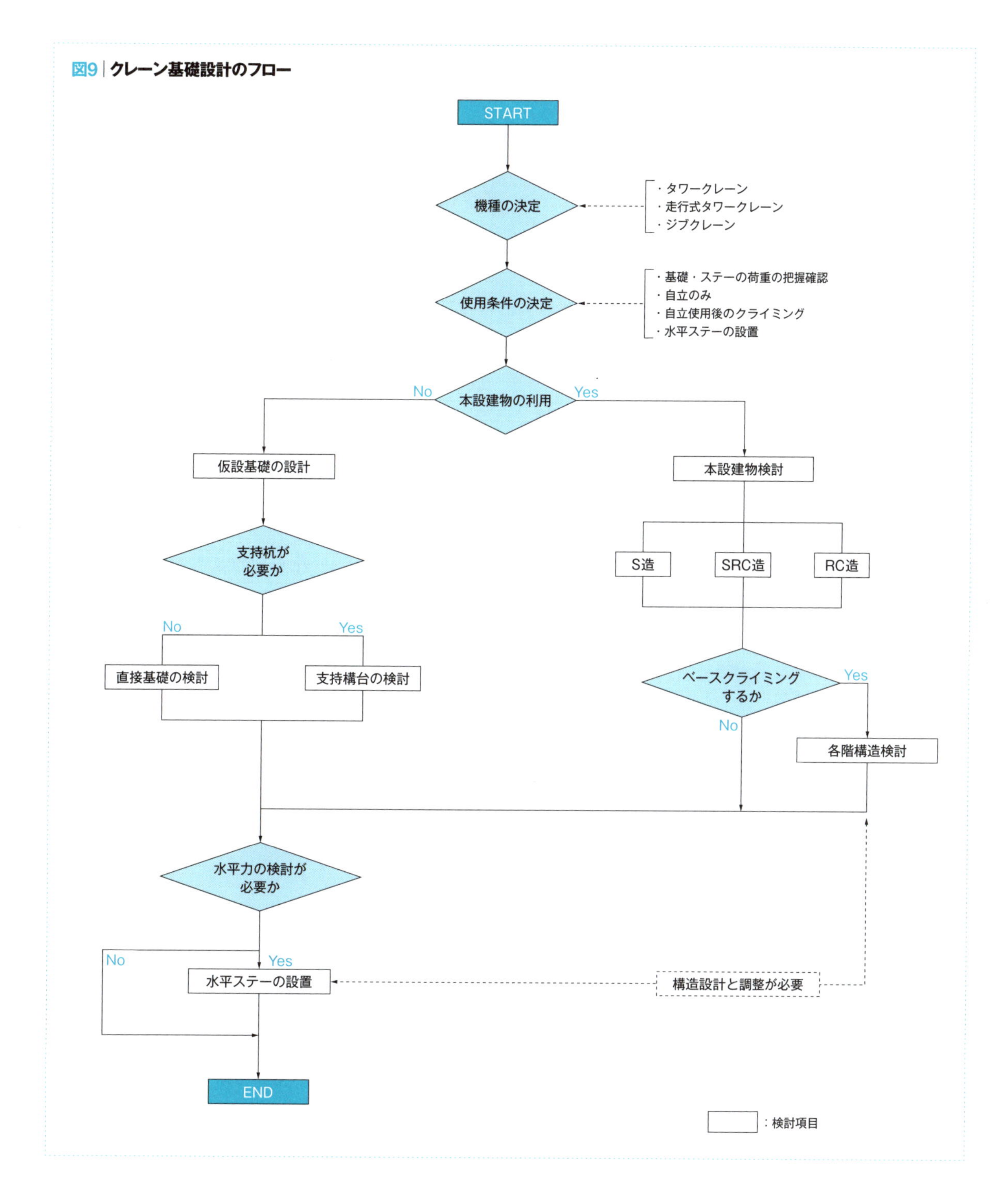

筋については[1]に従う。

[3]──溶接継目の許容応力度

溶接継目の許容応力度については、建築基準法施行令92条による。

表14｜杭と地盤の許容値

項目	作業時	地震時・停止時
杭	長期許容支持力	長期の2.0倍
地盤	長期許容支持力度	
コンクリート	長期許容応力度	

[4]——**ボルトの許容耐力**

クレーン架台の固定用アンカーボルトは、クレーン構造規格に準じた値とし、そのほかのボルトは鋼構造設計規準に従う。

設計計算の手順

[1]——**本設建物の利用**

図10に、本設建物を利用する場合の基礎の設計計算の手順を示す。具体的には、以下のような流れとなる。

①基礎荷重表の算出：タワークレーンの機種ごとに異なり、同一機種であってもジブ長さ(最大作業半径)とタワー本数(最大自立高さ)によって異なるので、使用するタワークレーンに応じてメーカーに提出を依頼する[図11]

②架台反力の算定：基礎の一すみの反力を求める[図12]

③梁・柱の応力算定：上記で求めた反力を用いて、仮設梁、本設梁、本設柱の曲げモーメントとせん断力を算定する

④梁・柱の断面算定：上記で求めた応力について、仮設梁の設計を行い、本設梁・柱の検討を行う(応力度とたわみ量の双方について検討する)

⑤補強方法の検討：本設梁・柱が原設計で耐力が不足する場合は、仮設柱や方杖、ブレースなどにより補強を行う

⑥基礎・杭の検討：基礎と杭が原設計のままで安全であることを確認しておく

⑦接合部・詳細部の検討：クレーン架台の固定部分、仮設梁と本設梁の接合部、補強部材の仕口などの金物やボルト、溶接を検討する

クレーン荷重は、図13に示すように、力の伝達をできるだけ短いルートで柱に伝えるように計画するのが好ましい。しかし、図13のG_2梁のたわみが過大である場合、これによって支持点の反力が変化したり、クレーンシャフトに付加モーメントが生じるので注意しなければならない。

このような場合は、図14のように全支持点のたわみが同じ量になるように左右対称に計画する必要がある。G_2梁がS造でスパンが大きい場合はたわみが大きくなりやすいが、SRC造であればたわみを無視できることが多い。また、図15のように梁下にサポートを設けて、梁の補強や補剛を軽減することもよく行われる。

図10｜本設建物利用の場合の基礎設計フロー

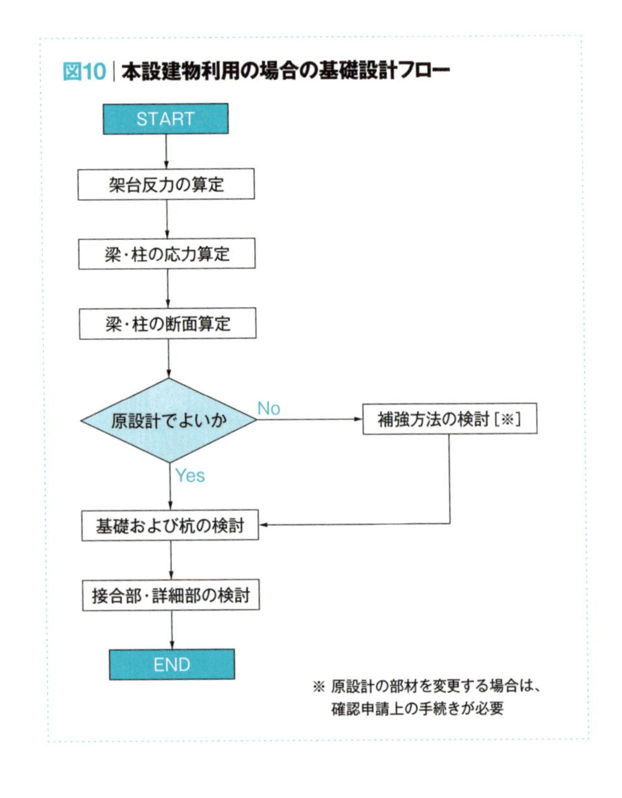

※ 原設計の部材を変更する場合は、確認申請上の手続きが必要

図11｜基礎荷重表の算出

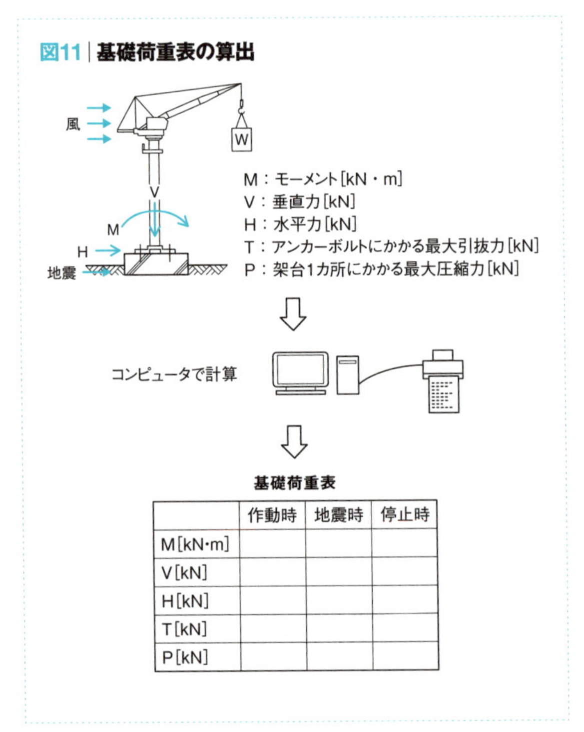

	作動時	地震時	停止時
M[kN·m]			
V[kN]			
H[kN]			
T[kN]			
P[kN]			

図12｜架台反力の算定

ブーム方向Aのとき

$$P=\frac{V}{4}\pm\frac{1}{2}\cdot\frac{M}{\frac{L}{\sqrt{2}}}$$

ブーム方向Bのとき

$$P=\frac{V}{4}\pm\frac{M}{L}$$

P：一すみの反力［kN］

M：自立最高高さのときに架台に加わるモーメント［kN·m］

V：自立最高高さのときに架台に加わる鉛直力［kN］

L：架台対角方向の支点中心間距離［m］

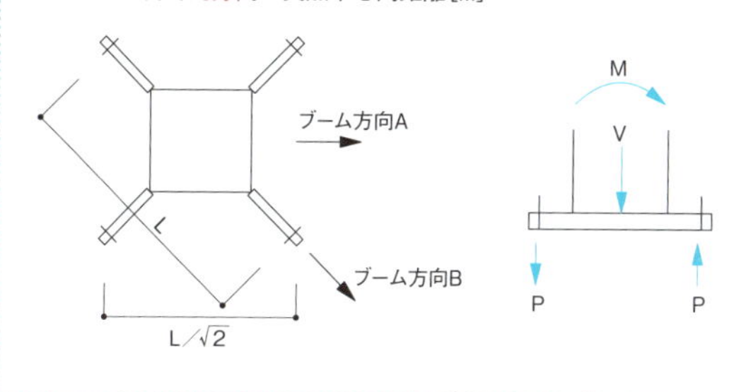

図13｜タワークレーン架台の位置

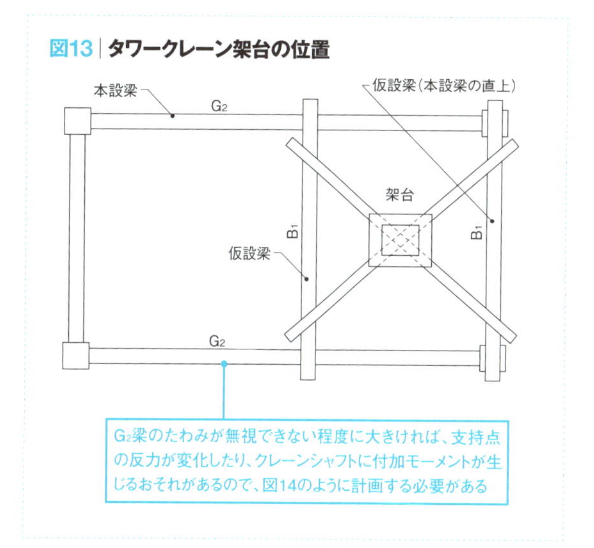

また、クレーン荷重はかなり大きいため、支持部分は十分安定した構造にしなければならない。床構造が鉄骨のみの状態の場合は、床面に水平ブレースを取り付けて水平剛性を高めておく必要がある。

図14｜タワークレーン架台の支持

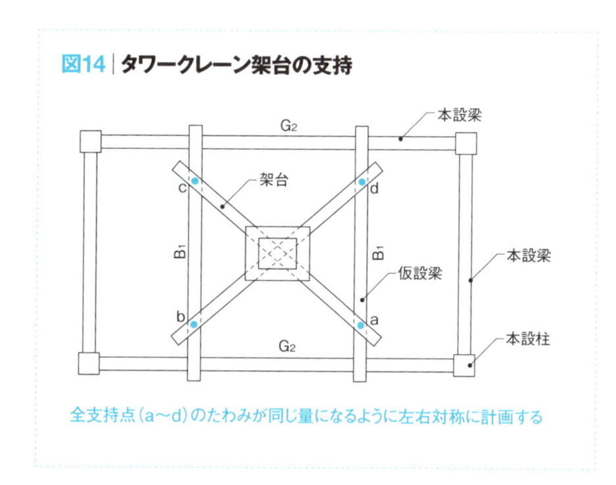

梁補強の状況

図15｜サポートによる梁補強

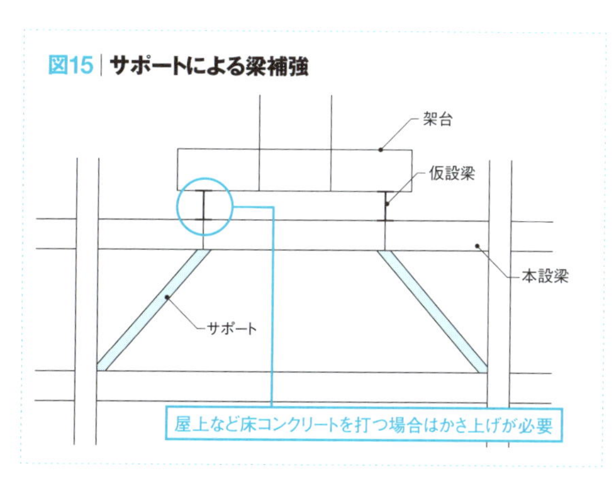

揚重機による躯体補強は、基本的に補強部材の追加によることとし、構造体の耐力バランスを崩すため、本設部材のサイズ変更は基本的に行いません

図16｜直接基礎の設計フロー

START
↓
架台反力の算定
↓
地盤の許容支持力度の算定
↓
基礎の設計
↓
接合部の検討
↓
END

[2]──直接基礎の設置

ローム層など良好な地盤の場合には、直接基礎で支持することも可能となる。図16に、直接基礎を設置する場合の設計計算の手順を示す。具体的には、以下のような流れとなる。

①架台反力の算定：最大自立高さのときのクレーン架台に加わるモーメントMと鉛直力Vを荷重として採用する［算定式は355頁図12を参照］

②地盤の許容支持力度の算定：図17に示す算定式により地盤の長期許容支持力度および短期許容支持力度を算定する

③基礎の設計：基礎の大きさを決定し、接地圧が許容支持力度以下で、かつ転倒に対して安全であることをチェックする［図18・19］。問題がなければ、日本建築学会の構造計算規準により基礎の配筋を決める

図17｜地盤の許容支持力度の算定

地盤の長期許容支持力

$$q_a=\frac{1}{3}\left(\alpha\cdot c\cdot N_c+\beta\cdot\gamma_1\cdot B\cdot N_\gamma+\gamma_2\cdot D_f\cdot N_q\right)$$

地盤の短期許容支持力

$$q_a=\frac{2}{3}\left(\alpha\cdot c\cdot N_c+\beta\cdot\gamma_1\cdot B\cdot N_\gamma+\frac{1}{2}\gamma_2\cdot D_f\cdot N_q\right)$$

q_a：許容支持力度［kN/m²］

c ：基礎底面下にある地盤の粘着力［kN/m²］

γ_1：基礎底面下にある地盤の単位体積重量［kN/m³］
（地下水位下にある場合は、水中単位体積重量をとる）

γ_2：基礎底面下より上方にある地盤の平均単位体積重量［kN/m³］
（地下水位下にある部分については、水中単位体積重量をとる）

α、β：形状係数［右上表参照］

N_c、N_γ、N_q：支持力係数［右下表参照］（内部摩擦角ϕの関数）

D_f：基礎に近接した最低地盤面から基礎底面までの深さ［m］

B ：基礎底面の最小面［m］（円形の場合は直径）

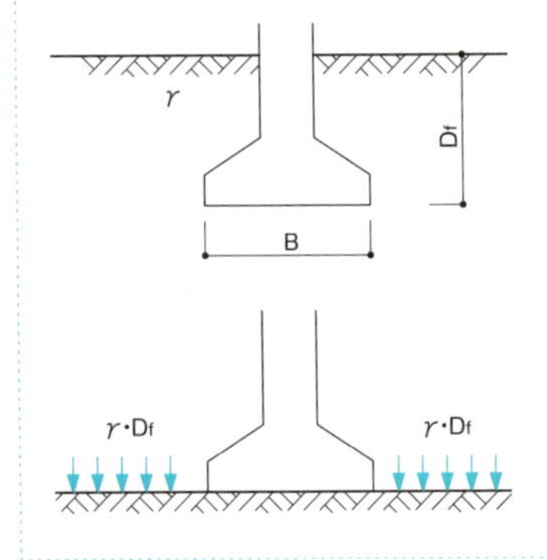

形状係数

基礎底面の形状	連続	正方形	長方形	円形
α	1.0	1.3	1.0＋0.3・(B／L)	1.3
β	0.5	0.4	0.5－0.1・(B／L)	0.3

B:長方形の短辺長さ　　L:長方形の長辺長さ

支持力係数

φ	Nc	Nr	Nq
0°	5.3	0.0	3.0
5°	5.3	0.0	3.4
10°	5.3	0.0	3.9
15°	6.5	1.2	4.7
20°	7.9	2.0	5.9
25°	9.9	3.3	7.6
28°	11.4	4.4	9.1
32°	20.9	10.6	16.1
36°	42.2	30.5	33.6
40°以上	95.7	114.0	83.2

参考:「Part. 8 重機転倒防止対策」図3－極限鉛直支持力を算定するための支持力式（378～379頁）

④接合部の検討：クレーン架台の固定部分のアンカーボルトや押さえ金具の検討を行う

架台反力の算定において、トラワイヤを設置する場合は、鉛直力はトラワイヤ張力の鉛直方向成分を含んだものとする。また、自立の状態とトラワイヤを設置した状態の両方がある場合は、その両者について基礎反力を求める。

図18｜接地圧の算定

$$\sigma_c = \alpha \cdot \frac{N}{A} < q_a$$

σ_c：接地圧［kN/m²］

α：接地圧係数（基礎形状と $\frac{e}{L}$ より右図で求める）

e：偏心距離［m］

$$e = \frac{M}{N}$$

M：モーメント［kN･m］

L：基礎の1辺の長さ［m］

A：基礎の底面積［m²］

N：クレーン鉛直力Vと基礎自重Wの和［kN］

q_a：地盤の許容支持力度［kN/m²］

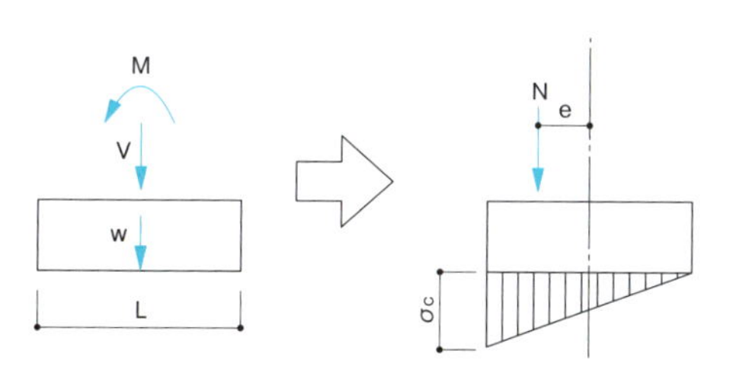

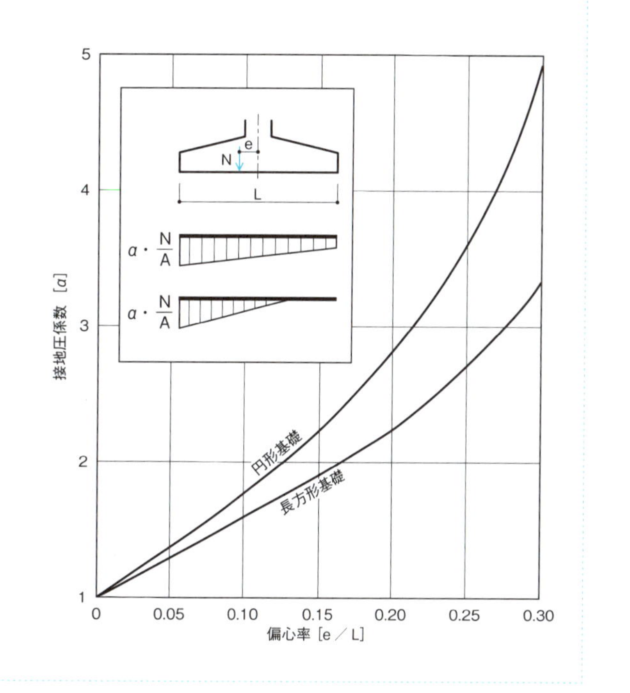

図19｜転倒に対する検討

$$F_s = \frac{\frac{1}{2} \cdot L \cdot N}{M} \geqq 1.5$$

F_s：転倒に対する安全率

L：基礎の1辺の長さ［m］

N：クレーン鉛直力Vと基礎自重Wの和［kN］

M：モーメント［kN･m］

転倒に対して安全率を1.5倍確保する

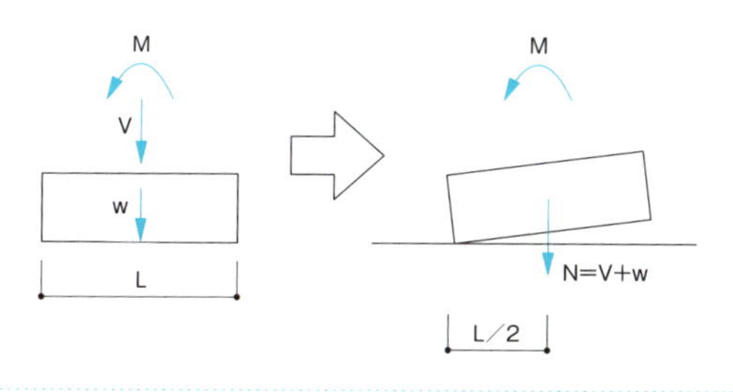

[3]──**杭基礎の設置**

図20に、杭基礎を設置する場合の設計計算の手順を示す。具体的には、以下のような流れとなる。

①架台反力の算定：基礎一すみに加わる最大反力を求める[図21]

②杭支持力の算定：図22に示す算定式により杭の長期許容支持力および長期許容引抜力を算定する

③杭の検討：基礎反力に対して、杭の支持力と引抜力の検討を行う。さらに杭断面の検討も行う（水平力に対して杭の水平抵抗の検討を行うことが必要な場合がある）

④接合部の検討：杭頭の鉄筋の基礎への定着長、クレーン架台の固定部分のアンカーボルトと金物の検討を行う

架台反力の算定においては、作業時の反力の2.0倍と、停止時および地震時の反力のうち最も大きい反力を検討対象とする。また、杭以外の算定のときは、作業時反力の1.5倍と停止時および地震時の反力を比較して最大反力を求める。

図20｜杭基礎の設計フロー

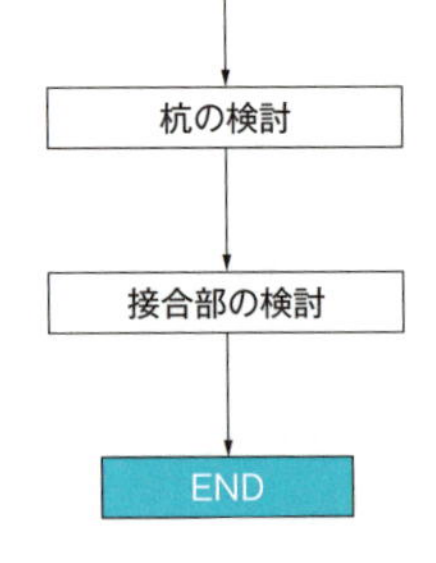

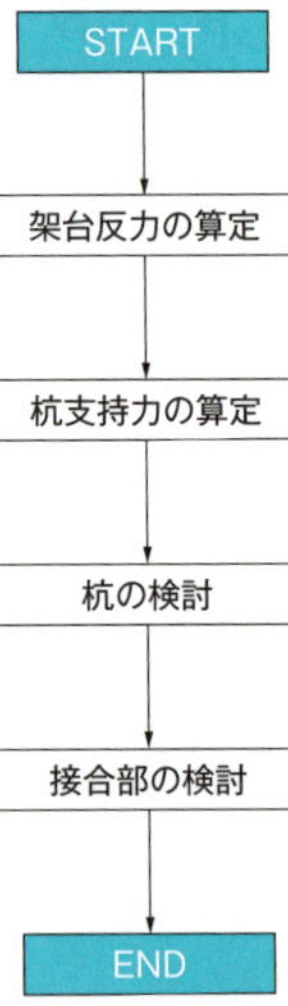

図21｜杭基礎の場合の架台反力の算定

$$P=\frac{V}{4}\pm\frac{M}{L}$$

P：一すみの最大反力[kN]

M：モーメント[kN·m]

V：鉛直力[kN]

L：架台対角方向のブーム方向支点中心間距離[m]

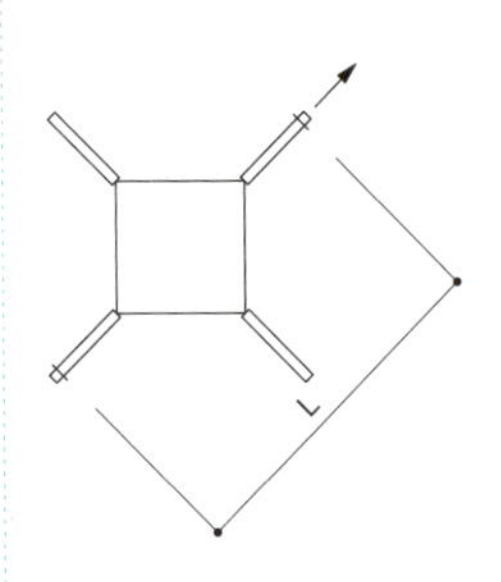

作業時の反力の2.0倍と、停止時および地震時の反力をそれぞれ算定し、最も大きい反力を採用する

図22｜杭支持力の算定

杭の長期許容支持力

(1)場所打ち杭

$$R_a=\frac{1}{3}\cdot\left\{150\cdot N\cdot A_p+\left(\frac{10\cdot N_s\cdot L_s}{3}+\frac{q_u}{2}\cdot L_c\right)\cdot\psi\right\}-W$$

(2)埋込み杭

$$R_a=\frac{1}{3}\cdot\left\{200\cdot N\cdot A_p+\left(\frac{10\cdot N_s\cdot L_s}{3}+\frac{q_u}{2}\cdot L_c\right)\cdot\psi\right\}$$

(3)打ち込み杭

$$R_a=\frac{1}{3}\cdot\left\{300\cdot N\cdot A_p+\left(\frac{10\cdot N_s\cdot L_s}{3}+\frac{q_u}{2}\cdot L_c\right)\cdot\psi\right\}$$

杭の長期許容引抜力

$$_tR_a=\frac{1}{3}\cdot\left(\frac{10\cdot N_s\cdot L_s}{3}+\frac{q_u}{2}\cdot L_c\right)\cdot\psi$$

R_a：長期許容支持力[kN]

N：先端抵抗N値

A_p：杭先端の全断面積[m²]

N_s：杭周地盤中の砂質土部分の実測N値の平均（ただし、実測N値の上限を50とする）

L_s：杭周地盤中の砂質土部分にある杭長さ[m]

q_u：杭周地盤中の粘性土部分の一軸圧縮強度[kN/m²]

L_c：杭周地盤中の粘性土部分にある杭長さ[m]

ψ：杭の周長[m]

W：場所打ちコンクリート杭の自重[kN]

$_tR_a$：長期許容引抜力[kN]

[4]——**水平ステーの設置**

図23に、水平ステーを設置する場合の設計計算の手順を示す。具体的には、以下のような流れとなる。

①水平反力の算定：タワーの支え位置（高さ）は、構造物の設計（階高、形状など）により各現場ごとに異なる。各位置における水平反力は、メーカーへの算出依頼、または機材の主管部署への問い合わせにより、その数値を知ることができる

②水平ステー部材の算定：求められた水平反力により、水平ステー部材の応力算定と断面算定を行う[図24]

③接合部の検討：接合部材、接合ボルト、溶接部、アンカーボルトなどの検討を行う

④本設建物の安全性検討：水平ステーを支持する梁、柱および本設架構全体の構造検討を行う。原設計で耐力が不足する場合はブレースなどで補強する

図23｜水平ステー設置のフロー

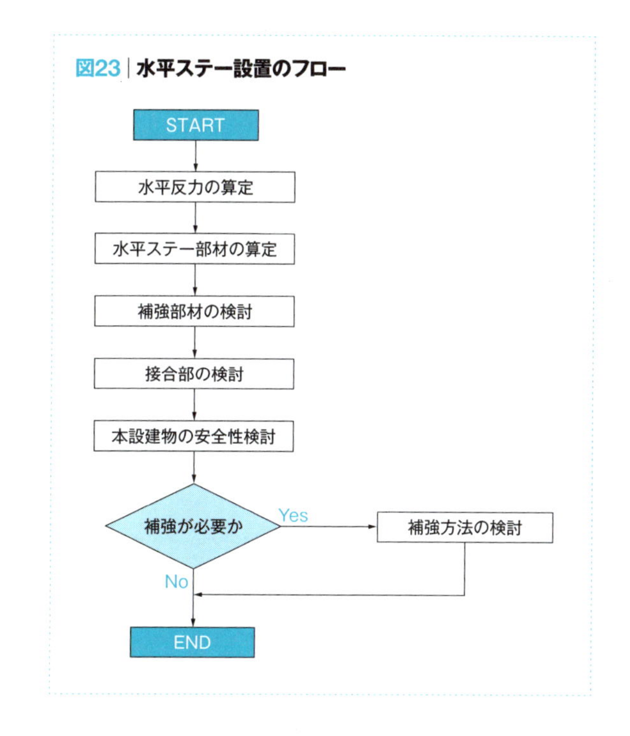

図24｜水平ステー部材の算定

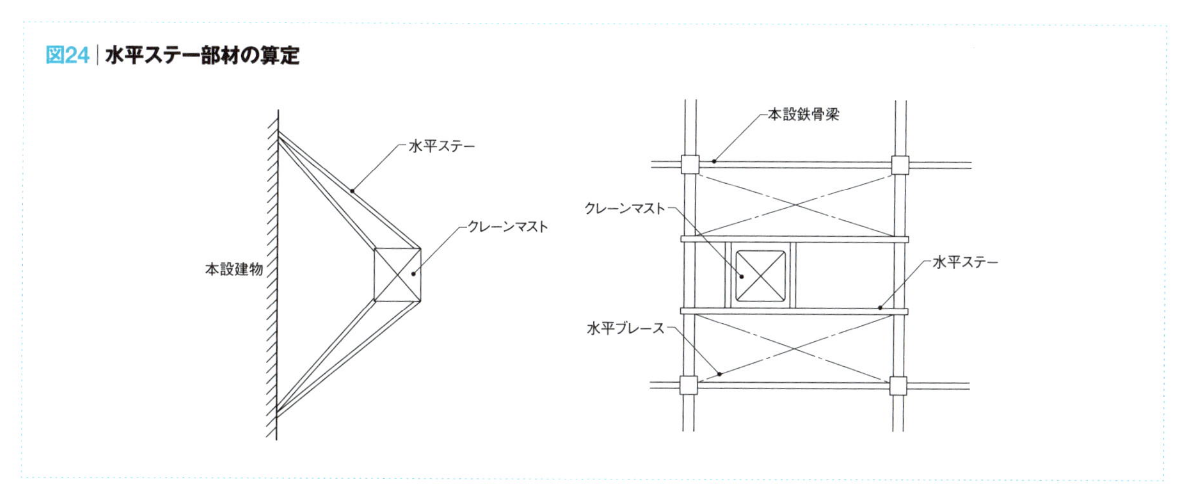

8 | 揚重機設置上のチェックポイント

揚重機設置計画が非常にすばらしいものであっても、管理状況により、種々の問題が生じ、場合によっては人的災害に関わることもある。このような災害を防ぐために、現場員としては以下の事項について現場でチェックする必要がある。

設計上の仮定と実施との食い違い

以下の点について、設計上の仮定と実施とに食い違いがないかを確認する。

①機種の違い:計画した機種と実際に設置した機種が違っていないか

②使用条件の違い:自立高さの変更はないか。また、トラワイヤや水平ステーを設置する計画のクレーンを、それらの設置前に使用することはないか

③設置位置の違い:本設建物の内部で位置を変更していないか。直接基礎や杭基礎を地盤条件が異なる別の位置に設置してはいないか

④設計部材の変更:本設建物の設計変更、仮設部材の断面変更などはないか

地盤調査資料と実際の地盤との食い違い

地盤調査資料と実際の地盤との食い違いがないかを確認する。特に、杭先端の支持層については確実に確認しておかなければならない。支持層が深い場合は、杭を長くして支持層まで到達させる必要がある。逆に支持層が浅い場合は、杭は短くなるが引抜抵抗力が不足する可能性があるので、再検討が必要である。

直接基礎の場合も、設計した支持地盤が現れることを確認しなければならない。支持地盤が浅い場合は、基礎周辺の土かぶりが不足し、地盤の許容支持力が小さくなるので注意する。

クレーン設置位置近辺での掘削の有無

図25に示すように、クレーン基礎のすぐ際を掘削すると、山留めとクレーン基礎の両者に影響がある。そのため、クレーンの設置位置近辺での掘削がないかを確認する。

地業の精度

直接基礎の地業が悪いと沈下が起きるおそれがある。沈下量はわずかでも、マストの変位が大きく現れ、偏心荷重となってさらに沈下を促進し、転倒につながることもあり得るので注意する。

基礎周辺の雨水処理

基礎周辺に雨水などが流れ込まないように注意する。基礎の支持地盤が洗掘されたり、地盤が弛んで支持力が低減することがないように、排水処理を十分に行うことが肝要である。

凍上への配慮

寒冷地では土かぶりを十分にとり、地盤の凍結を防ぐようにする。

コンクリートの強度

RCの構造体や基礎では、コンクリートの所要構造強度とアンカーボルトに対する所要付着強度の発現の関係から、原則としてコンクリート打設後4週間はクレーンを使用できない(普通コンクリートの場合)。それ以前に使用する場合は、テストピースを使った圧縮強度試験を行い、コンクリートの所要強度を確認したうえで使用する必要がある。

現場溶接の管理

現場溶接は、作業環境や作業姿勢がよくないうえに、溶接工の技量に差があるので十分注意しなければならない。特に留意すべき点を以下に挙げる。

①支持構台の支柱と架台受け梁の接合部において、トッププレートと支柱の溶接が最も重要であり、また難易度が高いので強度確保に注意しなければならない[図26]

②設計どおりの脚長と溶接長となっているか、必ずスラグを除去して確認しなければならない

③ブレースや水平つなぎなどの溶接で、H形鋼のフランジのエッジでは、補助のピースを取り付けるなどして確実に溶接する[図27]。

埋土・盛土への配慮

直接基礎やアンカー基礎は沈下を起こし、最悪の場合は転倒するおそれがあるので、埋土や盛土上に設置してはならない。

クレーン架台固定用アンカーボルト

台直しや点付け溶接は、ボルトの強度を低下させるので行ってはならない。コンクリート打設の際、ボルトの位置がずれるのを防ぐために、太い番線を用いて結束するなどの方法で固定する。また、先端は必ず180°フックを付けるか、ねじを切り、アングルやフラットバーにナットで固定する[図28]。

鉄骨の補強

架台受け梁や本設梁が鉄骨の場合、集中荷重を受ける位置にはスチフナを取り付けて補強する。補強がない場合、ウェブが座屈を起こすおそれがある。

トラ尻の位置

クレーン使用時の振動によって山留めが弛み、地盤の崩壊につながるおそれがあるので、トラ尻を山留め壁からとってはならない。

図25｜クレーン設置位置近辺の掘削

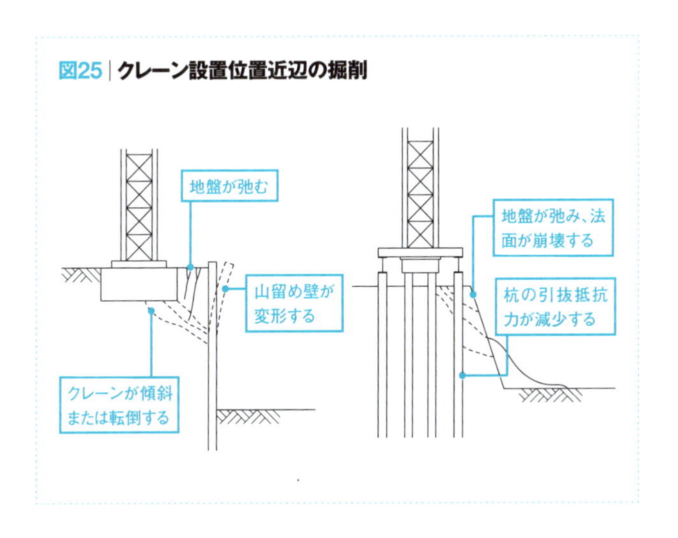

図26｜支持構台支柱と架台受け梁の接合

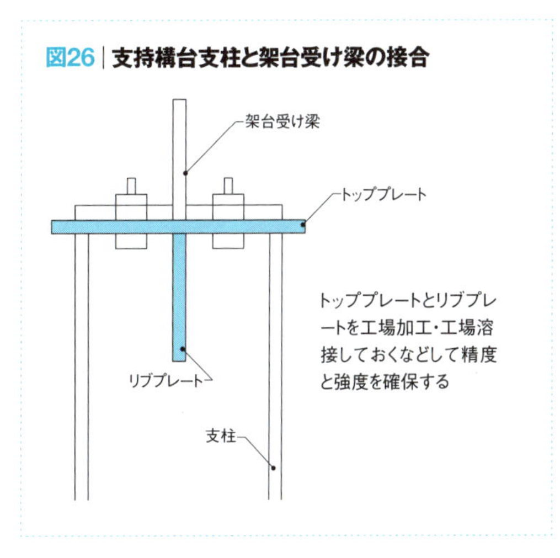

図27｜ブレースや水平ステーの溶接

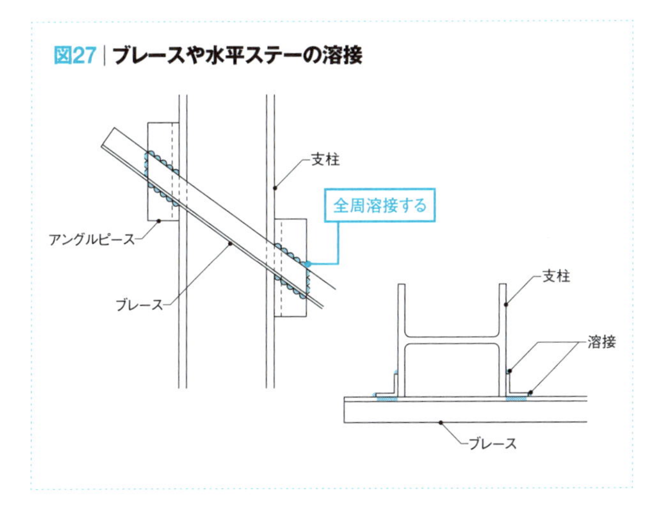

図28｜クレーン架台固定用アンカーボルト

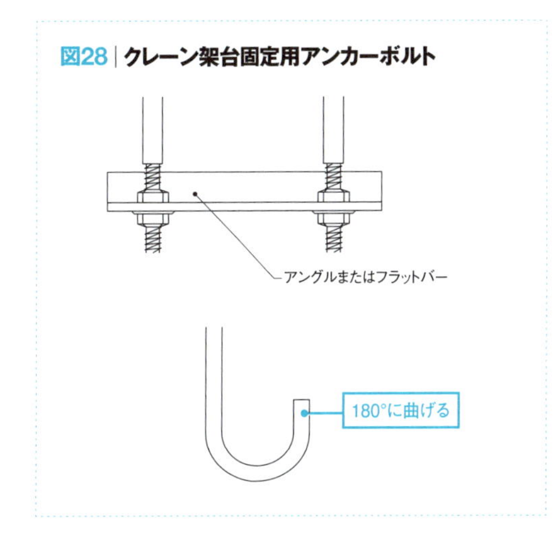

クレーン支持部の補強検討

check

□ **クレーン荷重はクレーンの種類にもよるが、支持する構造体を部分的に補強する必要がある**
□ **支持点に生じる反力は、作業時のほか、停止時、地震時についてその値がクレーンメーカーによって示されており、作業時の反力は作業半径ごとに示されている**

本設建物を利用してタワークレーンを設置するケースを例とする。検討の手順は、①架台反力の算定→②梁・柱の応力算定→③梁・柱の断面算定→④補強方法の検討→⑤基礎および杭の検討→⑥接合部・詳細部の検討、といった流れになる。

1 | 検討条件

step. 1

建物とクレーンの概要

SRC造の建物において、1階床までのコンクリート打設を完了した時点で、下図のようにタワークレーンを配置する場合の仮設鉄骨受け梁と、支持する構造体(本設梁)の検討を行う。設置するクレーンの仕様は右のとおりである。

・最大作業半径：30.0m
・自立マスト高さ：24.0m
・アンカーボルト間隔 L_1：5.960m
　　　　　　　　　 L_2：4.214m

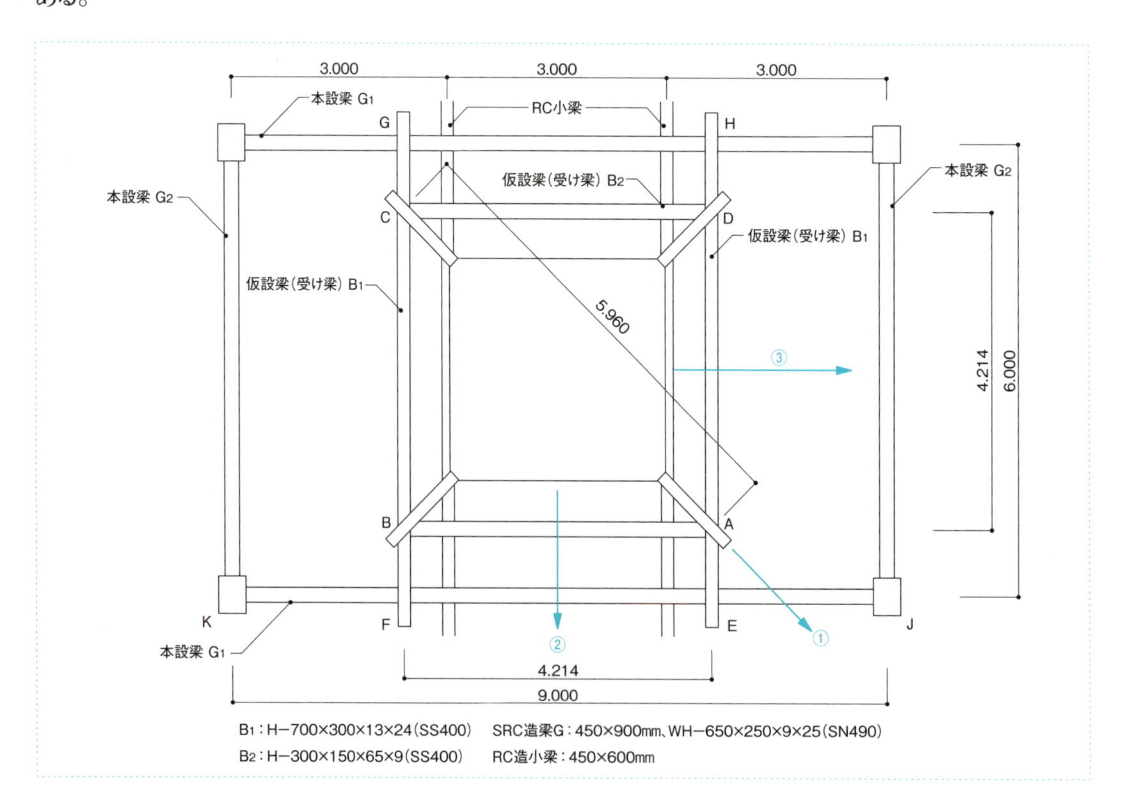

step. 2

クレーン荷重の算定

基礎反力は、地震時が最大になるものとして検討を進める。転倒モーメントM_t、直圧力（鉛直力）V、水平力Hはそれぞれ右のとおりとし、クレーン架台の支持点A～Dに生じる荷重P_A～P_Dを算定する。

・転倒モーメントM_t＝3,363kN·m
・直圧力V＝661kN
・水平力H＝131kN

(1) 地震力が362頁図の①の方向のとき

$$ {}_1P_A=\frac{M_t}{L_1}+\frac{V}{4}=\frac{3,363}{5.96}+\frac{661}{4}=730\text{kN（圧縮）} $$

$$ {}_1P_C=\frac{M_t}{L_1}-\frac{V}{4}=\frac{3,363}{5.96}-\frac{661}{4}=399\text{kN（引抜）} $$

$$ {}_1P_B={}_1P_D=\frac{V}{4}=165\text{kN（圧縮）} $$

$$ H_A=H_B=H_C=H_D=\frac{H}{4}=32.8\text{kN} $$

(2) 地震力が同②の方向のとき

$$ {}_2P_A={}_2P_B=\frac{M_t}{2\cdot L_2}+\frac{V}{4}=\frac{3,363}{2\times4.214}+\frac{661}{4}=564\text{kN（圧縮）} $$

$$ {}_2P_C={}_2P_D=\frac{M_t}{2\cdot L_2}-\frac{V}{4}=\frac{3,363}{2\times4.214}-\frac{661}{4}=234\text{kN（引抜）} $$

$$ H_A=H_B=H_C=H_D=\frac{H}{4}=32.8\text{kN} $$

(3) 地震力が同③の方向のとき

$$ {}_3P_A={}_3P_D=\frac{M_t}{2\cdot L_2}+\frac{V}{4}=\frac{3,363}{2\times4.214}+\frac{661}{4}=564\text{kN（圧縮）} $$

$$ {}_3P_B={}_3P_C=\frac{M_t}{2\cdot L_2}-\frac{V}{4}=\frac{3,363}{2\times4.214}-\frac{661}{4}=234\text{kN（引抜）} $$

$$ H_A=H_B=H_C=H_D=\frac{H}{4}=32.8\text{kN} $$

1つの支持点に最大反力を生じるのは、力の方向が4つの支持点の対角線方向に加わった場合であり、隣接する2つの支持点に最大反力を生じるのは、力の方向がこれに直角方向に加わった場合です

2 受け梁の検討

step.1 鉛直方向の荷重による応力の算定

受け梁B_1、B_2の検討を行う。

受け梁B_1には、鉛直方向の荷重によって、曲げモーメントとせん断力が生じるほか、水平力による応力も生じる。

鉛直方向の曲げモーメントは、荷重の作用点とスパンとの関係によって変動するので、最大値を求めるにはジブが362頁図の①の方向にあるときと同③の方向にあるときの両方について計算し、いずれか大きいほうの値を採用しなければならない。

力の方向が362頁図の①であるときの荷重の状態を右図のように両端ピン支持としてモデル化し、鉛直方向の荷重による曲げモーメント$_1M_A$とせん断力$_1Q_E$を算定する。

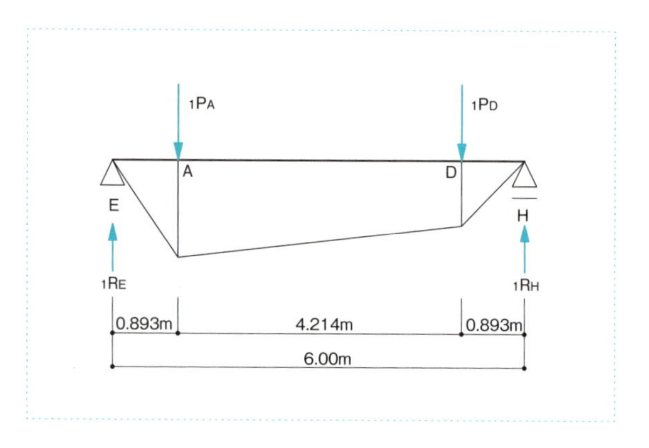

$_1P_A=730\,\text{kN}$　　$_1P_D=165\,\text{kN}$

$$_1R_E={}_1Q_E=\frac{5.107}{6.00}\cdot{}_1P_A+\frac{0.893}{6.00}\cdot{}_1P_D=\frac{5.107}{6.00}\times730+\frac{0.893}{6.00}\times165=646\,\text{kN}$$

$$_1M_A=0.893\times{}_1R_E=0.893\times646=577\,\text{kN·m}$$

力の方向が362頁図の③であるときの荷重の状態を右図のように両端ピン支持としてモデル化し、鉛直方向の荷重による曲げモーメント$_3M_A$とせん断力$_3Q_E$を算定する。

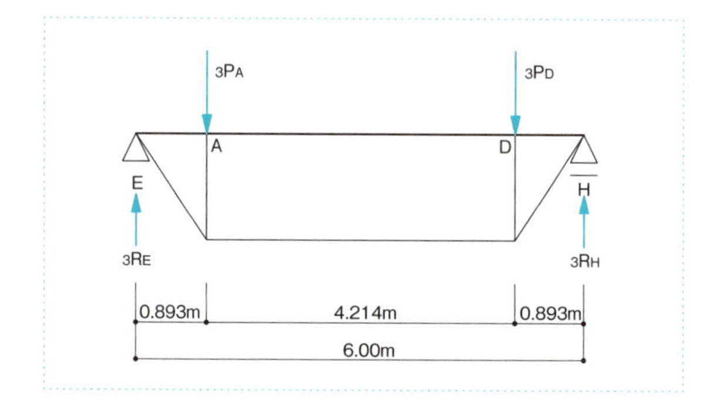

$$_3P_A={}_3P_D=564\,\text{kN}$$

$$_3R_E={}_3Q_E={}_3P_A=564\,\text{kN}<{}_1Q_E$$

$$_3M_A=0.893\times{}_3R_E=0.893\times564=504\,\text{kN·m}<{}_1M_A$$

以上より、力の方向が①のときに最大応力が生じることが分かったので、受け梁については、①の方向の応力に対して検討を行うものとする。

step. 2

水平力による応力の算定

水平力による曲げモーメント$_{H}M_{A}$とせん断力$_{H}Q_{E}$を算定する。算定にあたっては、右図のように、両端ピン支持として考える。なお、水平力によって、曲げモーメントとせん断力のほか、ねじりモーメントが生じる。step.1・2の応力は同じ荷重状態において同時に生じるので、組み合わせ応力に対して検討する必要がある。

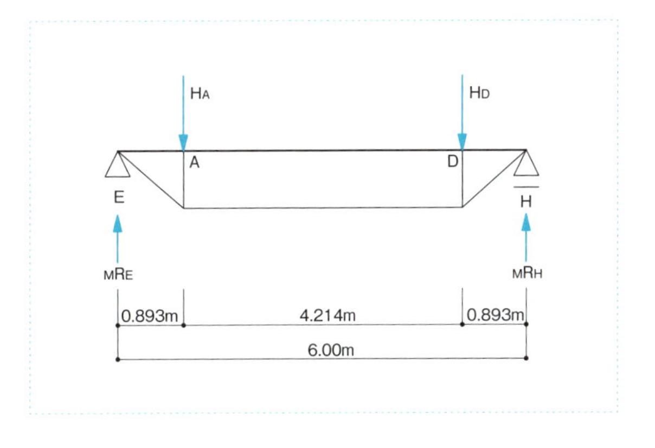

$H_{A}=H_{D}=32.8\,kN$

$_{H}R_{E}={}_{H}Q_{E}=H_{A}=32.8\,kN$

$_{H}M_{A}=0.893\times{}_{H}R_{E}=0.893\times32.8=29.3\,kN\cdot m$

水平力によるねじりモーメントm_{t}を算定する。

$m_{t}=H_{A}\cdot h\times2=32.8\times0.70\times2=45.9\,kN\cdot m$

（h：梁せい）

ここでは、ねじりモーメントはB_{2}梁で処理することとする。（B_{1}梁を曲げねじりを受ける梁として安全を確かめた場合は、B_{2}梁の検討を省略することができる）

step. 3

断面検討

受け梁B_1、B_2の仕様を以下のように設定し、**step.1・2**で求めた応力を基に受け梁の断面検討を行う。

B_1：H－700×300×13×24（SS400）

断面係数Z_x＝5,640 cm³

断面係数Z_y＝721 cm³

断面2次半径i＝7.95 cm

L_1＝600 cm

曲げ応力算定のための断面性能＝$\dfrac{i \cdot H}{B \cdot t_8}$＝7.73

梁の細長比λ＝$\dfrac{L_1}{i}=\dfrac{600}{7.95}=75.5$

∴許容曲げ応力度（短期）f_{b1}＝235 N/mm²

許容せん断応力度（短期）f_{s1}＝135 N/mm²

B_2：H－300×150×6.5×9（SS400）

断面係数Z_x＝481 cm³

断面2次半径i＝3.87 cm

L_2＝421.2 cm

曲げ応力算定のための断面性能＝$\dfrac{i \cdot H}{B \cdot t_8}$＝8.6

梁の細長比λ＝$\dfrac{L_2}{i}=\dfrac{421.2}{3.87}=109$

∴許容曲げ応力度（短期）f_{b2}＝141 N/mm²

許容せん断応力度（短期）f_{s2}＝135 N/mm²

まず、受け梁B_1について検討する。
曲げモーメントに対して曲げ応力度を算定する。

$$_1\sigma_b=\frac{_1M_A}{Z_x}=\frac{577\times10^6}{5{,}640\times10^3}=102\ \mathrm{N/mm^2}$$

$_HM_A$に対しては上フランジだけで抵抗するものと考えると、

$$_H\sigma_b=\frac{_HM_A}{\dfrac{Z_y}{2}}=\frac{2\times29.3\times10^6}{721\times10^3}=81.3\ \mathrm{N/mm^2}$$

$$\sigma_b={}_1\sigma_b+{}_H\sigma_b=102+81.3=183.3\ \mathrm{N/mm^2}<f_{b1}=235\ \mathrm{N/mm^2}\rightarrow \mathrm{OK}$$

クレーン支持部の補強計算に用いる材料の許容応力度は、仮設部分に対しては「短期許容応力度」を採用するのが適当と考えられますせん断力に対してせん断応力度を算定する。

$$ {}_{1}\sigma_{s}=\frac{{}_{1}Q_{E}}{A_{W}}=\frac{646\times10^{3}}{13\times700}=71.0\,\mathrm{N/mm^2}<f_{s1}=135\,\mathrm{N/mm^2}\rightarrow \mathrm{OK} $$

$$ {}_{H}\sigma_{s}=\frac{1.2\times{}_{H}Q_{E}}{A_{F}}=\frac{1.2\times32.8\times10^{3}}{24\times300}=5.5\,\mathrm{N/mm^2}<f_{s1}=135\,\mathrm{N/mm^2}\rightarrow \mathrm{OK} $$

次に、受け梁B_2について検討する。
ねじりモーメントm_tに対してねじり応力度を算定する。

$$ \sigma_{b}=\frac{m_t}{2\cdot Z_x}=\frac{45.9\times10^{6}}{2\times481\times10^{3}} $$

$$ =47.7\,\mathrm{N/mm^2}<f_{b2}=141\,\mathrm{N/mm^2}\rightarrow \mathrm{OK} $$

step. 4

接合部の検討

受け梁B_2～B_1の接合部を検討する。
フランジおよびウェブの仕様を右のとおりとすると、フランジボルトの許容耐力は1面せん断で決まり、ねじりモーメントm_t以上であることが分かる。

・フランジ(上下とも):添え板PL－9
中ボルト4－M20
・ウェブ:添え板2PL－6
中ボルト3－M20

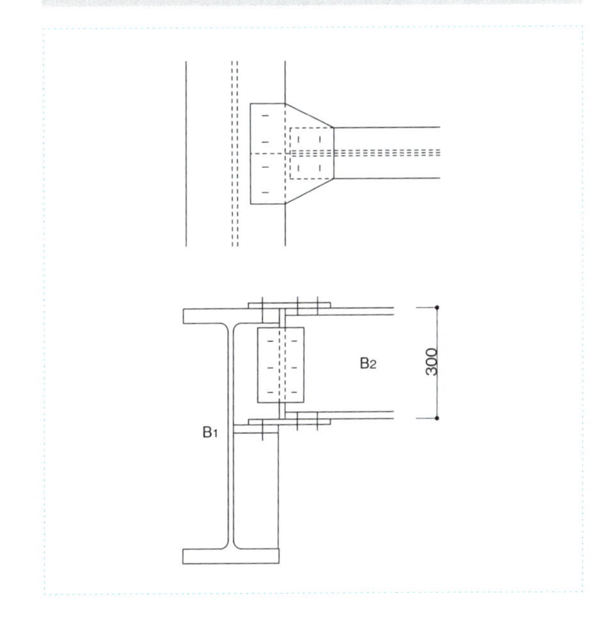

ボルトの許容せん断力Q'_A=33.9N/本(短期)
∴許容ねじりモーメント$RM=n\times Q'_A\times h$
$=4\times2\times33.9\times0.30$
$=81.4\,\mathrm{kN\cdot m}>m_t=45.9\,\mathrm{kN\cdot m}\rightarrow \mathrm{OK}$

3 本設梁の検討

自重による応力の算定

次に本設梁G_1の検討を行う(クレーン開口部は無視して検討する)。
まず、スラブや小梁、大梁の荷重を以下のように設定する。

・w:床+積載荷重　鉄筋コンクリートの単位体積重量24kN/m³×スラブ厚0.2m=4.8kN/m²

→積載荷重を1.0kN/m²とし、5.8kN/m²

・P:小梁(RC造450×600mm)　$0.45\times(0.6-0.2)\times24\times(6-0.45)=24.0$kN

・q:大梁(SRC造450×900mm)　$0.45\times(0.9-0.2)\times25=7.9$kN/m

本設梁の検討では、スラブや小梁、大梁の自重による荷重を適切に設定したうえで、クレーン荷重による応力と自重による応力とを合算して設計用応力を設定する必要があります

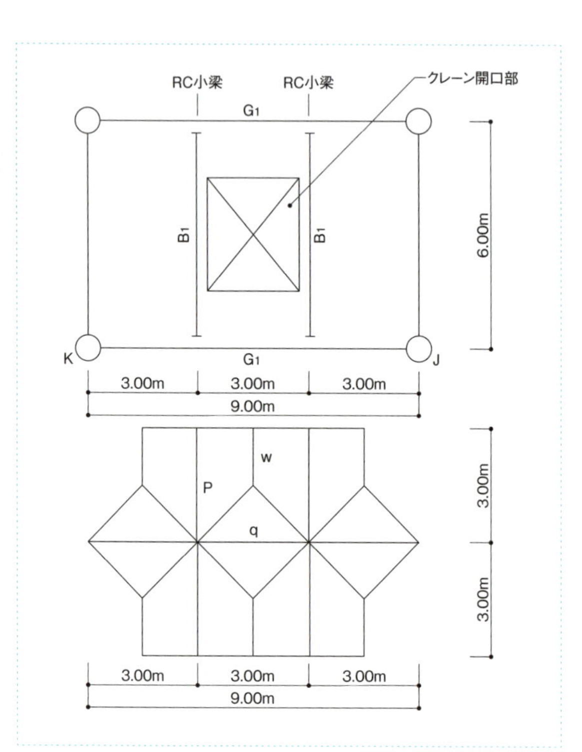

上記の数値を基に、自重による応力を算定する。
(C_1、M_0、Q_0それぞれ①+②+③を算定)
①スラブ自重+積載荷重による値
②小梁自重(集中荷重P)による値
③大梁自重(等分布荷重q)による値

$$C=18.8\times2\cdot w+\frac{2\cdot P\cdot L}{9}+\frac{q\cdot L^2}{12}=18.8\times2\times5.8+\frac{2\times24.0\times9}{9}+\frac{7.9\times9^2}{12}=319\text{kN}\cdot\text{m}$$

$$M_0=28.3\times2\cdot w+\frac{P\cdot L}{3}+\frac{q\cdot L^2}{8}=28.4\times2\times5.8+\frac{24.0\times9}{3}+\frac{7.9\times9^2}{8}=481\text{kN}\cdot\text{m}$$

$$Q_0=10.2\times2\cdot w+P+\frac{q\cdot L}{2}=10.2\times2\times5.8+24.0+\frac{7.9\times9}{2}=178\text{kN}$$

参考:「Part.9 躯体の仮設利用」表2−スラブ荷重wによる応力算定式(407頁)

step. 2

クレーンによる応力の算定①

本設梁G_1の曲げモーメントについて、ジブが362頁図の①の方向にある状態と同②の方向にある状態について計算し、いずれか大きいほうの値を採用する。せん断力は、ジブが①の方向にある状態の梁のJ端に最大値が生じる。このように曲げモーメントとせん断力の値が最大になるのは、クレーンの状態が同じでない場合があるので、それぞれのケースについて検討しなければならない。

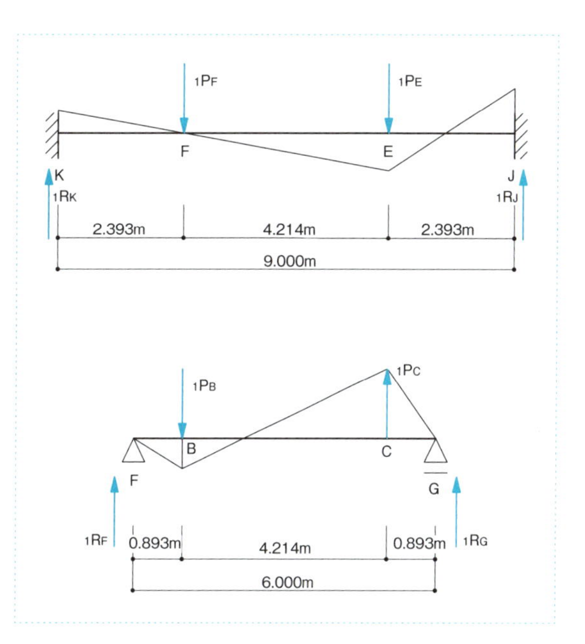

$$ {}_1P_E = {}_1R_E = 646\,\text{kN} \quad {}_1P_B = 165\,\text{kN} \quad {}_1P_C = 399\,\text{kN}\,(\text{引抜}) $$

$$ {}_1P_F = {}_1R_F = \frac{5.107}{6.0} \times {}_1P_B - \frac{0.893}{6.0} \times {}_1P_C = \frac{5.107}{6.0} \times 165 - \frac{0.893}{6.0} \times 399 = 81.1\,\text{kN} $$

$$ {}_1R_K = {}_1Q_K = \frac{6.607^2 \times (3 \times 2.393 + 6.607)}{9.0^3} \times {}_1P_F + \frac{2.393^2 \times (3 \times 6.607 + 2.393)}{9.0^3} \times {}_1P_E = 180\,\text{kN} $$

$$ {}_1R_J = {}_1Q_J = \frac{6.607^2 \times (3 \times 2.393 + 6.607)}{9.0^3} \times {}_1P_E + \frac{2.393^2 \times (3 \times 6.607 + 2.393)}{9.0^3} \times {}_1P_F = 547\,\text{kN} $$

$$ {}_1M_K = \frac{2.393 \times 6.607^2}{9.0^2} \times {}_1P_F + \frac{6.607 \times 2.393^2}{9.0^2} \times {}_1P_E = 406\,\text{kN·m} $$

$$ {}_1M_J = \frac{2.393^2 \times 6.607}{9.0^2} \times {}_1P_F + \frac{6.607^2 \times 2.393}{9.0^2} \times {}_1P_E = 870\,\text{kN·m} $$

以上の結果を下図の分布と考える。

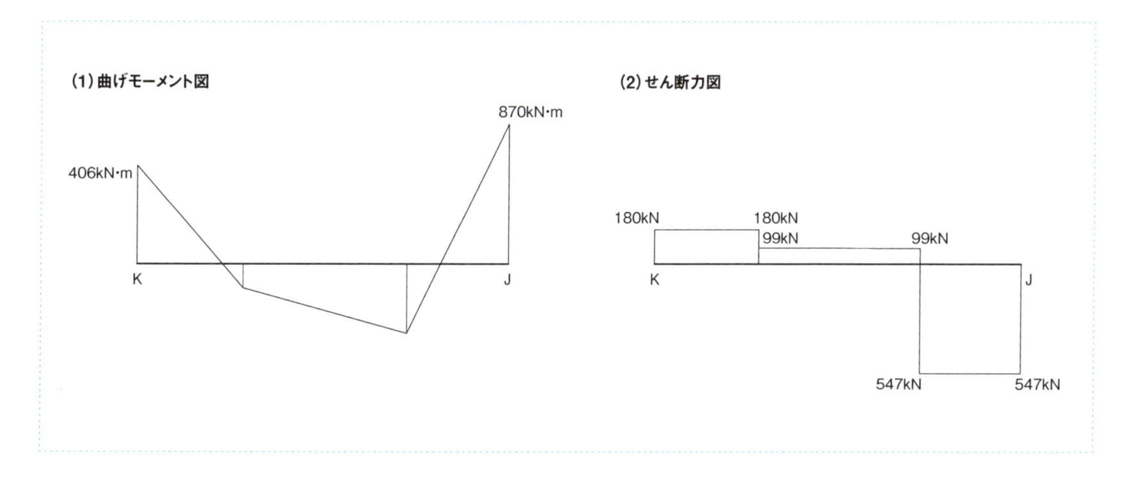

クレーンによる応力の算定②

力の方向が362頁図の②であるときの荷重の状態を右図のようにモデル化し、クレーンによる応力を算定する。

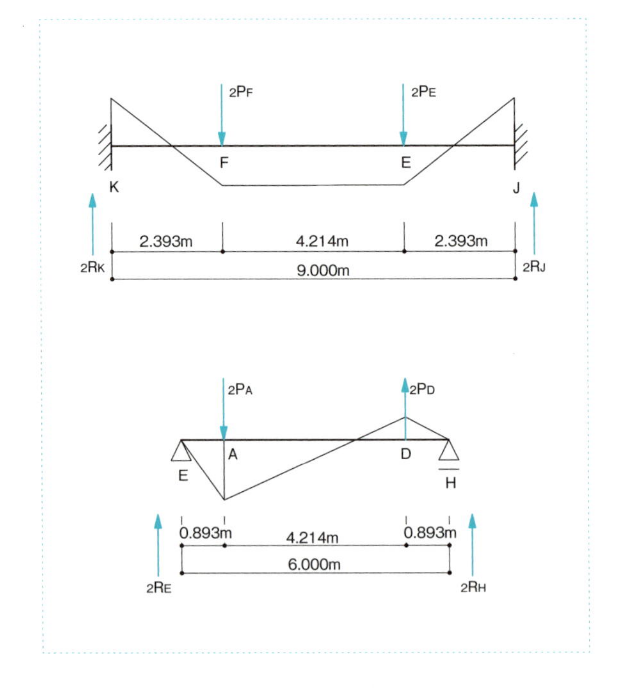

$_2P_A = 564\,\mathrm{kN}$　$_2P_D = 234\,\mathrm{kN}$（引抜）

$$_2P_E = {}_2R_E = \frac{5.107}{6.0} \times {}_2P_A - \frac{0.893}{6.0} \times {}_2P_D$$

$$= \frac{5.107}{6.0} \times 564 - \frac{0.893}{6.0} \times 234$$

$$= 445\,\mathrm{kN}$$

$_2P_E = {}_2R_E = {}_2P_F = 445\,\mathrm{kN}$

$_2R_J = {}_2R_K = {}_2Q_J = {}_2Q_K = 445\,\mathrm{kN}$

$$_2M_K = {}_2M_J = \frac{2.393 \times 6.607^2}{9.0^2} \times {}_2P_F + \frac{6.607 \times 2.393^2}{9.0^2} \times {}_2P_E = 782\,\mathrm{kN \cdot m}$$

以上の結果を下図の分布と考える。すなわち、力の方向が①のときのほうが応力が大きいことが分かる。よって、step1における応力とstep2における応力を採用する。

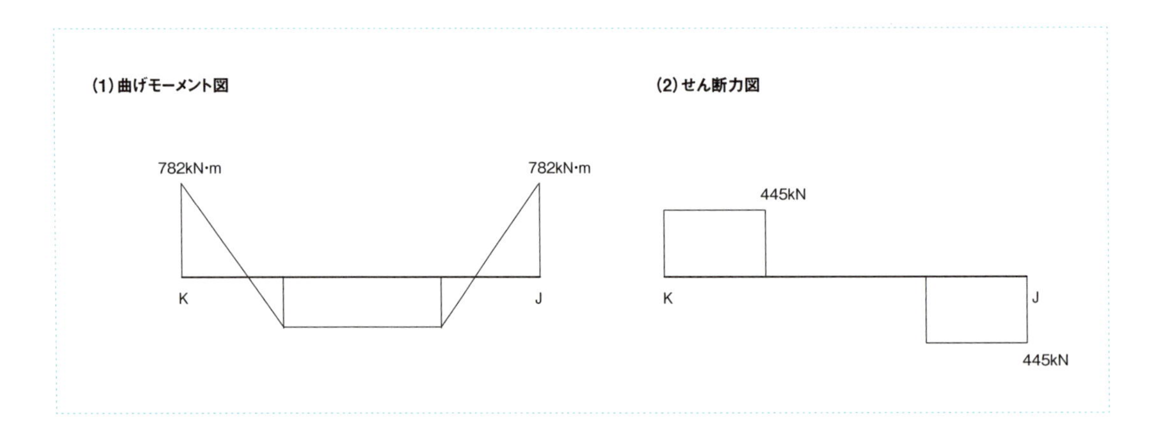

設計用応力の設定

step.1と2で算定した応力を合算し、設計用応力を設定する。

$M_J = 319 + 870 = 1{,}189\,\mathrm{kN \cdot m}$

$M_K = 319 + 406 = 725\,\mathrm{kN \cdot m} < M_J$

$Q_J = 178 + 547 = 725\,\mathrm{kN}$

step. 5

断面検討

本設梁G_1端部の仕様を右のように設定し、step.4で求めた応力を基に、本設梁G_1の断面検討を行う。なお、コンクリートの設計基準強度F_cは21 N/mm²、許容せん断応力度f_sは0.875 N/mm²(中期)とする。

・鉄骨：WH−650×250×9×25(SN490)
　許容曲げ応力度f_b＝270N/mm²(中期)
　許容せん断応力度f_t＝156N/mm²(中期)
・鉄筋：上端　4−D25(SD345)
　下端　2−D25(SD345)
　スタラップ　2−D13@200
　端部引張鉄筋断面積　a_t＝2,028mm²(4−D25)
　d＝78cm
　許容引張応力度f_t＝275N/mm²(中期)

まず、鉄骨の断面性能を算定する。

$$I_J=\frac{25\times65^3}{12}-\frac{24.1\times60^3}{12}=138.3\times10^3\mathrm{cm^4}$$

$$Z_J=\frac{I_J}{32.5}=\frac{138.3\times10^3}{32.5}=42.6\times10^2\mathrm{cm^3}$$

次に鉄筋の断面性能を算定し、step.4で算定した設計用応力と比較して問題がないことを確認する。

$$M_A=Z_J\cdot f_b+a_t\cdot f_t\cdot j=\left(42.6\times10^5\times270+2{,}028\times275\times780\times\frac{7}{8}\right)\times10^{-6}$$

$$=1{,}530\mathrm{kN\cdot m}>M_J=1{,}189\mathrm{kN\cdot m}\rightarrow\mathrm{OK}$$

$$Q_A=A_w\cdot f_s+b\cdot j\cdot f_s=\left(9\times650\times156+450\times780\times\frac{7}{8}\times0.875\right)\times10^{-3}$$

$$=1{,}181\mathrm{kN}>Q_J=725\mathrm{kN}\rightarrow\mathrm{OK}$$

4 接合部の検討

クレーン架台と受け梁の接合

最後にクレーン架台の固定部分、受け梁と本設梁の接合部を検討する。

まず、クレーン架台と受け梁について、引抜力が最大になるのは、力の方向が362頁図の①のときのC点である。C点におけるクレーン架台と受け梁の接合部の検討は以下のとおりである。

$_1P_C = 399\,\text{kN}$（引抜）

$H_C = 32.8\,\text{kN}$

引抜力に対しては4－M36（ボルト軸断面積：1,018mm²）が抵抗すると考える。

$a_t = 1{,}018 \times 4 = 4{,}072\,\text{mm}^2$

$$\sigma_t = \frac{_1P_C}{a_t} = \frac{399 \times 10^3}{4{,}072}$$

$$= 98.0\,\text{N/mm}^2 < f_t = 160\,\text{N/mm}^2 \rightarrow \text{OK}$$

水平力に対しては4－M20（ボルト軸断面積：314mm²）に負担させると、

$a_s = 314 \times 4 = 1{,}256\,\text{mm}^2$

$$\sigma_s = \frac{H_C}{a_s} = \frac{32.8 \times 10^3}{1{,}256}$$

$$= 26.1\,\text{N/mm}^2 < f_s = 92\,\text{N/mm}^2 \rightarrow \text{OK}$$

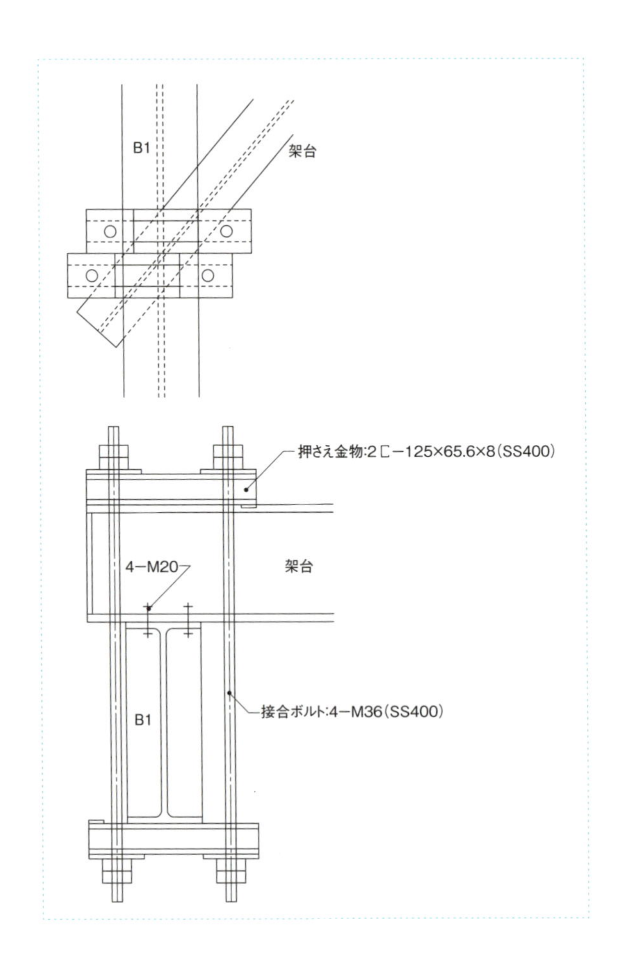

step. 2

受け梁と本設梁の接合

次に、受け梁と本設梁の接合を検討する。受け梁と本設梁について、引抜き力が最大になるのは、力の方向が362頁図の①のときのG点である。受け梁と本設梁の接合部の検討は以下のとおりである。

$_1P_B = 165\,kN$

$_1P_C = 399\,kN$（引抜）

$H_B = H_C = 32.8\,kN$

よって、

$$_1R_G = \frac{5.107}{6.00} \times {}_1P_C - \frac{0.893}{6.00} \times {}_1P_B$$

$$= 315\,kN \text{（引抜）}$$

$$H_G = \frac{H_B + H_C}{2} = 32.8\,kN$$

step.1と同様に考え、引抜力に対して$a_t = 4{,}072\,mm^2$とすると、

$$\sigma_t = \frac{_1R_G}{a_t} = \frac{315 \times 10^3}{4{,}072}$$

$$= 77.4\,N/mm^2 < f_t = 160\,N/mm^2 \rightarrow OK$$

また、水平力に対して$a_s = 1{,}256\,mm^2$とすると、

$$\sigma_s = \frac{H_G}{a_s} = \frac{32.8 \times 10^3}{1{,}256}$$

$$= 26.1\,N/mm^2 < f_s = 92\,N/mm^2 \rightarrow OK$$

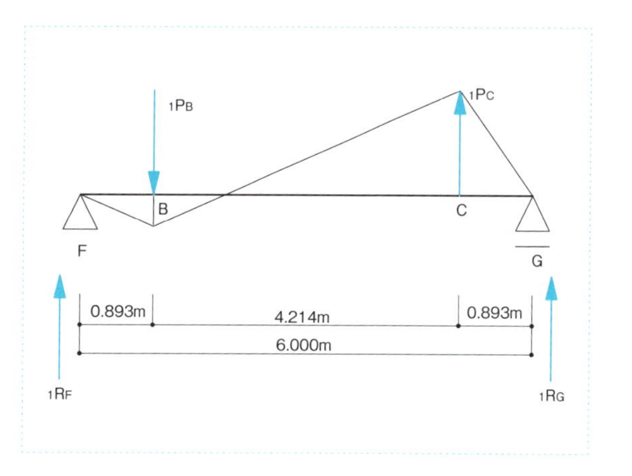

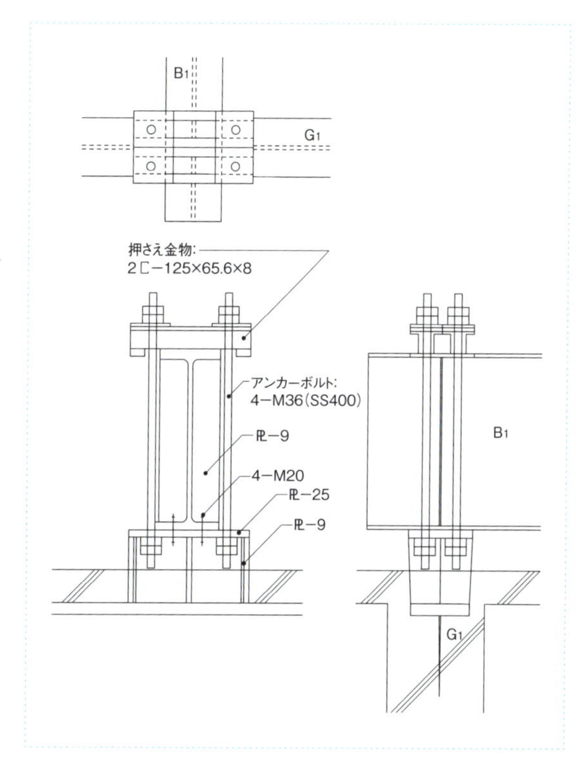

重機転倒防止対策

施工計画と構造計算のポイント

1 | 検討の目的

本節では、移動式クレーンおよび杭打ち機などの転倒防止対策の検討を行う。具体的には、移動式クレーンや杭打ち機などが作業するために必要となる地盤の養生方法(鉄板敷き、地盤改良など)に対する考え方をまとめ、検討例を示す。

この検討の目的は、移動式クレーンなどの重機作業の安全性を確保・確認することである。重機が転倒するという事故がたびたび報道されているが、その原因として、機械的な不良に起因するもの、作業の進め方に問題のあったもの、地盤の強度が不足し、重機を支えられなかったものなどが挙げられる。万一、大型重機が転倒した場合には、道路を塞いだり架線を切断するほか、通行人や一般車両など第三者を巻き込んでしまうおそれもある。

本節では、重機の機種や作業内容によって作用荷重が異なること、地盤の種別・状態がさまざまであることを理解したうえで、作業の状況に応じて支持地盤を適切に補強・養生することを検討する。

対象とする建設機械は、油圧式トラッククレーン、ラフテレーンクレーン、クローラクレーン、クローラ式杭打ち機などを想定する[図1]。また、検討に際しては、右に挙げるマニュアルと各建設機械メーカー技術資料などを参考とする。

準拠すべき法規・規準

1 ——㈳日本建設機械化協会
『移動式クレーン、杭打機等の支持地盤養生マニュアル(第2版)』

2 ——㈳セメント協会
『セメント系固化材による地盤改良マニュアル』

1997年8月には、1カ月の間に全国で5件の杭打ち機や移動式クレーンの転倒災害が続発しました。うち2件は玉掛け用ワイヤロープが切れたことによるものですが、残りの3件は杭打ち機や移動式クレーンが転倒して信号待ち車両や家屋を直撃し、工事関係者ではない第三者の死傷者を発生させています

図1｜対象とする建設機械の例

ラフテレーンクレーン

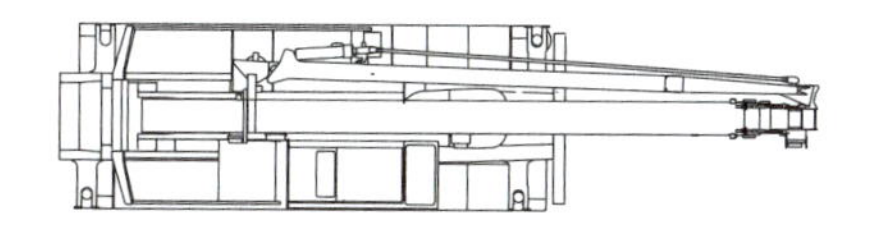

油圧式トラッククレーン

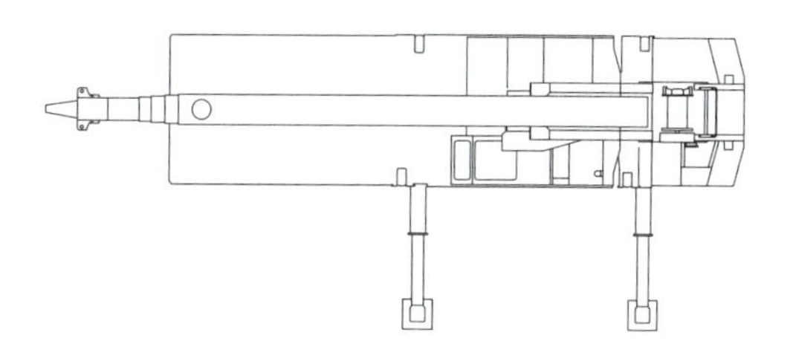

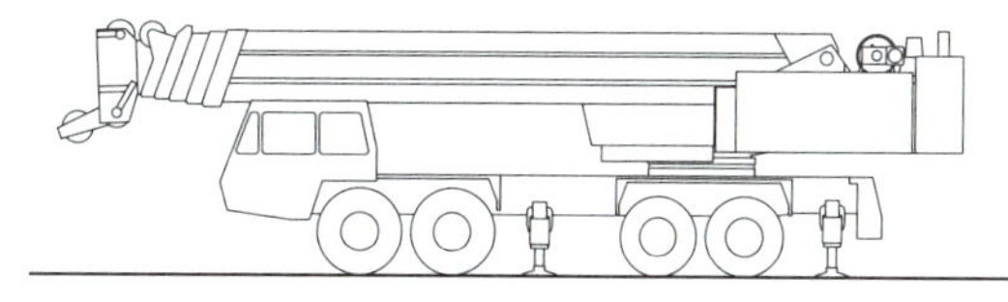

クローラクレーン

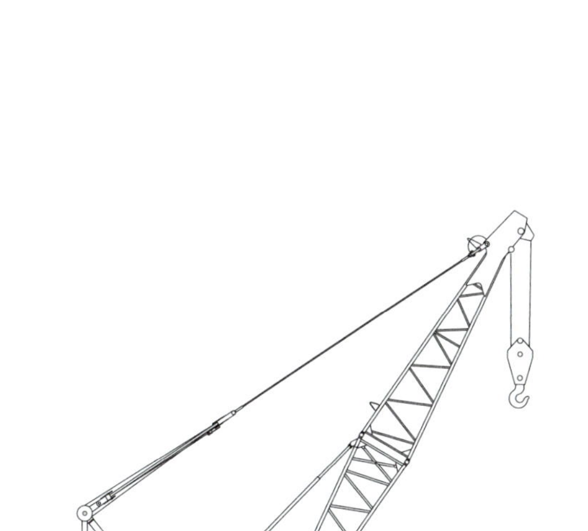

クローラ式杭打ち機

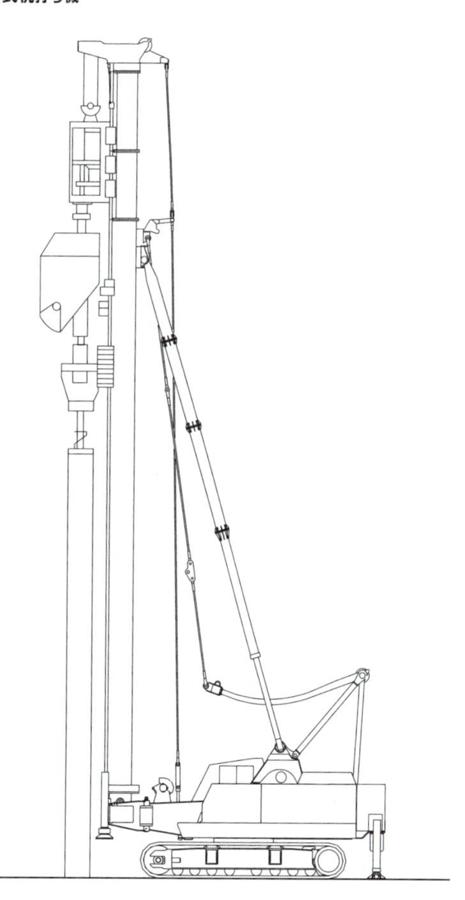

2 検討の流れとポイント

使用条件地盤条件の整理

検討の流れは以下に示すとおりである。

移動式クレーンなどの作用荷重は、同一機種であっても仕様や作業条件などによって異なる。したがって、検討に際しては、まずは実際の使用条件における作用荷重を把握しておく必要がある。また、使用条件が決まり、アウトリガーの反力、クローラの先端に生じる最大接地圧などを求める場合には、JIS D 6301：2001の作業荷重算定図などを用いることもできるが、メーカーや代理店などに問い合わせることで実際の数値

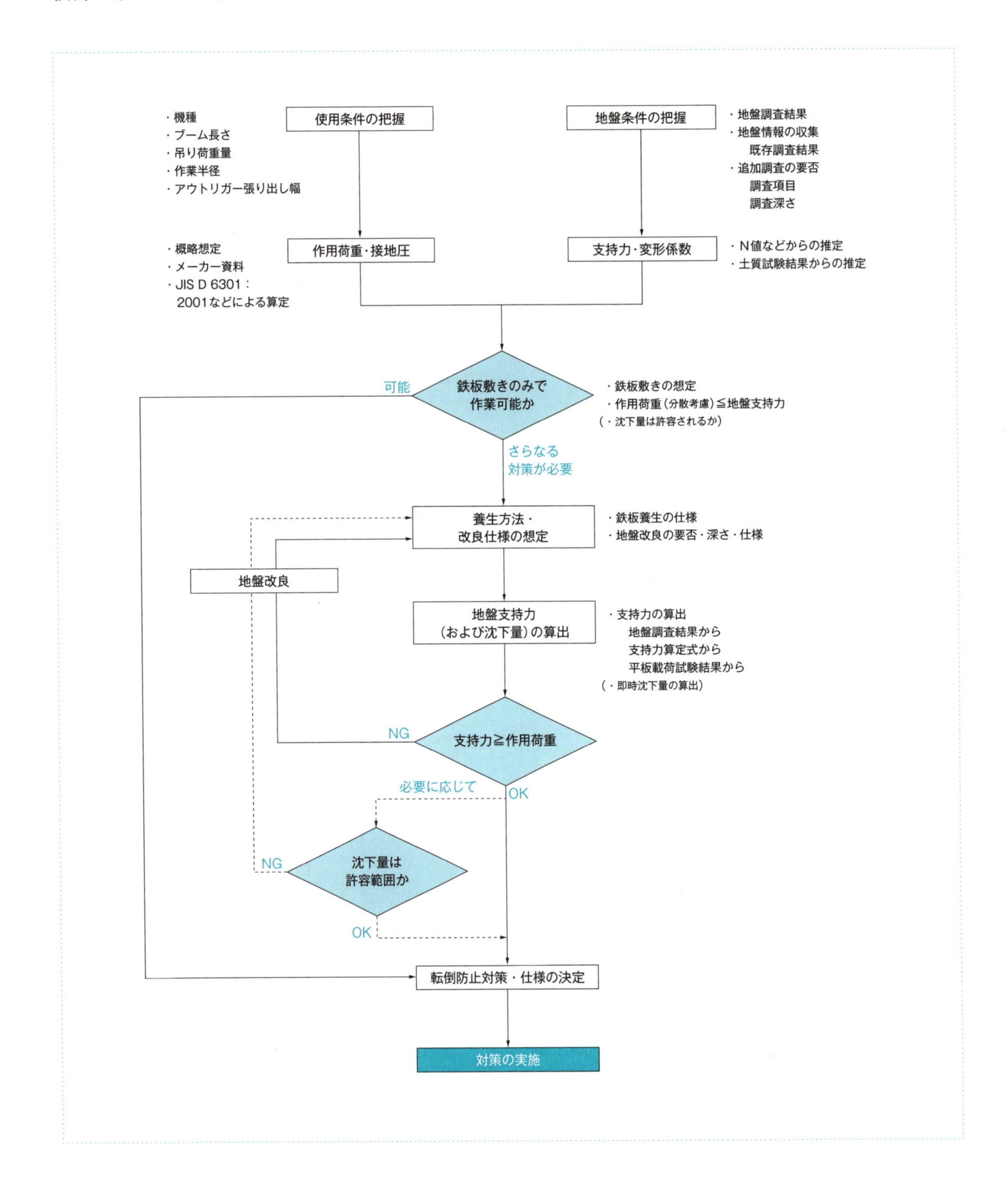

が得られる。

地盤条件は、現地調査や、**表1**に示すような各種地盤調査の結果などにもとづき、地盤支持力を推定し、転倒に対する安全性を検討する。一般的には作用荷重を短期荷重と考え、短期許容支持力に対する検討を行うが、必要に応じて沈下量についても許容範囲内にあるか否かの検討を行う。

留意すべき条件

転倒防止のための支持地盤の養生としては、以下のような方法が考えられる[**図2**]。

①鉄板により荷重の分散を図る
②砕石、地盤改良により地盤支持力を向上させる
③上記の①・②を併用する

これらの対策を施しても支持力が不足する場合には、コンクリート床版により支持する方法や構台を設ける方法などが考えられるが、本節では対象外とする。

支持地盤養生の検討に際しては、以下の点に留意する必要がある。

①想定する重機は、メーカーが保証する正常な使用状態で用いられること
②鉄板の敷設方法が適切であること。鉄板は地面に密着し、下部に空洞がないこと
③沈下に関しては、即時沈下を対象とすること
④風速10m/s以上の風荷重は想定していないこと。その場合には、別途検討の必要がある
⑤検討においてFEM解析を用いることで、検討精度をさらに向上させることができること

表1｜地盤支持力の調査方法

調査手法			試験名
貫入試験により推定する方法	ボーリングを伴うもの		標準貫入試験
	ボーリングを伴わないもの	動的貫入試験	大型動的貫入試験
			中型動的貫入試験
			ラムサウンディング試験
			土研式コーン貫入試験
		静的貫入試験	オランダ式二重管コーン貫入試験
			ポータブルコーン貫入試験
			スウェーデン式サウンディング試験
地盤支持力を直接求める方法			平板載荷試験

図2｜支持地盤の養生の例

(1) 敷き板・敷き鉄板の使用例

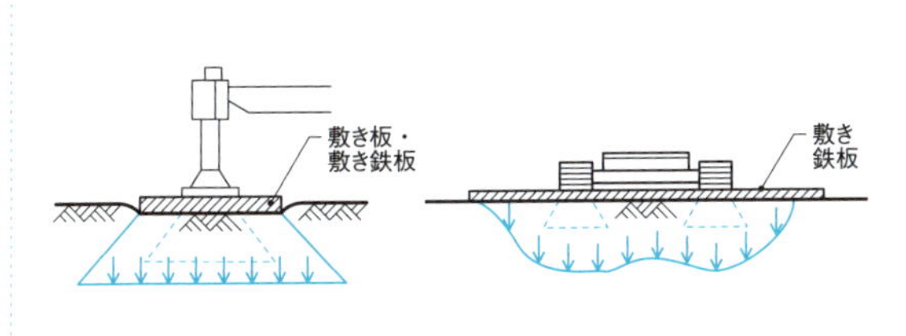

(2) 敷き鉄板と表層改良工法の併用例

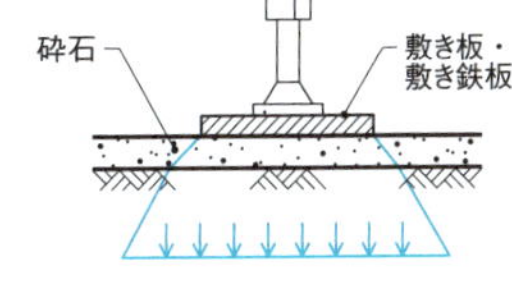

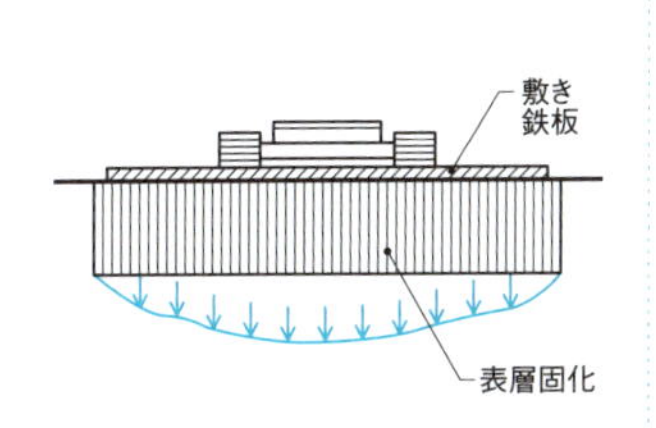

注 ——および↓は荷重の分散状況を示す

3 | 地盤支持力の検討

□ 重機を支える地盤の支持力を適切に推定することが必要である
□ 地盤の支持力を推定する際には、対象とする地盤の情報（土質試験結果、埋設物の有無、盛土か否かなど）をできるだけ多く収集し、総合的に判断する

地盤支持力の算定方法

転倒に対する安全性を確保するために、地盤支持力（短期許容支持力）を算出し、接地圧との比較を行う。

地盤の支持力を算出（推定）する方法としては、以下の3種類が挙げられる。

①標準貫入試験、動的貫入試験などの結果が得られている場合に、それらの結果を**表2**よりN値に換算し、**表3**に示す換算式を用いて算定する

②㈳日本建築学会『建築基礎構造設計指針』の極限支持力式［**図3**］を用いて、調査結果によって得られた数値、あるいは推定した数値などにより算出する

③当該地盤に対して平板載荷試験を実施し、荷重～沈下曲線を得る。そこから、地盤の降伏支持力 q_y、極限支持力 q_t を求め、q_y と $2/3\,q_t$ のいずれか小さいほうを短期許容支持力とする

留意すべき条件

支持地盤の検討に際しては、以下の項目に留意し、必要に応じて追加調査を行い、条件を整理する必要がある。

①調査結果は現状の地盤状況を反映しているか。地盤調査後に掘削や埋め戻しが行われていないか

②地下埋設物や地中障害物がないか。その範囲、深さと状況は分かっているか

③当地盤の傾斜、凹凸はないか（平坦になっているか）

④盛土か否か。切り・盛りの境界ではないか。平面的な位置による地盤の違いはないか

⑤掘削部からの離隔は十分か。法肩に位置していないか

⑥液状化発生の可能性はないか。クレーンなどの作業が長期に及ぶ場合は考慮する必要がないか

⑦降雨後の水はけはよいか。水路にならないか

図3｜極限鉛直支持力を算定するための支持力式

$$R_u = q_u \cdot A = (i_c \cdot \alpha \cdot c \cdot N_c + i_r \cdot \beta \cdot \gamma_1 \cdot B \cdot \eta \cdot N_r + i_q \cdot \gamma_2 \cdot D_f \cdot N_q) \cdot A$$

R_u：直接基礎の極限鉛直支持力［kN］

q_u：単位面積当たりの極限鉛直支持力［kN/m²］

A ：基礎の底面積［m²］（荷重の偏心がある場合には有効面積Aeを用いる）

N_c、N_r、N_q：支持力係数（次頁参照）

c ：支持地盤の粘着力［kN/m²］

γ_1：支持地盤の単位体積重量［kN/m³］

γ_2：根入れ部分の土の単位体積重量［kN/m³］（地下水位以下の場合には、γ_1・γ_2には水中単位体積重量を用いる）

α、β：基礎の形状係数（次頁参照）

η ：基礎の寸法効果による補正係数（ここでは1.0とする）

i_c、i_r、i_q：荷重の傾斜に対する補正係数（ここでは1.0とする）

B ：基礎幅［m］（短辺幅、あるいは荷重に偏心がある場合には有効幅Beを用いる）

D_f：根入れ深さ［m］

表2・3出典：『移動式クレーン、杭打機等の支持地盤養生マニュアル（第2版）』（（一社）日本建設機械施工協会）

表2 | 各種サウンディング結果とN値の相関例

調査方法		得られる値	N値との相関式	
			礫・砂質土	粘性土
標準貫入試験		N	—	—
動的貫入試験	大型動的貫入試験	$Nd_{75/30}$	$N = Nd_{75/30}$	$N = 2 \cdot Nd_{75/30}$
	中型動的貫入試験	$Nd_{35/30}$	$N = \frac{1}{4} \cdot Nd_{35/30}$	$N = \frac{1}{4} \cdot Nd_{35/30}$
	ラムサウンディング試験	Nd	N = Nd	$N = 2 \cdot Nd$
スウェーデン式サウンディング試験		Wsw、Nsw	$N = 2 + 0.133 \cdot Nsw$	$N = 3 + 0.075 \cdot Nsw$
オランダ式二重管コーン貫入試験		q_c	$N = \frac{1}{7} \cdot q_c$	$N = \frac{1}{3} \cdot q_c$

表3 | 土質性状とN値・支持力の目安

土質	性状	N値	短期許容支持力 q_a [kN/m²]	備考 [kN/m²]
軟質土	軟らかい粘性土	2<N≦6	100～300	q_a=50・N
	緩い砂質土	4<N≦10	80～200	q_a=20・N
中硬質土	中くらいの硬さの粘性土	6<N≦8	300～400	q_a=50・N
	中くらいに締まった砂質土	10<N≦40	200～800	q_a=20・N
硬質土	硬い粘性土	N>8	400～600	q_a=50・N
	締まった砂質土	N>40	800以下	q_a=20・N
ローム（火山灰質粘性土）	軟質	N<3	150以下	q_a=50・N
	硬質	N≧3	150	q_a=50・N

支持力係数 N_c、N_q、N_γ

内部摩擦角φ	Nc	Nq	Nγ
0°	5.1	1.0	0.0
5°	6.5	1.6	0.1
10°	8.3	2.5	0.4
15°	11.0	3.9	1.1
20°	14.8	6.4	2.9
25°	20.7	10.7	6.8
28°	25.8	14.7	11.2
30°	30.1	18.4	15.7
32°	35.5	23.2	22.0
34°	42.2	29.4	31.1
36°	50.6	37.8	44.4
38°	61.4	48.9	64.1
40°以上	75.3	64.2	93.7

形状係数 α、β

基礎底面の形状	連続	正方形	長方形	円形
α	1.0	1.2	$1.0+0.2 \cdot \frac{B}{L}$	1.2
β	0.5	0.3	$0.5-0.2 \cdot \frac{B}{L}$	0.3

B：長方形の短辺長さ　L：長方形の長辺長さ

4 | 沈下の検討

check

- □ 支持力に対する検討を行うだけでなく、沈下量を把握することも重要である
- □ 沈下量に対する許容値は明確でないため、重機の機種や使い方によって判断する必要がある

沈下量の算定

建設機械の安定度に関しては、昭和47年労働省告示150号の車両系建設機械構造規格で規定されている。たとえば杭打ち機については、作業時における安定に関して最も不利となる状態において、水平かつ堅固な面の上で前後・左右5°まで傾けても転倒しない安定度を有するものでなければならないと定められている。これは、沈下量を直接意味するものではないが、沈下量を想定する際に考慮しなければいけない条件である。

沈下量に対する明確な基準は定められていない。沈下には「即時沈下」と「圧密沈下」があるが、短期的な荷重であることを考えると、即時沈下のみを対象にすればよい。即時沈下量は、図4に示す(一社)日本建築学会の『建築基礎構造設計指針』の算定式によって算出するが、許容沈下量は一般的に5cmが目安といわれている。

検討に活用できる資料

検討に際し、その地盤に対して前もって十分な調査・試験が行われている例は少なく、限られた情報から各種の数値を推定する必要が生じる。検討の参考となる資料を示す。図5は粘性土層における粘着力の推定式で、表4・5は鉄板養生の目安をまとめたものである。

図5 | 粘着力Cの推定式

(1)標準貫入試験

$C=6\cdot N$ [kN/m²]

N:標準貫入試験結果、あるいはほかの試験結果から換算したN値

(2)オランダ式二重管コーン貫入試験

$C=1/2\times q_u$

$q_u=(1/10\sim 1/15)q_c$

q_u:一軸圧縮強度[kN/m²]

q_c:コーン指数[kN/m²]

(3)スウェーデン式サウンディング試験

$C=3+0.075\cdot N_{sw}$ [kN/m²]

N_{sw}:1m当たりの半回転数

図4 | 即時沈下量の算定式

$$S_E=I_s\cdot\frac{1-\nu_s^2}{E_s}\cdot q\cdot B$$

S_E:即時沈下量[m]

I_s:基礎底面の形状と剛性によって決まる係数(右表参照)。下式は基礎が長方形で剛性を0とした場合の隅角部での値を示す

$$I_s=\frac{1}{\pi}\left\{l\cdot\log_e\frac{1+\sqrt{l^2+1}}{l}+\log_e\left(l+\sqrt{l^2+1}\right)\right\}$$

$l=L/B$

B:基礎の短辺長さ(円形の場合は直径)[m]

L:基礎の長辺長さ[m]

E_s:地盤のヤング率[kN/m²]($E_s=0.28\times10^3N$[kN/m²]で推定可)

ν_s:地盤のポアソン比(安全側として$\nu_s=0.3$)

q :基礎に作用する荷重度[kN/m²]

沈下係数Is

底面形状	基礎の剛性	底面上の位置		Is
円(直径B)	0	中央		1
		辺		0.64
	∞	全体		0.79
正方形(B×B)	0	中央		1.12
		隅角		0.56
		辺の中央		0.77
	∞	全体		0.88
長方形(B×L)	0	隅角	L/B=1	0.56
			1.5	0.68
			2.0	0.76
			2.5	0.84
			3.0	0.89
			4.0	0.98
			5.0	1.05
			10.0	1.27
			100.0	2.00

表4 | 油圧式トラッククレーン・ラフテレーンクレーンのアウトリガーフロート1脚に対して必要な鉄板養生目安

土質	性状	N値	短期許容支持力 qa [kN/m²]	鉄板厚 [mm]	アウトリガーフロート1脚に作用する荷重									
					100kN	200kN	300kN	400kN	500kN	600kN	700kN	800kN	900kN	1,000kN
軟質土	軟らかい粘性土	2<N≦6	100～300	25	1.2×1.2m	6.0×1.5m (1)	6.0×1.5m (1)	6.0×1.5m (2)	—	—	—	—	—	—
				22										
	緩い砂質土	4<N≦10	80～200	25	1.2×1.2m	6.0×1.5m (1)	6.0×1.5m (1)	—	—	—	—	—	—	—
				22	6.0×1.5m (1)		6.0×1.5m (2)							
中硬質土	中くらいの硬さの粘性土	6<N≦8	300～400	25	0.6×0.6m	1.2×1.2m	1.2×1.2m	1.2×1.2m	6.0×1.5m (1)	6.0×1.5m (1)	6.0×1.5m (1)	6.0×1.5m (1)	6.0×1.5m (1)	6.0×1.5m (1)
				22				6.0×1.5m (1)						
	中くらいに締まった砂質土	10<N≦40	200～800	25	1.2×1.2m	1.2×1.2m	6.0×1.5m (1)	6.0×1.5m (1)	6.0×1.5m (1)	6.0×1.5m (1)	6.0×1.5m (1)	6.0×1.5m (2)	6.0×1.5m (2)	–
				22									—	
硬質土	硬い粘性土	N>8	400～600	25	0.6×0.6m	1.2×1.2m	1.2×1.2m	1.2×1.2m	1.2×1.2m	6.0×1.5m (1)	6.0×1.5m (1)	6.0×1.5m (1)	6.0×1.5m (1)	6.0×1.5m (1)
				22					6.0×1.5m (1)					
	締まった砂質土	N>40	800	25	0.6×0.6m	0.6×0.6m	1.2×1.2m	1.2×1.2m	1.2×1.2m	1.2×1.2m	1.2×1.2m	1.2×1.2m	1.2×1.2m	1.2×1.2m
				22										
ローム（火山灰質粘性土）	軟質	N<3	100	25	1.2×1.2m	6.0×1.5m (1)	6.0×1.5m (1)	6.0×1.5m (2)	—	—	—	—	—	—
				22										
	硬質	N≧3	150	25	1.2×1.2m	1.2×1.2m	6.0×1.5m (1)	6.0×1.5m (1)	6.0×1.5m (1)	6.0×1.5m (2)	—	—	—	—
				22		6.0×1.5m (1)								

注1　0.6×0.6mは厚さ7cmの敷き板。そのほかはすべて敷き鉄板　注2　6.0×1.5mに示す(1)は敷き鉄板1枚、(2)は敷き鉄板2枚を用いる　注3　「—」は敷き鉄板では対応できないので、ほかの支持地盤養生方法を検討する必要がある

表5 | クローラクレーン・クローラ式杭打ち機の場合の鉄板養生目安

土質	性状	N値	短期許容支持力 qa [kN/m²]	鉄板厚 [mm]	クローラの最大接地圧										
					100 kN/m²	150 kN/m²	200 kN/m²	250 kN/m²	300 kN/m²	350 kN/m²	400 kN/m²	450 kN/m²	500 kN/m²	550 kN/m²	600 kN/m²
軟質土	軟らかい粘性土	2<N≦6	100～300	25	0	1	2	2	—	—	—	—	—	—	—
				22											
	緩い砂質土	4<N≦10	80～200	25	1	2	2	2	—	—	—	—	—	—	—
				22											
中硬質土	中くらいの硬さの粘性土	6<N≦8	300～400	25	0	0	0	0	0	1	1	1	1	2	2
				22											
	中くらいに締まった砂質土	10<N≦40	200～800	25	0	0	0	1	1	2	2	2	2	2	–
				22											
硬質土	硬い粘性土	N>8	400～600	25	0	0	0	0	0	0	0	1	1	1	1
				22											
	締まった砂質土	N>40	800	25	0	0	0	0	0	0	0	0	0	0	0
				22											
ローム（火山灰質粘性土）	軟質	N<3	100	25	0	1	2	2	—	—	—	—	—	—	—
				22											
	硬質	N≧3	150	25	0	0	1	2	2	2	2	—	—	—	—
				22											

注1　敷き鉄板は6.0×1.5m　注2　表に示す「0」は敷き鉄板なし、「1」は敷き鉄板1枚、「2」は敷き鉄板2枚を用いる　注3　「—」は敷き鉄板では対応できないので、ほかの支持地盤養生方法を検討する必要がある

表4・5出典：『移動式クレーン、杭打機等の支持地盤養生マニュアル（第2版）』（（一社）日本建設機械施工協会）

クローラ式杭打ち機の検討

check

- □ 重機によって地盤に作用する荷重は、カタログから、あるいはメーカーに問い合わせることで入手できる
- □ 必要に応じた追加調査を行うことで、地盤に関する情報が増し、いっそう合理的な補強・養生を行うことが可能となる

クローラ式杭打ち機を対象とした場合の養生鉄板を考慮した地盤の支持力、ならびに表層地盤の改良範囲と改良仕様の検討例を解説する。施工計画から機種が定まるので、カタログを入手するとともに、メーカーに問い合わせて作業状況に応じた接地圧などの詳細情報を得る。ここでは、接地圧はメーカーに問い合わせた結果を、地盤の情報は標準貫入試験の結果を前提とした。

1 重機の使用条件と地盤条件

step.1 使用条件

メーカーに問い合わせて、クローラ式杭打ち機の使用条件として、クローラの先端に生じる最大接地圧 $P_{max} = 260\,kN/m^2$を得た。

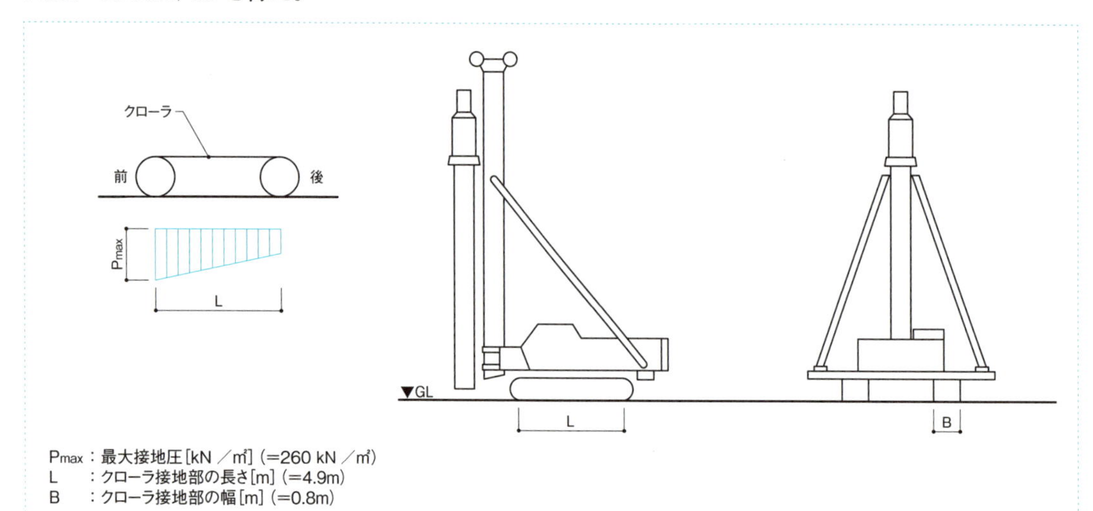

step. 2

地盤条件

当該敷地の地盤調査結果から、右に示す鉛直方向の土質分布と、それぞれの層の標準貫入試験結果(N値)が得られた。この数値を基に、地表面からGL－0.8mの層の地盤支持力(短期許容支持力)を算定する。

・地表面からGL－0.8m：軟らかい粘性土、N＝4
・GL－0.8m～－4.0m：ローム層、N＝2～3

379頁で紹介した下表の換算式に当てはめると、軟らかい粘性土で、N値が4であるから、この層の地盤支持力q_aは、

$$q_a = 50 \times N = 50 \times 4 = 200\,\mathrm{kN/m^2}$$

と推定される。

土質性状とN値・支持力の目安

土質	性状	N値	短期許容支持力 q_a [kN/m²]	備考 [kN/m²]
軟質土	軟らかい粘性土	2<N≦6	100～300	q_a=50×N
	緩い砂質土	4<N≦10	80～200	q_a=20×N
中硬質土	中くらいの硬さの粘性土	6<N≦8	300～400	q_a=50×N
	中くらいに締まった砂質土	10<N≦40	200～800	q_a=20×N
硬質土	硬い粘性土	N>8	400～600	q_a=50×N
	締まった砂質土	N>40	800以下	q_a=20×N
ローム(火山灰質粘性土)	軟質	N<3	150以下	q_a=50×N
	硬質	N≧3	150	q_a=50×N

次に、GL－0.8m～－4.0mの層の粘着力を算定する。
この層はローム層であることから、内部摩擦角 ϕ=0。380頁図5に示す粘着力の推定式(1)に当てはめると、この層の粘着力Cは、

$$C = 6 \times N = 6 \times 2 \sim 3 = 12 \sim 18 \rightarrow C = 15.0\,\mathrm{kN/m^2}$$

と推定される。

2 | 敷き鉄板の検討

敷き鉄板の仕様

通常は、右に示す仕様の中から、板厚t=22mmの敷き鉄板が用いられることが多い。本例題でも22mm厚の敷き鉄板(1.5×6.0m)を使用することとする。以下に敷鉄板の使用例を示す。

・材質:SS400
・寸法:1.5×6.0m(t=19・22・25mm)
　　　1.5×3.0m(t=19・22・25mm)
　　　1.2×1.2m(t=18・20mm)

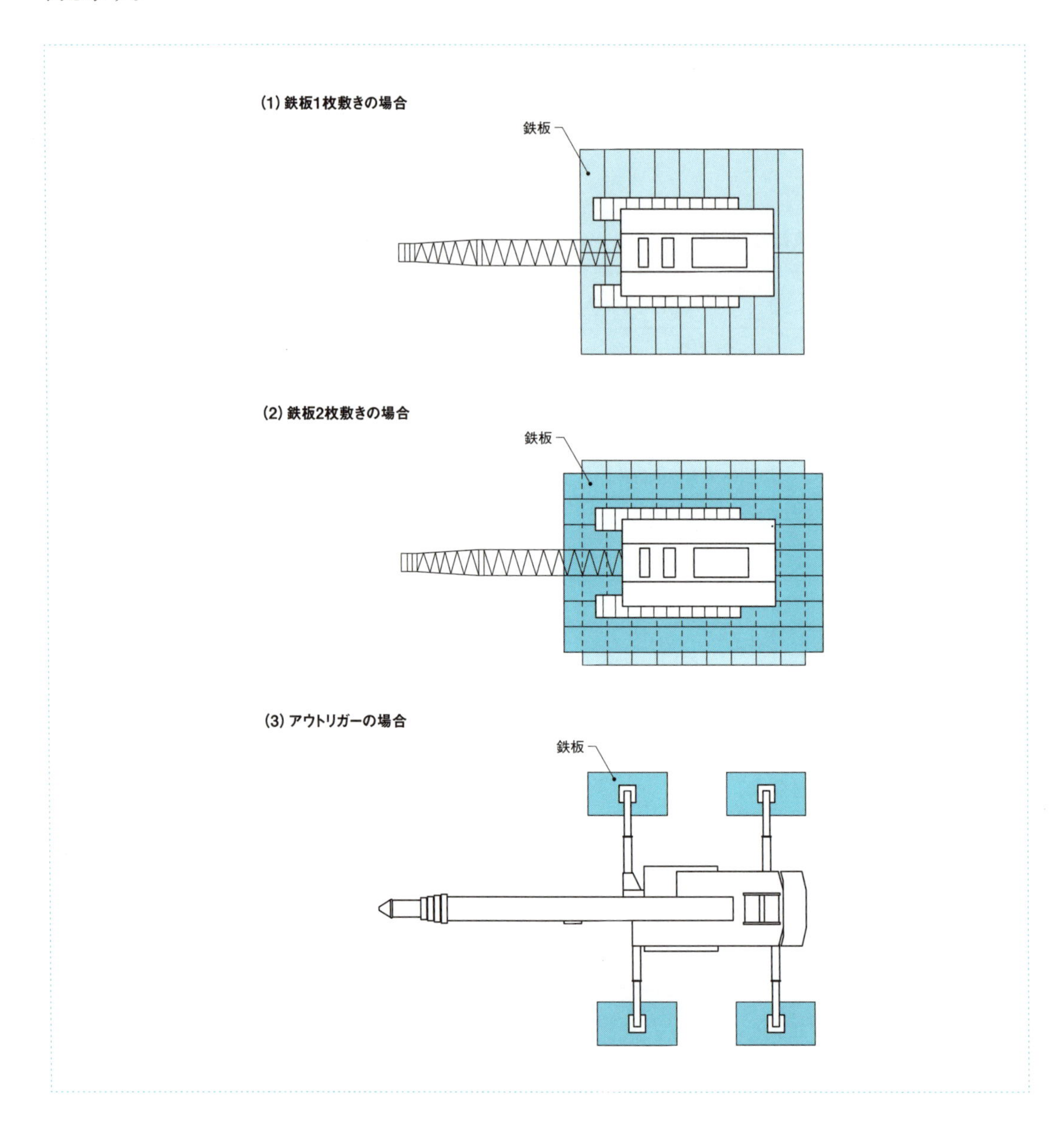

step. 2

必要な鉄板の目安

クローラクレーン・クローラ式杭打ち機などの作業性確保のための鉄板養生の目安を下表に示す。この表において、沈下量は5cm程度を想定しているが、「—」の部分は鉄板養生のみでは支持力が不足するため、地盤改良を併用する必要がある。

本例題では、クローラの最大接地圧が260kN/m²、土質は軟質土のうちの軟らかい粘性土(N=4)であることから、鉄板2枚敷きでは支持力が不足すること、隣地に近接する位置であるため転倒防止を重視し、地盤改良を併用することとする。

クローラクレーン・クローラ式杭打ち機の場合の鉄板養生目安

土質	性状	N値	短期許容支持力qa［kN/m²］	鉄板厚［mm］	クローラの最大接地圧										
					100 kN/m²	150 kN/m²	200 kN/m²	250 kN/m²	300 kN/m²	350 kN/m²	400 kN/m²	450 kN/m²	500 kN/m²	550 kN/m²	600 kN/m²
軟質土	軟らかい粘性土	2<N≦6	100〜300	25 22	0	1	2	2	—	—	—	—	—	—	—
	緩い砂質土	4<N≦10	80〜200	25 22	1	2	2	2	–	–	–	–	–	–	–
中硬質土	中くらいの硬さの粘性土	6<N≦8	300〜400	25 22	0	0	0	0	0	1	1	1	1	2	2
	中くらいに締まった砂質土	10<N≦40	200〜800	25 22	0	0	0	1	1	2	2	2	2	2	–
硬質土	硬い粘性土	N>8	400〜600	25 22	0	0	0	0	0	0	0	1	1	1	1
	締まった砂質土	N>40	800	25 22	0	0	0	0	0	0	0	0	0	0	0
ローム（火山灰質粘性土）	軟質	N<3	100	25 22	0	1	2	2	—	—	—	—	—	—	—
	硬質	N≧3	150	25 22	0	0	1	2	2	2	2	—	—	—	—

注1　敷き鉄板は6.0×1.5m
注2　表に示す「0」は敷き鉄板なし、「1」は敷き鉄板1枚、「2」は敷き鉄板2枚を用いる
注3　「—」は敷き鉄板では対応できないので、ほかの支持地盤養生方法を検討する必要がある

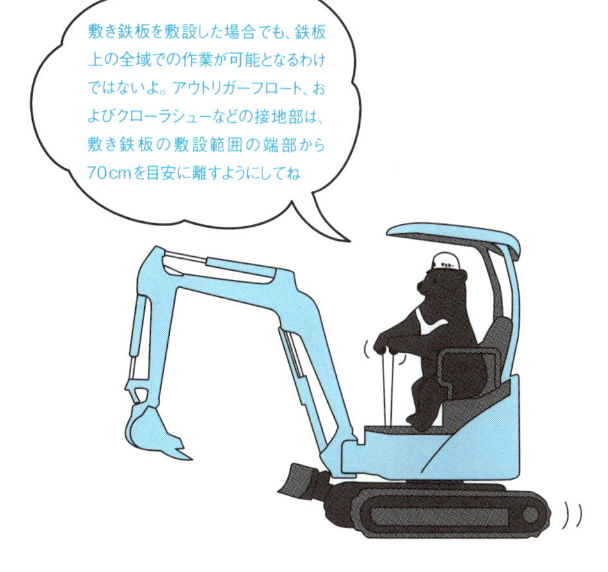

3 | 改良仕様の検討

step 1 クローラの荷重による応力

地耐力と応力分散長の関係を示すグラフを利用し、応力分散長Bwを算出する。

応力分散長(応力分散範囲)とは、クローラシューの直下に生じる荷重を、鉄板を敷いたことによってクローラシュー周辺も含めたある範囲で負担していると考えたときの、その範囲をいう。地盤の支持力(強さ)と、敷き鉄板の厚さから推定する。

鉄板は22mm厚で、地耐力は**385頁**より100～300kN/m²。ここでは200kN/m²と想定すると、応力分散長 Bw≒40cm＝0.4mとなる。

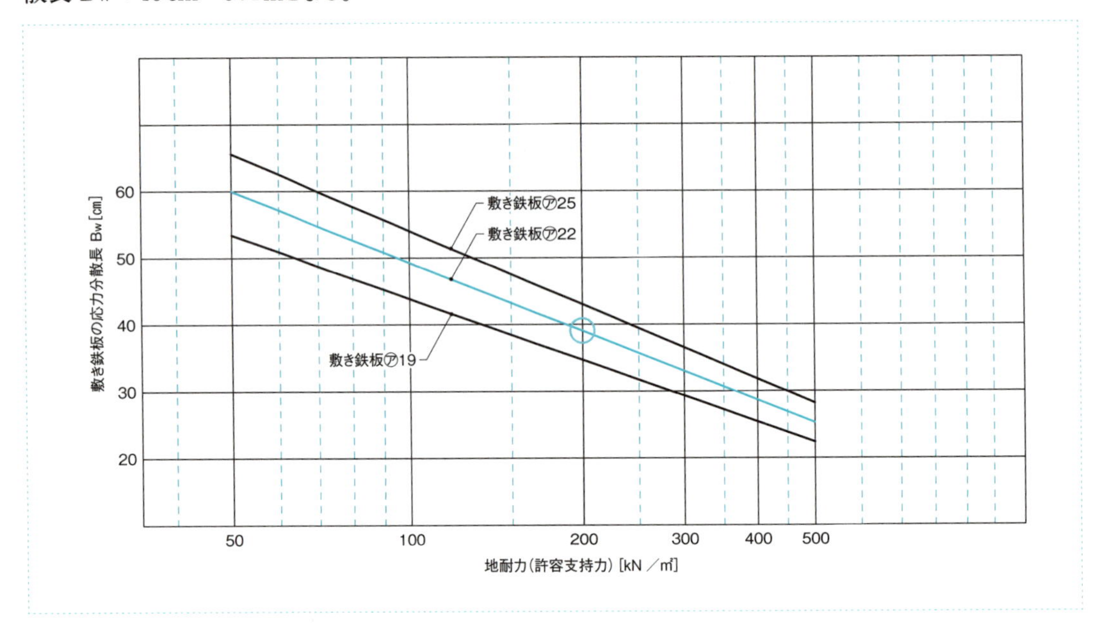

以上から、応力分散の長手方向長さL'ならびに短手方向長さB'を算定すると、以下のとおりとなる。

L'＝L＋Bw×2＝4.9＋0.4×2＝5.7m

B'＝B＋Bw×2＝0.8＋0.4×2＝1.6m

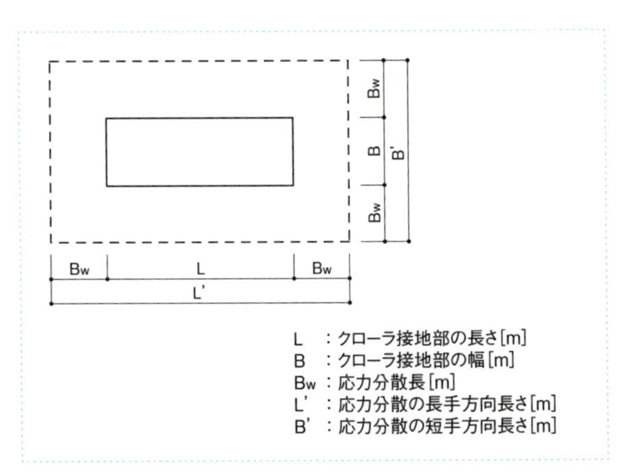

step. 2

発生する応力

メーカーから入手した最大接地圧 P＝260 kN／m²に対して、さらに衝撃荷重を考慮する。ここでは、衝撃荷重として、最大接地圧の20%を想定した。

クローラの荷重による改良下端レベルでの応力W_cは、以下のとおり、クローラによる応力W_{11}と改良土の重量W_{12}の和によって求められる。

$$W_c = W_{11} + W_{12}$$

まず、クローラによる応力W_{11}は以下のように算定することとする。

$$W_{11} = \frac{(1+0.2)\cdot P\cdot B\cdot L}{(B'+2\cdot h)\cdot(L'+2\cdot h)} = \frac{(1+0.2)\times 260\times 0.8\times 4.9}{(1.6+2\cdot h)\times(5.7+2\cdot h)} = \frac{1{,}223.0}{(1.6+2\cdot h)\times(5.7+2\cdot h)}\ \mathrm{kN/m^2}$$

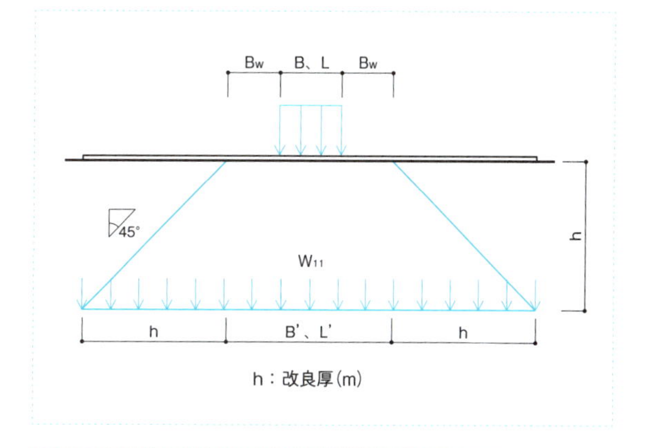

h：改良厚(m)

次に、改良土の重量を算定する。改良土の単位体積重量γ_2＝15.5 kN/m³とすると、

$$W_{12} = \gamma_2 \cdot h = 15.5\cdot h\ \mathrm{kN/m^2}$$

となる。

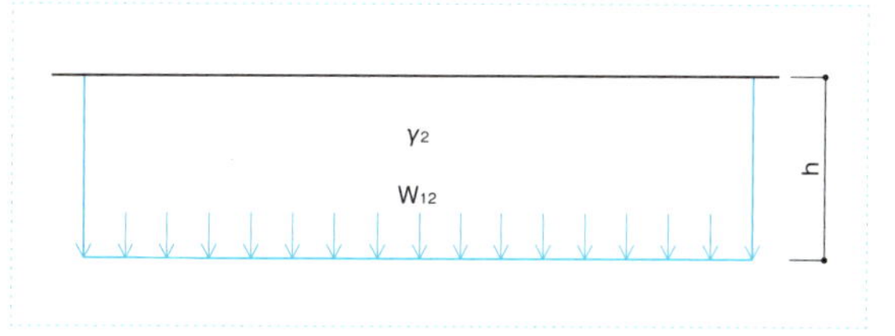

step. 3

地盤支持力の算定

385頁step.2において表面に鉄板を敷くだけでなく、地盤改良を併せて行うことを基本方針として定めた。表層の軟らかい粘性土部分を改良して十分な支持力を確保するとしても、さらにその下部のローム層（GL−0.8m以深）の地盤支持力（短期許容支持力）を確認しておく必要がある。

$$q_a=\frac{2}{3}q_u=\frac{2}{3}\left\{(i_c\cdot\alpha\cdot C\cdot N_c)+(i_r\cdot\beta\cdot\gamma_1\cdot B\cdot\eta\cdot N_r)+(i_q\cdot\gamma_2\cdot D_f\cdot N_q)\right\}$$

γ_1：未改良地盤の単位体積重量＝14.5kN/m³

γ_2：改良地盤の単位体積重量＝15.5kN/m³

C：対象地盤の粘着力＝15kN/m²［383頁］

α、β：基礎の形状係数

→B'＝1.6m　L'＝5.7m　$\frac{B'}{L'}=0.281$とすると、

$$\alpha=1.0+0.2\times\frac{B'}{L'}=1.0+0.2\times0.281=1.056$$

$$\beta=0.5-0.2\times\frac{B'}{L'}=0.5-0.2\times0.281=0.444$$

N_c、N_r、N_q：支持力係数

→ローム層から$\phi=0$と想定すると、$N_c=5.1$　$N_r=0$　$N_q=1.0$［379頁］

i_c、i_r、i_q：基礎の傾斜に関する補正係数

→考慮せず、すべて1.0とする

η：基礎の寸法効果による補正係数

→考慮せず、1.0とする

B：基礎幅＝B'＝1.6m

D_f：根入れ深さ＝0m（支持地盤の押さえ効果には期待しない）

以上より、地盤支持力q_aは次のとおりとなる。

$$q_a=\frac{2}{3}\left\{(i_c\cdot\alpha\cdot C\cdot N_c)+(i_r\cdot\beta\cdot\gamma_1\cdot B\cdot\eta\cdot N_r)+(i_q\cdot\gamma_2\cdot D_f\cdot N_q)\right\}$$

$$=\frac{2}{3}\left\{(1.0\times1.056\times15\times5.1)+(1.0\times0.444\times14.5\times1.6\times1.0\times0)+(1.0\times15.5\times0\times1.0)\right\}$$

$$=\frac{2}{3}(80.784+0+0)=53.9\text{kN/m}^2$$

step. 4

改良深さの検討

クローラの荷重による改良下端レベルでの応力Wcが地盤の支持力qa以下となる深さ、すなわち改良深さhを求める。387頁step.2で算定したとおり、クローラの荷重による改良下端レベルでの応力Wcは、

$$W_c = W_{11} + W_{12} = \frac{1{,}223.0}{(1.6+2\cdot h)\times(5.7+2\cdot h)} + 15.5\cdot h$$

であるので、下表より改良深さh＝1.6m以上にする必要がある。

深さ [m]	W_{11} [kN／m²]	W_{12} [kN／m²]	W_c [kN／m²]	q_a [kN／m²]
0.8	52.4	12.4	64.8	＞53.9
1.0	44.1	15.5	59.6	＞53.9
1.2	37.7	18.6	56.3	＞53.9
1.4	32.7	21.7	54.4	＞53.9
1.6	28.6	24.8	53.4	＜53.9
1.8	25.3	27.9	53.2	＜53.9
2.0	22.5	31.0	53.5	＜53.9

GL－0.8m以深はローム層であり、step.3の検討から53.9kN/m²の支持力を有していることが確認できている。クローラシューによる荷重が地盤内で分散するため、地盤の支持力を分散した荷重が下回る深さを求め、その深さまで改良することが必要となる。下図より、地盤改良の対象深さを－1.4mと想定した。

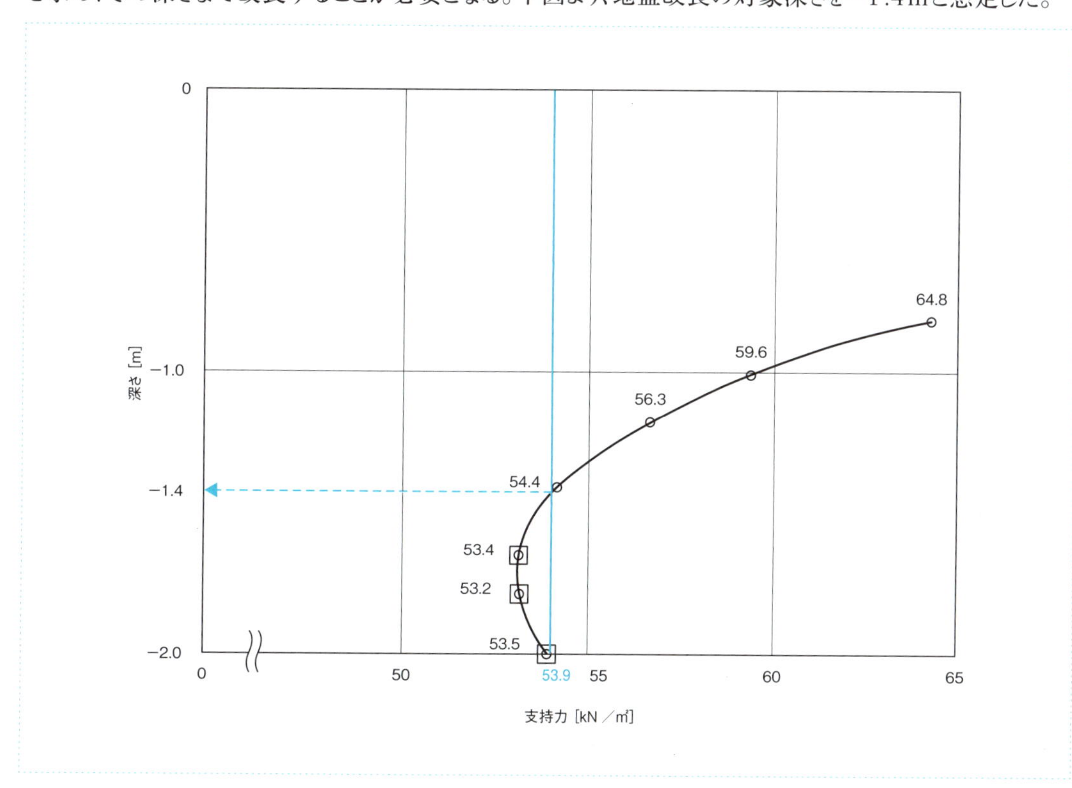

改良仕様の決定

鉄板敷きによる荷重分散のみを考慮した場合には、前述したように応力分散表 B_w＝0.4 mとなる。
そのときの地表面の応力W_2は以下のとおりとなる。

$$W_2=\frac{(1+0.2)\times P\times B\times L}{B'\times L'}=\frac{(1+0.2)\times 260\times 0.8\times 4.9}{1.6\times 5.7}$$

$$=134.1\ \mathrm{kN/m^2}$$

上記を上回る短期許容支持力を目標として、当該地盤の土質サンプルを採取し、室内試験によって改良材の配合量を決定する。

ポイント

実績データを使用した配合量の推定例

使用する改良材の実績データを用いて当該土層に対する配合量を推定する場合は、以下の手順で検討を行う。
まず、当該地盤がこの応力を支えるための改良地盤の粘着力C'を求める。地盤の支持力式において、ϕ＝0、D_f＝0とすると、当該地盤の支持力は次のように表せる。

$$q_a=\frac{2}{3}(i_c\cdot\alpha\times C'\cdot N_c)=\frac{2}{3}(1.0\times 1.056\times C'\times 5.1)=3.59C'$$

ここで、地盤支持力q_a＝鉄板下の地表面での応力W_2とし、その値を例題と同じ134.1 kN/m²と設定すると、

$$3.59C'=134.1\text{より、}C'=37.4\ \mathrm{kN/m^2}$$

以上から、粘着力 Cと一軸圧縮強度q_uの関係式を用いて、必要となる一軸圧縮強度q_uを算定すると、

$$C=\frac{1}{2}q_u\text{より、}q_u=74.7\ \mathrm{kN/m^2}$$

概略検討の場合には、使用する改良材の実績データを用いて当該土層に対する配合量を推定する。目安として一般的な配合設計例を示す。

一般的な配合設計例

	セメント系固化材の場合	石灰系固化材の場合
改良対象土質	砂質土、シルト、有機質土	シルト、粘土
固化材配合量	砂質土、粘性土: 60～150kg/m³ 有機質土: 100～350kg/m³	シルト、粘土: 70～200kg/m³
改良設計厚さ	1～2m (機械足場改良厚さ)	1～2m (機械足場改良厚さ)
施工能力	バックホウ混合の場合: 100～150m³/日	バックホウ混合の場合: 100～150m³/日
設計一軸圧縮強度q_u	砂質土、粘性土: 200～300kN/m² 有機質土:100～200kN/m²	シルト、粘土: 100～300kN/m²

次に、算出した一軸圧縮強度57.4kN/m²を得るための固化材添加量を、室内配合試験結果をまとめた下表から求める。ここでは、粉体、バックホウ使用とし、(現場/室内)強度比を「0.5」とする。

固化材の配合形態	改良の対象	混合機種	(現場/室内)強度比
粉体	軟弱土[※]	スタビライザー	0.5～0.8
		バックホウ	0.3～0.7
スラリー	軟弱土[※]	スタビライザー	0.5～0.8
		バックホウ	0.4～0.7

※ 締め固めを伴う場合も含む

以上より、使用メーカー資料において、今回の地盤に対して必要となる一軸圧縮強度q_uを養生日数7日で発現させるとすると、

$$74.7\text{kN/m}^2 \div 0.5 = 149.4\text{kN/m}^2$$

となるので、右に示す実績データより固化材の添加量は30kg/m³と分かる。

ただし、計算上40kg/m³を得たが、一般的な配合例を参考にセメント系固化材60kg/m³を添加量と定めた。

図 固化材添加量と一軸圧縮強度の関係の例(養生日数:7日)

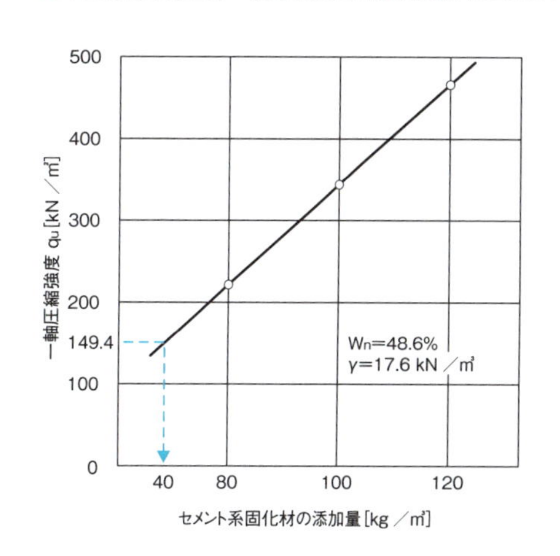

躯体の仮設利用

施工計画と構造計算のポイント

1 | 要求性能

概要

敷地条件や施工計画上、本設躯体上に工事車両や重機を乗り入れ、作業ヤードとして利用したい場合がある。通常、建物は仮設的な荷重は設定されておらず、荷重形態も等分布で設計されているが、工事車両や重機は集中荷重として梁や床部材にかかることになる。したがって、躯体を仮設利用する場合は、施工時荷重による発生応力が原設計の断面仕様で構造的に安全であるかを確認し、場合によっては躯体の補強あるいはサポートなどによる仮設的な補強を行う必要がある。

要求される性能

躯体を利用した車両の乗り入れは、仮設材を使用しないため、コストおよび工程上有利となることが多い。その半面、本設躯体に仮設的な荷重をかけるため、部材に有害なひび割れを発生させ、剛性低下させることがなく、建物としての機能を損なうことのない検討が必要となる。

山留め杭の引き抜きのために多滑車仕様とした移動式クレーンが、鉄板養生をした1階床上に載っている

準拠すべき法規、規準

使用材料、許容応力度、応力算定および断面検討は、以下の法規・規準にもとづく。

準拠すべき法規・規準

1 —— 建築基準法および同施行令

2 —— 労働安全衛生法および同規則

3 —— (一社)日本建築学会

『鉄筋コンクリート構造計算規準・同解説』

『鉄骨鉄筋コンクリート構造計算規準・同解説』

『鋼構造設計規準』

2 | 施工計画

検討の流れ

躯体の仮設利用に関する検討フローは以下に示すとおりである。

施工計画

・躯体工事：山留め引き抜き、資材搬入、
コンクリート打設、鉄骨建方など
・仕上げ工事：資材搬入など

↓

使用重機

・車輪形式　・アウトリガー形式
・クローラ形式

↓

乗り入れ範囲の設定

・床段差の有無(処理方法)　・開口部
・片持ち形式の梁・スラブの位置

↓

条件設定

・コンクリート打設後の養生期間
・コンクリート発現強度
・躯体養生方法　・許容応力度

↓

荷重設定

・固定荷重　・積載荷重　・衝撃荷重

↓

躯体検討

・スラブ　・大梁・小梁　・躯体補強
・ひび割れ幅の算定

施工計画のポイント

[1]──使用重機

アウトリガーは大きな集中荷重となるため、断面の薄いスラブではなく、梁で支持する。配置上うまく納まらない場合は、梁間にH形鋼などの桁を設置し、その上にアウトリガーを載せる。

[2]──乗り入れ範囲

基礎梁などで大断面の場合は、乗り入れられる可能性もあるが、基本的に片持ち部材には載らない計画とする。

また、スラブ段差がある場合はレベル調整が必要で、その調整材重量も積載荷重として検討に見込む。

[3]──条件設定

コンクリート打設後の養生のため、乗り入れまでの日数を工程上確保しておく。

検討は材齢に応じたコンクリート強度を想定するが、乗り入れの実施時にはその強度以上発現していることを確認する(最低18N/mm²は確保する)。

特に打設後早期である場合は、乗り入れ部に鉄板などを敷き、コンクリートの表面保護を行う。

[4]──荷重設定

衝撃荷重は考慮するが、できうる限り安定した運転・操作を作業者に指導する。

[5]──躯体検討

原設計での躯体の安全性が確保できない場合、スラブの厚さや梁せいを大きくするのが有効であるが、設計変更は困難である。補強をする場合は、躯体重量が変わらず、本設計に絡まない2次部材のスラブの配筋補強に止め、それ以外については部材下部にサポートを設置するなどの外的なものとする。

乗り入れ時に型枠用支保工が残っていても、その支保工の余力は基本的に安全側の要素とする。

3 ｜使用材料と許容応力度

躯体の仮設的利用であり、使用期間が短期間であるため、部材の検討には中期許容応力度を用いる。中期許容応力度とは、一般に用いられる長期許容応力度と短期許容応力度の平均値を表すものである。

コンクリートについては、乗り入れ時の圧縮強度の発現は最低18N／mm²以上とする。また、コンクリートおよび鉄筋の許容応力度については、**475頁**に示すとおりである。

ただし、同資料のコンクリートに関する表中のFcは、発現強度に読み替えるものとする。

建築基準法施行令75条でも、「コンクリート打込み中及び打込み後5日間（中略）乾燥、震動等によつてコンクリートの凝結及び硬化が妨げられないように養生しなければならない」と規定されています

なお、コンクリート強度の発現確認には、現場水中養生したテストピースを用います

4 | 荷重の算定

- □ 同一部材に対して複数種の車両乗り入れを計画する場合はすべてについて検討を行う
- □ アウトリガー およびクローラ荷重は、作業方向によって変化する荷重を考慮する

考慮すべき荷重

検討は、鉛直荷重――すなわち固定荷重と積載荷重を考慮する。水平荷重（地震、風、水平方向の衝撃力）については、1階レベルの検討の場合、周辺地盤の拘束などもあり考慮しない。

なお、一般的にコンクリート打設後、早期に車両を乗り入れる場合、躯体に型枠が残っている状態であるが、在来工法であればサポート支持されているため、型枠重量などは相殺される。また、乗り入れ部分に同時には資材などを置いたり、作業をすることはできないので、施工荷重なども特には考慮しない。

固定荷重

固定荷重として考慮すべきものは、以下のとおりである。

躯体自重　スラブや梁の自重

養生鉄板　躯体表面保護用の鉄板で、使用の有無にかかわらず、荷重として1.8kN/m²・枚を考慮する

なお、床段差が大きく、鋼材などでレベル調整をする場合は、その調整材重量も荷重として考慮する。

積載荷重

積載荷重として考慮すべきものは、以下のとおりである。

車両荷重　想定する工事車両・重機の車輪、アウトリガー、クローラの荷重

衝撃荷重　車両荷重の20％とし、車両荷重を割り増しておく

車両荷重は分布荷重や中央集中1点荷重などに置換すると計算が容易であるが、移動荷重としたほうが実状に近いと考えられる。

また、車両荷重は、基本的に車体寸法を含め各メーカーが機種ごとに示している値を用いるが、概略として以下の値で検討してもよい。

[1]――車輪荷重

トラックなど車輪形式の場合は、前輪で全荷重の10％ずつ、後輪で40％ずつ（後輪が2軸の場合は20％ずつ）分担する［図1］。

図1｜車輪荷重　W：車両総重量

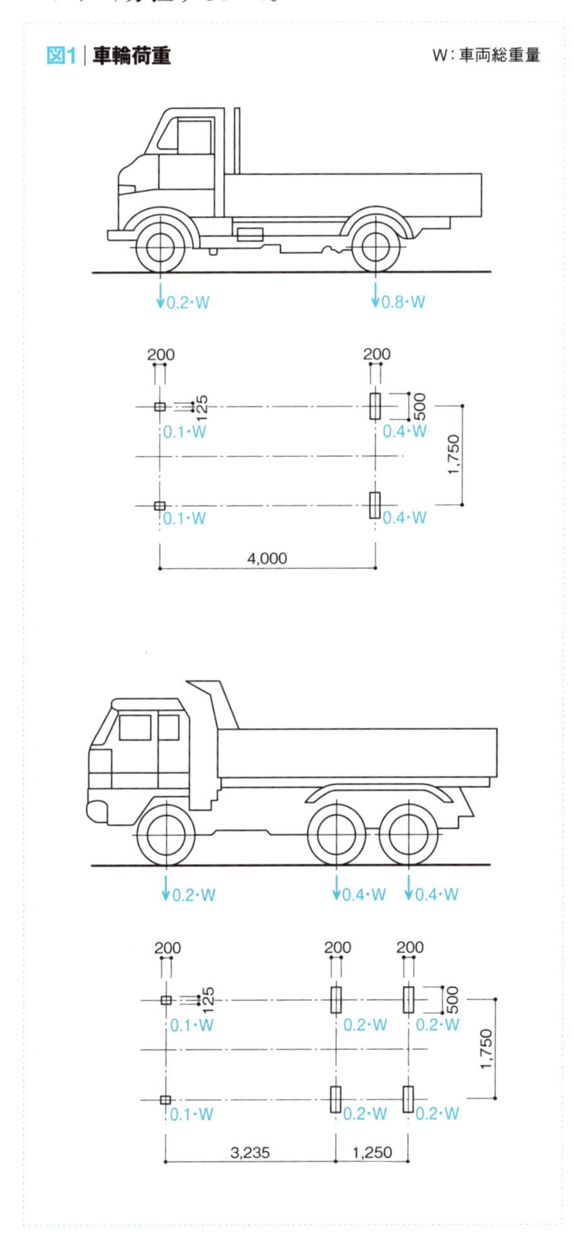

[2]――アウトリガー荷重

図2に示すとおり、作業方向で荷重が異なる。

前方および側方作業時は、ブーム側にそれぞれ全荷重の40%、反対側に10%ずつかかる。斜め方向作業時は、ブーム方向に全荷重の70%、反対側は0となり、中央対角上の2カ所には15%ずつかかる。

[3]――クローラ荷重

作業方向で荷重が異なる。吊り荷重を基に、表1に示す作業時3方向の接地圧(分布荷重、集中荷重)をそれぞれ算定する。

具体的には、前方吊り作業時は両クローラで等分担し、側方吊り作業時は、作業側のクローラで80%、反対側で20%を分担する。また、斜め方向吊り作業時は、作業側のクローラで70%、反対側で30%を分担する。

なお、部材の断面検討も作業時3方向について行う必要がある。

図2 | アウトリガー荷重

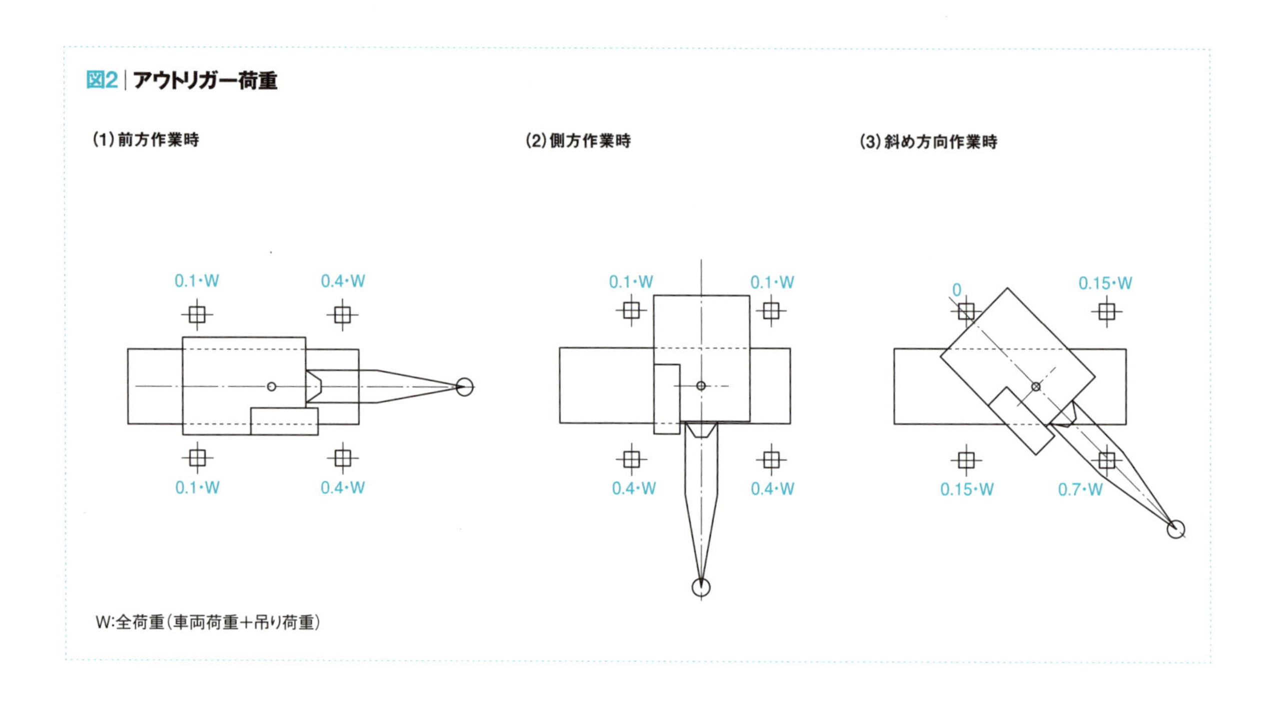

W:全荷重(車両荷重+吊り荷重)

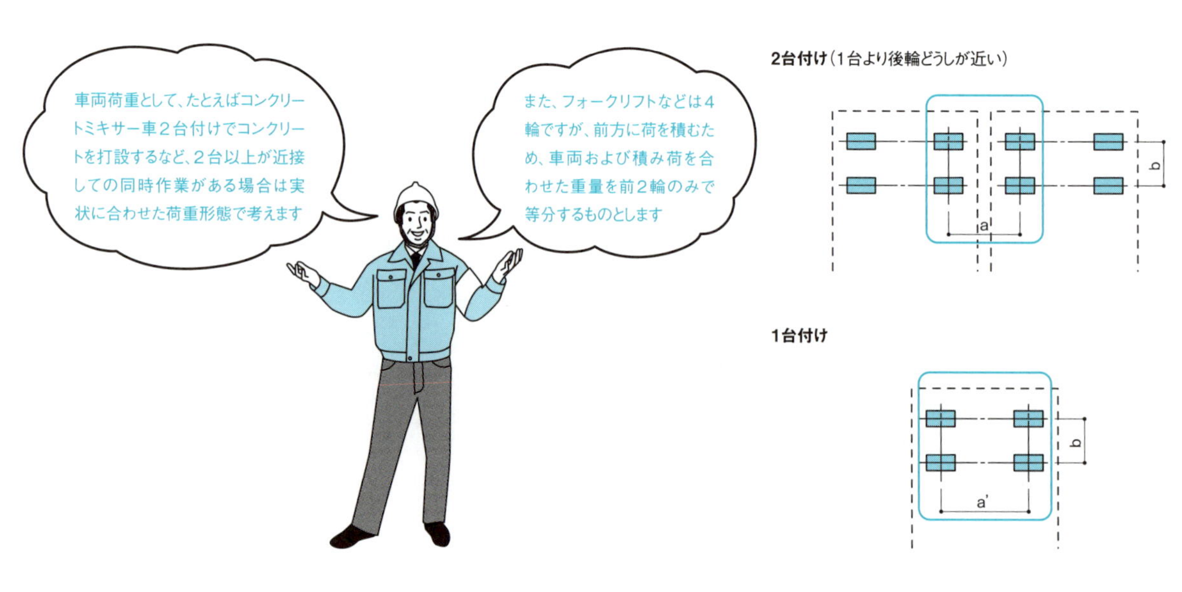

表1｜クローラ荷重

	種別	作業側	反対側
①方向（前方吊り作業時）	集中荷重［kN］	P＝0.5・(W＋T)	P＝0.5・(W＋T)
	分布荷重［kN/m］	w'＝1.67・wT w＝1.25・wT	w'＝1.67・wT w＝1.25・wT
②方向（側方吊り作業時）	集中荷重［kN］	P＝0.8・(W＋T)	P＝0.2・(W＋T)
	分布荷重［kN/m］	w'＝w＝0.8・wT	w'＝w＝0.2・wT
③方向（斜め方向吊り作業時）	集中荷重［kN］	P＝0.7・(W＋T)	P＝0.3・(W＋T)
	分布荷重［kN/m］	w'＝1.56・wT w＝1.17・wT	w'＝0.67・wT w＝0.5・wT

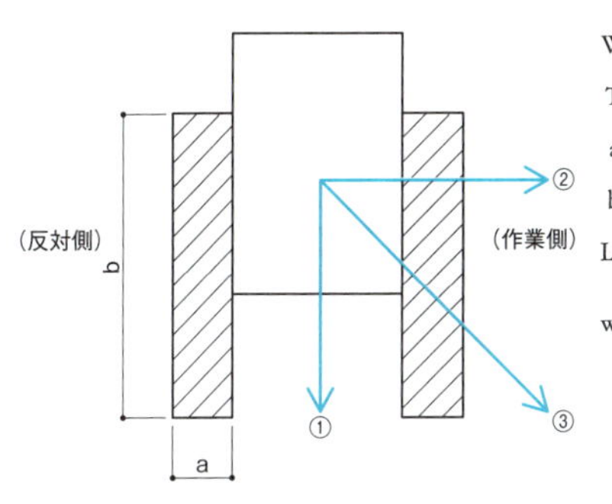

W：車両の総重量［kN］
T：吊り荷重［kN］
a：クローラ幅［m］
b：クローラの長さ［m］
Lw'：接地長さ(作業方向により異なる)［m］

$$wT = \frac{W+T}{b} \text{ [kN/m]}$$

5 | スラブの応力計算

- □ 積載荷重による応力は、スラブをある有効幅をもつ梁部材に置換して算出する
- □ 積載荷重による曲げモーメントの検討は、荷重郡の中心がスラブ中央となる位置で行う。せん断力については、荷重がスラブ端部に位置したときの値とする

固定荷重

スラブ応力は、等分布荷重を受ける4辺固定長方形スラブの実用式を用い、短辺・長辺それぞれの端部上端、中央下端の曲げモーメントおよびせん断力を算出する［図3］。

積載荷重

車両荷重（衝撃荷重を含む）による応力は、スラブをある有効幅をもつ梁部材に置換して算出する。

工事車両は移動するため、大きさ、配置、スラブ形状との関係で多様な応力分布が考えられるが、検討は荷重郡の中心がスラブ中央となる位置で行う。

また、曲げモーメントとせん断力の最大となる荷重状態は異なることに注意する。

車輪形式の積載荷重

［1］——有効幅

スラブは、図4（1）・（2）に示す有効幅Bをもつ梁部材に置換する。これは、（一社）日本建築学会の『鉄筋コンクリート構造計算規準・同解説』に記載されている「ドイツ規定」における、荷重が端部（支点）近くに作用したときの有効幅を参考とする。

なお、荷重点どうしが近い場合などは、有効幅が重なるので図4（3）に示す算定式により低減する。

［2］——車輪荷重

スラブ形状に対し、車両走行の向きによって有効幅や車輪間隔が違うため、荷重分布が異なる。そのため、荷重パターンとしてスラブ短辺を基準に、走行方向

図3｜固定荷重による応力算出

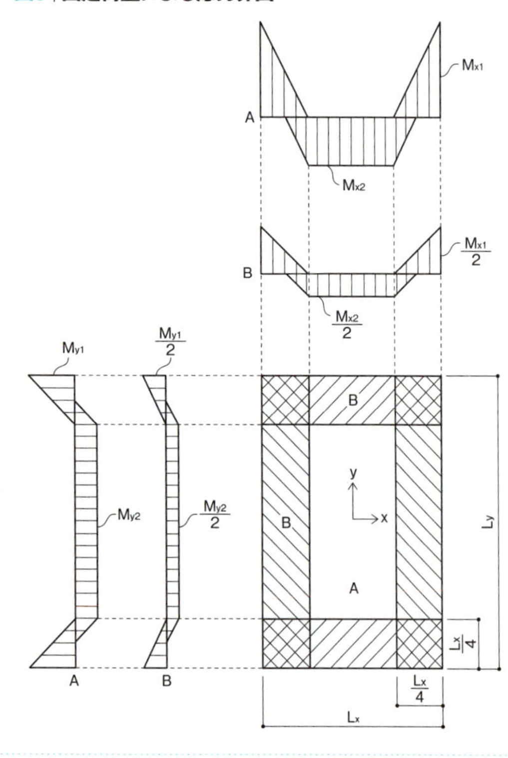

短辺x方向

両端最大負曲げモーメント$M_{x1}=-\dfrac{1}{12}\cdot w_x\cdot L_x^2$

中央部最大正曲げモーメント$M_{x2}=\dfrac{1}{18}\cdot w_x\cdot L_x^2$

せん断力 $Q_x=0.52\cdot w\cdot L_x$

長辺y方向

両端最大負曲げモーメント$M_{y1}=-\dfrac{1}{24}\cdot w\cdot L_x^2$

中央部最大正曲げモーメント$M_{y2}=\dfrac{1}{36}\cdot w\cdot L_x^2$

せん断力 $Q_y=0.46\cdot w\cdot L_x$

L_x：短辺有効スパン［m］

L_y：長辺有効スパン［m］

w：単位面積についての固定荷重［kN/m²］

$w=\gamma\cdot t+1.8$

γ：鉄筋コンクリートの単位重量（=24［kN/m³］）

t：スラブ厚さ［m］

1.8：養生鉄板荷重（1枚敷きとして）［kN/m²］

$$w_x=\frac{L_y^4}{L_x^4+L_y^4}\cdot w$$

が直交する場合と平行する場合とで考える[図5]。

[3]——曲げモーメントの応力計算モデル

曲げモーメントは、二方向板(Ly/Lx<2.0)の場合は両端固定格子梁モデルとして、一方向板(Ly/Lx≧2.0)の場合は両端固定梁モデルとして算出する。車輪間隔とスラブの形状との関係で、二方向板では荷重が1・2・4点の場合、一方向板は1・2点の場合が考えられる[400頁図6・7]。

[4]——せん断力の算出

せん断力は、重機がスラブの端部に位置したときの値として、401頁図8に示す算定式により算出する。車両方向で接地幅が違うため、二方向版の場合は長辺側・短辺側をそれぞれ求め、単位幅当たりのせん断力が大きいほうを用いる。

図4|車輪形式の有効幅

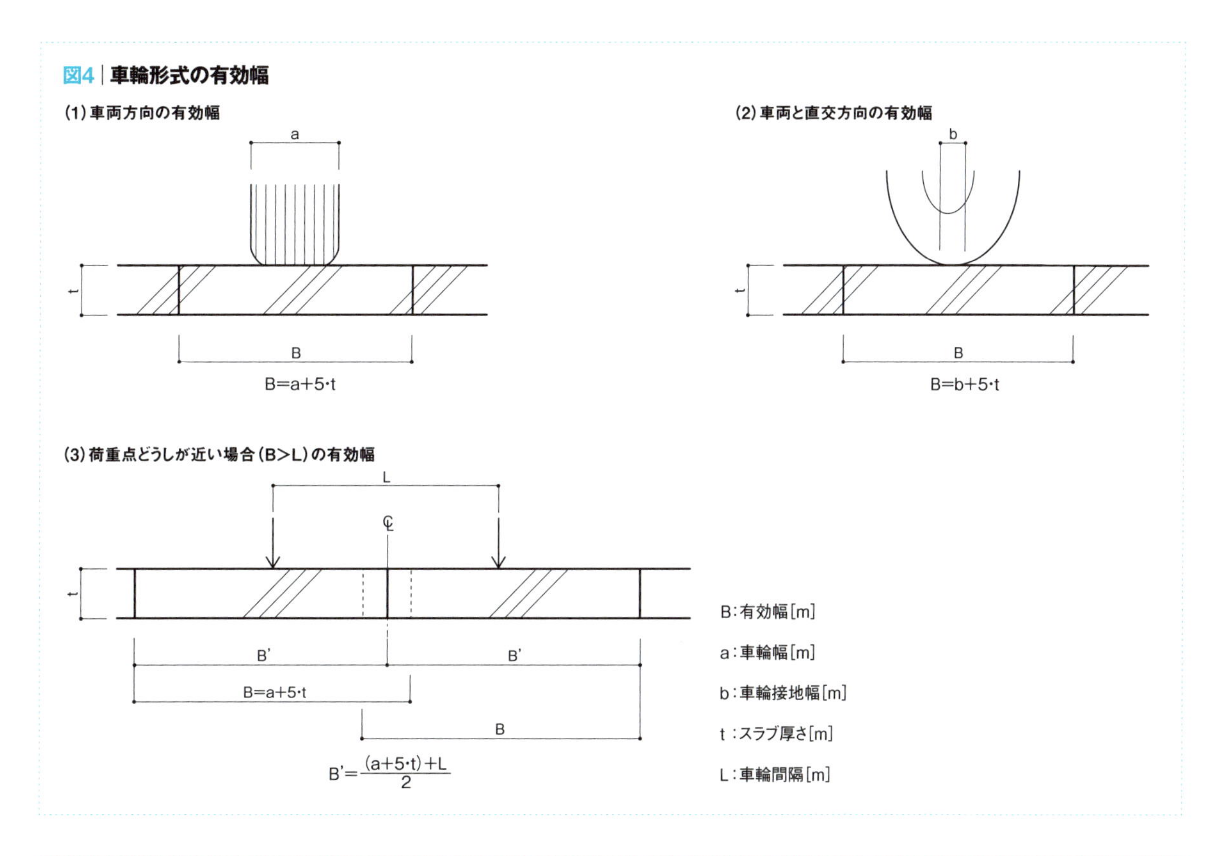

図5|車輪荷重

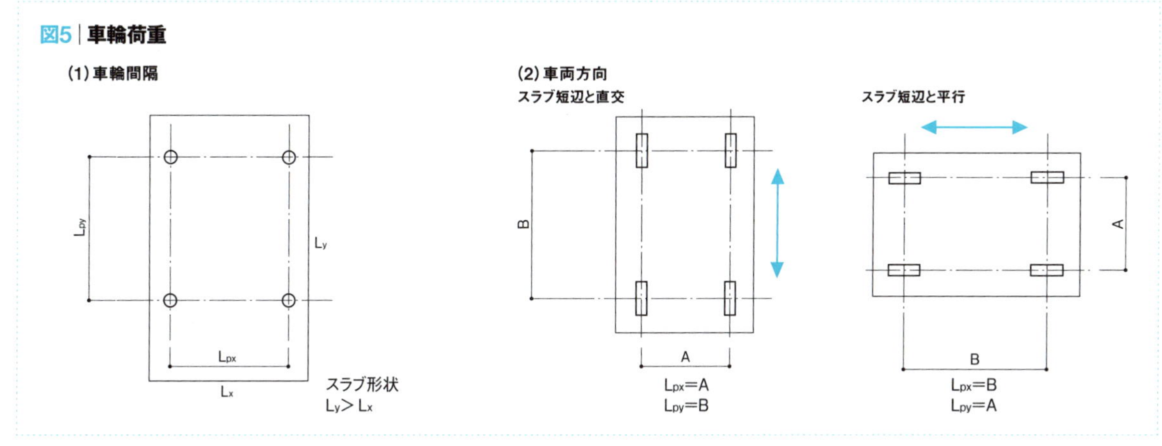

図6｜車輪形式の曲げモーメント応力計算モデル（二方向板の場合／両端固定格子梁モデル）

(1) 4点載荷モデル

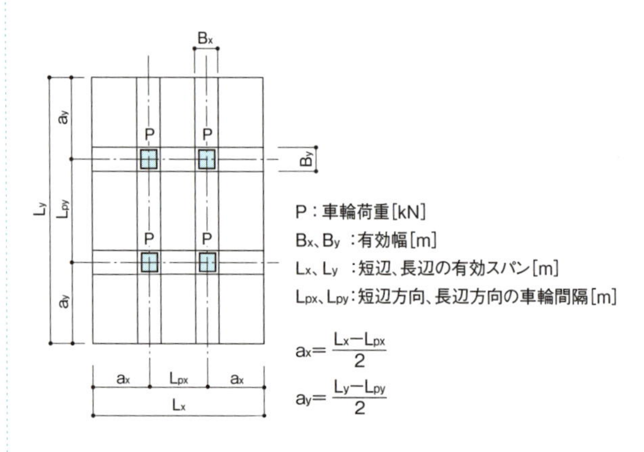

(3) 1点載荷モデル

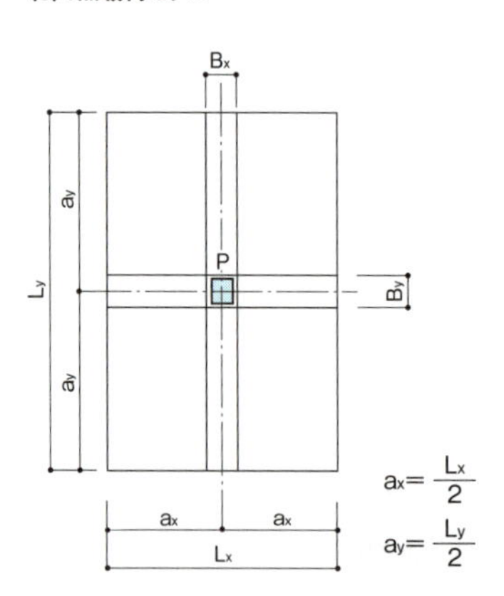

(2) 2点載荷モデル

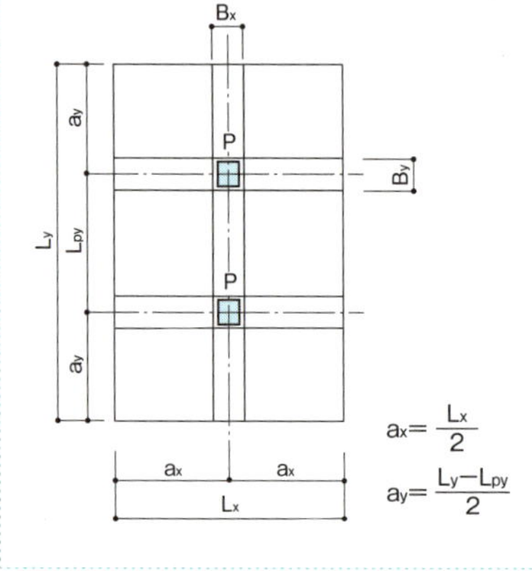

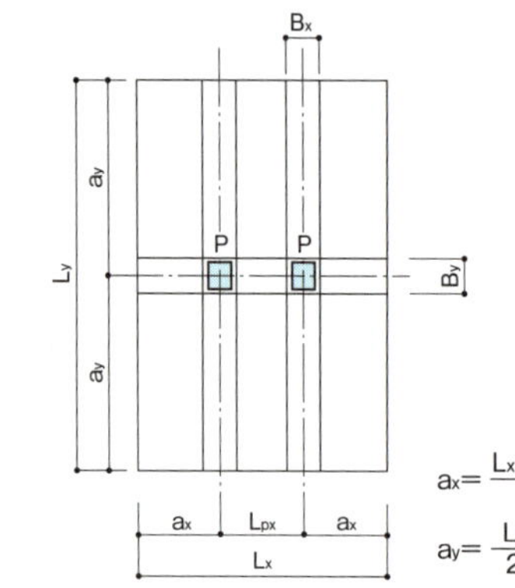

図7｜車輪形式の曲げモーメント応力計算モデル（一方向板の場合／両端固定梁モデル）

(1) 2点載荷モデル

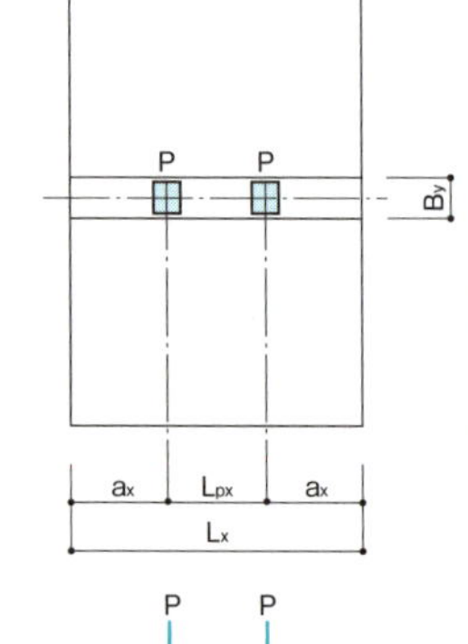

P：車輪荷重[kN]
B_y：有効幅[m]
L_x：短辺有効スパン[m]
L_{px}：短辺方向の車輪間隔[m]

$a_x = \frac{L_x - L_{px}}{2}$

(2) 1点載荷モデル

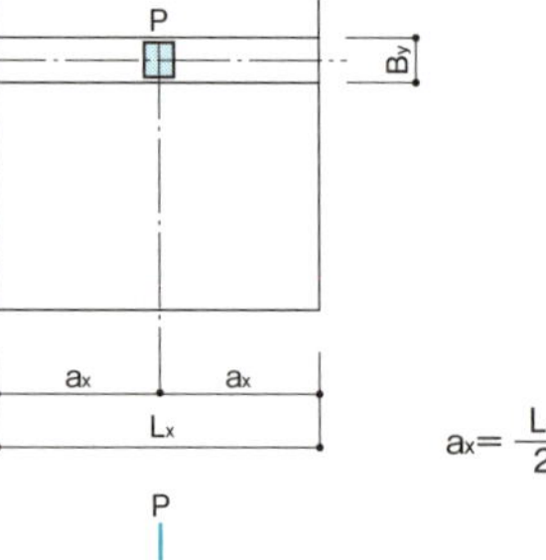

$a_x = \frac{L_x}{2}$

図8 | 車輪形式のせん断力の算定

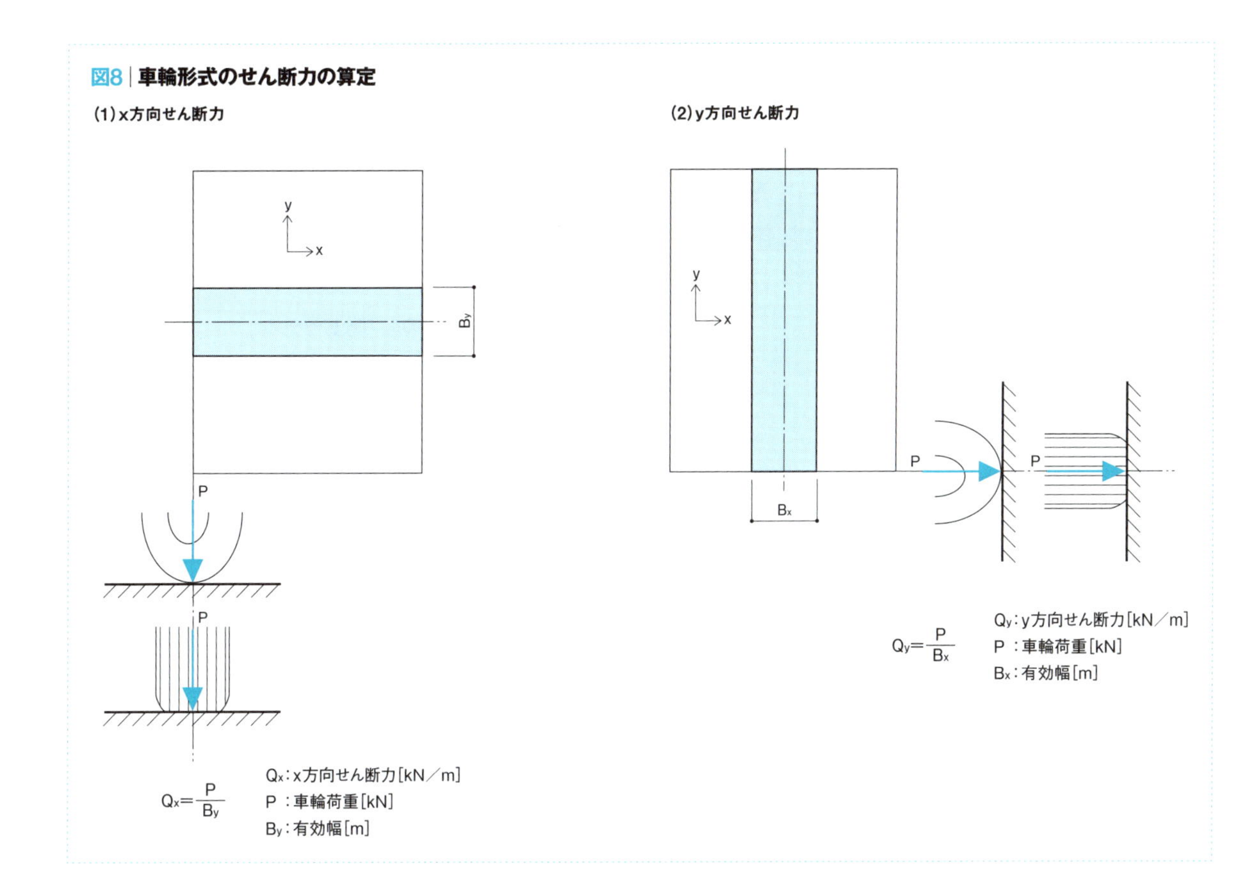

クローラ形式の積載荷重

[1]――有効幅

スラブは、車輪形式同様、図9(1)・(2)に示す有効幅 Bをもつ梁部材に置換する。車両方向で有効幅は異なるが、車両と直交する方向については、作業方向によってクローラの接地長さが違うため、さらに有効幅が変化する。

図9｜クローラ形式の有効幅

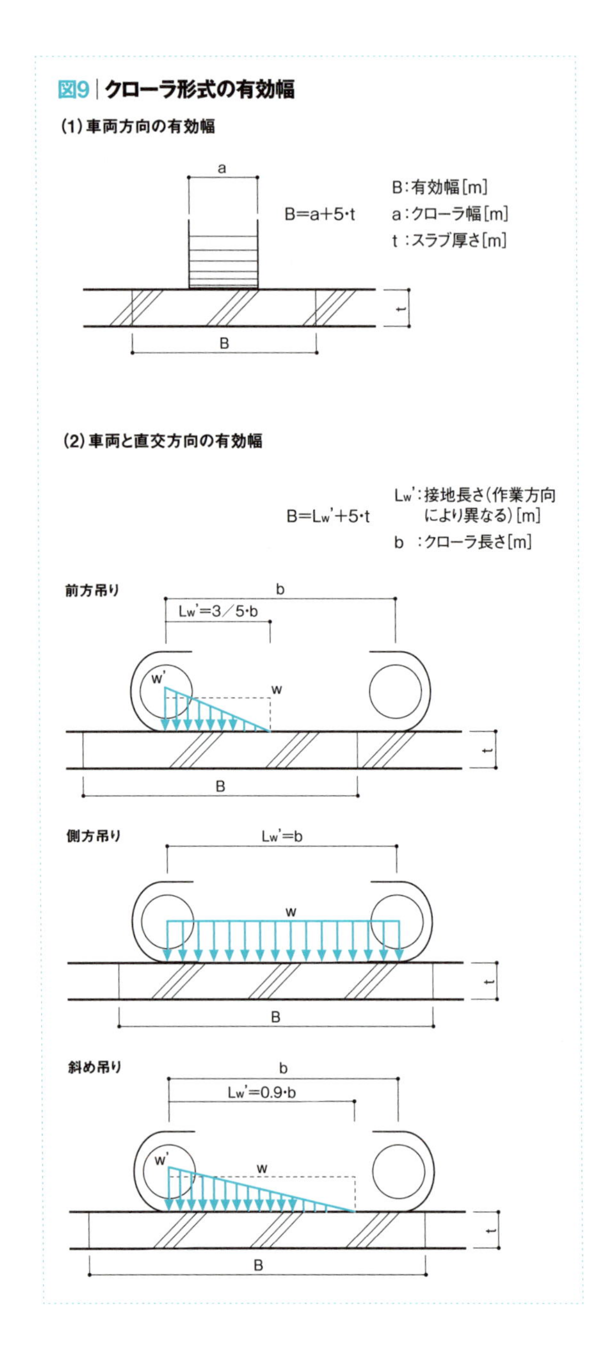

[2]――クローラ荷重

スラブ形状に対し、クローラの向きと作業方向によって荷重が異なる[図10]。また、クローラは長さがあるので、集中荷重とする場合と、分布荷重とする場合がある。

[3]――曲げモーメントの応力計算モデル

曲げモーメントは、二方向板(Ly／Lx＜2.0)の場合は両端固定格子梁モデルとして、一方向板(Ly／Lx≧2.0)の場合は両端固定梁モデルとして算出する。クローラ間隔、接地長さとスラブ形状の関係で、二方向板では荷重が1·2点の場合、一方向板は1·2点および等分布荷重の場合が考えられる[図11・404頁図13]。

[4]――せん断力の算出

せん断力は、クローラがスラブ端部に位置したときの値として、405頁図14に示す算定式によって算出する。車両方向でクローラの接地幅が違うため、幅方向は集中荷重、長さ方向は分布荷重として求め、単位幅当たりのせん断力が大きいほうを用いる。

図10｜クローラ荷重

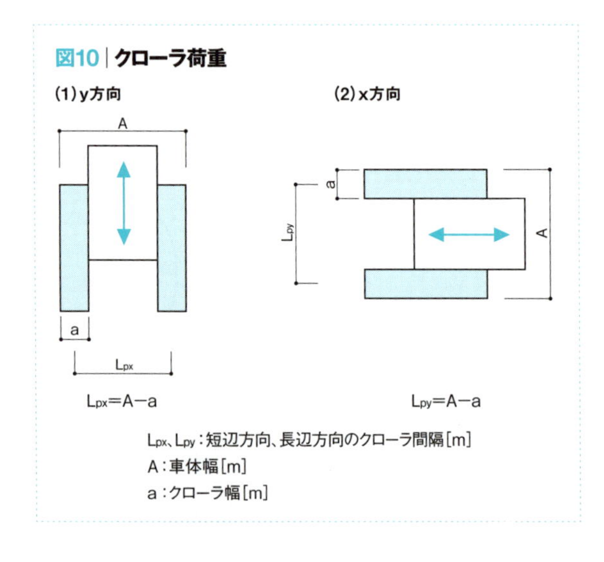

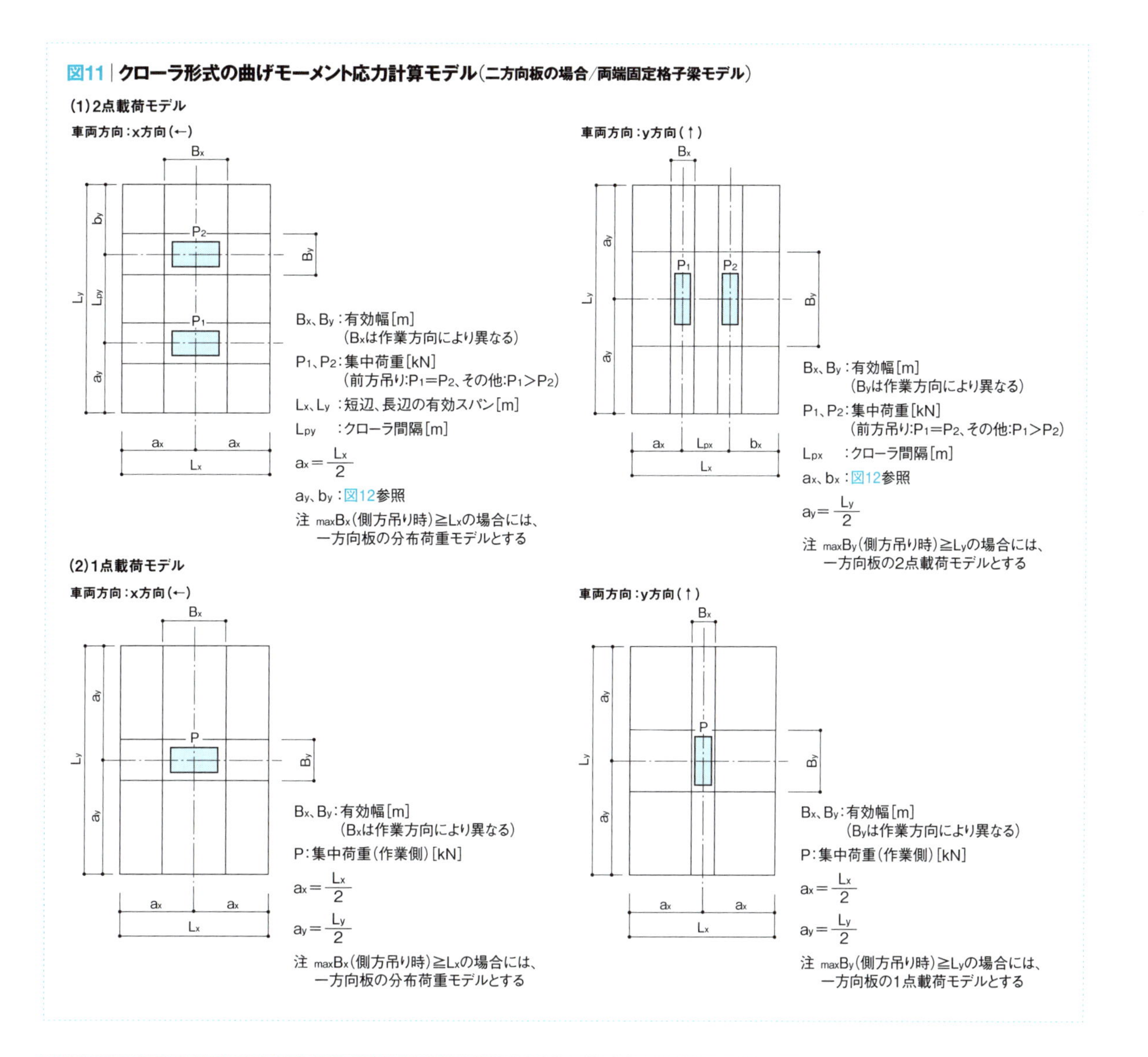

図11 | クローラ形式の曲げモーメント応力計算モデル(二方向板の場合/両端固定格子梁モデル)

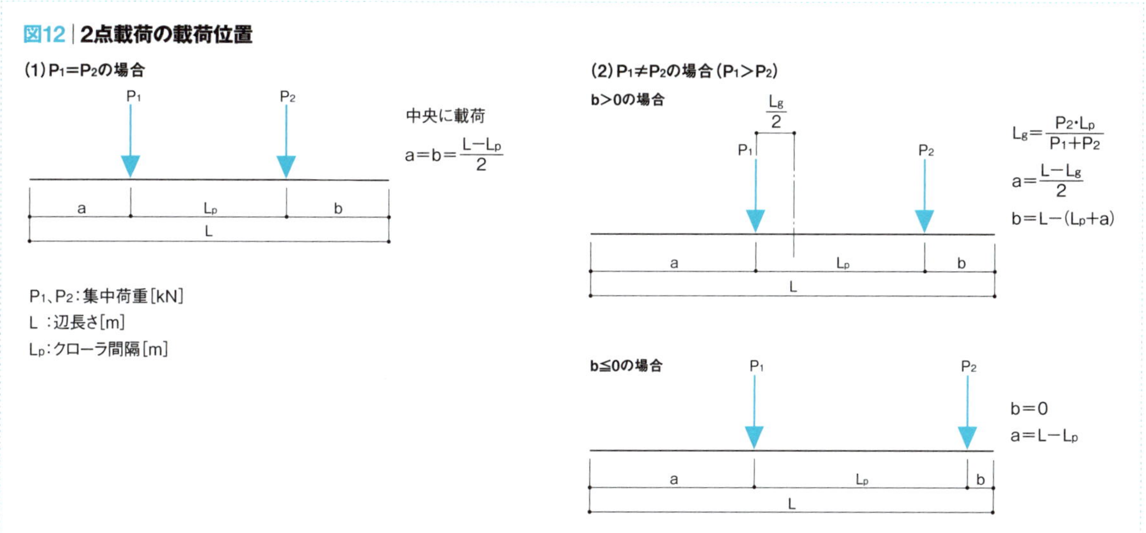

図12 | 2点載荷の載荷位置

図13｜クローラ形式の曲げモーメント応力計算モデル（一方向板の場合／両端固定梁モデル）

(1) 分布荷重モデル

車両方向:x方向（←）、$L_{w'}<L_x$の場合

a_x　$L_w=L_{w'}$　a_x　L_x　B_y　w

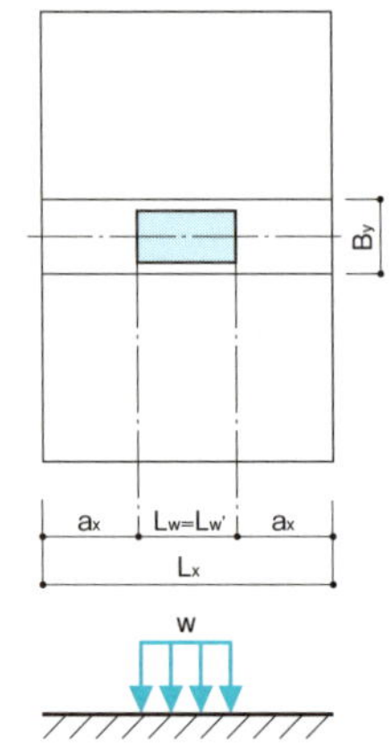

w ：分布荷重（作業側）[kN／m]

$L_{w'}$：クローラ接地長さ[m]（作業方向により異なる）

B_y：有効幅[m]

L_w：荷重長さ[m]（$=L_{w'}$）

L_x：短辺有効スパン[m]

$a_x=\frac{L_x-L_w}{2}$

車両方向:x方向（←）、$L_{w'}\geqq L_x$の場合

a_x　L_w　a_x　L_x　B_y　w

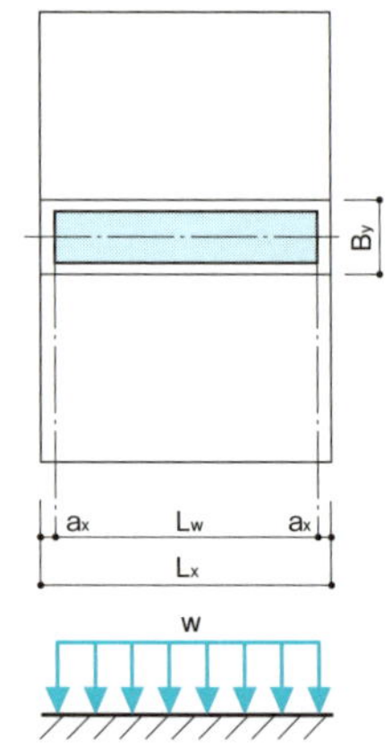

L_w：荷重長さ[m]（$=L_x$）

$a_x=0$

(2) 2点載荷モデル

車両方向：y方向（↑）、$B_y\leqq L_y$の場合

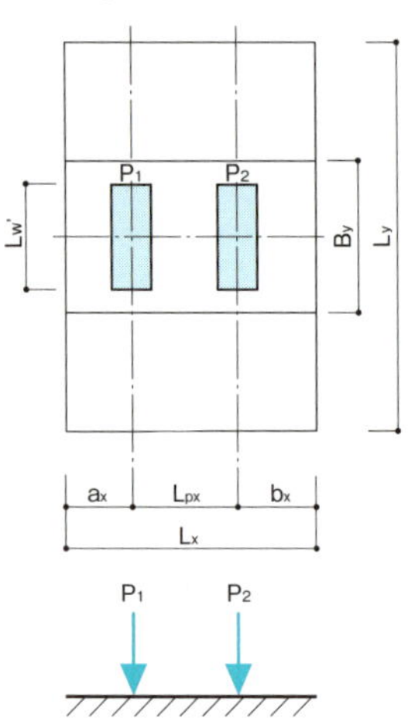

P_1　P_2　$L_{w'}$　B_y　L_y　a_x　L_{px}　b_x　L_x

$L_{w'}$：クローラ接地長さ[m]（作業方向により異なる）

B_y：有効幅[m]（作業方向により異なる）

P_1、P_2：集中荷重[kN]（前方吊り:$P_1=P_2$、その他:$P_1>P_2$）

L_x、L_y：短辺、長辺の有効スパン[m]

L_{px}：クローラ間隔[m]

a_x、b_x：403頁図12参照

車両方向：y方向（↑）、$B_y>L_y$の場合

P_1　P_2　$L_{w'}$　B_y　L_y　a_x　L_{px}　b_x　L_x

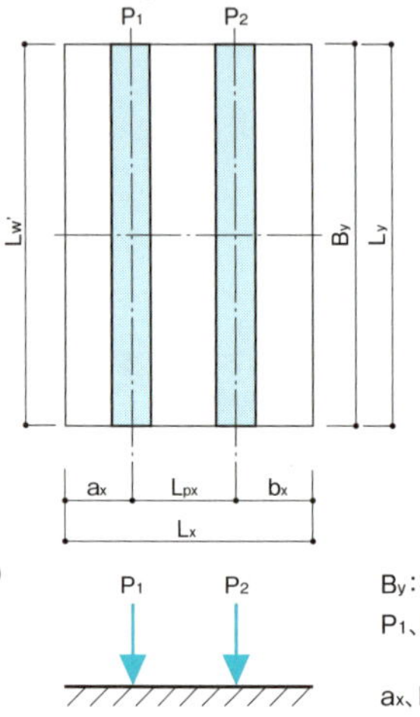

B_y：有効幅[m]（$=L_{w'}$）

P_1、P_2：集中荷重[kN]（前方吊り:$P_1=P_2$、その他:$P_1>P_2$）

a_x、b_x：403頁図12参照

(3) 1点載荷モデル

車両方向：y方向（↑）、$B_y\leqq L_y$の場合

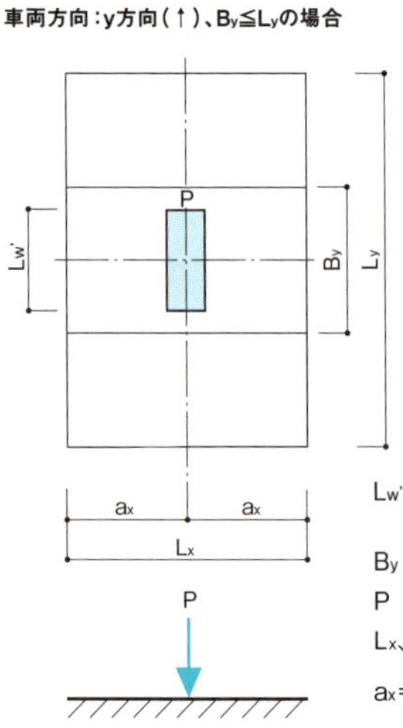

P　$L_{w'}$　B_y　L_y　a_x　a_x　L_x

$L_{w'}$：クローラ接地長さ[m]（作業方向により異なる）

B_y：有効幅[m]（作業方向により異なる）

P ：集中荷重[kN]（作業側）

L_x、L_y：短辺、長辺の有効スパン[m]

$a_x=\frac{L_x}{2}$

車両方向：y方向（↑）、$B_y>L_y$の場合

P　$L_{w'}$　B_y　L_y　a_x　a_x　L_x

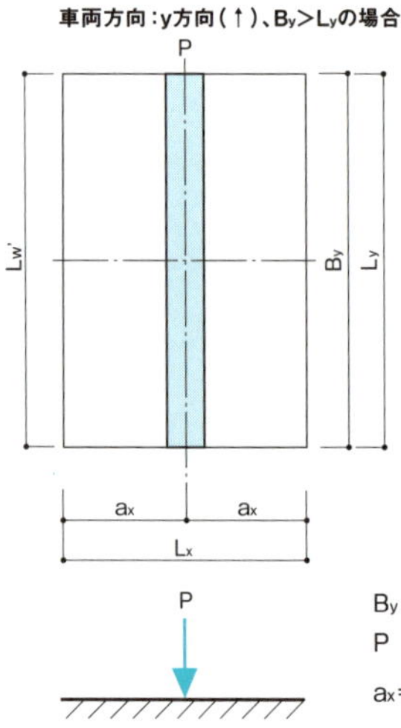

B_y：有効幅[m]（$=L_{w'}$）

P ：集中荷重[kN]（作業側）

$a_x=\frac{L_x}{2}$

図14｜クローラ形式のせん断力の算定

(1) 二方向板（車両方向：x方向[←]）

x方向せん断力

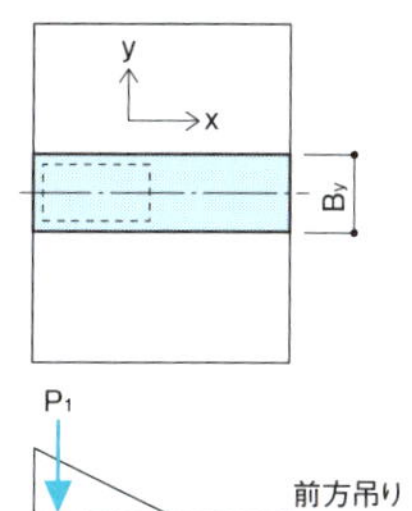

前方吊り・斜め吊り作業時

$$Q_x=\frac{P_1\cdot\left(1-\frac{L_{w'}}{3\cdot L_x}\right)}{B_y}$$

側方吊り作業時

$$Q_x=\frac{P_1\cdot\left(1-\frac{L_{w'}}{2\cdot L_x}\right)}{B_y}$$

Q_x：x方向せん断力[kN／m]
P_1：作業側荷重[kN]
$L_{w'}$：クローラ接地長さ[m]
（作業方向により異なる）
L_x：短辺有効スパン[m]
B_y：有効幅[m]

y方向せん断力

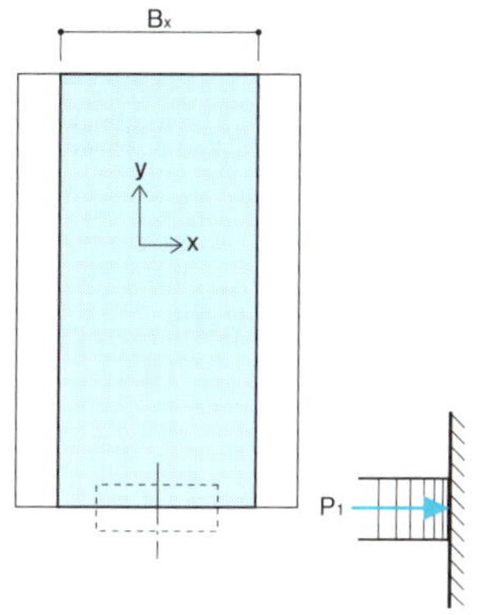

$$Q_y=\frac{P_1}{B_x}$$

Q_y：y方向せん断力[kN／m]
P_1：作業側荷重[kN]
B_x：有効幅[m]
（作業方向により異なる）

(2) 二方向板（車両方向：y方向[↑]）

x方向せん断力

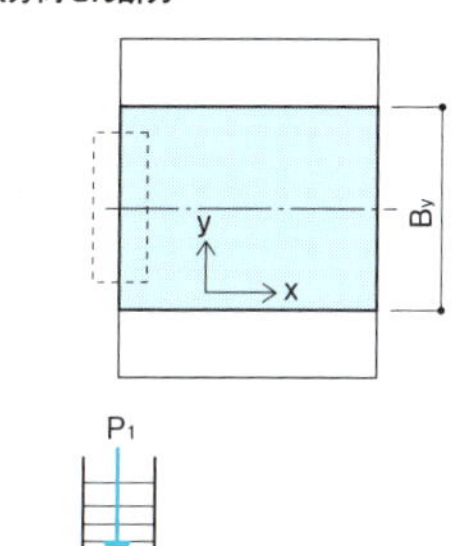

$$Q_x=\frac{P_1}{B_y}$$

Q_x：x方向せん断力[kN／m]
P_1：作業側荷重[kN]
B_y：有効幅[m]
（作業方向により異なる）

y方向せん断力

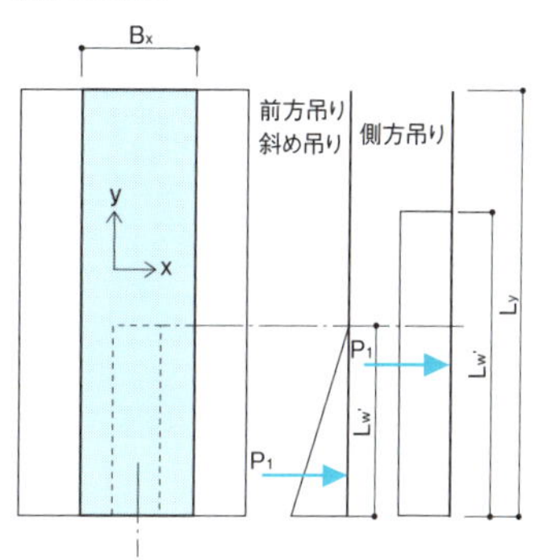

前方吊り・斜め吊り作業時

$$Q_y=\frac{P_1\cdot\left(1-\frac{L_{w'}}{3\cdot L_y}\right)}{B_x}$$

側方吊り作業時

$$Q_y=\frac{P_1\cdot\left(1-\frac{L_{w'}}{2\cdot L_y}\right)}{B_x}$$

Q_y：y方向せん断力[kN／m]
P_1：作業側荷重[kN]
$L_{w'}$：クローラ接地長さ[m]
（作業方向により異なる）
L_y：長辺有効スパン[m]
B_x：有効幅[m]

(3) 一方向板（車両方向：x方向[←]）

$L_{w'}<L_x$の場合

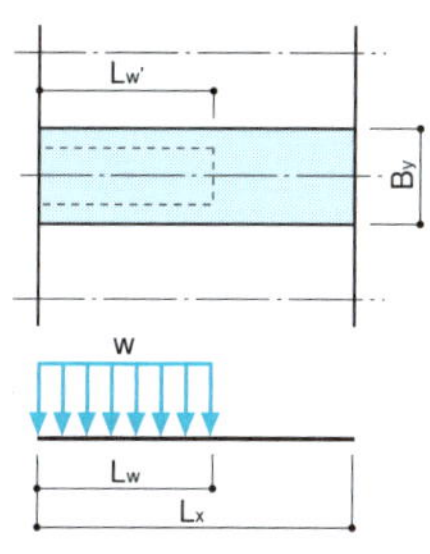

$L_w=L_{w'}$として

$$Q_x=\frac{w\cdot L_w\cdot\left(1-\frac{L_w}{2\cdot L_x}\right)}{B_y}$$

Q_x：x方向せん断力[kN／m]
w：等分布荷重（作業側）[kN／m]
L_w：荷重長さ[m]
$L_{w'}$：クローラ接地長さ[m]
（作業方向により異なる）
L_x：短辺有効スパン[m]
B_y：有効幅[m]

$L_{w'}\geqq L_x$の場合

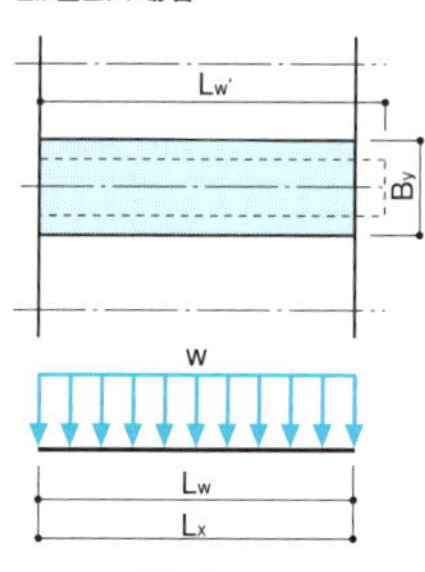

$L_w=L_x$として

$$Q_x=\frac{w\cdot L_w\cdot\left(1-\frac{L_w}{2\cdot L_x}\right)}{B_y}=\frac{\frac{w\cdot L_w}{2}}{B_y}$$

(4) 一方向板（車両方向：y方向[↑]）

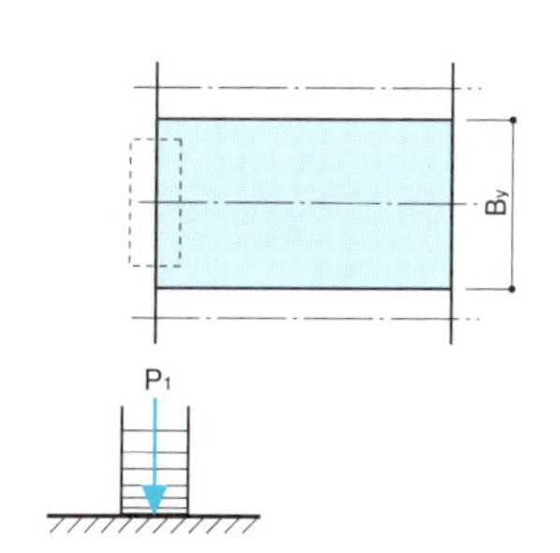

$$Q_x=\frac{P_1}{B_y}$$

P_1：作業側荷重[kN]
B_y：有効幅[m]
（作業方向により異なる）

積載荷重による曲げモーメントの算出

[1]――二方向板の場合

格子梁の交差部のたわみが等しいとして求められるx・y各方向の分担荷重より梁応力を求め、有効幅で除して単位幅当たりの曲げモーメントをそれぞれ算定する[図15・16]。

[2]――一方向板の場合

x方向のみの一方向について、両端固定梁として応力を求め、有効幅で除して単位幅当たりの曲げモーメントを算定する[図16(1)]。

図15｜積載荷重による曲げモーメント(二方向板の場合)

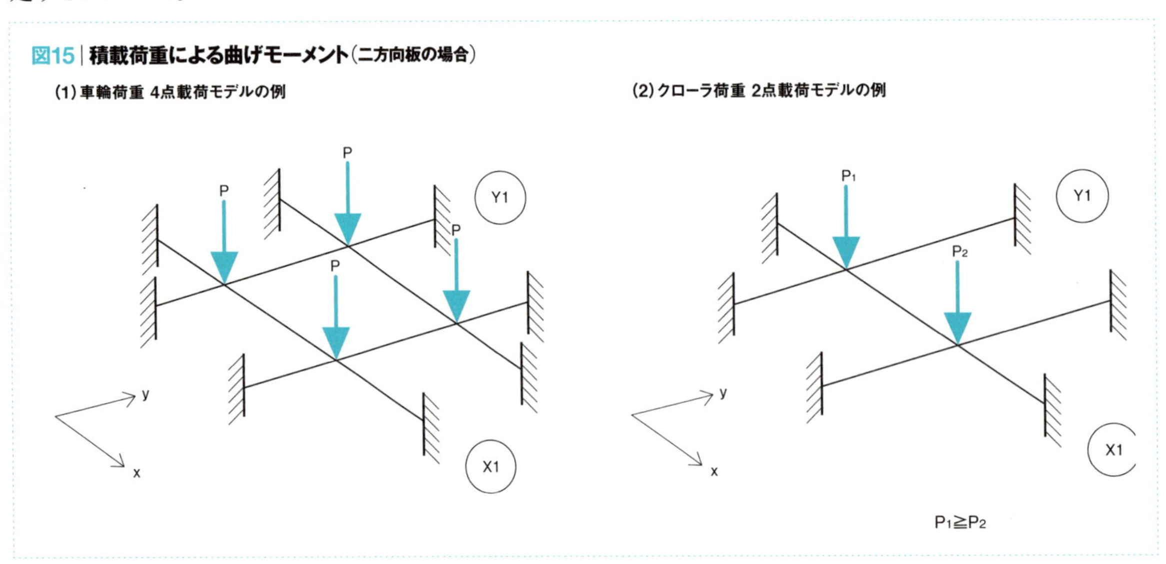

図16｜積載荷重による曲げモーメント

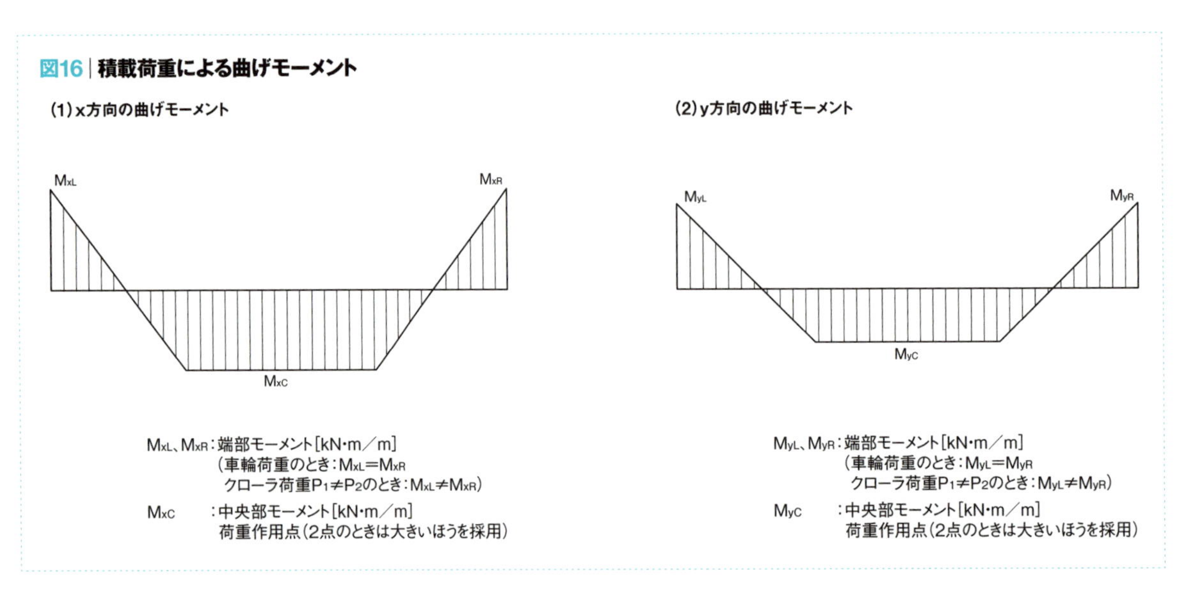

6 ｜梁の応力計算

- □ 乗り入れ範囲内にある梁スラブに多様なパターンがある場合はすべてについて検討する
- □ 積載荷重が直接梁に載る状況が最も不利となる

固定荷重

梁応力は、自重と、梁に取り付くスラブ形状にもとづく荷重を基に、端部固定度を考慮したC·M_0·Q法により算出する。図17に梁自重w_bによる応力算定式を、表2に一般的なスラブ形状と小梁付きスラブによる応力算定式を示す（小梁付きスラブの場合、小梁が負担するスラブだけを集中荷重として考慮しており、小梁自重の集中荷重による応力は別途計算する必要がある）。これらを組み合わせて、梁の固定荷重としての応力を求める。

図17｜梁自重w_bによる応力算定式

$w_b = \gamma \cdot B \cdot D$

- w_b：梁自重［kN/m］
- γ：鉄筋コンクリートの単位重量（=24.0）［kN/m³］
- B：梁幅［m］
- D：梁せい［m］

両端固定梁の固定端モーメント $C = \dfrac{w_b \cdot L^2}{12}$ ［kN·m］

単純梁の中央曲げモーメント $M_0 = \dfrac{w_b \cdot L^2}{8}$ ［kN·m］

せん断力 $Q = \dfrac{w_b \cdot L}{2}$ ［kN］

表2｜スラブ荷重wによる応力算定式

	スラブ荷重タイプ	C［kN·m］	M_0［kN·m］	Q［kN］
一般的なスラブ形状	w［kN/㎡］, a, L	$\dfrac{w \cdot a \cdot L^2}{12}$	$\dfrac{w \cdot a \cdot L^2}{8}$	$\dfrac{w \cdot a \cdot L}{2}$
	a, a, a, L	$\dfrac{w \cdot a \cdot (L^3 - 2 \cdot a^2 \cdot L + a^3)}{12 \cdot L}$	$\dfrac{w \cdot a \cdot (3 \cdot L^2 - 4 \cdot a^2)}{24}$	$\dfrac{w \cdot a \cdot (L - a)}{2}$
	L/2, L	$\dfrac{5 \cdot w \cdot L^3}{192}$	$\dfrac{w \cdot L^3}{24}$	$\dfrac{w \cdot L^2}{8}$
小梁付きスラブ	a, L/4, L	$\dfrac{w \cdot L^2}{16}\left(\dfrac{5 \cdot L}{96} + a\right)$	$\dfrac{w \cdot a \cdot L^2}{8}$	$\dfrac{w \cdot L}{4}\left(\dfrac{L}{8} + a\right)$
	a, L/6, L	$\dfrac{w \cdot L^2}{27}\left(\dfrac{5 \cdot L}{192} + 2 \cdot a\right)$	$\dfrac{w \cdot L^2}{9}\left(\dfrac{L}{72} + a\right)$	$\dfrac{w \cdot L}{3}\left(\dfrac{L}{24} + a\right)$
	a, L/8, L	$\dfrac{5 \cdot w \cdot L^2}{64}\left(\dfrac{L}{192} + a\right)$	$\dfrac{w \cdot a \cdot L^2}{8}$	$\dfrac{w \cdot L}{8}\left(\dfrac{L}{16} + 3 \cdot a\right)$

積載荷重

応力は、車両荷重(衝撃荷重を含む)と車両方向から、端部固定度を考慮したC·M_0·Q法により算出する。曲げモーメントは荷重点が梁の中央付近、せん断力については梁端部付近に位置したときの値を算出する。荷重としては、車輪形式、アウトリガー形式、クローラ形式の3種類がある。

[1]——車輪形式

車輪形式の応力計算方法を図18~20に示す。

前後·左右の車輪間隔が違うため、車両走行の向きによって、荷重分布が異なる。そのため、梁に対し、車

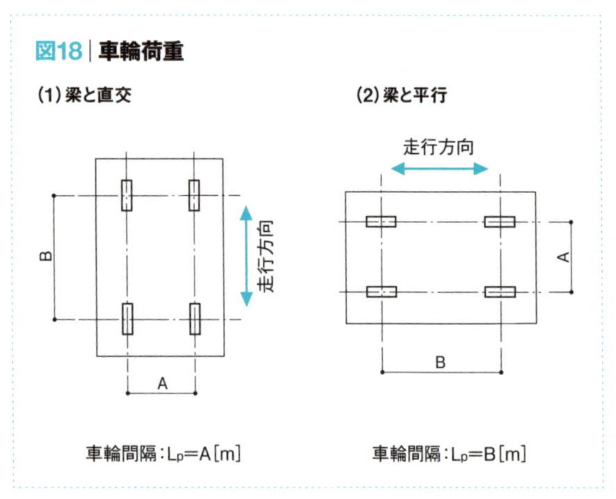

図18|車輪荷重

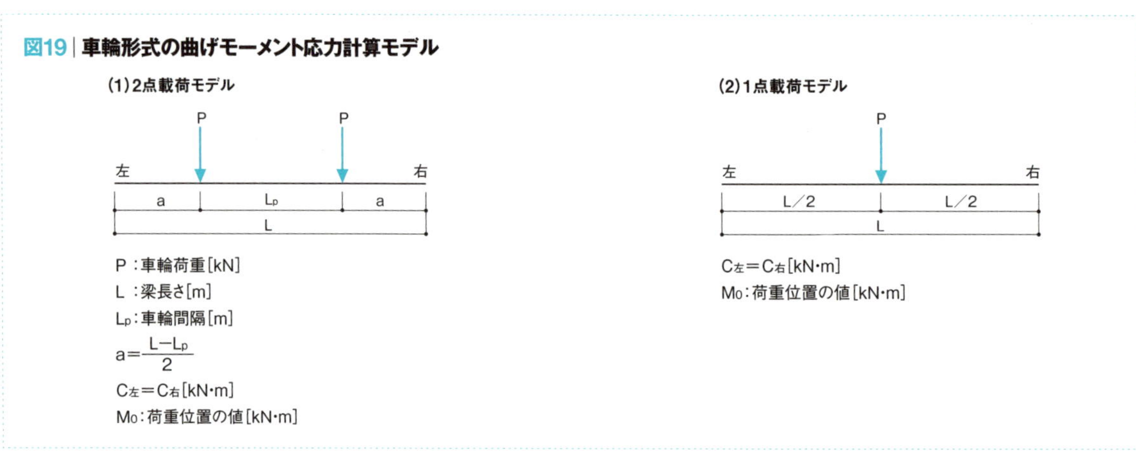

図19|車輪形式の曲げモーメント応力計算モデル

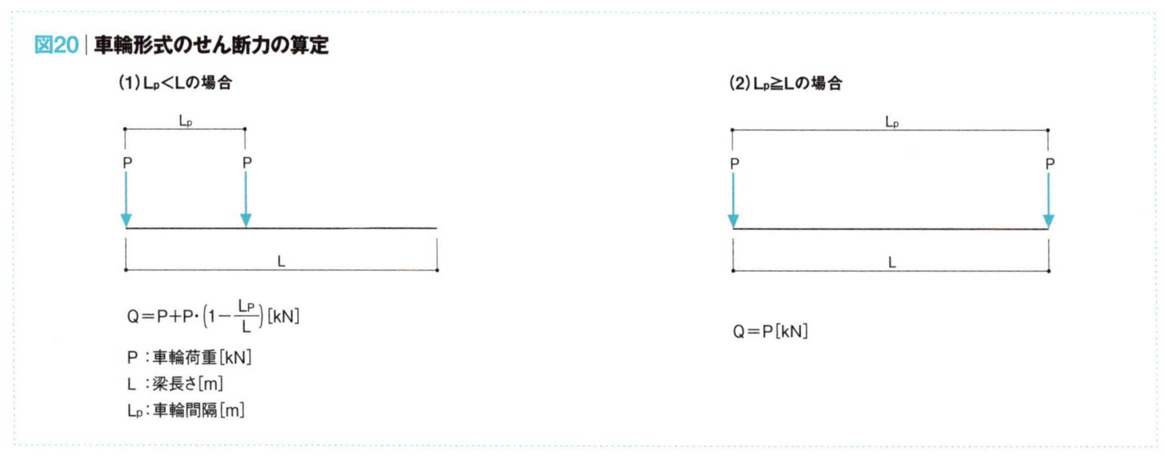

図20|車輪形式のせん断力の算定

両走行方向が直交する場合と平行する場合を考える[図18]。

[2]──アウトリガー形式

アウトリガー形式の応力計算方法を図21~23に示す。

作業方向でアウトリガー反力が変わるため、その最大値(あるいはその組み合わせ)を使って検討する[図21]。アウトリガーが梁上に配置できない場合は、梁間に受け材を載せ、その上にアウトリガーを据え付ける。

図21 | アウトリガー荷重

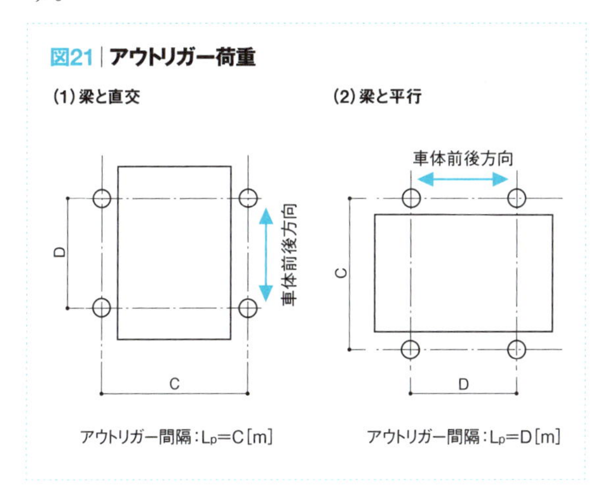

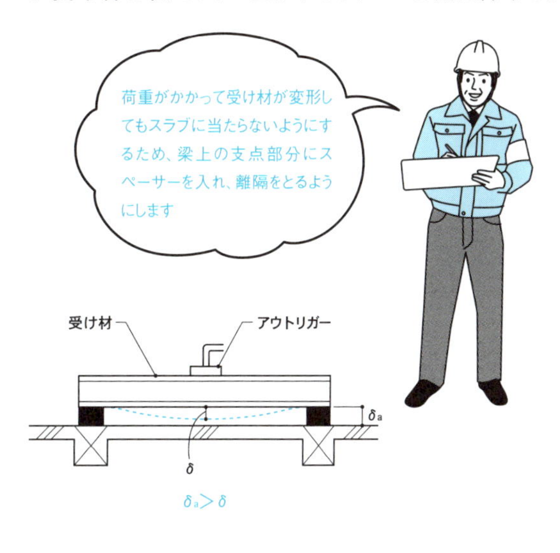

図22 | アウトリガー形式の曲げモーメント応力計算モデル

(1)2点載荷モデル

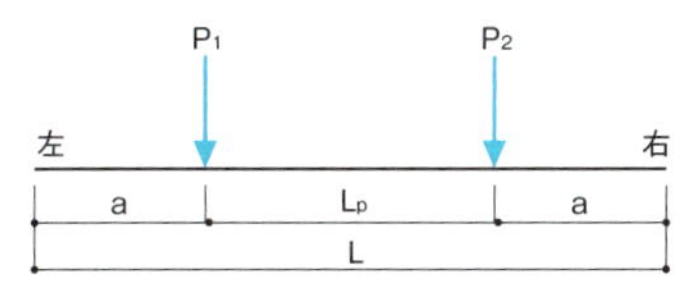

P_1、P_2:アウトリガー反力[kN](P1≧P2)
a　:2点載荷の載荷位置は403頁図12と同じ
L_p　:アウトリガー間隔[m]
$C_左≠C_右$[kN·m]:$P_1≠P_2$のとき
M_0　:荷重位置での大きいほうの値[kN·m]

(2)1点載荷モデル

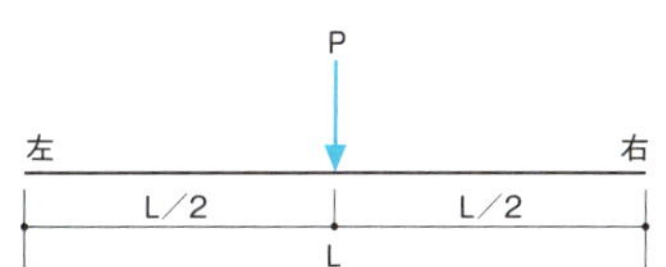

P　:アウトリガー最大反力[kN]
$C_左=C_右$[kN·m]
M_0:荷重位置の値[kN·m]

図23 | アウトリガー形式のせん断力の算定

(1)2点載荷モデル

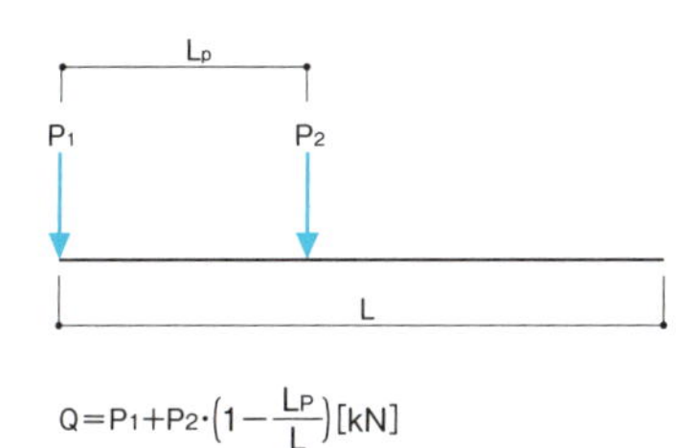

$$Q=P_1+P_2\cdot\left(1-\frac{L_P}{L}\right)[kN]$$

P_1、P_2:アウトリガー反力[kN]($P_1≧P_2$)
L　:梁長さ[m]
L_p　:アウトリガー間隔[m]

(2)1点載荷モデル

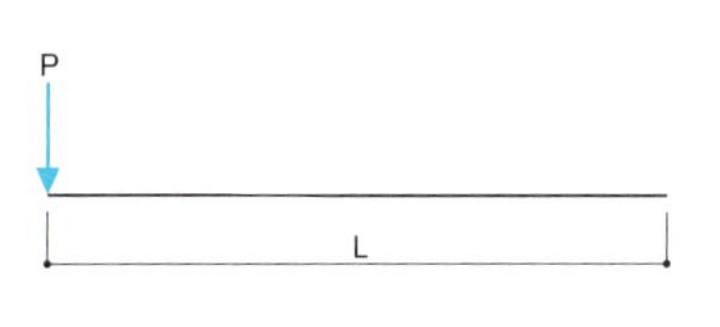

Q=P[kN]

P:アウトリガー最大反力[kN]

[3]──クローラ形式

クローラ形式の応力計算方法を図24～26に示す。

梁に対し、クローラの向きと作業方向によって荷重が異なる。また、クローラは長さがあるので、梁と平行に配置した場合は分布荷重となる。

図24｜クローラ荷重

(1) 梁と直交　　(2) 梁と平行

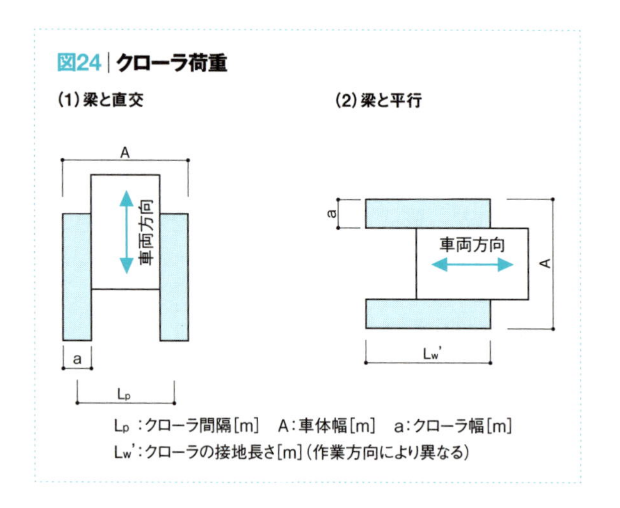

L_p ：クローラ間隔[m]　A：車体幅[m]　a：クローラ幅[m]

L_w'：クローラの接地長さ[m]（作業方向により異なる）

図25｜クローラ形式の曲げモーメント応力計算モデル

(1) 分布荷重モデル（車両方向：梁と平行）

$L_w' < L$の場合

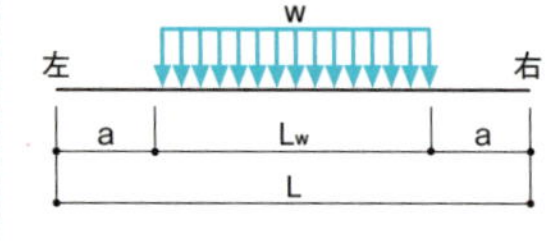

w ：等分布荷重（作業側）[kN/m]

L_w'：クローラ接地長さ[m]（作業方向により異なる）

L_w：荷重長さ[m]（$=L_w'$）

L ：梁長さ[m]

$a=\frac{L-L_w}{2}$

$C_左=C_右$[kN・m]

M_0：梁中央位置の値[kN・m]

$L_w' \geqq L$の場合

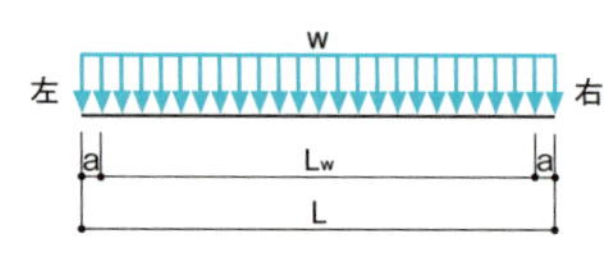

L_w：荷重長さ[m]（$=L$）

$a=0$

$C_左=C_右$[kN・m]

M_0：梁中央位置の値[kN・m]

(2) 2点載荷モデル（車両方向：梁と直交）

P_1　P_2

左　右

a　L_p　b

L

P_1、P_2：集中荷重[kN]
（前方吊り：$P_1=P_2$
その他：$P_1>P_2$）

L ：梁長さ[m]

L_p ：クローラ間隔[m]

a、b：2点載荷の載荷位置は403頁図12と同じ

$C_左 \neq C_右$[kN・m]：$P_1 \neq P_2$のとき

M_0 ：荷重位置での大きいほうの値[kN・m]

(3) 1点載荷モデル（車両方向：梁と直交）

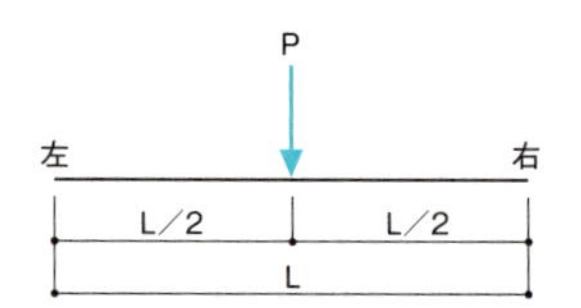

P ：集中荷重（作業側）[kN]

$C_左=C_右$ [kN・m]

M_0：荷重位置の値[kN・m]

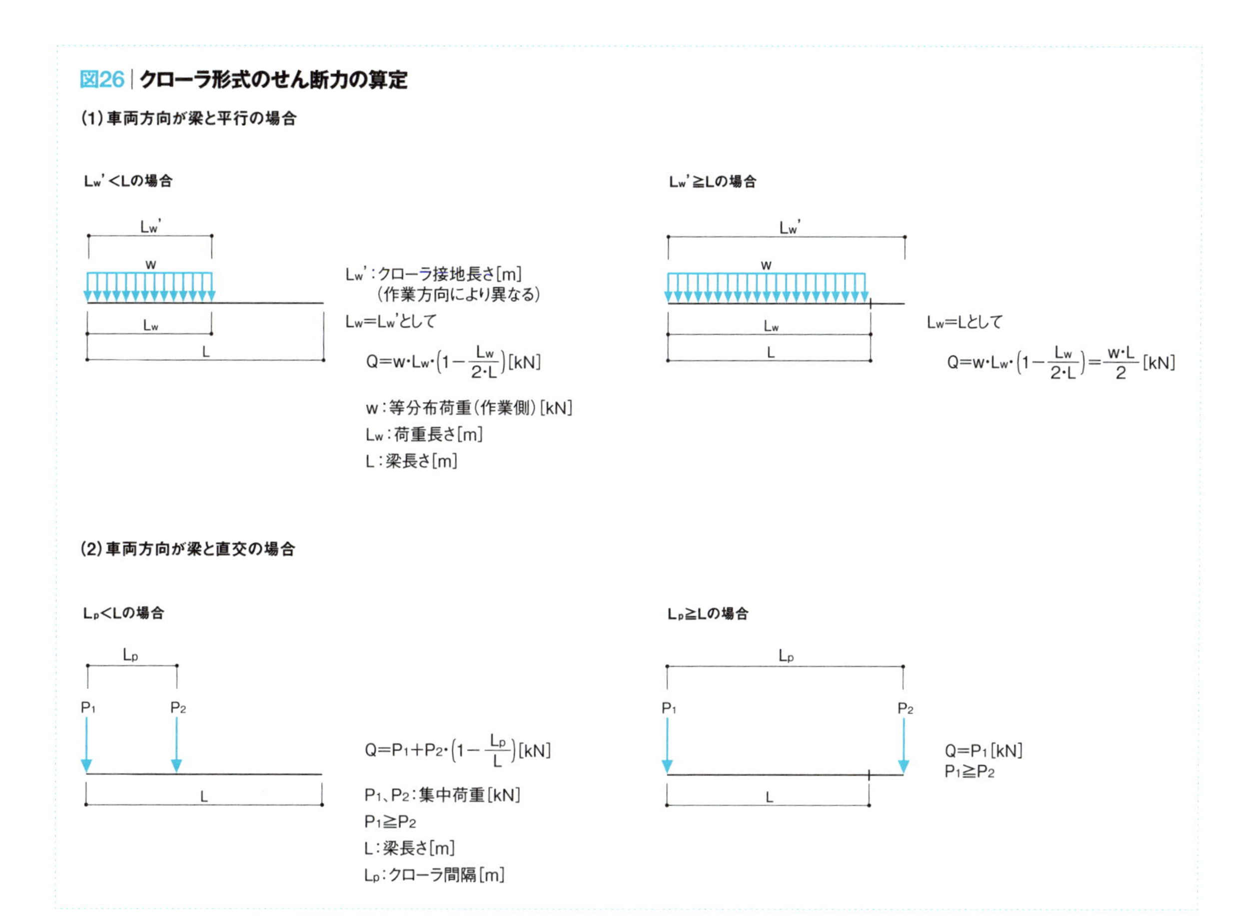

曲げモーメントの応力算定式

模式図	C [kN・m]	M_0 [kN・m]
P(kN) / L/2 / L/2 / L	$\dfrac{P \cdot L}{8}$	$\dfrac{P \cdot L}{4}$
P_1 / P_2 / a / L_p / a / L	$P_1 > P_2$の場合: $C_{左} = \dfrac{a \cdot (L-a)}{L} \cdot \{P_1 \cdot (L-a) + P_2 \cdot a\}$ $C_{右} = \dfrac{a \cdot (L-a)}{L} \cdot \{P_1 \cdot a + P_2 \cdot (L-a)\}$ $P(=P_1=P_2)$の場合: $C = (C_{左} = C_{右}) \dfrac{P \cdot a \cdot (L-a)}{L}$	$P_1 > P_2$の場合: $\dfrac{a}{L} \cdot \{P_1 \cdot (L-a) + P_2 \cdot a\}$ $P(=P_1=P_2)$の場合: $P \cdot a$
w(kN/m) / L(=Lw)	$\dfrac{w \cdot L^2}{12}$	$\dfrac{w \cdot L^2}{8}$
w / a / Lw / a / L	$\dfrac{w \cdot Lw}{24 \cdot L} \cdot (3 \cdot L^2 - Lw^2)$	$\dfrac{w \cdot a \cdot Lw}{2} + \dfrac{w \cdot Lw^2}{8}$

7 | 断面検討

- □ 断面検討には中期許容応力度を用いる
- □ 基本的には、施工時荷重に対し、原設計の断面仕様での良否を判定する

スラブの検討

[1]――検討用応力

固定荷重と積載荷重による応力を合算して、検討用応力とする[図27]。

重機の種類が多かったり、乗り入れ範囲内に多様な部材があり、検討対象が増えるような場合は、煩雑さを防ぐため、安全側にグルーピングして検討を進めるのがよい。

[2]――断面検討

断面検討は、施工時荷重に対し、原設計の断面仕様（厚さ、鉄筋径・ピッチ、コンクリート強度）での良否を判定する「断面検定」とする[図28]。

仮設利用であるため、断面検討には中期許容応力度を用いる。また、部材に発生する曲げモーメントは、極力曲げひび割れ発生強度以下に抑え、スラブのひび割れ発生を防ぐものとする。

梁の検討

[1]――検討用応力

固定荷重と積載荷重による応力C・M_0・Qを合算する。梁が取り付く相手部材との剛性の関係で端部固定度は変わるが、大梁は端部固定と考え、検討用曲げモーメントは基本的に次のとおりとする。

端部モーメント $M_E = C$

中央モーメント $M_C = M_0 - C$

小梁の場合は、図29に示す端部固定度に関する係数により、検討用曲げモーメントを求める。

せん断力については、固定荷重による値と、積載荷重で発生する最大値を合計して端部の検討用応力Qとする。

[2]――断面検討

断面検討は、施工時荷重に対し、原設計の断面仕様（形状、鉄筋径・本数、コンクリート強度）での良否を判定

図27 | スラブの検討用応力

（1）x方向検定用応力

M_x ：端部曲げモーメント[kN・m/m]（M_{xL}、M_{xR}のうち大きいほうの値）

M_{xC}：中央曲げモーメント[kN・m/m]

Q_x ：せん断力[kN/m]

（2）y方向検定用応力

M_y ：端部曲げモーメント[kN・m/m]（M_{yL}、M_{yR}のうち大きいほうの値）

M_{yC}：中央曲げモーメント[kN・m/m]

Q_y ：せん断力[kN/m]

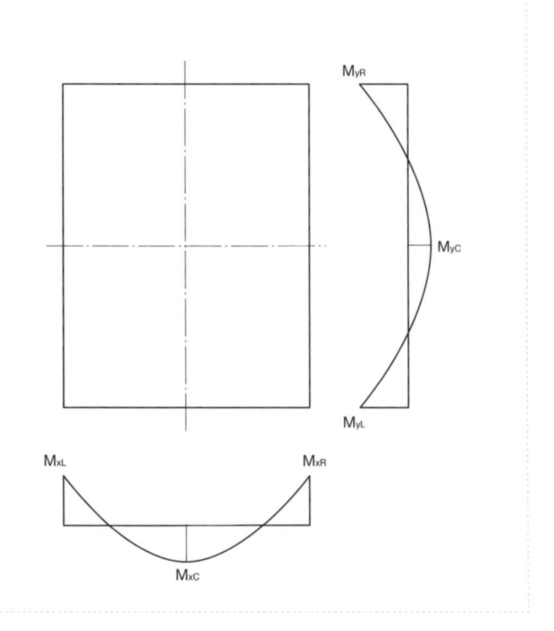

する。曲げモーメントの検討には、引張鉄筋比が釣り合い鉄筋比以下である場合に用いることができる方法（M＝at・ft・j）による［414頁図30］。また、部材に発生する曲げモーメントは極力、曲げひび割れ発生モーメント以下に抑え、梁のひび割れ発生を防ぐものとする。

なお、梁部材がSRC造の場合は累加強度の考えにもとづき、まず鉄骨の負担できる応力を求め、発生応力がその値を超える場合には、超過分についてRC部材として断面検討する。ただし、鉄骨がピン接合されている場合の梁端部の断面検討は、鉄骨を無視してRC部材として行う。

図28｜スラブの断面検討

x・y方向それぞれについて、以下に示す算定式を用いて断面検討を行う

（1）端部上端筋の検定

下式により必要鉄筋断面積 $_{nec}a_t$ と必要鉄筋周長 $_{nec}\psi$ を算定し、端部上端配筋と比較して合否を判定する

$$_{nec}a_t = \frac{M_x \times 10^6}{f_t \cdot j} \ [mm^2/m]$$

$$_{nec}\psi = \frac{Q_x \times 10^3}{f_a \cdot j} \ [mm/m]$$

（2）せん断力の検定

下式によりせん断応力度τを算定し、コンクリートの許容せん断応力度 f_s と比較して合否を判定する

$$\tau = \frac{Q_x \times 10^3}{1{,}000 \cdot j} \ [N/mm^2]$$

（3）中央部下端筋の検定

下式により必要鉄筋断面積 $_{nec}a_t$ を算定し、中央部下端配筋と比較して合否を判定する

$$_{nec}a_t = \frac{M_{xc} \times 10^6}{f_t \cdot j} \ [mm^2/m]$$

注　上記はx方向の場合の算定式。y方向の場合は、式中の M_x を M_y に、以下、$Q_x \to Q_y$、$M_{xc} \to M_{yc}$ に置き換えて算定する

中央部断面

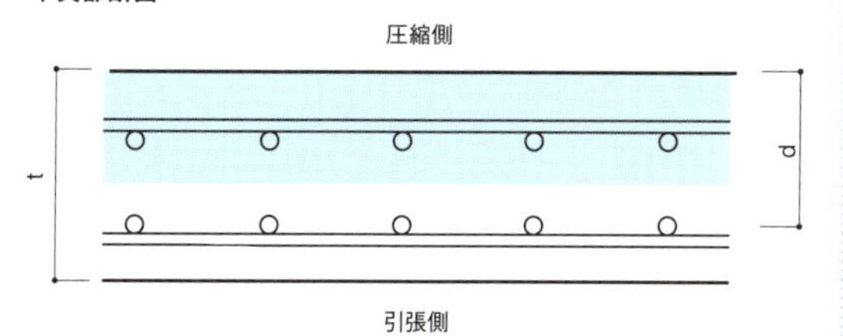

M_x、M_y：端部曲げモーメント［kN・m/m］

M_{xc}、M_{yc}：中央曲げモーメント［kN・m/m］

Q_x、Q_y：せん断力［kN/m］

t：スラブ厚さ［mm］

d：圧縮縁から引張鉄筋重心までの距離［mm］

j：曲げ材の応力中心距離 $\left(\frac{7}{8}d\right)$［mm］

f_t：鉄筋の許容引張応力度［N/mm²］

f_a：鉄筋の許容付着応力度［N/mm²］

f_s：コンクリートの許容せん断応力度［N/mm²］

図29｜小梁検討用曲げモーメント算出のための係数

（1）外スパンと内スパン

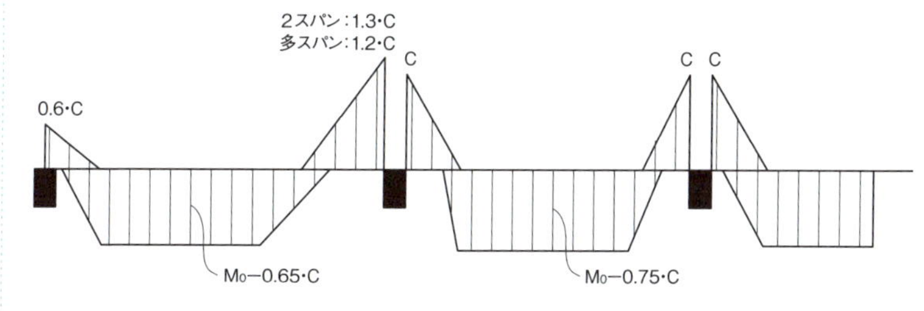

（2）単スパン

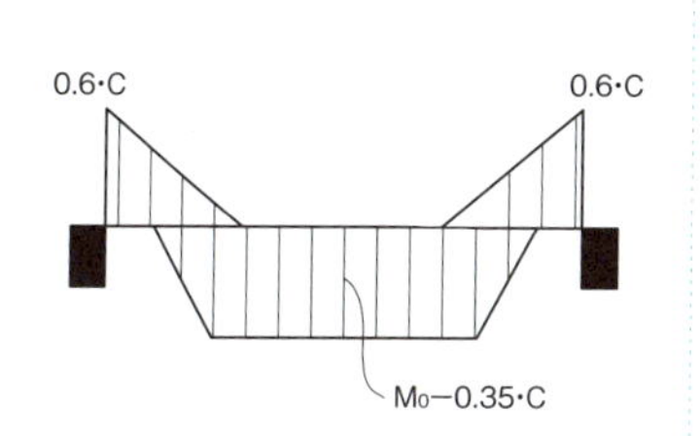

C：両端固定梁の固定端モーメント

M_0：単純梁の中央部正曲げモーメント

図30｜梁の断面検討

（1）端部上端主筋の検定

下式により必要鉄筋断面積$_{nec}a_t$と必要鉄筋周長$_{nec}\psi$を算定し、端部上端主筋と比較して合否を判定する

$$_{nec}a_t = \frac{M_E \times 10^6}{f_t \cdot j} \ [mm^2]$$

$$_{nec}\psi = \frac{Q \times 10^3}{f_a \cdot j} \ [mm]$$

（2）せん断力の検定

下式によりせん断応力度τを算定し、コンクリートの許容せん断応力度f_sと比較して合否を判定する

$$\tau = \frac{Q \times 10^3}{b \cdot j} \ [N/mm^2]$$

τがf_sを超える場合、下式によりαを考慮したせん断応力度τ'を算定し、再度f_sと比較する

$$\tau' = \frac{Q \times 10^3}{\alpha \cdot b \cdot j} \ [N/mm^2]$$

α：せん断スパン比$M/Q \cdot d$による割り増し係数

$$\alpha = \frac{4}{\frac{M}{Q \cdot d} + 1} \quad かつ1 \leqq \alpha \leqq 2$$

以上でもτ'がf_sを超える場合は、下式により必要あばら筋比$_{nec}P_w$を算定し、現状あばら筋比と比較して合否を判定する（現状あばら筋比が1.2%を超えている場合は、1.2%として比較する）

$$_{nec}P_w = \frac{\triangle Q \times 10^3}{0.5 \cdot {}_wf_t \cdot b \cdot j} + 0.002$$

あばら筋負担分せん断力$\triangle Q = Q - \alpha \cdot f_s \cdot b \cdot j$

（3）中央部下端主筋の検定

下式により必要鉄筋断面積$_{nec}a_t$を算定し、中央部下端主筋と比較して合否を判定する

$$_{nec}a_t = \frac{M_C \times 10^6}{f_t \cdot j} \ [mm^2]$$

中央部断面

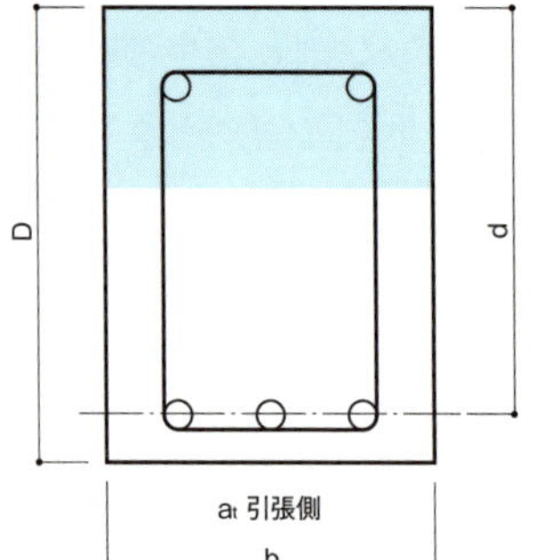

M_E：端部曲げモーメント[kN·m]

M_C：中央曲げモーメント[kN·m]

Q：せん断力[kN]

D：梁せい[mm]

b：梁幅[mm]

d：圧縮縁から引張鉄筋重心までの距離[mm]

j：曲げ材の応力中心距離$\left(\frac{7}{8}d\right)$[mm]

a_t：引張鉄筋断面積[mm²]

a_c：圧縮鉄筋断面積[mm²]

f_t：鉄筋の許容引張応力度[N/mm²]

f_a：鉄筋の許容付着応力度[N/mm²]

$_wf_t$：せん断補強用許容引張応力度[N/mm²]

f_s：コンクリートの許容せん断応力度[N/mm²]

曲げひび割れ発生モーメントは、$M_{cr} = Z \cdot 0.57 \cdot \sqrt{F_c}$より求め、部材に発生するモーメントを$M_{cr}$以下に抑えるようにします。梁は、有効スラブ幅を含めたT形断面とすることで、断面性能の増大を考慮します

ひび割れ幅の算定

断面検討を行った結果、部材の鉄筋量などは満足しても曲げひび割れが発生する可能性がある場合は、部材下部のサポート補強などによって検討スパンを短くすることでひび割れの発生を抑制するか、その発生する最大ひび割れ幅を算定し、有害な値でないことを確認する。

一般的には最大ひび割れ幅が、0.3mm以下であれば構造的に問題ないとされる。ひび割れ幅は、検討対象部鉄筋の引張応力度を計算し、平均値を算出してから最大値を求める。

図31｜ひび割れ幅の算定

(1) 平均ひび割れ幅 W_{av}

$W_{av}=L_{av}\times\varepsilon_{t\cdot av}$ [mm]

(2) 最大ひび割れ幅 W_{max}

$W_{max}=1.5W_{av}$ [mm]

L_{av}：平均ひび割れ間隔[mm]

$$L_{av}=2\left(c+\frac{s}{10}\right)+\frac{k\phi}{P_e}$$

$c=\dfrac{c_a+c_b}{2}$、スラブの場合：$c=c_b$

c_a、c_b：側面および底面でのコンクリートのかぶり厚さ[mm]

s：鉄筋の中心間隔[mm]

$k=0.1$（梁の場合）

$k=0.0025t$（スラブの場合）（$k\leqq0.1$）

ϕ：鉄筋の直径[mm]

P_e：引張鉄筋有効比

$$P_e=\frac{a_t}{A_{ce}}$$

a_t：引張鉄筋の断面積[mm²]

A_{ce}：コンクリートの有効引張断面積（鉄筋の重心とその重心が一致する引張側コンクリートの断面積）[mm²]

$\varepsilon_{t\cdot av}$：平均鉄筋ひずみ

$$\varepsilon_{t\cdot av}=\frac{1}{E_s}\left(\sigma_t-k_1k_2\frac{F_t}{P_e}\right)\cdots\cdots\cdots ①$$

E_s：鉄筋のヤング係数[N/mm²]

σ_t：ひび割れ断面における鉄筋応力[N/mm²]

$$k_1k_2=\frac{1}{2\times10^3\times\varepsilon_{t\cdot av}+0.8}\cdots\cdots\cdots ②$$

F_t：コンクリートの引張強度（$=0.07F_c$）[N/mm²]

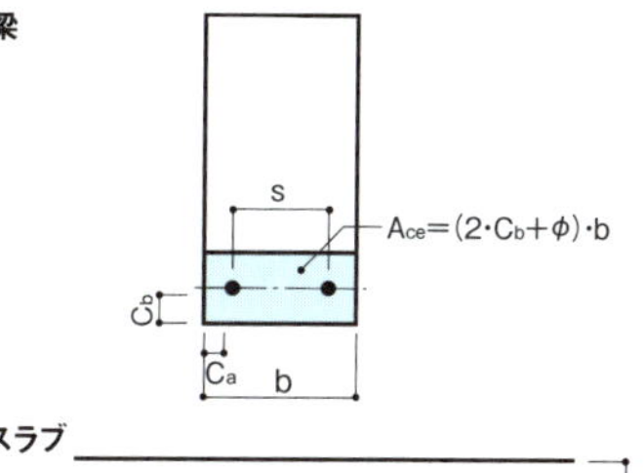

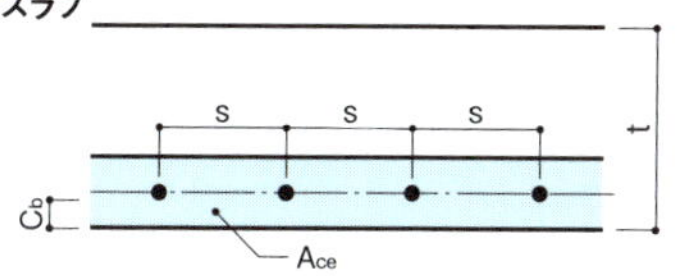

①式に②式を代入して、$\varepsilon_{t\cdot av}$について、下式を求めることができる

$$\varepsilon_{t\cdot av}=\frac{2\times10^3\cdot\sigma_t-0.8\cdot E_s+\sqrt{(2\times10^3\cdot\sigma_t-0.8\cdot E_s)^2-8\times10^3\cdot E_s\left(\dfrac{F_t}{P_e}-0.8\cdot\sigma_t\right)}}{4\times10^3\cdot E_s}$$

ただし、$\varepsilon_{t\cdot av}\geqq\dfrac{0.4\cdot\sigma_t}{E_s}$ かつ $\varepsilon_{t\cdot av}\geqq\dfrac{\sigma_t-105}{E_s}$ とする

移動式クレーンの乗り入れ検討

- □ 施工計画において考えられる車両はすべて検討対象とする
- □ 計画に対し、原設計の部材仕様で満足できない場合は、スラブの鉄筋補強程度に止め、そのほかは部材下部へのサポート補強などを行う

例題として、移動式クレーンの1階床上への乗り入れ検討を示す。走行時の車輪荷重でスラブおよび小梁の断面仕様に対する検討を行い、曲げひび割れ発生強度との比較も行う。計画条件に合わせて、使用が考えられる車両はすべて検討対象となるが、検討方法手順は同様であるため、ここでは重機および各検討部材は1種類とする。

1 | 検討条件

step. 1

検討条件

資材揚重用として移動式クレーン(16tラフテレーンクレーン)を1階床上に乗り入れる計画のため、躯体の構造検討を行う。
躯体は鉄筋コンクリート造、各部の寸法は以下のとおりで、スラブの形状は右図のようになるため、二方向板として検討を行う。

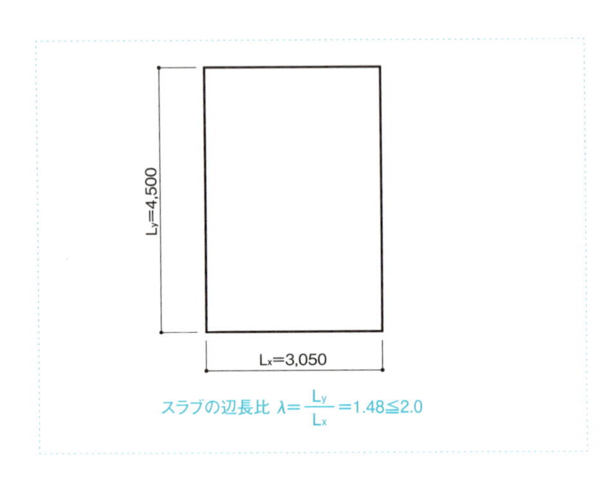

スラブの辺長比 $\lambda=\frac{L_y}{L_x}=1.48\leqq2.0$

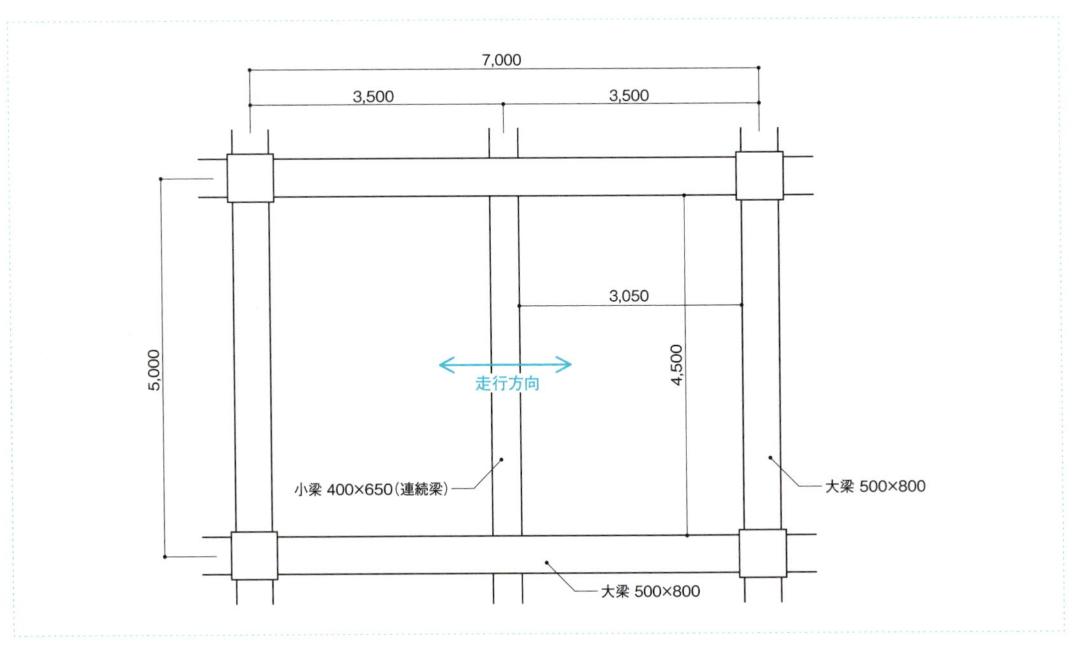

step. 2

躯体の使用材料

検討するスラブの厚さは200mmで、配筋は以下のとおりとする。

使用個所		端部		中央部	
短辺	上端筋	D13	@200mm	D13	@200mm
	下端筋	D10・D13交互	@200mm	D10・D13交互	@200mm
長辺	上端筋	D10	@200mm	D10	@200mm
	下端筋	D10	@200mm	D10	@200mm

また、小梁と大梁の寸法ならびに配筋は以下のとおりとする。

部位	寸法	スタラップ	端部上端筋	中央下端筋
小梁	400×650mm	2－D10@150mm	4－D19	3－D19
大梁	500×800mm	2－D13@200mm	5－D25	3－D25

断面検討には中期許容応力度を用いる。鉄筋ならびにコンクリートの各許容応力度は右のとおりとなる。

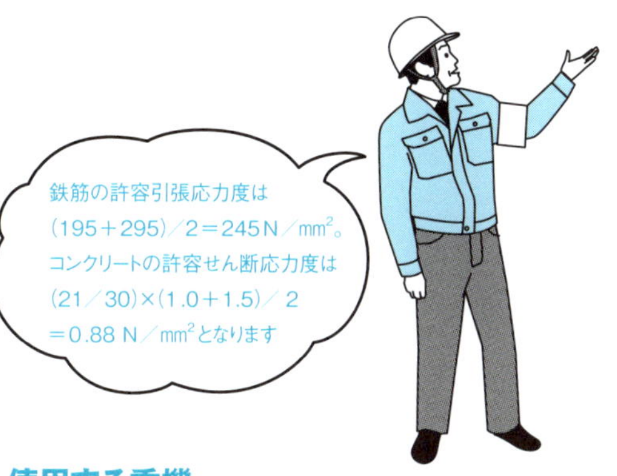

・鉄筋

許容引張応力度 f_t：245N/mm²（D16以下：SD295）

280N/mm²（D19以上：SD345）

・コンクリート（設計基準強度Fc：30N/mm²）

発現強度：Fc×70%＝21N/mm²

許容せん断応力度 f_s：0.88N/mm²

鉄筋の許容付着応力度 f_a：1.75N/mm²（上端筋）

2.63N/mm²（その他）

step. 3

使用する重機

乗り入れる移動式クレーン（16tラフテレーンクレーン）の各部寸法、車体重量などの詳細は次のとおりである。

・車体重量：192kN

・車輪荷重：48kN/輪

・アウトリガー荷重：最大100kN

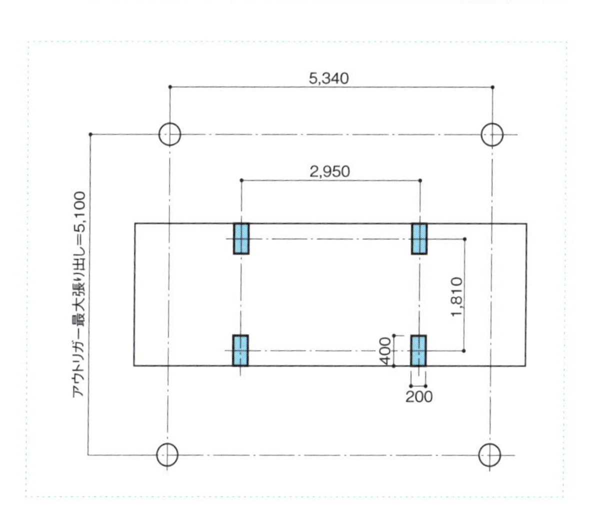

2 | スラブの検討

固定荷重による応力の算定

等分布荷重を受ける4辺固定長方形スラブとして、短辺L_x・長辺L_yそれぞれの端部上端、中央下端に作用する曲げモーメントとせん断力を算出する。
まず、スラブ荷重wと、それを基にw_xを算定する。

スラブ荷重w＝鉄筋コンクリートの単位体積重量×スラブ厚＋養生鋼板荷重

$$=24\,\mathrm{kN/m^3}\times 0.2\,\mathrm{m}+1.8\,\mathrm{kN/m^2}=6.6\,\mathrm{kN/m^2}$$

$$w_x=\frac{L_y^4}{L_x^4+L_y^4}\cdot w=\frac{4.5^4}{3.05^4+4.5^4}\times 6.6=5.45\,\mathrm{kN/m^2}$$

以上より、x方向（短辺）・y方向（長辺）それぞれの端部上端曲げモーメントM_{x1}とM_{y1}、中央下端曲げモーメントM_{x2}とM_{y2}、およびせん断力Q_xとQ_yを算定する。

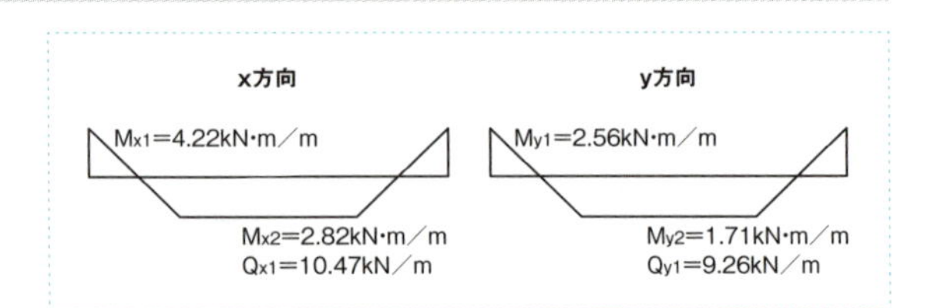

x方向

$$M_{x1}=\frac{1}{12}w_x\cdot L_x^2=\frac{1}{12}\times 5.45\times 3.05^2=4.22\,\mathrm{kN\cdot m/m}$$

$$M_{x2}=\frac{1}{18}w_x\cdot L_x^2=\frac{1}{18}\times 5.45\times 3.05^2=2.82\,\mathrm{kN\cdot m/m}$$

$$Q_{x1}=0.52\cdot w\cdot L_x=0.52\times 6.6\times 3.05=10.47\,\mathrm{kN/m}$$

y方向

$$M_{y1}=\frac{1}{24}w\cdot L_x^2=\frac{1}{24}\times 6.6\times 3.05^2=2.56\,\mathrm{kN\cdot m/m}$$

$$M_{y2}=\frac{1}{36}w\cdot L_x^2=\frac{1}{36}\times 6.6\times 3.05^2=1.71\,\mathrm{kN\cdot m/m}$$

$$Q_{y1}=0.46\cdot w\cdot L_x=0.46\times 6.6\times 3.05=9.26\,\mathrm{kN/m}$$

本例題は、スラブの辺長比（λ）が2.0より小さいため、二方向板として、x・y方向についての検討を行っていますが、λが2.0以上の場合はy方向の応力が微小となるため、応力が支配的となるx方向のみで検討を進めます

step. 2 有効幅の算定

次に、積載荷重（車両荷重）による応力を求めるため、車両方向の有効幅 B_y と車両と直交方向の有効幅 B_x を算定する。

車両方向の有効幅

$B_y = a + 5t = 0.4 + 5 \times 0.2 = 1.4\,\text{m}$

車両と直交方向の有効幅

$B_x = b + 5t = 0.2 + 5 \times 0.2 = 1.2\,\text{m}$

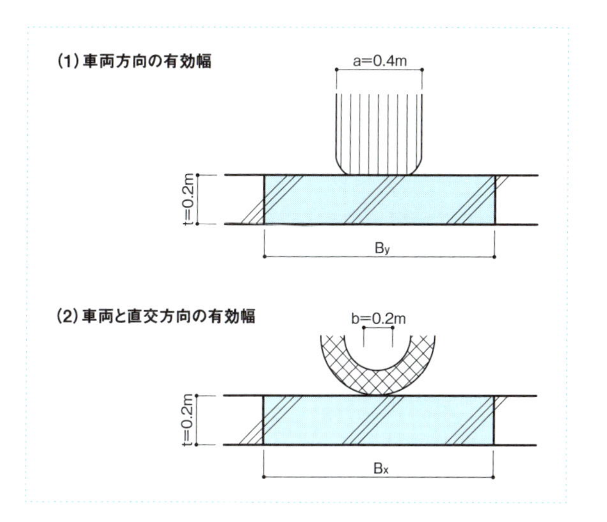

スラブ形状と重機の幅、走行方向より、下図の載荷モデルが考えられる。

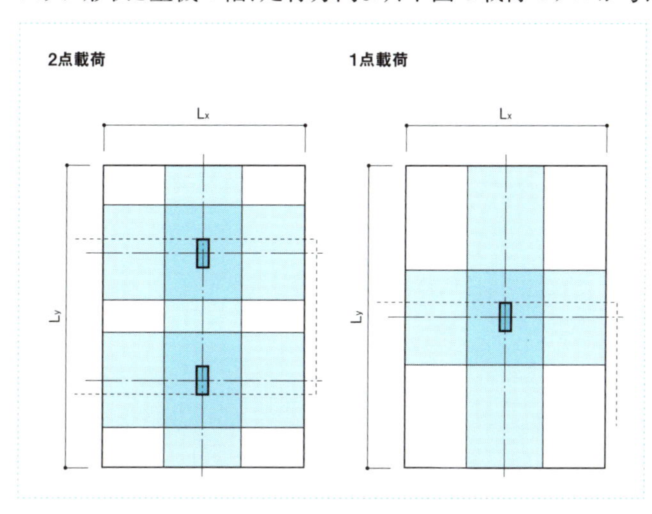

ここでは、発生応力が大きくなる2点載荷で検討を行う。計算モデルは、以下に示す二方向板格子梁モデルとする。

- 短辺有効スパン $L_x = 3.05\,\text{m}$
- 長辺有効スパン $L_y = 4.5\,\text{m}$
- 車輪間隔 $L_{py} = 1.81\,\text{m}$
- $a_x = 3.05 / 2 = 1.525\,\text{m}$
- $a_y = (4.5 - 1.81)/2 = 1.345\,\text{m}$
- 車両と直交方向の有効幅 $B_x = 1.2\,\text{m}$
- 車両方向の有効幅 $B_y = 1.4\,\text{m}$
- 車輪荷重 $P = 48 \times 1.2 = 57.6\,\text{kN}$

（衝撃荷重として車輪荷重を20％割り増し）

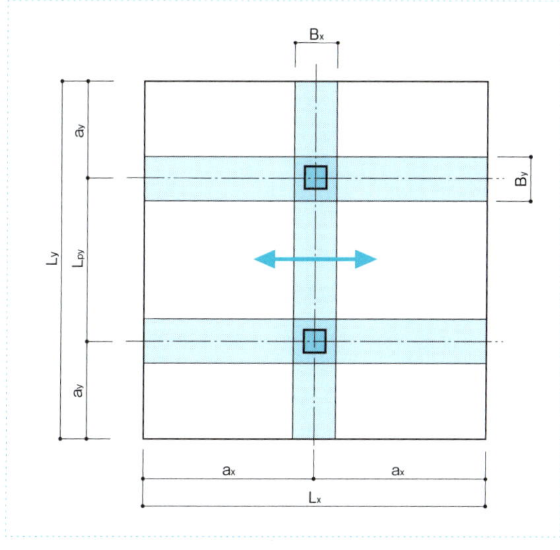

積載荷重による応力の算定

—

次に、格子梁を構成し、右図に示す断面をもつそれぞれの梁についての応力を算定する。

まず、格子梁の交差部のたわみδが等しいことから、

$$\delta x=\frac{Px\cdot Lx^3}{192\cdot E\cdot Ix}$$

$$\delta y=\frac{Py}{3\cdot E\cdot Iy}\cdot\left[\frac{a^3\cdot b^3}{Ly^3}+\frac{b^4}{2\cdot Ly}\cdot\left\{\frac{3\cdot a}{Ly}-\frac{(3\cdot a+b)\cdot b}{Ly^2}\right\}\right]$$

$$\delta x=\delta y$$

$$Ix=\frac{By\cdot t^3}{12}\qquad Iy=\frac{Bx\cdot t^3}{12}$$

t：スラブ厚さ[mm]

E：コンクリートのヤング係数[N/mm²]

Ix、Iy：断面2次モーメント[mm⁴]

となる。ここで、δx、δyを整理するため、

$$A=\frac{Lx^3}{192\cdot By}\cdots\cdots①$$

$$B=\frac{1}{3\cdot Bx}\cdot\left[\frac{a^3\cdot b^3}{Ly^3}+\frac{b^4}{2\cdot Ly}\cdot\left\{\frac{3\cdot a}{Ly}-\frac{(3\cdot a+b)\cdot b}{Ly^2}\right\}\right]\cdots②$$

とおくと、

$$\delta x=A\cdot Px\cdot\frac{12}{E\cdot t^3}\qquad \delta y=B\cdot Py\cdot\frac{12}{E\cdot t^3}\ \text{となり}$$

$\delta x=\delta y$より　$A\cdot Px=B\cdot Py=B\cdot(P-Px)$

$$\therefore Px=\frac{B}{A+B}\cdot P\cdots\cdots③$$

$$Py=P-Px\cdots\cdots④$$

①・②式に各数値を代入し、A＝0.1056、B＝0.3729を得る。
これより、③・④式から、以下のとおりとなる。

$$Px=\frac{0.3729}{0.1056+0.3729}\times57.6=44.89\,\text{kN}$$

$$Py=57.6-44.89=12.71\,\text{kN}$$

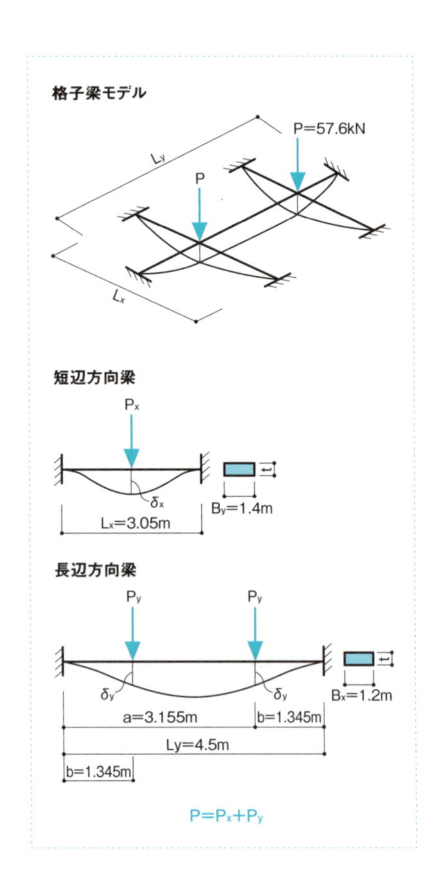

格子梁を構成するそれぞれの梁が負担する荷重 P_x、P_y が求められたので、これを使って単位長さ当たりのx方向の端部曲げモーメント M_{x1}' と中央部曲げモーメント M_{x2}'、およびy方向の端部曲げモーメント M_{y1}' と中央部曲げモーメント M_{y2}' を算定する。

$$M_{x1}'=M_{x2}'=\frac{P_x \cdot L_x}{8}\cdot\frac{1}{B_y}=\frac{44.89\times3.05}{8}\cdot\frac{1}{1.4}=12.22\,\mathrm{kN\cdot m/m}$$

$$M_{y1}'=\frac{P_y \cdot b \cdot (L_y-b)}{L_y}\cdot\frac{1}{B_x}=\frac{12.71\times1.345\times(4.5-1.345)}{4.5}\cdot\frac{1}{1.2}=9.99\,\mathrm{kN\cdot m/m}$$

$$M_{y2}'=\frac{P_y \cdot b}{B_x}-M_{yL}=\frac{12.71\times1.345}{1.2}-9.99=4.26\,\mathrm{kN\cdot m/m}$$

また、x方向のせん断力 Q_{x1}' とy方向のせん断力 Q_{y1}' は、荷重がそれぞれスラブ端部に位置したときより、以下のとおりとなる。

$$Q_{x1}'=\frac{P}{B_y}=\frac{57.6}{1.4}=41.14\,\mathrm{kN/m}$$

$$Q_{y1}'=\frac{P}{B_x}=\frac{57.6}{1.2}=48.0\,\mathrm{kN/m}$$

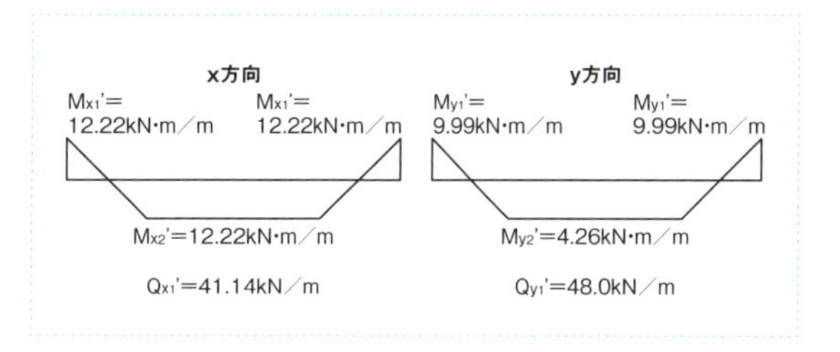

検討用応力の設定

—

step.1～3で算出した固定荷重と積載荷重による応力を合算して検討用応力を設定する。

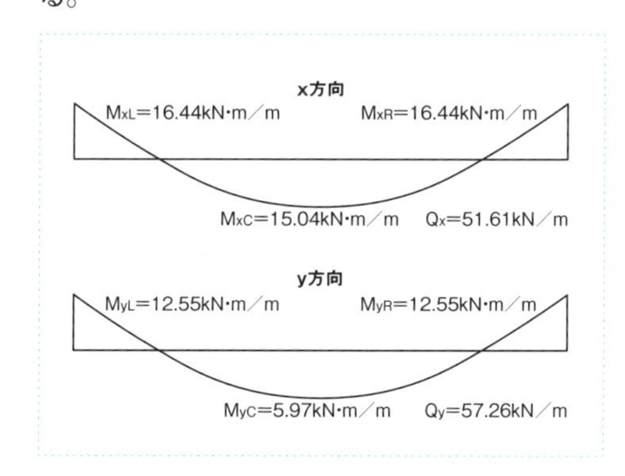

・曲げモーメント

x方向	M_{xL}	M_{xC}	M_{xR}
固定荷重	4.22	2.82	4.22
積載荷重	12.22	12.22	12.22
合計	16.44	15.04	16.44kN·m/m

y方向	M_{yL}	M_{yC}	M_{yR}
固定荷重	2.56	1.71	2.56
積載荷重	9.99	4.26	9.99
合計	12.55	5.97	12.55kN·m/m

・せん断力

	Q_x	Q_y
固定荷重	10.47	9.26
積載荷重	41.14	48.00
合計	51.61	57.26kN/m

step. 5

x方向の断面検討

右の条件にてx方向の端部上端筋の検定を行う。算出した応力 M_{XL}、Q_xから必要鉄筋量$_{nec}a_t$、$_{nec}\psi$やせん断応力度τを求め、設計仕様の鉄筋量a_t、ψや設定したコンクリート強度から求まる許容せん断応力度f_s以下であることを確認する。なお、配筋を原設計D13@200mmからD13@100mmに変更しているのは、鉄筋量の余裕度を大きくするためである。

・スラブ厚t：200mm

・圧縮縁から引張鉄筋重心までの距離

$d=200-40=160$mm

・$j=\frac{7}{8}\cdot d=\frac{7}{8}\times 160=140$mm

・配筋：D13@100mm（D13@200から変更）

・引張鉄筋断面積a_t：$127\text{mm}^2/\text{本}\times\frac{1{,}000}{100}=1{,}270\text{mm}^2/\text{m}$

・鉄筋周長ψ：$40\text{mm}/\text{本}\times\frac{1{,}000}{100}=400\text{mm}/\text{m}$

・応力　M_{XL}：16.44kN·m/m

　　　　Q_x：51.61kN/m

$$_{nec}a_t=\frac{M_{XL}}{f_t\cdot j}=\frac{16.44\times 10^6}{245\times 140}=479\text{mm}^2/\text{m}\leqq a_t=1{,}270\text{mm}^2/\text{m}\rightarrow \text{OK}$$

$$_{nec}\psi=\frac{Q_x}{f_a\cdot j}=\frac{51.61\times 10^3}{2.63\times 140}=140\text{mm}/\text{m}\leqq \psi=400\text{mm}/\text{m}\rightarrow \text{OK}$$

$$\tau=\frac{Q_x}{1{,}000\cdot j}=\frac{51.61\times 10^3}{1{,}000\times 140}=0.37\text{N}/\text{mm}^2\leqq f_s=0.88\text{N}/\text{mm}^2\rightarrow \text{OK}$$

次に、右の条件で中央部下端筋の検定を行う。算出した応力M_{XC}から$_{nec}a_t$を求め、設計仕様のa_t以下であることを確認する。なお、鉄筋量の余裕度を大きくするため、配筋を右のように変更する。

・配筋：D13@200mm（D10·D13@200から変更）

・引張鉄筋断面積a_t：$127\times\frac{1{,}000}{200}=635\text{mm}^2/\text{m}$

・応力　M_{XC}：15.04kN·m/m

$$_{nec}a_t=\frac{M_{XC}}{f_t\cdot j}=\frac{15.04\times 10^6}{245\times 140}=438\text{mm}^2/\text{m}\leqq a_t=635\text{mm}^2/\text{m}\rightarrow \text{OK}$$

最後にひび割れモーメントの検討を行う。断面とコンクリート発現強度から曲げひび割れ発生モーメントM_{cr}を求め、曲げ応力の最大値M_{XL}以上であることを確認する。

$$M_{cr}=\frac{B\cdot D^2}{6}\cdot 0.57\sqrt{F_c}=\frac{1{,}000\times 200^2}{6}\cdot 0.57\frac{\sqrt{21}}{10^6}=17.4\text{kN·m}/\text{m}>M_{XL}=16.44\text{kN·m}/\text{m}\rightarrow \text{OK}$$

y方向の断面検討

右の条件でy方向の端部上端筋の検定を行う。算出した応力M_{yL}、Q_yから$_{nec}a_t$、$_{nec}\psi$やτを求め、設計仕様のa_t、ψやf_s以下であることを確認する。なお、原設計では鉄筋量不足のため、配筋を右のとおりに変更する。

・スラブ厚t：200mm

・圧縮縁から引張鉄筋重心までの距離

d=200−50=：150mm

・$j=\frac{7}{8}\cdot d=\frac{7}{8}\times 150=131.25$mm

・配筋：D13@200mm（D10@200から変更）

・引張鉄筋断面積 a_t：635mm²/m

・鉄筋周長 ψ：$40\times\frac{1{,}000}{200}=200$mm/m

・応力　M_{yL}：12.55kN·m/m

　　　Q_y：57.26kN/m

$$_{nec}a_t=\frac{M_{yL}}{f_t\cdot j}=\frac{12.55\times 10^6}{245\times 131.25}=390\text{mm}^2/\text{m}\leqq a_t=635\text{mm}^2/\text{m}\rightarrow \text{OK}$$

$$_{nec}\psi=\frac{Q_y}{f_a\cdot j}=\frac{57.26\times 10^3}{2.63\times 131.25}=166\text{mm/m}\leqq \psi=200\text{mm/m}\rightarrow \text{OK}$$

$$\tau=\frac{Q_y}{1{,}000\cdot j}=\frac{57.26\times 10^3}{1{,}000\times 131.25}=0.44\text{N/mm}^2\leqq f_s=0.88\text{N/mm}^2\rightarrow \text{OK}$$

次に、右の条件でy方向の中央部下端筋の検定を行う。算出した応力M_{yC}から$_{nec}a_t$を求め、設計仕様のa_t以下であることを確認する。

・配筋：D10@200mm

・引張鉄筋断面積 a_t：$71\times\frac{1{,}000}{200}=355$mm²/m

・応力　M_{yC}：5.97kN·m/m

$$_{nec}a_t=\frac{M_{yC}}{f_t\cdot j}=\frac{5.97\times 10^6}{245\times 131.25}=186\text{mm}^2/\text{m}\leqq a_t=355\text{mm}^2/\text{m}\rightarrow \text{OK}$$

検討の結果、下記のように配筋補強を行う（■が変更部）。厚さの変更はなしとする。

使用個所		端部		中央部	
短辺	上端筋	D13	@100mm	D13	@200mm
	下端筋	D13	@200mm	D13	@200mm
長辺	上端筋	D13	@200mm	D13	@200mm
	下端筋	D10	@200mm	D10	@200mm

3 | 小梁の検討

step.1 固定荷重による応力の算定

固定荷重による応力を算定するため、梁の自重とスラブの荷重を求める。

梁自重 w_b ＝鉄筋コンクリートの単位体積重量×梁幅×(梁せい－スラブ厚)

$$=24\,\mathrm{kN/m^3}\times0.4\,\mathrm{m}\times(0.65-0.2)\,\mathrm{m}=4.32\,\mathrm{kN/m}$$

スラブ荷重 w ＝鉄筋コンクリートの単位体積重量×スラブ厚＋養生鋼板荷重

$$=24\,\mathrm{kN/m^3}\times0.2\,\mathrm{m}+1.8\,\mathrm{kN/m^2}=6.6\,\mathrm{kN/m^2}$$

小梁自重は等分布荷重、スラブ荷重は台形状の分布荷重で各応力を算定する。

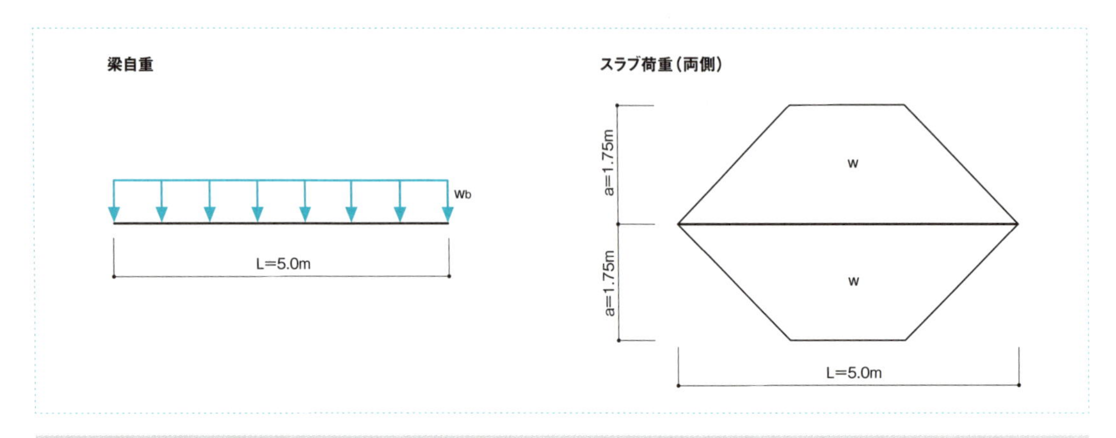

梁自重による応力

$$C_1=\frac{1}{12}w_b\cdot L^2=\frac{1}{12}\times4.32\times5^2=9.0\,\mathrm{kN\cdot m}$$

$$M_{01}=\frac{1}{8}w_b\cdot L^2=\frac{1}{8}\times4.32\times5^2=13.5\,\mathrm{kN\cdot m}$$

$$Q_1=\frac{1}{2}w_b\cdot L=\frac{1}{2}\times4.32\times5=10.8\,\mathrm{kN}$$

スラブ荷重による応力

$$C_2=\frac{w\cdot a\cdot(L^3-2\cdot a^2\cdot L+a^3)}{12\cdot L}\times2=\frac{6.6\times1.75\times(5^3-2\times1.75^2\times5+1.75^3)}{12\times5}\times2=38.4\,\mathrm{kN\cdot m}$$

$$M_{02}=\frac{w\cdot a\cdot(3\cdot L^2-4\cdot a^2)}{24}\times2=\frac{6.6\times1.75\times(3\times5^2-4\times1.75^2)}{24}\times2=60.4\,\mathrm{kN\cdot m}$$

$$Q_2=\frac{w\cdot a\cdot(L-a)}{2}\times2=\frac{6.6\times1.75\times(5-1.75)}{2}\times2=37.54\,\mathrm{kN}$$

step. 2

積載荷重による応力の算定

積載荷重(車両荷重)による応力を求める。
条件より、車両は小梁に直交する配置で、2点載荷となる。曲げモーメントは中央付近、せん断力は片輪が端部に位置した状態で算定する。

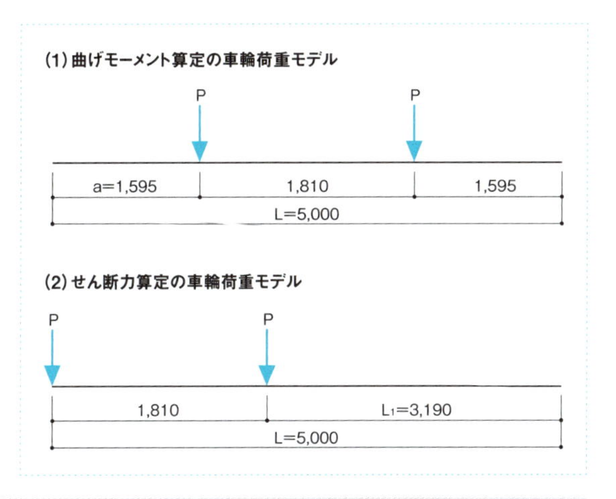

$$C_3 = \frac{P \cdot a \cdot (L-a)}{L} = \frac{57.6 \times 1.595 \times (5-1.595)}{5} = 62.56\,\mathrm{kN \cdot m}$$

$$M_{03} = P \cdot a = 57.6 \times 1.595 = 91.87\,\mathrm{kN \cdot m}$$

$$Q_3 = P \cdot \left(1 + \frac{L_1}{L}\right) = 57.6 \times \left(1 + \frac{3.19}{5}\right) = 94.35\,\mathrm{kN}$$

step. 3

検討用応力の設定

step.1～2で算出した固定荷重、および積載荷重による応力を合算して検討用応力を設定する。
条件より、小梁の応力算出にあたっては、多連続梁としての係数を用いる。

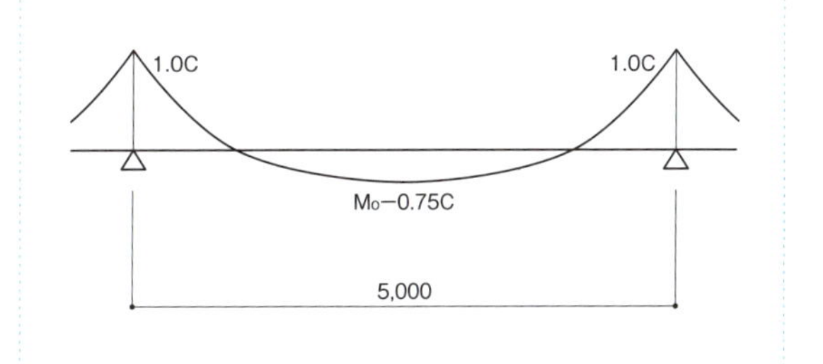

$C = 9.0 + 38.4 + 62.56 = 109.96\,\mathrm{kN \cdot m}$

$M_0 = 13.5 + 60.4 + 91.87 = 165.77\,\mathrm{kN \cdot m}$

$Q = 10.8 + 37.54 + 94.35 = 142.69\,\mathrm{kN}$

端部モーメント $M_E = 1.0 \cdot C = 109.96\,\mathrm{kN \cdot m}$

中央部モーメント $M_C = M_0 - 0.75 \cdot C = 165.77 - 0.75 \times 109.96 = 83.3\,\mathrm{kN \cdot m}$

小梁は連続状態やその検討位置で端部固定度が違い、応力分布も変わるので注意が必要ですね

step. 4

断面検討

—

右の条件で端部上端筋の検定を行う。算出した応力M_E、Qから必要鉄筋量${}_{nec}a_t$、${}_{nec}\psi$やせん断応力度τを求め、設計仕様の鉄筋量a_t、ψや設定したコンクリート強度から求まる許容せん断応力度 f_s以下であることを確認する。

- 梁幅B×梁せいD：400×650mm
- 圧縮縁から引張鉄筋重心までの距離

  d=650−70=580mm

- $j=\frac{7}{8}\cdot d=\frac{7}{8}\times 580=507.5$mm
- 端部上端筋：4−D19
- 引張鉄筋断面積 a_t：287mm²/本×4本=1,148mm²
- 鉄筋周長ψ：60mm/本×4本=240mm
- 応力M_E：109.96kN

  Q：142.69kN

$${}_{nec}a_t=\frac{M_E}{f_t\cdot j}=\frac{109.96\times 10^6}{245\times 507.5}=884\text{mm}^2\leqq a_t=1{,}148\text{mm}^2\rightarrow \text{OK}$$

$${}_{nec}\psi=\frac{Q}{f_a\cdot j}=\frac{142.69\times 10^3}{1.75\times 507.5}=161\text{mm}\leqq \psi=240\text{mm}\rightarrow \text{OK}$$

$$\tau=\frac{Q}{B\cdot j}=\frac{142.69\times 10^3}{400\times 507.5}=0.70\text{N/mm}^2<f_s=0.875\text{N/mm}^2\rightarrow \text{OK}$$

次に、右の条件で中央部下端筋の検定を行う。算出した応力M_Cから${}_{nec}a_t$を求め、設計仕様のa_t以下であることを確認する。

- 梁せいD×梁幅B：400×650mm
- 圧縮縁から引張鉄筋重心までの距離d：580mm
- $j=\frac{7}{8}\cdot d=\frac{7}{8}\times 580=507.5$mm
- 中央部下端筋：3−D19
- 引張鉄筋断面積 a_t：287mm²/本×3本=861mm²
- 応力Mc：83.3kN·m

$${}_{nec}a_t=\frac{M_C}{f_t\cdot j}=\frac{83.3\times 10^6}{245\times 507.5}$$

$$=670\text{mm}^2\leqq a_t=861\text{mm}^2\rightarrow \text{OK}$$

本例題では、車両の走行について小梁は問題ないことが確認されました。もしも、そのままでは問題があって梁下部をサポート補強する必要があるような場合、新しく支点ができることで応力分布が変わるので、端部や中央または上下で配筋が違うときには注意が必要です最後にひび割れモーメントの検討を行う。有効幅を考慮してT形とした断面とコンクリート強度から曲げひび割れ発生モーメントM_{cr}を求め、小梁中央下端の曲げモーメントM_C以上であることを確認する。

右図より、協力幅 b_aを求め、有効幅 Bである T形梁の断面2次モーメント、断面係数を算出する。

$a=3.05m>0.5L=0.5\times5=2.5m$より

$b_a=0.1L=0.1\times5=0.5m$

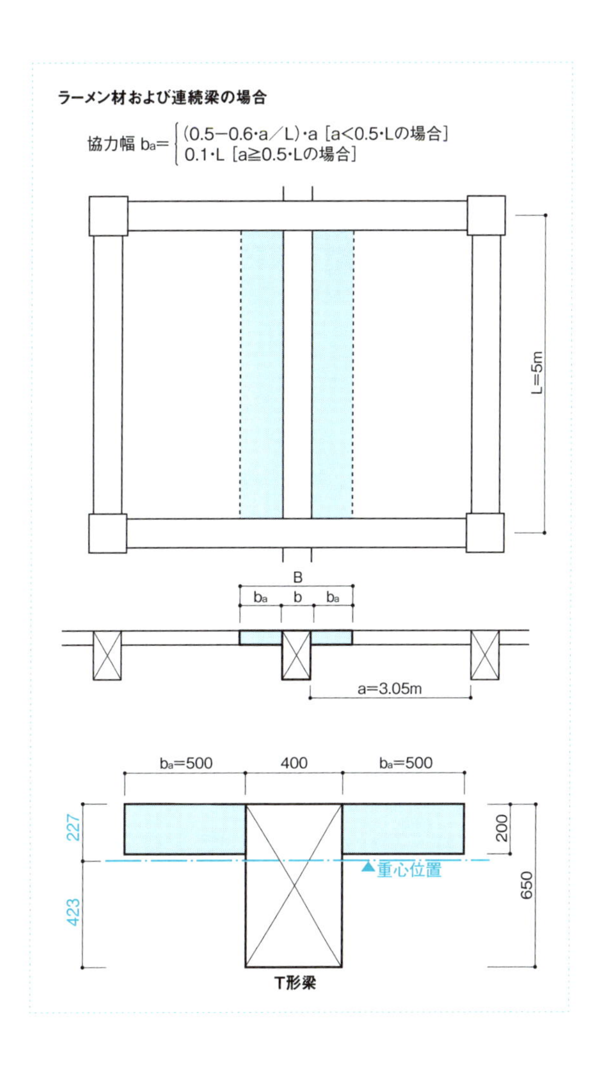

したがって、T形梁の断面2次モーメント $I=1,554,366cm^4$となる。重心位置を考慮して、上側断面係数 $Z_{上}$、下側断面係数 $Z_{下}$を算定すると、

$$Z_{上}=\frac{1,554,366}{22.7}=68,474cm^3$$

$$Z_{下}=\frac{1,554,366}{42.3}=36,746cm^3$$

であるので、

$$M_{cr}=Z_{下}\cdot 0.57\sqrt{F_C}$$

$$=36,746\times0.57\times\frac{\sqrt{21}}{10^3}$$

$$=96.0kN\cdot m>M_C=83.3kN\cdot m\rightarrow OK$$

となり、ひび割れについても問題がないことが確認された。

なお、アウトリガーは大梁上に設置するため、本来であればここで大梁に対しても検討を行う必要があるが、その方法・手順は小梁と同様なので、本書では割愛する。

既存建物解体

施工計画と構造計算のポイント

1 | 要求性能

概要

既存建物解体において、地上に作業空地がない場合、あるいは地上からでは重機作業が届かない高層の構造物の場合は、重機を建物階上に揚げ、上層階から下層階へと順次解体作業を進める。

しかし通常、建物の設計において、重機を載せることは考慮されておらず、特に古い建物では部材断面が小さかったり配筋量が少ないケースがあり、適切な検討をして補強を行わないと重大な災害につながる可能性がある。階上からの解体作業を安全に実施するために、解体建物の強度に関して構造的な検討を行う必要がある。

ただし、既存建物の解体には標準的な方法がないため、構造検討などは一般的な設計手法に倣うが、ここでは一方法としての考え方を示す。

要求される性能

解体に伴う重機作業の安全を確保することが目的である。解体重機を建物階上に揚げて作業するための強度が不十分な場合には、床梁下にサポートを設置したり、重機作業場所に鉄板敷きをして補強する必要がある。

準拠すべき法規、規準

使用材料、許容応力度、応力算定および断面検討は、以下の法規・規準にもとづく。

準拠すべき法規・規準

1 —— 建築基準法および同施行令

2 —— 労働安全衛生法および同規則

3 —— (一社)日本建築学会

『鉄筋コンクリート構造計算規準・同解説』

『鉄骨鉄筋コンクリート構造計算規準・同解説』

『鋼構造設計規準』

解体重機(バックホウ 0.7m³ベース)6台で階上解体している様子

2 | 施工計画

検討の流れ

既存建物の解体に関する検討フローは以下に示すとおりである。

解体工法検討

・敷地の形状・広さ　・解体建物の高さ

↓

階上解体を選定した場合

使用重機

・能力　・重量　・形状寸法　・台数

↓

解体建物の仕様確認

・図面確認　・躯体調査
　スラブ：厚さ、配筋、平面形状
　梁：形状、配筋、位置、スパン
　柱：形状、位置
　壁：厚さ、位置、水平スリットの有無
　コンクリート強度、鉄筋材質、鉄骨材質
・範囲の設定：開口部、仮設開口、
　片持ち部材の位置

↓

躯体検討

・荷重設定　・短期許容応力度
　スラブ、大梁、小梁
・既存躯体の鉄筋量との対比
・躯体補強：サポート設置、間隔、層数
・パンチングの検討

↓

補強・解体実施

・検討結果にもとづく補強措置
・乗り入れ禁止エリアの徹底

施工計画のポイント

[1]――使用重機の配置

解体に使用する重機のクローラの片方は、必ず梁か、補強として設置したサポート上に載るように移動させる。また、部材にかかる荷重が過大になり、かかり方も複雑となるのため、同じスパン内で近接して重機が作業しない配置とする。

[2]――解体建物の仕様確認

図面から躯体の各部材の仕様を確認する。図面がない場合は解体建物の調査を行い、必要な情報を得る。また、特に古い建物では、図面があっても変更が反映されていないことがあるので、図面仕様と解体建物が異なる場合には実状に合わせて修正検討する。

そのほか、計画上のポイントは次のとおりである。

①スラブなどで、局部的に配筋間隔が多少乱れている場合、全体としての配筋量が足りていれば問題がないものと考える

②基本的に片持ち部材や開口端部となる部分には載らない計画とする

③上下階の部材の割り付け（小梁位置、スラブ形状など）が変化する場合でも、補強を設置する際には、なるべく上下階の補強位置を合わせるように注意する

[3]──躯体検討

解体する建物であるため、安全性に問題がなければよく、部材の検討には短期許容応力度を用いる。

以下に、検討上のポイントを示す。

①壁付き梁なら検討外でよいが、水平スリットがある場合は壁脚部に隙間があるので扱いには注意する

②RC・SRC造の柱では断面の耐力に余裕があると考えられ、検討は省略するが、S造の柱は座屈などがあり、確認が必要である

③作業階で重機荷重を支持できない場合は、下部にサポートを設置して補強する。その際、基本的に上下階で補強位置を合わせる

④補強を要する乗り入れ範囲内で、作業階下に開口があり、必要な補強層数が確保できない場合は、開口上に受け材を渡してその上に補強を設置するか、開口の下階に床があれば長い支柱や鋼材を使って支持する[図1]。あるいは煩雑さを防ぐため、平面的に作業上の余裕があれば、当該部分を乗り入れ禁止とすることも考えられる

そのほか、重機が自走で下階へ降りるため、建物内にスロープを設置する必要がある。スロープは通常、解体ガラを使ってつくるが、その勾配は一般的な重機の登坂能力である30°程度以下とし、幅は重機幅の2倍以上を確保する。また、スロープ用にガラを盛ると荷重が増えるため、基本的にはフレーム(柱、梁)位置を中心として設けるか、サポートを別途増やして補強する[図2]。

躯体にかかる荷重が過剰とならないよう、ガラはだめ孔から下階へ順次落下させる。

図1 下部補強を要するが作業階下に開口がある場合

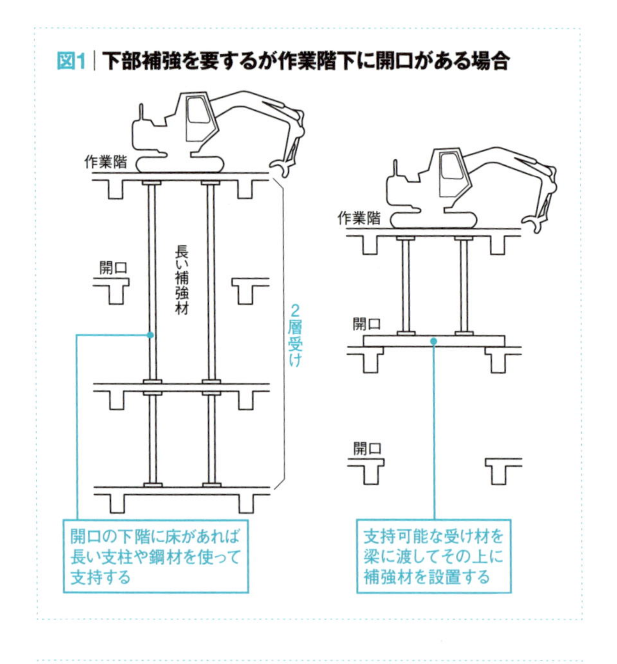

図2 重機とスロープ

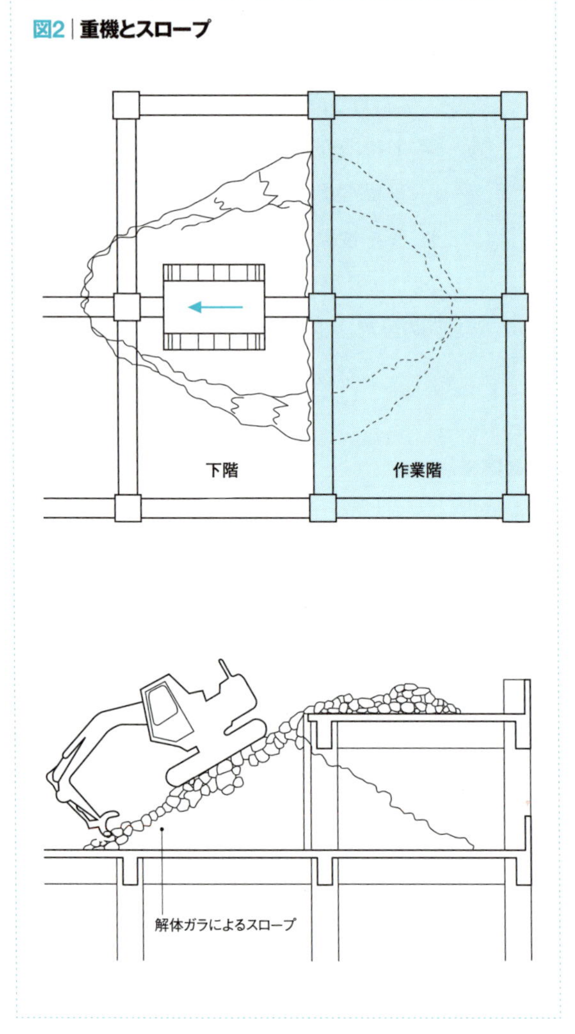

3 使用材料と許容応力度

前述したとおり、部材の検討には短期許容応力度を用いる。検討にあたっては、その建物で使われているコンクリートや鉄筋、鉄骨の仕様を確認する必要があるが、不明の場合は調査を行うか、次の措置をとる。

コンクリート	躯体強度としての最低値と考えられる 18N/mm^2 程度と設定する
鉄筋	鉄筋種類のなかの低い値を採用する
鉄骨	鋼材種別のなかの低い値を採用する

各材料の許容応力度については、鉄骨は471・472頁の資料を、コンクリートおよび鉄筋は475頁の資料を参照のこと。

4 荷重の算定

□ 使用するアタッチメント重量を含めて重機荷重とする
□ 重機荷重の荷重分布は作業方向で変化するが、衝撃荷重として割り増すことで考慮できるものとする

固定荷重

検討は、固定荷重と積載荷重を考慮する。固定荷重として考慮すべきものには、以下の種類がある。

躯体自重	スラブや梁の自重
仕上げ重量	内装材など先行して撤去するもの以外で、重機を載せる際に残っているものについて考慮する。

積載荷重

積載荷重として考慮すべきものには、以下の種類がある。

重機荷重	車体重量に、ブーム先端のアタッチメントの重さを含めて重機重量とする。メーカーによって重機の形状や重量が異なるので、実際に使用するものの値を用いるが、概略として、**表1**に示す値で検討してもよい
衝撃荷重	重機荷重の20%とし、重機本体の重量を割り増しておく
作業荷重	重機荷重を考慮する部分以外の作業荷重は、$1.5\,kN/m^2$とする

スラブに対する重機荷重は、クローラ外周形状からスラブ厚さ分の広がりの範囲において均した見かけの値として求める［**図3**］。

また、均した重機荷重をスラブ全面に作用させることにより、作業時のガラ重量分も考慮できると考える。

スラブ形状が大きめで重機廻りに空間があるとガラなどの影響も出てくるので、均しの重機荷重をスラブ全面に載荷します

表1｜一般的に使用される解体重機の仕様

ベースマシン	重量[kN]	アタッチメント（クラッシャーなど）重量[kN]	寸法[mm]		
			A	B	C
0.7 m³	220〜230	22程度	3,000	3,850	700
0.45 m³	130〜140	14程度	2,500	3,000	500
0.25 m³	70〜80	6程度	2,200	2,200	450

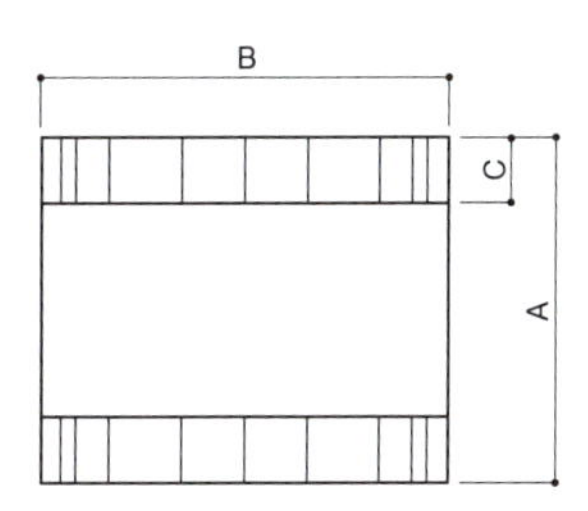

図3｜スラブに対する重機荷重

$$重機荷重 W_M = \frac{P_M \times 1.2}{(A+2t)(B+2t)} \text{[kN/m}^2\text{]}$$

P_M：解体重機重量[kN]
1.2：衝撃荷重係数
A：車体幅[m]
B：クローラ接地長[m]
t：スラブ厚[m]

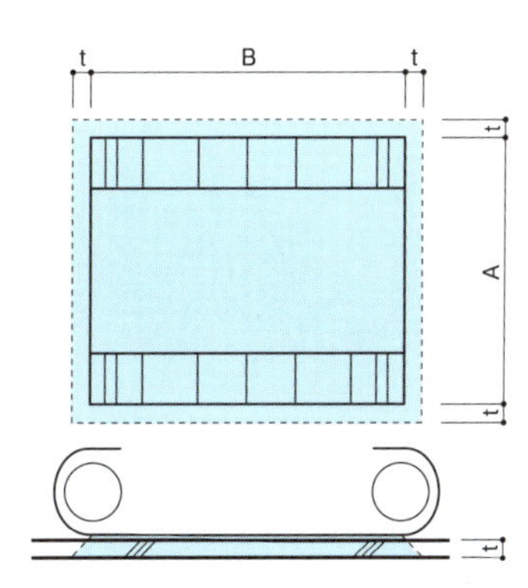

5 ｜スラブの検討

□ 作業階スラブで重機を支持できない場合は、下部に補強材を設置する
□ 補強位置を支点とした場合のスラブ仕様で、重機を支持できる補強間隔を求める
□ スラブを全体で考え、重機を支持するために必要な補強層数を求める

応力算出

固定荷重と積載荷重を合算して、スラブ検討用の全荷重（等分布荷重）とする。

応力は、等分布荷重を受ける4辺固定長方形スラブの実用式を用い、短辺・長辺それぞれの端部上端、中央下端の曲げモーメントおよびせん断力を算出する［図4］。

断面検討

算出した応力から必要な鉄筋量を求め、作業階スラブのx方向・y方向それぞれの鉄筋量と比較する［図5］。x・yいずれかの鉄筋量、あるいはコンクリート強度に不足がある場合は、作業階下部の補強を行う。

補強の検討

［1］――補強材間隔の検討

強力サポートなどを作業階スラブ下に2m前後を目安とした間隔で設置して補強を行う。検討にあたっては、サポート位置を固定としたスパンの中央に、重機の片クローラ分の重量を単位幅当たりの集中荷重Pとしてかけて応力を算出する［図6］。

補強材間隔L_1は、短くなった検討スパンの発生応力に対して必要とされる鉄筋量が、作業階床の鉄筋量を下回る分割スパンとなるように決定する。

重機幅はおよそ2～3m程度で、クローラ幅を考慮すると、ほぼ補強材間隔に合ってくると考えられる。

スラブ配筋が全断面同一でなく、端部、中央または

図4｜全荷重による応力算出

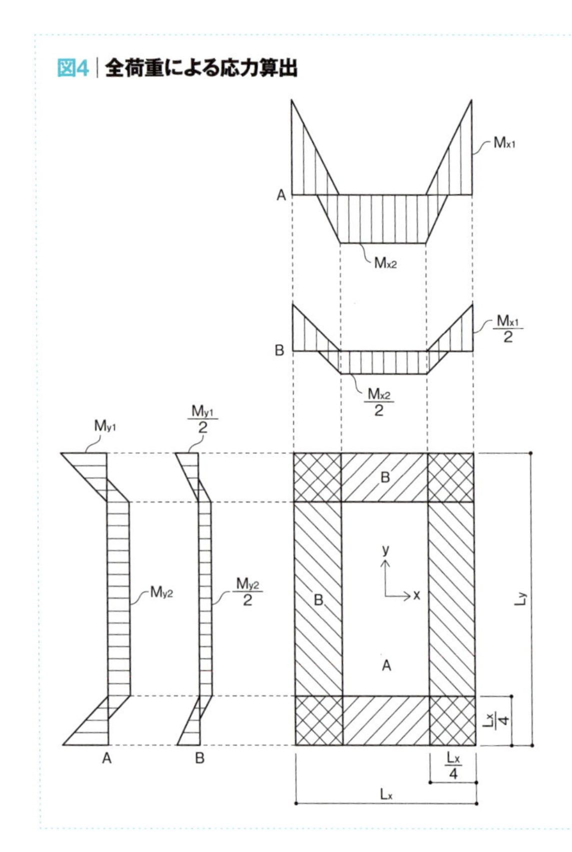

短辺x方向

両端最大負曲げモーメント$M_{x1} = -\frac{1}{12}\cdot w_x\cdot L_x^2$

中央部最大正曲げモーメント$M_{x2} = \frac{1}{18}\cdot w_x\cdot L_x^2$

せん断力 $Q_x = 0.52\,wL_x$

長辺y方向

両端最大負曲げモーメント$M_{y1} = -\frac{1}{24}\cdot w\cdot L\cdot x^2$

中央部最大正曲げモーメント$M_{y2} = \frac{1}{36}\cdot w\cdot L_x^2$

せん断力 $Q_y = 0.46\,w\cdot L_x$

L_x：短辺有効スパン［m］
L_y：長辺有効スパン［m］
w：単位面積についての全荷重［kN/m²］
$w = \gamma\cdot t + W_M$
γ ：鉄筋コンクリートの単位重量（=24）［kN/m³］
t ：スラブ厚さ［m］
W_M：重機荷重［kN/m²］

$$w_x = \frac{L_y^4}{L_x^4 + L_y^4}\cdot w$$

図5｜スラブの断面検討

x･y方向それぞれについて、以下に示す算定式を用いて断面検討を行う

(1) 端部上端筋の検定

下式により必要鉄筋断面積 $_{nec}a_t$ を算定し、端部上端配筋と比較して合否を判定する

$$_{nec}a_t=\frac{M_{x1}\times10^6}{f_t\cdot j}\ [mm^2/m]$$

(2) せん断力の検定

下式によりせん断応力度τを算定し、コンクリートの許容せん断応力度 f_s と比較して合否を判定する

$$\tau=\frac{Q_x\times10^3}{1{,}000\cdot j}\ [N/mm^2]$$

(3) 中央部下端筋の検定

下式により必要鉄筋断面積 $_{nec}a_t$ を算定し、中央部下端配筋と比較して合否を判定する

$$_{nec}a_t=\frac{M_{x2}\times10^6}{f_t\cdot j}\ [mm^2/m]$$

注　上記はx方向の場合の算定式。y方向の場合は、式中の M_{x1} を M_{y1} に、以下、$Q_x\rightarrow Q_y$、$M_{x2}\rightarrow M_{y2}$ に置き換えて算定する

中央部断面

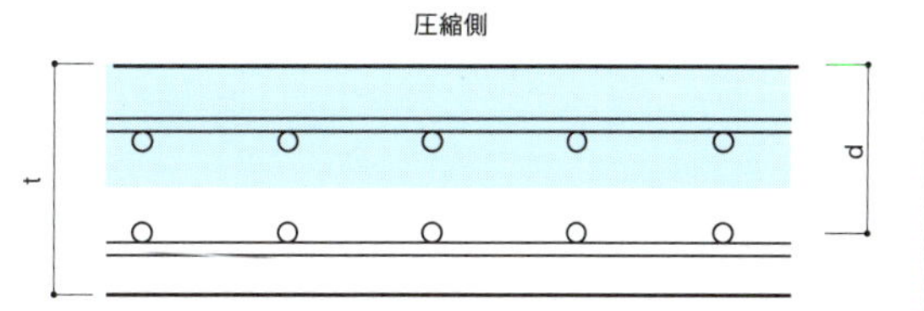

M_{x1}、M_{y1}：端部曲げモーメント［kN･m/m］

M_{x2}、M_{y2}：中央部曲げモーメント［kN･m/m］

Q_x、Q_y　：せん断力［kN/m］

t ：スラブ厚さ［mm］

d：圧縮縁から引張鉄筋重心までの距離［mm］

j ：曲げ材応力中心距離 $\left(\frac{7}{8}\cdot d\right)$［mm］

f_t：鉄筋の許容引張応力度［N/mm²］

f_s：コンクリートの許容せん断応力度［N/mm²］

図6｜補強を行った作業階スラブの応力算出

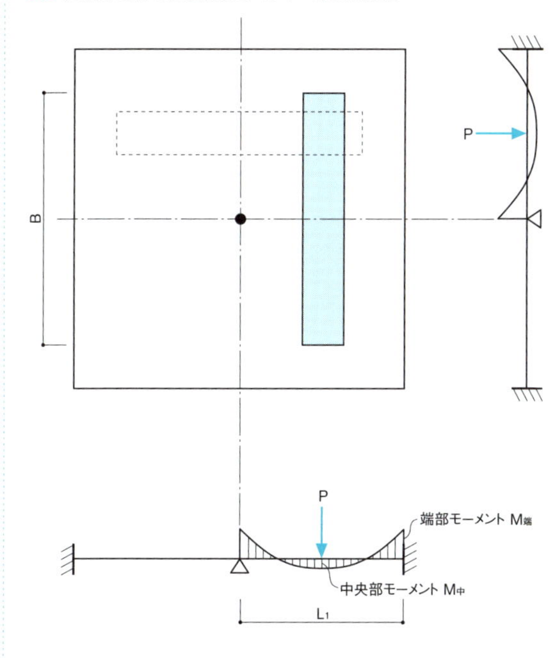

$$集中荷重P=\frac{\frac{P_M}{2}\times1.2}{B}\ [kN/m]$$

$$端部モーメントM_{端}=\frac{P\cdot L_1}{8}+\frac{w\cdot L_1^2}{12}\ [kN\cdot m/m]$$

$$中央部モーメントM_{中}=\frac{P\cdot L_1}{8}+\frac{w\cdot L_1^2}{24}\ [kN\cdot m/m]$$

w：単位面積についてのスラブ荷重［kN/m²］

$w=\gamma\cdot t$

γ：鉄筋コンクリートの単位重量(＝24)［kN/m³］

t ：スラブ厚さ［m］

B ：クローラ接地長［m］

L_1：補強材の間隔［m］

上下で違う場合は、補強の設置によって端部・中央が変わってしまうので、これを考慮して検討を行う。特に古い建物においては、ベンド配筋を採用していて、中央上端が無筋の場合があるので注意する[図7]。

[2]——補強層数の検討

スラブ下を補強することにより、作業階と下部の補強支持階で重機荷重を等分して受けると考える。

434頁図4中の単位面積についての全荷重wを以下に示すw'に変え、同様に算出した応力が作業階スラブの実強度以下に納まるように補強層数Nを決定する[図8]。

N層受け→スラブ(N+1)個

$$W_M' = \frac{W_M + 1.5 \cdot N}{N+1} \text{ [kN/m}^2\text{]}$$

$$w' = \gamma \cdot t + W_M' \text{ [kN/m}^2\text{]}$$

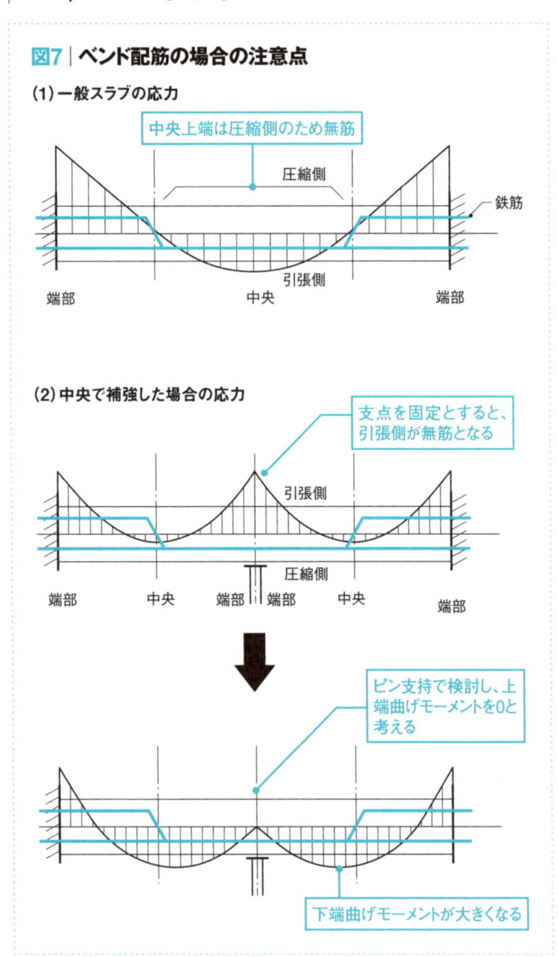

図7 | ベンド配筋の場合の注意点

[3]——パンチングの検討

スラブは断面が薄いので、接触面の小さな補強材端部から荷重がかかると、部材を押し抜くような破壊の発生が考えられる。これを「パンチング(押抜せん断)」といい、この破壊に対する安全性を確認する。具体的には、スラブを受けるサポート上面の外周線を上方45°で斜めに上げたときのスラブを切断する面で集中荷重を除してパンチング力σsを算出し、許容せん断応力度f_sと比較して合否を判定する[図9]。

補強材の仕様

一般的に、補強材には強力サポートや四角支柱が用いられる[表2・3]。強力サポートの使用が多いが、ピットのような高さの低い空間や、天井高5mを超えるような大空間の場合は適正な長さのサポートがないため、四角支柱や鋼材を使って組み立てる必要がある。

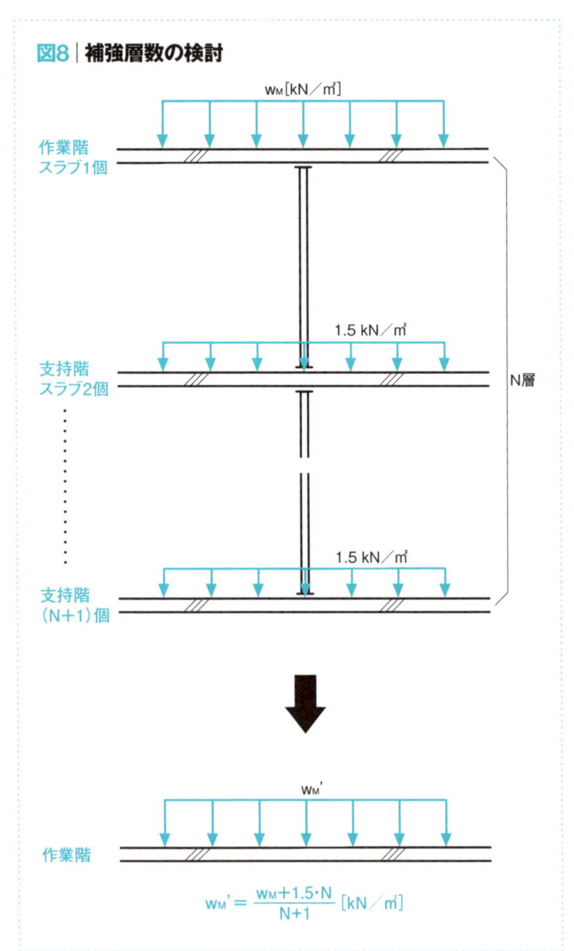

図8 | 補強層数の検討

図9｜パンチングの検討

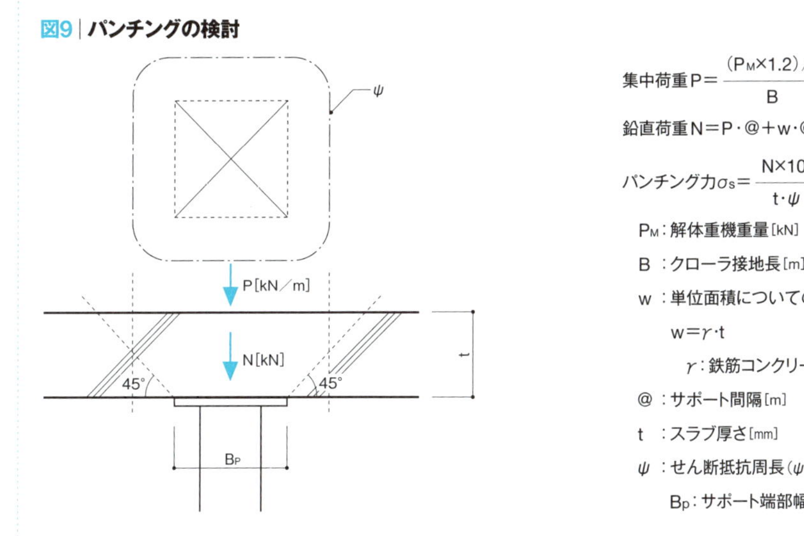

$$集中荷重P=\frac{(P_M\times1.2)/2}{B}\ [kN/m]$$

$$鉛直荷重N=P\cdot @+w\cdot @^2\ [kN]$$

$$パンチング力\sigma_s=\frac{N\times10^3}{t\cdot\psi}\ [N/mm^2]$$

P_M：解体重機重量[kN]

B：クローラ接地長[m]

w：単位面積についてのスラブ荷重[kN/m²]

$w=\gamma\cdot t$

γ：鉄筋コンクリートの単位重量(=24)[kN/m³]

@：サポート間隔[m]

t：スラブ厚さ[mm]

ψ：せん断抵抗周長($\psi=4\cdot B_p+t\cdot\pi$)[mm]

B_p：サポート端部幅[mm]

表2｜強力サポートの仕様

符号	調整範囲[mm]	許容強度[kN]	重量[kg]	上柱管[kg]	下柱管[kg]
CH-18	1,200～1,850	147.1	34.5	12.6	21.9
CH-24	1,815～2,470	147.1	40.1	12.6	27.5
CH-32	1,865～3,270	147.1	49.0	21.5	27.5
CH-40	2,665～4,070	127.5	58.0	30.5	27.5
CH-50	3,665～5,070	98.1	69.3	41.8	27.5

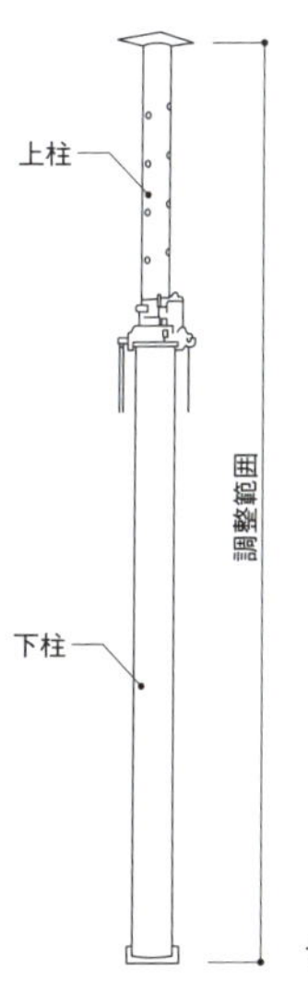

表3｜四角支柱の仕様(許容強度：196kN)

符号		形状・寸法	使用高さ[mm]	重量[kg]	支柱材	台板・受け板	備考
ユニット柱	SSH-300	650～3,000 300	3,000	56.6	SS G3444［※1］：STK-500、φ48.6×2.4mm	SS G3106［※2］：SS-34以上	各寸法に合わせ、ユニット柱とジャッキを組み合わせて使用する
	SSH-225		2.250	46.5			
	SSH-200		2,000	42.3			
	SSH-125		1,250	32.3			
	SSH-65		650	21.0			
ジャッキ	SSJ-58	280～580 300	280～580	32.7	—		—

※1　一般構造用炭素鋼鋼管

※2　一般構造用圧延鋼材

表2・3出典:『リース総合カタログ』(中央ビルト工業)

6 梁の検討

□ 乗り入れ範囲内にある梁スラブに多様なパターンがある場合はすべてについて検討する
□ 重機が直接梁に載る状況が最も不利となる

固定荷重による応力の算出

梁応力は、自重と、梁に取り付くスラブ形状にもとづく荷重を基に、端部固定度を考慮したC・M_0・Q法により算出し、作業階の梁の実強度と比較する。

図10に梁自重w_bによる応力算定式を、表4に一般的なスラブ形状と小梁付きスラブによる応力算定式を示す（小梁付きスラブの場合、小梁が負担するスラブだけを集中荷重として考慮しており、小梁自重の集中荷重による応力は別途計算する必要がある）。これらを組み合わせて、梁の固定荷重としての応力を求める。

図10｜梁自重w_bによる応力算定式

$w_b = \gamma \cdot A$

w_b：梁自重［kN/m］

γ：部材の単位重量［kN/m³］

A：部材の断面積［m²］

両端固定梁の固定端モーメント $C = \dfrac{w_b \cdot L^2}{12}$［kN·m］

単純梁の中央曲げモーメント $M_0 = \dfrac{w_b \cdot L^2}{8}$［kN·m］

せん断力 $Q = \dfrac{w_b \cdot L}{2}$［kN］

表4｜スラブ荷重wによる応力算定式

	スラブ荷重タイプ	C［kN·m］	M_0［kN·m］	Q［kN］
一般的なスラブ形状	w[kN/㎡]、a、L	$\dfrac{w \cdot a \cdot L^2}{12}$	$\dfrac{w \cdot a \cdot L^2}{8}$	$\dfrac{w \cdot a \cdot L}{2}$
	a、a、a、L	$\dfrac{w \cdot a \cdot (L^3 - 2 \cdot a^2 \cdot L + a^3)}{12 \cdot L}$	$\dfrac{w \cdot a \cdot (3 \cdot L^2 - 4 \cdot a^2)}{24}$	$\dfrac{w \cdot a \cdot (L - a)}{2}$
	L/2、L	$\dfrac{5 \cdot w \cdot L^3}{192}$	$\dfrac{w \cdot L^3}{24}$	$\dfrac{w \cdot L^2}{8}$
小梁付きスラブ	a、L/4、L	$\dfrac{w \cdot L^2}{16}\left(\dfrac{5 \cdot L}{96} + a\right)$	$\dfrac{w \cdot a \cdot L^2}{8}$	$\dfrac{w \cdot L}{4}\left(\dfrac{L}{8} + a\right)$
	a、L/6、L	$\dfrac{w \cdot L^2}{27}\left(\dfrac{5 \cdot L}{192} + 2 \cdot a\right)$	$\dfrac{w \cdot L^2}{9}\left(\dfrac{L}{72} + a\right)$	$\dfrac{w \cdot L}{3}\left(\dfrac{L}{24} + a\right)$
	a、L/8、L	$\dfrac{5 \cdot w \cdot L^2}{64}\left(\dfrac{L}{192} + a\right)$	$\dfrac{w \cdot a \cdot L^2}{8}$	$\dfrac{w \cdot L}{8}\left(\dfrac{L}{16} + 3 \cdot a\right)$

積載荷重による応力の算出

応力は、重機荷重(衝撃荷重を含む)と重機方向から端部固定度を考慮したC・M_0・Q法により算出する[図11・12]。

梁に対し、クローラの向きによって荷重タイプが異なり、クローラは長さがあるので梁と平行する場合は分布荷重とし、直交する場合はクローラ幅の中央で集中荷重とする。曲げモーメントは荷重点が梁の中央付近、せん断力については梁端部付近に位置したときに最大となるので、その値を算出する。

図11｜曲げモーメントの応力計算モデル

(1) 重機方向が梁と平行の場合

$L_w' < L$の場合

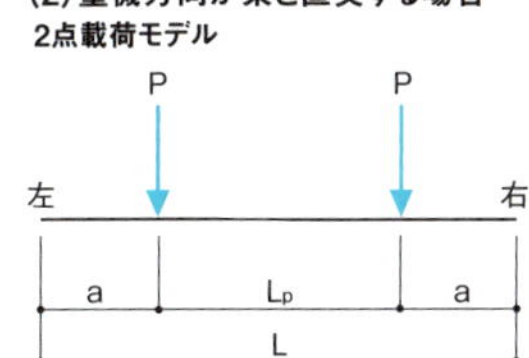

w：等分布荷重[kN／m]

$w = \frac{(P_M \times 1.2)/2}{L_w'}$

P_M：解体重機重量[kN]

L_w'：クローラ接地長さ[m]（作業方向により異なる）

L_w：荷重長さ[m]（$=L_w'$）

L　：梁長さ[m]

$a = \frac{L - L_w}{2}$

$C_左 = C_右$[kN・m]

M_0：梁中央位置の値[kN・m]

$L_w' \geqq L$の場合

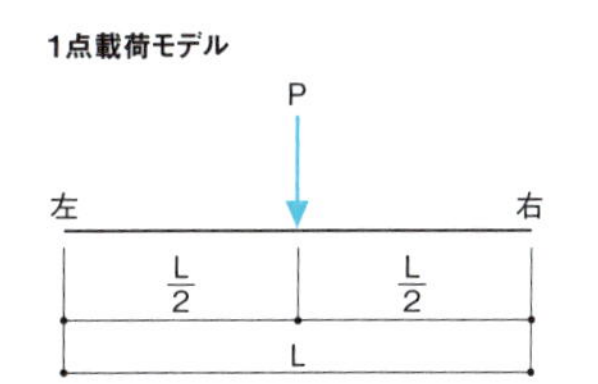

w：等分布荷重[kN／m]

$w = \frac{(P_M \times 1.2)/2}{L_w'}$

L_w：荷重長さ[m]（$=L$）

$a=0$

$C_左 = C_右$[kN・m]

M_0：梁中央位置の値[kN・m]

(2) 重機方向が梁と直交する場合

2点載荷モデル

P　P　左　右　a　L_p　a　L

P：重機荷重[kN]

$P = \frac{P_M \times 1.2}{2}$

$a = \frac{L - L_p}{2}$

$C_左 = C_右$[kN・m]

M_0：荷重位置の値[kN・m]

1点載荷モデル

P　左　右　$\frac{L}{2}$　$\frac{L}{2}$　L

P：重機荷重[kN]

$P = \frac{P_M \times 1.2}{2}$

$C_左 = C_右$[kN・m]

M_0：荷重位置の値[kN・m]

図12｜せん断力の算定

(1) 重機方向が梁と平行の場合

$L_w' < L$の場合

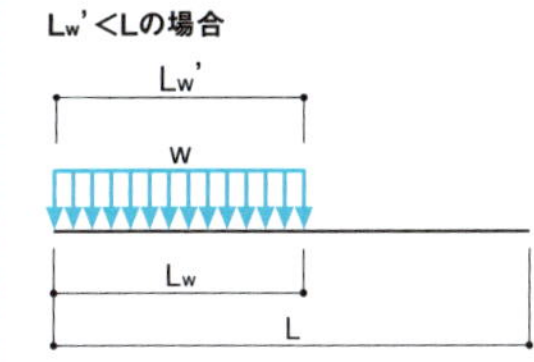

L_w'：クローラ接地長さ[m]

$L_w = L_w'$として

$Q = w \cdot L_w \cdot \left(1 - \frac{L_w}{2 \cdot L}\right)$[kN]

w：等分布荷重[kN／m]

$w = \frac{(P_M \times 1.2)/2}{L_w}$

P_M：解体重機重量[kN]

L_w：荷重長さ[m]

L　：梁長さ[m]

$L_w' \geqq L$の場合

L_w'　w　L_w　L

L_w'：クローラ接地長さ[m]

$L_w = L$として

$Q = w \cdot L_w \cdot \left(1 - \frac{L_w}{2 \cdot L}\right) = \frac{w \cdot L}{2}$[kN]

w：等分布荷重[kN／m]

$w = \frac{(P_M \times 1.2)/2}{L_w'}$

(2) 重機方向が梁と直交の場合

$L_p < L$の場合

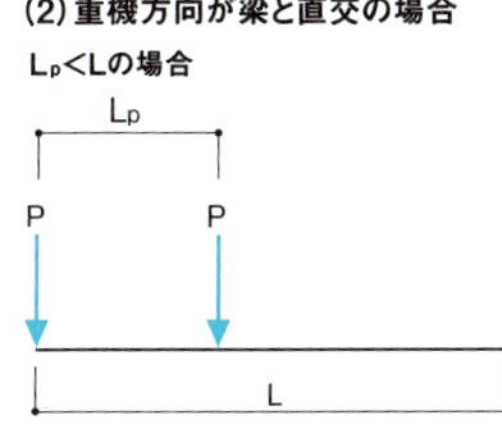

$Q = P + P \cdot \left(1 - \frac{L_p}{L}\right)$[kN]

P：重機荷重[kN]

$P = \frac{P_M \times 1.2}{2}$

L_p：荷重間隔[m]

$L_p \geqq L$の場合

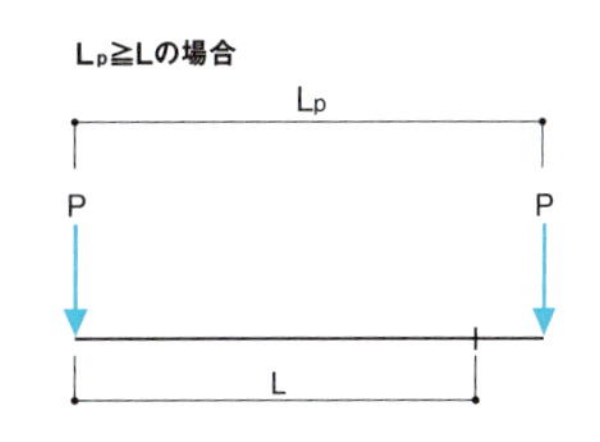

Q＝P[kN]

P：重機荷重[kN]

$P = \frac{P_M \times 1.2}{2}$

検討用応力

固定荷重と積載荷重による応力C・M_0・Qを合算する。梁が取り付く相手部材との剛性の関係で端部固定度は変わるが、大梁は端部固定と考え、検討用曲げモーメントは、基本的に次のとおりとする。

端部モーメント $M_E = C$

中央モーメント $M_C = M_0 - C$

小梁の場合は、図13に示す端部固定度に関する係数により、検討用曲げモーメントを求める。

せん断力については、固定荷重による値と、積載荷重で発生する最大値を合計して端部の検討用応力Qとする。

断面検討

[1]——梁部材がRC造の場合

断面検討は、施工時荷重に対し、原設計の断面仕様(形状、鉄筋径・本数、コンクリート強度)での良否を判定する。曲げモーメントの検討は、引張鉄筋比が釣り合い鉄筋比以下である場合に用いることができる方法($M=a_t \cdot f_t \cdot j$)による[図14]。

[2]——梁部材がS造の場合

断面算定は、RC造と同様に応力を求め、施工時荷重に対し、原設計の断面仕様(鋼材サイズ、鋼材種別)での良否を判定する。曲げモーメントの最大値 Mより曲げ応力度σ_bを求め、許容曲げ応力度f_b以下であることを確認する。

$$\sigma_b = \frac{M}{Z} \leqq f_b \ [\mathrm{N/mm^2}] \ (Z:\text{断面係数}[\mathrm{mm^3}])$$

通常、鉄骨梁はスタッドなどでRCスラブと一体化されているため、許容曲げ応力度の座屈による低減は考慮しない($f_b=f_t$)。

せん断力も最大値 Qよりせん断応力度τを求め、許容せん断応力度f_s以下であることを確認する。

$$\tau = \frac{Q}{A_w} \leqq f_s \ [\mathrm{N/mm^2}] \ (A_w:\text{ウェブ断面積}[\mathrm{mm^2}])$$

また、S造の場合は、梁スパンが長いことが多く、剛性が低いため、荷重による変形量が大きくなると振動も大きくなり、作業に支障が出ることも考えられる。したがって、変形量の目安を部材スパンの1/300程度とするのがよい。

[3]——梁部材がSRC造の場合

梁部材がSRC造の場合は、累加強度の考えにもとづき、まず鉄骨の負担できる応力を求め、発生応力がその値を超える場合には、超過分についてRC部材として断面検討する。ただし、鉄骨端部がピン接合されている場合の梁端部の断面検討は、鉄骨を考慮せず、RC部材として行う。

補強の検討

断面算定の結果、RC造とSRC造では鉄筋量やコンクリート強度が不足する場合、S造では断面の不足がある場合は、作業階下部の補強を行う。

図13｜小梁検討用曲げモーメント算出のための係数

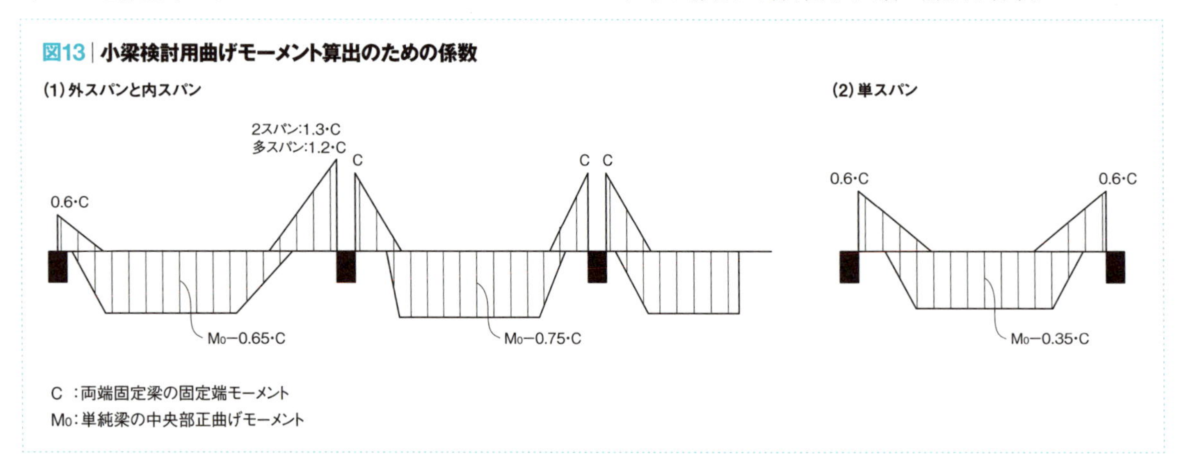

[1]――補強材位置の検討

スラブ同様、作業階梁下にサポートを設置し、補強位置を端部とした短いスパンで再度、応力を算出する。この発生応力に対して必要な鉄筋量または断面が、作業階梁の鉄筋量または断面を下回る分割スパンを求め、サポート配置を決定する。

なお、梁の配筋が全断面同一でなく端部、中央または上下で違う場合は、補強の設置によって端部・中央が変わってしまうので、これを考慮して検討を行う。

[2]――補強層数の検討

梁下を補強することにより、作業階と下部の補強支持階で重機荷重を等分して受けると考える。439頁図11・12の重機荷重wを以下に示すw'、またはPを同P'に変えて算出した応力が作業階梁の実強度以下に納まるように補強層数Nを決定する。

N層受け→梁(N+1)個

クローラが梁に平行で等分布荷重となる場合

$w' = \{(P_M \times 1.2)/2\}/L_w']/(N+1)$ [kN/m]

クローラが梁に直交して集中荷重となる場合

$P' = \{(P_M \times 1.2)/2\}/(N+1)$ [kN]

重機の各方向について曲げモーメントとせん断力の検討があるが、一番不利な状態から補強層数を求める。

図14｜梁部材がRC造の場合の断面算定

(1)端部上端主筋の検定

下式により必要鉄筋断面積$_{nec}a_t$を算定し、端部上端主筋と比較して合否を判定する

$$_{nec}a_t = \frac{M_E \times 10^6}{f_t \cdot j} \text{ [mm}^2\text{]}$$

(2)せん断力の検定

下式によりせん断応力度τを算定し、コンクリートの許容せん断応力度f_sと比較して合否を判定する

$$\tau = \frac{Q \times 10^3}{b \cdot j} \text{ [N/mm}^2\text{]}$$

τがf_sを超える場合、下式によりαを考慮したせん断応力度τ'を算定し、再度f_sと比較する

$$\tau' = \frac{Q \times 10^3}{\alpha \cdot b \cdot j} \text{ [N/mm}^2\text{]}$$

α：せん断スパン比$\frac{M}{Q \cdot d}$による割り増し係数

$$\alpha = \frac{4}{\frac{M}{Q \cdot d} + 1} \quad \text{かつ} \ 1 \leqq \alpha \leqq 2$$

以上でもτ'がf_sを超える場合は、下式により必要あばら筋比$_{nec}P_w$を算定し、現状あばら筋比と比較して合否を判定する(現状あばら筋比が1.2%を超えている場合は、1.2%として比較する)

$$_{nec}P_w = \frac{\triangle Q \times 10^3}{0.5 \cdot {}_wf_t \cdot b \cdot j} + 0.002$$

あばら筋負担せん断力$\triangle Q = Q - \alpha \cdot f_s \cdot b \cdot j$

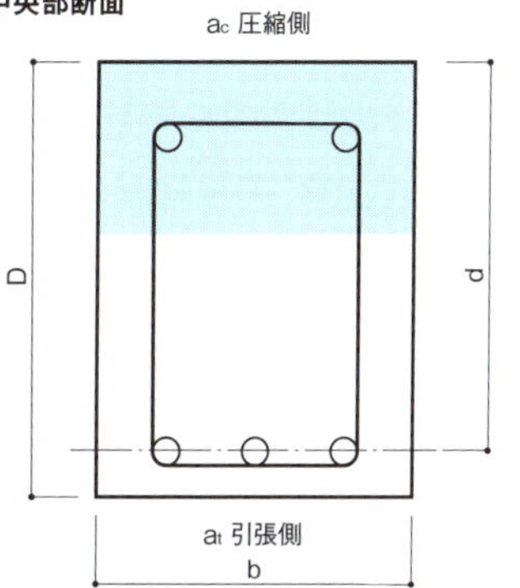

(3)中央部下端主筋の検定

下式により必要鉄筋断面積$_{nec}a_t$を算定し、中央部下端主筋と比較して合否を判定する

$$_{nec}a_t = \frac{M_C \times 10^6}{f_t \cdot j} \text{ [mm}^2\text{]}$$

M_E：端部曲げモーメント[kN・m]

M_C：中央曲げモーメント[kN・m]

Q：せん断力[kN]

D：梁せい[mm]

b：梁幅[mm]

d：圧縮縁から引張鉄筋重心までの距離[mm]

j：曲げ材の応力中心距離$\left(\frac{7}{8} \cdot d\right)$[mm]

a_t：引張鉄筋断面積[mm²]

a_c：圧縮鉄筋断面積[mm²]

f_t：鉄筋の許容引張応力度[N/mm²]

$_wf_t$：せん断補強用許容引張応力度[N/mm²]

f_s：コンクリートの許容せん断応力度[N/mm²]

階上での解体作業の安全性検討

check

- □ 乗り入れ範囲内にある梁スラブに多様なパターンがある場合はすべてについて検討する
- □ 解体重機を載せるにあたり、現状の断面仕様での良否を判定し、強度不足の場合はサポートなど補強材を設置する

古い建物では、現在では使われていない丸鋼鉄筋や、スラブにベンド配筋が施されていたり、また仕様どおりに施工されているかが不明であるなど強度的な不確かさがある。したがって、解体重機を載せるにあたり、短期の許容応力度に対して部材検討は行うが、均した荷重を使うなど、なるべく煩雑さを避け、安全側に余裕をもたせた補強計画を行う。

1 | 検討条件

step.1 解体建物の概要

保管されていた設計図書を基に、RC造建物の階上での解体作業に対する安全性の検討を行う。解体には0.45 m^3クラスのバックホウベースの重機を用いる。重機を載せる作業階の補強の要否を検討し、必要となる場合はその設置間隔や層数を設定する。

なお、解体建物の現況は、築後経年劣化は考えられるが、躯体のコア抜き調査によりコンクリートは設計基準強度F_c以上の強度発現が確認されており、また躯体形状、部材配置なども図面どおりであるため、設計図の仕様にもとづいて検討を進める。

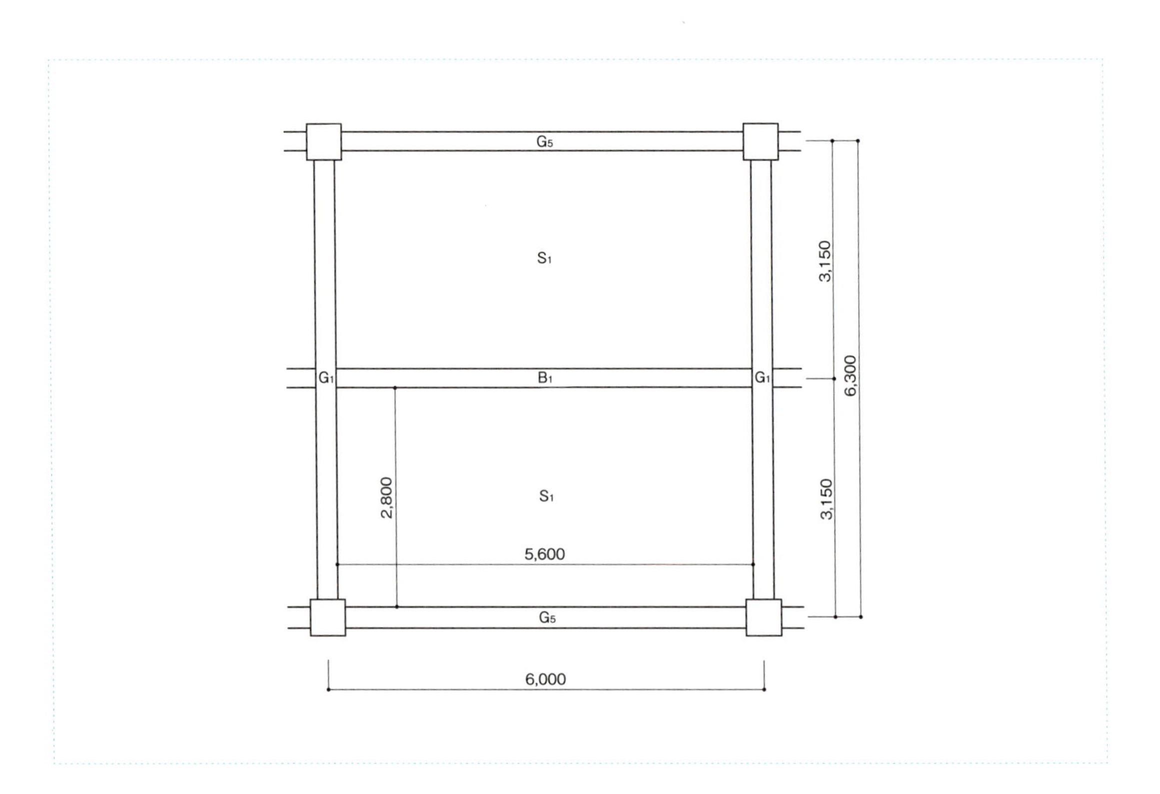

step. 2

躯体の使用材料

検討するスラブS_1の厚さは120mmで、配筋は以下のとおりである。

使用個所		端部	中央部
短辺	上端筋	φ9@150mm	φ9@150mm
	下端筋	φ9@150mm	φ9@150mm
長辺	上端筋	φ9@200mm	φ9@200mm
	下端筋	φ9@200mm	φ9@200mm

また、小梁B_1と大梁G_1・G_5の寸法ならびに配筋は以下のとおりである。

部位	寸法	スタラップ	端部	中央部
小梁 B_1	300×600mm	2−φ9@200mm	上端：3−φ19、下端：2−φ19	上端：2−φ19、下端：3−φ19
大梁 G_1	400×700mm	2−φ9@200mm	上端：7−φ19、下端：3−φ19	上端：3−φ19、下端：5−φ19
大梁 G_5	400×700mm	2−φ9@200mm	上端：5−φ19、下端：2−φ19	上端：2−φ19、下端：2−φ19

断面検討には短期許容応力度を用いる。鉄筋ならびにコンクリートの許容応力度は右のとおりとなる。

・鉄筋（SR235）

許容引張応力度f_t：235N/mm²

・コンクリート

設計基準強度F_c：18N/mm²

許容せん断応力度f_s：$\frac{18}{30} \times 1.5 = 0.9$N/mm²

step. 3

使用する重機

乗り入れる重機（0.45m³クラスのバックホウ）の車体重量は139kN（アタッチメントを含む）。各部寸法などの詳細は右図のとおりである。

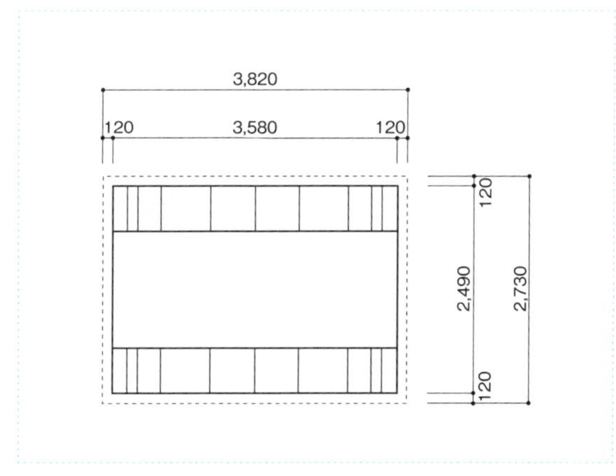

2 スラブの検討

荷重の算定

まず、固定荷重と積載荷重を算定し、単位面積についての全荷重wを算定する。
固定荷重は、スラブの自重(鉄筋コンクリートの単位体積重量×スラブ厚)と仕上げ重量を合算する(本例題では天井や配管は撤去済みのものとして、それらの重量は含めていない)。
積載荷重は、衝撃荷重を含めた車体重量を前述の有効面積で除して求め、固定荷重と合わせて作業階における全荷重を算出する。

(1) 固定荷重

・スラブ自重: 24.0kN/m³×0.12m=2.88kN/m²

・仕上げ重量: 0.6kN/m²

・合計 3.48kN/m²

→3.5kN/m²

(2) 積載荷重

・重機荷重: 139kN

・衝撃荷重: 車体重量の20%

・作業階における積載荷重 $= \dfrac{139\times1.2}{3.82\times2.73} = 16.0$ kN/m²

(3) 作業階における全荷重

固定荷重+積載荷重=3.5+16.0=19.5kN/m²

応力の算定

等分布荷重を受ける4辺固定長方形スラブとして、x方向(短辺内法Lx=2.8m)・y方向(長辺内法Ly=5.6m)それぞれの端部上端、中央下端に作用する曲げモーメントとせん断力を算出する。

等分布荷重 w=19.5kN/m²

$$w_x = \frac{L_y^4}{L_x^4+L_y^4}\cdot w = \frac{5.6^4}{2.8^4+5.6^4}\times19.5 = 18.35\,\mathrm{kN/m^2}$$

x方向

$$M_{x1} = \frac{1}{12}\cdot w_x\cdot L_x^2 = \frac{1}{12}\times18.35\times2.8^2 = 12.0\,\mathrm{kN\cdot m/m}$$

$$M_{x2} = \frac{1}{18}\cdot w_x\cdot L_x^2 = \frac{1}{18}\times18.35\times2.8^2 = 8.0\,\mathrm{kN\cdot m/m}$$

$$Q_x = 0.52\cdot w\cdot L_x = 0.52\times19.5\times2.8 = 28.4\,\mathrm{kN/m}$$

y方向

$$M_{y1} = \frac{1}{24}\cdot w\cdot L_x^2 = \frac{1}{24}\times19.5\times2.8^2 = 6.37\,\mathrm{kN\cdot m/m}$$

$$M_{y2} = \frac{1}{36}\cdot w\cdot L_x^2 = \frac{1}{36}\times19.5\times2.8^2 = 4.25\,\mathrm{kN\cdot m/m}$$

$$Q_y = 0.46\cdot w\cdot L_x = 0.46\times19.5\times2.8 = 25.12\,\mathrm{kN/m}$$

step. 3

断面算定

算定した応力から必要な鉄筋量 $_{nec}a_t$ を求め、現状の鉄筋量 a_t と比較して、その合否を判定する。また、せん断応力度 τ も許容せん断応力度 f_s と比較する。

・スラブ厚t：120mm
・圧縮縁から引張鉄筋重心までの距離

$d=t-d_t=120-35=85$mm

・$j=\frac{7}{8}\cdot d=\frac{7}{8}\times 85=74.4$mm

・端部上端筋：φ9@150mm（断面積：63.6mm²／本）
・中央下端筋：φ9@150mm

端部 $_{nec}a_t=\frac{M_{x1}}{f_t\cdot j}=\frac{12.0\times 10^6}{235\times 74.4}=687\text{mm}^2>a_t=63.6\times\frac{1{,}000}{150}=424\text{mm}^2$ → NG

中央部 $_{nec}a_t=\frac{M_{x2}}{f_t\cdot j}=\frac{8.0\times 10^6}{235\times 74.4}=458\text{mm}^2>a_t=424\text{mm}^2$ → NG

$\tau=\frac{Q_x}{B\cdot j}=\frac{28.4\times 10^3}{1{,}000\times 74.4}=0.38\text{N/mm}^2<f_s=0.9\text{N/mm}^2$ → OK

同様に、右の条件にてy方向の検定を行う。

・スラブ厚t：120mm
・圧縮縁から引張鉄筋重心までの距離

$d=t-d_t=120-45=75$mm

・$j=\frac{7}{8}\cdot d=\frac{7}{8}\times 75=65.6$mm

・端部上端筋：φ9@200mm
・中央下端筋：φ9@200mm

端部 $_{nec}a_t=\frac{M_{y1}}{f_t\cdot j}=\frac{6.37\times 10^6}{235\times 65.6}=413\text{mm}^2>a_t=63.6\times\frac{1{,}000}{200}=318\text{mm}^2$ → NG

中央部 $_{nec}a_t=\frac{M_{y2}}{f_t\cdot j}=\frac{4.25\times 10^6}{235\times 65.6}=276\text{mm}^2<a_t=318\text{mm}^2$ → OK

以上の結果、現状では鉄筋量が不足するため、作業階床下の補強を行う必要があることが判明した。

step. 4

補強間隔の検討

作業階下のサポートを中央に3本配置することによって、短辺・長辺とも、分割された間隔が1,400mmになる。

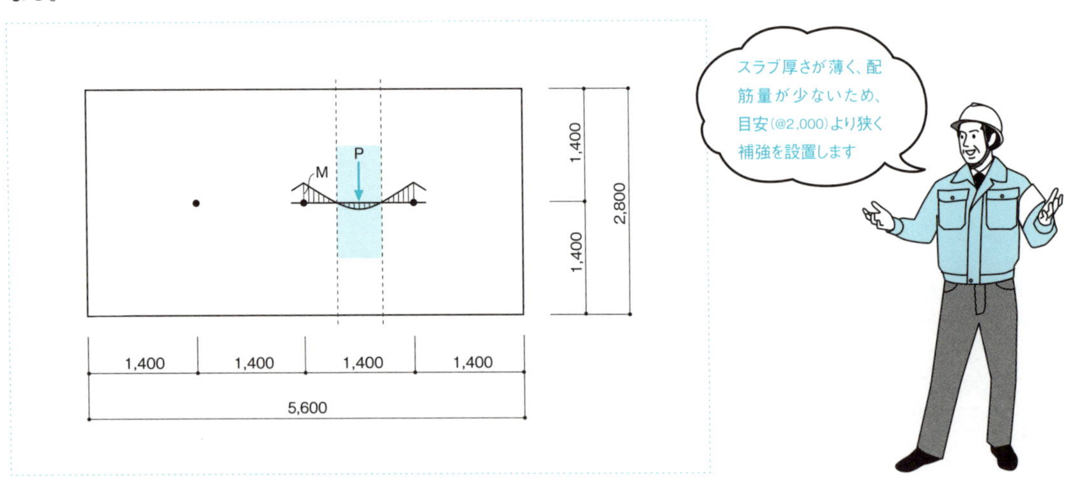

上下配筋されているので、補強位置を固定として、その短くなったスパン中央に重機の片方のクローラが載った場合の応力を算出し、現状配筋と比較する。

$$集中荷重P=\frac{重機荷重\times1.2}{2}/L=\frac{139\times1.2}{2}/3.58=23.3\,\mathrm{kN/m}$$

長辺方向

$$M=\frac{23.3\times1.4}{8}+\frac{3.5\times1.4^2}{12}=4.65\,\mathrm{kN\cdot m/m}$$

$$_{nec}a_t=\frac{4.65\times10^2}{235\times65.6}=302\,\mathrm{mm^2}<a_t=318\,\mathrm{mm^2}\rightarrow \mathrm{OK}$$

以上より、作業階床下に補強を入れ、検討スパンを短くすることで、作業階は現状配筋で重機を支持できることが確認できた。

step. 5

補強層数の検討

補強は2層の設置とし、3フロア分のスラブで解体重機を支えるものと考える。重機荷重を支持スラブ数で分配し、小さくなった積載荷重と固定荷重を合算して、再度四辺固定の検討スラブに等分布として荷重を与えて応力を算出し、その必要鉄筋量と現状の鉄筋量を比較する。

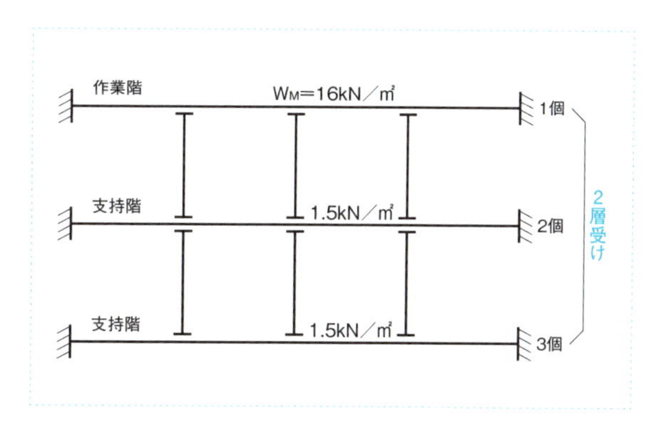

重機荷重を支持スラブ数で分配した積載荷重 $W_M' = \dfrac{16.0+1.5\times 2}{2+1} = 6.33\,\mathrm{kN/m^2}$

積載荷重を低減した作業階の全荷重 $w' = 3.5+6.33 = 9.83\,\mathrm{kN/m^2}$

$$w_x = \frac{5.6^4}{2.8^4+5.6^4}\times 9.83 = 9.25\,\mathrm{kN/m^2}$$

x方向

$$M_{x1} = \frac{9.25\times 2.8^2}{12} = 6.05\,\mathrm{kN\cdot m/m}$$

$$_{nec}a_t = \frac{6.05\times 10^6}{235\times 74.4} = 346\,\mathrm{mm^2} < a_t = 424\,\mathrm{mm^2} \rightarrow \mathrm{OK}$$

y方向

$$M_{y1} = \frac{9.83\times 2.8^2}{24} = 3.21\,\mathrm{kN\cdot m/m}$$

$$_{nec}a_t = \frac{3.21\times 10^6}{235\times 65.6} = 209\,\mathrm{mm^2} < a_t = 318\,\mathrm{mm^2} \rightarrow \mathrm{OK}$$

step. 6

パンチングの検討

1本のサポートが負担する片方のクローラからかかる荷重 P=23.3kN/mとスラブ面積から鉛直荷重Nを求め、パンチング力を算出し、許容せん断応力度f_sと比較する。

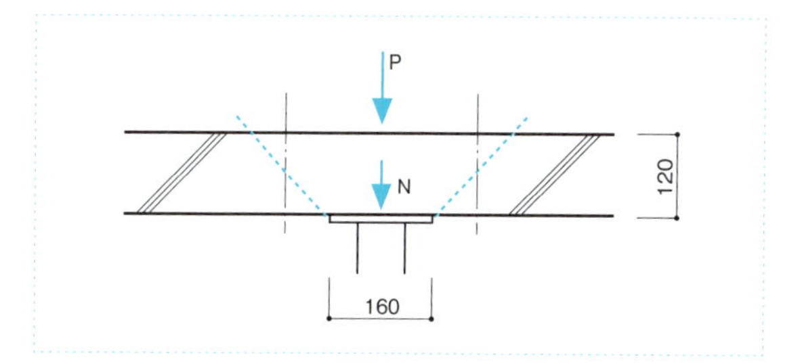

補強材間隔=1,400mm(1.4m)より　鉛直荷重$N = 23.3\times 1.4+3.5\times 1.4^2 = 39.5\,\mathrm{kN}$

せん断抵抗周長$\psi = 4\times 160+120\times \pi = 1{,}017\,\mathrm{mm}$

$$\tau_P = \frac{39.5\times 10^3}{120\times 1{,}017} = 0.33\,\mathrm{N/mm^2} < f_s = 0.9\,\mathrm{N/mm^2} \rightarrow \mathrm{OK}$$

3 小梁の検討

step.1 応力の算定

次に小梁を検討する。検討は、下図のようにモデル化して行う。

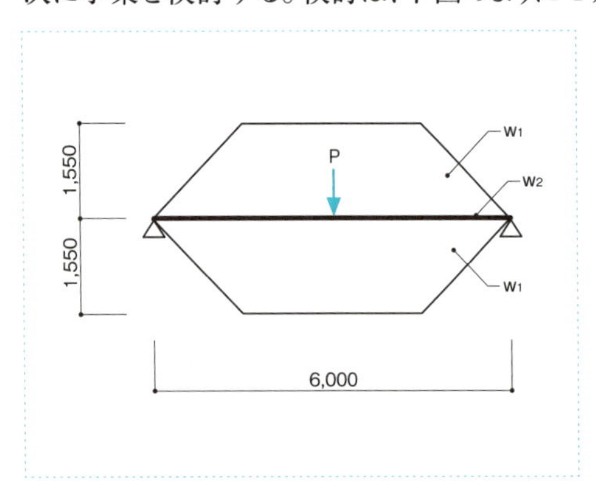

スラブ荷重 $w_1=3.5+1.5=5\,\mathrm{kN/m^2}$

梁自重 $w_2=24\times0.3\times(0.6-0.12)=3.5\,\mathrm{kN/m}$

積載荷重 $P=\dfrac{139\times1.2}{2}=83.4\,\mathrm{kN}$

固定荷重として、スラブ荷重と梁自重を算定する。積載荷重は、車両幅を考慮し、片方のクローラが梁に直交して中央に集中してかかるとする。ただし、クローラの載るスラブ幅は3.1 mであるが、荷重は安全側に全長分とする。梁応力は、各荷重より端部固定度を考慮した$C\cdot M_0\cdot Q$法により算出する。

各応力を合算して検討用応力を設定する。

連続梁の内スパンと考え、曲げモーメントに関し、端部M_Eは$1.0\cdot C$、中央M_Cは$M_0-0.75\cdot C$として算出する。

積載荷重によるせん断力Q_Pは、重機が梁端部に載ったときの最大値を求める。

(1) スラブ荷重による応力（梁の両側に取り付くため2倍）

$$C_1=\frac{5\times1.55\times(6^3-2\times1.55^2\times6+1.55^3)}{12\times6}\times2$$
$$=41.10\,\mathrm{kN\cdot m}$$

$$M_{01}=\frac{5\times1.55\times(3\times6^2-4\times1.55^2)}{24}\times2$$
$$=63.55\,\mathrm{kN\cdot m}$$

$$Q_1=\frac{5\times1.55\times(6-1.55)}{2}\times2=34.49\,\mathrm{kN\cdot m}$$

(2) 梁自重による応力

$$C_2=\frac{3.5\times6^2}{12}=10.5\,\mathrm{kN\cdot m}$$

$$M_{02}=\frac{3.5\times6^2}{8}=15.75\,\mathrm{kN\cdot m}$$

$$Q_2=\frac{3.5\times6}{2}=10.5\,\mathrm{kN}$$

(3) 積載荷重による応力

$$C_P=\frac{83.4\times6}{8}=62.55\,\mathrm{kN\cdot m}$$

$$M_{0P}=\frac{83.4\times6}{4}=125.1\,\mathrm{kN\cdot m}$$

$$Q_P=83.4\times\left(1+\frac{4}{6}\right)=139\,\mathrm{kN}$$

$C=41.1+10.5+62.55=114.15\,\mathrm{kN\cdot m}$　$M_0=63.55+15.75+125.1=203.4\,\mathrm{kN\cdot m}$

$Q=34.49+10.5+139=183.99\,\mathrm{kN}$

端部モーメント $M_E=1.0\cdot C=114.15\,\mathrm{kN\cdot m}$

中央部モーメント $M_C=M_0-0.75\cdot C=203.4-0.75\times114.15=117.79\,\mathrm{kN\cdot m}$

step. 2

断面算定

右の条件で検定を行う。算定した応力から必要な鉄筋量 ${}_{nec}a_t$ を求め、現状の鉄筋量 a_t と比較して、その合否を判定する。また、せん断応力度 τ も許容せん断応力度 f_s と比較する。

・圧縮縁から引張鉄筋重心までの距離

$d = D - d_t = 600 - 70 = 530\text{mm}$

・$j = \frac{7}{8} \cdot d = \frac{7}{8} \times 530 = 463.75\text{mm}$

・端部上端筋：3－φ19mm（断面積：283mm²／本）

・中央下端筋：3－φ19mm

端部 $${}_{nec}a_t = \frac{114.15 \times 10^6}{235 \times 463.75} = 1{,}048\text{mm}^2 > a_t = 283 \times 3 = 849\text{mm}^2 \rightarrow \text{NG}$$

中央部 $${}_{nec}a_t = \frac{117.79 \times 10^6}{235 \times 463.75} = 1{,}081\text{mm}^2 > a_t = 849\text{mm}^2 \rightarrow \text{NG}$$

$$\tau = \frac{183.99 \times 10^3}{300 \times 463.75} = 1.32\text{N/mm}^2$$

$$\alpha = \frac{4}{\left(\frac{117.79}{183.99 \times 0.53}\right) + 1} = 1.8$$

$$\tau' = \frac{1.32}{1.8} = 0.73\text{N/mm}^2 < f_s = 0.9\text{N/mm}^2 \rightarrow \text{OK}$$

以上より、現状では鉄筋量が不足するため、梁下に補強を行う必要があることが判明した。

せん断応力度τはfsを超えましたが、割り増し係数を考慮してOKとしています。係数算出のためのせん断力Qは、一方のクローラが端部寄りですが、他方は中央付近にあるので、中央載荷で求めている曲げモーメントMと合わせて使用しています

step. 3

補強の検討

補強前の鉄筋の不足程度などを考慮し、梁下のサポートはスパン中央に設置する。

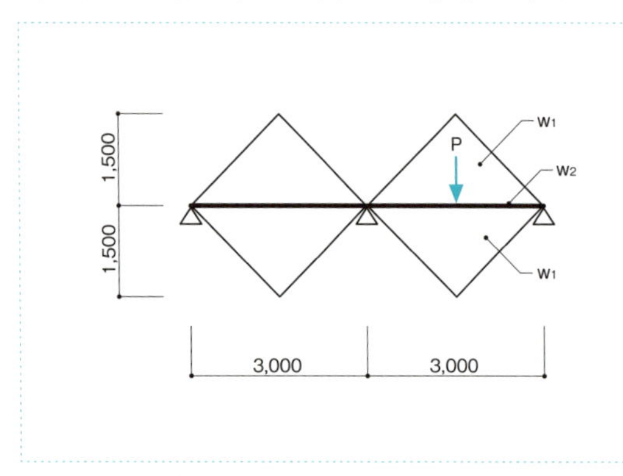

スラブ荷重 w_1 = 5 kN/m²

梁自重 w_2 = 3.5 kN/m

積載荷重P = 83.4 kN

補強前と各荷重は同一であるが、補強位置を新たに支点とした短いスパンの連梁として応力を算出する。

(1) スラブ荷重による応力

$$C_1=\frac{5\times5.0\times3^3}{192}\times2=7.03\,\mathrm{kN\cdot m}$$

$$M_{01}=\frac{5.0\times3^3}{24}\times2=11.25\,\mathrm{kN\cdot m}$$

(2) 梁自重による応力

$$C_2=\frac{3.5\times3^2}{12}=2.63\,\mathrm{kN\cdot m}$$

$$M_{02}=\frac{3.5\times3^2}{8}=3.94\,\mathrm{kN\cdot m}$$

(3) 積載荷重による応力

$$C_P=\frac{83.4\times3}{8}=31.28\,\mathrm{kN\cdot m}$$

$$M_{0P}=\frac{83.4\times3}{4}=62.55\,\mathrm{kN\cdot m}$$

$C=7.03+2.63+31.28=40.94\,\mathrm{kN\cdot m}$

$M_0=11.25+3.94+62.55=77.74\,\mathrm{kN\cdot m}$

端部モーメント $M_E=1.0C=40.94\,\mathrm{kN\cdot m}$

中央部モーメント $M_C=M_0-0.75C=77.74-0.75\times40.94=47.04\,\mathrm{kN\cdot m}$

補強を入れ、スパンを半分にしたときの中央モーメントが最大となるので、この応力発生位置付近に対応し、鉄筋量の少ない端部下端(2－φ19)で検討する。

$$_{nec}a_t=\frac{47.04\times10^6}{235\times463.75}=432\,\mathrm{mm^2}<a_t=283\times2=566\,\mathrm{mm^2}\rightarrow \mathrm{OK}$$

以上より、補強はスパン中央下に1層とする(補強前の鉄筋の不足程度などを考慮し、補強層数の検討は省略する)。

なお、本来であれば、次に大梁(G1、G5)に対しても検討を行う必要があるが、その方法・手順は小梁と同様なので、本書では割愛する。

step.
4

サポートの配置決定

以上の検討の結果、補強材は強力サポートとし、設置位置は下図のとおりとする。

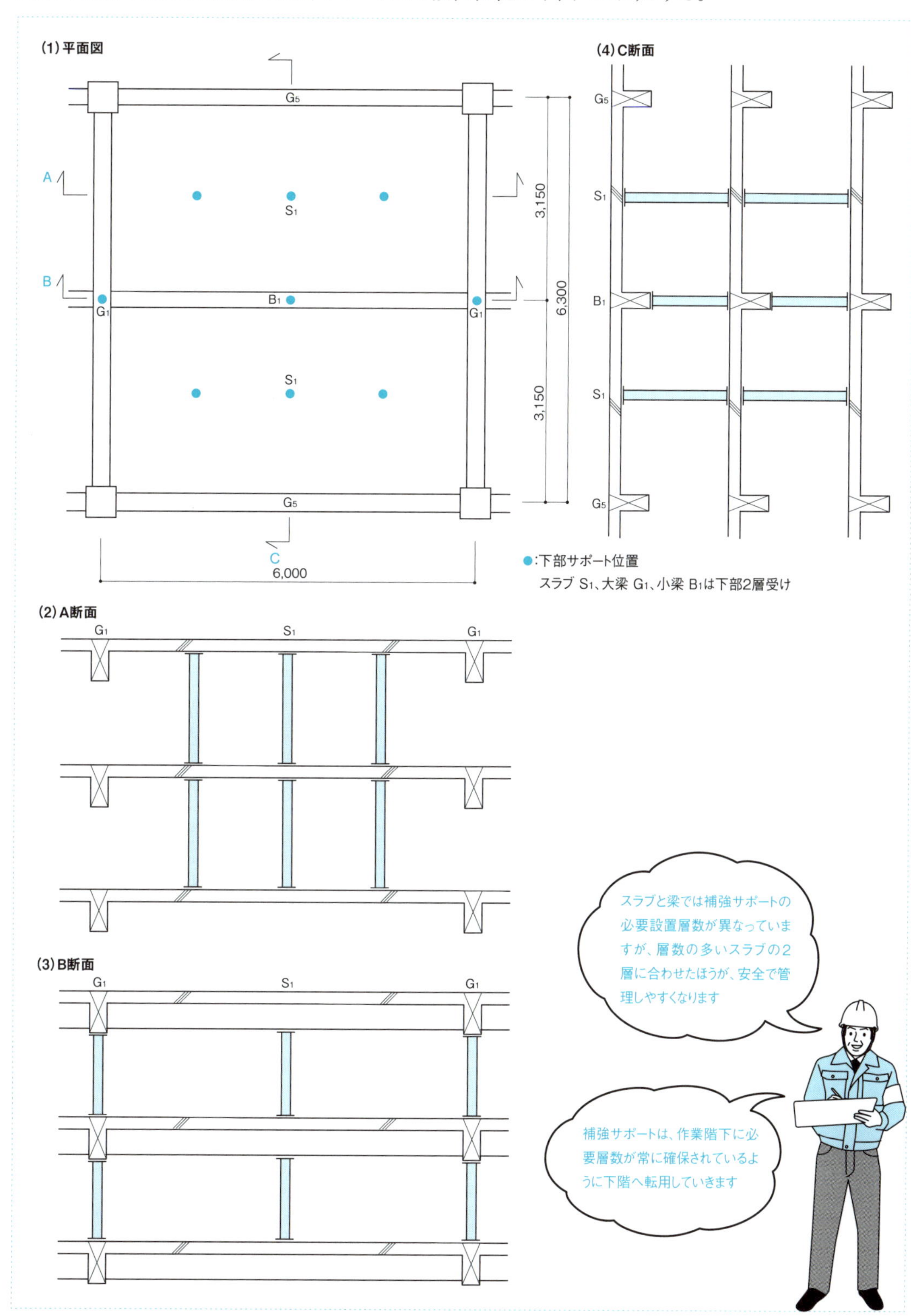

Chapter.3

資料編――関連資料・データ一覧

1　梁の反力・応力・たわみの計算

支持条件による梁の反力・応力・たわみの算定式

支持条件		模式図	反力R、せん断力Q	曲げモーメントM	たわみδ
単純梁	(1)	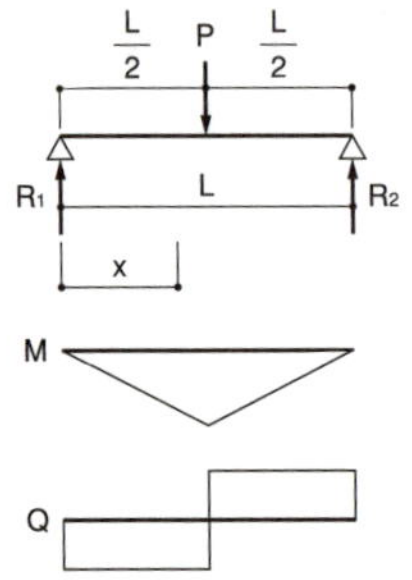	$R_1=R_2=\frac{P}{2}$ $0<x<\frac{L}{2}$ のとき $Q=\frac{P}{2}$ $\frac{L}{2}<x<L$ のとき $Q=-\frac{P}{2}$	$0\leqq x\leqq\frac{L}{2}$ のとき $M=\frac{P\cdot x}{2}$ $\frac{L}{2}\leqq x\leqq L$ のとき $M=\frac{P\cdot(L-x)}{2}$ $x=\frac{L}{2}$ のとき $M_{max}=\frac{P\cdot L}{4}$	$0\leqq x\leqq\frac{L}{2}$ のとき $\delta=\frac{P\cdot L^3}{48\cdot E\cdot I}\cdot\left(\frac{3\cdot x}{L}-\frac{4\cdot x^3}{L^2}\right)$ $x=\frac{L}{2}$ のとき $\delta_{max}=\frac{P\cdot L^3}{48\cdot E\cdot I}$
	(2)	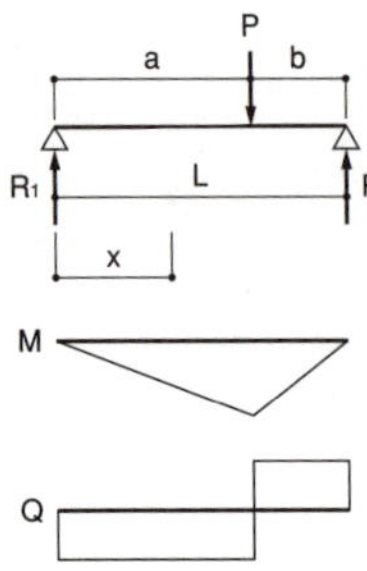	$R_1=\frac{P\cdot b}{L}$ $R_2=\frac{P\cdot a}{L}$ $0<x<a$ のとき $Q=\frac{P\cdot b}{L}$ $a<x<L$ のとき $Q=-\frac{P\cdot a}{L}$	$0\leqq x\leqq a$ のとき $M=\frac{P\cdot b\cdot x}{L}$ $a\leqq x\leqq L$ のとき $M=\frac{P\cdot a\cdot(L-x)}{L}$ $x=a$ のとき $M_{max}=\frac{P\cdot a\cdot b}{L}$	$0\leqq x\leqq a$ のとき $\delta=\frac{P\cdot a^2\cdot b^2}{6\cdot E\cdot I\cdot L}\cdot\left(\frac{2\cdot x}{a}+\frac{x}{b}-\frac{x^3}{a^2\cdot b}\right)$ $x=a$ のとき $\delta=\frac{P\cdot a^2\cdot b^2}{3\cdot E\cdot I\cdot L}$ $\delta_{max}=\frac{P\cdot b\sqrt{(L^2-b^2)^3}}{9\sqrt{3}\cdot E\cdot I\cdot L}$
	(3)	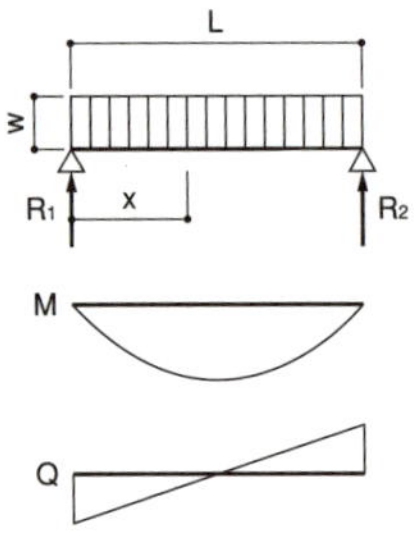	$R_1=R_2=\frac{w\cdot L}{2}$ $Q=\frac{w\cdot L}{2}-w\cdot x$ $Q_{max}=\pm\frac{w\cdot L}{2}$	$M=\frac{w\cdot x}{2}(L-x)$ $x=\frac{L}{2}$ のとき $M_{max}=\frac{w\cdot L^2}{8}$	$\delta=\frac{w\cdot L^4}{24\cdot E\cdot I}\cdot\left(\frac{x}{L}-\frac{2\cdot x^3}{L^3}+\frac{x^4}{L^4}\right)$ $x=\frac{L}{2}$ のとき $\delta_{max}=\frac{5\cdot w\cdot L^4}{384\cdot E\cdot I}$
	(4)	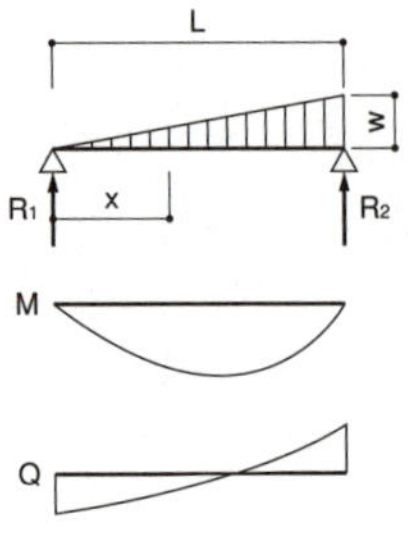	$R_1=\frac{w\cdot L}{6}$ $R_2=\frac{w\cdot L}{3}$ $Q=\frac{w\cdot L}{2}\left(\frac{1}{3}-\frac{x^2}{L^2}\right)$ $x=L$ のとき $Q_{max}=-\frac{w\cdot L}{3}$	$M=\frac{w\cdot L\cdot x}{6}\cdot\left(1-\frac{x^2}{L^2}\right)$ $x=\frac{L}{\sqrt{3}}=0.5773\cdot L$ のとき $M_{max}=\frac{w\cdot L^2}{9\sqrt{3}}=0.0642\cdot w\cdot L^2$	$\delta=\frac{w\cdot L^4}{360\cdot E\cdot I}\cdot\left(\frac{7\cdot x}{L}-\frac{10\cdot x^3}{L^3}+\frac{3\cdot x^5}{L^5}\right)$ $x=0.5193\cdot L$ のとき $\delta_{max}=0.00652\cdot\frac{w\cdot L^4}{E\cdot I}$

支持条件		模式図	反力R、せん断力Q	曲げモーメントM	たわみδ
単純梁	(5)	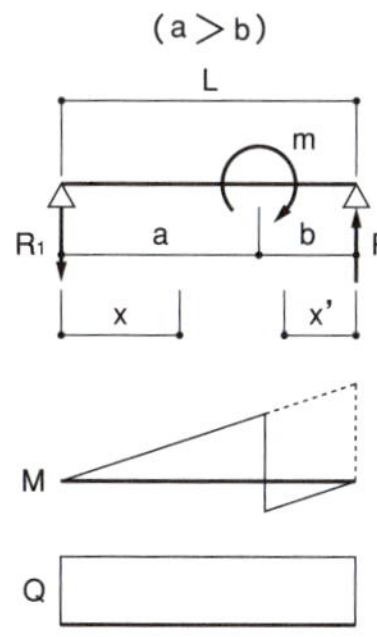 (a＞b) L, m R_1 a b R_2 x x' M Q	$-R_1=R_2=\frac{m}{L}$ $Q=\frac{-m}{L}$ $Q_{max}=\frac{-m}{L}$	0≦x≦aのとき $M=\frac{-m}{L}\cdot x$ a≦x≦Lのとき $M=\frac{m\cdot(L-x)}{L}$ x=aのとき $M_{max}=\frac{-m\cdot a}{L}$	x=aのとき $\delta=\frac{m\cdot a\cdot b\cdot(a-b)}{3\cdot E\cdot I\cdot L}$ $x=\sqrt{\frac{(L^2-3\cdot a^2)}{3}}$ のとき $\delta_{max}=\frac{\sqrt{m\cdot(L^2-3\cdot a^2)}}{9\sqrt{3}\cdot E\cdot I\cdot L}$
両端固定梁	(1)	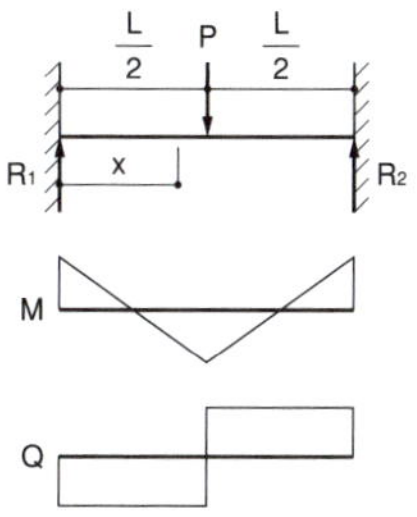 $\frac{L}{2}$ P $\frac{L}{2}$ R_1 x R_2 M Q	$R_1=R_2=\frac{P}{2}$ $0<x<\frac{L}{2}$ のとき $Q=\frac{P}{2}$ $\frac{L}{2}<x<L$ のとき $Q=-\frac{P}{2}$	$0\leqq x\leqq\frac{L}{2}$ のとき $M=\frac{P\cdot L}{2}\cdot\left(\frac{x}{L}-\frac{1}{4}\right)$ $\frac{L}{2}\leqq x\leqq L$ のとき $M=\frac{P\cdot L}{2}\cdot\left(\frac{3}{4}-\frac{x}{L}\right)$ $x=0$、$x=\frac{L}{2}$ のとき $M_{max}=\pm\frac{P\cdot L}{8}$	$0\leqq x\leqq\frac{L}{2}$ のとき $\delta=\frac{P\cdot L^3}{16\cdot E\cdot I}\cdot\left(\frac{x^2}{L^2}-\frac{4\cdot x^3}{3\cdot L^3}\right)$ $x=\frac{L}{2}$ のとき $\delta_{max}=\frac{P\cdot L^3}{192\cdot E\cdot I}$
	(2)	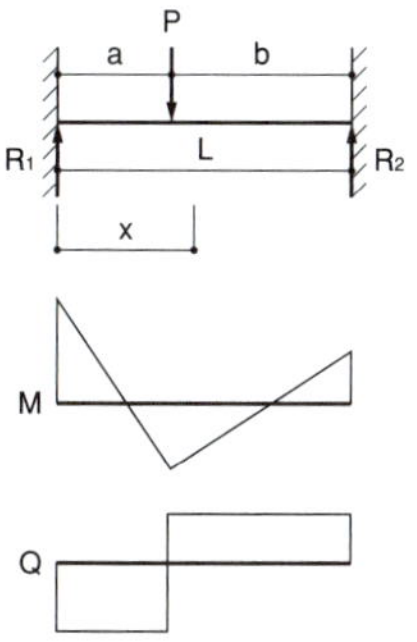 P a b R_1 L R_2 x M Q	$R_1=\frac{P\cdot b^2\cdot(3a+b)}{L^3}$ $R_2=\frac{P\cdot a^2\cdot(a+3b)}{L^3}$ 0＜x＜aのとき $Q=\frac{P\cdot b^2\cdot(3a+b)}{L^3}$ a＜x＜Lのとき $Q=-\frac{P\cdot a^2\cdot(a+3b)}{L^3}$	0≦x≦aのとき $M=\frac{P\cdot b^2}{L^2}\cdot\left\{\frac{x\cdot(3a+b)}{L}-a\right\}$ a≦x≦Lのとき $M=\frac{P\cdot a^2}{L^2}\cdot\left\{a+2b-\frac{x}{L}(a+3b)\right\}$ x=0のとき $M_x=-\frac{P\cdot a\cdot b^2}{L^2}$ x=Lのとき $M_x=-\frac{P\cdot a^2\cdot b}{L^2}$ x=aのとき $M_x=\frac{2\cdot P\cdot a^2\cdot b^2}{L^3}$	0≦x≦aのとき $\delta=\frac{P\cdot b^2\cdot x^2}{6\cdot E\cdot I\cdot L}\cdot\left\{\frac{3\cdot a}{L}-\frac{(3a+b)\cdot x}{L^2}\right\}$ a≦x≦Lのとき $\delta=\frac{P\cdot b^2\cdot x^2}{6\cdot E\cdot I\cdot L}\cdot\left\{\frac{3\cdot a}{L}-\frac{(3a+b)\cdot x}{L^2}\right\}+\frac{P(x-a)^3}{6\cdot E\cdot I}$ $a<b$、$x=\frac{2\cdot a\cdot L}{a+3\cdot b}$ のとき $\delta_{max}=\frac{2\cdot P\cdot a^2\cdot b^3}{3\cdot E\cdot I\cdot(a+3\cdot b)^2}$
	(3)	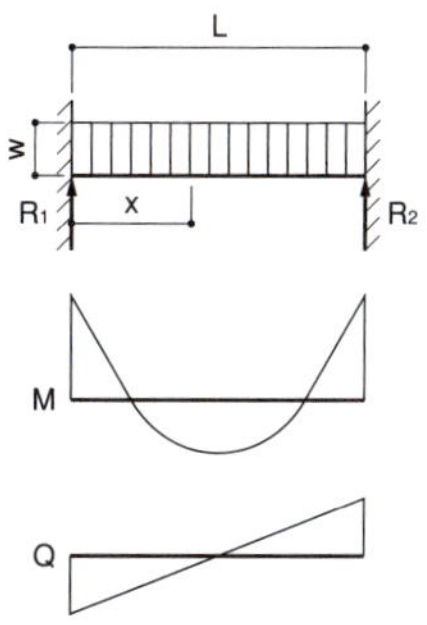 L w R_1 x R_2 M Q	$R_1=R_2=\frac{w\cdot L}{2}$ $Q=\frac{w\cdot L}{2}-w\cdot x$ x=0、x=Lのとき $Q_{max}=\pm\frac{w\cdot L}{2}$	$M=\frac{-w\cdot L^2}{2}\cdot\left(\frac{1}{6}-\frac{x}{L}+\frac{x^2}{L^2}\right)$ $x=\frac{L}{2}$ のとき $M=\frac{w\cdot L^2}{24}$ x=0、x=Lのとき $M_{max}=-\frac{w\cdot L^2}{12}$	$\delta=\frac{w\cdot L^4}{24\cdot E\cdot I}\cdot\left(\frac{x^2}{L^2}-\frac{2\cdot x^3}{L^3}+\frac{x^4}{L^4}\right)$ $x=\frac{L}{2}$ のとき $\delta_{max}=\frac{w\cdot L^4}{384\cdot E\cdot I}$

支持条件による梁の反力・応力・たわみの算定式(続き)

支持条件		模式図	反力R、せん断力Q	曲げモーメントM	たわみδ
片持ち梁	(1)	P, L, x, R_2, M, Q	$R_2=P$ $Q=-P$ $Q_{max}=-P$	$M=-P\cdot x$ x=Lのとき $M_{max}=-P\cdot L$	$\delta=\frac{P\cdot L^3}{3\cdot E\cdot I}\cdot\left(1-\frac{3\cdot x}{2\cdot L}+\frac{x^3}{2\cdot L^3}\right)$ x=0のとき $\delta_{max}=\frac{P\cdot L^3}{3\cdot E\cdot I}$
	(2)	L, P, a, b, x, R_2, M, Q	$R_2=P$ 0≦x≦aのとき $Q=0$ a<x<Lのとき $Q=-P$ $Q_{max}=-P$	0≦x≦aのとき $M=0$ a≦x≦Lのとき $M=P\cdot(a-x)$ x=Lのとき $M_{max}=-P\cdot b$	a≦x≦Lのとき $\delta=\frac{P\cdot b^3}{3\cdot E\cdot I}\cdot\left\{1-\frac{3(x-a)}{2\cdot b}+\frac{(x-a)^3}{2\cdot b^3}\right\}$ x=0のとき $\delta_{max}=\frac{P\cdot b^3}{3\cdot E\cdot I}\cdot\left(1+\frac{3\cdot a}{2\cdot b}\right)$ x=aのとき $\delta_x=\frac{P\cdot b^3}{3\cdot E\cdot I}$
	(3)	L, w, x, R_2, M, Q	$R_2=w\cdot L$ $Q=-w\cdot x$ x=Lのとき $Q_{max}=-w\cdot L$	$M=\frac{-w\cdot x^2}{2}$ x=Lのとき $M_{max}=-\frac{w\cdot L^2}{2}$	$\delta=\frac{w\cdot L^4}{8\cdot E\cdot I}\cdot\left(1-\frac{4\cdot x}{3\cdot L}+\frac{x^4}{3\cdot L^4}\right)$ x=0のとき $\delta_{max}=\frac{w\cdot L^4}{8\cdot E\cdot I}$
	(4)	L, w, x, R_2, M, Q	$R_2=\frac{1}{2}\cdot w\cdot L$ $Q=-\frac{w\cdot x^2}{2\cdot L}$ x=Lのとき $Q_{max}=-\frac{1}{2}\cdot w\cdot L$	$M=\frac{-w\cdot x^3}{6\cdot L}$ x=Lのとき $M_{max}=-\frac{w\cdot L^2}{6}$	$\delta=\frac{w\cdot L^4}{30\cdot E\cdot I}\cdot\left(1-\frac{5\cdot x}{4\cdot L}+\frac{x^5}{4\cdot L^5}\right)$ x=0のとき $\delta_{max}=\frac{w\cdot L^4}{30\cdot E\cdot I}$

2 断面形と断面性能

断面形と断面性能算定表

断面形	断面積 A	断面2次モーメント I	断面係数 Z	断面2次半径 i
h b	$b \cdot h$	$\frac{1}{12} \cdot b \cdot h^3$	$\frac{1}{6} \cdot b \cdot h^2$	$\frac{1}{\sqrt{12}} \cdot h\ (=0.289 \cdot h)$
h_1 h_2 b	$b \cdot (h_2 - h_1)$	$\frac{1}{12} \cdot b \cdot (h_2^3 - h_1^3)$	$\frac{1}{6} \cdot \frac{b \cdot (h_2^3 - h_1^3)}{h_2}$	$\sqrt{\frac{1}{12} \cdot \frac{h_2^3 - h_1^3}{h_2 - h_1}}$
h h	h^2	$\frac{1}{12} h^4$	$\frac{1}{6} \cdot h^3$	$\frac{1}{\sqrt{12}} \cdot h$
b h H B	$B \cdot H - b \cdot h$	$\frac{1}{12} \cdot (B \cdot H^3 - b \cdot h^3)$	$\frac{1}{6} \cdot \frac{B \cdot H^3 - b \cdot h^3}{H}$	$\sqrt{\frac{1}{12} \cdot \frac{B \cdot H^3 - b \cdot h^3}{B \cdot H - b \cdot h}}$
b h s h_1 y_2 y_1 t	$b \cdot s + h_1 \cdot t$	$\frac{t \cdot h^3 + (b - t) \cdot s^3}{3} - A \cdot y_2^2$	$Z_2 = \frac{I}{y_2}$ $Z_1 = \frac{I}{y_1}$	$\sqrt{\frac{I}{A}}$
B H s h s t b=B−t	$B \cdot H - b \cdot h$	$\frac{1}{12} \cdot (B \cdot H^3 - b \cdot h^3)$	$\frac{1}{6} \cdot \frac{B \cdot H^3 - b \cdot h^3}{H}$	$\sqrt{\frac{1}{12} \cdot \frac{B \cdot H^3 - b \cdot h^3}{B \cdot H - b \cdot h}}$
H B t y s h s b=B−t	$B \cdot H - b \cdot h$	$\frac{1}{12} \cdot (2 \cdot S \cdot B^3 + h \cdot t^3)$	$\frac{1}{6} \cdot \frac{2 \cdot S \cdot B^3 + h \cdot t^3}{B}$	$\sqrt{\frac{2 \cdot S \cdot B^3 + h \cdot t^3}{12(B \cdot H - b \cdot h)}}$
y_1 y_2 h b	$\frac{1}{2} \cdot b \cdot h$	$\frac{1}{36} \cdot b \cdot h^3$	$Z_1 = \frac{1}{24} \cdot b \cdot h^2$ $Z_2 = \frac{1}{12} \cdot b \cdot h^2$	$\frac{1}{\sqrt{18}} \cdot h$
a h y_2 y_1 b	$\frac{(a + b) \cdot h}{2}$	$\frac{a^2 + 4 \cdot a \cdot b + b^2}{36(a + b)} \cdot h^3$	$Z_2 = \frac{a^2 + 4 \cdot a \cdot b + b^2}{12(a + 2b)} \cdot h^2$ $Z_1 = \frac{a^2 + 4 \cdot a \cdot b + b^2}{12(2a + b)} \cdot h^2$	$\frac{\sqrt{2(a^2 + 4 \cdot a \cdot b + b^2)}}{6(a + b)} \cdot h$
d	$\frac{\pi}{4} \cdot d^2$	$\frac{\pi}{64} \cdot d^4$	$\frac{\pi}{32} \cdot d^3$	$\frac{1}{4} \cdot d$
d_1 d_2	$\frac{\pi}{4} \cdot (d_2^2 - d_1^2)$	$\frac{\pi}{64} \cdot (d_2^4 - d_1^4)$	$\frac{\pi}{32} \cdot \frac{(d_2^4 - d_1^4)}{d_2}$	$\frac{1}{4} \cdot \sqrt{d_2^2 + d_1^2}$

3 鋼材の断面形状と諸性能

等辺山形鋼の断面性能

標準断面寸法 [mm]				断面積	単位質量	参考											
A×B	t	r_1	r_2	[cm²]	[kg/m]	重心の位置 [cm]		断面2次モーメント [cm⁴]				断面2次半径 [cm]				断面係数 [cm³]	
						C_x	C_y	I_x	I_y	最大 I_u	最大 I_v	i_x	i_y	最大 i_u	最大 i_v	Z_x	Z_y
25×25	3	4	2	1.43	1.12	0.719	0.719	0.797	0.797	1.26	0.332	0.747	0.747	0.940	0.483	0.448	0.448
30×30	3	4	2	1.73	1.36	0.844	0.844	1.42	1.42	2.26	0.590	0.908	0.908	1.14	0.585	0.661	0.661
40×40	3	4.5	2	2.34	1.83	1.09	1.09	3.53	3.53	5.60	1.46	1.23	1.23	1.55	0.790	1.21	1.21
40×40	5	4.5	3	3.76	2.95	1.17	1.17	5.42	5.42	8.59	2.25	1.20	1.20	1.51	0.774	1.91	1.91
45×45	4	6.5	3	3.49	2.74	1.24	1.24	6.50	6.50	10.3	2.70	1.36	1.36	1.72	0.880	2.00	2.00
45×45	5	6.5	3	4.30	3.38	1.28	1.28	7.91	7.91	12.5	3.29	1.36	1.36	1.71	0.874	2.46	2.46
50×50	4	6.5	3	3.89	3.06	1.37	1.37	9.06	9.06	14.4	3.76	1.53	1.53	1.92	0.983	2.49	2.49
50×50	5	6.5	3	4.80	3.77	1.41	1.41	11.1	11.1	17.5	4.58	1.52	1.52	1.91	0.976	3.08	3.08
50×50	6	6.5	4.5	5.64	4.43	1.44	1.44	12.6	12.6	20.0	5.23	1.50	1.50	1.88	0.963	3.55	3.55
60×60	4	6.5	3	4.69	3.68	1.61	1.61	16.0	16.0	25.4	6.62	1.85	1.85	2.33	1.19	3.66	3.66
60×60	5	6.5	3	5.80	4.55	1.66	1.66	19.6	19.6	31.2	8.09	1.84	1.84	2.32	1.18	4.52	4.52
65×65	5	8.5	3	6.37	5.00	1.77	1.77	25.3	25.3	40.1	10.5	1.99	1.99	2.51	1.28	5.35	5.35
65×65	6	8.5	4	7.53	5.91	1.81	1.81	29.4	29.4	46.6	12.2	1.98	1.98	2.49	1.27	6.26	6.26
65×65	8	8.5	6	9.76	7.66	1.88	1.88	36.8	36.8	58.3	15.3	1.94	1.94	2.44	1.25	7.96	7.96
70×70	6	8.5	4	8.13	6.38	1.93	1.93	37.1	37.1	58.9	15.3	2.14	2.14	2.69	1.37	7.33	7.33
75×75	6	8.5	4	8.73	6.85	2.06	2.06	46.1	46.1	73.2	19.0	2.30	2.30	2.90	1.48	8.47	8.47
75×75	9	8.5	6	12.7	9.96	2.17	2.17	64.4	64.4	102	26.7	2.25	2.25	2.84	1.45	12.1	12.1
75×75	12	8.5	6	16.6	13.0	2.29	2.29	81.9	81.9	129	34.5	2.22	2.22	2.79	1.44	15.7	15.7
80×80	6	8.5	4	9.33	7.32	2.18	2.18	56.4	56.4	89.6	23.2	2.46	2.46	3.10	1.58	9.70	9.70
90×90	6	10	5	10.6	8.28	2.42	2.42	80.7	80.7	128	33.4	2.77	2.77	3.48	1.78	12.3	12.3
90×90	7	10	5	12.2	9.59	2.46	2.46	93.0	93.0	148	38.3	2.76	2.76	3.48	1.77	14.2	14.2
90×90	10	10	7	17.0	13.3	2.57	2.57	125	125	199	51.7	2.71	2.71	3.42	1.74	19.5	19.5
90×90	13	10	7	21.7	17.0	2.69	2.69	156	156	248	65.3	2.68	2.68	3.38	1.73	24.8	24.8
100×100	7	10	5	13.6	10.7	2.71	2.71	129	129	205	53.2	3.08	3.08	3.88	1.98	17.7	17.7
100×100	10	10	7	19.0	14.9	2.82	2.82	175	175	278	72.0	3.04	3.04	3.83	1.95	24.4	24.4
100×100	13	10	7	24.3	19.1	2.94	2.94	220	220	348	91.1	3.00	3.00	3.78	1.94	31.1	31.1
120×120	8	12	5	18.8	14.7	3.24	3.24	258	258	410	106	3.71	3.71	4.67	2.38	29.5	29.5
130×130	9	12	6	22.7	17.9	3.53	3.53	366	366	583	150	4.01	4.01	5.06	2.57	38.7	38.7
130×130	12	12	8.5	29.8	23.4	3.64	3.64	467	467	743	192	3.96	3.96	5.00	2.54	49.9	49.9
130×130	15	12	8.5	36.8	28.8	3.76	3.76	568	568	902	234	3.93	3.93	4.95	2.53	61.5	61.5

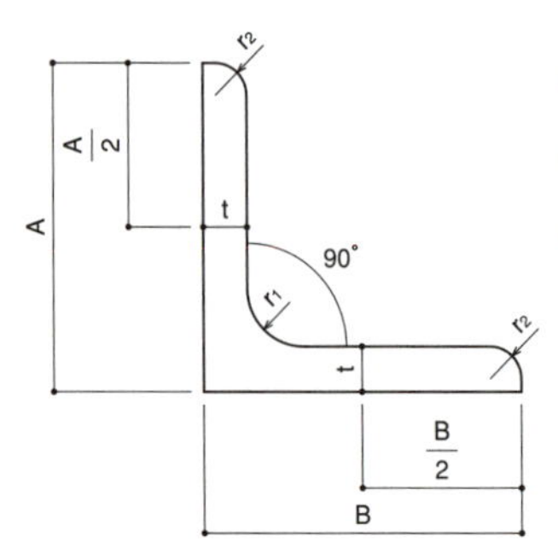

断面2次モーメント：$I＝a \cdot i^2$

断面2次半径：$i＝\sqrt{\frac{I}{a}}$

断面係数：$Z＝\frac{I}{e}$

（a＝断面積）

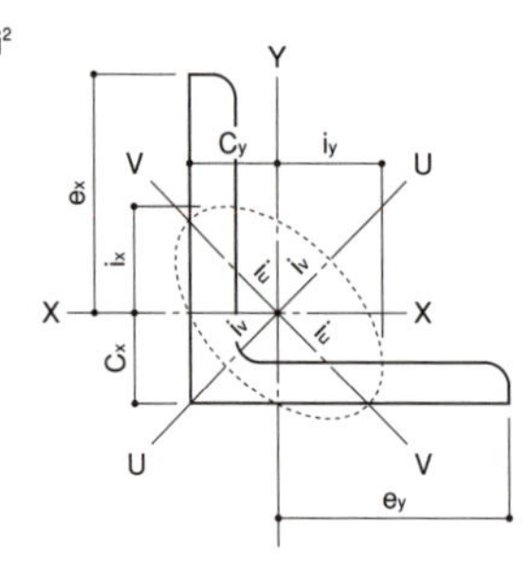

標準断面寸法［mm］				断面積	単位質量	参考										
A×B	t	r_1	r_2	［cm^2］	［kg/m］	重心の位置［cm］		断面2次モーメント［cm^4］				断面2次半径［cm］				断面係数［cm^3］	
						C_x	C_y	I_x	I_y	最大 I_u	最大 I_v	i_x	i_y	最大 i_u	最大 i_v	Z_x	Z_y
150×150	12	14	7	34.8	27.3	4.14	4.14	740	740	118×10	304	4.61	4.61	5.82	2.96	68.1	68.1
150×150	15	14	10	42.7	33.6	4.24	4.24	888	888	141×10	365	4.56	4.56	5.75	2.92	82.6	82.6
150×150	19	14	10	53.4	41.9	4.40	4.40	109×10	109×10	173×10	451	4.52	4.52	5.69	2.91	103	103
175×175	12	15	11	40.5	31.8	4.73	4.73	117×10	117×10	186×10	480	5.38	5.38	6.78	3.44	91.8	91.8
175×175	15	15	11	50.2	39.4	4.85	4.85	144×10	144×10	229×10	589	5.35	5.35	6.75	3.42	114	114
200×200	15	17	12	57.8	45.3	5.46	5.46	218×10	218×10	347×10	891	6.14	6.14	7.75	3.93	150	150
200×200	20	17	12	76.0	59.7	5.67	5.67	282×10	282×10	449×10	116×10	6.09	6.09	7.68	3.90	197	197
200×200	25	17	12	93.8	73.6	5.86	5.86	342×10	342×10	542×10	141×10	6.04	6.04	7.61	3.88	242	242
250×250	25	24	12	119	93.7	7.10	7.10	695×10	695×10	$110×10^2$	286×10	7.63	7.63	9.62	4.90	388	388
250×250	35	24	18	163	128	7.45	7.45	911×10	911×10	$144×10^2$	379×10	7.49	7.49	9.42	4.83	519	519

不等辺山形鋼の断面性能

標準断面寸法［mm］				断面積	単位質量	参考											
A×B	t	r_1	r_2	［cm^2］	［kg/m］	重心の位置［cm］		断面2次モーメント［cm^4］				断面2次半径［cm］				tan α	断面係数［cm^3］	
						C_x	C_y	I_x	I_y	最大 I_u	最大 I_v	i_x	i_y	最大 i_u	最大 i_v		Z_x	Z_y
90×75	9	8.5	6	14.0	11.0	2.75	2.00	109	68.1	143	34.1	2.78	2.20	3.19	1.56	0.676	17.4	12.4
100×75	7	10	5	11.9	9.32	3.06	1.83	118	56.9	144	30.8	3.15	2.19	3.49	1.61	0.548	17.0	10.0
100×75	10	10	7	16.5	13.0	3.17	1.94	159	76.1	194	41.3	3.11	2.15	3.43	1.58	0.543	23.3	13.7
125×75	7	10	5	13.6	10.7	4.10	1.64	219	60.4	243	36.4	4.01	2.11	4.23	1.64	0.362	26.1	10.3
125×75	10	10	7	19.0	14.9	4.22	1.75	299	80.8	330	49.0	3.96	2.06	4.17	1.61	0.357	36.1	14.1
125×75	13	10	7	24.3	19.1	4.35	1.87	376	101	415	61.9	3.93	2.04	4.13	1.60	0.352	46.1	17.9
125×90	10	10	7	20.5	16.1	3.95	2.22	318	138	380	76.2	3.94	2.59	4.30	1.93	0.505	37.2	20.3
125×90	13	10	7	26.3	20.6	4.07	2.34	401	173	477	96.3	3.91	2.57	4.26	1.91	0.501	47.5	25.9
150×90	9	12	6	20.9	16.4	4.95	1.99	485	133	537	80.4	4.81	2.52	5.06	1.96	0.361	48.2	19.0
150×90	12	12	8.5	27.4	21.5	5.07	2.10	619	167	685	102	4.76	2.47	5.00	1.93	0.357	62.3	24.3
150×100	9	12	6	21.8	17.1	4.76	2.30	502	181	579	104	4.79	2.88	5.15	2.18	0.439	49.1	23.5
150×100	12	12	8.5	28.6	22.4	4.88	2.41	642	228	738	132	4.74	2.83	5.09	2.15	0.435	63.4	30.1
150×100	15	12	8.5	35.3	27.7	5.00	2.53	782	276	897	161	4.71	2.80	5.04	2.14	0.431	78.2	37.0

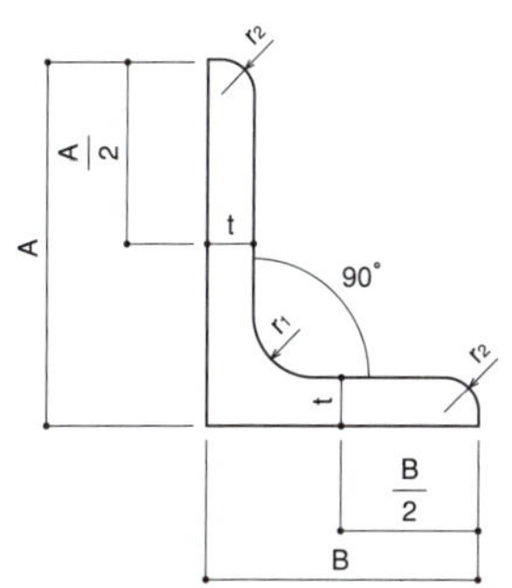

断面2次モーメント：$I = a \cdot i^2$

断面2次半径：$i = \sqrt{\frac{I}{a}}$

断面係数：$Z = \frac{I}{e}$

（a＝断面積）

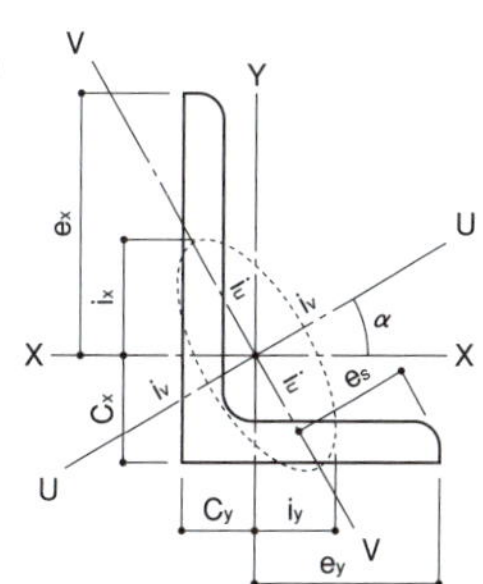

I形鋼の断面性能

標準断面寸法 [mm]						断面積 [cm²]	単位質量 [kg/m]	参考							
								断面2次モーメント [cm⁴]		断面2次半径 [cm]		断面係数 [cm³]		曲げ応力のための断面性能	
														[cm⁴]	[cm⁵]
H×B	h	t_1	t_2	r_1	r_2			I_x	I_y	i_x	i_y	Z_x	Z_y	J	I_w
100×75	92	5	8	7	3.5	16.4	12.9	281	47.3	4.14	1.70	56.2	12.6	2.94	100×10
125×75	116	5.5	9.5	9	4.5	20.5	16.1	538	57.5	5.13	1.68	86.1	15.3	4.93	192×10
150×75	141	5.5	9.5	9	4.5	21.8	17.1	819	57.5	6.13	1.62	109	15.3	5.07	284×10
150×125	136	8.5	14	13	6.5	46.1	36.2	176×10	385	6.18	2.89	235	61.6	25.7	$178×10^2$
180×100	170	6	10	10	5	30.1	23.6	167×10	138	7.45	2.14	186	27.6	7.89	997×10
200×100	190	7	10	10	5	33.1	26.0	217×10	138	8.10	2.04	217	27.6	8.84	$125×10^2$
200×150	184	9	16	15	7.5	64.2	50.4	446×10	753	8.34	3.43	446	100	45.4	$637×10^2$
250×125	238	7.5	12.5	12	6	48.8	38.3	518×10	337	10.3	2.63	414	53.9	19.6	$475×10^2$
250×125	231	10	19	21	10.5	70.7	55.5	731×10	538	10.2	2.76	585	86.1	64.9	$718×10^2$
300×150	287	8	13	12	6	61.6	48.3	948×10	588	12.4	3.09	632	78.4	26.9	$121×10^3$
300×150	282	10	18.5	19	9.5	83.5	65.5	$127×10^2$	886	12.3	3.26	847	118	72.7	$176×10^3$
300×150	278	11.5	22	23	11.5	97.9	76.8	$147×10^2$	108×10	12.3	3.32	980	144	121	$209×10^3$
350×150	335	9	15	13	6.5	74.6	58.5	$152×10^2$	702	14.3	3.07	869	93.6	41.9	$197×10^3$
350×150	326	12	24	25	12.5	111	87.2	$224×10^2$	118×10	14.2	3.26	128×10	157	157	$314×10^3$
400×150	382	10	18	17	8.5	91.7	72.0	$241×10^2$	864	16.2	3.07	120×10	115	71.1	$315×10^3$
400×150	375	12.5	25	27	13.5	122	95.8	$317×10^2$	124×10	16.1	3.19	158×10	165	181	$436×10^3$
450×175	430	11	20	19	9.5	117	91.7	$392×10^2$	151×10	18.3	3.60	174×10	173	112	$698×10^3$
450×175	424	13	26	27	13.5	146	115	$488×10^2$	202×10	18.3	3.72	217×10	231	236	$908×10^3$
600×190	575	13	25	25	12.5	169	133	$984×10^2$	246×10	24.1	3.81	328×10	259	240	$203×10^4$
600×190	565	16	35	38	19	224	176	$130×10^3$	354×10	24.1	3.97	433×10	373	620	$283×10^4$

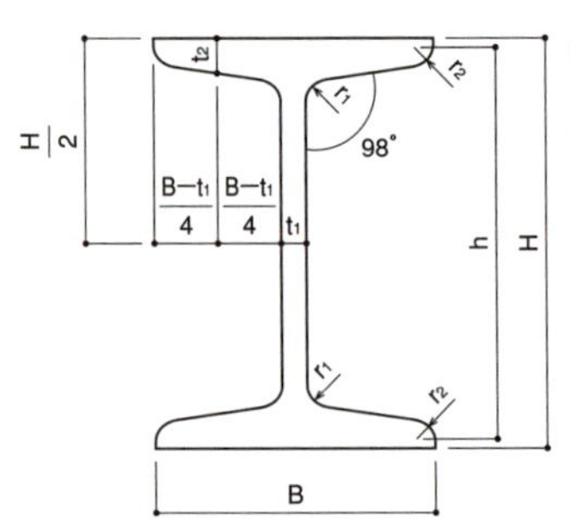

断面2次モーメント：$I = a \cdot i^2$

断面2次半径：$i = \sqrt{\frac{I}{a}}$

断面係数：$Z = \frac{I}{e}$

（a＝断面積）

サンブナンのねじり定数：$J = \frac{1}{3} \cdot (2 \cdot B \cdot t_2^3 + h \cdot t_1^3)$

曲げねじり定数：$I_w = \frac{I_y \cdot h^2}{4}$

断面のせい：$h = H - t_2$

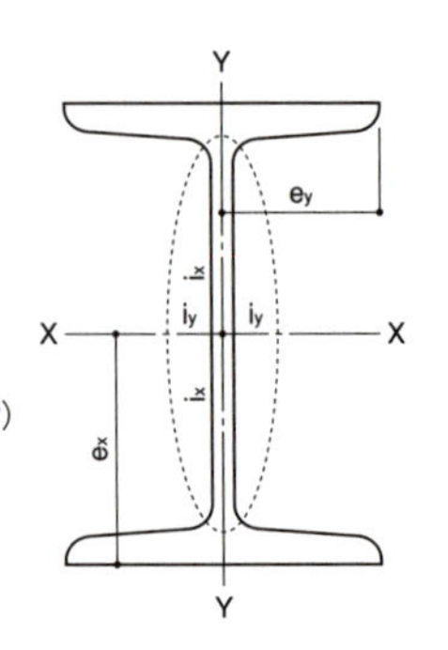

溝形鋼の断面性能

標準断面寸法 [mm] H×B	h	b	t_1	t_2	r_1	r_2	断面積 [cm^2]	単位質量 [kg/m]	参考 重心の位置 [cm] C_x	C_y	断面2次モーメント [cm^4] I_x	I_y	断面2次半径 [cm] i_x	i_y	断面係数 [cm^3] Z_x	Z_y	曲げ応力のための断面性能 [cm^4] J	[cm^6] I_w
75×40	68.0	37.5	5	7	8	4	8.82	6.92	0	1.28	75.3	12.2	2.92	1.17	20.1	4.47	1.14	103
100×50	92.5	47.5	5	7.5	8	4	11.9	9.36	0	1.54	188	26.0	3.97	1.48	37.6	7.52	1.72	405
125×65	117	62.0	6	8	8	4	17.1	13.4	0	1.90	424	61.8	4.98	1.90	67.8	13.4	2.96	154×10
150×75	140	71.8	6.5	10	10	5	23.7	18.6	0	2.28	861	117	6.03	2.22	115	22.4	6.06	418×10
150×75	138	70.5	9	12.5	15	7.5	30.6	24.0	0	2.31	105×10	147	5.86	2.19	140	28.3	12.5	506×10
180×75	170	71.5	7	10.5	11	5.5	27.2	21.4	0	2.13	138×10	131	7.12	2.19	153	24.3	7.46	684×10
200×80	189	76.3	7.5	11	12	6	31.3	24.6	0	2.21	195×10	168	7.88	2.32	195	29.1	9.42	109×10^2
200×90	187	86.0	8	13.5	14	7	38.7	30.3	0	2.74	249×10	277	8.02	2.68	249	44.2	17.3	177×10^2
250×90	237	85.5	9	13	14	7	44.1	34.6	0	2.40	418×10	294	9.74	2.58	334	44.5	18.3	300×10^2
250×90	236	84.5	11	14.5	17	8.5	51.2	40.2	0	2.40	468×10	329	9.56	2.54	374	49.9	27.6	331×10^2
300×90	287	85.5	9	13	14	7	48.6	38.1	0	2.22	644×10	309	11.5	2.52	429	45.7	19.5	463×10^2
300×90	285	85.0	10	15.5	19	9.5	55.7	43.8	0	2.34	741×10	360	11.5	2.54	494	54.1	30.6	529×10^2
300×90	284	84.0	12	16	19	9.5	61.9	48.6	0	2.28	787×10	379	11.3	2.48	525	56.4	39.3	558×10^2
380×100	364	94.8	10.5	16	18	9	69.4	54.5	0	2.41	145×10^2	535	14.5	2.78	763	70.5	39.9	129×10^3
380×100	364	93.5	13	16.5	18	9	79.0	62.0	0	2.33	156×10^2	565	14.1	2.67	823	73.6	54.6	137×10^3
380×100	360	93.5	13	20	24	12	85.7	67.3	0	2.54	176×10^2	655	14.3	2.76	926	87.8	76.2	155×10^3

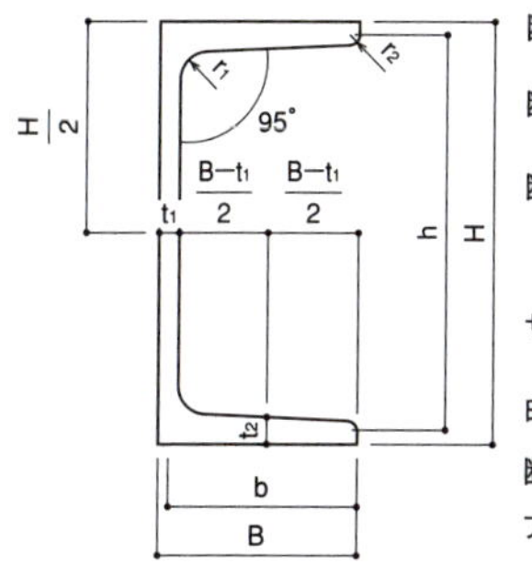

断面2次モーメント：$I=a\cdot i^2$

断面2次半径：$i=\sqrt{\frac{I}{a}}$

断面係数：$Z=\frac{I}{e}$

(a=断面積)

サンブナンのねじり定数：$J=\frac{1}{3}\cdot(2\cdot B\cdot t_2^3+h\cdot t_1^3)$

曲げねじり定数：$I_w=\frac{h^2}{4}\cdot\left\{I_y+\left(C_y-\frac{t_1}{2}\right)^2\cdot a\cdot\left(1-\frac{h^2\cdot a}{4\cdot I_x}\right)\right\}$

断面のせい：$h=H-t_2$

フランジの幅：$b=B-\frac{t_1}{2}$

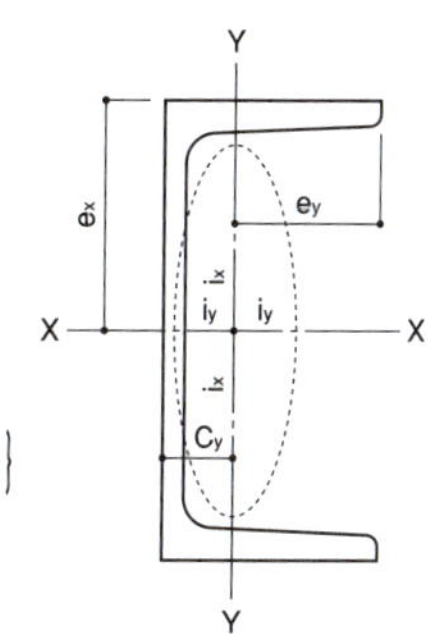

H形鋼の断面性能

標準断面寸法 [mm]						断面積 [cm^2]	単位質量 [kg/m]	参考							
呼称寸法 高さ×辺	H×B	h	t_1	t_2	r			断面2次モーメント [cm^4]		断面2次半径 [cm]		断面係数 [cm^3]		曲げ応力のための断面性能	
														[cm^4]	[cm^6]
								I_x	I_y	i_x	i_y	Z_x	Z_y	J	I_w
100×50	100×50	93.0	5	7	8	11.8	9.30	187	14.8	3.97	1.12	37.4	5.92	1.53	320
100×100	100×100	92.0	6	8	8	21.6	16.9	378	134	4.18	2.49	75.6	26.8	4.08	284×10
125×60	125×60	117	6	8	8	16.7	13.1	409	29.1	4.95	1.32	65.4	9.70	2.89	996
125×125	125×125	116	6.5	9	8	30.0	23.6	839	293	5.29	3.12	134	46.9	7.14	986×10
150×75	150×75	143	5	7	8	17.8	14.0	666	49.5	6.11	1.67	88.8	13.2	2.31	253×10
150×100	148×100	139	6	9	8	26.3	20.7	100×10	150	6.16	2.39	135	30.0	5.86	725×10
150×150	150×150	140	7	10	8	39.6	31.1	162×10	563	6.39	3.77	216	75.1	11.6	276×10^2
175×90	175×90	167	5	8	8	22.9	18.0	121×10	97.5	7.27	2.06	138	21.7	3.77	680×10
175×175	175×175	164	7.5	11	13	51.4	40.4	290×10	984	7.51	4.37	331	112	17.8	662×10^2
200×100	198×99 200×100	191 192	4.5 5.5	7 8	8 8	22.7 26.7	17.8 20.9	154×10 181×10	113 134	8.24 8.24	2.23 2.24	156 181	22.8 26.8	2.84 4.48	103×10^2 123×10^2
200×150	194×150	185	6	9	8	38.1	29.9	263×10	507	8.31	3.65	271	67.6	8.62	434×10^2
200×200	200×200 200×204	188 188	8 12	12 12	13 13	63.5 71.5	49.9 56.2	472×10 498×10	160×10 170×10	8.62 8.34	5.02 4.88	472 498	160 167	26.2 34.3	141×10^3 150×10^3
250×125	248×124 250×125	240 241	5 6	8 9	8 8	32.0 37.0	25.1 29.0	345×10 396×10	255 294	10.4 10.3	2.82 2.82	278 317	41.1 47.0	5.23 7.81	367×10^2 427×10^2
250×175	244×175	233	7	11	13	55.5	43.6	604×10	984	10.4	4.21	495	112	18.2	134×10^3
250×250	250×250 250×255	236 236	9 14	14 14	13 13	91.4 104	71.8 81.6	107×10^2 114×10^2	365×10 388×10	10.8 10.5	6.32 6.11	856 912	292 304	51.5 68.2	508×10^3 540×10^3
300×150	298×149 300×150	290 291	5.5 6.5	8 9	13 13	40.8 46.8	32.0 36.7	632×10 721×10	442 508	12.4 12.4	3.29 3.30	424 481	59.3 67.7	6.69 9.95	929×10^2 108×10^3
300×200	294×200	282	8	12	13	71.1	55.8	111×10^2	160×10	12.5	4.75	755	160	27.9	318×10^3
300×300	294×302 300×300 300×305	282 285 285	12 10 15	12 15 15	13 13 13	106 118 133	83.5 93.0 105	166×10^2 202×10^2 213×10^2	551×10 675×10 710×10	12.5 13.1 12.6	7.20 7.55 7.29	113×10 135×10 142×10	365 450 466	51.0 77.0 101	110×10^4 137×10^4 144×10^4
350×175	346×174 350×175	337 339	6 7	9 11	13 13	52.5 62.9	41.2 49.4	110×10^2 135×10^2	791 984	14.5 14.6	3.88 3.95	636 771	90.9 112	10.9 19.4	225×10^3 283×10^3
350×250	340×250	326	9	14	13	99.5	78.1	212×10^2	365×10	14.6	6.06	125×10	292	53.7	970×10^3
350×350	344×348 350×350	328 331	10 12	16 19	13 13	144 172	113 135	328×10^2 398×10^2	112×10^2 136×10^2	15.1 15.2	8.82 8.89	191×10 227×10	644 777	106 179	301×10^4 373×10^4
400×200	396×199 400×200	385 387	7 8	11 13	13 13	71.4 83.4	56.1 65.4	198×10^2 235×10^2	145×10 174×10	16.7 16.8	4.51 4.57	100×10 118×10	146 174	22.1 35.9	537×10^3 651×10^3
400×300	390×300	374	10	16	13	133	105	379×10^2	720×10	16.9	7.35	194×10	480	94.4	252×10^4
400×400	388×402 394×398 400×400 400×408 414×405 428×407 458×417 498×432	373 376 379 379 386 393 408 428	15 11 13 21 18 20 30 45	15 18 21 21 28 35 50 70	22 22 22 22 22 22 22 22	178 187 219 251 295 361 529 770	140 147 172 197 232 283 415 604	490×10^2 561×10^2 666×10^2 709×10^2 928×10^2 119×10^3 187×10^3 298×10^3	163×10^2 189×10^2 224×10^2 238×10^2 310×10^2 394×10^2 605×10^2 944×10^2	16.6 17.3 17.5 16.8 17.7 18.2 18.8 19.7	9.56 10.1 10.1 9.74 10.2 10.5 10.7 11.1	253×10 285×10 333×10 354×10 448×10 556×10 817×10 120×10^2	811 950 112×10 117×10 153×10 194×10 290×10 437×10	132 171 275 369 668 127×10 384×10 112×10^2	567×10^4 668×10^4 804×10^4 855×10^4 115×10^5 152×10^5 252×10^5 432×10^5

標準断面寸法 [mm]						断面積 [cm²]	単位質量 [kg/m]	参考							
呼称寸法 高さ×辺	H×B	h	t_1	t_2	r			断面2次モーメント [cm⁴]		断面2次半径 [cm]		断面係数 [cm³]		曲げ応力のための断面性能	
														[cm⁴]	[cm⁶]
								I_x	I_y	i_x	i_y	Z_x	Z_y	J	I_w
450×200	446×199	434	8	12	13	83.0	65.1	281×10^2	158×10	18.4	4.36	126×10	159	30.3	744×10^3
	450×200	436	9	14	13	95.4	74.9	329×10^2	187×10	18.6	4.43	146×10	187	47.2	889×10^3
450×300	440×300	422	11	18	13	154	121	547×10^2	811×10	18.9	7.26	249×10	541	135	361×10^4
500×200	496×199	482	9	14	13	99.3	77.9	408×10^2	184×10	20.3	4.30	165×10	185	48.1	107×10^4
	500×200	484	10	16	13	112	88.1	468×10^2	214×10	20.4	4.37	187×10	214	70.7	125×10^4
	506×201	487	11	19	13	129	102	555×10^2	258×10	20.7	4.47	219×10	257	114	153×10^4
500×300	482×300	467	11	15	13	141	111	583×10^2	676×10	20.3	6.92	242×10	451	88.2	369×10^4
	488×300	470	11	18	13	159	125	689×10^2	811×10	20.8	7.14	282×10	541	137	448×10^4
600×200	596×199	581	10	15	13	118	92.4	666×10^2	198×10	23.8	4.10	223×10	199	64.1	167×10^4
	600×200	583	11	17	13	132	103	756×10^2	227×10	24.0	4.15	252×10	227	91.4	193×10^4
	606×201	586	12	20	13	150	118	883×10^2	272×10	24.3	4.26	291×10	271	141	234×10^4
600×300	582×300	565	12	17	13	169	133	989×10^2	766×10	24.2	6.73	340×10	511	131	611×10^4
	588×300	568	12	20	13	187	147	114×10^3	901×10	24.7	6.94	388×10	601	193	727×10^4
	594×302	571	14	23	13	217	170	134×10^3	106×10^2	24.8	6.99	451×10	702	297	864×10^4
700×300	692×300	672	13	20	18	208	163	168×10^3	902×10	28.5	6.59	486×10	601	209	102×10^5
	700×300	676	13	24	18	232	182	197×10^3	108×10^2	29.2	6.83	563×10	720	326	123×10^5
800×300	792×300	770	14	22	18	240	188	248×10^3	992×10	32.1	6.43	626×10	661	283	147×10^5
	800×300	774	14	26	18	264	207	286×10^3	117×10^2	32.9	6.66	715×10	780	422	175×10^5
900×300	890×299	867	15	23	18	267	210	339×10^3	103×10^2	35.6	6.21	762×10	689	340	194×10^5
	900×300	872	16	28	18	306	240	404×10^3	126×10^2	36.3	6.42	898×10	840	558	240×10^5
	912×302	878	18	34	18	360	283	491×10^3	157×10^2	36.9	6.60	108×10^2	104×10	962	303×10^5
	918×303	881	19	37	18	387	304	535×10^3	172×10^2	37.2	6.66	117×10^2	114×10	122×10	334×10^5

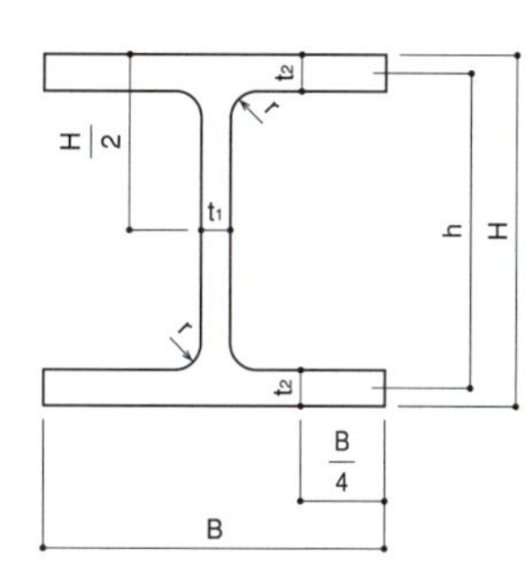

断面2次モーメント：$I=a\cdot i^2$

断面2次半径：$i=\sqrt{\frac{I}{a}}$

断面係数：$Z=\frac{I}{e}$

（a＝断面積）

サンブナンのねじり定数：$J=\frac{1}{3}\cdot(2\cdot B\cdot t_2^3+h\cdot t_1^3)$

曲げねじり定数：$I_w=\frac{I_y\cdot h^2}{4}$

断面のせい：$h=H-t_2$

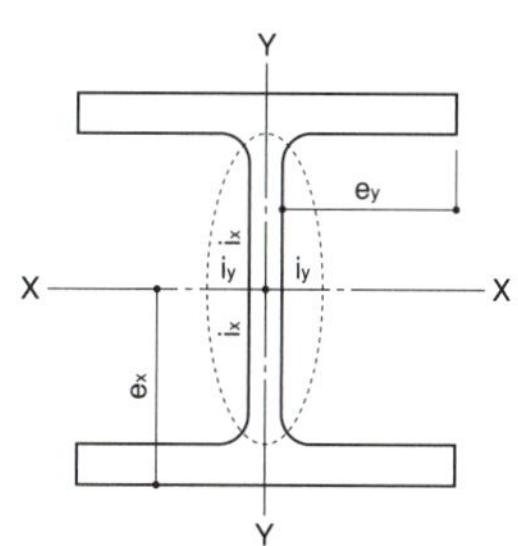

一般構造用炭素鋼管の断面性能

外径［mm］	厚さ［mm］	単位質量［kg/m］	参考			
			断面積［cm²］	断面2次モーメント［cm⁴］	断面係数［cm³］	断面2次半径［cm］
21.7	2.0	0.972	1.238	0.607	0.560	0.700
27.2	2.0	1.24	1.583	1.26	0930	0.890
	2.3	1.41	1.799	1.41	1.03	0.880
34.0	2.3	1.80	2.291	2.89	1.70	1.12
42.7	2.3	2.29	2.919	5.97	2.80	1.43
	2.5	2.48	3.157	6.40	3.00	1.42
48.6	2.3	2.63	3.345	8.99	3.70	1.64
	2.5	2.84	3.621	9.65	3.97	1.63
	2.8	3.16	4.029	10.6	4.36	1.62
	3.2	3.58	4.564	11.8	4.86	1.61
60.5	2.3	3.30	4.205	17.8	5.90	2.06
	3.2	4.52	5.760	23.7	7.84	2.03
	4.0	5.57	7.100	28.5	9.41	2.00
76.3	2.8	5.08	6.465	43.7	11.5	2.60
	3.2	5.77	7.349	49.2	12.9	2.59
	4.0	7.13	9.085	59.5	15.6	2.58
89.1	2.8	5.96	7.591	70.7	15.9	3.05
	3.2	6.78	8.636	79.8	17.9	3.04
101.6	3.2	7.76	9.892	120	23.6	3.48
	4.0	9.63	12.26	146	28.8	3.45
	5.0	11.9	15.17	177	34.9	3.42
114.3	3.2	8.77	11.17	172	30.2	3.93
	3.5	9.58	12.18	187	32.7	3.92
	4.5	12.2	15.52	234	41.0	3.89
139.8	3.6	12.1	15.40	357	51.1	4.82
	4.0	13.4	17.07	394	56.3	4.80
	4.5	15.0	19.13	438	62.7	4.79
	6.0	19.8	25.22	566	80.9	4.74
165.2	4.5	17.8	22.72	734	88.9	5.68
	5.0	19.8	25.16	808	97.8	5.67
	6.0	23.6	30.01	952	115	5.63
	7.1	27.7	35.26	110 × 10	134	5.60
190.7	4.5	20.7	26.32	114 × 10	120	6.59
	5.3	24.2	30.87	133 × 10	139	6.56
	6.0	27.3	34.82	149 × 10	156	6.53
	7.0	31.7	40.40	171 × 10	179	6.50
	8.2	36.9	47.01	196 × 10	206	6.46
216.3	4.5	23.5	29.94	168 × 10	155	7.49
	5.8	30.1	38.36	213 × 10	197	7.45
	6.0	31.1	39.64	219 × 10	203	7.44
	7.0	36.1	46.03	252 × 10	233	7.40
	8.0	41.1	52.35	284 × 10	263	7.37
	8.2	42.1	53.61	291 × 10	269	7.36
267.4	6.0	38.7	49.27	421 × 10	315	9.24
	6.6	42.4	54.08	460 × 10	344	9.22
	7.0	45.0	57.26	486 × 10	363	9.21
	8.0	51.2	65.19	549 × 10	411	9.18
	9.0	57.3	73.06	611 × 10	457	9.14
	9.3	59.2	75.41	629 × 10	470	9.13
318.5	6.0	46.2	58.91	719 × 10	452	11.1
	6.9	53.0	67.55	820 × 10	515	11.0
	8.0	61.3	78.04	941 × 10	591	11.0
	9.0	68.7	87.51	105×10^2	659	10.9
	10.3	78.3	99.73	119×10^2	744	10.9
355.6	6.4	55.1	70.21	107×10^2	602	12.3
	7.9	67.7	86.29	130×10^2	734	12.3
	9.0	76.9	98.00	147×10^2	828	12.3
	9.5	81.1	103.3	155×10^2	871	12.2
	12.0	102	129.5	191×10^2	108 × 10	12.2
	12.7	107	136.8	201×10^2	113 × 10	12.1
406.4	7.9	77.6	98.90	196×10^2	967	14.1
	9.0	88.2	112.4	222×10^2	109 × 10	14.1
	9.5	93.0	118.5	233×10^2	115 × 10	14.0
	12.0	117	148.7	289×10^2	142 × 10	14.0
	12.7	123	157.1	305×10^2	150 × 10	13.9
	16.0	154	196.2	374×10^2	184 × 10	13.8
	19.0	182	231.2	435×10^2	214 × 10	13.7

外径［mm］	厚さ［mm］	単位質量［kg/m］	参考			
			断面積［cm^2］	断面2次モーメント［cm^4］	断面係数［cm^3］	断面2次半径［cm］
457.2	9.0	99.5	126.7	318×10^2	140×10	15.8
	9.5	105	133.6	335×10^2	147×10	15.8
	12.0	132	167.8	416×10^2	182×10	15.7
	12.7	139	177.3	439×10^2	192×10	15.7
	16.0	174	221.8	540×10^2	236×10	15.6
	19.0	205	261.6	629×10^2	275×10	15.5
500	9.0	109	138.8	418×10^2	167×10	17.4
	12.0	144	184.0	548×10^2	219×10	17.3
	14.0	168	213.8	632×10^2	253×10	17.2
508.0	7.9	97.4	124.1	388×10^2	153×10	17.7
	9.0	111	141.1	439×10^2	173×10	17.6
	9.5	117	148.8	462×10^2	182×10	17.6
	12.0	147	187.0	575×10^2	227×10	17.5
	12.7	155	197.6	606×10^2	239×10	17.5
	14.0	171	217.3	663×10^2	261×10	17.5
	16.0	194	247.3	749×10^2	295×10	17.4
	19.0	229	291.9	874×10^2	344×10	17.3
	22.0	264	335.9	994×10^2	391×10	17.2
558.8	9.0	122	155.5	588×10^2	210×10	19.4
	12.0	162	206.1	771×10^2	276×10	19.3
	16.0	214	272.8	101×10^3	360×10	19.2
	19.0	253	322.2	118×10^3	421×10	19.1
	22.0	291	371.0	134×10^3	479×10	19.0
600	9.0	131	167.1	730×10^2	243×10	20.9
	12.0	174	221.7	958×10^2	320×10	20.8
	14.0	202	257.7	111×10^3	369×10	20.7
	16.0	230	293.6	125×10^3	418×10	20.7
609.6	9.0	133	169.8	766×10^2	251×10	21.2
	9.5	141	179.1	806×10^2	265×10	21.2
	12.0	177	225.3	101×10^3	330×10	21.1
	12.7	187	238.2	106×10^3	348×10	21.1
	14.0	206	262.0	116×10^3	381×10	21.1
	16.0	234	298.4	132×10^3	431×10	21.0
	19.0	277	352.5	154×10^3	505×10	20.9
	22.0	319	406.1	176×10^3	576×10	20.8
700	9.0	153	195.4	117×10^3	333×10	24.4
	12.0	204	259.4	154×10^3	439×10	24.3
	14.0	237	301.7	178×10^3	507×10	24.3
	16.0	270	343.8	201×10^3	575×10	24.2
711.2	9.0	156	198.5	122×10^3	344×10	24.8
	12.0	207	263.6	161×10^3	453×10	24.7
	14.0	241	306.6	186×10^3	524×10	24.7
	16.0	274	349.4	211×10^3	594×10	24.6
	19.0	324	413.2	248×10^3	696×10	24.5
	22.0	374	476.3	283×10^3	796×10	24.4
812.8	9.0	178	227.3	184×10^3	452×10	28.4
	12.0	237	301.9	242×10^3	596×10	28.3
	14.0	276	351.3	280×10^3	690×10	28.2
	16.0	314	400.5	318×10^3	782×10	28.2
	19.0	372	473.8	373×10^3	919×10	28.1
	22.0	429	546.6	428×10^3	105×10^2	28.0
914.4	12.0	267	340.2	348×10^3	758×10	31.9
	14.0	311	396.0	401×10^3	878×10	31.8
	16.0	354	451.6	456×10^3	997×10	31.8
	19.0	420	534.5	536×10^3	117×10^2	31.7
	22.0	484	616.5	614×10^3	134×10^2	31.5
1,016	12.0	297	378.5	477×10^3	939×10	35.5
	14.0	346	440.7	553×10^3	109×10^2	35.4
	16.0	395	502.7	628×10^3	124×10^2	35.4
	19.0	467	595.1	740×10^3	146×10^2	35.2
	22.0	539	687.0	849×10^3	167×10^2	35.2

角形鋼管の断面性能

辺の長さ A×B [mm]	厚さ t [mm]	単位質量 [kg/m]	参考			
			断面積 [cm^2]	断面2次モーメント [cm^4]	断面係数 [cm^3]	断面2次半径 [cm]
				I_x、I_y	Z_x、Z_y	i_x、i_y
40×40	1.6	1.88	2.392	5.79	2.90	1.56
	2.3	2.62	3.332	7.73	3.86	1.52
50×50	1.6	2.38	3.032	11.7	4.68	1.96
	2.3	3.34	4.252	15.9	6.34	1.93
	3.2	4.50	5.727	20.4	8.16	1.89
60×60	1.6	2.88	3.672	20.7	6.89	2.37
	2.3	4.06	5.172	28.3	9.44	2.34
	3.2	5.50	7.007	36.9	12.3	2.30
75×75	1.6	3.64	4.632	41.3	11.0	2.99
	2.3	5.14	6.552	57.1	15.2	2.95
	3.2	7.01	8.927	75.5	20.1	2.91
	4.5	9.55	12.17	98.6	26.3	2.85
80×80	2.3	5.50	7.012	69.9	17.5	3.16
	3.2	7.51	9.567	92.7	23.2	3.11
	4.5	10.3	13.07	122	30.4	3.05
90×90	2.3	6.23	7.932	101	22.4	3.56
	3.2	8.51	10.85	135	29.9	3.52
100×100	2.3	6.95	8.852	140	27.9	3.97
	3.2	9.52	12.13	187	37.5	3.93
	4.0	11.7	14.95	226	45.3	3.89
	4.5	13.1	16.67	249	49.9	3.87
	6.0	17.0	21.63	311	62.3	3.79
	9.0	24.1	30.67	408	81.6	3.65
	12.0	30.2	38.53	471	94.3	3.50
125×125	3.2	12.0	15.33	376	60.1	4.95
	4.5	16.6	21.17	506	80.9	4.89
	5.0	18.3	23.36	553	88.4	4.86
	6.0	21.7	27.63	641	103	4.82
	9.0	31.1	39.67	865	138	4.67
	12.0	39.7	50.53	103×10	165	4.52
150×150	4.5	20.1	25.67	896	120	5.91
	5.0	22.3	28.36	982	131	5.89
	6.0	26.4	33.63	115×10	153	5.84
	9.0	38.2	48.67	158×10	210	5.69
175×175	4.5	23.7	30.17	145×10	166	6.93
	5.0	26.2	33.36	159×10	182	6.91
	6.0	31.1	39.63	186×10	213	6.86
200×200	4.5	27.2	34.67	219×10	219	7.95
	6.0	35.8	45.63	283×10	283	7.88
	8.0	46.9	59.79	362×10	362	7.78
	9.0	52.3	66.67	399×10	399	7.73
	12.0	67.9	86.53	498×10	498	7.59
250×250	5.0	38.0	48.36	481×10	384	9.97
	6.0	45.2	57.63	567×10	454	9.92
	8.0	59.5	75.79	732×10	585	9.82
	9.0	66.5	84.67	809×10	647	9.78
	12.0	86.8	110.5	103×10^2	820	9.63
300×300	4.5	41.3	52.67	763×10	508	12.0
	6.0	54.7	69.63	996×10	664	12.0
	9.0	80.6	102.7	143×10^2	956	11.8
	12.0	106	134.5	183×10^2	122×10	11.7
350×350	9.0	94.7	120.7	232×10^2	132×10	13.9
	12.0	124	158.5	298×10^2	170×10	13.7

辺の長さ A×B [mm]	厚さt [mm]	単位質量 [kg/m]	参考						
			断面積 [cm^2]	断面2次モーメント [cm^4]		断面係数 [cm^3]		断面2次半径 [cm]	
				I_x	I_y	Z_x	Z_y	i_x	i_y
50×20	1.6	1.63	2.072	6.08	1.42	2.43	1.42	1.71	0.829
	2.3	2.25	2.872	8.00	1.83	3.20	1.83	1.67	0.798
50×30	1.6	1.88	2.392	7.96	3.60	3.18	2.40	1.82	1.23
	2.3	2.62	3.332	10.6	4.76	4.25	3.17	1.79	1.20
60×30	1.6	2.13	2.712	12.5	4.25	4.16	2.83	2.15	1.25
	2.3	2.98	3.792	16.8	5.65	5.61	3.76	2.11	1.22
	3.2	3.99	5.087	21.4	7.08	7.15	4.72	2.05	1.18
75×20	1.6	2.25	2.872	17.6	2.10	4.69	2.10	2.47	0.855
	2.3	3.16	4.022	23.7	2.73	6.31	2.73	2.43	0.824
75×45	1.6	2.88	3.672	28.4	12.9	7.56	5.75	2.78	1.88
	2.3	4.06	5.172	38.9	17.6	10.4	7.82	2.74	1.84
	3.2	5.50	7.007	50.8	22.8	13.5	10.1	2.69	1.80
80×40	1.6	2.88	3.672	30.7	10.5	7.68	5.26	2.89	1.69
	2.3	4.06	5.172	42.1	14.3	10.5	7.14	2.85	1.66
	3.2	5.50	7.007	54.9	18.4	13.7	9.21	2.80	1.62
90×45	2.3	4.60	5.862	61.0	20.8	13.6	9.22	3.23	1.88
	3.2	6.25	7.967	80.2	27.0	17.8	12.0	3.17	1.84
100×20	1.6	2.88	3.672	38.1	2.78	7.61	2.78	3.22	0.870
	2.3	4.06	5.172	51.9	3.64	10.4	3.64	3.17	0.839
100×40	1.6	3.38	4.312	53.5	12.9	10.7	6.44	3.52	1.73
	2.3	4.78	6.092	73.9	17.5	14.8	8.77	3.48	1.70
	4.2	8.32	10.60	120	27.6	24.0	10.6	3.36	1.61
100×50	1.6	3.64	4.632	61.3	21.1	12.3	8.43	3.64	2.13
	2.3	5.14	6.552	84.8	29.0	17.0	11.6	3.60	2.10
	3.2	7.01	8.927	112	38.0	22.5	15.2	3.55	2.06
	4.5	9.55	12.17	147	48.9	29.3	19.5	3.47	2.00
125×40	1.6	4.01	5.112	94.4	15.8	15.1	7.91	4.30	1.76
	2.3	5.69	7.242	131	21.6	20.9	10.8	4.25	1.73
125×75	2.3	6.95	8.852	192	87.5	30.6	23.3	4.65	3.14
	3.2	9.52	12.13	257	117	41.1	31.1	4.60	3.10
	4.0	11.7	14.95	311	141	49.7	37.5	4.56	3.07
	4.5	13.1	16.67	342	155	54.8	41.2	4.53	3.04
	6.0	17.0	21.63	428	192	68.5	51.1	4.45	2.98
150×75	3.2	10.8	13.73	402	137	53.6	36.6	5.41	3.16
150×80	4.5	15.2	19.37	563	211	75.0	52.9	5.39	3.30
	5.0	16.8	21.36	614	230	81.9	57.5	5.36	3.28
	6.0	19.8	25.23	710	264	94.7	66.1	5.31	3.24
150×100	3.2	12.0	15.33	488	262	65.1	52.5	5.64	4.14
	4.5	16.6	21.17	658	352	87.7	70.4	5.58	4.08
	6.0	21.7	27.63	835	444	111	88.8	5.50	4.01
	9.0	31.1	39.67	113×10	595	151	119	5.33	3.87
200×100	4.5	20.1	25.67	133×10	455	133	90.9	7.20	4.21
	6.0	26.4	33.63	170×10	577	170	115	7.12	4.14
	9.0	38.2	48.67	235×10	782	235	156	6.94	4.01
200×150	4.5	23.7	30.17	176×10	113×10	176	151	7.64	6.13
	6.0	31.1	39.63	227×10	146×10	227	194	7.56	6.06
	9.0	45.3	57.67	317×10	202×10	317	270	7.41	5.93
250×150	6.0	35.8	45.63	389×10	177×10	311	236	9.23	6.23
	9.0	52.3	66.67	548×10	247×10	438	330	9.06	6.09
	12.0	67.9	86.53	685×10	307×10	548	409	8.90	5.59
300×200	6.0	45.2	57.63	737×10	396×10	491	396	11.3	8.29
	9.0	66.5	84.67	105×10^2	563×10	702	563	11.2	8.16
	12.0	86.8	110.5	134×10^2	711×10	890	711	11.0	8.02
350×150	6.0	45.2	57.63	891×10	239×10	509	319	12.4	6.44
	9.0	66.5	84.67	127×10^2	337×10	726	449	12.3	6.31
	12.0	86.8	110.5	161×10^2	421×10	921	562	12.1	6.17
400×200	6.0	54.7	69.63	148×10^2	509×10	739	509	14.6	8.55
	9.0	80.6	102.7	213×10^2	727×10	107×10	727	14.4	8.42
	12.0	106	134.5	273×10^2	923×10	136×10	923	14.2	8.23

4 山留め用材料の断面形状と諸性能

ソイルセメント内の仮想の放物線アーチの寸法と応力

H形鋼					D [m]	L_1 [m]	L_2 [m]	t [m]	f [m]	V [kN]	Q [kN]	H [kN]	N [kN]
系列	寸法 [mm]									w [kN/m]	w [kN/m]	w [kN/m]	w [kN/m]
	H	B	t_1	t_2									
細幅	200	100	5	8	0.45	0.70	0.60	0.15	0.16	0.35	0.30	0.39	0.53
	250	125	6	9	0.45	0.70	0.58	0.17	0.17	0.35	0.29	0.36	0.50
	250	125	6	9	0.55	0.90	0.78	0.18	0.18	0.45	0.39	0.56	0.72
	250	125	6	9	0.60	0.90	0.78	0.20	0.20	0.45	0.39	0.50	0.67
	300	150	6.5	9	0.45	0.70	0.55	0.20	0.19	0.35	0.28	0.32	0.48
	300	150	6.5	9	0.55	0.90	0.75	0.20	0.20	0.45	0.38	0.50	0.67
	300	150	6.5	9	0.60	0.90	0.75	0.23	0.22	0.45	0.38	0.47	0.65
	350	175	7	11	0.45	0.70	0.53	0.22	0.21	0.35	0.26	0.30	0.46
	350	175	7	11	0.55	0.90	0.73	0.22	0.22	0.45	0.36	0.47	0.65
	350	175	7	11	0.60	0.90	0.73	0.25	0.23	0.45	0.36	0.44	0.63
	400	200	8	13	0.55	0.90	0.70	0.24	0.24	0.45	0.35	0.41	0.61
	400	200	8	13	0.60	0.90	0.70	0.27	0.26	0.45	0.35	0.39	0.60
	450	200	9	14	0.55	0.90	0.70	0.26	0.24	0.45	0.35	0.42	0.62
	450	200	9	14	0.60	0.90	0.70	0.29	0.25	0.45	0.35	0.40	0.60
	500	200	10	16	0.60	0.90	0.70	0.31	0.27	0.45	0.35	0.38	0.59
中幅	194	150	6	9	0.45	0.70	0.55	0.15	0.17	0.35	0.28	0.36	0.50
	194	150	6	9	0.55	0.90	0.75	0.16	0.18	0.45	0.38	0.57	0.73
	194	150	6	9	0.60	0.90	0.75	0.18	0.20	0.45	0.38	0.50	0.68
	244	175	7	11	0.45	0.70	0.53	0.18	0.19	0.35	0.26	0.32	0.47
	244	175	7	11	0.55	0.90	0.73	0.18	0.20	0.45	0.36	0.50	0.67
	244	175	7	11	0.60	0.90	0.73	0.21	0.22	0.45	0.36	0.47	0.65
	294	200	8	12	0.45	0.70	0.50	0.20	0.21	0.35	0.25	0.29	0.45
	294	200	8	12	0.55	0.90	0.70	0.20	0.22	0.45	0.35	0.47	0.65
	294	200	8	12	0.60	0.90	0.70	0.23	0.23	0.45	0.35	0.44	0.63
	340	250	9	14	0.55	0.90	0.65	0.23	0.25	0.45	0.33	0.41	0.61
	340	250	9	14	0.60	0.90	0.65	0.26	0.26	0.45	0.33	0.39	0.59
	390	300	10	16	0.55	0.90	0.60	0.25	0.29	0.45	0.30	0.35	0.57
	390	300	10	16	0.60	0.90	0.60	0.29	0.30	0.45	0.30	0.34	0.56
	440	300	11	18	0.60	0.90	0.60	0.30	0.32	0.45	0.30	0.32	0.55
広幅	200	200	8	12	0.45	0.70	0.50	0.16	0.20	0.35	0.25	0.31	0.47
	200	200	8	12	0.55	0.90	0.70	0.16	0.20	0.45	0.35	0.50	0.67
	200	200	8	12	0.60	0.90	0.70	0.19	0.22	0.45	0.35	0.46	0.65
	250	250	9	14	0.45	0.70	0.45	0.19	0.23	0.35	0.23	0.27	0.44
	250	250	9	14	0.55	0.90	0.65	0.19	0.24	0.45	0.33	0.43	0.62
	250	250	9	14	0.60	0.90	0.65	0.22	0.25	0.45	0.33	0.40	0.60
	300	300	10	15	0.55	0.90	0.60	0.21	0.28	0.45	0.30	0.37	0.58
	300	300	10	15	0.60	0.90	0.60	0.25	0.29	0.45	0.30	0.34	0.57
	350	350	12	19	0.55	0.90	0.55	0.24	0.32	0.45	0.28	0.31	0.55
	350	350	12	19	0.60	0.90	0.55	0.28	0.32	0.45	0.28	0.32	0.55

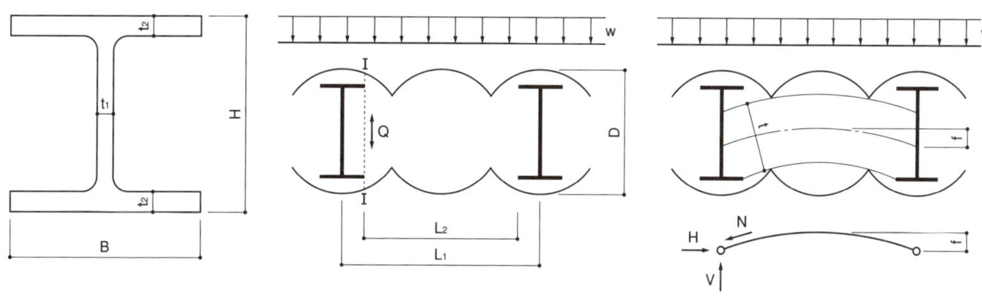

Q：I−I面でのせん断力［kN］
H：水平反力［kN］
V：支点反力［kN］
N：アーチ軸力［kN］
w：深さ方向の単位長さ1m当たりの側圧［kN／m］

D：ソイルセメント孔径［m］
L_1：芯材間隔［m］
L_2：芯材内法間隔［m］
f ：アーチのライズ［m］
t ：アーチの厚み［m］

PC鋼より線の種類

種類		記号	断面
2 本より線		SWPR2N、SWPR2L	
異形 3 本より線		SWPD3N、SWPD3L	
7 本より線	A 種	SWPR7AN、SWPR7AL	
	B 種	SWPR7BN、SWPR7BL	
19 本より線		SWPR19N、SWPR19L	

備考：7 本より線 A 種は引張強さ 1,720N / mm^2 級を、B 種は 1.860N / mm^2 級を示す

PC鋼より線の品質（JIS G 3536 1999「PC鋼線及びPC鋼より線」に準拠）

種類	記号	呼び名	標準径［mm］	公称断面積［mm²］	単位質量［kg／km］	降伏荷重［kN］	引張荷重［kN］	伸び［%］	リラクセーション値［%］	
									N	L
7 本より線 A 種	SWPR7AN SWPR7AL	7 本より 12.4mm	12.4	92.9	729	136 以上	160 以上	3.5 以上	8.0 以下	2.5 以下
		7 本より 15.2mm	15.2	138.7	1,101	204 以上	240 以上			
7 本より線 B 種	SWPR7BN SWPR7BL	7 本より 12.7mm	12.7	98.71	774	156 以上	183 以上			
		7 本より 15.2mm	15.2	138.7	1,101	222 以上	261 以上			
19 本より線	SWPR19N SWPR19L	19 本より 17.8mm	17.8	208.4	1,652	330 以上	387 以上			
		19 本より 19.3mm	19.3	243.7	1,931	387 以上	451 以上			
		19 本より 20.3mm	20.3	270.9	2,149	422 以上	495 以上			
		19 本より 21.8mm	21.8	312.9	2,482	495 以上	573 以上			
		19 本より 28.6mm	28.6	532.4	4,229	807 以上	949 以上			

N：通常品　　L：低リラクセーション品

U形鋼矢板の断面性能

種類	寸法［mm］			質量		断面積		表面積		断面２次モーメント		断面係数	
	w	h	t	1枚当たり［kg／m］	壁幅1m当たり［kg／m²］	1枚当たり［cm²］	壁幅1m当たり［cm²／m］	1枚当たり［m²／m］	壁幅1m当たり［m²／m］	1枚当たり［cm⁴］	壁幅1m当たり［cm⁴／m］	1枚当たり［cm³］	壁幅1m当たり［cm³／m］
II 型	400	100	10.5	48.0	120	61.18	153.0	1.33	1.66	1,240	8,740	152	874
III 型	400	125	13.0	60.0	150	76.42	191.0	1.44	1.80	2,220	16,800	223	1,340
	400	130	13.0	60.0	150	76.40	191.0	1.45	1.81	2,320	17,400	232	1,340
IV 型	400	170	15.5	76.1	190	96.99	242.5	1.61	2.01	4,670	38,600	362	2,270
V_L 型	500	200	24.3	105.0	210	133.8	267.6	1.75	1.75	7,960	63,000	520	3,150

注１　上記の種類はリース材として扱われているもののみを示す
注２　上記以外のものは市場性を考慮して使用する

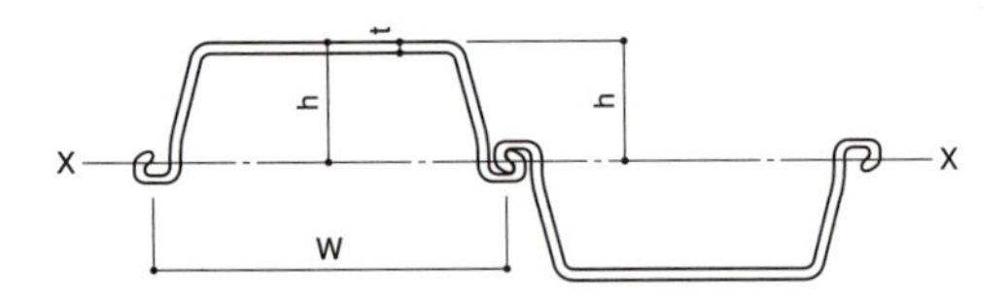

リース材の断面性能

サイズ $H \times B \times t_1 \times t_2$	断面積［cm²］	断面２次モーメント［cm⁴］		断面２次半径［cm］		断面係数［cm³］		断面２次半径［cm］	単位質量［kg／m］
		I_x	I_y	i_x	i_y	Z_x	Z_y	i	
H－250×250×9×14	78.18	8,850	2,860	10.6	6.05	708	229	6.72	80
H－300×300×10×15	104.8	17,300	5,900	12.9	7.51	1,150	394	8.34	100
H－350×350×12×19	154.9	35,000	12,500	15.1	8.99	2,000	716	9.93	150
H－400×400×13×21	197.7	59,000	20,300	17.3	10.1	2,950	1,010	11.16	200

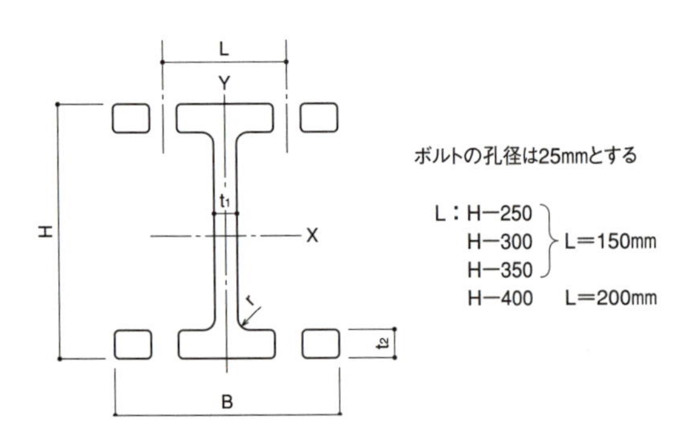

ボルトの孔径は25mmとする

L：H−250
　　H−300　L＝150mm
　　H−350
　　H−400　L＝200mm

5 | 鋼材の定数・許容応力度

構造材料の定数

材料	ヤング係数［N／mm²］	せん断弾性係数［N／mm²］	ポアソン比	線膨張係数［1／℃］
鋼・鋳鋼・鍛鋼	205,000	79,000	0.3	0.000012

構造用鋼材の長期許容応力度

構造用鋼材の長期応力に対する許容応力度は、下表のF値にもとづいて定める。

Fの値［単位 N／mm²］

鋼材種別 ＼ 材厚	建築構造用		一般構造用			溶接構造用			
	SN 400 SNR 400 STKN 400	SN 490 SNR 490 STKN 490	SS 400 STK 400 STKR 400 SSC 400 SWH 400	SS 490	SS 540	SM 400 SMA 400	SM 490 SM 490Y SMA 490 STKR 490 STK 490	SM 520	SM 570
厚さ40mm以下	235	325	235	275	375	235	325	355	400
厚さ40mmを超え100mm以下	215	295	215	255	−	215	295	335 325［※］	400

※ 75mmを超えるものは325

(1) 許容引張応用度 f_t

$$f_t = \frac{F}{1.5} \ [\mathrm{N/mm^2}]$$

F：F値（上記表の値）

(2) 許容せん断応用力度 f_s

$$f_s = \frac{F}{1.5 \cdot \sqrt{3}} \ [\mathrm{N/mm^2}]$$

F：F値

(3) 許容圧縮応力度 f_c

a) 全断面積について

①$\lambda \leqq \Lambda$の場合

$$f_c = \frac{\left\{1 - 0.4 \cdot \left(\frac{\lambda}{\Lambda}\right)^2\right\} F}{\nu} \ [\mathrm{N/mm^2}]$$

②$\lambda > \Lambda$の場合

$$f_c = \frac{0.277 \cdot F}{\left(\frac{\lambda}{\Lambda}\right)^2} \ [\mathrm{N/mm^2}]$$

λ：圧縮材の細長比 $\left(\lambda = \frac{L_k}{i}\right)$

L_k：座屈長さ［mm］（下表参照）

i　：座屈軸についての断面2次半径［mm］

Λ：限界細長比 $\left(\Lambda = \sqrt{\frac{\pi^2 \cdot E}{0.6 \cdot F}}\right)$

E：ヤング係数［N/mm²］

F：F値

ν：安全率 $\left\{\nu = \frac{3}{2} + \frac{2}{3} \cdot \left(\frac{\lambda}{\Lambda}\right)^2\right\}$

b) 圧延形鋼、溶接H形断面のウェブフィレット先端部の許容圧縮応力度 f'_cは、a)の規定にかかわらず、下式の値とする

$$f'_c = \frac{F}{1.3} \ [\mathrm{N/mm^2}]$$

F：F値

座屈 L_k（L：材長）

移動に対する条件		拘束			自由	
回転に対する条件		両端自由	両端拘束	1端自由 他端拘束	両端拘束	1端自由 他端拘束
座屈形						
Lk	理論値	L	0.5L	0.7L	L	2L
	推奨値	L	0.65L	0.8L	1.2L	2.1L

構造用鋼材の長期許容応力度(続き)

(4)許容曲げ応力度 f_b

a)強軸廻りに曲げを受ける材(矩形中空断面を除く)の圧縮側許容曲げ応力度 f_b は、下式による

①$\lambda_b \leqq {}_p\lambda_b$ のとき

$$f_b = \frac{F}{\nu} \ [\mathrm{N/mm^2}]$$

②${}_p\lambda_b < \lambda_b \leqq {}_e\lambda_b$ のとき

$$f_b = \frac{\left(1-0.4\cdot\dfrac{\lambda_b-{}_p\lambda_b}{{}_e\lambda_b-{}_p\lambda_b}\right)F}{\nu} \ [\mathrm{N/mm^2}]$$

③${}_e\lambda_b < \lambda_b$ のとき

$$f_b = \frac{1}{\lambda_b^2}\cdot\frac{F}{2.17} \qquad \lambda_b = \sqrt{\frac{M_y}{M_e}} \qquad {}_e\lambda_b = \frac{1}{\sqrt{0.6}}$$

i)補剛区間内で曲げモーメントが直線的に変化する場合

$${}_p\lambda_b = 0.6+0.3\cdot\left(\frac{M_2}{M_1}\right)$$

$$C = 1.75+1.05\cdot\left(\frac{M_2}{M_1}\right)+0.3\cdot\left(\frac{M_2}{M_1}\right)^2 \leqq 2.3$$

ii)補剛区間内で曲げモーメントが最大となる場合

${}_p\lambda_b = 0.3 \qquad C = 1.0$

$$M_e = C\cdot\sqrt{\frac{\pi^4\cdot E\cdot I_Y\cdot E\cdot I_w}{L_b^4}+\frac{\pi^2\cdot E\cdot I_Y\cdot G\cdot J}{L_b^2}}$$

λ_b:曲げ材の細長比

${}_e\lambda_b$:弾性限界細長比

${}_p\lambda_b$:塑性限界細長比

$$\nu = \frac{3}{2}+\frac{2}{3}\cdot\left(\frac{\lambda_b}{{}_e\lambda_b}\right)^2$$

F :F値

M_y:降伏モーメント(=F·Z)

Z:断面係数

M_e:弾性横座屈モーメント

M_2、M_1:それぞれ座屈区間端部における大きいほう、小さいほうの強軸廻りの曲げモーメント

$\dfrac{M_2}{M_1}$:複曲率の場合は正、単曲率の場合は負とする

C :許容曲げ応力度の補正係数

L_b:圧縮フランジの支点間距離

E :ヤング係数

I_Y:弱軸廻りの断面2次モーメント

I_w:曲げねじり定数

G :せん断弾性係数

J :サンブナンのねじり定数

b)円形鋼管、矩形中空断面材および荷重面内に対称軸を有し、弱軸廻りに曲げを受ける材、ならびに面内に曲げを受けるガセットプレートの圧縮および引張側許容曲げ応力度は、f_t(許容引張応力度)とする

c)ベアリングプレートなど、面外に曲げを受ける板の許容曲げ応力度 f_{b1} は、下式の値とする

$$f_{b1} = \frac{F}{1.3} \ [\mathrm{N/mm^2}] \qquad F:F値$$

d)曲げを受けるピンの許容曲げ応力度 f_{b2} は、下式の値とする

$$f_{b2} = \frac{F}{1.1} \ [\mathrm{N/mm^2}] \qquad F:F値$$

(4')許容曲げ応力度 f_b(旧設計規準[1973年版]による簡略式)

a)荷重面内に対称軸を有する圧延形鋼、プレートガーダー、その他の組み立て材で、幅厚比の制限を満足するものが、強軸廻りに曲げを受ける場合(箱形断面を除く)、材の圧縮側許容曲げ応力度は下式のうち、大きいほうをとる。ただし、圧縮側応力度·引張側応力度とも、許容引張応力度 f_t を超えることはできない

$$f_b = \left\{1-0.4\cdot\frac{\left(\dfrac{L_b}{i}\right)^2}{C\Lambda^2}\right\}\cdot f_t \ [\mathrm{N/mm^2}] \qquad f_b = \frac{89{,}000}{\left(\dfrac{L_b\cdot h}{A_f}\right)} \ [\mathrm{N/mm^2}] \cdots\cdots Ⓐ$$

L_b:圧縮フランジの支点間距離

i :圧縮フランジと梁せいの1/6とから成るT形断面の、ウェブ軸廻りの断面2次半径

$$C = 1.75-1.05\cdot\left(\frac{M_2}{M_1}\right)+0.3\cdot\left(\frac{M_2}{M_1}\right)^2 \ (ただし、2.3以下)$$

M_2、M_1:それぞれ座屈区間端部における小さいほう、および大きいほうの強軸廻りの、曲げモーメント

$\dfrac{M_2}{M_1}$:単曲率の場合は正、複曲率の場合は負とする

区間中間のモーメントが M_1 より大きい場合はC=1とする

Λ:限界細長比

h:梁せい

A_f:圧縮フランジの断面積

b)鋼管、箱形断面材および荷重面内に対称軸を有し、かつ弱軸廻りに曲げを受ける材で幅厚比の制限に従う場合、ならびに面内に曲げを受けるガセットプレートの圧縮および引張側許容曲げ応力度は、f_t(許容引張応力度)とする

c)溝形断面材および荷重面内に対称軸を有しない材で幅厚比の制限に従う場合、材の圧縮側許容曲げ応力度は、上記a)のⒶ式による(ただし、f_t[許容引張応力度]を超えてはならない)

d)ベアリングプレートなど面外に曲げを受ける板の許容曲げ応力度 f_{b1} は、下式の値とする

$$f_{b1} = \frac{F}{1.3} \ [\mathrm{N/mm^2}] \qquad F:F値$$

e)曲げを受けるピンの許容曲げ応力度 f_{b2} は、下式の値とする

$$f_{b2} = \frac{F}{1.1} \ [\mathrm{N/mm^2}] \qquad F:F値$$

(5)許容支圧応力度f_p

a)ピンおよび荷重点スチフナの接触部、その他仕上げ面一般に対する許容支圧応力度f_{p1}は、下式による

$$f_{p1}=\frac{F}{1.1}\ [N/mm^2]$$

ただし、Fは、接触する材の材質が異なるときは小さいほうの値をとり、支圧応力度σ_pは下式によって算定する

$$\sigma_p=\frac{P}{A_p}$$

F：F値

P：圧縮力

A_p：一般に接触部の断面積。ただし、ピン接合にあっては、

$A_p=t\cdot d$

t：ピンの板部の厚さ

d：ピンの直径

b)すべり支承またはローラー支承部の許容支圧応力度f_{p2}は、下式による

$$f_{p2}=1.9\cdot F\ [N/mm^2]$$

ただし、Fは、接触する材の材質が異なるときは小さいほうの値をとり、支圧応力度σ_pは下式によって算定する

$$\sigma_p=0.42\cdot\sqrt{\frac{P\cdot E}{b\cdot r}}$$

F：F値

P：圧縮力

E：ヤング係数

b：支承部の幅

r：支承部の曲率半径

溶接の長期許容応力度

アーク溶接継ぎ目ののど断面の長期応力に対する許容応力度は、各鋼種に適合する溶接棒を使用し、十分な管理が行われる場合、下記の値をとることができる。ただし、SS490、SS540の溶接継ぎ目は応力を負担することはできない

(1)隅肉溶接・プラグ溶接・スロット溶接・フレア溶接および鋼管分岐継手の溶接継ぎ目の許容応力度は、接合される母材の許容せん断応力度とする

(2)完全溶け込み溶接および部分溶け込み溶接の許容応力度は、接合される母材の許容応力度とする

(3)異種鋼材を溶接する場合には、接合される母材の許容応力度のうち、小さいほうの値をとる

ボルト・高力ボルトの長期許容応力度

(1)ボルトおよび高力ボルトの長期応力に対する許容引張応力度および許容せん断応力度は下表による。高力ボルトの場合、許容力は軸断面について算出する。ボルトの場合、許容力はねじ部有効断面について算出する

ボルトおよび高力ボルトの許容応力度[N/mm²]

材料			引張	せん断
ボルト	強度区分	4.6	160	$\frac{160}{\sqrt{3}}$
		4.8		
		5.6	200	$\frac{200}{\sqrt{3}}$
		5.8		
		6.8	280	$\frac{280}{\sqrt{3}}$
	その他の強度ボルト		$\frac{F}{1.5}$	$\frac{F}{1.5\sqrt{3}}$
高力ボルト	F8T		250	120
	F10T		310	150
	(F11T)		(330)	(160)

高力ボルトは下表に示す設計ボルト張力を与えて使用し、せん断力は材間の摩擦力で伝えるものとする

高力ボルトの設計ボルト張力[kN]

高力ボルトの種類＼呼び	M12	M16	M20	M22	M24	M27	M30
F8T	45.8	85.2	133	165	192	250	305
F10T	56.9	106	165	205	238	310	379

(2)ボルトの継手の板の許容支圧応力度f_Lは、ボルトの軸径に板厚を乗じた投影面積について、下式の値とする。ただし、さらボルトの場合は、板厚として板内に沈んださら深さの1／2を減じた値を用いる。なお、高力ボルト摩擦接合の場合は、許容支圧応力度による検討は不要である。

$$f_L=1.25\cdot F$$

短期応力に対する許容応力度

短期応力に対する各部の算定に際しては、471～473頁に示した長期許容応力度の50%増しとする

6 高力ボルト・ボルトの許容耐力

高力ボルト(F10T)の許容耐力

(1) 長期応力に対する許容耐力

ボルト呼び径	ボルト軸径［mm］	ボルト孔径［mm］	ボルト軸断面積［mm²］	ボルト有効断面積［mm²］	設計ボルト張力［kN］	許容せん断力［kN］		許容引張力［kN］
						1面摩擦	2面摩擦	
M12	12	14.0	113	84.3	56.9	17.0	33.9	35.1
M16	16	18.0	201	157	106	30.2	60.3	62.3
M20	20	22.0	314	245	165	47.1	94.2	97.4
M22	22	24.0	380	303	205	57.0	114	118
M24	24	26.0	452	353	238	67.9	136	140
M27	27	30.0	573	459	310	85.9	172	177
M30	30	33.0	707	561	379	106	212	219

(2) 短期応力に対する許容耐力

ボルト呼び径	ボルト軸径［mm］	ボルト孔径［mm］	ボルト軸断面積［mm²］	ボルト有効断面積［mm²］	設計ボルト張力［kN］	許容せん断力［kN］		許容引張力［kN］
						1面摩擦	2面摩擦	
M12	12	14.0	113	84.3	56.9	25.4	50.9	52.6
M16	16	18.0	201	157	106	45.2	90.5	93.5
M20	20	22.0	314	245	165	70.7	141	146
M22	22	24.0	380	303	205	85.5	171	177
M24	24	26.0	452	353	238	102	204	210
M27	27	30.0	573	459	310	129	258	266
M30	30	33.0	707	561	379	159	318	329

ボルト(メートル並目ねじ)の許容耐力

(1) 長期応力に対する許容耐力

ボルト呼び径	有効断面積［mm²］	強度区分 4.6、4.8			強度区分 5.6、5.8			強度区分 6.8		
		許容せん断力［kN］		許容引張力［kN］	許容せん断力［kN］		許容引張力［kN］	許容せん断力［kN］		許容引張力［kN］
		1面せん断	2面せん断		1面せん断	2面せん断		1面せん断	2面せん断	
M6	20.1	1.86	3.71	3.22	2.32	4.64	4.02	3.25	6.50	5.63
M8	36.6	3.38	6.76	5.86	4.23	8.45	7.32	5.92	11.8	10.2
M10	58.0	5.36	10.7	9.28	6.70	13.4	11.6	9.38	18.8	16.2
M12	84.3	7.79	15.6	13.5	9.73	19.5	16.9	13.6	27.3	23.6
M16	157	14.5	29.0	25.1	18.1	36.3	31.4	25.4	50.8	44.0
M20	245	22.6	45.3	39.2	28.3	56.6	49.0	39.6	79.2	68.6
M22	303	28.0	56.0	48.5	35.0	70.0	60.6	49.0	98.0	84.8
M24	353	32.6	65.2	56.5	40.8	81.5	70.6	57.1	114	98.8
M27	459	42.4	84.8	73.4	53.0	106	91.8	74.2	148	129
M30	561	51.8	104	89.8	64.8	130	112	90.7	181	157

(2) 短期応力に対する許容耐力

ボルト呼び径	有効断面積［mm²］	強度区分 4.6、4.8			強度区分 5.6、5.8			強度区分 6.8		
		許容せん断力［kN］		許容引張力［kN］	許容せん断力［kN］		許容引張力［kN］	許容せん断力［kN］		許容引張力［kN］
		1面せん断	2面せん断		1面せん断	2面せん断		1面せん断	2面せん断	
M6	20.1	2.79	5.57	4.82	3.48	6.96	6.03	4.87	9.75	8.44
M8	36.6	5.07	10.1	8.78	6.34	12.7	11.0	8.88	17.8	15.4
M10	58.0	8.04	16.1	13.9	10.0	20.1	17.4	14.1	28.1	24.4
M12	84.3	11.7	23.4	20.2	14.6	29.2	25.3	20.4	40.9	35.4
M16	157	21.8	43.5	37.7	27.2	54.4	47.1	38.1	76.1	65.9
M20	245	33.9	67.9	58.8	42.4	84.9	73.5	59.4	119	103
M22	303	42.0	84.0	72.7	52.5	105	90.9	73.5	147	127
M24	353	48.9	97.8	84.7	61.1	122	106	85.6	171	148
M27	459	63.6	127	110	79.5	159	138	111	223	193
M30	561	77.7	155	135	97.2	194	168	136	272	236

7 鉄筋・コンクリートの定数・許容応力度

鉄筋・コンクリートの定数

材料	ヤング係数［N／mm²］	ポアソン比	線膨張係数［1／℃］
鉄筋	2.05×10^5	—	1×10^{-5}
コンクリート	$3.35\times10^4\times\left(\frac{\gamma}{24}\right)^2\times\left(\frac{Fc}{60}\right)^{\frac{1}{3}}$	0.2	1×10^{-5}

γ：コンクリートの気乾単位体積重量［kN／m³］で、特に調査しない場合は右表の数値から1.0を減じたものとすることができる

Fc：コンクリートの設計基準強度［N／mm²］

コンクリートの種類	設計基準強度の範囲［N／mm²］	鉄筋コンクリートの単位体積重量［kN／m³］
普通コンクリート	$F_c \leqq 36$	24
	$36 < F_c \leqq 48$	24.5
	$48 < F_c \leqq 60$	25
軽量コンクリート1種	$F_c \leqq 27$	20
	$27 < F_c \leqq 36$	22
軽量コンクリート2種	$F_c \leqq 27$	18

鉄筋の許容応力度［単位 N/mm²］

種類	長期		短期	
	引張・圧縮	せん断補強	引張・圧縮	せん断補強
SR 235	155	155	235	235
SR 295	155	195	295	295
SD 295A・B	195	195	295	295
SD 345	215（195）［※1］	195	345	345
SD 390	215（195）［※1］	195	390	390
SD 490	215（195）［※1］	195	490	490
溶接金網	195	195	295［※2］	295

※1　D29以上の太さの鉄筋に対しては（　）内の数値とする

※2　スラブ筋として引張鉄筋に用いる場合に限る

コンクリートの許容応力度［単位 N/mm²］

種類	長期			短期		
	圧縮	引張	せん断	圧縮	引張	せん断
普通コンクリート	$\frac{1}{3}F_c$	—	$\frac{1}{30}F_c$ かつ $(0.49+\frac{1}{100}F_c)$ 以下	長期に対する値の2倍	—	長期に対する値の1.5倍
軽量コンクリート1種・2種			普通コンクリートに対する値の0.9倍			

注　Fcはコンクリートの設計基準強度［N/mm²］を表す

鉄筋のコンクリートに対する許容付着応力度［単位 N/mm²］

種類	長期		短期
	上端筋	その他の鉄筋	
異形鉄筋	$\frac{1}{15}F_c$ かつ $(0.9+\frac{2}{75}F_c)$ 以下	$\frac{1}{10}F_c$ かつ $(1.35+\frac{1}{25}F_c)$ 以下	長期に対する値の1.5倍
丸鋼	$\frac{4}{100}F_c$ かつ 0.9以下	$\frac{6}{100}F_c$ かつ 1.35以下	

注1　上端筋とは、曲げ材にあって、その鉄筋の下に300mm以上のコンクリートが打ち込まれる場合の水平鉄筋をいう

注2　F_c はコンクリートの設計基準強度［N/mm²］を表す

注3　異形鉄筋で、鉄筋までのコンクリートのかぶり厚さが鉄筋の径の1.5倍未満の場合には、許容付着応力度は、この表の値に $\frac{\text{かぶり厚さ}}{(\text{鉄筋径}\times 1.5)}$ を乗じた値とする

丸鋼（溶接金網を含む）の断面積・周長

φ［mm］	単位質量［kg/m］	断面積［mm²］	周長［mm］
4	0.099	13	12.6
5	0.154	20	15.7
6	0.222	28	18.8
7	0.302	38	22.0
8	0.395	50	25.1
9	0.499	64	28.3
12	0.888	113	37.7
13	1.04	133	40.8
16	1.58	201	50.3
19	2.23	284	59.7

異形棒鋼の断面積・周長

呼び名	単位質量［kg/m］	断面積［mm²］	周長［mm］
D6	0.249	32	20
D10	0.560	71	30
D13	0.995	127	40
D16	1.56	199	50
D19	2.25	287	60
D22	3.04	387	70
D25	3.98	507	80
D29	5.04	642	90
D32	6.23	794	100
D35	7.51	957	110
D38	8.95	1,140	120
D41	10.5	1,340	130

鉄筋の定尺

鉄筋の種類	定尺［m］									
丸鋼・異形棒鋼	3.5	4.0	4.5	5.0	5.5	6.0	6.5	7.0	8.0	9.0	10.0

8 木材の定数・許容応力度

木材のヤング係数

材料		ヤング係数［kN／cm²］
針葉樹	アカマツ、クロマツ、ヒノキ、ツガ、ベイマツ、ベイヒ	9×10^2
	スギ、モミ、エゾマツ、ベイスギ、ベイツガ	7×10^2
広葉樹	カシ	9.8×10^2
	クリ、ナラ、ブナ、ケヤキ	8×10^2

ラワン合板の繊維方向・厚さ別ヤング係数

繊維方向	厚さ［mm］	ヤング係数［kN／cm²］
表面の繊維に平行方向	12	5.5×10^2
	15	5.1×10^2
	18	4.7×10^2
表面の繊維に直角方向	12	2.0×10^2
	15	
	18	

木材および合板の許容応力度［kN/cm²］

種類		引張	圧縮	曲げ	せん断
アカマツ、クロマツ、カラマツ、ヒバ、ヒノキ、ツガ、ベイマツ、ベイヒ		1.32	1.18	1.32	0.103
スギ、モミ、エゾマツ、トドマツ、ベイスギ、ベイツガ		1.03	0.88	1.03	0.074
カシ		1.91	1.32	1.91	0.21
クリ、ナラ、ブナ、ケヤキ		1.47	1.03	1.47	0.15
合板足場板		–	–	1.62	–
ラワン合板	表面の繊維に平行方向	–	–	1.37	–
	表面の繊維に直角方向	–	–	0.78	–
丸太		使用する材料の種類により上記の4／3倍			

注　許容応力度の値は、木材の繊維方向の値である

木材の繊維方向の許容座屈応力度は、次の式により計算を行って得た値以下とする。

$\frac{L_k}{i} \leqq 100$ の場合　$f_k = f_c \cdot \left(1 - 0.007 \cdot \frac{L_k}{i}\right)$

$\frac{L_k}{i} > 100$ の場合　$f_k = \frac{0.3 \cdot f_c}{\left(\frac{L_k}{100 \cdot i}\right)^2}$

L_k：支柱の長さ（支柱が水平方向の変位を拘束されているときは、拘束点間の長さのうち最大の長さ［cm］

i ：支柱の最小断面2次半径［cm］

F_c：許容圧縮応力度［kN/cm²］

F_k：許容座屈応力度［kN/cm²］

『足場・型枠支保工設計指針』
(一社)仮設工業会
—
『改訂 風荷重に対する足場の安全技術指針』
(一社)仮設工業会
—
『山留め架構の設計・施工に関する研究報告書』
(公社)地盤工学会
—
『根切り工事と地下水——調査・設計から施工まで』
(公社)地盤工学会
—
『セメント系固化材による地盤改良マニュアル(第3版)』
(一社)セメント協会
—
『クライミングクレーンPlanning百科 改訂版』
(一社)日本建設機械施工協会
建築生産機械技術委員会・定置式クレーン分科会
—
『移動式クレーンPlanning百科』
(一社)日本建設機械施工協会
建築生産機械技術委員会・移動式クレーン分科会
—
『工事用エレベーターPlanning百科』
(一社)日本建設機械施工協会
建築生産機械技術委員会・仮設工事用エレベーター分科会
—
『移動式クレーン、杭打機等の
支持地盤養生マニュアル(第2版)』
(一社)日本建設機械施工協会
—
『仮設構造物計画の手引き』
(一社)日本建築学会
—
『型枠の設計・施工指針』
(一社)日本建築学会
—
『期限付き構造物の設計・施工マニュアル・同解説 乗入れ構台』
(一社)日本建築学会
—
『建築基礎構造設計指針』
(一社)日本建築学会
—
『建築工事標準仕様書・同解説 JASS 5 鉄筋コンクリート工事』
(一社)日本建築学会
—
『建築工事標準仕様書 JASS 6 鉄骨工事』
(一社)日本建築学会

『建築地盤アンカー設計施工指針・同解説』
(一社)日本建築学会
—
『建築物荷重指針・同解説』
(一社)日本建築学会
—
『鋼構造設計規準』
(一社)日本建築学会
—
『小規模建築物基礎設計の手引き』
(一社)日本建築学会
—
『鉄筋コンクリート構造計算規準・同解説』
(一社)日本建築学会
—
『鉄骨工事技術指針・工場製作編』
(一社)日本建築学会
—
『鉄骨工事技術指針・工事現場施工編』
(一社)日本建築学会
—
『プレストレストコンクリート設計施工規準・同解説』
(一社)日本建築学会
—
『山留め設計施工指針』
(一社)日本建築学会
—
『鉄骨工事管理責任者講習テキスト』
(一社)日本鋼構造協会 建築鉄骨品質管理機構
—
『道路土工——仮設構造物工指針』
(公社)日本道路協会
—
『計画届作成の手引き』
建設業労働災害防止協会東京支部
—
『建築・構造と施工の接点』
若林嘉津雄/学芸出版社
—
『施工計画資料集成 施工計画ガイドブック・仮設編』
彰国社
—
『シリーズ建築施工 図解 鉄骨工事』
橋本篤秀 他/東洋書店
—
『新・ボーリング図を読む』
平井利一・尾崎修/理工図書
—
「建築技術」2000年5月号、2001年8月号
建築技術

[執筆]

建築仮設構造研究会

—

稲井田洋二/熊谷組
野林聖史/東急不動産
荒籾稔/熊谷組
飯島宣章/熊谷組
岩渕貴之/熊谷組

[フォーマットデザイン]

刈谷悠三+角田奈央/neucitora

[組版]

竹下隆雄、指宿玲子

[イラスト]

鴨井猛

[トレース]

A&W DESIGN
岡崎拓海/岡崎製図
古賀陽子
小松一平

[編集協力]

長谷川智大

建築仮設の構造計算　第2版

2021年12月14日　初版第1刷発行

著者

建築仮設構造研究会

発行者

澤井聖一

発行所

株式会社エクスナレッジ

〒106-0032

東京都港区六本木7-2-26

https://www.xknowledge.co.jp

問合せ先

［編集］

FAX: 03-3403-1345

info@xknowledge.co.jp

［販売］

FAX: 03-3403-1829